de rouck geocart

GROOT BRUSSEL ATLAS
ATLAS DU GRAND BRUXELLES

DE ROUCK GEOCART N.V.
Breedstraat 94 - 9100 Sint-Niklaas - Belgium
Tel. 03 760 14 64 - 02 300 89 99
internet : http://www.derouckgeocart.com

SOMMAIRE

INHOUD

INHALTSVERZEICHNISSE

CONTENTS

Nouvel atlas du grand Bruxelles et de la grande banlieue
• plan d'ensemble détaillé en dernière page.

Nieuwe atlas van groot Brussel en van de grote omgeving
• uitgebreid overzichtsplan op laatste pagina.

Cet ouvrage couvre	REF. 50	Dit plan bestrijkt
92 communes 532 km²		**92 gemeenten 532 km²**

EDITION 54e UITGAVE

Echelle / Schaal 1 : 15.000 (1 cm = 150 m) & 1 : 7.750 (1 cm = 77,5m)

De Rouck Geocart, Breedstraat 94 - 9100 Sint-Niklaas

☎ 03.760.14.60 - 02.300.89.99

Site : www.derouckgeocart.com

REPERAGE SUR LE PLAN

Exemple : Navez (rue François-Joseph str). **21Aac SC 1030**

Ce qui veut dire que la rue F.J. Navez est située sur la planche 21, carré A, case a,c (partie hachurée) et qu'elle appartient à la commune de Schaerbeek (SC). Le nombre (1030) indique le code postal.

PLAATSBEPALING

Voorbeeld : Navez (rue François-Joseph str). **21Aac SC 1030**

Dit wil zeggen dat de F.J. Navezstraat gesitueerd is op kaart 21 - vierkant A - in klein vierkantje a,c (grijs). 1030 postcode. SC = gemeente Schaarbeek

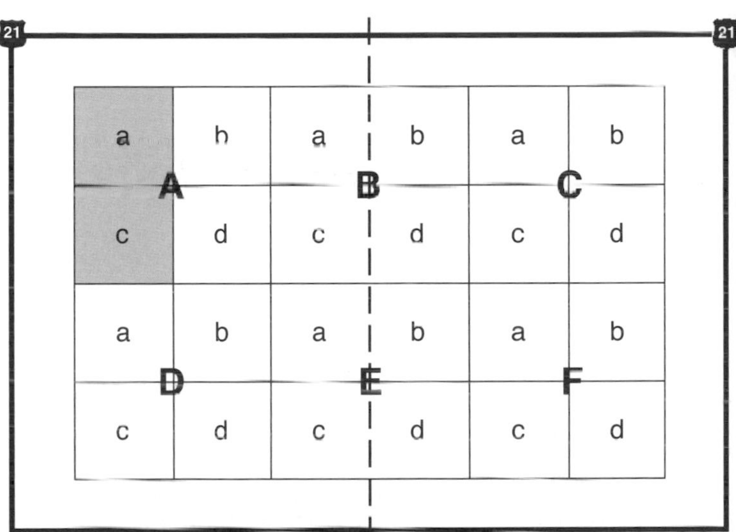

DAS PRAKTISCHE SUCHEN

Beispiel : Navez (rue François-Joseph str). **21Aac SC 1030**

F.J. Navez befindet sich auf Planseite 21, grosses Viereck A - kleines Viereck a,c; 1030 = Postleitzahl; SC = Gemeinde Schaarbeek.

LOCALIZATION ON THE MAP

Example : Navez (rue François-Joseph str). **21Aac SC 1030**

This indicates that the street is on page 21, square A, subdivision square a,c - SC indicates that it is in the commune of Schaarbeek and the number (1030) indicates the postal district.

METHODE D'UTILISATION

SITUATION SUR LE PLAN

Chaque carte porte un numéro sur fond bleu (1:15.000) sur fond vert (1:7.750). Les chiffres blancs sur fond rouge que vous trouverez dans les flèches en bordure des plans, indiquent le numéro du plan contigu.
Pour faciliter la recherche d'un lieu dans le carnet, nous avons divisé les plans en carrés (lettres A · B · C · D · E · F).
Ces carrés eux-mêmes ont été subdivisés en quatre cases, appelées a · b · c · d.
Ex. Navez(rue F.-J. str.)21Aac : 21 = numéro du plan - A = le carré - ac = subdivision du carré A (voir page 7).
Chaque artère est complétée par le code postal et l'abréviation du nom de la commune (voir page 224-231).
De nombreuses voies publiques portent des noms identiques. Nous vous conseillons de bien vérifier la commune ou le code postal.

CLASSEMENT ALPHABETIQUE

Les noms de rues qui comprennent un nom de famille sont classés en fonction de la première lettre de ce nom : Exemples : – rue Hector Denis voir DENIS/RUE HECTOR
– rue Théophile De Baisieux voir DE BAISIEUX/RUE THEOPHILE
Les noms de rues qui comprennent un titre sont classés en fonction de la première lettre de ce titre. Exemples : – rue Docteur Huet voir DOCTEUR HUET/RUE
– rue Général Capiaumont voir GENERAL CAPIAUMONT/RUE
En général, les impasses ne figurent pas sur le plan, faute de place. Néanmoins, elles sont classées dans l'index des rues...

GEBRUIKSAANWIJZING

SITUERING OP HET PLAN

Elke kaart draagt een nummer in een blauw veld (1:15.000) in een groen veld (1:7.750). De rode pijltjes met witte cijfers duiden de kaart aan die aansluit op de kaart waarop U kijkt.
Om het opzoeken te vergemakkelijken werden deze kaarten in zes vierkanten verdeeld (dubbele bladzijde) A · B · C · D · E · F.
Ieder vierkant is op zijn beurt in vier vakjes onderverdeeld (kleine letters a · b · c · d).
Vb. Navez(rue F.-J. str.) 21Aac : 21 = nummer van de kaart - A = vierkant - ac = onderverdeling van vierkant A (zie pagina 7).
De onmiddellijk daarop volgende hoofdletters zijn de afkortingen van de gemeentenamen zoals op pagina 224 t.e.m. 231 opgegeven, voorafgegaan door het postnummer.
Daar sommige wegen dezelfde naam dragen maar gelegen zijn in verschillende gemeenten gelieve U eerst goed op de gemeente en de postcode te letten.

ALFABETISCHE RANGSCHIKKING

De straatnamen die een familienaam bevatten, worden alfabetisch op de familienaam gerangschikt : Voorbeelden : – Hendrik Consciencestraat wordt Consciencestraat Hendrik
– Pieter De Conincklaan wordt De Coninclaan Pieter
De straatnamen die een titel bevatten, worden alfabetisch op de titel gerangschikt :
Voorbeelden : – Burgemeester Nolfstraat wordt BURGEMEESTER NOLFSTRAAT
– Koningin Astridlaan wordt KONINGIN ASTRIDLAAN
In het algemeen zijn de stegen niet op het plan aangeduid. Zij zijn echter wel alfabetisch gerangschikt in de index en verwijzen naar het vak waar zij zich op de kaart bevinden.

BENUTZERHINWEISE

ANORDNUNG AUF DEM PLAN

Jede Planseite tragt eine Nummer in einem blauen Feld (1:15.000) in einem grünen Feld (1:7.750). Die roten Pfeile mit weißen Zahlen weisen auf die Anschlusseite hin.
Um das Suchen zu erleichtern, sind die doppelten Planseiten in sechs Felder aufgeteilt (A · B · C · D · E · F).
Jedes dieser Felder ist wiederum in vier kleinere Felder unterteilt (kleine Buchstaben a · b · c · d).
Zb. Navez(rue F.-J. str.)21Aac : 21 = Planzeite - A = grosses Viereck - ac = kleines Viereck (siehe Abbildung auf Seite 7).
Die darauf folgenden großen Buchstaben verweisen auf die Abkurzung der Gemeindenamen, (wie sie auf Seite 224-231) angegeben werden. Die Zahlen geben die Postleitzahl an.
Da sich in den verschiedenen Gemeinden öfters die gleichen Straßennamen wiederfinden, achten Sie beim Suchen bitte gut auf die Gemeinde und die Postleitzahl

DIE ALPHABETISCHE REIHENFOLGE

Straßen mit Vornamen und Nachnamen sind alphabetisch eingezeichnet laut Nachnamen :
Z.B. : – Hendrik Consciencestraat Siehe : Consciencestraat Hendrik
– Pieter De Conincklaan Siehe : De Conincklaan Pieter
Straßen mit Titel und Namen sind alphabetisch eingezeichnet laut Titel :
Z.B. : – Burgemeester Nolfstraat Siehe : Burgemeester Nolfstraat
– Koningin Astridlaan Siehe : Koningin Astridlaan
In der Regel sind Zufahrten und Sackgassen nicht in der Karte verzeichnet aber im Straßenverzeichnis aufgefuhrt.

HOW TO USE THE MAP AND THE INDEX

LOCALISATION ON THE MAP

Black figures on blue background (1:15.000) on green background (1:7.750) indicate map number. White figures on red arrows indicate adjacent pages.
In order to find the position of streets, avenues, we have divided each map into sections marked A · B · C · D · E · F.
Each of these sections has been sub-divised into four smaller sections marked a · b · c · d, thus limiting the area that has to be checked.
In the index all the street names are followed by a series of figures and letters.
Ex. Navez(rue F.-J. str.) 21Aac : 21 = map number - A = main rectangular section - ac = subdivision of A (see pictures on page 7).
Next comes the district abbreviation (see p. 224-231). The number indicates the postal code.

CLASSIFICATION

All street names with a first name and a surname are indexed alphabetically by the surname :
E.g. : – Hendrik Consciencestraat See : Consciencestraat Hendrik
– Pieter De Conincklaan See : De Conincklaan Pieter
Street names with a title and a name are indexed alphabetically by that title :
E.g. : – Burgemeester Nolfstraat See : Burgemeester Nolfstraat
– Koningin Astridlaan See : Koningin Astridlaan
As a rule, dead ends and blind-alleys are not indicated on the map, but they are classified in the street index.

Informations complètes sur tous les réseaux de transport en commun

*

Volledige informatie over alle openbaar vervoer

*

Öffentliche Verkehrsmittel - vollstandige information

*

Public Transport complete information

Brussels Airport 16 B & C

Renseignements généraux General information	☎ 0900/70.000	Algemene informatie Allgemeine Auskünfte

Brussels Airlines

Brussels National Airport, 1930 Zaventem ☎ 0902.51.600

Avia Partners

Heures de départ et d'arrivée des vols - Ankunft und Abzug Fluge **24 h/24 h**
Aankomst en vertrektijden van vluchten - Arrival and departure planes ☎ 02/723.03.11

Port de Bruxelles – Haven van Brussel — T. 02/420 67 00
La Poste – De Post — T. infopost- 02/226 21 11

Heures d'ouverture - Openingsuren
Offnungszeiten - Opening hours

Agences commerciales - Commerciële agentschappen
Handels Agentüren - Commercial Agencies

BOOTIK « PORTE DE NAMUR » (Ligne 2)
BOOTIK« NAAMSEPOORT » (Lijn 2)

- Ouvert du lundi au vendredi de 8h00 à 17h30
- Open van maandag tot vrijdag van 8 uur tot 17.30 uur
- Geöffnet vom Montag bis zum Freitag, vom 8 bis 15.30 Uhr
- Open from Monday to Friday, from 8 am till 5.30 pm.

BOOTIK « ROGIER » (Ligne 2 - Nord-Sud)
BOOTIK « ROGIER » (Lijn 2 - Noord-Zuid)

- Ouvert du lundi au vendredi de 8h00 à 17h30 et le samedi, de 10h00 à 17h00
- Open van maandag tot vrijdag van 8.00 uur tot 17.30 uur en zaterdag van 10.00 uur tot 17.00 uur.
- Geöffnet vom Montag bis zum Freitag, vom 8.00 bis 17.30 Uhr und am Samstag vom 10.00 bis 17.00 Uhr.
- Open from Monday to Friday, from 8.00 am till 5.30 pm and on Saturday from 10.00 am till 5.00 pm.

BOOTIK DE BROUCKERE Rue de l'Evêque/Bisschopsstraat 2

- Ouvert du lundi au samedi de 10h00 à 18h00.
- Open van maandag tot zaterdag van 10.00 uur tot 18.00 uur.
- Geöffnet vom Montag bis zum Samstag, vom 10.00 Uhr bis 18.00 Uhr.
- Open from Monday to Saturday, from 10.00 am till 6.00 pm.

BOOTIK « GARE DU MIDI » (Ligne 2 - Nord-Sud)
BOOTIK « ZUIDSTATION » (Lijn 2 - Noord Zuid)

- Ouvert du lundi au vendredi de 7h30 à 17h00
- Open van maandag tot vrijdag van 7.30 uur tot 17.30 uur
- Geöffnet vom Montag bis zum Freitag, vom 7.30 bis 17.30
- Open from Monday to Friday, from 7.30 am till 5.30 pm

BOOTIK « ROODEBEEK » (Ligne - Lijn 1B)

- Ouvert du lundi au vendredi de10h00 à 17h00 et le premier et dernier samedi du mois de 10h00 à 17h00.
- Open van maandag tot vrijdag van 10.00 uur tot 17.00 uur en op de eerste en laatste zaterdag van de maand van 10.00 uur tot 17.00 uur.
- Geöffnet vom Montag bis zum Freitag, vom 10.00 bis 17.00 Uhr und om dem ersten und letsten Samstag de Monats vom 10.00 bis 17.00 Uhr.
- Open from Monday to Friday, from 10.00 am till 5.00 pm and on the first and last Saterday of the Month from 10.00 am till 5.00 pm.

BOOTIK « TOISON D'OR-GULDENVLIES » Av. De La Toison D'Or - Guldenvlieslaan 14

- Ouvert du lundi au samedi de 10h00 à 18h00.
- Open van maandag tot zaterdag van 10h00 uur tot 18.00 uur
- Geöffnet vom Montag bis zum samstag, vom 10.00 bis 18.00 Uhr
- Open from Monday to saterday, from 10.00 am till 6.00 pm

Bureau des objets trouvés : station Porte de Namur
Kantoor der verloren voorwerpen station Naamse Poort
Fundgegenstandsabholungsstelle Naamse Poort/ Porte de Namur
Lost and Find Office : Porte de Namur/Naamse Poort

- Ouvert du lundi au vendredi de 8h30 à 16h00.
- Open van maandag tot vrijdag van 8.30 uur tot 16.00.
- Geöffnet vom Montag bis zum Freitag, vom 8.30 bis 16.00 Uhr.
- Open from Monday to Friday, from 8.30 am till 16.00 pm.

PLAN DU RESEAU – NET

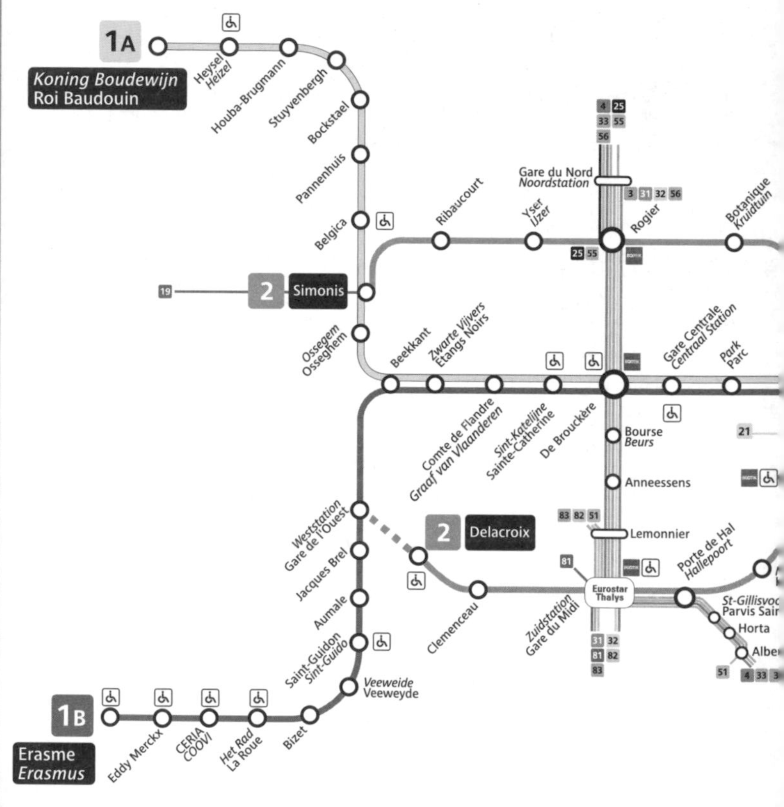

Métro - Prémétro
Metro - Premetro

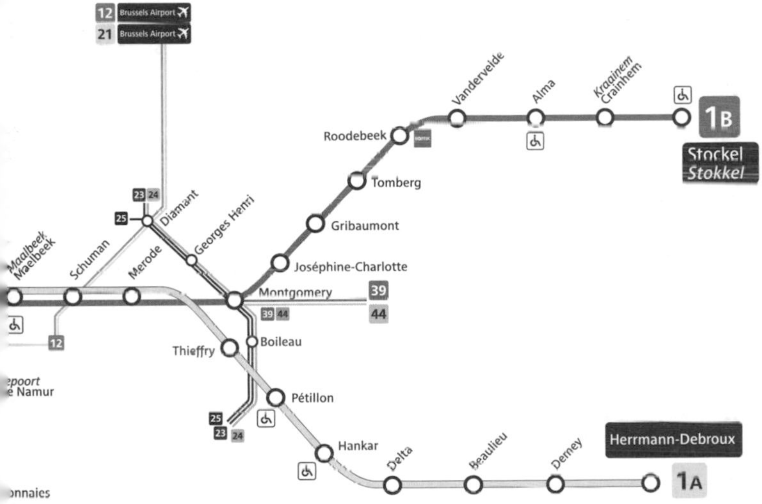

Correspondances - Aansluitingen - Anschlusse - Transfers

STATION	PLAN DE ROUCK	METRO LIGNE/LIJN	TRAM	BUS
ALBERT	41Ab		23 - 55 - 4	48 - 54
ALMA	30Da	1B	-	-
ANNEESSENS	27Ec, 92Eb		23 - 55 - 56 - 81	-
ARTS-LOI / KUNST-WET	27Fd, 93Fa	1A -1B-2	-	22 - 65 - 66
AUMALE	33Bb	1B	-	49 - *DE LIJN*
BEAULIEU	42Cd	1A	-	17
BEEKKANT	30Cd	1A - 1B	-	20 - 84 - *DE LIJN*
BELGICA	21Db	1A	-	14 - 15
BEURS / BOURSE	27Eab, 92Cc		4 - 23 - 32 - 55 - 56 - 81 - 4	34 - 46 - 48 - 63 - 95
BIZET	33Dd	1B	56	75 - *DE LIJN*
BOCKSTAEL	20Ba	1A	81 - 94	49 - 53 - 88 - 89 - *DE LIJN*
BOILEAU	35Cd		23 - 24 - 25	36
BOURSE/BEURS	14Eab, 37Cc		4 - 32 - 22 - 55 - 56 - 81	34 - 46 - 48 - 63 - 95
BOTANIQUE / KRUIDTUIN	27Cd, 91Eb	2	92 - 94	58 - 61 - *DE LIJN*
CENTRAAL STATION / GARE CENTRALE	27Fa, 93Db	1A - 1B	23 - 55 - 56 - 81	29 - 38 - 60 - 63 - 65 - 66 - 71 - N-71
CLEMENCEAU	27Dc	2	83	20 - 46
COMTE DE FLANDRE / GRAAF VAN VLAANDEREN	27Ad, 90Ea	1A - 1B	-	89
CRAINHEM / KRAAINEM	30Db	1B	-	30 - 31 - *DE LIJN*
C.E.R.I.A. / C.O.O.V.I.	40Ac	1B	-	75 - 98 - *DE LIJN*
DE BROUCKERE	27Bd, 92Cb	1A - 1B	35	29 - 38 - 46 - 47 - 63 - 65 - 66 - 71 - N-71
DELACROIX	26Fd	2	-	20 - 85 - 89
DELTA	42Ca	1A	-	71 - N-71 - 72
DEMEY	43Ad	1A	-	41 - 72 - 96
DIAMANT	28Fa		23 - 24 - 25	12 - 21 - 28 - 29
EDDY MERCKX	39Cac	1B	-	*DE LIJN*
ERASME / ERASMUS	39Bcd	1B	-	*DE LIJN*
ETANGS NOIRS / ZWARTE VIJVERS	27Aa, 90Ac	1A-1B	-	20 - *DE LIJN*
GARE CENTRALE / CENTRAAL STATION	27Fa, 93Db	1A-1B	-	29 - 38 - 60 - 63 - 65 - 66 - 71 - N-71
GARE DE L'OUEST / WESTSTATION	26Fa	1B	82	20 - 63 - 85 - 88 *DE LIJN*
GARE DU MIDI / ZUIDSTATION	34Ab, 94Ad	2	4 - 23 - 32 - 55 - 56 - 81 - 82	20 - 27 - 49 - 50 - 78 - *DE LIJN* - *TEC* - 23
GARE DU NORD / NOORDSTATION	20Fc, 91Ab		4 - 25 - 32 - 52 - 55 - 56 - 81	14 - 15 - 57 - 61 - *DE LIJN* - 15
GEORGES HENRI	28Fd		23 - 24 - 25	27 - 28 - 80

IJZER / YSER	27Bb	2		46 - 47 - *DE LIJN*
JACQUES BREL	26Fc	1B	-	89
JOSEPHINE-CHARLOTTE	36Aa	1B	-	-
KONING BOUDEWIJN	13Aa	1A	-	84 - 89 - *DE LIJN*
KRAAINEM / CRAINHEM	30Db	1B	-	30 - 31 - *DE LIJN*
KRUIDTUIN / BOTANIQUE	27Cd, 91Eb	2	92 - 94	58 - 61 - *DE LIJN*
KUNST-WET / ARTS-LOI	27Fd 93Fa	1A -1B-2	-	22 - 65 - 66
LA ROUE / HET RAD	40Aa	1B	-	*DE LIJN*
LEMONNIER	34Ab, 94Ba		23 - 55 - 56 - 81 - 82	*DE LIJN*
LOUIZA / LOUISE	34Bd, 95Da	2	91 - 92 - 94	34
MADOU	27Fb, 93 Cac	2	-	29 - 63 - 65 - 66 - *DE LIJN*
MAELBEEK / MAALBEEK	28Dc	1A - 1B	-	22 - 54 - 59 - 64
MERODE	35Ca	1A - 1B	81 - 82	22 - 27 - 61 - 80
MONTGOMERY	35Cb	1B	23 - 24 - 25 - 39 - 44 - 81 - 82	22 - 27 - 61 - 80
MUNTHOF / HOTEL DES MONNAIES	34Bd	2	-	-
NAAMSEPOORT / PORTE DE NAMUR	34Ca, 95Ad, Bc	2	-	34 - 54 - 71 - N-71 - 80
NOORDSTATION / GARE DU NORD	20Fc, 91Ab		4 - 25 - 32 - 55 - 56 - 81 - 90	14 - 15 - 38 - 57 - 61 - *DE LIJN*
OSSEGHEM / OSSEGEM	26Cb	1A	-	-
PANNENHUIS	20Ad,Bc	1A	-	-
PARC / PARK	27Fa, 93Ea	1A - 1B	92 94	29 - 63 - 65 - 66
PARVIS DE SAINT-GILLES	34Ea		23 55	48
PETILLON	35Fb	1A	23 - 24 - 25	-
PORTE DE HAL / HALLEPOORT	34Bc	2	23 - 55	27 - 48 - *DE LIJN - TEC*
PORTE DE NAMUR / NAAMSEPOOFT	34Ca, 95Ad,Bc	2	-	34 - 54 - 71 - N-71 - 80
RIBAUCOURT	20Dd	2		89 - *DE LIJN*
ROGIER	27Ca, 91Db	2	4 - 23 - 25 - 32 - 55 - 56 - 81	38 - 58 - 61 - *DE LIJN*
ROI BAUDOUIN / KONING BOUDEWIJN	13Aa	1A	-	84 - 89 - *DE LIJN*
ROODEBEEK	29Eb	1B	-	29 - 42 - 45 - *DE LIJN*
SAINTE-CATHERINE / SINT-KATELIJNE	27Bc, 90Fc	1A - 1B	-	-
SAINT-GUIDON / SINT-GUIDO	33Bc	1B	56	46 - 49 - DE LIJN
SCHUMAN	28Ec	1A -1B	-	11 - 12 - 21 - 22 - 27 - 36 - 60 - 79 *DE LIJN - TEC*
SIMONIS	20Dc	1A - 2	19	13 - 14 - 15 - 20 - 87 - *DE LIJN*
SINT-GILLIS VOORPLEIN	34Ea		23 - 55	-
SINT-GUIDO / SAINT GUIDON	33Bc	1B	56	46 - 49 - *DE LIJN*
SINT-KATELIJNE / SAINTE-CATHERINE	27Bc, 90Fc	1A - 1B	-	-
STOKKEL / STOCKEL	30Dd	1B	39	36
STUYVENBERGH	13Db	1A	19 - 81	*DE LIJN*
THIEFFRY	35Cc	1A	-	36
TOMBERG	29Ec	1B	-	28
TRONE / TROON	34Cb, 95Bb	2	-	21 - 27 - 34 - 38 - 54 - 60 - 64 - 80 - 95
VANDERVELDE	29Fb	1B	-	-
VEEWEIDE / VEEWEYDE	33Da	1B	-	49 - *DE LIJN*
WESTSTATION / GARE DE L'OUEST	26Fa	1B	82	20 - 63 - 85 - 88 *DE LIJN*
YSER / IJZER	27Bb	2	-	46 - 47 - *DE LIJN*
ZUIDSTATION / GARE DU MIDI	34Ab, 94Ad	2	4 23 - 32 - 55 - 56 - 81 - 82	20 - 23 - 27 - 49 - 50 - 78 - *DE LIJN - TEC*
ZWARTE VIJVERS / ETANGS NOIRS	29Aa, 90Ac	1A - 1B	-	*DE LIJN*

Derniers passages – Laatste doorkomsten – Letzte Durchfahrten – Last passing through

LIGNE/LIJN/LINIE/LINE 1B				LIJN/LIGNE/LINIE/LINE 1A			
			↓	23.51		00.30	ROI BAUDOUIN / KONING BOUDEWIJN
ERASME (H) / ERASMUS (H)	23.41	00.41	↓	23.52		00.31	HEIZEL/HEYSEL
ST.-GUIDO/ST-GUIDON	23.49	00.48		23.56		00.35	BOCKSTAEL
GARE DE L'OUEST/WESTSTATION	23.52	00.52	↓	23.59		00.38	SIMONIS
BEEKKANT	23.53			00.03	00.33	00.42	BEEKKANT
DE BROUCKERE	23.58			00.08	00.38	00.47	DE BROUCKERE
KUNST-WET/ARTS-LOI	00.02			00.12	00.42	00.51	ARTS-LOI/KUNST-WET
MERODE	00.06			00.16	00.46	01.06	MERODE
MONTGOMERY	00.07		↓	00.20	00.51	01.10	DELTA
TOMBERG	00.10			00.24			HERRMANN-DEBROUX
STOCKEL/STOKKEL	00.17		↓				

LIGNE/LIJN/LINIE/LINE 1B			LIJN/LIGNE/LINIE/LINE 1A	
		↑	00.25	ROI BAUDOUIN / KONING BOUDEWIJN
ERASME (H) / ERASMUS (H)	00.34	↑	00.24	HEIZEL/HEYSEL
ST.-GUIDO/ST-GUIDON	00.28		00.21	BOCKSTAEL
GARE DE L'OUEST/WESTSTATION	00.25	↑	00.17	SIMONIS
BEEKKANT	00.24		00.15	BEEKKANT
DE BROUCKERE	00.18		00.08	DE BROUCKERE
KUNST-WET/ARTS-LOI	00.15		00.05	ARTS-LOI/KUNST-WET

SCHUMAN	00.12	00.33		00.02	SCHUMAN
MERODE	00.11	00.31		00.01	MERODE
MONTGOMERY	00.09	00.30	↑	23.57	HANKAR
TOMBERG	00.06	00.26		23.56	DELTA
STOCKEL/STOKKEL	00.00	00.21	↑	23.53	HERRMANN-DEBROUX

LIGNE/LIJN/LINIE/LINE 2

DELACROIX	00.19		00.17	
CLEMENCEAU	00.20	↓	00.16	↑
ZUIDSTATION/GARE DU MIDI	00.22		00.15	
HOTEL DES MONNAIES/MUNTHOF	00.24		00.13	
NAAMSEPOORT/PORTE DE NAMUR	00.26	↓	00.11	↑
ARTS-LOI/KUNST-WET	00.28		00.09	
ROGIER	00.32		00.05	
IJZER/YSER	00.33		00.04	
SIMONIS	00.34	↓	00.02	↑

Train quittant la ligne 1B à Beekkant et se dirigeant vers la station Delta (ligne 1A).

Trein die lijn 1B te Beekkant verlaat en richting Delta (lijn 1A) spoort.

Zug verläßt Linie 1B in Beekkant und fährt zur Station Delta (Linie 1A).

Train leaves line 1B in Beekkant and heads for the station Delta (line 1A).

SOCIETE DES TRANSPORTS INTERCOMMUNAUX DE BRUXELLES (S.T.I.B.)

MAATSCHAPPIJ VOOR HET INTERCOMMUNAAL VERVOER TE BRUSSEL (M.I.V.B.)

Renseignements / Inlichtingen : 0900.10310

Nous remercions vivement la S.T.I.B. qui nous a aimablement communiqué ces renseignements.

Wij danken de M.I.V.B. hartelijk voor de bekomen inlichtingen.

LEGENDE :

- M Métro-Prémétro / Metro-Premetro
- H Hôpital / Ziekenhuis
- P Parking de transit / Overstapparking
- (B) Gare / Station

Ligne/Lijn 1A ROI BAUDOUIN/KONING BOUDEWIJN M - HERRMANN-DEBROUX M

ROI BAUDOUIN/KONING BOUDEWIJN M (Stade/Stadion) - Heysel/Heizel M (Parc des expositions/Tentoonstellingpark) - Brugmann M - Stuyvenbergh M - Bockstael M (B) - Pannenhuis M - Belgica M - Simonis M - Osseg(h)em M - Beekkant M - Etangs Noirs/Zwarte Vijvers M - Comte de Flandre/Graaf van Vlaanderen M - Ste.-Catherine/St.-Katelijne M - De Brouckère M - Centrale/Centraal M (B) - Parc/Park M - Arts-Loi/Kunst-Wet M - Maelbeek/Maalbeek M - Schuman M (B) - Mérode M (B) - Thieffry M - Petillon M - Hankar M - Delta M (B) P (Campus ULB-VUB) - Beaulieu M - Demey M - HERRMANN-DEBROUX M P

Ligne/Lijn 1B ERASME/ERASMUS M - STOCKEL/STOKKEL M

ERASME/ERASMUS M H P - Eddy Merckx M C.E.R.I.A./C.O.O.V.I. M La Roue - Het Rad M - Bizet M - Veeweide/Veeweyde M St.-Guidon/St.-Guido M - Aumale M - J. Brel M - Ouest/West M (B) - Beekkant M - Etangs Noirs/Zwarte Vijvers M - Comte de Flandre/Graaf van Vlaanderen M - Ste.-Catherine/St.-Katelijne M - De Brouckère M - Centrale/Centraal M (B) - Parc/Park M - Arts-Loi/Kunst-Wet M - Maelbeek/Maalbeek M - Schuman M (B) - Mérode M (B) - Montgomery M - Jos. Charlotte M - Gribaumont M - Tomberg M - Roodebeek M P (Woluwe Shopping Center) - Vandervelde M - Alma M - Kraainem M P - STOCKEL/STOKKEL M

Ligne/Lijn 2 SIMONIS M - DELACROIX M

SIMONIS M - Ribaucourt M Yser/IJzer M - Rogier M - Botanique/Kruidtuin M - Madou M - Arts-Loi/Kunst-Wet M - Trone/Troon M - Pte. de Namur/Naamsept. M - Louise/Louisa M - Hôtel des Monnaies/Munthof M - Pte. de Hal/Hallept. M - Midi/Zuid M (B) - Clemenceau M - DELACROIX M

Tram 3 GARE DU NORD/NOORDSTATION (B) M - CHURCHILL

Nord/Noord M (B) - Rogier M - De Brouckère M - Bourse/Beurs M Midi/Zuid M (B) - Pte. De Hal./Hallept - Churchill

Tram 4 ESPLANADE - PARKING STALLE

ESPLANADE - Av. de Meysse/Meiseseln. - Gros Tilleul/ Dikke Linde - Av. des Crois du Feu/ Vuurkruisenln. - pont Van Praetbrug - quai des Usines/Werkhuizenkaai - Av. de la Reine/Koninginneln. - R. du Progrès/Vooruitgangstr. - Nord/Noord M (B) - Rogier M De Brouckère M - Bourse/Beurs M - Midi/Zuid M (B) - Pte. de Hal.Hallept. - Albert M - Pl. Vanderkinderepl. - Av. Brugmannln. - Sq. des Héros/Heldensq. - Pl. Dancopl. (Globe) - R. de Stallestr. - PARKING STALLE P

Bus 12 BRUSSELS CITY - BRUSSELS AIRPORT

BRUSSELS CITY (Luxembourg/Luxemburg (B)) - R. Belliardstr. ou/of R. de la Loi/Wetstr. - Schuman M (B) - R. Franklinstr. - Pl. des Gueux/Geuzenpl. - Pl. de J. de Meuxpl. - Av. Plaskyln. - Sq. E. Plaskysq. - Diamant M - R. de Genèvestr. - Bd. Léopold III ln. - O.T.A.N./N.A.T.O. - BRUSSELS AIRPORT (B)

Bus 13 SIMONIS M - AZ-VUB M H

SIMONIS M - Av. de Jette/Jetseln. - Miroir/Spiegel - R. E. Toussaintstr. - R. Bonaventurestr. - R.

Soetensstr. (direction/richting AZ-VUB) - R. Schuermansstr. (direction/richting Simonis) - Av. de l'Exposition/Tentoonstellingln. - Av. du Heymboschln. - Av. de l'Arbre Ballon/Dikke Beukln. - AZ-VUB (H)

Bus 14 NORD/NOORD (M) (B) - AZ-VUB (H)

NORD/NOORD (M) (B) - Bd. S. Bolivarln. - W.T.C. - Quai Willebroeck/Willebroekkaai - Pl. des Armateurs/Rederspl. - Tours et Taxis/Thurn en Taxis - Belgica (M) - Simonis (M) - Av. de Jette/Jetseln. - Miroir/Spiegel - Sq. du Centenaire/Eeuwfeestsq. - Av. de l'Exposition/Tentoonstellingsln. - Dieleghem - Av. du Laerbeekln. - AZ-VUB (H)

Bus 15 NORD/NOORD (M) (B) - AZ-VUB (H)

NORD/NOORD (M) (B) - Bd. S. Bolivarln. - W.T.C. - quai Willebroek/Willebroekkaai - Pl. des Armateurs/Rederspl. - Tours et Taxis/Thurn en Taxis -R. Picardstr. - Belgica (M) - Simonis (M) - Av. de Jette/Jetseln.- Sq. du Centenaire/Eeuwfeestsq. –Dr.de Rivierendr. - R.E.Toussaintstr. - R .Bonaventurestr. - Av.H.Liebrechtln. - Av. de l'Exposition/Tentoonstellingsln. - Av. De l'Arbre Ballon/Dikke Beukln. - AZ-VUB (H)

Bus 17 BEAULIEU - HEILIGENBORRE

BEAULIEU (M) - Av. de Beaulieuln. - R. des Pêcheries/Visserijstr. - Av. du Martin Pêcheur/IJsvogelln.(°) - Av. Ch. Michielsln. - R. du Brillant/Briljantstr.(°°) - Av. de la Sauvagine/Waterwildln. - Pl. E. Keympl. - R. des Epicéastr. - Av. des -Ortolans/Ortolanenln. - 3 Tilleuls/3 linden - Av. G. Benoidtln. - R. Maj. Brückstr. - Pl. Wienerpl. - R. de la Vénerie/Jachtstr. - R. Ph. Dewolfsstr. (°°) - R. Middelbourgstr.(°) - Av. de la Foresterie/Vorsterieln. – HEILIGENBORRE

(°) direction-richting Beaulieu

(°°) direction-richting Heiligenborre

Tram 19 GROOT-BIJGAARDEN - DE WAND

GROOT BIJGAARDEN - Hunderenveld - Av. du Roi Albert/Kon. Albertln. - Pl. du D. Schweitzerpl. - Av. J. Goffinln. - Hôpital Français/Frans Gasthuis (H) - Basilique/Basiliek - Simonis (M) - Av. de Jette/Jetseln. - Miroir/Spiegel - Av. de Laekenln. - R. L. Théodorestr. - Jette (B) (Pl. C. Mercierpl.) - Cim. de Jette/Begr. van Jette - Bd. de Smet de Nayerln. - Stuyvenbergh (M) - Av. J. Sobieskiln. - Pl. St.-Lambertpl. - DE WAND (Gros Tilleul/Dikke Linde)

Bus 20 HUNDERENVELD - DELACROIX (M) (B)

HUNDERENDVELD - Pl. du D. Schweitzerpl. - Av. J. Goffinln. - Av. de la Liberté/Vrijheidsln. - K.U. Brussel - Simonis (M) - Bd. Léopold II ln. - Pl. Vanhuffelpl. - R. Schmitzstr. - Etangs Noirs/Zwarte Vijvers (M) - R. Vandenpeereboomstr. - Ouest/West (M) (B) - r. de Birminghamstr. - DELACROIX (M)

Bus 21 DUCALE/HERTOG - BRUSSELS AIRPORT

R. DUCALE/HERTOGSTR. - Trône/Troon (M) - R. du Luxembourg/Luxemburgstr. - Sq. de Meeûssq. - Luxembourg/Luxemburg (B) - Pl. J. Heypl. - R. Bolliardstr. - Av. d'Auderghem/Oudergemln. - Schuman (M) (B) - R. Archimèdestr. - R. Franklinstr. - Pl. des Gueux/Geuzenpl. - Pl. de J. de Meuxpl. - Av. Plaskyln. - Sq. E. Plaskysq. - Diamant (M) - R. Col./Kol. Bourgstr. - Av. Grosjeanln. - Av. Mommaertsln. - R. de Genèvestr. - Av. des Anc. Combattants/Oud-Strijdersln. - Bd. Léopold II ln. - O.T.A.N./N.A.V.O. - Bourget - BRUSSELS AIRPORT

Bus 22 LUXEMBOURG/LUXEMBURG (B) - MONTGOMERY (M)

LUXEMBOURG/LUXEMBURG (B) - R. de Trèves/Trierstr. - R. Montoyerstr. - Sq. Fr. Orbansq. - R. Joseph II str. - Maelbeek (M) - R. Ch. Martelstr. (vers/naar Montgomery) - Sq. Ambiorixsq. (vers/naar Montgomery) - R. de la Loi/Wetstr. (vers/naar Luxembourg/Luxemburg (B)) - Schuman (M) (B) - Av. d'Auderghem/Oudergemln. - Av. des Nerviens/Nerviërsln. - Merode (M) (B) - Av. de Tervuren/Tervuurseln. - MONTGOMERY (M)

Tram 23 HEYSEL/HEIZEL (M) - PL. VANDERKINDERPL.

HEYSEL/HEIZEL (M) - Pl. St.-Lambertpl. - Gros Tilleul/Dikke Linde - Av. des Croix du Feu/Vuurkruisenln. - Pont Van Praetbrug - Bd. Lambermontln. - Schaerbeek/Schaarbeek (H) - Pl. Meiserpl. - Bd. A. Reyersln. - Diamant (M) - G. Henri (M) - Montgomery (M) - Boileau (M) - Pétillon (M) - Arsenal - Bd. Gen. Jacquesln. - Etterbeek (B) - R.P. de l'Etoile/Sterrepl. - Bd. de la Cambreln. - Av. Legrandln. - Bascule - Ch. de Waterloo/Waterloosestwg. - Av. W. Churchillln. - R.P.W. Churchill - PL. VANDERKINDERPL.

Tram 24 SCHAERBEEK/SCHAARBEEK (B) - PL.L.VANDERKINDERENPL.

GARE DE SCHAERBEEK (B) - Av. Prin. Elisabethln. - Bd. Lambermontln. - Schaerbeek (H) - Pl. Meiserpl. - Bd. A. Reyersln. - Diamant (M) - G. Henri (M) - Montgomery (M) - Boileau (M) - Pétillon (M) - Arsenal - Bd. Gen.Jacquesln. - Etterbeek (B) - Av. Legrandln. – Av W.Churchillln. – PL.L.VANDERKINDERENPL.

Tram 25 ROGIER Ⓑ - BOONDAEL Ⓑ

ROGIER Ⓜ - Nord/Noord Ⓜ Ⓑ - Pl.Liedtspl. - Av.Rogierln. - Pl. Meiserpl. - Bd. A. Reyersln. - Diamant Ⓜ - G. Henri Ⓜ - Montgomery Ⓜ - Boileau Ⓜ - Pétillon Ⓜ - Arsenal - Bd. Gen. Jacquesln. - Etterbeek Ⓑ - Av. Ad. Buylln. – U.L.B./V.U.B. - Av. du Pesage/Waagln. - Pl. Marie-Josépl. - Av. du Derbyln. - BOONDAEL Ⓑ

Bus 27 MIDI/ZUID Ⓜ Ⓑ - ANDROMEDE/ANDROMEDA

MIDI/ZUID Ⓜ Ⓑ - Pte. de Hal/Hallept. Ⓜ - St.-Pierre/St.-Pieter Ⓗ - R. Haute/Hoogstr. (vers/naar Verheyleweghen) - St.-Pierre/St.-Pieter Ⓗ (vers/naar Verheyleweghen) - R. Blaesstr. (vers/naar Midi/Zuid) - Pl. du Jeu de Balle/Vossenpl. (vers/naar Midi/Zuid) - Pl. de la Chapelle/Kapellemkt. - Grd. Sablon/Gr. Zavel - Pt. Sablon/Kl. Zavel - Pl. Royale/Koningspl. - Pl. des Palais/Paleizenpl. - Trône/Troon Ⓜ - R. du Luxembourg/Luxemburgstr. - Sq. de Meeûssq. - Luxembourg/Luxemburg Ⓑ - R. de Trèves/Trierstr. - R. Belliardstr. - R. de la Loi/Wetstr. - Schuman Ⓜ Ⓑ - Av. des Nerviens/Nerviërsln. - Mérode Ⓜ Ⓑ - Av. de Tervuren/Tervuursestwg. - Montgomery Ⓜ - Georges Henri Ⓜ - Av. G. Henriln. - Sq. De Meudonsq. - Pl. Verheyleweghenpl. - Ch. des 2 Maisons / Tweehuizenweg - ANDROMEDE/ANDROMEDA

Bus 28 DAILLY - KONKEL

DAILLY - Av. de la Brabançonneln. - R. Du Noyer/Notelaarsstr. - Pl. de J. de Meuxpl. - Av. de Roodebeek - Diamant Ⓜ - Sq. Vergotesq. - Georges Henri Ⓜ - Av. G. Henriln. - Sq. De Meudonsq. - Tomberg Ⓜ - Pl. St. Lambertpl. - Ch. de Stockel/Stokkelsestwg. - Stade Fallon stadion - Cim. de Wol. St.-Pierre/St.-Pieters Wol. Begr. (KONKEL)

Bus 29 DE BROUCKERE Ⓜ - HOF-TEN-BERG

DE BROUCKERE Ⓜ - Centrale/Centraal Ⓜ Ⓑ - Treurenberg - R. du Congrèsstr. - Madou Ⓜ - Pl. St.-Josse/St.-Joostpl. - Ch. de Louvain/Leuvensestwg. - Pl. Daillypl. - Diamant Ⓜ - Av. de Mai/Meiln. - Pl. Verheyleweghenpl. - Roodebeek Ⓜ (Woluwe Shopping Center) - R. Th. Decuyperstr. - HOF-TEN-BERG

Tram 31 MARIUS RENARD - GARE DU NORD/NOORD STATION Ⓜ Ⓑ

Marius Renard - Veeweyde/Veeweide - Cureghem/Kuregem - Lemonnier - Anneessens - Bourse/Beurs - de Brouckère Ⓜ - Rogier - Gare du Nord/Noordstation Ⓑ Ⓜ

Tram 32 NORD/NOORD Ⓜ Ⓑ - DROGENBOS

NORD/NOORD Ⓜ Ⓑ - Rogier Ⓜ - De Brouckère Ⓜ - Bourse/Beurs Ⓜ - Midi/Zuid Ⓜ Ⓑ - Av. Van Volxemln. - Ch. de Bruxelles/Brusselsestwg. - Pl.St.-Denispl. - Ch.de Neerstallestwg. - R.de l'Etoile/Sterstr. - Grote Baan - DROGENBOS

Tram 33 BORDET Ⓑ /CHURCHILL

Bordet Ⓑ - Paix/Vrede - Verboekhoven - Liedts - Thomas - Gare du Nord/Noordstation Ⓑ Ⓜ - de Brouckère Ⓜ - Bourse/Beurs - Anneessens - Lemonnier - Gare du Midi/Zuidstation Ⓑ Ⓜ - Porte de Hal/Hallepoort - Parvis de St. - Gilles/Sint-Gillesvoorplein - Horta - Albert - Vanderkindere - Churchill.

Bus 34 STE. ANNE/ST. ANNA - BOURSE/BEURS Ⓜ

SAINTE-ANNE - SINT-ANNA - Ch. de Tervuren/Tervuursestwg. - Ch. de Wavre/Waversestwg - St.-Julien/St.-Juliaan - Hankar Ⓜ - Chasse/Jacht - Pl. Jourdanpl. - Parnasse/Parnassus - Luxembourg/Luxemburg Ⓑ - R. du Luxembourg/Luxemburgstr. - Sq. de Meeûssq. - Trône/Troon Ⓜ - PTE. DE NAMUR/NAAMSEPT. Ⓜ - Louise/Louisa - R. des 4 Brasstr. - Pl. Poelaertpl. - R. de la Régence/Regentschapsstr. - Pt. Sablon/Kl. Zavel - Grd. Sablon/Gr. Zavel - R. de l'Hôpital/Gasthuisstr. - Pl. St.-Jean/St.-Janspl. - R. du Lombardstr. - Plattesteen (vers/naar Bourse/Beurs) - R. du Midi/Zuidstr. (vers/naar Transvaal) - BOURSE/BEURS Ⓜ (R.H.Mausstr.)

Bus 36 SCHUMAN Ⓜ Ⓑ KONKEL

SCHUMAN Ⓜ Ⓑ - Av. d'Auderghem/Oudergemln. - Chasse/Jacht - Sq. du Roi Vainqueur/Koning Overwinnaarpl. - Thieffry Ⓜ- Boileau Ⓜ - Chant d'Oiseau/Vogelzang - Av. de Tervuren/Tervuurseln. - Dépôt Woluwé Remise - Av. Parmentierstr. - R. au Bois/Bosstr. - Ste.-Alix/St.-Aleidis - Av.des Grands Prix/Grote Prijzenln. - Pl. Dumonpl. (STOCKEL/STOKKEL Ⓜ) - Val des Seigneurs/Herendal - Cim. de Wol. St.-Pierre/St.-Pieters Wol. Begr. (KONKEL)

Bus 38 HEROS/HELDEN - DE BROUCKERE Ⓜ

HEROS/HELDEN - Av. De Fréln. - Montjoie - Longchamp - Bascule - Ch. de Vleurgatsestwg. - Pl. Flageypl. - R. Malibranstr. - Pl. Blyckaertspl. - R. du Trône/Troonstr. - Parnasse/Parnassus - R. d'Idaliestr. - Luxembourg/Luxemburg Ⓑ - R. du Luxembourg/Luxemburgstr. - Sq. de Meeûssq. - Trône/Troon Ⓜ - Pl. des Palais/Paleizenpl. - Pl. Royale/Koningspl. - R. Ravensteinstr. - Beaux

Arts/Sch. Kunsten - Centrale/Centraal Ⓜ Ⓑ - R. D'Arembergstr. DE BROUCKERE Ⓜ

Tram 39 MONTGOMERY Ⓜ - BAN EIK

MONTGOMERY Ⓜ - Av. de Tervu(e)renln. - Sq. Léopold II Sq. - Dépôt Woluwe Remise - Av. Madouxln. - Av. Orbanln. - Pl. Dumonpl. (STOCKEL/STOKKEL Ⓜ) - Bel Air/Schone Lucht - BAN EIK

Bus 41 HELDEN Ⓑ - HERMANN-DEBROUX

Hippodrome/Renbaan - Av. des Coccinelles/Onze-Lieve-Heersbeestjesln. - Dries - Av. des Taillis/Hakhoutln. - Pl. des Arcades/Arcadenpl. (gare de Watermael Ⓑ - Av. de la Sauvagine/ Waterwildln. - Pl. Keympl. - R. des Cèdres/Cederstr. - R. du Loutrier/Ottervangerstr. - Sq. des Archiducs/Aartshertogensq. - Av. de la Houlette/Herdersstafln. - Av. Van Nieuwenhuyseln.(°) - Av. L. Dehouxln. (°°) - Demey Ⓜ - HERMANN-DEBROUX Ⓜ

(°) direction-richting Herrmann-Debroux

(°°) direction-richting DANCO

Bus 42 TRANSVAAL - VIADUC/VIADUCT E40

TRANSVAAL - Av. Van Horenbeekln. - Av. J. Chaudronln. - Herrmann-Debroux Ⓜ - Val Duchesse/Hertoginnodal - Roodebeek Ⓜ (Woluwe Shopping Center) - R. Th. De Cuyperstr. - Av. Hippocrate/Hippokratestr. - Ⓗ St.-Luc U.C.L. - Lenneke Mare - Crainhem/Kraainem (VIADUC/VIADUCT E40)

Bus 43 HEROS/HELDEN - VIVIER D'OIE/DIESDELLE

SQ. DES HEROS/HELDENSQ. - Pl. Dancopl. (Globe) - Calevoet Ⓑ - Moensberg Ⓑ - Sq. des Braves/Dapperensq. - Linkebeek Ⓑ - Av. Homborchveldln. - Homborch - R. Engelandstr. - Verrewinkel - Av. Dolezln. - Ch. de St.-Jobstwg - Av. J. et P. Carsoelln. - St.-Job Ⓑ - Pl. St.-Jobpl. - VIVIER D'OIE/DIESDELLE

Tram 44 MONTGOMERY Ⓜ - TERVUREN

MONTGOMERY Ⓜ - Av. de Tervu(e)renln. - Sq. Léopold II Sq. - Dépôt Woluwe Remise - Ch. de Tervuren/Tervuursestwg. - Quatre Bras/Vier Armen - R.-P. Ravenstein - Tervuren Dorp - TERVUREN

Bus 45 ROODEBEEK Ⓜ - ST.-VINCENT/ST.-VINCENTIUS

ROODEBEEK Ⓜ (Woluwe Shopping Center) - R. Th. De Cuyperstr. - Av. M. Thiryln. - Gulledelle - Av. des Communautés/Gemeenschappenln. - Ch. de Louvain/Leuvensestwg. - Pl. de Paduwapl. - Av. des Anc. Combattants/Oud-Strijdersln. - Sq. S. Hoedemaekers sq. - Ch. de Haecht/Haachtsestwg. - Bordet Ⓑ - Houtweg - PL. ST.-VINCENT/ST.-VINCENTIUSPL.

Bus 46 MOORTEBEEK - DE BROUCKERE Ⓜ

MOORTEBEEK - Westland Shopping Center - Bd. J. Bracopsln. - R. de Neerpedestr. - Anderlecht Ⓗ - Av. Th. Verbeeckln. - R.S.C.A. - R. P. du Meir/Meerpl. - R. de la Procession/Processiestr. - St.-Guidon/St.-Guido Ⓜ - R. Wayezstr. - Cureghem (Sq. E. Vanderveldesq.) - Ch. de Mons/ Bergensestwg. - Sq. Albert I Sq. - Clemenceau Ⓜ - Pte. d'Anderlechtsept. - R. Van Arteveldestr. - Bourse/Beurs Ⓜ (R. Ortsstr.) - R. de la Vierge Noire/Zwarte Lievevrouwstr. - DE BROUCKERE Ⓜ (Ⓟ 58)

Bus 47 DE BROUCKERE Ⓜ - VILVORDE/VILVOORDE Ⓑ

DE BROUCKERE Ⓜ - R. de Laekenstr. - Yser/IJzer Ⓜ - Ch. d'Anvers/Antwerpsestwg. - W.T.C. - Av. de la Reine/Koninginneln. - Sq. J. De Troozsq. - Quai des Usines/Werkhuizenkaai - Pont Van Praetbrug - Av. des Croix du Feu/Vuurkruisenln. - R. de Heembeekstr. - Zavelput - R. Fr. Vekemansstr. - Pl. P. Benoîtpl. - R. de Ransbeekstr. - Militaire/Militair Ⓗ - Av. de Tyrasln. - Romeinse Steenweg - Medialaan - V.T.M. - Twee Leeuwenweg - Belgiëlaan - Ennepetalplein - Teniersstraat (direction/richting Vilvorde/Vilvoorde) - Vlierkensstraat (direction/richting De Brouckère) - Rubensstraat - PONT VILVORDE/VILVOORDE BRUG (Brusselsesteenweg) Vuurkruisenlaan - Vilvorde/Vilvoorde Heldenplein - Stationlei - VILVORDE/VILVOORDE Ⓑ

Bus 48 UCCLE STALLE/UKKEL STALLE Ⓑ - BOURSE/BEURS Ⓜ

UCCLE STALLE/UKKEL STALLE Ⓑ - R. V. Allardstr. - Av. de l'Aulne/Elzeboomln. (vers/naar Uccle Stalle/Ukkel Stalle) - Av. Decrolyln. (vers/naar Uccle Stalle/Ukkel Stalle) - Av. V. Rousseauln. - Pl. de l'Altitude Cent/Hoogte Honderdpl. - Molière-Longchamp Ⓗ - Ch. d'Alsembergsestwg. - Albert Ⓜ - Sq. de la Délivrance/Verlossingssq. - Av. Reine Marie-Henrietteln. - Pl. de Rochefortpl. - Av. du Parc/Parkln. - Horta Ⓜ - Ch. de Waterloo/Waterloosestwg. - Parvis de St.-Gilles/ St.-Gillisvoorpl. Ⓜ - Pte. de Hal/Hallept. Ⓜ - R. Haute/Hoogstr. (vers/naar Bourse/Beurs) - Ⓗ St.-Pierre/St.-Pieter (vers/naar Bourse/Beurs) - R. Blaesstr. (vers/naar Uccle Stalle/Ukkel Stalle) - Pl. du Jeu de Balle/Vossenpl. (vers/naar Stalle) - Pl. de la Chapelle/Kapellemkt. - Pl. E. Vanderveldepl. - Grd. Sablon/Gr. Zavel - R. de l'Hôpital/Gasthuisstr. - Pl. St.-Jean/St.-Janspl. - R.

du Lombardstr. - Plattesteen (vers/naar Bourse/Beurs) - R. du Midi/Zuidstr. (vers/naar Uccle Stalle/Ukkel Stalle) - BOURSE/BEURS Ⓜ (R.H.Mausstr.)

Bus 49 MIDI/ZUID Ⓜ Ⓑ - BOCKSTAEL Ⓜ

MIDI/ZUID Ⓜ Ⓑ - Av. Fonsnyln. - Pl. W. Ceuppenspl. - Bd. Paepsemln. - Av. Van Kalkenln. - Veeweyde Ⓜ - R.P. du Meir/Meerpl. - St.-Guidon/St.-Guido Ⓜ - Aumale Ⓜ (°) - Bd. Pr. de Liège/Pr. van Luikln. - Peterbos - Bd. L. Mettewieln. - Pl. de Bastogne/Bastenakenpl. - Basilique/ Basiliek - Av. J. Sermonln. - Miroir/Spiegel - R. Léopold I str. - BOCKSTAEL Ⓜ Ⓑ

(°) direction/richting Midi/Zuid Ⓜ Ⓑ

Bus 50 MIDI/ZUID Ⓜ Ⓑ - LOT Ⓑ

MIDI/ZUID Ⓜ Ⓑ - Av. Fonsnyln. - Pl. W. Ceuppenspl. - R. St.-Denisstr. - Pl. St.-Denispl. - Ch. de Neerstallestwg. - Ch. de Ruisbroek/Ruisbroeksestwg. - Av. P. Gilsonln. - Ruisbroek Kerkplein - Fabriekstraat - Jozeph Huismanslaan - LOT Ⓑ

Tram 51 HEYSEL-HEIZEL Ⓜ - SILENCE - STILTE

Heysel/Heizel Ⓜ Pl.St. Lambertpl - Av.J. Sobieskiln - Stuyvenbergh Ⓜ - Bd. De Smet De Nayerlaan - Cim. De Jette/Begr. van Jette - Av. C. Woesteln - Belgica Ⓜ - Bd. du Jubilé/ Jubelfeestln- Ribaucourt Ⓜ - Pl. Sainctelettepl. - Pl. de L'yser/Ijzerplein Ⓜ - Petit Chateau/klein Kasteeltje - Porte de Flandre/Vlaamse Poort - Porte De Ninove/Ninoofsepoort - Porte D'Anderlecht/Anderlechtsepoort - Lemonier Ⓜ - Midi/Zuid Ⓑ Ⓜ - Porte de Hal/ Hallepoort - Rue de L' Hotel Des Monaies/Munthofstraat - Barriere De St. Gilles/Bareel van St.- Gilles - Pl. Albertpl. - Av. Jupiterln - Pl. de L'altidu Cent/Hoogte Honderdplein - Chaussee D'Alsembergsesteenweg - Pl. Em Dancopl. - Calevoet/Kalevoet Ⓑ - Rue Engelandstr. - R. Du Chateau D'or/Guldenkasteel straat - Silence/Stilte -

Bus 53 AZ-VUB - MILITAIRE/MILITAIR Ⓗ

AZ-VUB - Av. de l'Arbre Ballon/Dikke beukln. - Av. du Heymboschln. - Av. H. Liebrechtln. - Av. du Laerbeekln. - R. Bonaventurestr. - Brugmann - Av. du Sacré-Coeur/Heilig Hartln. - Jette Ⓑ (Pl. C. Mercierpl.) - Av. Secretinln. - Cim. de Jette/Begr. van Jette - Sq. Pr. Léopoldsq. - R. E. Delvastr. - Bockstael Ⓜ Ⓑ - Dr. Ste.-Anne/St-Annadr. - Av. du Parc Royal/Koninklijk Parkln. - Gros Tilleul/Dikke Linde (De Wand) - Av. des Pagodes/Pagodenln. - Zavelput - R. Fr. Vekemansstr. - Pl. P. Benoîtpl. - Ferme Nos Pilifs Hoeve - MILITAIRE/MILITAIR Ⓗ

Bus 54 FOREST CENTRE/VORST CENTRUM - LUXEMBOURG/LUXEMBURG Ⓑ

FOREST CENTRE/VORST CENTRUM (Sq. O. Denissq.) - Pl. St.-Denis/St.-Denijspl. - Forest-Est/Vorst-Oost Ⓑ - Av. V. Rousseauln. - Forest National/Vorst Nationaal - Av. Jupiterln. - Ⓜ Albert - Av. Ducpétiauxln. - Ma Campagne - R. du Baillistr. - Pl. F. Cocqpl. - Pte. De namur/ Naamsept. Ⓜ - Trône/Troon Ⓜ - R. du Luxembourg/Luxemburgstr. - Luxembourg/Luxemburg Ⓑ - LUXEMBOURG/LUXEMBURG

Tram 55 BORDET Ⓑ - ROGIER Ⓜ

Bordet Ⓑ - Houtweg - R.du Birlan/Tweedekkerstr - Pl. de la Paix/Vredepl. - Ch. de Helmetsesteenweg. - R. Waelhemstr. - Pl. E. Verboekhovenpl. - R. Van Ooststr. - R. Gallaitstr. - Pl. Liedstpl. - R. du Progès/Vooruitgangstr. - Nord/Noord Ⓜ Ⓑ - Rogier Ⓜ

Tram 56 SCHAERBEEK/SCHAARBEEK Ⓑ - NORD/NOORD Ⓜ Ⓑ

SCHAERBEEK/SCHAARBEEK Ⓑ - Av. Prin. Elisabethln. - Pl. E. Verboekhovenpl. - R. Van Ooststr. - R. Gallaitstr. - Pl. Liedtspl. - R. du Progrès/Vooruitgangstr. - NORD/NOORD Ⓑ -

Bus 57 NORD/NOORD Ⓜ Ⓑ - MILITAIRE/MILITAIR Ⓗ

NORD/NOORD Ⓜ Ⓑ - Bd. S.Bolivarln. - Pl. des Armateur/Rederspl. - Av. du Port/Havenln. - Sq. J. De Troozsq. - Ch. de Vilvorde/Vilvoordsestwg. - Pont Van Praetbrug - Ch. de Vilvorde/ Vilvoordsestwg. - Av. du Marlyln. - R. de Ransbeekstr. - MILITAIRE/MILITAIR Ⓗ

Bus 58 ROGIER Ⓜ - VILVORDE/VILVOORDE Ⓑ

ROGIER Ⓜ - Botanique/Kruidtuin Ⓜ (°) - R. Royale-Ste.-Marie/Kon. Ste.-Mariastr. - Pl. de la Reine/Koninginnepl. - Pl. Colignonpl. - Av. Maréchal Fochln. - Pl. E. Verboekhovenpl. - Av. Prin. Elisabethln. - Schaerbeek/Schaarbeek Ⓑ - Av. Rodenbachln. - Pont Albertbrug - Av. de Vilvorde/Vilvoordseln. - Buda - Schaarbeeklei - Heldenplein (°°) - VILVORDE/VILVOORDE Ⓑ

(°) direction/richting Rogier Ⓜ

(°°) direction/richting Vilvorde/Vilvoorde Ⓑ

Bus 59 BORDET Ⓑ - IXELLES -ELSENE/ETTERBEEK Ⓗ

BORDET Ⓑ - Houtweg - PL. ST.-VINCENTPL. - R. Stroobantsstr. - Av. Rodenbachln. - Schaerbeek/Schaarbeek Ⓑ - Av. Prin. Elisabethln. - Pl. E. Verboekhovenpl. - R. Metsysstr. - R. de Jérusalemstr. - R. Hermanstr. - Pl. Bossuetpl. - R. de Liedekerkestr. - Sq. Marie-Louise/Maria

Louizasq. - Maelbeek Ⓜ - Ch. d'Etterbeeksestwg. - Pl. Jourdanpl. - R. Graystr. - Pl. Flageypl. - R.J. Paquotstr. - IXELLES-ELSENE/ETTERBEEK Ⓗ

Bus 60 CALEVOET/KALEVOET. Ⓑ SQ.AMBIORIXSQ.

CALEVOET/KALEVOET. Ⓑ - Ch.St.Jobsestwg. - R.Basse/Diepestr. - Dieweg - Observatoire/ Sterrenwacht - R.E. Cavellstr. - Av. Mercuriuslaan - Av. J.et P.Carsoel/J.en P. Carsoellaan - Pl. de Saint-Job/Sint-Jobsplein - Ch. de Saint-Job/ Sint-Jobsesteenweg - Pl.G.Brugmannpl. - Av.L. Lepoutreln. – R.Tenboschstr. - Ch.de Vleurgatsestwg. - Pl. Flageypl. - R.Graystr. - - Pl.Jourdanpl. – R.Foissartstr. - Schuman Ⓜ - R.Archimède/Archimedesstr. - SQ.AMBIORIXSQ.

Bus 61 MONTGOMERY Ⓜ - NORD/NOORD Ⓜ Ⓑ

MONTGOMERY Ⓜ - Av. de Tervueren/Tervuurseln. - Mérode Ⓜ Ⓑ - Av. de l'Yser/IJzerstr. - R. du Noyer/Notelaarstr. - Pl. de Jambline de Meuxpl. - Pl. Daillypl. - Av. Claeysln. - Sq. A. Steurssq. - Pl. Bossuetpl. (°) - Pl. Houwaertpl. (°°) - Pl. Quételetpl. - Botanique/Kruidtuin Ⓜ - Rogier Ⓜ - R. du Progrès/Vooruitgangstr. - NORD/NOORD Ⓜ Ⓑ

(°) direction/richting NORD/NOORD Ⓜ Ⓑ

(°°) direction/richting Montgomery Ⓜ

Bus 63 DE BROUCKERE Ⓜ - CIM. DE BRUX/BRUS. BEGR.

DE BROUCKERE - Centrale/Centraal Ⓜ Ⓑ - Treurenberg - R. du Congrèsstr. - Madou Ⓜ - Pl. St. Josse/St.-Joostpl. - Sq. Ambiorixsq. - Sq. Marguerite/Margarethasq. - Pl. de J. de Meuxpl. - Av. Plaskyln. - Pl. Meiserpl. - Bd. Léopold II ln. - Av. H. Dunantln. - CIM. DE BRUXELLES/BRUSSEL BEGR.

Bus 64 PTE. DE NAMUR/NAAMSEPT. Ⓜ - MACHELEN

PTE.DE NAMUR/NAAMSEPT. Ⓜ - Trône-Troon Ⓜ - R. du Luxembourg/Luxemburgstr. - Luxembourg/Luxemburg Ⓑ - R. de Trèves/Trierstr. - Maelbeek Ⓜ - Sq. Ambiorixsq. - Pl. Daillypl. - Av. Chazalln. - Parc Josaphatpark - Av. G.Latinisln. - Av. H Conscienceln.- Pl. de la Paix/Vredepl. - R. Dekosterstr. - R. de Verdunstr. - Haren-Sud/Zuid Ⓑ - Kasteel Beaulieu - Machelen (St. Gertrudiskerk) - MACHELEN

Bus 65 CENTRAL/CENTRAAL Ⓜ - BOURGET

CENTRAL/CENTRAAL Ⓑ - R. des Colonies/Kolonialeln. - Treurenberg - R. de la Croix de Fer/IJzerenkruisstr. (°) - Madou Ⓜ - Av. de l'Astronomie/Sterrenkundeln. - Pl. Quételetpl. - R. du Méridien/Middaglijnstr. - Ch. de Haecht/Haachtsestwg. - Av. Rogierln. - Sq. E. Duployesq. - Pl. des Bienfaiteurs/Weldoenerspl. - Pl. de la Patrie/Vaderlandspl. - Av. Chazalln. - Parc Josaphat Park - Av. C. Gilisquetln. - Av. H. Conscienceln. - Sq. S. Hoedemakerssq. - Bd. Léopold II ln. - Bordet Ⓑ - O.T.A.N./N.A.V.O. - Av. du Bourgetln. - BOURGET

Bus 66 DE BROUCKERE Ⓜ - PEAGE/TOL

DE BROUCKERE Ⓜ - R. Fossé aux Loups/Wolvengracht (°) - R. de l'Ecuyer/Schildknaapsstr. (°°) - R. d'Assaut/Stormstr. - Putterie/Putterij (°) - R. de Loxum/Loksumstr. (°°) - Centrale/Centraal Ⓜ Ⓑ - R. des Colonies/Kolonialeln. - Treurenberg - R. de la Croix de Fer/IJzerenkruisstr. (°) - Madou Ⓜ - Av. de l'Astronomie/Sterrenkundeln. (°) - Bd. Bischoffsheimln. (°°) - Pl. Quételetpl. - R. du Méridien/Middaglijnstr. - Ch. de Haecht/Haachtsestwg. - Av. Rogierln. - Sq. E. Duployesq. - Av. P. Deschanelln. - Av. Voltaireln. - Av. L. Bertrandln. - R.G. Kennisstr. - R.J. Wautersstr. - Av. H. Conscienceln. - Sq. S. Hoedemakerssq. - Av. des Anc. Combattants/Oud-Strijdersln. - Pl. de Paduwapl. - Av. du Cim. de Bruxelles/Brussel Begr. - Cim. De Bruxelles/Brussel begr. - PEAGE/TOL

(°) direction/richting Cim.de Bruxelles/Brussel Begr.

(°°) direction/richting De Brouckère Ⓜ

Bus 69 JULES BORDET - SCHAERBEEK/SCHAARBEEK Ⓑ

JULES BORDET - Av. J. Bordetln. - Bordet Ⓑ - Houtweg - R.L. Vandenhovenstr. - PL. ST.-VINCENTPL. - R. Stroobantsstr. - Av. Rodenbachln. - SCHAERBEEK/SCHAARBEEK Ⓑ

Bus 71 DELTA Ⓜ - DE BROUCKERE Ⓜ

DE BROUCKERE Ⓜ - R. Fossé aux Loups/Wolvengracht (°) - R. de l'Ecuyer/Schildknaapsstr. (°°) - R. d'Assaut/Stormstr. - Putterie/Putterij - Centrale/Centraal Ⓜ Ⓑ - R. Ravensteinstr. - Beaux Arts/Sch. Kunsten - R. Mont. de la Cour/Hofberg - Pl. Royale/Koningspl. - Pl. des Palais/ Paleizenpl. - R. Ducale/Hertogstr. - Pte. de Namur/Naamsept. Ⓜ - Ch. d'Ixelles/Elsensestwg. - Pl. F. Cocqpl. - Pl. E. Flageypl. - Av. de l'Hippodrome/Renbaanln. - Av. A. Buylln. - U.L.B/V.U.B.. - Av. de l'Université/Hogeschoolln. - Cim. d'Ixelles/Elsene Begr. - Bd. du Triomphe/Triomfln. - DELTA Ⓜ Ⓑ

(°) direction/richting Delta Ⓜ Ⓑ

(°°) direction/richting De Brouckère (M)

Bus 72 ULB/VUB-DEVEZE - ADEPS

U.L.B/V.U.B. (Sq. A. Devèzesq.) - Av. de l'Université/Hogeschoolln. - Cim. d'Ixelles/Elsene Begr. - Bd. du Triomphe/Triomfln. - Delta (M) (B) - Bd. des Invalides/Invalidenln. - Demey (M) - Hermann-Debroux (M) - Av. Hermann-Debrouxln. - A.D.E.P.S.

Bus 75 BON AIR/GOEDE LUCHT - C.E.R.I.A./C.O.O.V.I.

BON AIR/GOEDE LUCHT Sq. de la Fraternellepl. - Av. d'Itterbeek/Itterbeekseln. - Bld. J. Bracopsln. - Westland Shopping - Bld. S. Dupuisln. - R. de la Compétition/Mededingingstr. - Av. Th. Verbeeckln. - Sq. E. Rombauxsq. (H Joseph Bracops) - Av. N. Melbaln. - R. C. Debussyln. - Pl. Bizetpl. (M) - R. Cl. De Cletystr. - Pl. de la Roue/Radpl. - Av. Melkmansln. - R. des Fraises/Aardbeienstr.(°) - R. des Loups/Wolvenstr. - R. des Colombophiles/Duivenmelkersstr. - Av. E. Grysonln.(°°) - C.E.R.I.A./C.O.O.V.I. (M)

(°) direction-richting C.E.R.I.A./C.O.O.V.I.

(°°) direction-richting Bourse/Beurs

Bus 76 KRAAINEM (M) - OPPEM

KRAAINEM (M) - Av. de Wezembeekln. - R. Marcelisstr. - Av. de la Pl. des Sports/Sportpleinstr. - OPPEM (Marmottes/Marmot)

Bus 77 KRAAINEM (M) - HIPPODROOMLAAN

KRAAINEM (M) - Av. de Wezembeekln. - Av. O. de Burbureln. - Wezembeek - R. du Gr. Chêne/Gr. Eikstr. - HIPPODROOMLAAN

Bus 78 MIDI/ZUID (M) (B) - HUMANITE/HUMANITEIT

MIDI/ZUID (M) (B) - Av. Fonsnyln. - R. des Vétérinaires/Veeartsenstr. - R. des Deux Gares/Tweestationstr. - R. de la Petite Ile/Klein-Eiland - Bd. Industrielln. - Bd. de l'Humanité/Humaniteitsln. - Av. Mozartln. - HUMANITE/HUMANITEIT

Bus 79 SCHUMAN (M) (B) - KRAAINEM/CRAINHEM (M)

SCHUMAN (M) (B) - R. Franklinstr. - Pl. des Gueux/Geuzenpl. - Av.E Plaskyln. - R.V.Hugostr. - Av.de Roodebeekln. - Diamant (M)- R. C./K. Bourgstr. - Av.des Pléades/Plejadenln. - Av.M.Thiryln. - Bd.de la Woluwedal - Av.Hippocrate/Hippokratesln. - Av E. Mounierln. - KRAAINEM/CRAINHEM (M)

Bus 80 PTE. DE NAMUR/NAAMSEPT. (M) - R.A. MAESSTR.

PTE. DE NAMUR/NAAMSEPT. (M) - Trône/Troon (M) - R. du Luxembourg/Luxemburgstr. - Sq. de Meeûssq. - Luxembourg/Luxemburg (B) - R. d'Idaliestr. - Parnasse/Parnassus - Ch. de Wavre/Waversestwg. - Pl. Jourdanpl. - R. Gén. Lemanstr. - Pl. Van Meyelpl. - R. Ste.-Gertrude/St.- Geertruidestr. - Av. des Gaulois/Galliërsln. - Merode (M) (B) - Av. de Tervueren/Tervuurseln. - Montgomery (M) - Bd. Brand Whitlockln. - Georges Henri (M) - Av. G. Henriln. - Sq. De Meudonsq. - Av. Heydenbergln. - Ch. de Roodebeekstwg. - Av. de Mars/Maartln. - R. Col./Kol. Bourgstr. - R.L.Grosjeanln. - Ch.de Louvain/Leuvensestwg. - Pl.J.de Paduwapl. - Av.du Cim.de Bruxelles/Kerkof van Brusselln. - R. De Zaventemstr. - Av.J.Bordetln. – Ch.de Haecht/Haachtsestwg. - R.A. MAESSTR.

Tram 81 MARIUS RENARD - MONTGOMERY

Marius Renard - Frans Hals - Veeweyde/Veeweide - Resistance/Verzet - Albert I - Bara - Gare du Midi/Zuidstation (M) (B) - Suede/Zweden - Avenue du Roi/Koningslaan - Guillaume Tell/Willem Tell - Horta - Moris - Janson - Bailli/Baljuw - Flagey - Levure/Gist - Germoir/Mouterij - La Chasse/De Jacht - Acacias/Acacia - Place St. Pierre/St. Pietersplein - Merode (B) (M) - Montgomery (M)

Tram 82 DROGENBOS - BERCHEM (B)

DROGENBOS - Grote Baan- R.de l'Etoile/Sterstr.- Ch.de Neerstallestwg.- Pl.St.-Denispl. - Ch.de Bruxelles/Brusselsestwg. - Av. Van Volxemln.- Midi/Zuid (M) (B) - Av. Fonsnyln. - Midi/Zuid (M) (B) - Lemonnier (M) - B. du Midi/Zuidln. - Pte. d'Anderlechtsept. - Bd. de l'Abattoir/Slachthuiseln. - Pte. de Ninove/Ninoofse Pt. - Ch. de Ninovesestwg. - Ouest/West (M) (B) - Av. J. Baeckln. - Av. Brigade Pironln. - Pl. Jef Mennekenspl. - Karreveld - Ch. de Gand/Gentsestwg. - Cim. de Molenbeek Begr. - Pl. du D.Schweitzerpl. - Berchem Shopping - BERCHEM (B)

Bus 83 BERCHEM STATION (B) - MONTGOMERY

Berchem (B) - Schweitzer - Osseghem/Ossegem - Beekkant - Gare de L'ouest/West station (B) (M) - Duchesse/Hertogin - Porte de Ninove/Ninoofsepoort - Anneessens - Lemon nier - Gare du Midi/Zuidstation (B) (M) - Avenue du Roi/Koningslaan - Horta - Janson - Fla gey - La chasse/De Jacht - Montgomery (M)

Bus 84 BEEKKANT (M) - HEYSEL/HEIZEL (M)

BEEKKANT (M) - Bd. Machtensln. - Av. des Tamaris/Tamariskenln. - R. F. Elbersstr. - Cim. Berchem - Koekelberg Begr. - Dr. des Maricolles/Maricollendr. - R. de Grand-Bigard/Groot-Bijgaardenstr. - Hunderenveld - Berchem (B) - R. Nestor Martinstr. - Basilix - Av. des 9 Provinces/9 Provinciesln. - Av. Van Overbekeln. - Pl. Reine Fabiola/Kon. Fabiolapl. - Av. De Brouckèreln. - Sq. du Centenaire/Eeuwfeestsq. - Av. de l'Exposition Universelle/Wereldtentoonstellingln. - Av. du Laerbeekln. - AZ-VUB (H) - Av. du Heymboschln. - Av. de l'Arbre Ballon/Dikke beukln. - Cité Modèle/Modelwijk - Sq. Palfijnsq. - Roi Baudouin/Koning Boudewijn (M) - Av. des Amandiers/Amandelbomenln. - HEYSEL/HEIZEL (M)

Bus 85 BERCHEM (B) - DELACROIX (M) -

BERCHEM (M) - Berchem Shopping - Pl. du D. Schweitzerpl. - Ch. de Gand/Gentsestwg. - Karreveld - Pl. Jef Mennekensl. - Av. Brigade Pironln. - Bd. E. Machtensln. - Beekkant (M) - Bd. E. Machtensln. - Av. J. Baeckln. - Ouest/West (M) - DELACROIX (M)

Bus 87 SIMONIS (M) - BASILIX

SIMONIS (M) - Av. des Gloires Nationales/Landsroemln. - Basilique/Basiliek - Av. Charles Quint/Keizer Karelln. - R. Fr. Beeckmansstr. - R. Srg. Sorensenstr. - Pl. Reine Fabiola/Kon. Fabiolapl. - Av. Van Overbekeln. - Av. des 9 Provinces/9 Provinciesln. - BASILIX

Bus 88 HEYSEL/HEIZEL (M) - MACHTENS

HEYSEL/HEIZEL (M) - Av.Imp. Charlotte/Keiz. Charlotteln. - Av.de l'Arbre Ballon/Dikkebeukln. - Pl. M. Tricherpl. - Av.Rommelaereln. - Av. J. Crocqln. - Brugmann (H) - Av.du Sacré Coeur/Heilig-Hartln. - Bd.de Smet de Naeyerln. - R.Duysburghstr. - Sq.Prin. Léopoldsq. - Bockstael (M) - Pl. A.Pouchkine/Poesjkinpl. - Av.D.Lefèvrestr. - Av. du Port/Havennln. - Pl.des Armateurs/Rederspl. - Ch. d'Anvers/Antwerpsestwg. - R.de Laeken/Lakensestr. - R. A. Dansaertstr. - Pte de Flandre/Vlaamsept. - Pte de Ninove/Ninoofsept. - Ch. de Ninove/Ninoofsestwg. - Ouest/West (M) - Av.J.Baeckln. - Av.Brigade Pironln. - Bd. E. Machtensln. - MACHTENS

Bus 89 WESTLAND SHOPPING - PANNENHUIS

WESTLAND SHOPPING CENTER - Bd. S. Dupuisln. - Bd. Maria Groenincks-De May ln.- Peterbos - Bd. F. Paulsenln. - Sq. H. Reysq. - Sq. des Vété. Coloniaux/Koloniale-Veteranensq. - Bd. J. Graindorln. - Jacques Brel (M) - R. de Birminghamstr. - R. Vanderstraetenstr. - R. des 4 Vents/4 Windenstr. (°) - Ch. de Merchtem/Stwg op Merchtem (°) - R. Piersstr. (°) - R. de la Bornestr. (°°) - R. de l'Ecole/Schoolstr. (°°) - R. de Ribaucourtstr. (°°) - Ribaucourt (M) - Tour et Taxis/Thurn en Taxis - R. Picardstr. - Bd. E. Bockstaelln. - Pl. A. Pouckine/Poesjkinpl. - PANNENHUIS

(°) direction/richting Westland Shopping Center

(°°) direction/richting Pannenhuis

Tram 92 FORT JACO - SCHAERBEEK/SCHAARBEEK (B)

FORT JACO - R. du Hamstr. - Pl. St.-Jobpl. - St.-Job (B) - Av. J. et P. Carsoelln. - Av. Wolvendaelln. - Sq. Marlowsq. - Sq. des Héros/Heldensq. - Av. Brugmannln. - Pl. Vanderkinderepl. - Ma Campagne - Pl. P. Jansonpl. - Ch. de Charleroisestwg. - Pl. Stéphanie/Stefaniapl. - Av. Louise/Louisaln. - Louise/Louisa (M) - R. des 4 Brasstr. - Pl. Poelaertpl. - R. de la Régence/Regentschapsstr. - Pt. Sablon/Kl. Zavel - Pl. Royale/Koningspl. - R. Royale/Koningstr. - Parc/Park (M) - Colonne du Congrès/Congreszuil - Botanique/Kruidtuin (M) - Pl. de la Reine/Koninginnepl. - Ch. de Haecht/Haachtsestwg. - Av. Maréchal Fochln. - Pl. E. Verboekhovenpl. - Av. Prin. Elisabethln. - SCHAERBEEK/SCHAARBEEK (B)

Tram 94 HERRMANN-DEBROUX (M) - STADION

HERRMANN-DEBROUX (M) - Bd. du Souverain/Vorstln. - Pl. Winerpl. - Av. Delleurln. - Ch. de la Hulpe/Terhulpsestwg. - Hippodrome/Renbaan - Av. de la Forêt/Woudln. - Boondael (B) - Pl. Marie-Josépl. - Av. du Pesage/Waagln. - Sq. du Solbosch/Solbossq. - ULB/VUB - Av. A. Buylln. - R.-P. de l'Etoile/Sterstr. - Bd. de la Cambreln. - Av. Louise/Louisaln. - Pl. Stéphanie/Stefaniapl. - Louise/Louisa (M) - R. des 4 Brasstr. - Pl. Poelaertpl. - R. de la Régence/Regentschapsstr. - Pt. Sablon/Kl. Zavel - Pl. Royale/Koningspl. - R. Royale/Koningstr. - Parc/Park (M) - Colonne du Congrès/Congreszuil - Botanique/Kruidtuin (M) - Ste.-Marie - R. des Palais/Paleizenstr. - Pl. Liedtspl. - Av. de la Reine/Koninginneln. - Sq. J. De Troozsq. - R. Stéphanie/Stefaniastr. - Bockstael (M) - R. Fransmanstr. - R. J. Lahayestr. - Cim. De Jette/Begr. Van Jette - Bd. De Smet de Naeyerln. - Pl. Van Gehuchtenpl. (Bruggmann) - Av. E. Masoinln. - Av. Rommelaereln. Av. Stiénonln. - HOUBA DE STROOPER

Bus 95 BOURSE/BEURS (M) - WIENER

BOURSE/BEURS (M) (R. H. Mausstr.) - R. du Midi/Zuidstr. (vers/naar Heiligenborre) - Platsteen (vers/naar Bourse/Beurs) - R. du Lombardstr. - Pl. St.-Jean/St.-Janspl. - R. de l'Hôpital/

Gasthuisstr. - R. Lebeaustr. - Grd. Sablon/Gr. Zavel - Pt. Sablon/Kl. Zavel - R. de la Régence/ Regentschapsstr. - Pl. Royale/Koningspl. - Pl. des Palais/Paleizenpl. - R. Ducale/Hertogstr. - Trône/Troon Ⓜ - R. du Luxembourg/Luxemburgstr. - Sq. de Meeûssq. - Luxembourg/Luxemburg Ⓑ - R. d'Idaliestr. - Parnasse/Parnassus - R. du Trône/Troonstr. - Pl. Blyckaertspl. - Av. de la Couronne/Kroonln. - Etterbeek Ⓑ - Cim. d'Ixelles/Elsene Begr. - Av. de la Sauvagine/ Waterwildln. - Pl. Keympl. - R. des Epicéas/Epiceastr. - Av. des Bouleaux/Berkenln. - Av. des Ortolans/Ortolanenln. - 3 Tilleuls/3Linden - Av. G. Benoidtln. - PL. WIENERPL.

Tram 97 LOUISE/LOUISA Ⓜ - STALLE Ⓟ

LOUISE/LOUISA Ⓜ - Ch. De Charleroi/Charleroisestwg.- Pl. P. Jansonpl. - R. Morisstr. - Pl.M. Van Meenenpl. - Bar. St.-Gilles/Gillis - Av. du Parc/Parkln. - Pl.L. Wielemanspl. - Av.Van Volxemln. - Pl. St. Denis/St. Denijspl. - Ch. de Neerstalle/Neerstalsestwg. - R. De Stallestr. - STALLE Ⓟ

Bus 98 HEROS/HELDEN - C.E.R.I.A./C.O.O.V.I. Ⓜ

SQ. DES HEROS/HELDENSQ. - Av. Brugmannln. - Pl. Dancopl. (Globe) - R. de Stallestr. - R. de Stallestr. Prolongée/Verlengde Stallestr. - R. Longue/Langestre. - Av. P. Gilsonln. - Bd. de l'Humanité/Humaniteitsln. - Bd. International/Internationaleln. - Ring R0 - C.E.R.I.A./C.O.O.V.I. Ⓜ Ⓟ

BUS DE NUIT / NACHTBUS

Renseignements / Inlichtingen 0900.10310

Bus N01 PETER - BENOIT - DE BROUCKERE

R. Vekemansstraat - R. De Heembeek/Heembeeksestraat Av. Des Croix Du Feu/Vuurkruisenlaan - Pont Van Praet Brug - Quai Usines/Werkhuizenkaai - R. Masuistraat - Ch. D' anvers/ Antwerpsesteenweg - R. De Laeken/Lakensestraat - De Brouckere Ⓜ

Bus N02 SINT-VINCENTIUS - DE BROUCKERE Ⓜ

Saint-Vincent/Sint-Vincentius - R. Ed Dekosterstraat - Ch. de Helmet/Helmetsesteenweg - R. Waelhem/Waelhemstraat - Pl. Eugene Verboekhoven Pl. - R. Gallaitstraat - Pl. Liedts Pl. - R. Du Progres/Vooruitgangstraat - Gare Du Nord/Noordstation Ⓑ Ⓜ - R. De Laeken/Laekensestraat - De Brouckere Ⓜ

Bus N03 BORDET STATION - DE BROUCKERE Ⓜ

Ch. De Haecht/Haachtsesteenweg. - Av. H. Consciencelaan. - Pl. Terdelt Pl. - Av. Louïs Bertrandlaan. - Av. Paul Dechanellaan. - Av. Rogierlaan. - Ch. De Haecht/Haachtsesteenweg. - R. Royale/Koningsstraat. - Gare Central/Centraal Station. Ⓑ - Bd Anspachlaan. - De Brouckere. Ⓜ

Bus N04 CIMETIERE DE BRUXELLES - BEGRAAFPLAATS VAN BRUSSEL - DE BROUCKERE -

Cimetiere De Bruxelles/Begraafplaats van Brussel. - R. De Zaventemstraat. Av. Henri Dunantlaan - Pl. Gen. Meiser Pl. - Pl. Daily Pl. - Av. Clayslaan. - R. Rouan Boviestraat. - Sq. A. Steurssquare - R. Traversiere/Dwarsstraat - Pl. Quetelet Pl. - Porte de Schaarbeek/Schaarbeeksepoort - R. Royale/Koningsstraat - Gare Central/Centraal Station Ⓑ - Bd. Anspachlaan - De Brouckere Ⓜ

Bus N05 MARCEL THIRY - DE BROUCKERE Ⓜ

Av. - Marcel Thiry Laan. - Roodebeek. Ⓜ - R. Vervloesem/Vervloesemstraat - - Pl. De Mai/Meiplein. - Sq. Levie/ Levieplein. - Sq. Eug. Plasky/Eug. Plasky Sq. - Sq. Marguerite/Margaretasq - Pl. St.- Josse/St.- Joostplein. - Pl. Madou/Madou Pl. - Gare Central/Centraal Station Ⓑ - Bd. Anspachlaan - De Brouckere Ⓜ

Bus N06 MUSEE DU TRAM - TRAMMUSEUM - DE BROUKERE Ⓜ

Mus. Du Tram/Trammuseum - Av. de Tervueren/Tervurenlaan - Sq. Marechal Mont gomery/Maarschalk Montgomeryplein Ⓜ - Merode Ⓜ - R. Belliard/Belliardstraat. - Palais des Beaux Arts/Paleis voor Schone Kunsten. - Gare Central/Centraal Station Ⓑ - Bd. Anspachlaan - De Brouckère. Ⓜ

Bus N07 HERRMANN DEBROUX - DE BROUKERE Ⓜ

Herrmann Debroux Ⓜ - Ch. De Wavre/Waversesteenweg - Av. d' Auderghem/Ou dergemlaan - Schuman Ⓜ - Arts - Loi Ⓜ Kunst - Wet Ⓜ - R. Des Colonies Kolo nienstraat - Gare Central/Centraal Station Ⓑ - Bd. Anspachlaan - De Brouckere Ⓜ

Bus N08 WIENER - DE BROUKERE Ⓜ

Wiener - Pl. L. Wiener Pl. - Av. Des Ortolans/Ortolanenlaan - R. Des Epiceas/Epiceastraat - Av. De Visélaan - Av. De La Couronne/Kroonlaan - Pl. R. Blyckaertsplein - R. Du Trone/Troonstraat -Pl. Du Luxembourg/Luxemburgplein - Trone/Troon Ⓜ - Pl. Des Palais/Paleizenplein - rue Ravensteinstraat - Gare Central/Centraal Station Ⓑ - Bd. Anspachlaan - De Brouckére Ⓜ

Bus N09 DE BROUKERE Ⓜ - BOONDAEL STATION

Boondael Gare/Boondael Station Ⓑ - Av. De La Foret/Woudlaan - Sq. Du Solbosch/Sol boschsquare - Av. De L' Hippodrome/Renbaanlaan - Pl. E. Flagey Pl. - Ch. D ' Ixelles/El sense Steenweg - Trone/Troon Ⓜ - Pl. Des Palais/Paleizenplein - R. Ravenstein straat - Gare Central/Centraal Station Ⓑ - Bd. Anspachlaan - De Brouckére Ⓜ

Bus N10 FORT JACO - DE BROUKERE Ⓜ

Fort Jaco - R. Du Hamstraat - Pl. De St.Jobsplein - St. Job Ⓑ - Av. De Mercure/Mercuri uslaan - Sq. Ch. Lagrange Square - R. Edith Cavellstraat - Pl. Brugmann Pl. - Av. L Lepoutrelaan - Ch. De Waterloo/Waterloosesteenweg - Ch. De Charleroi/ Charleroise Steenweg - Pl. Stephanie/Stefanieplein - Pl. Poulaertplein - Pl. Du Petit Sablon/Kleine Zavel - Pl. du Grand Sablon/Grote Zavel - Bourse/Beurs Ⓜ De Brouckére Ⓜ

Bus N11 UCCLE CALEVOET - DE BROUCKERE Ⓜ UKKEL KALEVOET - DE BROUCKERE Ⓜ

Uccle Calevoet/Ukkel Kalevoet Ⓑ - Ch. D' Alsemberg/Alsembergsesteenweg - Pl. Albertplein Ⓜ - Barriere De Saint- Gilles/Bareel van St.- Gilles Ⓜ - Ch. De Waterloo/Water losesteenweg - Porte De Hal/Hallepoort Ⓜ - Pl. De La Chapelle/Kapellemarkt - Pl. du Grand Sablon/Grote Zavel - Bourse/Beurs Ⓜ - De Brouckére Ⓜ

Bus N12 P STALLE - DE BROUCKERE Ⓜ

Pstalle - R. de Stallestraat - Ch. De Neerstallesteenweg - Av. van Volxemlaan - Av. Fonsnylaan - Gare Du Midi/Zuid Station Ⓑ - Bd. Maurice Lemonnierlaan - Bd. Anspachlaan - De Brouckére

Bus N13 FRANS HALS - DE BROUCKERE Ⓜ

Sq. Frans Hals Square - Av. Marius Renardlaan - Av. du Luizenmolenlaan - R. de Neer pedestraat - Sq. Fg Rombaux Sq. - Pl. de Linde Pl.- R.P. Jansonlaan - R. Wayezstraat - Ch. De Mons/Bergensesteenweg - Porte D' Anderlecht/Anderlechtsepoort - R. Van Artevel destraat - De Brouckére Ⓜ

Bus N14 MACHTENS - DE BROUCKERE Ⓜ

Machtens - Bd. Louis Mettewielaan - Ch. De Ninove/Ninoofsesteenweg - Pl. Duchesse De Brabant/Hertogin van Brabantplein - Bd. Barthelemylaan - R. Antoine Dansaertstraat - De Brouckere Ⓜ

Bus N15 HUNDERENVELD - DE BROUCKERE

Hunderenveld - Av. du Roi Albert/Koning Albertlaan - Pl. Dr. Schweitzerplein - Ch. de Gand/ Gentsesteenweg - Cimetiere De Molenbeek/Bograafplaats van Molenbeek - Osseghem/ Ossegem Ⓜ - Pl. Voltaireplein - Porte De Flandre/Vlaamse Poort - R. Antoine Dansaertstraat - De Brouckere Ⓜ

Bus N16 BERCHEM STATION - DE BROUCKERE Ⓜ

Pl. De La Gare/Stationsplein - R. Bois Des Iles/ Eilandenhoutstraat - Av. Marie De Hongrie/ Maria van Hongarijelaan - Av. van Overbekelaan - Av. Des Gloires Nationales/Lands roemlaan - Av. De Jette/Jetselaan - Pl. Eug. Simonisplein Ⓜ - Bd. Leopold II - Laan - Pl. H. Van Huffelplein - R. Schmitzstraat - Ch. De Gand/Steenweg op Gent - R. Antoine Dan saertstraat - De Brouckere Ⓜ

Bus N17 DIELEGEM - DE BROUCKERE Ⓜ

Dieleghem/Dielegem - Pl. De L'Ancienne Barriere/Oude Afspanningsplein - R. Bonaven turestraat - Av. du Sacre Coeur/Heilig Hartlaan - Pl. Card. Mercier/Kard. Mercierplein - R. Léon Théodorstraat - Av. De Laeken/Lakenselaan - A. De Jette/Jetselaan - Pl. Eug. Simonisplein Ⓜ - Bd. Leopold II- laan - Pl. H. Van Huffelplein - R. Schmitzstraat - Ch. De Gand/Steenweg op Gent - R. Antoine Dansaertstraat - De Brouckere Ⓜ

Bus N18 HEIZEL - DE BROUCKERE

Heysel/Heizel M - Av. Imperatrice Charlotte/Keizerin Charlottelaan - Av. Houba De Strooperlaan - Bd. Em. Bockstaellaan - Bockstael B M - Pl. A. Pouchkine/A. Poesjkinplein - Sq. Des Liberateurs/Bevrijderssquare - Boulevard Leopold II Laan - Porte D' Anvers/ Antwerpse Poort - R. De Laeken/Lakensestraat - De Broucker M

Bus N66 ZUIDSTATION - DAILLY - SIMONIS - ZUIDSTATION

Gare Du Midi/Zuidstation B M - Pl. Barra plein - Av. Clemenceaulaan - R. Ropsy Chaudronstraat - R. Nic. Doyenstraat - Gare De L' Ouest/Weststation M - Av. J. Baecklaan - Boulevard Edmond Machtenslaan - R. Dubois - Thornstraat - Osseghem/Ossegem M - Av. de Sippelberglaan - Av. De La Liberte/Vrijheidslaan - Pl. Eug. Simonis Pl. M - R. J.B. Serkeynstraat - Pl. Ph. Werrieplein - Bd. Belgicalaan - R. Picardstraat - Av. du Port/Havenlaan - Place des Amateurs/Redersplein - Quai de Willebroeck/Willebroekkaai - Bd. Simon Bolivarlaan - Gare du Nord/Noordstation B - Av. De La Reine/Koninginnelaan - R. Des Palais/Paleizenlaan - Av. Rogierlaan - Av. Daillylaan - Pl. Daillyplein - R. Du Noyer/Notelaarsstraat - Av. de Cortenbergh/Kortenberglaan - Av. D' Auderghem/Oudergemlaan - Av. E. Pirmezlaan - R. De La Brasserie/Brouwerijstraat - Pl. E. Flageyplein - R. Lesbroussartstraat - R. Du Bailli/Baljuwstraat - Ch. De Waterloo/Waterlosesteenweg - Porte de Hal/Hallepoort M - Gare Du Midi/Zuidstation B M

Bus N71 DELTA M - DE BROUCKERE M

DE BROUCKERE M - R. Fossé aux Loups/Wolvengracht (°) - R. de l'Ecuyer/Schildknaapsstr. (°°) - R. d'Assaut/Stormstr. - Putterie/Putterij - Centrale/Centraal M B - R. Ravensteinstr. - Beaux Arts/Sch. Kunsten - R. Mont. de la Cour/Hofberg - Pl. Royale/Koningspl. - Pl. des Palais/ Paleizenpl. - R. Ducale/Hertogstr. - Pte. de Namur/Naamsept. M - Ch. d'Ixelles/Elsensestwg. - Pl. F. Cocqpl. - Pl. E. Flageypl. - Av. de l'Hippodrome/Renbaanln. - Av. A. Buylln. - U.L.B/V.U.B. - Av. de l'Université/Hogeschoolln. - Cim. d'Ixelles/Elsene Begr. - Bd. du Triomphe/Triomfln. - DELTA M B

(°) direction/richting Delta M B

(°°) direction/richting De Brouckère M

Bus N99 ZUIDSTATION B M - SIMONIS - DAILLY - ZUIDSTATION B M

Gare Du Midi/Zuidstation B M - Pl. Barra plein - Av. Clemenceaulaan - R. Ropsy Chaudronstraat - R. Nic. Doyenstraat - Gare De L' Ouest/Weststation M - Av. J. Baecklaan - Boulevard Edmond Machtenslaan - R. Dubois - Thornstraat - Osseghem/Ossegem M - Av. de Sippelberglaan - Av. De La Liberte/Vrijheidslaan - Pl. Eug. Simonis Pl. M - R. J.B. Serkeynstraat - Pl. Ph. Werrieplein - Bd. Belgicalaan - R. Picardstraat - Av. du Port/Havenlaan - Place des Amateurs/Redersplein - Quai de Willebroeck/Willebroekkaai - Bd. Simon Bolivarlaan - Gare du Nord/Noordstation B - Av. De La Reine/Koninginnelaan - R. Des Palais/Paleizenlaan - Av. Rogierlaan - Av. Daillylaan - Pl. Daillyplein - R. Du Noyer/Notelaarsstraat - Av. de Cortenbergh/Kortenberglaan - Av. D' Auderghem/Oudergemlaan - Av. E. Pirmezlaan - R. De La Brasserie/Brouwerijstraat - Pl. E. Flageyplein - R. Lesbroussartstraat - R. Du Bailli/Baljuwstraat - Ch. De Waterloo/Waterlosesteenweg - Porte de Hal/Hallepoort M - Gare Du Midi/Zuidstation B M

TRANSPORT EN COMMUN (T.E.C.)

Société Régionale Wallonne des Transports

Renseignements : tél. 010/23 53 53

VLAAMSE VERVOERMAATSCHAPPIJ De Lijn

Info dienstregelingen : tel. 070/220 200

Info abonnementen : tel. 02/526 28 20

116 (de lijn)
CHAPELLE/KAPELLEKERK (B) - Pl. Rouppepl. - Av. de Stalingradln. MIDI/ZUID - [M] (B) - R. Barastr. - R. Eloystr. - R. E. Carpentierstr. - Cureghem/Kuregem - Ch. de Mons/Bergense stwg. - St.-Guidon/St.-Guido [M] - Westland Shopping Center - Bon Air/Goede Lucht - Itterbeek Dorp - Dilbeek Vlaanderenln. - Sint-Martens-Bodegem - TERNAT

117 (de lijn)
CHAPELLE/KAPELLEKERK (B) - Pl. Rouppepl. - Av. de Stalingradln. - Midi/Zuid [M] (B) - R. Barastr. - R. Eloystr. - R. E. Carpentierstr. - Cureghem/Kuregem - Ch. de Mons/Bergense stwg. St.-Guidon/St.-Guido [M] - Westland Shopping Center - Bon Air/Goede Lucht - Itterbeek Dorp - Dilbeek Vlaanderenln. - DILBEEK RONDENBOS

118 (de lijn)
CHAPELLE/KAPELLEKERK (B) - Pl. Rouppepl. - Av. de Stalingradln. - Midi/Zuid [M] (B) - R. Barastr. - R. Eloystr. - R. E. Carpentierstr. - Cureghem/Kuregem - Ch. de Mons/Bergense stwg - St.-Guidon/St.-Guido [M] - Westland Shopping Center - Bon Air/Goede Lucht - Itterbeek Dorp - Sint-Anna-Pede - Sint-Gertrudis-Pede - SCHEPDAAL Markt

126 (de lijn)
NORD/NOORD [M] (B) - Rogier [M] - De Brouckère [M] - Ste.-Catherine/St.-Katelijne [M] - Pte. de Flandre/Vlaamse Pt. - Gare de l'Ouest/Weststation [M] - Scheut - Dilbeek Sint-Antoon - Pamel Schoon Verbond - Meerbeke Stelplaats - Ninove Brusselstr. - NINOVE centrum.

127 (de lijn)
NORD/NOORD [M] (B) - Rogier [M] - De Brouckère [M] - Ste.-Catherine/St.-Katelijne [M] - Pte. de Flandre/Vlaamse Pt. - Gare de l'Ouest/Weststation [M] - Scheut - Dilbeek Sint-Antoon - Dilbeek Stelplaats - Schepdaal Spanuit - Wambeek Kerk - Borchtlombeek Kerk - Strijtem Kerk - Strijtem Oud Station - Pamel Schoon Verbond - Pamel Kerk - Okegem Kerk - Liedekerke - Ninove Den Doorn - NINOVE Centrum

128 (de lijn)
NORD/NOORD [M] (B) - Rogier [M] - De Brouckère [M] - Ste.-Catherine/St.-Katelijne [M] - Pte. de Flandre/Vlaamse Pt. - Gare de l'Ouest/Weststation [M] - Scheut - Dilbeek Sint-Antoon - Dilbeek Stelplaats - Schepdaal Spanuit - Sint-Kwintens Lennik - Eizeringen - Strijtem Oud Station - Pamel Schoon Verbond - Meerbeke Stelplaats - Ninove Brusselstr. - NINOVE centrum

129(de lijn)
NORD/NOORD[M] (B) - Rogier [M] - Ribaucourt [M] - Etangs Noirs/Zwarte Vijvers [M] - Beekkant [M] - Gare de l'Ouest/Weststation [M] - Dilbeek Sint-Antoon - Dilbeek Moeremansln. - DILBEEK Zuurweide

134 (de lijn)
MIDI/ZUID [M] (B) - Pte. de Hal/Hallept. [M] - Ma Campagne - Pl. G. Brugmannpl. - R. E. Cavellstr. - Observatoire/Sterrenwacht - St.-Job (B) - Pl. St.-Jobpl. - VIVIER D'OIE/DIESDELLE

136 (de lijn)
GROOT-BIJGAARDEN Gosseln. - Groot-Bijgaarden Kerk - Kloosterstr. - Dilbeek Moeremansln. - Dilbeek Sint-Antoon- Sq. des Vét.Coloniaux/Koloniale Vet.sq. - Aumale [M] - Cureghem/Kuregem - R. E. Carpentierstr. - R. Eloystr. - R. Barastr. - Midi/Zuid [M] (B) - Pte. de Hal/Hallept. [M] - Ma Campagne - Ch. de Waterloostwg. - Bascule - Vivier d'Oie/Diesdelle - Fort-Jaco - Petite Espinette/Kleine Hut - Espinette Centrale/Midden Hut - Rhode St.-Genèse/St.-Genesius-Rode (B) - ALSEMBERG Winderickx

137 (de lijn)
DILBEEK Stelplaats - Dilbeek Sint-Antoon - Sq. des Vét. Coloniaux/Koloniale Vet. sq. - Aumale M - Cureghem/Kuregem - R. E. Carpentierstr. - R. Eloystr. - R. Barastr. - Midi/Zuid M (B) - Pte. de Hal/Hallept. M - Ma Campagne - Ch. de Waterloostwg. - Bascule - Vivier d'Oie/Diesdelle - Fort-Jaco - Petite Espinette/Kleine Hut - Espinette Centrale/Midden Hut - Rhode St.-Genèse/St.-Genesius-Rode (B) - ALSEMBERG Winderickx

140 (de lijn)
CHAPELLE/KAPELLEKERK (B) - Pl. Rouppepl. - Av. de Stalingradln. - Midi/Zuid M (B) - R. Barastr. - R. Eloystr. - R. E. Carpentierstr. - Cureghem/Kuregem - Ch. de Mons/Bergense stwg. - St.-Guidon/St.-Guido M - Av. d'Itterbeekse ln. - Bon Air/Goede Lucht - Sint-Kwintens-Lennik Eizeringen - LEERBEEK Stelplaats Eizeringen.

141 (de lijn)
CHAPELLE/KAPELLEKERK (B) - Pl. Rouppepl. - Av. de Stalingradln. - Midi/Zuid M (B) - R. Barastr. - R. Eloystr.- R. E. Carpentierstr. - Cureghem/Kuregem - Ch. de Mons/Bergense stwg. - Bizet M - La Roue/Het Rad M - C.E.R.I.A./C.O.O.V.I. M - Eddy Merckx M - Erasme/Erasmus M H - Vlezenbeek Pedestr. - Sint-Martens-Lennik Dorp - Sint-Kwintens-Lennik Markt - Gooik Wijngaardstr. - LEERBEEK Stelplaats

142 (de lijn)
CHAPELLE/KAPELLEKERK (B) - Pl. Rouppepl. - Av. de Stalingradln. - Midi/Zuid M (B) - R. Barastr. - R. Eloystr.- R. E. Carpentierstr. - Cureghem/Kuregem - Ch. de Mons/Bergense stwg. - Bizet M - La Roue/Het Rad M - C.E.R.I.A./C.O.O.V.I. M P - Eddy Merckx M - Erasme/Erasmus M H - Vlezenbeek Dorp - Vlezenbeek Vijfhoek - Gaasbeek Dorp - Sint-Kwintens-Lennik Markt - (O.L.V.-Lombeek Kerk) - (Pamel Schoon Verbond) - Gooik Wijngaardstr. - LEERBEEK Stelplaats

144 (de lijn)
MIDI/ZUID M (B) - R. Barastr. - R. Eloystr. - R. E. Carpentierstr. - Cureghem/Kuregem - Ch. de Mons/Bergense stwg. - Bizet M - La Roue/Het Rad M - C.E.R.I.A./C.O.O.V.I. M P - Sint-Pieters-Leeuw Negenmanneke - Sint-Pieters-Leeuw Gemeentehuis - Sint-Laureins-Berchem Kerk - Oudenaken Kerk - Elingen Kerk - Pepingen Kerk - Kester Dorp - LEERBEEK Stelplaats

145 (de lijn)
MIDI/ZUID M (B) - R. Barastr. - R. Eloystr. - R. E. Carpentierstr. - Cureghem/Kuregem - Ch. de Mons/Bergense stwg. - Bizet M - La Roue/Het Rad M - C.E.R.I.A./C.O.O.V.I. M P - Sint-Pieters-Leeuw Negenmanneke - Sint-Pieters-Leeuw Gemeentehuis - Sint-Pieters-Leeuw Kerk - Breedhout School - Pepingen Weg Bellingen - Pepingen Kerk - Bogaarden Dorp - Heikruis Kerk - HERFELINGEN Vier Armen

153 (de lijn)
DROGENBOS Shopping - R. Van Ophemstr. - Calevoet/Kalevoet (B) - Grote Baan - Cim. de Forest/begr. Vorst - Alsemberg Windericks - Dworp - Huizingen Domein - Huizingen Kerk - Buizingen Gemeentehuis - Halle (B) - Halle Ninoofsepoort - Pepingen - Leerbeek Stelplaats - Gooik Kwakenbeek - Gooik Terlo - Neigem Dorp - Meerbeke Kerk - NINOVE (B)

154 (de lijn)
DROGENBOS Shopping - R. Van Ophemstr. - Calevoet/Kalevoet (B) - Grote Baan - Beersel Gemeenteplein - Oud Beersel - Lot (B) - Buizingen Gemeentehuis - Halle (B) - HALLE AZ SINT-MARIA

155 (de lijn)
DROGENBOS Shopping - R. Van Ophemstr. - Calevoet/Kalevoet (B) - Moensberg (B) - Sq. des Braves/Dapperensq. - 't Holleken - Espinette Centrale/Midden Hut - Gr. Espinette/Gr. Hut - De Hoek (B) - Alsemberg Windericks - Dworp - Essenbeek Kerk - Sint-Rochus Kerk - Halle (B) - HALLE H AZ SINT-MARIA

163 (de lijn)
HALLE (B) - Halle Ninoofse Poort - Halle Don Bosco - Breedhout School - Breedhout Kerk - Oudenaken Pelikaan - Oudenaken Kerk - St.-L.-Berchem Hazeveld - St.-L.-Berchem Kerk - Elingen Kerk - Lennik Markt - Gooik Wijngaardstr. - O.-L.-V.-Lombeek Kerk - Pamel Schoon Verbond - Pamel Kerk - Leerbeek Stelplaats - LEERBEEK

170 (de lijn)
BRUXELLES CHAPELLE (B) - Pl. Rouppepl. - Av. de Stalingradln. - Midi/Zuid M (B) - R. Barastr. - R. Eloystr. - R. E. Carpentierstr. - Cureghem/Kuregem - Ch. de Mons/Bergense stwg. - Bizet M - La Roue/Het Rad M - C.e.r.i.a./C.o.o.v.i. M P - Sint-Pieters-Leeuw Negenmanneke

- Sint-Pieters-Leeuw Zuun - Dikke Linde - Gemeentehuis - Stwg. naar Alsemberg - Brusselpoort - Ziekenhuisln. - Park - HALLE (B)

171 (de lijn)
BRUXELLES CHAPELLE (B) - Pl. Rouppepl. - Av. de Stalingradln. - Midi/Zuid (M) (B) - R. Barastr. - R. Eloystr. - R. E. Carpentierstr. - Cureghem/Kuregem - Ch. de Mons/Bergense stwg. - Bizet (M) - La Roue/Het Rad (M) - C.e.r.i.a./C.o.o.v.i. (M) (P) - Sint-Pieters-Leeuw Negenmanneke - Sint-Pieters-Leeuw Zuun - Stwg. naar Ruisbroek - Makro - Stationstr. - Brukom Brusselpoort - Ziekenhuisln. - Park - HALLE (B)

172 (de lijn)
UCCLE UKKEL (Ste.-Elisabeth/St.-Elizabeth (H)) - Av. De Fréln. - 2 Alice (H) - Sq. des Héros/Holdensq. - Pl. Danoopl. (Globe) - R. de Stallestr. - Ruisbroek - Lot (B) - Sint-Pieters-Leeuw - Stationstr. - Oud Station - Gemeentehuis - Do Klink Dorp - Gemeentepl. - Ziekenhuis Inkendaal - VLEZENBEEK

178 (de lijn)
BRUXELLES/BRUSSEL - Leuven - Herent - Halen - Lummen - Houthalen - Waterschei - Maasmechelen - Lanaken - Eisden - Meeswijk - Lanklaar - Dilsen - Rotem - Elen - MAASEIK

179 (de lijn)
BRUXELLES/BRUSSEL - Leuven - Kessel-Lo - Diest - Meldert - Paal - Beringen - Heppen - Leopoldsburg - Hechtel - Eksel - Overpelt - Neerpelt - Achel - HAMONT

190 (de lijn)
NORD/NOORD (M) (B) - Rogier (M) - Yser/IJzer (M) - Ribaucourt (M) - Etangs Noirs/Zwarte Vijvers (M) - Beekkant (M) - Gare de l'Ouest/Weststation (M) - Aumale (M) - Cureghem/Kuregem - Ch. de Mons/Bergense stwg. - Bizet (M) - La Roue/Het Rad (M) - C.E.R.I.A./C.O.O.V.I. (M) (P) - Eddy Merckx (M) - Erasme/Erasmus (M) (H)

212 (de lijn)
NORD/NOORD (M) (B) - SIMONIS (M) - Av. Charles Quint/Keizer Karelln. (Basilix) - Zellik Drie Koningen - Zellik Brug - Asse Walfergem - Asse (B) - Asse Gemeenteplein - Asse Wijndruif - Asse Terheiden Kerk - Hekelgem Affligem - Erembodegem Groenstr. - Aalst Zeeberg - AALST (B)

213 (de lijn)
NORD/NOORD (M) (B) - Rogier (M) - Yser/IJzer (M) - Ribaucourt (M) - Simonis (M) - Basilique/Basiliek - Av. Charles Quint/Keizer Karelln. (Basilix) - Brusselsesteenweg - Zellik Driekoningen - Zellik Dorp - Zellik Brug - Asse Walfergem - Asse Ten Berg - Asse (B) - Asse Gemeenteplein - Asse Koninklijk Atheneum - Asse Industrie - Ternat (B) - Sint-Katharina-Lombeek Kerk - Sint-Katharina-Lombeek Bosstr. - Liedekerke (B) - Teraltene Kerk - Erembodegem (B) - Aalst Oude Vismarkt - Aalst Sint-Annabrug - AALST (B)

214 (de lijn)
NORD/NOORD (M) (B) - Rogier (M) - Yser/IJzer (M) - Ribaucourt (M) - Simonis (M) - Basilique/Basiliek - Av. Charles Quint/Keizer Karelln. (Basilix) - Brusselsesteenweg - Zellik Driekoningen - Zellik Dorp - Zellik Brug - Asse Walfergem - Asse Ten Berg - Asse (B) - Asse Gemeenteplein - Asse Wijndruif - Asse Terheiden Kerk - Essene Koudenberg - Hekelgem Affligem - Erembodegem Groenstr. - Aalst Zeeberg - AALST (B)

222 (de lijn)
VILVOORDE (Virgo Fidelis) - Stadhuis Vilvoorde (B) - Diegem-Lo - ZAVENTEM (B)

223 (de lijn)
VILVOORDE (Virgo Fidelis) - Stadhuis Vilvoorde (B) - Peutie - Aarschotstr. - Melsbroek - Groeneveld - STEENOKKERZEEL

224 (de lijn)
VILVOORDE (Stadhuis) - Virgo Fidelis - Vilvoorde (B) - Grimbergen - Berkenln. - Prinsenbos - Dorp - STELPL.

230 (de lijn)
NORD/NOORD (M) (B) - Rogier (M) - Yser/IJzer (M) - Ribaucourt (M) - Bd. E. Bockstaelln. - Bockstael (M) (B) - Av. du Parc Royal/Kon. Parkln. - Gros Tilleul/Dikke Linde - Strombeek - Grimbergen (Alexianen) - Grimbergen (Stelplaats) - Beigem - HUMBEEK (Brug)

231 (de lijn)
NORD/NOORD (M) (B) - Rogier (M) - Yser/IJzer (M) - Ribaucourt (M) - Bd. E. Bockstaelln. - Bockstael (M) (B) - Av. du Parc Royal/Kon. Parkln. - Gros Tilleul/Dikke Linde - Strombeek - Het

Voor - Grimbergen Stelplaats - Grimbergen Max Havelaar - Beigem Stationsstraat - BEIGEM Baron Domislaan

232 (de lijn)

NORD/NOORD M B - Rogier M - Yser/IJzer M - Ribaucourt M - Bd. E. Bockstaelln. - Bockstael M B - Av. du Parc Royal/Kon. Parkln. - Gros Tilleul/Dikke Linde - Strombeek - Vilvoorde Het Voor - Grimbergen Stelplaats - Grimbergen Humbeeksesteenweg - VERBRANDE BRUG

233 (de lijn)

NORD/NOORD M B - Rogier M - Yser/IJzer M - Ribaucourt M - Bd. E. Bockstaelln. - Bockstael M B - Av. Houba de Strooperln. - Stuyvenberg M - Houba-Brugmann M - Roi Baudouin/Kon. Boudewijn M - Ch. Romaine/Romeinsestwg. - Esplanade - Meise - Grimbergen (Stelplaats) - Beigem - HUMBEEK (Brug)

235 (de lijn)

NORD/NOORD M B - Rogier M - Yser/IJzer M - Ribaucourt M - Bd. E. Bockstaelln. - Bockstael M B - Av. Houba de Strooperln. - Stuyvenberg M - Houba-Brugmann M - Roi Baudouin/Kon. Boudewijn M - Ch. Romaine/Romeinsestwg. - Esplanade - Mutsaard - HET VOOR

240/241/242/243 (de lijn)

NORD/NOORD M B - Rogier M - Yser/IJzer M - Ribaucourt M - Bd. E. Bockstaelln. - Bockstael M B - Av. Houba de Strooperln. - Stuyvenbergh M - Houba-Brugmann M - Roi Baudouin/Kon. Boudewijn M - De Limburg Stiruml n. - Wemmel Kam

Ensuite/Vervolgens

240 Wemmel Kerk - Wemmel Robbrechts

241 Wemmel Kerk - Wemmel Robbrechts - Zijp - BEVER Drijpikkel

242 Wemmel Kerk - Wemmel Robbrechts - Wemmel Vier Winden - Hamme Hooghuis - Brussegem Ossel Dorp - Bollebeek Kerk - Mollem Pachthof - Asse Gemeenteplein ASSE B

243 Wemmel Kerk - Wemmel Robbrechts - Relegem Kerk - Zellik B - ZELLIK Driekoningen

245 (de lijn)

NORD/NOORD M B - WTC - Tour et Taxis/Thurn en Taxis - Bd. E. Bockstaelln. - Bockstael M B - Av. Houba de Strooperln. - Stuyvenbergh M - Bd. De Smet De Naeyerln. - H Brugmann - R. Bonaventurestr. - Av. du Laerbeekln. H AZ-VUB - Av. de l'Arbre Ballon/Dikkebeukln. - Heymbosch - Brusselse Steenweg - Wemmel Kaasmarkt - Wemmel Vier Winden - Hamme Hooghuis - Brussegem Ossel Dorp - Brussegem Bosbeek Sarten - Merchtem Vier Winden - Merchtem Varkensmarkt - Merchtem Peizegem Leikeren - Buggenhout B - Baasrode B - Baasrode Vlassenbroek - DENDERMONDE B

246 (de lijn)

NORD/NOORD M B - Rogier M - Yser/IJzer M - Ribaucourt M - Bd. E. Bockstaelln. - Bockstael M B - Av. Houba de Strooperln. - Stuyvenbergh M - Houba-Brugmann M - Av. de l'Arbre Ballon/Dikkebeukln. - Heymbosch - Brusselse Steenweg - Wemmel Kaasmarkt - WEMMEL De Keersmaekerlaan

250/251 (de lijn)

NORD/NOORD M B - Rogier M - Yser/IJzer M - Ribaucourt M - Bd. E. Bockstaelln. - Bockstael M B - Av. Houba de Strooperln. - Stuyvenberg M - Houba-Brugmann M - Roi Baudouin/Kon. Boudewijn M - Av. des Magnolias/Magnolialn. - Ch. Romaine/Romeinsestwg. - Esplanade - Bever - Drijpikkel - Meise Boechtstraat - Meise Oppem-Hasselt - Meise Oppem Kerk - Wolvertem Gemeenteplein - Wolvertem Boudewijnslaan - Wolvertem De Vlieten - Wolvertem Meusegem

Ensuite/Vervolgens

250 Wolvertem Meusegem - Wolvertem Impde Kerk - Londerzeel Station B - Breendonk Moorstraat - Liezele Kerk - PUURS Station B

251 Wolvertem Meusegem - Wolvertem Rossem Dorp - Steenhuffel Kerk - Londerzeel Station B - Londerzeel Sint-Jozef - Malderen Dorp - Lippelo Centrum - Oppuurs Station B - PUURS Station B

260 (de lijn)

NORD/NOORD M B - Rogier M - Yser/IJzer M - Ribaucourt M - Bd. E. Bockstaelln. - Bockstael M B - Av. Houba de Strooperln. - Stuyvenberg M - Houba-Brugmann - Roi Baudouin/Kon. Boudewijn M - Ch. Romaine/Romeinsestwg. - Esplanade - Strombeek - Bever

- Meise - Eversem - Nieuwenrode - Kapelle-op-den-Bos Station Ⓑ - Kapelle-op-den-Bos Kerk - Ramsdonk Kerk - Tisselt School - Willebroek Beukenlaan - Willebroek Station Ⓑ - Willebroek Acacialaan - Puurs Lichterveld - PUURS Station Ⓑ

261 (de lijn)

VILVOORDE Ⓑ - Vilvoorde Kerk - Grimbergen Maalbeek - Humbeek Benedestraat - Nieuwenrode Dorp - Wolvertem Nerom - Wolvertem Westrode Kerk - Londerzeel Autostrade - Londerzeel Ⓑ

270 (de lijn)

NORD/NOORD Ⓜ Ⓑ - Rogier Ⓜ - Botanique/Kruidtuin Ⓜ - Pl. Colignonpl. - Ch. de Haecht/Haachtsestwg. - Bordet Ⓑ - Dobbelenberg - Diegem Dorp - Diegem Broekstraat - Cargo (Post) - Melsbroek Batavia - Melsbroek Oud Station - Steenokkerzeel Oud Station - Berg Oud Station - Kampenhout Oud Station - Kampenhout Sas Veiling - Haacht Ⓑ - Haacht Kerk - Kruishoevestr. - Stationsstr. - Kerk KEERBERGEN

271 (de lijn)

NORD/NOORD Ⓜ Ⓑ - Rogier Ⓜ - Botanique/Kruidtuin - Pl. Colignonpl. - Ch. de Haecht/ Haachtsestwg. - Bordet Ⓑ - Dobbelenberg - Diegem Dorp - Diegem Broekstr. - Cargo (Post) - Melsbroek Oud Station - Steenokkerzeel Oud Station - Dijkstr. - Erps Watertoren - Kortenberg Ⓑ - Nederokkerzeel Kerk - Liststr. - Rijkswacht -Dreef KAMPENHOUT

272 (de lijn)

NORD/NOORD Ⓜ Ⓑ - Rogier Ⓜ - Botanique/Kruidtuin Ⓜ - Pl. Colignonpl. - Ch. de Haecht/ Haachtsestwg. - Bordet Ⓑ - O.T.A.N./N.A.T.O (Zaventem Keiberg) - Diegem Sofitel - Grensstr. - Zaventem Ⓑ - Brussels Airport - Machelen Cargo (Post) - Oud Station - Steenokkerzeel Oud Station - Kampenhout Oud Station - Haacht Ⓑ - Don Bosco - Kerk - St.-Angela - HAACHT

281 (de lijn)

VILVOORDE Ⓑ - Parkstr.-Woluweln. - J.F. Kennedyln. - H. Henneauln. - Hoogstr. - L. Da Vinciln. Olmstr. - Tech. Noord - BRUSSELS AIRPORT Ⓑ

282 (de lijn)

MECHELEN Ⓑ - Europaln. - Tecnopolis - Zemst Dorp - Dorp Ⓑ - Vilvoorde Ⓑ - Dorpspl. - Kasteel Beaulieu - Broekstr. - Diegem Ⓑ - J.F. Kennedyln. - H. Henneauln. - Parkln. - Zaventem Ⓑ - Vilvoordeln. Tech. Noord - BRUSSELS AIRPORT Ⓑ

315 (de lijn)

KRAAINEM Ⓜ - Av. de Wezembeekln - Av. Baron Albert d'Huartln - Quatre Bras/Vier Armen - Brusselse Steenweg - Tervuren Centrum - Tervuren Museum - Leuvense Steenweg - Tervuren Vier Winden - Vossem Steenweg - Vossem dorp - Leefdaal Centrum - Leefdaal Biesstraat - Bertem Oud Station - Bertem Alsemberg - Leuven Tervuursepoort - Leuven Fochplein - LEUVEN Ⓑ

316 (de lijn)

KRAAINEM Ⓜ - Sterrebeek Oud Station - Moorsel Begraafplaats - Moorsel Dorp - Tervuren Vier Winden - Leefdaal Oud Station - Bertem Oud Station - Bertem Alsemberg - LEUVEN Ⓑ

317 (de lijn)

KRAAINEM Ⓜ - Av. de Wezembeekln - Av. Baron Albert d'Huartln - Quatre Bras/Vier Armen - Brusselse Steenweg - Tervuren Centrum - Tervuren Museum - Leuvense Steenweg - Tervuren Vier Winden - Vossem Steenweg - Leefdaal Hammeveld - Leefdaal Oud Station - Leefdaal Kasteel - Bertem Oud Station - Bertem Alsemberg - Leuven Tervuursepoort - Leuven Fochplein - LEUVEN Ⓑ

318 (de lijn)

NORD/NOORD Ⓜ Ⓑ - Rogier Ⓜ - Botanique/Kruidtuin Ⓜ - Ch. de Louvain/Leuvense-steenweg - Pl. Daillypl. - Pl. Meiserpl. - Pl. De Paduwapl. - Evere R. De Lombaerdestr - Sint-Stevens-Woluwe Woluwedal - Kraainem (E40) - Sterrebeek Oud Station - Moorsel Begraafplaats - Moorsel Merelln. - VREBOS Veldstr.

341 (de lijn)

ETTERBEEK Ⓑ - Delta Ⓜ Ⓑ - Herrmann-Debroux Ⓜ - Ch. de Wavre/Waverse stwg. - Overijse Jezus-Eik - Overijse Kerk - Overijse Stelplaats - Tombeek Kerkstr. - Overijse Terlanen - Ottenburg Dorp - WAVRE Ⓑ

343 (de lijn)

ETTERBEEK Ⓑ - Delta Ⓜ Ⓑ - Herrmann-Debroux Ⓜ - Ch. de Wavre/Waverse stwg. - Hoeilaart Kerk - Overijse Bakenbos - OVERIJSE MALEIZEN (EEG Sportcomplex)

344 (de lijn)
SCHUMAN M B - Chasse/Jacht - Ch.de Wavre/Waverse stwg. - Hankar M - Herrmann-Debroux M - Ch. de Wavre/Waverse stwg. - Overijse Jezus-Eik - Overijse Kerk - Overijse Stelplaats - Huldenberg Gemeenteplein - Loonbeek Kerk - Neerijse Kliniek - Sint-Joris-Weert Bareel - Nethen - HAMME-MILLE

345 (de lijn)
SCHUMAN M B - Chasse/Jacht - Ch. de Wavre/Waverse stwg. - Hankar M - Herrmann-Debroux M - Ch. de Wavre/Waverse stwg. - Hoeilaart Kerk - Overijse Bakenbos - Overijse Maleizen - Rosières Eglise - Bierges Eglise - WAVRE B

348 (de lijn)
ETTERBEEK B - Delta M B - Herrmann-Debroux M - Ch. de Wavre/Waverse stwg. - Overijse Jezus-Eik - Overijse Kerk - Overijse Stelplaats - Overijse Maleizen - LA HULPE B

349 (de lijn)
ETTERBEEK B - Delta M B - Herrmann-Debroux M - Ch. de Wavre/Waverse stwg. - Overijse Jezus-Eik - Overijse Kerk - Overijse Stelplaats - Huldenberg Gemeenteplein - Sint-Agatha-Rode Dorp - OTTENBURG Dorp

351 (de lijn)
NORD/NOORD M B - Rogier M - Botanique/Kruidtuin M - Pl. Daillypl. - Ch. de Louvain/Leuvensestwg. - Pl. Meiserpl. - Pl. De Paduwapl. - Evere R. De Lombaerdestr. - Sint-Stevens-Woluwe Woluwedal - Zaventem Sterrebeekstr. - Nossegem Centrum - Kortenberg Gemeentehuis - Everberg Kerk - Meerbeek Gemeentehuis - Veltem Kluis - Winkelse Schoonzicht - Leuven Fochplein - LEUVEN B

352 (de lijn)
KRAAINEM M - Kraainem R. Lenaertsstr. - Sterrebeek Oud Station - Kortenberg Vossenstr. - Kortenberg Gemeentehuis - Kortenberg Rijkswacht - Kortenberg B - Erps Kerk - Kwerps Kerk - Veltem Dorpsplein - Winksele Kerk - Leuven Fochplein - LEUVEN B

355 (de lijn)
NORD/NOORD M B - Rogier M - Yser/IJzer M - Ribaucourt M - Simonis M - Basilique/Basiliek H - Français/Frans - Pl. Schweitzerpl. - Hunderenveld - Groot Bijgaarden B - Sint-Ulriks-Kapelle - Ternat B - (Asse) - Wambeek Vijfhoek - Borchtlombeek Kerk - LIEDEKERKE

358 (de lijn)
NORD/NOORD M B - Rogier M - Botanique/Kruidtuin M - Pl. Daillypl. - Ch. de Louvain/Leuvensestwg. - Pl. Meiserpl. - Pl. De Paduwapl. - Evere R. De Lombaerdestr. - Sint-Stevens-Woluwe Woluwedal - Zaventem Sterrebeekstr. - Nossegem Centrum - Kortenberg Rijkswacht - Kortenberg Sint-Jozefkliniek - Veltem Kluis - Winksele Schoonzicht - Leuven Fochplein - LEUVEN

359 (de lijn)
ROODEBEEK M - Bd. de la Woluweln. - Sint-Stevens-Woluwe Woluwedal - Zaventem Sterrebeekstr. - Zaventem B - NATIONAL AIRPORT BRUSSELS

365a (TEC)
MIDI/ZUID M B - Pte. de Hal/Hallept. M - Ma Campagne - Ch. de Waterloostwg. - Bascule - Vivier d'Oie/Diesdelle - Fort-Jaco - Petite Espinette/Kleine Hut - Espinette Centrale/Midden Hut - Gr. Espinette/Gr. Hut - Waterloo Centre - Joli Bois - Mont-Saint-Jean - Genappe - Baisy-Thy - Frasnes-lez-Gosselies - Gosselies - CHARLEROI B

366 (TEC)
IXELLES/ELSENE (Pl. Flageypl.). - Av. F. Rooseveltln. - Hippodrome/Renbaan - Boitsfort/Bosvoorde B - Heiligenborre - Ch. de La Hulpesestwg. - Groenendaal/ Groenendael B - La Hulpe - Genval B - Rixensart - Limelette - Céroux - COURT SAINT ETIENNE

395 (de lijn)
GROENENDAAL B - Hoeilaart Kerk - Hoeilaart Europalaan - Overijse Stelplaats - Huldenberg Gem.pl. - Loonbeek Kerk - Neerijse Gemeenteplein - Korbeek-Dijle Kosterberg - Heverlee Egenhoven - Leuven Terv. Poort - Leuven Fochplein - LEUVEN B

410 (de lijn)
NORD/NOORD M B - Rogier M - Madou M - Pl. Daillypl. - Pl. Meiserpl. - Pl. De Paduwapl. - Sint- Stevens-Woluwe Woluwedal - Kraainem (E40) - Sterrebeek Oud Station - Wezembeek-Oppem Ban Eik - Tervuren Albertlaan - Tervuren Centrum - Tervuren Station - Leefdaal Oud Station - Bertem Oud Station - Leuven Rennessingel - LEUVEN B

460 (de lijn)

NORD/NOORD [M] (B) - Rogier [M] - Ribaucourt [M] - Bockstael [M] (B) - Londerzeel Station (B) - Breendonk Gemeentehuis - Willebroek Gemeentehuis - BOOM Vanderveldestraat.

471 (de lijn)

NORD/NOORD [M] (B) - Bordet (B) - O.T.A.N./N.A.T.O. - Av. du Bourgetln. - Hermesln. - Grensstr. - KEIBERG (Zaventem Henneauln.).

509 (de lijn)

GRIMBERGEN (Verbrande Brug) - Heldenpl. - Vilvoorde (B) - Perk (Kerk) - Elewijt (Kerk) - Hofstade Strand - Hofstade (Kerk) - Europaln. - MECHELEN (B)

509 (de lijn)

VILVOORDE (B) - Peutie Mil. Complex

624 (de lijn)

MARKTDIENST STROMBEEK - Strombeek Kerk - Strombeek Ringlaan - Grimb. Groot Molenveld - Vilvoorde Breemput - Vilvoorde Kerk - Vilvoorde Nowélel - VILVOORDE

820 (de lijn)

AZ-VUB (Jette) - Cité Modèle/Modelwijk - Roi Baudouin/Kon. Boudewijn [M] - Ch. Romaine/Romeinsestwg. - Esplanade - Strombeek - Het Voor - Koningslo - Vilvoorde (B) - Melsbroek - Machelen Cargo - National Airport Brussels (B) - ZAVENTEM (B)

821 (de lijn)

MERCHTEM (Varkensmkt.) - Wolvertem - Meise - Boechtstr. - Grimbergen - Vilvoorde (B) National Airport Brussels (B) - ZAVENTEM (B)

830 (de lijn)

GROENENDAAL (B) Hoeilaart Kerk - Overijse Kelleborre - Overijse Stelplaats Overijse Kerk - Overijse Plas - Overijse Eizer Kerk - Duisburg Hulststraat - Duisburg Kerk - Tervuren Centrum - Tervuren Albertlaan - Wezembeek-Oppem Ban Eick - Sterrebeek (B) - Zaventem Ikea - Zaventem Sterrebeekstraat - Zaventem Mariadal - Zaventem Technics Noord - Zaventem Luchthaven - Zaventem Technics Noord - Machelen Cargo (Post) - Melsbr. Parking Noord - MACHELEN

C (Conforto) (TEC)

ETTERBEEK, Delta [M] (B), Wavre Disco Roller, Wavre (B) (Parking des Mésanges) - Louvain-la-Neuve (Parking Leclerc)

E (TEC)

GARE DU LUXEMBOURG (B) - Schuman [M] (B) - Chasse/Jacht - Ch. de Wavre/Waverse stwg. - Hankar [M] - Herrmann-Debroux [M] - Ch. de Wavre/Waverse stwg. - Overijse Jezus-Eik - Overijse Kerk - Overijse Stelplaats - Tombeek Dorp - Wavre Zoning Nord - Wavre (B) - Dion-Valmont - Bonlez - Chaumont Gistoux - Orbais - Thorembais-Saint-Trond - Peruwez - EGHEZEE - (Forville)

UH (TEC)

CALEVOET/KALEVOET (B) - Ch. d'Alsembergsestwg. - Silence/Stilte - Cim. de Forest/begr. Vorst - ALSEMBERG Windericks - Sept Fontaines - Quatre Bras - BRAINE L'ALLEUD (B)

W (TEC)

MIDI/ZUID [M] (B) - Pte. de Hal/Hallept. [M] - Ma Campagne - Ch. de Waterloostwg. - Bascule - Vivier d'Oie/Diesdelle - Fort-Jaco - Petite Espinette/Kleine Hut - Espinette Centrale/Midden Hut - Gr. Espinette/Gr. Hut - Waterloo Centre - Joli Bois - Mont-Saint-Jean - BRAINE L'ALLEUD (B)

Société nationale des chemins de fer belges (S.N.C.B.)

Nationale maatschappij der Belgische spoorwegen (N.M.B.S.)

Centre d'information par téléphone pour voyageurs : T. 02/528.28.28
Centrale voor Informatie per telefoon voor reizigers : T. 02/528.28.28

G = Gare/Station

P = Point d'arrêt/Stopplaats

Basse-Wavre (G) .... 82 Ab Cd
Beersel (P)............ 54 Dd
Berchem-Sainte-Agathe (G)............ 19 Ac
Bierges-Walibi (P)............86 Bb
Bockstael (G)............20 Bb
Boitsfort (G)............ 49 Cd
Boondael/Boondaal (P) ....49 Bb
Bordet (P)............ 21 Cd
Bosvoorde (G) .... 49 Cd
Braine l'Alleud (G) ....88 Ab
Bruxelles / Brussel
• Central/Centraal (G) ....27 Fc
• Chapelle/Kapellekerk (G) ....27 Ecd
• Congres (G) ....27 Cc
• Kapellekerk/Chapelle (G) ....27 Ecd
• Klein Eiland/Petite Ile (Goederen) ....33 Fa
• Luxemburg (G) .... 35 Aa 95 Cbd
• Luxembourg (G) .... 35 Aa 95 Cbd
• Midi/Zuid (G) ....34 Ac
• National Aéroport (G) .... 16 Ca
• Nationaal Luchthaven (G) .... 16 Ca
• Nord/Noord (G) ....20 Fbcd
Sint-Agatha-Berchem- (G)............ 19 Ac
• Ouest/West (G) (Marchand.) .... 26 Cd
• Petite Ile/Klein Eiland (Marchand.) ....33 Fa
• Schuman (G) .... 28 Dd
• West/Ouest (G) (Goederen) .... 26 Cd
• Zuid/Midi (G) ....34 Ac
Buda (P) ....8 Ad
Buizingen (G) .... 61 Db
De Hoek (P) ....72 Ac
Diegem (G) ....15 Cc
Dilbeek (P) ....hors plan/buiten plan
Etterbeek (G) ....42 Bb
Evere (P) ....21 Fa
Forest Est (G) ....40 Fab
Forest - Bruxelles (G) ....40 Eab Midi
Genval (G) ....79 Bb
Groenendaal (G) ....57 Fd
Groot-Bijgaarden (G) .... 18 Bd, Eb
Halle/Halle (G) .... 68 Da
Haren (P) ....15 Ac
Haren Noord (Goederen) (G) .... 8 Da
Haren Nord (Marchandises) (G) .... 8 Da
Haren Sud/Zuid (P) ....15 Ac
Hoeilaart (P) ....66 Bc
Holleken (G)............55 Ed
Huizingen (P) ....61 Ea
Jette (G) .... 12 Fd, 13 Dc
Kortenberg (G) ....buiten plan/hors plan
La Hulpe (G) ....75 Ac
Limal (G) ....86 Dc
Linkebeek (G) .... 55 Db
Lot (G) ....53 Ed
Meiser (P) ....28 Bd
Mérode (P) .... 35 Ca
Moensberg (P)............55Ac
Nossegem (P) .... 17 Db
Sint-Gensius-Rode (G) .... 63 Fcd
Rhode-Saint-Genèse (G) .... 63 Fcd
Rixensart (G) ....80 Dc Ac
Ruisbroek (G) .... 47 Dab
Saint-Job/Sint-Job (P) ....48 Cc
Schaerbeek/Schaarbeek (G) ....21 Aab
Schaarbeek Josaphat
(Goederen/Marchandises) ....21 Ed,Fc
Schaarbeek Vorming (Goederen) ....14 Ccd
Schaerbeek Formation (March.) ....14 Ccd
Sint-Agatha-Berchem (G) .... 19 Ac
Sint-Genesius-Rode (G) .... 63 Fcd
Thurn en Taxis
(Goederen en Entrepot) ....20 Eab
Tour et Taxis
(Marchandises et Entrepôt) ....20 Eab
Uccle Calevoet/Ukkel-Kalevoet (G) .... 48 Da
Uccle Stalle/Ukkel-Stalle (G) .... 47 Cab
Vilvoorde (G) ....4 Eb
Vorst Oost (G) ....40 Fab
Vorst Zuid (G) ....40 Eab
Waterloo (G) .... 76 Db
Watermael / Watermaal (G) ....42 Fa
Wavre (G) ....81 Fa
Zaventem (G) ....16 Eab
Zellik (P) ....11 Bd, Cc

Nous remercions vivement la S.N.C.B. qui nous a aimablement communiqué ces renseignements - Wij danken de N.M.B.S. hartelijk voor de bekomen inlichtingen.

COMMUNES - NUMEROS POSTAUX - ABREVIATIONS
GEMEENTEN - POSTNUMMERS - AFKORTINGEN
GEMEINDEN - POSTNUMMER - ABKÜRZUNGEN
MUNICIPALITIES - POSTAL CODES - ABBREVIATIONS

ALSEMBERG (BEERSEL)	1652	AL
ANDERLECHT	1070	AN
ASSE	1730	AS
AUDERGHEM	1160	AU
BEERSEL	1650	BE
BEKKERZEEL (ASSE)	1730	BE
BERCHEM-SAINTE-AGATHE	1082	BA
BIERGE (WAVRE)	1301	BI
BRAINE-L'ALLEUD	1420	B-A
BRUSSEGEM (MERCHTEM)	1785	BR
BRUSSEL	1000	BR
BRUXELLES	1000	BR
BUIZINGEN (HALLE)	1501	BU
CHAUMONT-GISTOUX	1325	CH
COUTURE-ST.-GERMAIN (LASNE)	1380	CO
DIEGEM (MACHELEN)	1831	DI
DILBEEK	1700	DI
DION-VALMONT (CHAMONT-GISTOUX)	1325	D-V
DROGENBOS	1620	DR
DUISBURG (TERVUREN)	3080	DU
DWORP (BEERSEL)	1653	DW
ELSENE	1050	IX
ERPS-KWERPS (KORTENBERG)	3071	E-K
ETTERBEEK	1040	ET
EVERBERG (KORTENBERG)	3078	EV
EVERE	1140	EV
FOREST	1190	FO
GANSHOREN	1083	GA
GENVAL (RIXENSART)	1332	GE
GRIMBERGEN	1850	GR
GROOT-BIJGAARDEN (DILBEEK)	1702	G-B
HAEREN (BRUXELLES)	1130	BR
HALLE	1500	HA
HAMME (MERCHTEM)	1785	HA
HAREN (BRUSSEL)	1130	BR
HOEILAART	1560	HO
HUIZINGEN (BEERSEL)	1654	HU
ITTERBEEK (DILBEEK)	1701	IT
IXELLES	1050	IX
JETTE	1090	JE
KOBBEGEM (ASSE)	1730	KO
KOEKELBERG	1081	KO
KORTENBERG	3070	KO
KRAAINEM	1950	KR
LA HULPE	1310	L-H
LAEKEN (BRUXELLES)	1020	BR
LAKEN (BRUSSEL)	1020	BR
LASNE-CHAPELLE-ST.LAMBERT	1380	LA
LEMBEEK (HALLE)	1502	LE
LIMAL (WAVRE)	1300	LI
LIMELETTE (OTTIGNIES-L-L-N)	1342	LI
LINKEBEEK	1630	LI
LOT (BEERSEL)	1651	LO
MACHELEN	1830	MA
MEERBEEK (KORTENBERG)	3078	ME
MEISE	1860	ME
MELSBROEK (STEENOKKERZEEL)	1820	ME
MERCHTEM	1785	ME
MOLENBEEK-SAINT-JEAN	1080	MO
NEDEROKKERZEEL (KAMPEHOUT)	1910	NE
NEDER-OVER-HEEMBEEK (BRUSSEL/BRUXELLES)	1120	BR
NOSSEGEM (ZAVENTEM)	1930	NO
OHAIN (LASNE)	1380	OH
OUDERGEM	1160	AU
OVERIJSE	3090	OV
PERK (STEENOKKERZEEL)	1820	PE
PEUTIE (VILVOORDE)	1800	PE
RELEGEM (ASSE)	1731	RE
RHODE-SAINT-GENESE	1640	S-G
RIXENSART	1330	RI
ROSIERES (RIXENSART)	1331	RO
RUISBROEK (SINT-PIETERS-LEEUW)	1601	RU
SAINT-GILLES	1060	SG
SAINT-JOSSE-TEN-NOODE	1210	SJ
SCHAARBEEK	1030	SC
SCHAERBEEK	1030	SC
SCHEPDAAL	1703	SC
SINT-AGATHA-BERCHEM	1082	BA
SINT-GENESIUS-RODE	1640	S-G
SINT-GILLIS	1060	SG
SINT-JANS-MOLENBEEK	1080	MO
SINT-JOOST-TEN-NODE	1210	SJ
SINT-LAMBRECHTS-WOLUWE	1200	WL
SINT-LAURENS-BERGHEM (SINT-PIETERS-LEEUW)	1600	L-B
SINT-MARTENS-BODEGEM	1700	S-M
SINT-PIETERS-LEEUW	1600	P-L
SINT-PIETERS-WOLUWE	1150	WP
SINT-ULRIKS-KAPELLE	1700	S-U
ST.-STEVENS-WOLUWE (ZAVENTEM)	1932	S-W
STEENOKKERZEEL	1820	ST
STERREBEEK	1933	ST
STROMBEEK-BEVER (GRIMBERGEN)	1853	S-B
TERVUREN	3080	TE
UCCLE	1180	UC
UKKEL	1180	UC
VILVOORDE	1800	VI
VLEZENBEEK (SINT-PIETERS-LEEUW)	1602	VL
VORST	1190	FO
VOSSEM (TERVUREN)	3080	VO
WATERLOO	1410	WA
WATERMAAL-BOSVOORDE	1170	WB
WATERMAEL-BOITSFORT	1170	WB
WAVRE	1300	WA
WEMMEL	1780	WE
WEZEMBEEK-OPPEM	1970	W-O
WOLUWE-SAINT-LAMBERT	1200	WL
WOLUWE-SAINT-PIERRE	1150	WP
ZAVENTEM	1930	ZA
ZELLIK (ASSE)	1731	ZE

INDEX ALPHABÉTIQUE DES RUES AVEC LA COMMUNE ET LE CODE POSTAL PAR RUE

(Méthode d'utilisation - voir pages 8 et 9)

ALFABETISCH STRAATNAMENREGISTER MET DE GEMEENTE EN DE POSTCODE PER STRAAT

(Gebruiksaanwijzing - zie blz. 8 en 9)

STRASSENVERZEICHNIS

(Benutzerhinweise - Siehe Seite 8 und 9)

INDEX OF STREETS

(How to use the map and the index - see page 8 and 9)

Breedstraat 94
9100 Sint-Niklaas – Belgium
✆ 03/760.14.64 - 02/300.89.99
Site : www.derouckgeocart.com

Le maximum de soins a été apporté à la récolte et à la vérification des renseignements figurant dans cet atlas. Rappelons toutefois que l'éditeur d'un ouvrage de ce genre n'est pas responsable des erreurs qui échappent à sa vigilance.

De inlichtingen die U in deze uitgave vindt, werden met de grootste nauwgezetheid verzameld en nagezien. Toch menen wij er U te moeten aan herinneren dat de uitgever van een dergelijk werk niet verantwoordelijk is voor fouten die aan zijn nauwlettendheid ontsnappen.

REF 50 ISBN 978-90-5208-050-5 • D/2008/11529/017

A

AA/QUAI D'-KAAI	33	Ec	1070 AN
	40	Abd Ba	
		Db	1070 AN
AA/RUE D'-STRAAT	40	Ba	1070 AN
AALBESSENGANG	34	Bac	1000 BR
	94	Fa	1000 BR
AALSTSTRAAT	27	Ad	1000 BR
	90	Ec	1000 BR
AANAARDINGSSTRAAT	34	Bc	1000 BR
	94	Eabd	1000 BR
AANBEELDSTRAAT	28	Da	1210 SJ
	93	Cbd	1210 SJ
AARDBEIENSTRAAT	40	Aac	1070 AN
AARDBEIENSTRAAT	25	Ecd	1700 DI
AARDEBERGSTRAAT	7	Dbd	1800 VI
AARDKREKELLAAN	49	Cabc	1170 WB
AARDSLOKKERSERF	69	Dab	1501 BU
AARLENSTRAAT	35	Aa	1050 IX
1 tot 31 & 2 tot 26	95	Cabc	1050 IX
AARLENSTRAAT	28	Dc	1000 BR
33 tot 49 & 28 tot 78	35	Aa	1000 BR
	93	Fbd	1000 BR
	95	Cab	1000 BR
AARLENSTRAAT	28	Dc	1040 BR
51 tot einde &	35	Aa	1040 BR
80 tot einde	93	Fbd	1040 BR
	95	Cab	1040 BR
AARSCHOTSESTRAAT	4	Fb	1800 PE
AARSCHOTSTRAAT	27	Ca	1210 SJ
2 tot 4	91	Abd Ba	1210 SJ
AARSCHOTSTRAAT	20	Fbcd	1030 SC
onpare nrs & 6 tot einde	27	Ca	1030 SC
	91	Ba	1030 SC
AARSCHOTSTRAAT	10	Ecd	1820 ST
AARTSHERTOGENLAAN	43	Dabd	
		Eab	1170 WB
AARTSHERTOGEN-SQUARE	43	Da	1170 WB
ABATTOIR/BOULEVARD DE L'	27	Dbd	1000 BR
	92	Ad Db	1000 BR
ABATTOIR/RUE DE L'	27	Db	1000 BR
	92	Ad	1000 BR
ABBAYE/RUE DE L'	41	Cb	1000 BR
1 à 11 & 2 à 4	42	Aa	1000 BR
ABBAYE/RUE DE L'	41	Cb	1050 IX
15 à fin & 6 à fin			
ABBAYE/RUE DE L'	88	Ad	1420 B-A
ABBAYE D'AFFLIGEM/AVENUE	82	Dbd	1300 WA
ABBAYE DE DIELEGHEM/RUE DE L'	12	Fb	1090 JE
ABBAYE DE FOREST/AVENUE DE L'	76	Ed	1410 WA
ABBAYE DE LA CAMBRE	42	Aa	1050 IX
1 à 11 & 2 à 12			
ABBAYE DE LA CAMBRE	42	Aac	1000 BR
13 à fin & 14 à fin			
ABBE CUYLITS/RUE	27	Dc	1070 AN
	92	Da	1070 AN
ABBE CUYPERS/RUE	35	Ca	1040 ET
ABBE DE L'EPEE/RUE	29	Dc	1200 WL
ABBE FROIDURE/	47	Fb	1180 UC
CLOS DE L'	48	Da	1180 UC
ABBE JEAN HEYMANS/RUE	29	Ea	1200 WL
ABBE PAUL LE ROUX/RUE	12	Fcd	1090 JE
ABBE RENARD/PLACE	88	Ac	1420 B-A
ABBESSE DE REMIREMONT/AVENUE	88	Db	1420 B-A
ABBESSES/RUE DES	40	Fa	1190 FO
ABBE VICTOR	12	Fd	1090 JE
DE SLOOVER/RUE	19	Cb	1090 JE
ABDICATION/RUE DE L'	28	Bc Ea	1000 BR
ABDIJSTRAAT	41	Cb	1000 BR
1 tot 11 & 2 tot 4	42	Aa	1000 BR
ABDIJSTRAAT	41	Cb	1050 IX
15 tot einde &			
6 tot einde			
ABDIJSTRAAT	2	Cb	1850 GR
	3	Aa	1850 GR
ABDIJ TER KAMEREN	42	Aa	1050 IX
1 tot 11 & 2 tot 12			
ABDIJ TER KAMEREN	42	Aa	1000 BR
13 tot einde &			
14 tot einde			
ABDIJ VAN DIELEGHEM-STRAAT	12	Fb	1090 JE
ABDISSENSTRAAT	40	Fa	1190 FO
ABEELS/RUE-STRAAT ROGER	19	Bd	1083 GA
ABEILLES/AVENUE DES	42	Ec	1000 BR
1 à 13 & 2 à 8			
ABEILLES/AVENUE DES	42	Ec	1050 IX
15 à fin /&12 à fin			
ABEILLES/AVENUE DES	76	Da	1410 WA
ABELENLAAN	13	Bbcd	
		Eb	1020 BR
ABELENLAAN	23	Eb	1933 ST
ABELOOS/AVENUE-LAAN GUILLAUME	29	Dd	1200 WL
ABLETTES/AVENUE DES	42	Cd	1160 AU
ABONDANCE/RUE DE L'	27	Cb	1210 SJ
	28	Aa	1210 SJ
	91	Cc	1210 SJ
ABREUVOIR/RUE DE L'	50	Ac	1170 WB
ABRICOTIER/RUE DE L'	34	Bcd	1000 BR
	94	Fa	1000 BR
ABRIKOZEBOOMSTRAAT	34	Bcd	1000 BR
	94	Fa	1000 BR
ABSIL/SQUARE JEAN	35	Fa	1040 ET
ABSTDAL	2	Fb	1850 GR
ACACIAGAARDE	36	Cc	1150 WP
ACACIALAAN	68	Cd	1500 HA
	69	Ac Da	1500 HA
ACACIALAAN	66	Aa	1560 HO
ACACIALAAN	46	Fbd	1600 P-L
ACACIALAAN	64	Db	1640 S-G
ACACIALAAN	63	Ec	1652 AL
ACACIALAAN	6	Bcd	
		Ea	1853 S-B
ACACIALAAN	22	Fd	1932 S-W
ACACIALAAN	51	Fd	3090 OV
ACACIAS/AVENUE DES	82	Dab	1300 WA
ACACIAS/AVENUE DES	66	Fd	1310 L-H
	67	Dc	1310 L-H

Street	Map	Grid	Postcode
ACACIAS/AVENUE DES	79	Fc	1330 RI
	84	Ca	1330 RI
ACACIAS/AVENUE DES	72	Ec	1410 WA
ACACIAS/AVENUE DES	64	Db	1640 S-G
ACACIAS/CLOS DES	36	Cc	1150 WP
ACACIAS/PLACE DES-PLEIN	35	Bd	1040 ET
ACACIASSTRAAT/RUE DES	30	Db Ea	1950 KR
ACANTHES/RUE DES	43	Db	1170 WB
ACANTHUSSENSTRAAT	43	Db	1170 WB
ACCENT/AVENUE-LAAN JEAN	43	Ecd	1160 AU
ACCES/CHEMIN D'	40	Cc Fa	1190 FO
ACCOLAY/RUE D'-STRAAT	27	Ecd	1000 BR
	92	Fc	1000 BR
ACCORD/RUE DE L'	26	Cc	1080 MO
ACCUEIL/SQUARE DE L'	21	Bd	1140 EV
ACERS/VENELLE DES	87	Aa	1300 WA
ACHTBUNDERSSTRAAT	2	Fcd	1850 GR
	6	Cab	1850 GR
ACHT BUNDERSSTRAAT	24	Fac	1933 ST
ACHTER DE HOVEN-STRAAT	10	Cc Fa	1820 ST
ACHTERHAM	4	Ab	1800 VI
ACHTHOEKPLEIN	49	Cb	1170 WB
ACHTURENSTRAAT	33	Dd	1070 AN
	40	Ab	1070 AN
ACKERMANSDREEF	38	Fd	3080 TE
ACONITS/RUE DES	43	Db	1170 WB
ACREMAN/RUE	86	Dd Ec	1300 LI
ACTIVITE/RUE DE L'	29	Eac	1200 WL
ADANTSTRAAT/RUE JULES	30	Bac Ea	1950 KR
ADELE/AVENUE	74	Cc Fa	1310 L-H
ADENAUER/AVENUE-LAAN KONRAD	29	Cd Fb	1200 WL
ADENAUERWIJK KONRAD	22	Eab	1932 S-W
ADONIDES/SENTIER DES	41	Cd	1000 BR
ADONISSENPAD	41	Cd	1000 BR
ADRIAANSTRAAT	60	Eac	3090 OV
ADUATIQUES/CHAUSSEE DES	81	Cab	1300 WA
ADUATIQUES/RUE DES	35	Cab	1040 ET
ADUATUKERSSTRAAT	35	Cab	1040 ET
AERNAUT/RUE-STRAAT JOSEPH	29	Fd	1200 WL
AERODROME/RUE DE L'	15	Bc Ea	1130 BR
AERONEF/RUE DE L'	22	Aa	1140 EV
AEROPLANE/AVENUE DE L'	36	Cbcd	1150 WP
AERSCHOT/RUE D'	27	Ca	1210 SJ
2 à 4	91	Abd Ba	1210 SJ
AERSCHOT/RUE D' nos impairs & 6 à fin	20	Fbcd	1030 SC
	27	Ca	1030 SC
	91	Ba	1030 SC
AFFECTION/CHEMIN DE L'	73	Bcd	1310 L-H
AFRICAINE/RUE 1 à 3 a 2 à 2A	34	Ed Fc	1050 IX
AFRICAINE/RUE 5 à 37 & 2B à 108A	34	Ed Fc	1060 SG
AFRIKAANSE STRAAT 1 tot 3 & 2 tot 2A	34	Ed Fc	1050 IX
AFRIKALAAN	38	Cb	3080 TE
AFRIKASTRAAT 5 tot 37 & 2B tot 108A	34	Ed Fc	1060 SG

Street	Map	Grid	Postcode
AGAVENDREEF	32	Cd	1070 AN
AGAVES/DREVE DES	32	Cd	1070 AN
AGE DE LA PIERRE/CHEMIN DE L'	64	Dd Ec	1640 S-G
AGNEAU/AVENUE DE L'	55	Bc	1180 UC
AGORA/GALERIE-GALERIJ	27	Eb	1000 BR
	92	Cd Fb	1000 BR
AGRAFE/RUE DE L'	26	Ed	1070 AN
	33	Bb	1070 AN
AGREMENT/RUE DE L'	33	Ba	1070 AN
AGRICULTURE/RUE DE L'	21	Bacd Eb	1030 SC
AGRONOME/RUE DE L'	26	Dc	1070 AN
	33	Aa	1070 AN
AGRONOOMSTRAAT	26	Dc	1070 AN
	33	Aa	1070 AN
AHORNBOMENLAAN	30	Ed	1970 W-O
AHORNBOMENSTRAAT	35	Bcd	1040 ET
AHORNLAAN	64	Dbcd Ea	1640 S-G
AIEUX/CHEMIN DES	79	Ec	1331 RO
AIGLE/AVENUE DE L'	36	Dcd	1150 WP
AIGLON/AVENUE DE L'	83	Eb	1420 B-A
AIGLON/AVENUE DE L'-LAAN	48	Fd	1180 UC
	55	Cab	1180 UC
AIGRETTES/RUE DES	50	Aa	1170 WB
AIGUILLE/RUE DE L'	33	Bb Ca	1070 AN
AILES/RUE DES	21	Ac Dab	1030 SC
AIRELLES/AVENUE DES	49	Ca	1170 WB
AISANCE/AVENUE DE L'	82	Dc	1300 WA
AJONCS/AVENUE DES	36	Fab	1150 WP
AKAROVA/PLACE-PLEIN	34	Ba	1000 BR
	94	Ca	
AKENKAAI	20	Ebcd	1000 BR
	27	Ba	1000 BR
	90	Bb Ca	1000 BR
AKAROVA/PLACE-PLEIN	34	Ba	1000 BR
	94	Ca	1000 BR
AKKER	17	Ecd	1930 NO
AKKERMUNTSTRAAT	23	Ba	1930 ZA
AKKERPLEIN	59	Da	3090 OV
AKKERVOOR	11	Cc	1731 ZE
AKKERWINDEWEG	31	Ab	1933 ST
AKKOORDSTRAAT	26	Cc	1080 MO
ALBANIE/RUE D'-STRAAT	34	Ecd	1060 SG
ALBATROS/AVENUE DES-LAAN	36	Dd	1150 WP
ALBERT/AVENUE-LAAN 1 à/tot 291 & 2 à/tot 268	41	Ab Bac	1190 FO
ALBERT/AVENUE-LAAN 291A à fin/tot einde & 270 à fin/tot einde	41	Bc	1180 UC
ALBERT/PLACE-PLEIN	41	Ab	1190 FO
ALBERT/PONT-BRUG	14	Dd Ec	1030 SC
ALBERT/RUE-STRAAT	20	Ca	1020 BR
ALBERT 1ER/AVENUE	74	Fd	1332 GE
	75	Dcd	1332 GE
	78	Cb	1332 GE
	79	Ab Babd	1332 GE
ALBERT-ELISABETH/AVENUE-LAAN	28	Fd	1200 WL
	35	Cab	1200 WL
ALBERT IER/AVENUE	78	Cb	1310 L-H
ALBERT IER/PLACE	74	Fd	1310 L-H
ALBERT IER/PLACE	76	Eb Fa	1410 WA

ALBERT I LAAN	66	Aac	1560 HO
ALBERT-I-LAAN	3	Ed Fcd	1800 VI
	7	Ab Bab	1800 VI
ALBERTINAPLEIN	27	Ed Fc	1000 BR
	93	Da	1000 BR
ALBERTINE/AVENUE	85	Aa	1330 RI
ALBERTINE /PET.AVENUE	85	Aa	1330 RI
ALBERTINE/PLACE DE L'	27	Ed Fc	1000 BR
	93	Da	1000 BR
ALBERT I-SQUARE	33	Cab	1070 AN
ALBERTLAAN	38	Bc Dbcd	
		Ea	3080 TE
ALBERTLAAN/AVENUE	38	Ab Bac	
		Dbd Ea	1970 W-O
ALBERT PREMIER/AVENUE	88	Abcd	
		Da	1420 B-A
ALBERT PREMIER/PLACE	86	Dc	1300 LI
ALBERT PREMIER/ SQUARE	33	Cab	1070 AN
ALBERTSTRAAT	68	Fd	1500 HA
	69	Dc	1500 HA
ALBERTYN/AVENUE-LAAN	28	Fd	1200 WL
ALBOOM	5	Ed	1780 WE
À L'BUSE/RUELLE	86	Bb Cac	1301 BI
ALCHEMISTSTEEG	14	Bb	1120 BR
	7	Ed	1120 BR
ALCHIMISTE/ VENELLE DE L'	14	Bb	1120 BR
	7	Ed	1120 BR
ALCYONS/RUE DES	19	Da	1082 BA
ALCYONSTRAAT	19	Da	1082 BA
ALDERSON/ RUE-STRAAT P.	21	Bb	1140 EV
ALENABORRE	25	Fc	1700 DI
	32	Ca	1700 DI
ALEXANDERPLEIN	36	Fc	1150 WP
ALEXANDRE/AVENUE	80	Dd Ec	1330 RI
	85	Ab	1330 RI
ALEXANDRE/SQUARE	36	Fc	1150 WP
ALEXIENS/RUE DES	27	Ecd	1000 BR
	92	Fc	1000 BR
ALEZANS/AVENUE DES	37	Ad	1150 WP
ALGARVE/ CLOS DE L'-GAARDE	21	Fd	1140 EV
ALGEMEEN STEM- RECHTLAAN	21	Db	1030 SC
ALGOET/SQUARE JULES	33	Ab	1070 AN
ALISIERS/AVENUE DES	55	Ad Db	1180 UC
ALIZES/AVENUE DES	87	Bc	1300 WA
ALLARD/AVENUE ALPHONSE	88	Acd	
		Dbd Ec	1420 B-A
ALLARD/RUE-STRAAT	20	Fc	1030 SC
	27	Ca	1030 SC
	91	Ba	1030 SC
ALLARD/RUE-STRAAT ERNEST	34	Bb	1000 BR
	94	Cbd	1000 BR
	95	Aa	1000 BR
ALLARD/RUE-STRAAT VICTOR	47	Cb	1180 UC
	48	Aab	1180 UC
ALLEES FLEURIS/ AVENUE DES	2	Da	1780 WE
ALLEE VERTE/RUE DE L'	19	Dc	1082 BA
	26	Aa	1082 BA
ALLEIN/SQUARE ROBERT	12	Cd	1090 JE
ALLENDE/AVENUE SALVADOR	84	Ba	1330 RI

ALLIANCE/RUE DE L'	28	Ac Da	1210 SJ
	93	Ca	1210 SJ
ALLIES/AVENUE DES	83	Fb	1410 WA
ALLIES/RUE DES	33	Fd	1190 FO
	40	Cbd	1190 FO
ALLIES/RUE DES	88	Ad	1420 B-A
ALMA/PLACE DE L'-PLEIN	30	Ac Da	1200 WL
ALMA/PROMENADE DE L'- WANDELING	30	Ac Da	1200 WL
ALOST/RUE D'	27	Ad	1000 BR
	90	Ec	1000 BR
ALOUETTES/AVENUE DES	36	Dc	1150 WP
ALOUETTES/AVENUE DES	85	Bab	1300 LI
ALOUETTES/AVENUE DES	87	Ccd Fb	1325 D-V
ALOUETTES/AVENUE DES	63	Cb	1640 S-G
	64	Aa	1640 S-G
ALOUETTES/AVENUE DES	1	Eab	
		Fac	1780 WE
ALOUETTES/AVENUE DES	30	Da	1950 KR
ALOUETTES/CHAMP DES	78	Fb	1332 GE
ALOUETTES/CHAMP DES	31	Ec	1970 W-O
ALOUETTES/RUE DES	33	Dcd	1070 AN
ALPENKLOKJESHOEK	39	Cd	1070 AN
ALPHONSE XIII/	48	Fb	1180 UC
AVENUE-LAAN	49	Da	1180 UC
ALSACE-LORRAINE/	91	Cb	1050 IX
RUE D'	95	Bd	1050 IX
ALSEMBERG/ CHAUSSEE D'	34	Dd Ec	1060 SG
1 à 139 & 2 à 156	41	Ab	1060 SG
ALSEMBERG/ CHAUSSEE D'	41	Abd	1190 FO
141 à 369 & 158 à 358			
ALSEMBERG/	41	Ad Dbd	1180 UC
CHAUSSEE D'	47	Fd	1180 UC
373 à 1439 &	48	Abcd	
360 à 1402		Dac	1180 UC
	54	Cb	1180 UC
ALSEMBERG/	71	Dbd Ec	1420 B-A
CHAUSSEE D'	88	Aac	1420 B-A
ALSEMBERG/ CHAUSSEE D'	54	Cb	1620 DR
ALSEMBERG/ CHAUSSEE D'	71	Dbd Ec	1640 S-G
ALSEMBERGSE STEENWEG	34	Dd Ec	1060 SG
1 tot 139 &			
2 tot 156	41	Ab	1060 SG
ALSEMBERGSE STEENWEG	41	Abd	1190 FO
141 tot 369 &			
158 tot 358			
ALSEMBERGSE-	41	Ad	
STEENWEG		Dbd	1180 UC
373 tot 1439 &	47	Fd	1180 UC
360 tot 1402	48	Abcd	
		Dac	1180 UC
	54	Cb	1180 UC
ALSEMBERGSE- STEENWEG	61	Db	1500 HA
ALSEMBERGSE-	61	Dbd Ec	1501 BU
STEENWEG	69	Bab	1501 BU
ALSEMBERGSE- STEENWEG	61	Dab	1600 P-L

Street	Map	Grid	Postcode
ALSEMBERGSE			
STEENWEG	71	Dbd Ec	1640 S-G
ALSEMBERGSE-	54	Fd	1650 BE
STEENWEG	55	Dc	1650 BE
	63	Aac	1650 BE
ALSEMBERGSE-	69	Ccd Fb	1653 DW
STEENWEG	70	Dacd	
		Ecd	1653 DW
ALSEMBERGSE-			
STEENWEG	63	Dac	1652 AL
ALSEMBERGSESTEENWEG/	54	Cbd	
CHAUSSEE D'		Fbd	1630 LI
ALSEMBERG/STEENWEG			
NAAR	69	Bb Cac	1654 HU
ALSEMBERG/			
STEENWEG OP	54	Cb	1620 DR
ALSEMBERG/			
VIEUX CHEMIN D'	71	Dbd	1420 B-A
ALSEMBLOEMLAAN	70	Cb	1652 AL
ALTITUDE CENT/			
PLACE DE L'	41	Ad	1190 FO
AL VAU/CHAMP D'	78	Facd	1380 OH
ALVERDRIES	70	Dcd	1653 DW
AMANDELBOMENLAAN	12	Cb	1020 BR
AMANDELBOMENLAAN	26	Ab Ba	1080 MO
AMANDIERS/AVENUE DES	12	Cb	1020 BR
AMANDIERS/AVENUE DES	26	Ab Ba	1080 MO
AMANDIERS/VENELLE DES	87	Dab	1300 WA
AMARANTE/AVENUE DE L'	13	Cab	1020 BR
AMARANTE/COURS	36	Cc	1150 WP
AMARANTENHOF	36	Cc	1150 WP
AMARANTLAAN	13	Cab	1020 BR
AMARYLLIS/RUE DES	19	Bd	1083 GA
AMARYLLISSENSTRAAT	19	Bd	1083 GA
AMAZONE/			
AVENUE DE L'-LAAN	72	Cc Fab	1640 S-G
AMAZONE/			
RUE DE L'-STRAAT	34	Fc	1050 IX
1 à/tot 29 & 2 à/tot 20			
AMAZONE/			
RUE DE L'-STRAAT	34	Fc	1060 SG
33 à fin/tot einde &			
22 à fin/tot einde			
AMAZONENDREEF	42	Ac	
		Dacd	1000 BR
AMAZONENLAAN	6	Fb	1800 VI
AMAZONES/ALLEE DES	42	Ac	
		Dacd	1000 BR
AMBACHTENGANG	27	Eb	1000 BR
	92	Cd	1000 BR
AMBACHTSLIEDEN-			
STRAAT	35	Ad	1050 IX
AMBASSADEUR VAN			
VOLLENHOVEN/			
AVENUE-LAAN	21	Dbd	1030 SC
AMBIORIX/SQUARE	28	Db Ea	1000 BR
AMBIORIXLAAN/AVENUE	5	Fac	1780 WE
AMBLEVE/			
RUE DE L'-STRAAT	35	Fcd	1160 AU
AMELGEMSTRAAT	1	Bcd	
		Db Ea	1860 ME
AMELGEMWEG/			
CHEMIN D'	1	Eb Fac	1780 WE
AMELIE/AVENUE	84	Ca	1330 RI
AMENAGISTES/			
CHEMIN DES	50	Cab	1160 AU
AMERICAINE/RUE	34	Ed Fc	1060 SG
1 à 35A & 2 à 42A			
AMERICAINE/RUE	34	Fcd	1050 IX
49 à fin & 44 à fin	41	Cab	1050 IX
AMERIKAANSE STRAAT	34	Fcd	1050 IX
49 tot einde &	41	Cab	1050 IX
44 tot einde			
AMERIKALAAN	58	Dc	1560 HO
	66	Aab	1560 HO
AMERIKASTRAAT	34	Ed Fc	1060 SG
1 tot 35A & 2 tot 42A			
AMETHISTDREEF	12	Cb	1020 BR
AMETHISTPAD	12	Cb	1020 BR
	5	Fd	1020 BR
AMETHISTPLEIN	12	Cb	1020 BR
AMETHISTSQUARE	12	Cb	1020 BR
	5	Fd	1020 BR
AMETHISTSTRAAT	12	Cb	1020 BR
AMETHYSTE/ALLEE DE L'	12	Cb	1020 BR
AMETHYSTE/PLACE DE L'	12	Cb	1020 BR
AMETHYSTE/RUE DE L'	12	Cb	1020 BR
AMETHYSTE/	12	Cb	1020 BR
SENTIER DE L'	5	Fd	1020 BR
AMETHYSTE/	12	Cb	1020 BR
SQUARE DE L'	5	Fd	1020 BR
AMFORALAAN	6	Ed	1020 BR
AMIGO/RUE DE L'	27	Eb	1000 BR
	92	Ccd Fb	1000 BR
AMITIE/PLACE DE L'	35	Fc	1160 AU
AMITIE/RUE DE L'	86	Da	1300 LI
AMNESTY INTERNATIONAL/			
ROND-POINT-PLEIN	13	Ba	1020 BR
AMNESTY SQUARE	63	Ca	1630 LI
AMOURS/PONT DES	81	Ccd	1300 WA
AMPHORE/AVENUE DE L'	6	Ed	1020 BR
ANCIEN BOURG/RUE DE L'	88	Ac	1420 B-A
ANCIEN DIEWEG	48	Da	1180 UC
ANCIEN HOTEL DES	27	Eb	1000 BR
POSTES/GALERIES DE L'	92	Cb	1000 BR
ANCIEN MIDDELWEG	15	Ad	1130 BR
ANCIENNE BARRIERE/			
PLACE DE L'	12	Fa	1090 JE
ANCIENNE CURE/			
RUE DE L'	40	Fa	1190 FO
ANCIENNE GARE/			
RUE DE L'	33	Ca	1070 AN
ANCIEN PRESBYTERE/			
RUE DE L'	19	Bd	1083 GA
ANCIENS COMBATTANTS/	21	Cd Fbd	1140 EV
AVENUE DES	22	Dc	1140 EV
	29	Aa	1140 EV
ANCIENS COMBATTANTS/			
AVENUE DES	23	Dabd	1950 KR
ANCIENS ETANGS/			
RUE DES	40	Cac	1190 FO
ANCRE/RUE DE L'	14	Ad	1120 BR
ANDALOUSIE/			
AVENUE DE L'	21	Fd	1140 EV
ANDALUSIELAAN	21	Fd	1140 EV
ANDENNE/RUE D'-STRAAT	34	Ad Db	
		Ea	1060 SG
	94	Ec	1060 SG

ANDERLECHT/PORTE D'	27	Dd	1000 BR
	92	Db	1000 BR
ANDERLECHT/RUE D'	27	Dbd Eac	1000 BR
	92	Db Eab	1000 BR
ANDERLECHTSEPOORT	27	Dd	1000 BR
	92	Db	1000 BR
ANDERLECHTSE-STEENWEG	27	Dbd Eac	1000 BR
	92	Db Eab	1000 BR
ANDERLECHTSE WEG-GEVOERDENSTRAAT	33	Bcd	1070 AN
ANDERLECHTSTRAAT/RUE D'	47	Abd	1620 DR
ANDRE/RUE ANTOINE	86	Dd Ec	1300 LI
ANDRE/RUE-STRAAT ARTHUR	30	Dd	1150 WP
ANDRIMONT/AVENUE D'-LAAN	48	Fbd	1180 UC
ANDROMEDALAAN	29	Ad Bc	1200 WL
ANDROMEDE/AVENUE	29	Ad Bc	1200 WL
ANEMONE/RUE DE L'	41	Cc	1180 UC
ANEMONENLAAN	72	Ad Bc	1640 S-G
ANEMONENLAAN	30	Ad	1950 KR
ANEMONENSTRAAT	4	Cabcd	1800 VI
ANEMONENWEG	49	Ba	1000 BR
ANEMONES/AVENUE DES	85	Ab Ba	1330 RI
ANEMONES/AVENUE DES	72	Ad Bc	1640 S-G
ANEMONES/AVENUE DES	30	Ad	1950 KR
ANEMONES/CHEMIN DES	49	Ba	1000 BR
ANEMONES/CLOS DES	72	Dd	1410 WA
ANEMOONLAAN	46	Bb	1600 P-L
ANEMOONSTRAAT	41	Cc	1180 UC
ANES/CHEMIN DES	71	Eb Facd	1640 S-G
ANGE/AVENUE DE L'	76	Fa	1410 WA
ANGELIQUES/RUE DES	43	Db	1170 WB
ANGLAIS/AVENUE DES	83	Fd	1410 WA
ANGLAISE/RUE	27	Ab	1080 MO
	90	Bc	1080 MO
ANGLE/RUE DE L'	27	Bb	1000 BR
	90	Cd	1000 BR
ANGLE JAUNE/RUE DE L'	30	Db	1150 WP
ANGLETERRE/RUE D'	34	Ad	1060 SG
	94	Db Ea	1060 SG
ANGOUSSART/RUE D'	80	Bb Cacd	1301 BI
	81	Ac Da	1301 BI
ANJELIERENSTRAAT	27	Cc	1000 BR
	91	Dc	1000 BR
ANJERSSTRAAT	4	Cab	1800 VI
ANJOU/COTEAU D'-GAARDE	37	Da	1150 WP
ANJOU/DREVE D'-DREEF 1 à/tot 35 & 26 à/tot 28	40	Fd	1180 UC
ANJOU/DREVE D'-DREEF 2 à/tot 24	40	Fd	1190 FO
ANKERSTRAAT	14	Ad	1120 BR
ANNECYLAAN/AVENUE D'	23	Dc	1950 KR
	30	Aa	1950 KR
ANNEESSENS/PLACE-PLEIN	27	Ec	1000 BR
	92	Ecd	1000 BR
ANNEESSENS/RUE-STRAAT	27	Db	1000 BR
	92	Ad Bc	1000 BR
ANNEGIJSBOSLAAN	60	Dd	3090 OV
ANOUL/RUE-STRAAT	34	Cbd	1050 IX
	95	Eb	1050 IX
ANSBERG	61	Fa	1654 HU
ANSPACH/BOULEVARD-LAAN	27	Bd Eabc	1000 BR
	92	Bd Cabc Eb	1000 BR
ANTHEUNISSTRAAT GENTIL	68	Bd	1500 HA
ANTILOPE/RUE DE L'-STRAAT	47	Fbd	1180 UC
ANTWERPSELAAN	27	Bab	1000 BR
	90	Ccd	1000 BR
ANTWERPSELAAN	2	Dbd Ec	1853 S-B
	6	Bac Eac	1853 S-B
ANTWERPSEPOORT	27	Bb	1000 BR
	90	Cd	1000 BR
ANTWERPSESTEENWEG	20	Cc Ed Fac	1000 BR
	27	Bb	1000 BR
	90	Cbd	1000 BR
	91	Aa	1000 BR
ANVERS/BOULEVARD D'	27	Bab	1000 BR
	90	Ccd	1000 BR
	20	Cc Ed Fac	1000 BR
	27	Bb	1000 BR
	90	Cbd	1000 BR
	91	Aa	1000 BR
ANVERS/PORTE D'	27	Bb	1000 BR
	90	Cd	1000 BR
AOUT/AVENUE D'	29	Da	1200 WL
APOLLO/SQUARE	21	Bd	1030 SC
APPELBLOESEMGAARDE	43	Eab	1160 AU
APPELBOOMSTRAAT	32	Ad Bcd Cc Db	1070 AN
APPELGANG	21	Ba	1030 SC
APPLICATION/RUE DE L'	43	Abd	1160 AU
APRILLAAN	29	Da	1200 WL
AQUADUCTSTRAAT 1 tot 65 & 2 tot 54B	34	Ed Fc	1060 SG
AQUEDUC/ALLEE DE L'	83	Cc	1410 WA
AQUEDUC/RUE DE L' 1 à 65 & 2 à 54B	34	Ed Fc	1060 SG
AQUEDUC/RUE DE L' 67 à fin & 56 à fin	34	Fcd	1050 IX
AQUILON/AVENUE DE L'	87	Bcd	1300 WA
AQUILON/AVENUE DE L'-LAAN	29	Cc	1200 WL
AQUITAINE/SQUARE DE L'	81	Cb	1300 WA
ARAGON/AVENUE LOUIS	82	Ebd	1300 WA
ARAGON/RUE D'-STRAAT	29	Bb	1200 WL
ARAUCARIA/AVENUE DE L'-LAAN	13	Cab	1020 BR
	6	Fc	1020 BR
ARBALETE/AVENUE DE L'	49	Cb	1170 WB
	50	Aa	1170 WB
ARBALETE/SQUARE DE L'	49	Cb	1170 WB
ARBALETRIERS/RUE DES	34	Ba	1000 BR
	94	Ca	1000 BR
ARBEIDSDOORGANG	27	Dd Ec	1000 BR
	34	Ba	1000 BR
	94	Ba	1000 BR
ARBEIDSSTRAAT	20	Fa	1000 BR

ARTS/AVENUE DES	27	Fb	1040 BR
26 à 45	34	Cb	1040 BR
	93	Cac	1040 BR
	95	Bb	1040 BR
ARUMS/AVENUE DES	43	Db Ea	1160 AU
ASCENSION/RUE DE L'	27	Cb	1210 SJ
	91	Bcd	1210 SJ
ASPERULE/AVENUE DE L'	31	Dbd Ea	1970 W-O
ASPLANTENPAD	42	Ad	1000 BR
ASSAUT/RUE D'	27	Fa	1000 BR
	93	Aac	1000 BR
ASSELBERGS/RUE-STRAAT ALPHONSE	41	Dcd	1180 UC
ASSELBERGSLAAN ALFONS	45	Ab	3080 TE
ASSOCIATION/RUE DE L'	27	Cd Fb	1000 BR
	91	Ed	1000 BR
	93	Bb	1000 BR
ASSOMPTION/AVENUE DE L'	29	Fb	1200 WL
	30	Da	1200 WL
ASSTRAAT	27	Cc	1000 BR
	91	Dbd	1000 BR
AST	62	Dbd	1653 DW
ASTERHOEK	39	Ccd	1070 AN
ASTERS/CLOS DES	39	Ccd	1070 AN
ASTERS/RUE DES	71	Ca	1640 S-G
ASTERSLAAN/AVENUE DES	30	Ab	1950 KR
ASTERSSTRAAT	4	Cb	1800 VI
ASTERSTRAAT	71	Ca	1640 S-G
ASTRID/AVENUE-LAAN	72	Abd Bcd	1640 S-G
ASTRID/PARC-PARK	33	Acd	1070 AN
ASTRID/PONT	82	Da	1300 WA
ASTRIDLAAN	68	Bb	1500 HA
ASTRIDLAAN	25	Bc Ea	1700 DI
ASTRIDLAAN	16	Ad	1930 ZA
ASTRIDLAAN/AVENUE	38	Aacd Db	1970 W-O
ASTRONOMES/RUE DES	49	Aa	1180 UC
ASTRONOMIE/AVENUE DE L'	27	Cd Fb	1210 SJ
	28	Ac	1210 SJ
	91	Fc	1210 SJ
	93	Ca	1210 SJ
ATELIERS/RUE DES	27	Ab Ba	1080 MO
	90	Bcd	1080 MO
ATHENEE/RUE DE L'	34	Cd	1050 IX
	95	Eab	1050 IX
ATHENEE ROYAL/RUE DE L'	29	Cc	1200 WL
ATHENEUMSTRAAT	34	Cd	1050 IX
	95	Eab	1050 IX
ATHLETES/AVENUE DES	13	Aab	1020 BR
	6	Dc	1020 BR
ATLANTIQUE/AVENUE DE L'	36	Ad Db	1150 WP
ATLANTISCHE OCEAANLAAN	36	Ad Db	1150 WP
ATLETENLAAN	13	Aab	1020 BR
	6	Dc	1020 BR
ATOMIUM/AVENUE DE L'-LAAN	13	Ab Ba	1020 BR
	6	Ec	1020 BR
ATOMIUM/SQUARE DE L'-SQUARE	13	Ab	1020 BR

ATREBATENSTRAAT 2 tot 16	35	Cb	1150 WP
ATREBATENSTRAAT onpare nrs	35	Cbcd	1040 ET
ATREBATES/CHAUSSEE DES	81	Cbd	1300 WA
ATREBATES/RUE DES 2 à 16	35	Cb	1150 WP
ATREBATES/RUE DES nos impairs	35	Cbcd	1040 ET
ATTELAGES/AVENUE DES	87	Eb Fa	1325 D-V
ATTELAGES/CARREFOUR DES	42	Dd	1000 BR
ATTICASTRAAT	29	Bc	1200 WL
ATTIQUE/RUE D'	29	Dc	1200 WL
AUBADE/RUE DE L'-STRAAT	26	Db	1080 MO
AUBE/AVENUE DE L'	82	Db	1300 WA
AUBE/CHEMIN DE L'	42	Acd Db	1000 BR
AUBEPINE/CHEMIN DE L'	49	Ab	1000 BR
AUBEPINE/SENTIER DE L'	72	Ec	1410 WA
	76	Ba	1410 WA
AUBEPINES/AVENUE DES	55	Fb	1180 UC
	56	Acd Da	1180 UC
AUBEPINES/AVENUE DES	86	Ccd Fb	1301 BI
AUBEPINES/AVENUE DES	67	Dc	1310 L-H
AUBEPINES/AVENUE DES	85	Ab	1000 DI
AUBEPINES/AVENUE DES	84	Bc	1640 S-G
AUBEPINES/AVENUE DES	5	Bbd	1780 WE
AUBEPINES/AVENUE DES	23	Dd	1950 KR
AUBEPINES/AVENUE DES	31	Db	1970 W-O
AUBEPINES/SENTIER DES	43	Fa	1160 AU
AUBER/AVENUE-LAAN	33	Bb	1070 AN
AUBERGINES/RUE DES	26	Dc	1070 AN
AUBINAUSTRAAT ELIE	22	Ccd Fb	1932 S-W
AUCUBASLAAN/AVENUE DES	37	Bbd Cc	1950 KR
AUDERGHEM/AVENUE D'	28	Ec	1040 BR
	35	Bac Eab	1040 BR
AUDERGHEM/CHEMIN D'	31	Dd Ec	1970 W-O
	38	Aab	1970 W-O
AUDERGHEM/PLACE COMMUNALE D'	43	Bc	1160 AU
AUGETTE/RUE DE L'	79	Fd	1330 RI
	80	Dc	1330 RI
	84	Bb Cab	1330 RI
AUGUSTIJNENDREEF	44	Aac	1160 AU
AUGUSTIJNENSTRAAT	27	Bd	1000 BR
	90	Fcd	1000 BR
	92	Cb	1000 BR
AUGUSTIJNENNONNEN-STRAAT	20	Aa	1090 JE
AUGUSTINES/RUE DES	20	Aa	1090 JE
AUGUSTINS/DREVE DES	44	Aac	1160 AU
AUGUSTINS/RUE DES	27	Bd	1000 BR
	90	Fcd	1000 BR
	92	Cb	1000 BR
AUGUSTUSLAAN	29	Da	1200 WL
AULNAIE/ALLEE DE L'	87	Bd	1300 WA
AULNE/AVENUE DE L'	41	Dc	1180 UC
	48	Aa	1180 UC
AULNES/AVENUE DES	75	Db Ea	1310 L-H

A B

Straat	Kaart	Postcode
AULNES/CHEMIN DES	71 Fd	1640 S-G
	72 Dc	1640 S-G
AUMALE/RUE D'-STRAAT	33 Bab	1070 AN
AURORE/AVENUE DE L'	84 Cb	1330 RI
	85 Aa	1330 RI
AURORE/AVENUE DE L'	76 Dd	1410 WA
AURORE/AVENUE DE L'	72 Bd Cc	1640 S-G
AURORE/AVENUE DE L'	37 Fc	1950 KR
	44 Ca	1950 KR
AURORE/PLACE DE L'	32 Bb	1070 AN
AURORE/RUE DE L'	42 Aa	1000 BR
AUSTERLITZ/AVENUE D'	76 Fcd	1410 WA
AUSTRALE/AVENUE	80 Ed	1300 LI
AUTHOM/SQUARE WILLY	21 Bd	1030 SC
AUTOMNE/AVENUE DE L'	76 Ed	1410 WA
	83 Bb	1410 WA
AUTOMNE/CLOS DE L'	86 Ac	1300 LI
AUTOMNE/RUE DE L'	42 Bab	1050 IX
AUTONOMIE/RUE DE L'	34 Ab	1070 AN
	94 Aab	1070 AN
AUTOWEG	2 Aacd	
	Db	1861 WO
AUTRIQUE/RUE-STRAAT	26 Cb	1081 KO
LEON	27 Aa	1081 KO
AUTRUCHE/RUE DE L'	43 Dd	1170 WB
AVAILLES-LIMOUSINE-		
LAAN	22 Eb	1932 S-W
AVANT-PORT/RUE DE L'	14 Dbd	
	Ec	1000 BR
AVENIR/AVENUE DE L'	80 Dc	1330 RI
	85 Aa	1330 RI
AVENIR/AVENUE DE L'	63 Ebd	
	Fac	1640 S-G
AVENIR/RUE DE L'	27 Ab Ba	1080 MO
	90 Bc Ea	1080 MO
AVENIR/RUE DE L'	30 Bc	1950 KR
AVENUE 1	78 Cab	1330 RI
AVENUE 2	78 Cac	1330 RI
AVENUE 3	78 Cab	1330 RI
AVENUE 4	78 Cabc	1330 RI
AVENUE 5	78 Cbcd	1330 RI
AVIATEUR DE CATERS/		
AVENUE	74 Ebd	1310 L-H
AVIATEUR HUENS/RUE	79 Fb	1330 RI
AVIATEUR THIEFFRY/RUE	35 Cc Fa	1040 ET
AVIATION/AVENUE DE L'	37 Aacd	
	Db	1150 WP
AVIATION/SQUARE DE L'	34 Ab	1070 AN
	94 Ab	1070 AN
AVIJL/CHEMIN-WEG	48 Fab	1180 UC
AVOCAT/AVENUE DE L'	76 Ec	1410 WA
AVOCETTE/RUE DE L'	49 Cb	1170 WB
	50 Aa	1170 WB
AVOINES/AVENUE DES	85 Bd Eb	1300 LI
AVONDPAD	15 Ac	1130 BR
AVONDZONPASSAGE	29 Cd	1200 WL
AVRIL/AVENUE D'	29 Da	1200 WL
AZALEALAAN	21 Dd Ec	1030 SC
AZALEALAAN	16 Ea	1930 ZA
AZALEASTRAAT	4 Cbd	1800 VI
AZALEES/AVENUE DES	21 Dd Ec	1030 SC
AZALEES/AVENUE DES	85 Ed Fac	1300 LI
AZALEES/AVENUE DES	79 Fc	1330 RI
AZUR/RUE DE L'	18 Fb	1082 BA
AZUURSTRAAT	18 Fb	1082 BA

B

Straat	Kaart	Postcode
BAAKVELD/		
CHEMIN DU-WEG	15 Acd	1130 BR
BAALHOEK	6 Eb	1853 S-B
BAARDGANG	27 Eac	1000 BR
	92 Eb	1000 BR
BACCHANTENSQUARE	40 Fab	1190 FO
BACCHANTES/		
SQUARE DES	40 Fab	1190 FO
BACH/AVENUE		
JEAN SEBASTIEN	19 Abd Ba	1083 GA
BACHLAAN/		
JOHANN SEBASTIAN	19 Abd Ba	1083 GA
BADART/IMPASSE-GANG	27 Ad	1080 MO
	90 Dd	1080 MO
BADDREEF	38 Fbd	3080 TE
BADEN-POWELL/		
AVENUE-LAAN	29 Ec	1200 WL
BADWEG	38 Facd	3080 TE
BAECK/AVENUE-LAAN		
JOSEPH	26 Cc Fa	1080 MO
BAECK/RUE-STRAAT		
ANTOINE	12 Fcd	1090 JE
BAECK/RUE-STRAAT	40 Fc	1190 FO
JEAN-BAPTISTE	47 Ca	1190 FO
BAEKENBOS/CHEMIN DU	67 Ac Da	1310 L-H
BAESSTRAAT	24 Cac	1930 NO
BAESSTRAAT FRANS	46 Cd	1600 P-L
BAETENSSTRAAT VICTOR	68 Eb	1500 HA
BAEYENSSTRAAT		
HENDRIK	46 Ec	1600 P-L
BAIE/AVENUE-LAAN		
EUGENE	33 Dc	1070 AN
BAILLI/RUE DU	34 Fabc	1000 BR
1 à 31 & 2 à 36		
BAILLI/RUE DU	34 Fc	1050 IX
33 à fin & 38 à fin		
BAILLI-LOUISE/		
GALERIE-GALERIJ	34 Fabd	1000 BR
BAILLOIS/RUE DU	79 Dd Ec	1330 RI
	84 Abd	1330 RI
BAILLOIS/SENTIER DU	79 Dd Ec	1330 RI
BAILLON/RUE STRAAT		
ANDRE	40 Fa	1190 FO
BAILLY/CLOS CHARLES	78 Bb	1310 L-H
BAKENGAT	75 Aa	3090 OV
BAKKERSTRAAT	2 Cb	1850 GR
	3 Aa	1850 GR
BAKSTEENKAAI	27 Bc	1000 BR
	90 Ed Fc	1000 BR
	92 Ca	1000 BR
BALANCE/AVENUE DE LA	83 Cd Fb	1410 WA
BALANCE/CLOS DE LA	29 Ad	1200 WL
BALANCOIRES/		
TREFLE DES	87 Dc	1300 WA
BALE/AVENUE DE	22 Aab	1140 EV
BALEAU/AVENUE DU	85 Ec	1300 LI
BALEAUX/SENTIER DES	85 Eac	1300 LI
BALIS/PLACE-PLEIN		
THOMAS	43 Aa	1160 AU
BALIS/RUE-STRAAT		
ALPHONSE	37 Dd	1150 WP

Straat / Rue	Kaart	Postcode
BALJUWSTRAAT	34 Fabc	1000 BR
1 tot 31 & 2 tot 36		
BALJUWSTRAAT	34 Fc	1050 IX
33 tot einde &		
38 tot einde		
BALKANS/RUE DES	41 Ea	1180 UC
BALKANSTRAAT	41 Ea	1180 UC
BALLADE/		
CLOS DE LA-GAARDE	28 Cb	1140 EV
BALLEGEER/RUE-STRAAT		
JEAN	55 Ab Bac	1180 UC
BALLINGS/RUE-STRAAT		
JAAK PIETER	12 Fa	1090 JE
BALLINGS/RUE-STRAAT		
JACQUES-JAAK	21 Cac	1140 EV
BALSAMIENSTRAAT	14 Acd	1120 BR
BALSAMINE/RUE DE LA	14 Acd	1120 BR
BALTHAZARSTRAAT	68 Fd	1500 HA
	69 Dc	1500 HA
BALZAC/AVENUE	82 Ec	1300 WA
BAMBOESTRAAT	40 Fd	1180 UC
onpare nrs		
BAMBOESTRAAT	40 Fd	1190 FO
pare nrs		
BAMBOS	55 Fc	1630 LI
	63 Ab Ba	1630 LI
BAMBOU/RUE DU	40 Fd	1180 UC
nos impairs		
BAMBOU/RUE DU	40 Fd	1190 FO
nos pairs		
BAN EIKLAAN/AVENUE DU	31 Dbd Ea	1970 W-O
BANIERENSTRAAT	36 Bb	1150 WP
pare nrs		
BANIERENSTRAAT	36 Bb	1200 WL
onpare nrs		
BANKEN/CLOS-GAARDE		
LOUIS	19 Bc	1083 GA
BANKSTRAAT	27 Cc Fa	1000 BR
	93 Abd	1000 BR
BANKVELD	55 Ec	1630 LI
BANMOLENDREEF	70 Cd	1652 AL
	71 Ac	1652 AL
BANNIERES/RUE DES	36 Bb	1150 WP
nos pairs		
BANNIERES/RUE DES	36 Bb	1200 WL
nos impairs		
BANNING/RUE-STRAAT		
EMILE	42 Ab Ba	1050 IX
BANQUE/RUE DE LA	27 Cc Fa	1000 BR
	93 Abd	1000 BR
BARA/CHAUSSEE	83 Aabc Bacd Cc	1410 WA
BARA/CHAUSSEE	83 Aabc Bacd	1420 B-A
BARA/PLACE-PLEIN	34 Ab	1060 SG
19 - 20 - 21	94 Aac	1060 SG
BARA/PLACE-PLEIN	34 Ab	1070 AN
autres nos/andere nrs	94 Aac	1070 AN
BARA/RUE-STRAAT	33 Cd	1070 AN
	34 Aac	1070 AN
	94 Ac	1070 AN
BARAKLAAN	75 Cc	3090 OV
BARBE/IMPASSE DE LA	27 Eac	1000 BR
	92 Eb	1000 BR

Straat / Rue	Kaart	Postcode
BARBEAU/AVENUE DU	42 Cd	1160 AU
BARBEELLAAN	42 Cd	1160 AU
BARBIER/RUE	81 Fb	1300 WA
BARBIZONLAAN	51 Ec	3090 OV
BARCAROLLE/RUE DE LA	26 Ad	1080 MO
BARCELONASTRAAT	40 Fa	1190 FO
BARCELONE/RUE DE	40 Fa	1190 FO
BARCHON/	27 Bc	1000 BR
RUE DE-STRAAT	90 Eb	1000 BR
BARDANES/AVENUE DES	19 Ac Da	1082 BA
BAREELSTRAAT	22 Fac	1932 S-W
	29 Cab	1932 S-W
BAREEL VAN SINT-GILLIS	34 Eac	1060 SG
BARIVAUX/CLOS DU	85 Fa	1300 LI
BARON ALBERT D'HUART/		
AVENUE-LAAN	37 Ab Ba	1150 WP
1 à/tot 65 & 2 à/tot 108		
BARON ALBERT D'HUART-	37 Bac	
LAAN/AVENUE	Eabd	1950 KR
autres nos/andere nrs	44 Bb	1950 KR
BARON ALFRED BOUVIER/		
SQUARE	34 Eb	1060 SG
BARON BRUGMANN		
DE WALZINPLEIN	31 Ec	1933 ST
BARON DE BOISSCHOT-		
LAAN	23 Ca	1930 ZA
BARON DE CASTRO/		
RUE-STRAAT	35 Cd Fb	1040 ET
BARON DE LAVELEYE/		
RUE-STRAAT	20 Aac	1090 JE
BARON DE MAN	58 Ec	1560 HO
D'ATTENRODESTRAAT	66 Ba	1560 HO
BARON DHANIS/		
RUE-STRAAT	35 Fb Fa	1040 ET
BARON DUBOST/		
AVENUE DU	84 Cab	1330 RI
BARON GUILLAUME VAN		
HAMME/RUE-STRAAT	47 Cbcd	1180 UC
BARON HORTA/	27 Fc	1000 BR
RUE-STRAAT	93 Db	1000 BR
BARON J. GREINDL-		
LAAN	11 Eb Fa	1731 ZE
BARON JACQUES DE		
DIXMUDESTRAAT	66 Bc Ea	1560 HO
BARON JACQUESSTRAAT	68 Eb	1500 HA
BARON LAERMANSLAAN/		
AVENUE	5 Dd Ec	1780 WE
BARON LAMBERT/		
RUE-STRAAT	35 Bcd	1040 ET
BARON LE ROY/		
CHEMIN DU	84 Dd	1380 LA
BARON OPSOMERDREEF	52 Ed	3090 OV
BARON PERELMAN/		
RUE-STRAAT	48 Cc	1180 UC
BARON R. DE VIRONLAAN	25 Eabd Fc	1700 DI
BARON ROBERT		
HANKAR/SQUARE	42 Cb	1160 AU
BARON ROGER VAN DER		
NOOT/RUE-STRAAT	48 Fa	1180 UC
BARON SEUTIN/AVENUE	83 Aac	1410 WA
BARON THEODORE/		
RUE-STRAAT	42 Cb	1160 AU
BARQUES/QUAI AUX	27 Bc	1000 BR
	90 Eb	1000 BR

B

Straat	Kaart	Postcode
BARRA/CARREFOUR	82 Dc	1300 WA
BARRICADENPLEIN	27 Cd	1000 BR
	91 Ed	1000 BR
	93 Bb	1000 BR
BARRICADES/PLACE DES	27 Cd	1000 BR
	91 Ed	1000 BR
	93 Bb	1000 BR
BARRIERE MOYE/RUE	86 Cb	1300 WA
	87 Aa	1300 WA
BARTHELEMY/	27 Ad Db	1000 BR
LAAN-BOULEVARD	90 Dd Ec	1000 BR
	92 Ab	1000 BR
BARY/RUE GASTON	74 Cb	1310 L-H
	75 Aac	1310 L-H
BASCULE/		
RUE DE LA-STRAAT	41 Cd	1180 UC
BASILIEKLAAN	19 Dd Eac	1082 BA
1 tot 127 & 4 tot 110		
BASILIEKLAAN	19 Eab	1081 KO
andere nrs		
BASILIEKSTRAAT	68 Fa	1500 HA
BASILIEKVOORPLEIN	19 Fa	1083 GA
1 tot 5		
BASILIEKVOORPLEIN	19 Fa	1081 KO
7 tot einde & pare nrs		
BASILIQUE/AVENUE DE LA	19 Dd Eac	1082 BA
1 à 127 & 4 à 110		
BASILIQUE/AVENUE DE LA	19 Eab	1081 KO
autres nos		
BASILIQUE/PARVIS DE LA	19 Fa	1083 GA
1 à 5		
BASILIQUE/PARVIS DE LA	19 Fa	1081 KO
7 à fin & nos pairs		
BASSE/PLACE	12 Cb	1020 BR
BASSE/RUE	48 Bcd Eb	1180 UC
BASSE/RUE	71 Da	1640 S-G
BASSE/RUE-STRAAT	34 Ab Ba	1000 BR
FREDERIC	94 Bac	1000 BR
BASSEM/RUE-STRAAT		
JACQUES	43 Bc	1160 AU
BASSET/SENTIER DU	6 Ed	1020 BR
BASSETTE/RUE DE LA	84 Ba	1330 RI
BASSE WAVRE	82 Ba	1300 WA
BASSIN COLLECTEUR/		
PETITE RUE DU	15 Db	1130 BR
BASSIN COLLECTEUR/		
RUE DU	15 Db	1130 BR
BASSINS/RUE DES	33 Cbcd	1070 AN
BASTELEUSSTRAAT		
PETRUS	46 Ed Fc	1600 P-L
BASTENAKENPLEIN	19 Fc	1081 KO
BASTIEN/AVENUE-LAAN		
ALFRED	43 Ac	1160 AU
BASTION/SQUARE DU	34 Cab	1050 IX
	95 Bc	1050 IX
BASTOGNE/PLACE DE	19 Fc	1081 KO
BATAVES/RUE DES	35 Cab	1040 ET
BATAVIASTRAAT	9 Ad Db	1820 ME
BATAVIERENSTRAAT	35 Cab	1040 ET
BATEAU/RUE DU	26 Fd	1080 MO
BATELAGE/QUAI DU	27 Bb	1000 BR
	90 Ca	1000 BR
BATELIERS/RUE DES	40 Ab Ba	1070 AN
BATENBORG	61 Fd	1653 DW
BATENBORG	61 Fd	1654 HU
BATISSEAU/RUE DU	88 Bc Ea	1420 B-A
BATONNIER BRAFFORT/		
RUE	35 Cab	1200 WL
2 à 64		
BATONNIER BRAFFORT/		
RUE	35 Cab	1040 ET
nos impairs		
BATTICELAAN	22 Eb	1932 S-W
BATY GIGOT/RUE	83 Dcd Ec	1420 B-A
BATY SCOLASSE/		
CHEMIN DE	83 Db Eab	1420 B-A
BAUCQ/RUE-STRAAT	35 Bc Db	
PHILIPPE	Ea	1040 ET
BAUDELAIRE/AVENUE	82 Ec	1300 WA
BAUDET/RUE DU	34 Ca	1000 BR
	95 Ab	1000 BR
BAUDOUIN/AVENUE	80 Dd	1330 RI
BAUDOUIN/BOULEVARD	27 Bb	1000 BR
	90 Ccd	1000 BR
BAUDOUX/RUE-STRAAT		
JEAN	12 Cd	1090 JE
BAUDUIN/RUE ACHILLE	86 Dbcd	1300 LI
BAUNEWEG CONSTANT	54 Bd Eb	1650 BE
BAUSSTRAAT/RUE JOZEF	37 Cbd	1970 W-O
	38 Aa	1970 W-O
BAUWENBERG	30 Cbd	1970 W-O
BAUWENS/RUE-STRAAT		
J.-B.	21 Cbcd	1140 EV
BAYENSSTRAAT PETRUS	18 Ed Fac	1702 G-B
BAYET/AVENUE-LAAN		
ADRIEN	13 Ac	1020 BR
BAZAR/RUE DU	84 Bac	1330 RI
BAZAR/SENTIER DU	84 Bc	1330 RI
BAZELLAAN	22 Aab	1140 EV
BEATITUDE/	21 Fd	1140 EV
AVENUE DE LA	22 Dc	1140 EV
BEAU CHAMP/AVENUE DU	80 Ec	1300 LI
BEAU CHAMP/AVENUE DU	80 Ec	1330 RI
BEAU CHENE/CHEMIN DU	72 Cbd	1640 S-G
	73 Aa	1640 S-G
BEAUFAULX/RUE	76 Dd Ec	1410 WA
	83 Ab	1410 WA
BEAUFAUX/		
PLACE POLYDORE	82 Ad	1300 WA
BEAU FEUILLAGE/		
AVENUE DU	37 Bd Eb	1950 KR
BEAU HETRE/CHEMIN DU	72 Cb	1640 S-G
	73 Aa	1640 S-G
BEAULIEUSTRAAT	8 Ad Bc	
	Ea	1830 MA
BEAU RIVAGE/AVENUE	75 Ec	1332 GE
	79 Ba	1332 GE
BEAU-SEJOUR/AVENUE	41 Fb	1180 UC
BEAU SEJOUR/AVENUE	76 Bab Ca	1410 WA
BEAU SEJOUR/CLOS	72 Ed	1410 WA
	76 Bb	1410 WA
BEAU SITE	80 Dd	1330 RI
BEAU-SITE/AVENUE DU	74 Fab	1310 L-H
BEAU SITE/AVENUE DU	71 Dabc	1420 B-A
BEAU SITE/PLACE DU	80 Dd	1330 RI
BEAU-SITE/RUE DU	34 Fb	1000 BR
BEAU SITE 1ERE AVENUE	80 Dbd	
	Eac	1330 RI
BEAU SITE 2EME AVENUE	80 Dbd	1330 RI
BEAU SITE 3EME AVENUE	80 Dbd	1330 RI

BEAU SITE 4EME AVENUE	80	Db	1330 RI
BEAU SITE 5EME AVENUE	80	Dd	1330 RI
BEAUTE/PLACE DE LA	33	Ba	1070 AN
BEAUVAL/ROND PUNT VAN	7	Aa	1800 VI
BEAU VALLON/AVENUE	76	Dabcd	1410 WA
BEAU VOISIN/AVENUE	83	Cd	1410 WA
BECASSE/AVENUE DE LA	30	Ca	1970 W-O
BECASSE/LAYON DE LA	86	Fc	1300 LI
BECASSE/SENTIER DE LA	72	Ed	1410 WA
BECASSES/AVENUE DES	72	Ed	1410 WA
BECASSES/AVENUE DES	64	Aa	1640 S-G
BECASSES/AVENUE DES	37	Eb Fa	1950 KR
BECASSINES/AVENUE DES	36	Dd	1160 AU
	43	Ab	1160 AU
BECHETLAAN/AVENUE	37	Fcd	1950 KR
ALBERT	44	Cb	1950 KR
BECKERS/RUE-STRAAT	35	Eb Fa	1040 ET
BECQUEVORT/			
PLACE RAYMOND	79	Bb	1332 GE
BEDEVAARTWEG	62	Cc Fab	1650 BE
BEDEVAARTWEG	62	Cc Fab	1652 AL
BEDRIJFSREGELAARS-			
WEG	50	Cab	1160 AU
BEECKMAN/RUE-STRAAT	41	Dc	1180 UC
	48	Aa	1180 UC
BEECKMAN DE CRAYLOO/			
RUE-STRAAT	26	Dd Ec	1070 AN
BEECKMANS/RUE-STRAAT			
FRANCOIS	19	Bd Eb	1083 GA
BEEKGAARDE	19	Fa	1082 BA
BEEKPAD	26	Ed	1070 AN
BEEKSTRAAT	27	Ab Ba	1080 MO
	90	Bc	1080 MO
BEEKSTRAAT	63	Fc	1640 S-G
	71	Ca	1640 S-G
BEEKSTRAAT	31	Bab	1933 ST
BEEKSTRAAT	30	Cd Fbd	1970 W-O
	31	Da	1970 W-O
BEEKWEG	2	Cb	1850 GR
BEELDEKENSGATWEG	45	Cbd Fb	3080 DU
BEELDHOUWERSLAAN	41	Ec	1180 UC
	48	Babd	1180 UC
BEELDHOUWKUNSTLAAN	25	Fc	1700 DI
BEEMD	71	Ac	1640 S-G
BEEMD	61	Ebd Fa	1654 HU
BEEMDGRACHT/			
RUE DU-STRAAT	15	Ab	1130 BR
BEEMDGRASLAAN	55	Bb Ca	1180 UC
BEEMDSTRAAT	47	Db	
		Eacd	1601 RU
BEENHOUWERSSTRAAT	27	Eb	1000 BR
	92	Cd	1000 BR
	93	Ac	1000 BR
BEERNAERT/RUE-STRAAT			
AUGUSTE	50	Db	1170 WB
BEERSEL/			
AVENUE DE-LAAN	47	Fd	1180 UC
1 à/tot 125 & 6 à/tot 134	54	Cab	1180 UC
BEERSELLAAN/			
AVENUE DE	54	Ca	1620 DR
BEERSELSESTRAAT	61	Ec	1501 BU
BEERSELSESTRAAT	61	Cab	1651 LO
	62	Aa	1651 LO
BEERTSESTRAAT	68	Dabd	
		Eabcd	1500 HA

BEESTENMARKT	68	Fa	1500 HA
BEETHOVEN/AVENUE-LAAN	19	Bb Ca	1083 GA
BEFFROI/RUE DU	28	Eab	1000 BR
BEGEERTENLAAN	22	Dc	1140 EV
	29	Aa	1140 EV
BEGIJNBOSSTRAAT	70	Ab Bab	1653 DW
BEGIJNENBOSSTRAAT	70	Abcd	1650 BE
BEGIJNENBOSWEG	70	Bd Eab	1652 AL
BEGIJNENSTRAAT	26	Bab Ca	1080 MO
BEGIJNHOF	27	Bd	1000 BR
	90	Fc	1000 BR
BEGIJNHOF	60	Da	3090 OV
BEGIJNHOFSTRAAT	27	Bcd	1000 BR
	90	Fc	1000 BR
BEGIJNHOFSTRAAT	23	Dc	1950 KR
BEGONIAGAARDE	8	Ca	1830 MA
BEGONIALAAN	69	Ab	1501 BU
BEGONIALAAN	66	Ba	1560 HO
BEGONIALAAN	6	Cbd	1853 S-B
BEGONIALAAN	51	Cd	3090 OV
	52	Ac Da	3090 OV
BEGONIAS/RUE DES	42	Fab	1170 WB
BEGONIAS/RUE DES	71	Ca	1640 S-G
BEGONIASLAAN/	23	Dd	1950 KR
AVENUE DES	30	Ab	1950 KR
BEGONIASTRAAT	42	Fab	1170 WB
BEGONIASTRAAT	39	Fc	1600 P-L
BEGONIASTRAAT	71	Ca	1640 S-G
BEGONIASTRAAT	4	Cd	1800 VI
BEGUINAGE/			
COURTE RUE DU	81	Fb	1300 WA
BEGUINAGE/PLACE DU	27	Bd	1000 BR
	90	Fc	1000 BR
BEGUINAGE/RUE DU	27	Bcd	1000 BR
	90	Fc	1000 BR
BEGUINAGE/RUE DU	81	Fb	1300 WA
BEGUINAGE/RUE DU	23	Dc	1950 KR
BEGUINES/RUE DES	26	Bab	
		Ca	1080 MO
BEGUINETTES/RUE DES	50	Aab	1170 WB
BEHEERSTRAAT	19	Ea	1082 BA
BEHETSSTRAAT	10	Bcd	1820 ST
BEHR/RUE-STRAAT	14	Dc	1020 BR
JACQUES	21	Aa	1020 BR
BEIAARDLAAN	2	Cb	1850 GR
BEIAARDLAAN	1	Cab	1860 ME
BEIERSHOF	59	Cd	3090 OV
BEIERSLAAN	58	Fd	3090 OV
BEIZEGEMSTRAAT	13	Cb	1120 BR
	14	Aab	1120 BR
BEKAERT/RUE-STRAAT			
FRANCOIS	43	Ea	1160 AU
BEKAERT/RUE-STRAAT			
THEODORE	33	Ea	1070 AN
BEKKERZEELWEG	18	Aac	1702 G-B
BEL-AIR/AVENUE	41	Ccd Fa	1180 UC
BEL AIR/AVENUE	84	Cd Fb	1330 RI
BEL-AIR/AVENUE	83	Ccd	1410 WA
BEL AIR/AVENUE	30	Ed Fac	1970 W-O
	37	Bb	1970 W-O
BEL AIR/PARC RESIDENCE	30	Fc	1970 W-O
BELETTE/AVENUE DE LA	38	Ac Da	1970 W-O
BELETTE/LAYON DE LA	86	Fc	1300 LI
BELETTES/AVENUE DES	55	Ad Bc	1180 UC
BELFORTSTRAAT	28	Eab	1000 BR

BELGICA/		
BOULEVARD-LAAN	20 Db	1080 MO
BELGICASTRAAT	16 Dc	1930 ZA
	23 Aa	1930 ZA
BELGIELAAN	3 Fcd	1800 VI
BELGIELAAN	60 Aab	3090 OV
BELGIEPLEIN	13 Ab	1020 BR
	6 Dd	1020 BR
BELGIQUE/PLACE DE	13 Ab	1020 BR
	6 Dd	1020 BR
BELGISCHE ONAFHANKE-		
LIJKHEIDSLAAN	19 Fcd	1081 KO
BELGRADE/RUE DE	33 Fb	1190 FO
1 à 77 & 2 à 98	34 Da	1190 FO
BELGRADE/RUE DE	34 Da	1060 SG
79 à fin & 100 à fin		
BELGRADOSTRAAT	33 Fb	1190 FO
1 tot 77 & 2 tot 98	34 Da	1190 FO
BELGRADOSTRAAT	34 Da	1060 SG
79 tot einde &		
100 tot einde		
BEL HORIZON/AVENUE	81 Ecd	1301 BI
BEL HORIZON/AVENUE	74 Fab	1310 L-H
BEL HORIZON/AVENUE	75 Ec	1332 GE
	79 Ba	1332 GE
BEL HORIZON/AVENUE	64 Ecd	1640 S-G
BEL HORIZON/CLOS	29 Eab	1200 WL
BELIEN/RUE-STRAAT		
GUILLAUME	12 Fa	1090 JE
BELIER/AVENUE DU	29 Ad	1200 WL
BELIER/AVENUE DU	83 Cd Fb	1410 WA
BELINE/CHEMIN DE	83 Ed	1420 B-A
BELING	70 Dd	1653 DW
BELLE ALLIANCE/		
AVENUE DE LA-LAAN	42 Dc	1000 BR
BELLE AU BOIS DORMANT/		
RUE DE LA	26 Db Ea	1080 MO
BELLE DAME/SENTIER	80 Dc	1330 RI
BELLE ETOILE/AVENUE	74 Ed	1310 L-H
BELLEMANSHEIDE	71 Cabcd	1640 S-G
BELLE PROVINCE/		
AVENUE DE LA	88 Aa	1420 B-A
BELLESTRAAT	46 Db	1600 P-L
BELLE VOIE/		
AVENUE DE LA	82 Acd	1300 WA
BELLE VUE/AVENUE	74 Fab	1310 L-H
BELLE-VUE/AVENUE	76 Cab	1410 WA
	77 Aa	1410 WA
BELLE VUE/RUE	79 Abd Ba	1332 GE
BELLE-VUE/RUE DE	35 Dc	1050 IX
2 à 20	42 Aa	1050 IX
BELLE-VUE/RUE DE	42 Aa	1000 BR
nos impairs & 22 à fin		
BELLE VUE/SQUARE	85 Fab	1300 LI
BELLE-VUESTRAAT	35 Dc	1050 IX
2 tot 20	42 Aa	1050 IX
BELLEVUESTRAAT	42 Aa	1000 BR
onpare nrs &		
22 tot einde		
BELLIARD/RUE-STRAAT	27 Fd	1040 BR
	35 Aab Ba	1040 BR
	93 Ed Fcd	1040 BR
BELLOY/AVENUE DU	82 Ad Bc	
	Db	1300 WA
BELLOY/CHEMIN DU	79 Dd	1330 RI

BELOEIL/		
AVENUE DE-LAAN	49 Ac	1180 UC
BELSACKLAAN E.	69 Bb Ca	1654 HU
BELSTRAAT	3 Cd	1850 GR
FRANS EN JOZEF	4 Ac	1850 GR
BELVEDERE/		
RUE DU-STRAAT	35 Dac	1050 IX
BELVOIR/CLOS DE	88 Ad Db	1420 B-A
BEMEL/RUE DU-STRAAT	36 Ad Bc	
	Dab	1150 WP
BEMPT/AVENUE DU-LAAN	47 Ca	1190 FO
BEMPTSTRAAT/RUE DU	47 Bd Eb	1620 DR
BENAETS/RUE-STRAAT		
JEAN	48 Cd Fab	1180 UC
BENELUXLAAN	3 Fd	1800 VI
	7 Cab	1800 VI
BENES/AVENUE-LAAN		
EDOUARD	19 Ecd	1080 MO
BENGALIS/RUE DES	50 Aa	1170 WB
BENOIDT/AVENUE-LAAN		
GEORGES	50 Aa	1170 WB
BENOIT/PLACE-PLEIN		
PETER	14 Ba	1120 BR
BENOIT/RUE-STRAAT		
PETER	35 Bc	1040 ET
BENOITLAAN/AVENUE P.	5 Ad	1780 WE
BENOITSTRAAT PETER	68 Fd	1500 HA
BENOITSTRAAT PETER	18 Eab	1702 G-B
BENOITSTRAAT PETER	4 Bab	1800 VI
BENS/RUE-STRAAT	40 Fd	1180 UC
JOSEPH	41 Dbcd	1180 UC
1 à/tot 137 &		
nos pairs/pare nrs		
BENS/RUE-STRAAT		
JOSEPH	40 Fd	1190 FO
143 à fin/tot einde	41 Dc	1190 FO
BERANGER/RUE-STRAAT	40 Cb	1190 FO
BERCEAU/RUE DU	28 Dab	1000 BR
	93 Cd	1000 BR
BERCHEM/	27 Aa	1080 MO
RUE DE-STRAAT	90 Ac	1080 MO
BERCHEM-STE.-AGATHE/		
AVENUE DE	19 Ed Fac	1081 KO
BERCHEMSTRAAT	25 Ccd	
	Eabc Fa	1700 DI
BERCKMANS/		
CHEMIN-WEG	56 Ad Bc	1180 UC
BERCKMANS/	34 Bcd Cc	
RUE-STRAAT	Fa	1060 SG
	94 Fcd	1060 SG
BERENSHEIDE	43 Dac	1170 WB
	50 Aa	1170 WB
	57 Ca	1170 WB
BEREWEG	57 Cacd	1560 HO
BERGAGE	43 Bcd	1160 AU
BERGDAL	6 Ebd	1853 S-B
BERGE/RUE-STRAAT		
HENRI	21 Dac	1030 SC
BERGENBLOKSTRAAT/		
RUE	30 Ccd	1970 W-O
BERGENSE STEENWEG	26 Fd	1070 AN
	27 Dcd	1070 AN
	33 Bd	
	Cabc	
	Dbcd	

Street	Map	Grid	Postcode
BERGENSE STEENWEG	33	Eab	1070 AN
	40	Aac Da	1070 AN
	92	Dabc	1070 AN
BERGENSESTEENWEG	68	Ebd Fa	1500 HA
BERGENSESTEENWEG	40	Dac	1600 P-L
	46	Cbd	
		Fabc	1600 P-L
	47	Aa	1600 P-L
	53	Bbd Ca	
		Dcd	
		Eabc	1600 P-L
	61	Aac Da	1600 P-L
BERGENSESTEENWEG	53	Bbd Dd	
		Eabc	1651 LO
BERGENVELD	71	Cb	1640 S-G
	72	Aa	1640 S-G
BERGER/PLACE HENRI	81	Fa	1300 WA
BERGER/RUE DU	34	Cac	1050 IX
	95	Db Ea	1050 IX
BERGER/SENTIER	82	Aab	1300 WA
BERGERE/AVENUE DE LA	19	Eb	1082 BA
BERGERETTE/RUE DE LA	50	Aa	1170 WB
BERGERIE/			
AVENUE DE LA	76	Ecd	1410 WA
BERGERONNETTES/			
AVENUE DES	36	Dd	1150 WP
BERGERONNETTES/			
CLOS DES	80	Eb	1300 LI
BERGERONNETTES/			
SENTIER DES	42	Db	1000 BR
BERGES DU RUISSEAU/			
RUE DES	88	Dcd	1420 B-A
BERGESTRAAT	45	Bab	3080 TE
BERGHAAGSTRAAT	18	Ed	1700 DI
	25	Bb	1700 DI
BERGIERSSTRAAT FEL.	67	Dbcd	
		Ea	3090 OV
	75	Aa	3090 OV
BERGMAN/CLOS-GAARDE			
INGRID	12	Bd	1090 JL
BERGMANN/LAAN-AVENUE			
GEORGE	42	Eabc	1050 IX
BERGMANSBEEKWEG	6	Cab	1850 GR
BERGOJE/CLOS DU	43	Bcd	1160 AU
BERGOPSTRAAT	27	Cb	1210 SJ
	91	Bcd	1210 SJ
BERGRING	25	Cd	1700 DI
BERGSTRAAT	27	Eb Fa	1000 BR
	92	Cd	1000 BR
	93	Ac	1000 BR
BERGSTRAAT	58	Eb	1560 HO
BERGSTRAAT	4	Ad	1800 VI
BERGSTRAAT	8	Ea	1830 MA
BERGSTRAAT	30	Cd	1970 W-O
BERG VAN BARMHARTIG-	34	Ba	1000 BR
HEIDSPLEIN	94	Bb	1000 BR
BERG VAN SINT-JOB	48	Cd Fb	1180 UC
BERILPAD	12	Ca	1020 BR
BERINE/CLOS DE	83	Fcd	1410 WA
BERINE/SENTIER DE	83	Fcd	1410 WA
BERKENDAALSTRAAT	41	Bd	1050 IX
159 tot einde &			
94 tot einde			
BERKENDAEL/RUE	41	Bd	1050 IX
159 à fin & 94 à fin			
BERKENDAEL/			
RUE-STRAAT	41	Bacd	1190 FO
1 à/tot 157A &			
2 à/tot 92			
BERKENDALLAAN	6	Cd Fbd	1800 VI
BERKENHOF	29	Bd	1200 WL
BERKENHOF	23	Eb	1933 ST
BERKENHOF	30	Fb	1970 W-O
	31	Da	1970 W-O
BERKENLAAN	42	Fd	1170 WB
BERKENLAAN	62	Fd	1652 AL
BERKENLAAN	5	Bd	1780 WE
BERKENLAAN	15	Fab	1830 MA
BERKENLAAN	15	Fab	1831 DI
BERKENLAAN	3	Dd Eac	1850 GR
BERKENLAAN	37	Bac	1050 KR
BERKENLAAN	75	Fa	3090 OV
BERKENVOETPAD	56	Ccd Fb	1180 UC
BERKENWEG	44	Ebd	3080 TE
BERKEWEGEL	66	Ab	1560 HO
BERLAIMONT/AVENUE-			
LAAN LOUIS	43	Ab	1160 AU
BERNAERTS/RUE-STRAAT			
CHARLES	48	Abd	1180 UC
BERNARDSTRAAT/RUE			
WILLEM	5	Ea	1780 WE
BERNIER/AVENUE-LAAN			
GEO	42	Aab	1050 IX
BERNIER/CLOS ARMAND	83	Dc	1420 B-A
	88	Aa	1420 B-A
BERNIER/RUE-STRAAT			
FERNAND	34	Dab	1060 SG
1 à/tot 87 & 2 à/tot 68			
BERNIER/RUE-STRAAT			
FERNAND	34	Da	1190 FO
89 à fin/tot einde &			
70 à fin/tot einde			
BERRE/RUE-STRAAT	20	Ad	1090 JE
BERREVELDLAAN	22	Fd	1932 S-W
BERREWAERTS/			
AVENUE-LAAN RENE	26	Dd	1070 AN
BERTAUX/AVENUE-LAAN			
VICTOR & JULES	33	Ad Bc	1070 AN
BERTHELOT/RUE-STRAAT	34	Dc	1190 FO
BERTRAND/AVENUE-LAAN			
ALEXANDRE	41	Abd	1190 FO
BERTRAND/AVENUE-LAAN	21	Dbcd	
LOUIS		Ea	1030 SC
BERTULOT/RUE-STRAAT	27	Ca	1210 SJ
ANDRE	91	Ad	1210 SJ
BERVOETS/RUE-STRAAT			
MARGUERITE	40	Cc	1190 FO
BERYL/SENTIER DU	12	Ca	1020 BR
BESACE/RUE DE LA	28	Eb	1000 BR
BESME/AVENUE-LAAN	41	Aab	1190 FO
BESME/RUE-STRAAT			
JULES	19	Fcd	1081 KO
BESSENLAAN	25	Dd	1700 DI
BESSENVELDSTRAAT	15	Ed Fac	1831 DI
BETBEZE/RUE-STRAAT	19	Fc	1080 MO
MARCEL	26	Ca	1080 MO
BETHLEEM/PLACE DE	34	Db	1060 SG
BETHLEHEMPLEIN	34	Db	1060 SG
BETTEGEM	11	Aa	1730 KO
BETTEGEM	11	Aa	1731 ZE

Street	Map	Grid	Code
BETTERAVES/RUE DES	32	Dd Ec	1070 AN
	39	Ba	1070 AN
BEUKENBERG	40	Fab	1190 FO
BEUKENBOSSTRAAT	63	Dabd	
		Ec	1652 AL
BEUKENLAAN	67	Aa	1560 HO
BEUKENLAAN	46	Cd Fb	1600 P-L
BEUKENLAAN	64	Ad Bc	1640 S-G
BEUKENLAAN	70	Da	1653 DW
BEUKENLAAN	45	Bc Db	
		Ea	3080 TE
BEUKENLANDSCHAP	54	Ec	1650 BE
BEUKENOOTJESSTRAAT	14	Babc	1120 BR
BEUKENPLEIN	63	Ea	1652 AL
BEUKENSTRAAT	54	Ca	1620 DR
BEUKENSTRAAT	54	Fbcd	1630 LI
	55	Da	1630 LI
BEUKENSTRAAT	54	Fbcd	1650 BE
BEUKENWEG	44	Ed	
		Fac	3080 TE
BEUKENWEG	60	Eac	3090 OV
BEUMER/RUE DYNA	79	Ec	1330 RI
BEURRE/PETITE RUE AU	27	Eb	1000 BR
	92	Cd	1000 BR
BEURRE/RUE AU	27	Eb	1000 BR
	92	Ccd	1000 BR
BEURSPLEIN	27	Eb	1000 BR
	92	Cc	1000 BR
BEURSSTRAAT	27	Eb	1000 BR
	92	Cc	1000 BR
BEVERBEEMD	61	Abd	1600 P-L
BEVERGAARDE	38	Ac	1970 W-O
BEVERKOUTER	68	Ad	1500 HA
BEVERLINDESTRAAT	6	Ad Bc	1853 S-B
BEVERSTRAAT	61	Ca	1651 LO
BEVERSTRAAT	6	Ba	1853 S-B
BEVRIJDERSSQUARE	20	Dbd	1080 MO
BEVRIJDINGSGAARDE	30	Db	1150 WP
BEVRIJDINGSLAAN	63	Cd Fab	1640 S-G
	64	Ac	1640 S-G
BEVRIJDINGSLAAN	22	Ed	
		Fabc	1932 S-W
BEVRIJDINGSPLEIN	68	Ed	1500 HA
BEVRIJDINGSSTRAAT	54	Aa	1601 RU
BEYAERT/RUE-STRAAT	27	Fb	1000 BR
HENRI	93	Bd	1000 BR
BEYSEGHEM/RUE DE	13	Cb	1120 BR
	14	Aab	1120 BR
BEYST/AVENUE-LAAN	32	Cd	1070 AN
PIERRE	33	Ac	1070 AN
BEZEMBINDER/			
AVENUE-LAAN	71	Ad Bc	1640 S-G
BEZEMSTRAAT	39	Ecd	
		Fcd	1600 P-L
	46	Ba	1600 P-L
BIARRITZ/SQUARE DE-			
SQUARE	35	Dc	1050 IX
BICHE/AVENUE DE LA	75	Ec	1332 GE
	79	Ba	1332 GE
BICHE/FOND DE LA	74	Da	1310 L-H
BICHES/AVENUE DES	55	Ad Bc	1180 UC
BICHES/AVENUE DES	37	Bd Cc	1950 KR
BICHES/LAIE AUX	86	Fcd	1300 LI
BICHON/PLACE-PLAATS	21	Ebd	1030 SC
BIDDAER/RUE-STRAAT			
PIERRE	33	Bcd Eb	1070 AN
BIDOUL/RUE ADRIEN	87	Cc	1325 CH
BIDSPRINKHANENLAAN	49	Cac	1170 WB
BIEN-ETRE/RUE DU	26	Eb	1070 AN
BIEN-FAIRE/			
RUE DU-STRAAT	42	Fac	1170 WB
BIENFAISANCE/RUE DE LA	27	Ca	1210 SJ
	91	Acd	1210 SJ
BIENFAITEURS/PLACE DES	28	Ba	1030 SC
BIENVENUE/RUE DE LA	40	Ad Bc	1070 AN
BIERENBERG	72	Aa	1640 S-G
BIERGES/CHEMIN DE	81	Bab	1300 WA
BIERNAUX/RUE	81	Dd	1301 BI
BIERNAUX/RUE-STRAAT			
GASTON	12	Fc	1090 JE
BIESDREEF	31	Ab	1933 ST
BIESLOOKSTRAAT	6	Dc	1020 BR
BIESMANSLAAN ALBERT	58	Ed Fc	1560 HO
BIESMANSSTRAAT JOSSE	58	Db Eac	1560 HO
BIESMUITERLAAN	59	Cb	3090 OV
	60	Aa	3090 OV
BIESPUTSTRAAT	35	Bb Ca	1040 ET
BIESTEBROECK/QUAI DE	33	Bd Cac	
		Eabc	1070 AN
	40	Ba	1070 AN
BIESTEBROECK/RUE DE	33	Bd Cc	1070 AN
BIESTEBROEKKAAI	33	Bd Cac	
		Eabc	1070 AN
	40	Ba	1070 AN
BIESTEBROEKSTRAAT	33	Bd Cc	1070 AN
BIESTWEG	10	Bd	1820 ST
BIETENSTRAAT	32	Dd Ec	1070 AN
	39	Ba	1070 AN
BIEZENLAAN	40	Fd	1180 UC
1 tot 39 & 2 tot 4			
BIEZENLAAN	40	Fd	1190 FO
45 tot einde &			
52 tot einde			
BIEZEPUT	69	Aab	1501 BU
BIEZEWEIDE	68	Fd	1500 HA
BIEZEWEIDE	54	Bd	1650 BE
BIFURCATION/RUE DE LA	42	Ccd	1170 WB
BIGARREAUX/RUE DES	48	Dc	1180 UC
	55	Aab	1180 UC
BIGORNE/RUE DE LA	28	Da	1210 SJ
	93	Cd	1210 SJ
BIJENKORFSTRAAT	21	Dc	1030 SC
BIJENLAAN	42	Ec	1000 BR
1 tot 13 & 2 tot 8			
BIJENLAAN	42	Ec	1050 IX
15 tot einde &			
12 tot einde			
BIJLDREEF	51	Bd	
		Cabc	3080 TE
BIJLKENSVELDSTRAAT	38	Bd	3080 TE
BIJSTANDSSTRAAT	27	Ea	1000 BR
	92	Eb Fa	1000 BR
BILANDE/TIENNE DE	81	Ca	1300 WA
BILDSTRAAT	46	Dd Ec	1600 P-L
BILKENSVELD	61	Dac	1500 HA
BILLASTSTRAAT	10	Ed	1820 ST
BINJE/RUE-STRAAT			
FRANS	28	Ba	1030 SC
BINNENHOF	6	Db Ea	1853 S-B

Street	Map	Code
BINNENWEG	15 Ab	1130 BR
BIOT/RUE-STRAAT GUSTAVE	35 Dd	1050 IX
BIPLAN/RUE DU numéro 187	14 Fd	1140 EV
BIPLAN/RUE DU autres nos	14 Fbd	1130 BR
BIRMINGHAM/ RUE DE-STRAAT	26 Fb	1080 MO
1 à/tot 113 & 2 à/tot 94	27 Da	1080 MO
BIRMINGHAM/	26 Ed	
RUE DE-STRAAT	Fbcd	1070 AN
autres nos/andere nrs	33 Bb	1070 AN
BIRSTELL/PROM. DE	85 Ac	1330 RI
BISCHOFFSHEIM/	27 Cd Fb	1000 BR
BOULEVARD-LAAN	91 Ed	1000 BR
	93 Bb	1000 BR
BISDOM	60 Ea	3090 OV
BISSCHOPSSTRAAT	27 Bd Eb	1000 BR
	92 Cab	1000 BR
BISSCHOP VAN GAMERENLAAN	23 Cac	1930 ZA
BISSE/RUE-STRAAT	27 Dc	1070 AN
	93 Dc	1070 AN
BIVAKSTRAAT	26 Eb	1070 AN
BIVOUAC/RUE DU	26 Eb	1070 AN
BIZET/PLACE-PLEIN	33 Dd	1070 AN
BLAES/RUE-STRAAT	27 Ed	1000 BR
	34 Babc	1000 BR
BLAES/RUE-STRAAT	94 Bd Cac Eab	1000 BR
BLAESENBERG/RUE	7 Cc	1120 BR
BLAESENBERGSTRAAT	3 Cd Fb	1800 VI
BLAESENBERGWEG	3 Fd	1800 VI
	7 Cb	1800 VI
BLAIREAUX /ALLEE DES	49 Ab	1000 BR
BLAIRONSTRAAT EUGENE	8 Fc	1831 DI
BLAIVIELAAN/AVENUE ARTHUR	37 Bb	1950 KR
BLANCHE/RUE-STRAAT 1 à/tot 13 & 2 à/tot 12	34 Fa	1000 BR
BLANCHE/RUE-STRAAT 14 - 15 - 16	34 Fa	1050 IX
BLANCHE/RUE-STRAAT 19 à fin/tot einde & 18 à fin/tot einde	34 Fa	1060 SG
BLANCHISSERIE/	27 Cc	1000 BR
RUE DE LA	91 Dacd	1000 BR
BLANCHISSERIE/ RUELLE DE LA	81 Fab	1300 WA
BLANC TRY/RUE DU	80 Fb	1301 BI
	81 Dac	1301 BI
BLANKEDELLE/ CHEMIN DE	51 Dac	1170 WB
BLANKEDELLE/ CLOS DU-GAARDE	43 Fc	1160 AU
BLANKEDELLEWEG	51 Dac	1170 WB
BLANKENDELLE/	43 Fc	1160 AU
WEG-CHEMIN DE	50 Cab	1160 AU
	51 Aac Da	1160 AU
BLANKENHEIMLAAN	22 Eab	1932 S-W
BLARENVELD	54 Ec	1650 BE
	62 Abcd Ba	1650 BE

Street	Map	Code
BLAUWBORSTJESLAAN 1 tot 9B & 2 tot 38	36 Dc	1150 WP
BLAUWBORSTJESLAAN 11 tot 15 & 40	36 Dc	1160 AU
BLAUW DREVEKEN	36 Cc	1150 WP
BLAUWE BOSBESSEN-LAAN	37 Fcd	1950 KR
BLAUWE HEMELSTRAAT	30 Dbd	1150 WP
BLAUWEREGENLAAN	21 Ea	1030 SC
BLAUWESTAAKWEG	72 Abd Db	1640 S-G
BLAUWET/RUE-STRAAT HUBERT	19 Dab	1082 BA
BLAUWE VOGELLAAN	35 Fb	1150 WP
	36 Da	1150 WP
BLAZENBERGSTRAAT	7 Cc	1120 BR
BLE D'OR/RUE DU	26 Ab	1082 BA
BLEKERIJDREEF	38 Fbd	3080 TE
BLEKERIJ REY	47 Dd	1601 RU
	54 Ab	1601 RU
BLEKERIJSTRAAT	27 Cc	1000 BR
	91 Dacd	1000 BR
BLEKERSSTRAAT	60 Bac	3090 OV
BLEROTSTRAAT/	34 Aac	1070 AN
RUE ERNEST	94 Ac	1070 AN
BLES/AVENUE DES	85 Bd	1300 LI
BLES D'OR/AVENUE DES	76 Bcd	1410 WA
BLEUE/VENELLE	36 Cc	1150 WP
BLEUET/AVENUE DU	29 Fd	1200 WL
	36 Cab	1200 WL
BLEUETS/AVENUE DES	66 Fb	1310 L-H
	67 Da	1310 L-H
BLEUETS/AVENUE DES	87 Ccd	1325 D-V
BLEUETS/AVENUE DES	72 Bc Ea	1640 S-G
BLEUETS/AVENUE DES	1 Ed	1780 WE
BLEUETS/RUE DES	85 Fa	1300 LI
BLEUETS/RUE DES	84 Fb	1330 RI
	85 Acd Da	1330 RI
BLEUETS/RUE DES	88 Bd	1420 B-A
BLEUKENSTRAAT	69 Dbd	1500 HA
BLEUKENSTRAAT	69 Dbd	1501 BU
BLIJDE INKOMSTLAAN	28 Ec	1040 BR
	35 Ba	1040 BR
BLIJDE INKOMSTLAAN	59 Dd	1560 HO
	67 Ab	1560 HO
BLIJDE INKOMSTSTRAAT	8 Eb Fa	1830 MA
BLIJDSCHAPSSTRAAT	33 Bd	1070 AN
BLIJKVELD	61 Ca	1651 LO
BLINDES/SQUARE DES	27 Bc	1000 BR
	90 Fbd	1000 BR
BLOCKMANS/ RUE-STRAAT	37 Ab	1150 WP
BLOCKMANSSTRAAT	10 Eb	1820 ST
BLOCKVELDGATWEG	57 Fbd	1560 HO
	58 Dab	1560 HO
BLOCKX/RUE-STRAAT JAN	21 Ad Bc	1030 SC
BLOCKXSTRAAT JAN	4 Bab	1800 VI
BLOEISTRAAT	32 Fa	1070 AN
BLOEMENDAL	63 Aacd	1650 BE
BLOEMENDAL	63 Aacd	1652 AL
BLOEMENDAL	25 Bcd	1700 DI
BLOEMENDALLAAN	6 Fa	1853 S-B
BLOEMENDREEFLAAN	2 Da	1780 WE
BLOEMENDREEFLAAN	2 Dab	1860 ME
BLOEMENERF	63 Bd Eb	1652 AL

B

BLOEMENGAARDE	21 Fc	1030 SC
	28 Ca	1030 SC
BLOEMENGAARDE	37 Ba	1950 KR
BLOEMENHOF	6 Bab	1853 S-B
BLOEMENHOFLAAN	64 Dab	1640 S-G
BLOEMENHOFPLEIN	27 Ea	1000 BR
	92 Bc	1000 BR
BLOEMENLAAN	36 Fac	1150 WP
BLOEMENLAAN	18 Acd	1702 G-B
BLOEMENLAAN	4 Cd	1800 PE
BLOEMENLAAN	31 Aab	1933 ST
BLOEMENLAAN	30 Ec	1950 KR
	37 Ba	1950 KR
BLOEMENLAAN	30 Ec	1970 W-O
BLOEMENMEISJESGANG	34 Ba	1000 BR
	94 Bac	1000 BR
BLOEMENOORD	19 Dac	1082 BA
BLOEMENPLEIN	4 Cbd	1800 VI
BLOEMENSTRAAT	27 Bd	1000 BR
	90 Fbd	1000 BR
BLOEMENVELD	23 Bac	1930 ZA
BLOEMENVELD	31 Dd	1970 W-O
BLOEMHOF	55 Db Ea	1630 LI
BLOEMHOFSTRAAT	62 Bb	1650 BE
BLOEMISTENSTRAAT	34 Ad Bac	1000 BR
	94 Bc Ea	1000 BR
BLOEMKWEKERSSTRAAT	19 Dac	1082 BA
BLOEMTUILSTRAAT	33 Dc	1070 AN
BLOEMTUINENLAAN	21 Fc	1030 SC
	28 Bb Ca	1030 SC
BLOEMWEIDELAAN	30 Ea	1950 KR
BLOKBOS	61 Ca	1651 LO
BLOKVELDSTRAAT	58 Db	1560 HO
BLOMMAERTSTRAAT J.-B.	58 Bac	1560 HO
BLONDIEAUSTRAAT ETIENNE	4 Bd	1800 VI
BLUCHER/AVENUE	76 Fb	1410 WA
BLUCHER/AVENUE	88 Cc	1420 B-A
BLUCHER/AVENUE-LAAN	48 Fd	1180 UC
	55 Cbd Fb	1180 UC
BLUETS/CLOS DES	76 Ab	1410 WA
BLUETS/RUE DES	29 Ad Bc Ea	1200 WL
BLUETS/RUE DES	30 Ea	1950 KR
BLUTSDELLE	62 Fd	1652 AL
	63 Dc	1652 AL
BLYCKAERTS/PLACE-PLEIN RAYMOND	35 Ac	1050 IX
	95 Fd	1050 IX
BOBIJNGANG	27 Cd Fb	1000 BR
	93 Ba	1000 BR
BOBINE/IMPASSE DE LA	27 Cd Fb	1000 BR
	93 Ba	1000 BR
BOCAGE/CLOS DU	78 Cb	1332 GE
BOCKSTAEL/BOULEVARD-LAAN EMILE	13 Eac	1020 BR
	20 Ad Bac Db	1020 BR
BOCKSTAEL/PLACE-PLEIN EMILE	20 Ba	1020 BR
BOCQ/RUE DU-STRAAT	35 Fc	1160 AU
BODEGEMSTRAAT	27 Dd Ec	1000 BR
	92 Dd Eac	1000 BR
BODEGHEM/RUE	27 Dd Ec	1000 BR
	92 Dd Eac	1000 BR

BODENBROEK/RUE-STRAAT	27 Ed	1000 BR
	34 Bb Ca	1000 BR
	95 Aab	1000 BR
BODRISSART/RUE	76 Dcd	1410 WA
BODUOGNAT/RUE	28 Dbd	1000 BR
BODUOGNATUSSTRAAT	28 Dbd	1000 BR
BOECHOUTLAAN	13 Abcd	1020 BR
BOECHOUTLAAN	2 Dd	1853 S-B
	6 Abd Bc Ea	1853 S-B
BOECHTSTRAAT	1 Cb	1860 ME
	2 Aa	1860 ME
BOEKHOUTWEG	11 Ebd	1731 ZE
BOEKWEITVELD	31 Db	1970 W-O
BOEKWEYKOEKSTRAAT	10 Bc	1820 ST
BOERDERIJSTRAAT 1 tot 31 & 2 tot 32	19 Eb	1082 BA
BOERDERIJSTRAAT andere nrs	19 Eb	1083 GA
BOEREBOOMLAAN LEON	17 Dcd	1930 NO
BOERENBRUGWEG	42 Da	1000 BR
BOERENSTRAAT	35 Bbd	1040 ET
BOERGONDIESTRAAT	40 Cd Fb	1190 FO
BOERKOZENSTRAAT	33 Ab	1070 AN
BOERKOZENSTRAAT	18 Ac	1700 DI
BOERS/RUE DES	35 Bbd	1040 ET
BOESBERGSTRAAT	24 Dd	1933 ST
BOESDAAL	63 Bab	1630 LI
BOESDAALLAAN/AVENUE	56 Dd	1640 S-G
BOESDAALVELDWEG	63 Eab	1652 AL
BOETENDAEL/AVENUE DE-LAAN	41 Eac	1180 UC
BOETENDAEL/RUE DE-STRAAT	41 Bc Ea	1180 UC
BOEUFS/IMPASSE DES	27 Eb	1000 BR
	92 Cd	1000 BR
BOGAARDENSTRAAT	27 Ec	1000 BR
	92 Eb Fac	1000 BR
BOGAERD/RUE-STRAAT KAREL	13 Ecd	1020 BR
BOGARDS/RUE DES	27 Ec	1000 BR
	92 Eb Fac	1000 BR
BOGEMANSSTRAAT/RUE J.	5 Eb Fab	1780 WE
BOGHEMANS/RUE-STRAAT	19 Cb	1090 JE
BOHY/AVENUE	82 Da	1300 WA
BOILEAU/AVENUE-LAAN	35 Cd	1040 ET
BOIS/CHEMIN AU	30 Fd	1970 W-O
	37 Cbcd	1970 W-O
BOIS/GRANDE RUE AU	28 Bac	1030 SC
BOIS/RUE AU	12 Dd	1083 GA
	19 Ab	1083 GA
BOIS/RUE AU 1 à 7	36 Cac	1200 WL
BOIS/RUE AU 11 à fin & nos pairs	36 Cacd Fb	1150 WP
	37 Dacd	1150 WP
BOIS/RUE AU	54 Ca	1620 DR
BOIS/RUE AU	71 Ad Bac Dbd Ea	1640 S-G
BOIS/RUE AU	23 Dcd	1950 KR
	30 Ab	1950 KR
BOIS/RUE DU	12 Dd Ec	1090 JE
BOIS/RUE DU	81 Dab	1301 BI

Rue	Carte	Carré	Code
BOIS/SENTIER DU	76	Db	1410 WA
BOIS/SENTIER DU	55	Dd	1630 LI
	63	Ab Ba	1630 LI
BOIS/SQUARE DU	41	Cd	1000 BR
	42	Ac	1000 BR
BOIS/VENELLE AU	36	Cc	1150 WP
BOIS A BRULER/QUAI AU	27	Bc	1000 BR
	90	Ebd Fc	1000 BR
	92	Ca	1000 BR
BOISACQ/COURTE RUE	81	Dd	1301 BI
BOISACQ/RUE ROBERT	79	Fbd	1330 RI
BOIS BECQUET/AVENUE	82	Dd Ec	1300 WA
	87	Ba	1300 WA
BOIS COLETTE/			
SENTE DU	82	Dd Ec	1300 WA
BOIS D'AYWIERS/			
CLOS DU	84	Fa	1380 LA
BOIS D'AYWIERS/			
FERME DU	84	Fa	1380 LA
BOIS D'AYWIERS/			
SENTIER	84	Cc Fa	1330 RI
BOIS DE BEUMONT/	80	Cd	1301 BI
RUE DU	81	Ac	1301 BI
BOIS DE BROUX/RUE DU	75	Fb	1331 RO
BOIS DE CHAPELLE/	84	Ad Bcd	
AVENUE DU		Db Ea	1380 LA
BOIS DE CONSTRUCTION/	27	Bac	1000 BR
QUAI AU	90	Eb	1000 BR
BOIS DE LA CAMBRE/			
AVENUE DU	42	Eb Fa	1170 WB
1 à 41 & 2 à 40			
BOIS DE LA CAMBRE/			
AVENUE DU	42	Ebcd	1050 IX
43 à fin & 42 à fin			
BOIS DE LA PIERRE	86	Ccd	1300 WA
BOIS DE LA PIERRE/	86	Fb	1300 LI
VENELLE DU	87	Da	1300 LI
BOIS DE LINTHOUT/			
RUE DU	29	Dac	1200 WL
BOIS DE SAPINS/			
AVENUE DU	29	Fc	1200 WL
BOIS DE SARAS/			
VENELLE DU	87	Dd Ec	1300 WA
BOIS DES CARMES/			
RUE DU	85	Bc Ea	1300 LI
BOIS DES COQS/			
SENTE DU	82	Bd Eb	1300 WA
BOIS DES DAMES/	74	Ed	1310 L-H
CHEMIN DU	78	Bb	1310 L-H
BOIS DES ILES/RUE	19	Aac	1082 BA
BOIS DES MAYEURS	79	Aab	1330 RI
BOIS DE VILLERS/			
VENELLE DU	87	Ec	1300 WA
BOIS D'HENNESSY	75	Dab	1310 L-H
BOIS D'HENNESSY/			
AVENUE DU	75	Ac Da	1310 L-H
BOIS D'HOUTHULST/			
AVENUE DU	31	Da	1970 W-O
BOIS D'OPPEM/CHEMIN DU	37	Cc	1950 KR
BOIS DU BAILLOIS/	79	Dd	1330 RI
SENTIER	84	Ab	1330 RI
BOIS DU DIMANCHE/			
AVENUE	36	Fc	1150 WP
BOIS DU HERON/			
AVENUE DU	79	Fc	1330 RI
BOIS JACOB/AVENUE DU	74	Eb	1310 L-H
BOIS JEAN/AVENUE DU	30	Da	1200 WL
BOIS L'ABBE/RUE DU	86	Dc	1300 LI
BOIS LA HAUT/AVENUE DU	84	Cac	1330 RI
BOIS MAGONETTE/	77	Fb	1380 CO
CHEMIN DU	78	Dac	1380 CO
BOIS MICHOT/			
SENTIER DU	85	Dd Ec	1300 LI
BOIS MOUE/SENTIER DU	84	Bd	1330 RI
BOIS PIRART/RUE DU	78	Cd	1332 GE
BOIS PLANTE/CLOS DU	36	Db	1150 WP
BOIS ROYAL/AVENUE DU	74	Ebd	1310 L-H
BOIS SAINTE-CATHERINE/			
AVENUE	84	Bc	1330 RI
BOIS SAINTE CATHERINE/			
AVENUE DU	84	Bc	1380 LA
BOIS SAINT-ROCH/			
SENTIER DU	84	Dab	1380 LA
BOIS SAUVAGE/RUE DU	27	Fa	1000 BR
	93	Ad	1000 BR
BOIS SOHET/AVENUE	87	Ab	1300 WA
BOIS SOLEIL/AVENUE DU	37	Bbd Cc	1950 KR
BOIS WILMET/RUE DU	80	Fcd	1300 LI
	85	Cb	1300 LI
	86	Aa	1300 LI
BOIS WILMET/RUE DU	80	Fcd	1301 BI
	85	Cb	1301 BI
	86	Aa	1301 BI
BOITEUX/RUE DES	27	Bd Cc	1000 BR
	93	Aa	1000 BR
BOITSFORT/AVENUE DE	49	Ab Ba	1000 BR
BOITSFORT/CHAUSSEE DE	42	Ed	1050 IX
1 à 53 & 2 à 96	49	Bb Cac	1050 IX
BOITSFORT/CHAUSSEE DE	49	Cac	1000 BR
103 à 121			
BOITSFORT/CHAUSSEE DE	42	Ed	1170 WB
123 à fin & 98 à fin	49	Bb Cac	1170 WB
BOKSPOEL	3	Ab	1850 GR
BOLDERIKLAAN	29	Bc Ea	1200 WL
BOLETENWEG	42	Dd	1000 BR
BOLETS/CHEMIN DES	42	Dd	1000 BR
BOLIVAR/BOULEVARD-	20	Ed Fc	1000 BR
LAAN SIMON	91	Aa	1000 BR
BOLIVAR/BOULEVARD-	20	Fc	1030 SC
LAAN SIMON	91	Aa	1030 SC
BOLLANDISTENSTRAAT	35	Ccd	1040 ET
BOLLANDISTES/RUE DES	35	Ccd	1040 ET
BOLLEN/RUE-STRAAT JAN	13	Ecd	1020 BR
BOLLESTRAAT	60	Fb	3090 OV
BOLLINCKX/RUE-STRAAT	40	Bac Ea	1070 AN
1 à/tot 217 & 2 à/tot 254			
BOLLINCKX/RUE-STRAAT	40	Ea	1190 FO
219 à fin/tot einde &			
256 à fin/tot einde			
BOLS/AVENUE-LAAN	13	Dd	1020 BR
PRUDENT	20	Ab Ba	1020 BR
BOLWERKLAAN	27	Bb Ca	1210 SJ
	91	Ac Da	1210 SJ
BOLWERKSQUARE	34	Cab	1050 IX
	95	Bc	1050 IX
BOLWERKSTRAAT	4	Bcd	1800 VI
BOMMAERTLAAN/AVENUE	30	Ec	1950 KR
BON ACCUEIL/RUE DU	19	Bc Ea	1082 BA
BON AIR/AVENUE	74	Fa	1310 L-H
BON AIR/AVENUE	79	Ba	1332 GE

B

B

Street	Map	Postal code
BON AIR/AVENUE	72 Fc	1410 WA
	76 Cab	1410 WA
BON AIR/AVENUE	55 Fd	1640 S-G
	56 Dcd	1640 S-G
BON-AIR/CHEMIN DU	78 Fac	1380 OH
BONAPARTE/		
AVENUE-LAAN	48 Fcd	1180 UC
BONAVENTURE/	12 Fab	1090 JE
RUE-STRAAT	13 Da	1090 JE
BON BATEAU/RUE DU	82 Dc	1300 WA
BONDGENOTENSTRAAT	33 Fd	1190 FO
	40 Cbd	1190 FO
BON DIEU/SENTIER	83 Aa	1410 WA
BON DIEU DE GIBLOUX/	83 Bbd	
CHEMIN DU	Ca	1410 WA
BONEHILL/RUE-STRAAT		
EDMOND	26 Cd Fb	1080 MO
BONEKRUIDLAAN	13 Cb	1020 BR
	14 Aa	1020 BR
	6 Fd	1020 BR
BONHEUR/DREVE DU	30 Dd Ec	1150 WP
BONHEUR/DREVE DU	30 Dd Ec	1950 KR
BONHEUR/RUE DU	32 Bb Ca	1070 AN
BONLY/CHEMIN DU	87 Cbcd	
	Eb Fa	1325 D-V
BONNEELS/RUE-STRAAT	28 Db	1210 SJ
BONNE FONTAINE/	75 Dc	
AVENUE	79 Aa	1330 RI
BONNE FOSSE/		
AVENUE DE LA	88 Bcd	1420 B-A
BONNE FOSSE/		
SENTIER DE LA	88 Acd	1420 B-A
BONNE ODEUR/DREVE DE	50 Ad Bc	
2 à 4	Eab	
	Facd	1170 WB
	57 Cb	1170 WB
BONNE REINE/RUE DE LA	29 Dd	1200 WL
BONNES-MERES/RUE DES	40 Fc	1190 FO
BONNETIERS/SQUARE DES	82 Ad	1300 WA
BONNEVIE/RUE-STRAAT	27 Ab	1080 MO
	90 Acd Db	1080 MO
BONNIER/CHEMIN DU	78 Ec	1380 OH
BONNIERS/DREVE DES	57 Ad Bc	
	Dab	1170 WB
BONNIERS/DREVE DES	56 Ecd	
	Fbcd	1180 UC
	57 Da	1180 UC
	64 Ab Ba	1180 UC
BONNIERS/DREVE DES	56 Ecd	
	Fbcd	1640 S-G
	57 Da	1640 S-G
	64 Ab Ba	1640 S-G
BON PASTEUR/RUE DU	26 Ab	1080 MO
BON PASTEUR/RUE DU	14 Fc	1140 EV
	21 Ca	1140 EV
BON SECOURS/RUE DE	27 Ea	1000 BR
	92 Eb Fa	1000 BR
BONS ENFANTS/		
RUE DES	14 Ab Ba	1120 BR
BONTE/RUE DE LA	34 Cc Fa	1000 BR
1 à 5 & 2 à 4A		
BONTE/RUE DE LA	34 Fa	1060 SG
7 à fin & 6 à fin		
BOOGLAAN	59 Dc	1560 HO
	67 Aa	1560 HO

Street	Map	Postal code
BOOGSCHUTTERINNEN-		
LAAN	48 Bb	1180 UC
BOOGSCHUTTERS-	19 Fb	1081 KO
STRAAT	20 Da	1081 KO
BOOGSTRAAT	27 Bb	1000 BR
	90 Cd	1000 BR
BOOMGAARD	17 Ecd	1930 NO
BOOMGAARDLAAN	59 Dcd	1560 HO
BOOMGAARDLAAN	64 Abd	1640 S-G
BOOMGAARDLAAN	62 Ba	1650 BE
BOOMGAARDOORD	30 Bbd Ca	1950 KR
BOOMGAARDPAD	14 Ad Bc	1120 BR
BOOMGAARDSTRAAT	43 Bac	1160 AU
BOOMGAARDSTRAAT	47 Bd	1620 DR
BOOMGAARDSTRAAT	70 Eac	1653 DW
BOOMGAARDSTRAAT	5 Eb	1780 WE
BOOMGAARDSTRAAT	30 Bbd	1950 KR
BOOMGAARDWEG	71 Bbcd	1640 S-G
BOOMKLEVERLAAN	37 Aa	1150 WP
BOOMKLEVERSPAD	42 Dab	1000 BR
BOOMKWEKERIJLAAN	63 Fac	1640 S-G
BOOMKWEKERIJSTRAAT	34 Cab	1000 BR
	95 Ab Ba	1000 BR
BOOMKWEKERIJSTRAAT	47 Dabc	1601 RU
	54 Aa	1601 RU
BOOMSTRAAT	34 Bb	1000 BR
	94 Cbd	1000 BR
BOOMVALKENLAAN	43 Dab	1170 WB
BOON/AVENUE-LAAN		
DANIEL	43 Eabc	1160 AU
BOON/RUE-STRAAT		
JACQUES	40 Ab	1070 AN
BOONDAALSESQUARE	42 Eb	1050 IX
BOONDAALSE	35 Dacd	1050 IX
STEENWEG	42 Ab Bacd	
	Eb	1050 IX
BOONDAEL/	35 Dacd	1050 IX
CHAUSSEE DE	42 Ab Bacd	
	Eb	1050 IX
BOONDAEL/	49 Bcd	
DREEF-DREVE DE	Eabd	1180 UC
BOONDAEL/SQUARE DE	42 Eb	1050 IX
BOONLAAN JAN	68 Bbd Ca	1500 HA
BOONSTRAAT	71 Abd	1652 AL
BORCHTHOF	60 Da	3090 OV
BORDEAUX/		
RUE DE-STRAAT	34 Eb	1060 SG
BORDET/AVENUE-LAAN		
JULES	21 Cb	1130 BR
numéro/nummer 1	22 Aa	1130 BR
BORDET/AVENUE-LAAN	21 Cb	1140 EV
JULES	22 Aacd	
3 à fin/tot einde &	Db	1140 EV
nos pairs/pare nrs		
BORDIAU/RUE-STRAAT	28 Ea	1000 BR
BORDUURDERSSTRAAT	34 Bac	1000 BR
	94 Eb	1000 BR
BOREALE/AVENUE	80 Ed	1300 LI
BORGENDAALGANG	27 Fc	1000 BR
	93 Dd	1000 BR
BORGENDAEL	81 Cc	1300 WA
BORGENDAEL/		
CHEMIN DU	81 Cc	1300 WA
BORGENDAEL/	27 Fc	1000 BR
IMPASSE DU	93 Dd	1000 BR

Straat	Kaart	Vak	Postcode
BORGHTSTRAAT	4	Ac	1800 VI
BORGHTVOETWEG	3	Cd Fb	1800 VI
BORGTSTRAAT	3	Ad Bcd Cc	1850 GR
BORGVAL	27	Ea	1000 BR
	92	Cc	1000 BR
BORGWAL	27	Ea	1000 BR
	92	Cc	1000 BR
BORLE/AVENUE-LAAN JOSEPH	43	Eb	1160 AU
BORNE/RUE DE LA	27	Acd	1080 MO
	90	Dac	1080 MO
BORREKENSVELD	6	Bcd	1853 S-B
BORRENS/RUE-STRAAT	35	Dcd	1050 IX
BORRENWEG	70	Fbd	1652 AL
BORRESTRAAT	32	Dabc	1700 DI
BORRESTRAAT	32	Dabc	1703 SC
BORRESTRAAT	23	Ac	1932 S-W
BORREVELDLAAN	16	Bd	1930 ZA
BORREWEG	48	Dd Ec	1180 UC
	55	Ba	1180 UC
BORTIER/ GALERIE-GALERIJ	27	Ed	1000 BR
	93	Da	1000 BR
BOSBESSENLAAN	49	Ca	1170 WB
BOSBESSENLAAN	75	Fa	3090 OV
BOSBESSENWEG	51	Aacd	1160 AU
BOSCH	1	Fac	1780 WE
BOSCH/PLACE ALPHONSE	81	Fb	1300 WA
BOSCH/RUE-STRAAT ROBERT	33	Cab	1070 AN
BOSDALGAARDE	37	Fa	1950 KR
BOSDALLAAN	37	Cc Ebd Fa	1950 KR
BOSDELLESTRAAT	24	Ebd Fab	1933 ST
BOSDREEF	37	Dcd	1150 WP
BOSDUIFLAAN	43	Dd	1170 WB
BOSDUIFLAAN	2	Db	1860 ME
BOSDUIFSTRAAT	14	Bb	1120 BR
BOSDUIVENLAAN	37	Bd Eb	1950 KR
BOSDUIVENWEG	65	Fbcd	1560 HO
	73	Ca	1560 HO
BOSDUIVENWEG	45	Ed	3080 TE
	52	Bb	3080 TE
BOSHYACINTENVOETPAD	49	Fab	1170 WB
BOSJESLAAN	63	Cd	1640 S-G
BOSKANTLAAN	41	Fb	1000 BR
	42	Da	1000 BR
BOSKANTWEG	10	Bb	1820 ST
BOSKANTWEG	8	Ccd	1830 MA
BOSLAAN	75	Ccd Fac	3090 OV
BOSMANSSTRAAT ALBERT	69	Bd Eb	1501 BU
BOSMANSSTRAAT JAN BAPTIST	53	Dd	1600 P-L
	61	Ab	1600 P-L
BOSNIE/RUE DE-STRAAT	34	Dabd	1060 SG
BOSNIMFENLAAN	43	Dcd	1170 WB
BOSPAD	55	Dd	1630 LI
	63	Ab Ba	1630 LI
BOSPLEINLAAN	42	Dc	1000 BR
BOSQUET/AVENUE	75	Ab	1310 L-H
BOSQUET/AVENUE DU	74	Fd	1332 GE
	78	Cb	1332 GE
	79	Aa	1332 GE
BOSQUET/CLOS DU	76	Da	1410 WA
BOSQUET/RUE-STRAAT	34	Bd Cc	1060 SG
	94	Fcd	1060 SG
	95	Dc	1060 SG
BOSQUET/SENTIER DU	81	Ecd	1301 BI
BOSQUET DEL VAU/ CHEMIN	83	Acd Db	1420 B-A
BOSRANDPLEIN	37	Dc	1150 WP
BOSRANKSTRAAT	23	Ba	1930 ZA
BOSRECHTERSTRAAT	42	Fb	1170 WB
BOSSAERT/AVENUE-LAAN EMILE	19	Fac	1081 KO
BOSSAERTS/RUE-STRAAT FRANCOIS	28	Bac	1030 SC
BOSSQUARE	41	Cd	1020 BR
	42	Ac	1020 BR
BOSSTRAAT	31	Fd	1050 IX
	41	Cb	1050 IX
BOSSTRAAT	12	Dd	1083 GA
	19	Ab	1083 GA
BOSSTRAAT	12	Dd Ec	1090 JE
BOSSTRAAT 1 tot 7	36	Cac	1200 WL
BOSSTRAAT 11 tot einde & pare nrs	36	Cacd Fb	1150 WP
	37	Dacd	1150 WP
BOSSTRAAT	54	Ca	1620 DR
BOSSTRAAT	18	Bc Db Ea	1702 G-B
BOSSTRAAT	15	Cc Fa	1831 DI
BOSSTRAAT	16	Bac	1930 ZA
BOSSTRAAT	23	Dcd	1950 KR
	30	Ab	1950 KR
BOSSU/RUE-STRAAT PAUL	36	Ac	1150 WP
BOSSUET/PLACE-PLEIN FRANCOIS	28	Ac	1210 SJ
	91	Fb	1210 SJ
BOSUILDREEF	51	Cc	3090 OV
BOSUILSTRAAT	43	Dd	1170 WB
BOS VAN HOUTHULST-LAAN	31	Da	1970 W-O
BOS VAN OPPEMWEG	37	Cc	1950 KR
BOSVELDWEG	41	Fcd	1180 UC
BOSVOORDSELAAN	49	Ab Ba	1000 BR
BOSVOORDSE STEENWEG 1 tot 53 & 2 tot 96	42	Ed	1050 IX
	49	Bb	1050 IX
BOSVOORDSESTEENWEG 103 tot 121	49	Cac	1000 BR
BOSVOORDSESTEENWEG 123 tot einde & 98 tot einde	49	Cac	1170 WB
BOSWARANDE	36	Cc	1150 WP
BOSWEG	70	Ea	1652 AL
BOSWEG	7	Ad	1800 VI
BOSWEG	1	Cc Fa	1860 ME
BOSWEG	30	Fd	1970 W-O
	37	Cbcd	1970 W-O
BOSWEIDELAAN	72	Cac	1640 S-G
BOTANIQUE/RUE	27	Cbd	1210 SJ
	91	Bc Eab	1210 SJ
BOTERBERG	54	Cd Fb	1630 LI
BOTERBERGWEG	54	Fab	1650 BE
BOTERBLOEMBINNENHOF	36	Ca	1200 WL
BOTERBLOEMENLAAN	37	Bb Ca	1970 W-O
BOTERBLOEMENSTRAAT	43	Dbd	1170 WB
BOTERBLOEMLAAN	31	Ab	1933 ST

B

Straat / Rue	Kaart	Postcode
BOTERBLOEMSTRAAT	3 Babc	1850 GR
BOTERMANSDELLE/		
CHEMIN DU-WEG	64 Bcd Cc	1640 S-G
BOTERSTRAAT	27 Eb	1000 BR
	92 Ccd	1000 BR
BOUCHERS/	27 Eb	1000 BR
PETITE RUE DES	92 Cd	1000 BR
BOUCHERS/RUE DES	27 Eb	1000 BR
	92 Cd	1000 BR
	93 Ac	1000 BR
BOUCHOUT/AVENUE DE	13 Abcd	1020 BR
BOUCHOUTLAAN	2 Aa	1860 ME
BOUCHOUTLAAN/	1 Fb	1780 WE
AVENUE DE	2 Dac	1780 WE
BOUCLE/VENELLE EN	36 Cc	1150 WP
BOUCLIER/PLAINE DU	81 Cb	1300 WA
BOUDEWIJNLAAN	27 Bb	1000 BR
	90 Ccd	1000 BR
BOUDEWIJNLAAN	32 Ab	1700 DI
BOUGAINVILLEA'SSTRAAT	26 Bc	1080 MO
BOUGAINVILLEES/		
RUE DES	26 Bc	1080 MO
BOUGIE/RUE DE LA	27 Da	1070 AN
	92 Ac Da	1070 AN
BOUILLIOT/RUE-STRAAT		
EMILE	41 Bb	1050 IX
BOUILLON/RUE-STRAAT	34 Cd	1050 IX
JULES	95 Eb	1050 IX
BOULEAUX/AVENUE DES	42 Fd	1170 WB
BOULEAUX/AVENUE DES	74 Cd	1310 L-H
BOULEAUX/AVENUE DES	71 Dd	1420 B-A
BOULEAUX/AVENUE DES	5 Bd	1780 WE
BOULEAUX/AVENUE DES	37 Bac	1950 KR
BOULEAUX/CLOS DES	29 Bd	1200 WL
BOULEAUX/CLOS DES	30 Fb	1970 W-O
	31 Da	1970 W-O
BOULEAUX/FOND DES	56 Ccd Fb	1180 UC
BOULEAUX/VENELLE AUX	87 Ad Db	1300 WA
BOULENGER/AVENUE-	48 Fb	1180 UC
LAAN HIPPOLYTE	49 Da	1180 UC
BOULENGERLAAN	38 Dd	3080 TE
HIPPOLYTE	45 Ab	3080 TE
BOULET/RUE DU	27 Ea	1000 BR
	92 Babd	1000 BR
BOULEVARD/AVENUE DU	27 Bb Ca	1210 SJ
	91 Ac Da	1210 SJ
BOULOGNE-	84 Ccd	1330 RI
BILLANCOURT/AVENUE	85 Ac	1330 RI
BOUQUET/RUE DU	33 Dc	1070 AN
BOUQUET/SQUARE DU-	40 Fc	1190 FO
SQUARE BIA	47 Ca	1190 FO
BOUQUETIERE/	34 Ba	1000 BR
IMPASSE DE LA	94 Bac	1000 BR
BOURDON/CLOS	83 Dd	1420 B-A
BOURDON/RUE DU	48 Dc	1180 UC
	55 Aac Da	1180 UC
BOURE/RUE-STRAAT	34 Cd	1050 IX
	95 Eb	1050 IX
BOURGEOIS/AVENUE-		
LAAN AUGUSTE	32 Cc	1070 AN
BOURGEOIS/CHEMIN DE	85 Ad Bc	1300 LI
BOURGET/		
AVENUE DU-LAAN	22 Aa	1140 EV
1 à/tot 3		
BOURGET/	15 Ed	1130 BR
AVENUE DU-LAAN	22 Aab	
autres nos/andere nrs	Bab	1130 BR
BOURGMESTRE J.L. THYS/	12 Bd	1090 JE
PLACE DU		
BOURGMESTRE/RUE DU	42 Ab	1050 IX
BOURGMESTRE		
DE KEYSER/CLOS	48 Eb	1180 UC
BOURGMESTRE ETIENNE		
DEMUNTER/AVENUE DU	12 Bd Cc	1090 JE
BOURGMESTRE JEAN		
HERINCKX/AVENUE	41 Eabc	1180 UC
BOURGMESTRE JEAN		
NEYBERGH/AVENUE DU	12 Bd	1090 JE
BOURGOGNE/RUE DE	40 Cd Fb	1190 FO
BOURGYS/AVENUE HENRI	72 Ecd Fc	1410 WA
BOURSE/AVENUE DE LA	85 Fa	1300 LI
BOURSE/PLACE DE LA	27 Eb	1000 BR
	92 Cc	1000 BR
BOURSE/RUE DE LA	27 Eb	1000 BR
	92 Cc	1000 BR
BOURVIL/CHEMIN-WEG	12 Bd	1090 JE
BOUTON D'OR/CLOS DU	36 Ca	1200 WL
BOUTON D'OR/RUE DE	88 Ba	1420 B-A
BOUTONS D'OR/		
AVENUE DES	37 Bb Ca	1970 W-O
BOUVIER/RUE-STRAAT	20 Ec	1080 MO
BOUVIER/RUE-STRAAT		
EGIDE CHARLES	43 Fa	1160 AU
BOUVIER-		
WASHERSTRAAT/RUE	30 Ea	1950 KR
BOUVREUIL/AVENUE DU	88 Dc	1420 B-A
BOUVREUILS/	80 Bb	
AVENUE DES	Cabd	1301 BI
BOUVREUILS/PLACE DES	36 Dcd	1150 WP
BOUWERSTRAAT	33 Cab	1070 AN
BOUWGEZELLENERF	29 Aab	1140 EV
BOUWKUNSTLAAN	25 Ed Fc	1700 DI
BOUWKUNSTSTRAAT	33 Dd	1070 AN
BOVENBERG	36 Bd Eb	1150 WP
BOVENHEIDE	61 Fb	1651 LO
BOVIE/RUE-STRAAT FELIX	35 Dabc	1050 IX
BOXER/SENTIER DU-WEG	6 Ed	1020 BR
BRAAMBESSENLAAN	62 Fd	1652 AL
BRAAMBEZIENLAAN	55 Ad Dab	1180 UC
BRAAMBEZIENLAAN	55 Ac Dab	1630 LI
BRAAMBOSJESLAAN	13 Cd	1020 BR
	14 Ac	1020 BR
BRAAMBOSPAD	66 Abd Bc	1560 Ho
BRAAMBOSSTRAAT	35 Dc	1000 BR
nummer 2		
BRAAMBOSSTRAAT	35 Dc	1050 IX
4 tot einde	42 Aa	1050 IX
BRAAMSTRUIKENLAAN	49 Dcd	1180 UC
BRAAMSTRUIKENPAD	43 Cd	1160 AU
	44 Ac	1160 AU
BRABANCONNE/		
AVENUE DE LA-LAAN	28 Bc Ea	1000 BR
1 à/tot 117 &		
2 à/tot 80B		
BRABANCONNE/		
AVENUE DE LA-LAAN	28 Bc	1030 SC
119 à fin/tot einde &		
82 à fin/tot einde		

Street	Map	Grid	Postcode
BRABANDTLAAN	51	Fd	3090 OV
	52	Dc	3090 OV
	58	Cb	3090 OV
BRABANT/AVENUE			
GENEVIEVE	88	Bd	1420 B-A
BRABANT/RUE DE-STRAAT	27	Ca	1210 SJ
1 à/tot 29 & 2 à/tot 112	91	Ad Bac	
		Db	1210 SJ
BRABANT/RUE DE-STRAAT	20	Fcd	1030 SC
31 à fin/tot einde &	27	Ca	1030 SC
114 à fin/tot einde	91	Ba	1030 SC
BRABANTS DALPLEIN	5	Ecd	1780 WE
BRABANTSE	42	Fb	1170 WB
PRINSENLAAN	43	Da	1170 WB
BRAQUET/AVENUE-LAAN			
ALBERT	12	Cd	1020 BR
1 à/tot 63 & 2 à/tot 68	13	Aac	1020 BR
BRACHET/AVENUE-LAAN			
ALBERT	12	Cd	1090 JE
65 à fin/tot einde &			
70 à fin/tot einde			
BRACKESTRAAT/			
RUE AMEDE	23	Dc	1950 KR
BRACONNIERS/	72	Fd	1410 WA
CLOS DES	76	Cb	1410 WA
BRACOPS/BOULEVARD-			
LAAN JOSEPH	32	Cbd Fb	1070 AN
BRADU/SENTIER DE	84	Cd	1330 RI
BRAEMT/RUE-STRAAT	28	Acd Db	1210 SJ
	91	Fd	1210 SJ
BRAIBANT/RUE-STRAAT			
RICHARD	19	Ca	1083 GA
BRAIE/RUE DE LA	27	Bc Ea	1000 BR
	92	Bb	1000 BR
BRAILLE/RUE-STRAAT			
LOUIS	19	Dc	1082 BA
BRAILLELAAN/AVENUE L.	1	Fac	1780 WE
BRAINE L'ALLEUD/			
CHAUSSEE DE	71	Ad Db	1640 S-G
BRALIONSTRAAT			
EDOUARD	68	Bb	1500 HA
BRAND/RUE-STRAAT			
JOSEPH	21	Dbd	1030 SC
BRANDENBURGLAAN	10	Ba	1820 ST
BRANDHOUTKAAI	27	Bc	1000 BR
	90	Ebd Fc	1000 BR
	92	Ca	1000 BR
BRANDSTOFFENSTRAAT	40	Cc	1190 FO
BRAND WHITLOCK/			
BOULEVARD-LAAN	35	Cb	1150 WP
1 à/tot 5 & 2 à/tot 12			
BRAND WHITLOCK/			
BOULEVARD-LAAN	28	Fd	1200 WL
autres nos/andere nrs	35	Cb	1200 WL
BRANLY/RUE-STRAAT			
EDOUARD	41	Ad	1190 FO
BRASEMLAAN	42	Cd	1160 AU
BRASSERIE/AVENUE DE LA	27	Dc	1070 AN
BRASSERIE/RUE DE LA	35	Dab	1050 IX
BRASSERIE/RUE DE LA	47	Fc	1620 DR
BRASSERIE/RUE DE LA	54	Cd	1630 LI
	55	Ac Da	1630 LI
BRASSERIES/RUE DES	81	Fb	1300 WA
BRASSERIES/RUE DES	80	Aa	1331 RO
BRASSEURS/RUE DES	27	Eb	1000 BR
	92	Fb	1000 BR
BRASSINE/AVENUE-LAAN			
CHARLES	42	Cab	1160 AU
BRASSINELAAN	73	Acd Db	1560 HO
BRASSINELAAN/AVENUE	64	Ed Fc	1640 S-G
	72	Cabd	1640 S-G
	73	Ac	1640 S-G
BRASSINNE/AVENUE			
RAYMOND	88	Ad	1420 B-A
BRAVEKINDERENSTRAAT	14	Ab Ba	1120 BR
BRAVES/RUE DES	19	Fd	1081 KO
BRAVES/SQUARE DES	55	Dab	1630 LI
BRAVOURE/RUE DE LA	13	Dd	1090 JE
	20	Ab	1090 JE
BRAZILIELAAN	49	Ba	1000 BR
1 tot 15A & 2 tot 14			
BRAZILIELAAN	49	Ba	1050 IX
17 tot 19			
BREART/RUE-STRAAT			
ANTOINE	34	Dd Ecd	1060 SG
1 à/tot 169 &			
2 à/tot 148A			
BREART/RUE-STRAAT			
ANTOINE	34	Dd	1190 FO
171 à fin/tot einde &			
150 à fin/tot einde			
BREBIS/RUE DES	42	Bd Cc	
nos pairs		Eb	1050 IX
BREBIS/RUE DES	42	Bd Cc	
nos impairs		Eb	1170 WB
BREDEGRACHT	54	Dd	1650 BE
BREDERODE/RUE-STRAAT	34	Cab	1000 BR
	95	Ab Ba	1000 BR
BREDESTRAAT	67	Bd Ccd	3090 OV
BREEDVELD	61	Bbd Cc	1651 LO
BREEDVELD	18	Eabcd	1702 G-B
BREEMBOS	62	Fa	1650 BE
BREEMPUT	39	Dc	1600 P-L
	46	Aa	1600 P-L
BREEMPUTHOF	3	Fbd	1800 VI
BREEMPUTSTRAAT	3	Ed	
		Fabc	1800 VI
BREERIJKE	67	Bcd Ea	3090 OV
BREESCH/RUE-STRAAT	20	Ab Ba	1020 BR
BREL/AVENUE JACQUES	83	Ec	1420 B-A
BREL/AVENUE-LAAN			
JACQUES	29	Bd Eb	1200 WL
BREMBERG	17	Dd	1930 NO
BREME/AVENUE DE LA	42	Cd	1160 AU
BREMERLAAN	18	Ac	1702 G-B
BREMGAARDE	30	Ad	1950 KR
BREMHOF	55	Ec	1630 LI
BREMLAAN	42	Dd	1000 BR
	49	Ab Ba	1000 BR
BREMLAAN	70	Cb	1652 AL
	71	Aa	1652 AL
BREMLAAN	38	Ad Dab	1970 W-O
BREMLAAN	67	Dd	3090 OV
	75	Ab	3090 OV
BREMMENWEG	64	Fd	1560 HO
	65	Dac	1560 HO
BREMMENWEG	64	Fd	1640 S-G
	72	Cab	1640 S-G

B

Straat	Kaart	Postcode
BREMS/RUE-STRAAT JEAN-BAPTISTE	21 Eb	1030 SC
BREMSTRAAT	18 Dbd	1702 G-B
BREMWEG	13 Cb	1120 BR
BRENTASTRAAT LOUIS	8 Ac	1800 VI
BRESIL/AVENUE DU 1 à 15A & 2 à 14	49 Ba	1000 BR
BRESIL/AVENUE DU 17 à 19	49 Ba	1050 IX
BRESIL/RUE DU	74 Cd	1310 L-H
BRESWEG	68 Cc	1500 HA
BRETAGNE/ RUE DE-STRAAT	29 Bac	1200 WL
BREUGELWEG	11 Dd Ec	1702 G-B
BREUGHEL/RUE-STRAAT	34 Bc	1000 BR
	94 Ed	1000 BR
BREUGHEL DE OUDESQUARE	34 Bb	1000 BR
	94 Cc	1000 BR
BREUGHEL L'ANCIEN/ SQUARE	34 Bb	1000 BR
	94 Cc	1000 BR
BREUGHELPARK	11 Ebd	1731 ZE
BREUGHELSTRAAT	3 Fbd	1800 VI
BREYDEL/RUE-STRAAT	28 Ec	1040 BR
	35 Ba	1040 BR
BRIALMONT/RUE-STRAAT	27 Cd	1210 SJ
	91 Ebd	1210 SJ
BRIAND/BOULEVARD-LAAN ARISTIDE	33 Db Ea	1070 AN
BRICHAUT/RUE-STRAAT	20 Fd	1030 SC
	21 Dc	1030 SC
BRICOUT/AVENUE EMILE	23 Dd	1950 KR
BRICOUTLAAN/AVENUE EMILE-EMIEL	23 Dd	1950 KR
BRIDE/AVENUE DE LA	82 Dd	1300 WA
	87 Ab	1300 WA
BRIEFDRAGERSTRAAT	27 Ab	1080 MO
	90 Db	1080 MO
BRIESLAAN	13 Ca	1020 BR
	6 Fc	1020 BR
BRIGADE PIRON/ AVENUE-LAAN	26 Cac	1080 MO
BRIGADIERSWEG	45 Dd Ec	3080 TE
	52 Ab	3080 TE
BRIGADIERWEG	65 Eab	1560 HO
BRIGITTINENSTRAAT	27 Ecd	1000 BR
	34 Ba	1000 BR
	94 Bb Ca	1000 BR
BRIGITTINES/ PETITE RUE DES	27 Ec	1000 BR
	34 Ba	1000 BR
	94 Ca	1000 BR
BRIGITTINES/RUE DES	27 Ecd	1000 BR
	34 Ba	1000 BR
	94 Bb Ca	1000 BR
BRILJANTSTRAAT	42 Cc Fa	1170 WB
BRILLANT/RUE DU	42 Cc Fa	1170 WB
BRILLAT-SAVARIN/ AVENUE-LAAN	42 Bac	1050 IX
BRILLENGANG	27 Ec	1000 BR
	92 Eb	1000 BR
BRIQUES/QUAI AUX	27 Bc	1000 BR
	90 Ed Fc	1000 BR
	92 Ca	1000 BR
BRIQUETERIE/ AVENUE DE LA	82 Ad Bc	1300 WA
BRIQUETERIE/RUE DE LA	20 Bbcd	1020 BR
BRIQUETERIE/RUE DE LA	88 Ab	1420 B-A
BRIQUETERIES/ AVENUE DES	29 Bb	1200 WL
BRIQUETIERS/ CLOS DES	29 Ab	1140 EV
BRISE/AVENUE DE LA	13 Ca	1020 BR
	6 Fc	1020 BR
BRISE/AVENUE DE LA	87 Bd	1300 WA
BRISE/CLOS DE LA	84 Bb	1330 RI
BRISON/RUE MARC	85 Cd Fb	1300 LI
	86 Ac	1300 LI
BRITANNIQUE/AVENUE	88 Bd Eb	1420 B-A
BRITSE SOLDAATLAAN	39 Cd	1070 AN
BRITSIERS/AVENUE-LAAN	21 Bc Ea	1030 SC
BRITS TWEEDELEGER-LAAN	40 Cabc Ebcd Fa	1190 FO
	47 Ba	1190 FO
BRIXTONLAAN	24 Acd	1930 NO
BRIXTONLAAN	24 Acd	1930 ZA
BROCARD/DREVE DU	77 Dc	1410 WA
BROCHET/RUE DU 74 à fin	35 Ad	1040 ET
BROCHET/RUE DU nos impairs & 2 à 72	35 Ad	1050 IX
BROCSOUS/RUE DU	87 Fbcd	1325 D-V
BRODEURS/RUE DES	34 Bac	1000 BR
	94 Eb	1000 BR
BROECK/RUE DU	33 Ab Ba	1070 AN
BROEDERLIJKHEID-STRAAT	66 Cd Fb	1560 HO
BROEDERSCHAPSTRAAT	20 Fd	1030 SC
	91 Ba	1030 SC
BROEDERSVOETWEG	57 Fbd	1560 HO
	58 Da	1560 HO
BROEK/RUE DU-STRAAT	18 Fb	1082 BA
	19 Dac	1082 BA
BROEK/SENTIER DU-WEG	19 Dc	1082 BA
BROEKAERT/RUE-STRAAT VALERE	12 Fbd	1090 JE
BROEKBORRE	68 Fbd	1500 HA
BROEKHOVEN	17 Fd	3070 KO
BROEKOOI	11 Aabc	1731 ZE
BROEKSTRAAT	27 Cc	1000 BR
	91 Dbd	1000 BR
	93 Aab	1000 BR
BROEKSTRAAT	33 Ab Ba	1070 AN
BROEKSTRAAT	25 Dd Ec	1700 DI
	32 Bab Cab	1700 DI
BROEKSTRAAT	8 Ab	1800 VI
BROEKSTRAAT	15 Bb	1831 DI
	8 Ecd	1831 DI
BROEKSTRAAT	22 Cd	1932 S-W
	23 Ac	1932 S-W
BROEKSTRAAT	38 Ecd	3080 TE
BROEKWEG	47 Eac	1600 P-L
	54 Abd Bac	1600 P-L
BROENSDELLE	60 Bbd	3090 OV
BROEREN/RUE-STRAAT JULES	33 Bab	1070 AN
BROGNIEZ/RUE-STRAAT	27 Dd	1070 AN
	34 Aab	1070 AN
	92 Dcd	1070 AN

Street	Map	Grid	Postal code
BRONSSTRAAT	33	Bd Cc	1070 AN
BRONSTRAAT	34	Bd Eb	1060 SG
	94	Fc	1060 SG
BRONSTRAAT	47	Dc	1601 RU
	54	Aa	1601 RU
BRONSTRAAT	63	Dd	1652 AL
	71	Ab	1652 AL
BRONSTRAAT	32	Ba	1700 DI
BRONSTRAAT	11	Ea	1731 ZE
BRONSTRAATJE	71	Bd	1640 S-G
BRONWEG	41	Ed	1180 UC
	48	Bb	1180 UC
BRONWEG	71	Cab	1640 S-G
BRONWEG	69	Fc	1653 DW
BRONZE/RUE DU	33	Bd Cc	1070 AN
BROODCOORENS/	74	Fc	1310 L-H
RUE PIERRE	78	Cab	1310 L-H
BROODTHAERTS/	94	Db	1060 SG
PLACE-PLEIN MARCEL	34	Ad	1060 SG
BROQUARTS/DREVE DES	50	Ec	1170 WB
BROQUET/AVENUE			
JUSTICE	74	Ed	1310 L-H
BROUHON/ROND-POINT-			
PLEIN HERVE	13	Cab	1020 BR
BROUNSSTRAAT HENRI	8	Bcd Eb	1830 MA
BROUSTIN/AVENUE-LAAN	19	Fb	1090 JE
1 à/tot 41 & 2 à/tot 40			
BROUSTIN/AVENUE-LAAN	19	Fab	1083 GA
autres nos/andere nrs			
BROUWERIJLAAN	27	Dc	1070 AN
BROUWERIJSTRAAT	35	Dab	1050 IX
BROUWERIJSTRAAT	47	Fc	1620 DR
BROUWERIJSTRAAT	54	Cd	1630 LI
	55	Ac Da	1630 LI
BROUWERIJSTRAAT	70	Dd Ec	1653 DW
BROUWERIJSTRAAT	6	Cac	1853 S-B
BROUWERSSTRAAT	27	Eb	1000 BR
	92	Fb	1000 BR
BROYERE/RUE-STRAAT	27	Dcd	1070 AN
	92	Da	1070 AN
BRUANT/RUE DU	43	Dd	1170 WB
BRUEGHELDREEF	52	Dd	3090 OV
BRUEGHELLAAN/AVENUE	31	Dd	1970 W-O
BRUEL/RUE DU	8	Dab	1130 BR
BRUGES/RUE DE	26	Bb	1080 MO
BRUGGESTRAAT	26	Bb	1080 MO
BRUGMANN/AVENUE-LAAN	34	Ed	1060 SG
1 à/tot 55 & 2 à/tot 34	41	Bb	1060 SG
BRUGMANN/AVENUE-LAAN	41	Bbd	1190 FO
59 à/tot 191 &			
36 à/tot 176			
BRUGMANN/AVENUE-LAAN	41	Bcd	1050 IX
193 à/tot 237 &			
178 à/tot 226A			
BRUGMANN/AVENUE-LAAN	41	Bc Dd	
239 à fin/tot einde &		Eac	1180 UC
228 à fin/tot einde	48	Ab	1180 UC
BRUGMANN/PLACE-PLEIN			
GEORGES	41	Bbd	1050 IX
BRUGSTRAAT	66	Ab	1560 HO
BRUGSTRAAT	54	Aa	1601 RU
BRUGSTRAAT	16	Ad Db	1930 ZA
BRUIDSSTRAAT	27	Bd	1000 BR
	90	Fbd	1000 BR
BRUINEPUTSTRAAT	70	Ad Bc	
		Ea	1653 DW
BRUINEPUTWEG	70	Bb Ca	1652 AL
BRUINSTRAAT	33	Bb	1070 AN
BRUINSTRAAT	3	Ed	1800 VI
	7	Bb	1800 VI
BRULES/DREVE DES	37	Dc	1150 WP
	44	Aa	1150 WP
BRUNARD/AVENUE-LAAN	41	Fa	1180 UC
BRUNARD/RUE-STRAAT	19	Cab	1090 JE
BRUNE/RUE	33	Bb	1070 AN
BRUNEL/PASSAGE-			
DOORGANG OLIVIER	20	Bd	1020 BR
BRUNFAUT/RUE-STRAAT	27	Ad	1080 MO
FERNAND	90	Dcd	1080 MO
BRUSSEL/STEENWEG OP	12	Bb	1780 WE
	5	Bc	1780 WE
BRUSSEL/STEENWEG OP	44	Bb Cab	1950 KR
	45	Aa	1950 KR
BRUSSELAARSPLEIN	19	Cbd	1090 JE
BRUSSELBAAN	39	Fcd	1600 P-L
	40	Dc	1600 P-L
	46	Acd	
		Babc	
		Ca Da	1600 P-L
BRUSSELMANS/AVENUE-			
LAAN JEAN	21	Cb	1140 EV
BRUSSELMANSSTRAAT			
J. B.	25	Ed	1700 DI
BRUSSELSE STEENWEG	34	Dc	1190 FO
	40	Cbcd	
		Fa	1190 FO
	41	Aa	1190 FO
BRUSSELSESTEENWEG	68	Cabc	1500 HA
BRUSSELSESTEENWEG	58	Aacd	
		Db Eac	1560 HO
BRUSSELSESTEENWEG	63	Dc	1652 AL
	71	Aacd	1652 AL
BRUSSELSESTEENWEG	18	Cb	1702 G-B
	19	Aac	1702 G-B
BRUSSELSESTEENWEG	11	Aacd	
		Bcd	
		Eb Fac	1731 ZE
	18	Cab	1731 ZE
BRUSSELSESTEENWEG	1	Dc	1785 BR
BRUSSELSESTEENWEG	1	Dc	1785 HA
BRUSSELSESTEENWEG	1	Dc	1785 ME
BRUSSELSESTEENWEG	4	Dabcd	1800 VI
	8	Aa	1800 VI
BRUSSELSESTEENWEG	2	Cbd	
		Fbd	1850 GR
BRUSSELSESTEENWEG	1	Cb	1860 ME
	2	Aa	1860 ME
BRUSSELSESTEENWEG	38	Dcd	
		Ecd	3080 TE
	45	Aa	3080 TE
BRUSSELSESTEENWEG	51	Cc Fab	3090 OV
	52	Dacd	3090 OV
	59	Ab Babd	
		Ccd	3090 OV
	60	Ac Da	3090 OV
BRUSSELSTRAAT	18	Acd Bcd	
		Eb Fab	1702 G-B
BRUSSELWEG	62	Fb	1652 AL
	63	Ac Da	1652 AL

B

BRUULSTRAAT	8	Dab	1130 BR
BRUXELLES/	34	Dc	1190 FO
CHAUSSEE DE	40	Cbcd	
		Fa	1190 FO
	41	Aa	1190 FO
BRUXELLES/	81	Bab	
CHAUSSEE DE		Cacd	1300 WA
BRUXELLES/	66	Dbd Ec	1310 L-H
CHAUSSEE DE	74	Bacd	
		Eb Fac	1310 L-H
BRUXELLES/			
CHAUSSEE DE	84	Fbd	1341 C-M
BRUXELLES/	72	Eb Fac	1410 WA
CHAUSSEE DE	76	Cac	
		Fac	1410 WA
	83	Cac	
		Facd	1410 WA
	88	Cb	1410 WA
BRUXELLES/	12	Bb	1780 WE
CHAUSSEE DE	5	Bc	1780 WE
BRUXELLES/	44	Bb Cab	1950 KR
CHAUSSEE DE	45	Aa	1950 KR
BRUXELLES/RUE DE	81	Cd Fb	1300 WA
BRUXELLES/VIEUX	84	Fd	1342 LI
CHEMIN DE	85	Dc	1342 LI
BRUXELLOIS/			
SQUARE DES	19	Cbd	1090 JE
BRUYERE/AVENUE DE LA	70	Fcd	1640 S-G
BRUYERE/IMPASSE DE LA	78	Cd	1332 GE
	79	Ac	1332 GE
BRUYERE/RUE DE LA	21	Ba	1030 SC
BRUYERE/RUE DE LA	78	Cb	1332 GE
	79	Ac Da	1332 GE
BRUYERE/RUE DE LA	84	Ad Bc	1380 LA
BRUYERE CAMBRAI/			
SENTIER	88	Ea	1420 B-A
BRUYERE DU FAYA	85	Bab	1300 LI
BRUYERE DU LOUP/			
AVENUE	74	Ed	1310 L-H
BRUYERES/AVENUE DES	37	Ea	1950 KR
BRUYERES/CHEMIN DES	80	Bd Cac	1301 BI
BRUYERES/DREVE DES	55	Dcd	1630 LI
BRUYERES/DREVE DES	37	Fc	1950 KR
BRUYERE SAINTE-ANNE/			
VENELLE	87	Acd	1300 WA
BRUYERE SAINT-JEAN/			
RUE	76	Dab	1410 WA
BRUYERE SAINT-JOB	82	Bd	1300 WA
BRUYERE SAINT-JOB/			
AVENUE	82	Bcd Eb	1300 WA
BRUYLANTS/RUE-STRAAT	35	Cc	1040 ET
BRUYN/RUE-STRAAT	7	Bcd	
		Eac	1120 BR
BRUYNDONCKXSTRAAT/			
RUE J.	5	Dab	1780 WE
BRUYNEELSTRAAT	10	Bbcd	
		Ca	1820 ST
BUANDERIE/RUE DE LA	27	Db Ea	1000 BR
	92	Bc Ea	1000 BR
BUCHERONS/RUE DES	51	Cc Fa	1160 AU
BUCHET/SENTIER DU	86	Aac	1300 LI
BUCHHOLTZ/RUE-STRAAT	34	Fd	1050 IX
	41	Cb	1050 IX
BUDA/CHAUSSEE DE	8	Ac Da	1130 BR
49 à 129 & 90 à 102			

BUDASESTEENWEG	8	Ac Da	1130 BR
49 tot 129 &			
90 tot 102			
BUDASTEENWEG	8	Ac Da	1800 VI
BUDA STEENWEG	8	Dab	
		Eac	1831 DI
BUEDTS/RUE-STRAAT			
JOSEPH	35	Eb	1040 ET
BUEKENHOUTSTRAAT			
FRANS	15	Bd Cc	1831 DI
BUELENSLAAN LOUIS	45	Ab	3080 TE
BUFFON/RUE-STRAAT	26	Dd	1070 AN
	33	Ab	1070 AN
BUGRANE/AVENUE DE LA	6	Fcd	1020 BR
	7	Dc	1020 BR
BUIS/RUE DU	50	Ad Bc	
		Db	1170 WB
BUISSETSTRAAT XAVIER	4	Bcd Eb	1800 VI
BUISSON/RUE DU	35	Dc	1000 BR
numéro 2			
BUISSON/RUE DU	35	Dc	1050 IX
4 à fin	42	Aa	1050 IX
BUISSONNETS/	13	Cd	1020 BR
AVENUE DES	14	Ac	1020 BR
BUISSONS/AVENUE DES	63	Cd	1640 S-G
	64	Aac	1640 S-G
BUISSONS/CLOS DES	79	Ab	1332 GE
BUISSONS/VENELLE DES	86	Cb	1300 WA
	87	Aa	1300 WA
BUIZERDSTRAAT	50	Aa	1170 WB
BUKSBOOMSTRAAT	50	Ad Bc	
		Db	1170 WB
BULENS/IMPASSE-GANG	27	Acd	1080 MO
	90	Dc	1080 MO
BULINS/RUE-STRAAT	20	Ad	1090 JE
BULS/RUE-STRAAT	27	Eb	1000 BR
CHARLES-KAREL	92	Cd Fb	1000 BR
BUNDERDREEF	25	Bc	1700 DI
BUNDERSDREEF	57	Ad Bc	
		Dab	1170 WB
BUNDERSDREEF	56	Ecd	
		Fbcd	1180 UC
	57	Da	1180 UC
	64	Ab Ba	1180 UC
BUNDERSDREEF	57	Ad Bcd	
		Dab	1560 HO
BUNDERSDREEF	56	Ecd	
		Fbcd	1640 S-G
	57	Da	1640 S-G
	64	Ab Ba	1640 S-G
BUNTINCX/RUE-STRAAT			
MATHIEU	43	Aab	1160 AU
BUNUEL/CHEMIN-WEG			
LUIS	12	Bd	1090 JE
BUNZINGENVOETPAD	50	Fabc	1170 WB
BURCHTGAARDE	36	Fb	1150 WP
	37	Da	1150 WP
BURCHTSTRAAT	24	Ebcd	1933 ST
BURGEMEESTER DE			
KEYSERGAARDE	48	Eb	1180 UC
BURGEMEESTER ETIENNE			
DEMUNTERLAAN	12	Bd Cc	1090 JE
BURGEMEESTER JEAN			
HERINCKXLAAN	41	Eabc	1180 UC

BURGEMEESTER JEAN		
NEYBERGHLAAN	12 Bd	1090 JE
BURGEMEESTER J.L.	12 Bd	1090 JE
THYS PLEIN		
BURGEMEESTERSSTRAAT	42 Ab	1050 IX
BURGEMEESTERSTRAAT	46 Fac	1600 P-L
BURGEMEESTER		
TAYMANSLAAN	59 Aab	3090 OV
BURGEMEESTER W.		
SERVRANCKXPLEIN	22 Cd	1932 S-W
BURGERS/AVENUE-LAAN		
JEAN	41 Ec	1180 UC
BURGERSSTRAAT	40 Ab	1070 AN
BURGGRACHTSTRAAT	17 Dd	1930 NO
	24 Ab	1930 NO
BURGLAAN	59 Aa	3090 OV
BURGONDES/DREVE DES	81 Cb	1300 WA
BURVENICHLAAN/		
AVENUE A.	5 Fc	1780 WE
BUSARD/RUE DU	50 Aa	1170 WB
BUSLEYDEN/		
AVENUE DE-LAAN	13 Ca	1020 BR
BUSSELENBERG/		
RUE DU-STRAAT	33 Db Ea	1070 AN
BUTS/RUE-STRAAT		
MARCEL	36 Ab	1150 WP
BUYCK/RUE-STRAAT		
ROBERT	33 Dd	1070 AN
BUYL/AVENUE-LAAN	42 Abd Bc	
ADOLPHE	Ea	1050 IX
BUYSDELLE/		
AVENUE-LAAN	55 Bd Eb	1180 UC
BUYSSE/RUE-STRAAT		
CYRIEL	33 Da	1070 AN
BUYSSESTRAAT CYRIEL	4 Ba	1800 VI

C

CABRIS/RUE DES	55 Ad Bc	1180 UC
CACTUS/		
AVENUE DES-LAAN	36 Fab	1150 WP
CADEAUX/IMPASSE DES	27 Eb	1000 BR
	92 Cd	1000 BR
CADRAN/RUE DU	28 Ac	1210 SJ
	91 Fbd	1210 SJ
CAESARLAAN JULIUS	36 Acd	1150 WP
CAFMEYERSTRAAT/RUE	30 Fd	1970 W-O
CAIL ET HALOT/	27 Ac	1080 MO
RUE-STRAAT	90 Dc	1080 MO
CAILLES/AVENUE DES	43 Dacd	1170 WB
CAILLOUX/RUE DES	79 Ec	1330 RI
CAILLOUX/VENELLE AUX	87 Da	1300 WA
CALABRE/AVENUE DE	29 Bab	1200 WL
CALABRIELAAN	29 Bab	1200 WL
CALECHE/AVENUE DE LA	85 Bd Eb	
	Fa	1300 LI
CALENBERGGAARDE	15 Bd Cc	1831 DI
CALENBERGSTRAAT	15 Bd Cc	
	Fa	1831 DI
CALEVOET/	48 Dc	1180 UC
RUE DE-STRAAT	55 Aa	1180 UC
CALLEBAUTSTRAAT		
ALBERT	46 Dcd	1600 P-L
CALLENBERG	39 Dc	1600 P-L
	46 Aa	1600 P-L
CALLIOPE/RUE-STRAAT	26 Ca	1080 MO
CALONGETTE/IMPASSE	81 Fb	1300 WA
CALUS/RUE	83 Cc	1410 WA
CALVAIRE/DREVE DU	80 Dabc	1330 RI
CALVAIRE/RUE DU	82 Ab	1300 WA
CALVIJNSTRAAT	28 Bc	1000 BR
CALVIN/RUE	28 Bc	1000 BR
CALYPSO/AVENUE-LAAN	43 Da	1170 WB
CAMBIER/AVENUE-LAAN		
ERNEST	28 Bb Ca	1030 SC
CAMBRAI/RUE DE	88 Ad Db	1420 B-A
CAMBRE/		
BOULEVARD DE LA	42 Ad	1050 IX
1 à 3 & 2 à 4		
CAMBRE/		
BOULEVARD DE LA	42 Acd	1000 BR
17 à fin & 6 à fin		
CAMBRE/RUE DE LA	36 Aab	
nos impairs	Bab	1150 WP
CAMBRE/RUE DE LA	36 Aab Ba	1200 WL
nos pairs		
CAMELIAS/AVENUE DES	36 Da	1150 WP
CAMMAERT/RUE-STRAAT		
CHARLES-KAREL	14 Ab Ba	1120 BR
CAMMAERTSSTRAAT	24 Ed	1933 ST
CAMP/PETITE RUE DU	15 Ac	1130 BR
CAMP/RUE DU	15 Ac	1130 BR
CAMPANILE/DEDALE DU-		
DOOLGANG	29 Fb	1200 WL
CAMPANILE/		
PLACE DU-PLEIN	29 Fb	1200 WL
CAMPANILE/	29 Fb	1200 WL
RUE DU-STRAAT	30 Da	1200 WL
CAMPANULES/		
AVENUE DES	49 Ca	1170 WB
CAMPANULES/		
CLOS DES	72 Dd Ec	1410 WA
CAMPANULES/RUE DES	26 Ca	1080 MO
CAMPENHOUT/		
RUE-STRAAT ARMAND	34 Fcd	1050 IX
CAMPINE/RUE DE LA	26 Cd	1080 MO
CAMPINESTRAAT	8 Fb	1831 DI
FERDINAND	16 Aa	1831 DI
CAMPIONLEI FERDINAND	4 Bcd	1800 VI
CAMUSEL/RUE-STRAAT	27 Db	1000 BR
	92 Ad Bc	
	Ea	1000 BR
CANADA/RUE DU- STRAAT	34 Dbd	1190 FO
CANAL/DIGUE DU	33 Cac	
	Ebcd	
	Fa	1070 AN
CANAL/DIGUE DU	7 Cd Fb	1130 BR
	8 Ac	1130 BR
	14 Bd Cac	
	Eab	1130 BR
CANAL/RUE DU	27 Bcd	1000 BR
	90 Eb Fab	1000 BR
CANARDS/AVENUE DES	75 Ac	1310 L-H
CANARDS/AVENUE DES	72 Ad	1640 S-G
CANARD SAUVAGE/		
AVENUE DU	72 Ed	1410 WA
CANARIS/AVENUE DES	43 Aa	1160 AU

C

CANDRIES/AVENUE-LAAN			
EDMOND	26	Ba	1080 MO
CANNAS/RUE DES	43	Db	1170 WB
CANNASTRAAT	43	Db	1170 WB
CANON/RUE DU	27	Cc	1000 BR
	91	Dd	1000 BR
CANOTIERS/SENTIER DES	42	Dd	1000 BR
CANS/RUE-STRAAT	34	Cd	1050 IX
	95	Ed Fc	1050 IX
CANTECLAERVOORPLEIN	55	Ad Bc	1180 UC
CANTECLEERSTRAAT	18	Aa	1702 G-B
CANTECROY/AVENUE DE	88	Bc	1420 B-A
CANTERSTEEN	27	Fac	1000 BR
	93	Dab	1000 BR
CANTILENE/			
STRAAT-RUE DE LA	26	Da	1070 AN
CANTONNIER/SCAVEE DU	86	Dcd	1300 LI
CAPART/AVENUE-LAAN	12	Fa	1090 JE
CAPART/PLACE-PLEIN	36	Cb	1150 WP
JEAN	37	Aa	1150 WP
CAPITAINE CRESPEL/RUE	34	Cac	1050 IX
	95	Dab	1050 IX
CAPITAINE FOSSOUL/	32	Cd	1070 AN
AVENUE	33	Ac	1070 AN
CAPITAINE JOUBERT/RUE	35	Fac	1040 ET
CAPITAINE MERCER/			
AVENUE	88	Ca	1410 WA
CAPITAINE PIRET/AVENUE	36	Ab	1150 WP
CAPITAINE R. WOUTERS/	5	Dd Ec	1780 WE
AVENUE	12	Ab Ba	1780 WE
CAPORAL/DREVE DU	49	Cc Dd	
		Eabc Fa	1180 UC
CAPORAL CLAES/RUE	21	Ea	1030 SC
CAPORAL TRESIGNIES/			
RUE	40	Eb Fa	1190 FO
CAPOUILLET/AVENUE	76	Dbd	1410 WA
CAPOUILLET/			
CARRE-BLOK	42	Bcd	1050 IX
CAPOUILLET/PLACE	76	Dd	1410 WA
CAPOUILLET/	34	Bd Eb	1060 SG
RUE-STRAAT	95	Dc	1060 SG
CAPRICE/RUE DU	25	Fb	1080 MO
CAPRICORNE/AVENUE DU	29	Abd	1200 WL
CAPRONNIER/			
RUE-STRAAT	21	Ac	1030 SC
CAPUCIENENLAAN	30	Abd	1950 KR
CAPUCINES/AVENUE DES	21	Ea	1030 SC
CAPUCINES/AVENUE DES	30	Abd	1950 KR
CAPUCINS/RUE DES	34	Ba	1000 BR
	94	Bd Cc	1000 BR
CARABINIERS/			
PARKING DES	81	Fb	1300 WA
CARABINIERS/PLACE DES	28	Cc	1030 SC
CARABINIERS/RUE DES	81	Fb	1300 WA
CARAVELLE/RUE DE LA	25	Fd	1070 AN
	32	Cb	1070 AN
CARBURANTS/RUE DES	40	Cc	1190 FO
CARDAMINES/AVENUE DES	39	Cd	1070 AN
CARDIJNLAAN JOZEF	1	Ca	1860 ME
CARDINAL/RUE DU	28	Db	1210 SJ
1 à 29			
CARDINAL/RUE DU	28	Db	1000 BR
31 à fin & nos pairs			
CARDINAL CARDIJN/			
SQUARE DU	13	Ed	1020 BR
CARDINAL LAVIGERIE/RUE	35	Fac	1040 ET
CARDINAL MERCIER/	12	Fd	1090 JE
PLACE	13	Dc	1090 JE
CARDINAL MERCIER/			
PLACE	81	Fb	1300 WA
CARDINAL MERCIER/			
PLACE	79	Ec	1330 RI
CARDINAL MERCIER/			
PLACE	88	Aac	1420 B-A
CARDINAL MERCIER/	27	Fa	1000 BR
RUE DU	93	Ac Dab	1000 BR
CARDINAL MICARA/			
AVENUE	43	Bb Ca	1160 AU
CARELSSTRAAT EMILE	60	Db	3090 OV
CAREME/AVENUE			
MAURICE	87	Ba	1300 WA
CAREME/BOULEVARD-	32	Fd	1070 AN
LAAN MAURICE	33	Dc	1070 AN
	39	Cb	1070 AN
CAREME/RUE MAURICE	83	Ad Db	1420 B-A
CARENE/CLOS DE LA	29	Ad	1200 WL
CARINAGAARDE	29	Ad	1200 WL
CARLI/RUE-STRAAT	14	Ecd	1140 EV
CARLOO/			
DREVE DE-DREEF	49	Dac	1180 UC
CARMEL/DREVE DU	77	Ed Fac	1410 WA
CARMELITES/RUE DES	41	Bc Db	
		Ea	1180 UC
CARMES/GALERIE DES	81	Fa	1300 WA
CARMES/PARKING DES	81	Fa	1300 WA
CARMES/PLACE DES	81	Fab	1300 WA
CARMES/RUE DES	85	Bd Cc	1300 LI
CARNOY/PLACE-PLEIN			
JEAN-BAPTISTE	29	Cd	1200 WL
CAROLY/RUE-STRAAT	34	Cb	1050 IX
	35	Aa	1050 IX
	95	Bd Cc	1050 IX
CARON/RUE-STRAAT			
HENRI	26	Dd Ec	1070 AN
CARONSTRAAT HENRI	58	Ed	1560 HO
CARPE/RUE DE LA	27	Aac	1080 MO
CARPENTIER/			
RUE-STRAAT EMILE	33	Cabd	1070 AN
CARPU/SENTIER DU	79	Eac	1330 RI
CARREFOUR/RUE DU	29	Dd	1200 WL
CARRE WITTOUCK	46	Cb	1600 P-L
	47	Aa	1600 P-L
CARRIERE/RUE DE LA	19	Ed Fc	1081 KO
CARRIERE/RUE DE LA	86	Bb Ca	1301 BI
CARRIERE/SCAVEE DE LA	85	Fb	1300 LI
	86	Da	1300 LI
CARROUSEL/RUE DU	28	Ad Db	1000 BR
CARSOEL/AVENUE-LAAN			
JEAN & PIERRE	48	Bcd Cc	1180 UC
CASALTA/AVENUE-LAAN	49	Aa	1000 BR
CASALTA/AVENUE-LAAN	49	Aab	1180 UC
CASERNE/RUE DE LA	27	Dd Ec	1000 BR
	92	Ecd	1000 BR
	94	Ab Ba	1000 BR
CASERNES/AVENUE DES	35	Eb	1040 ET
CASSIMANS/CARRE-BLOK	41	Bc	1180 UC
CASSIOPEAGAARDE	29	Ac	1200 WL
CASSIOPEALAAN	29	Ac	1200 WL
CASSIOPEE/AVENUE	29	Ac	1200 WL
CASSIOPEE/CLOS	29	Ac	1200 WL

CASTAIGNE/RUE EUGENE	74	Fbcd	1310 L-H
CASTEL/AVENUE DU	28	Fd	1200 WL
	29	Dc	1200 WL
	35	Cb	1200 WL
CASTEL/AVENUE DU	70	Fd	1420 B-A
CASTEL/RUE DU	54	Bb Ca	1620 DR
CASTEL FLEURI/			
SQUARE DU-SQUARE	50	Aac	1170 WB
CASTOR/CLOS DU	38	Ac	1970 W-O
CASTRUM/			
SENTIER DU-PAD	15	Aa	1130 BR
CATTLEYALAAN	35	Fbd	1150 WP
andere nrs	36	Da	1150 WP
CATTLEYAS/AVENUE DES	35	Fbd	1150 WP
autres nos	36	Da	1150 WP
CATTLEYAS/			
AVENUE DES-LAAN	35	Fd	1160 AU
63 à/tot 65			
CATTOIR/RUE-STRAAT			
EUGENE	42	Ba	1050 IX
CATTY/CHEMIN DU	78	Dc	1380 OH
CAUDAELPUT/			
SENTIER DU-WEG	50	Cbd Fb	1170 WB
CAULE/RUE	81	Fd	1300 WA
CAUTER	47	Cd	1180 UC
	48	Ac	1180 UC
CAVALERIE/AVENUE DE LA	35	Fcd	1040 ET
CAVALIERS/AVENUE DES	72	Bd	1640 S-G
CAVALIERS/CHEMIN DES	1	Ebd	1780 WE
	5	Bb	1780 WE
CAVATINE/			
RUE DE LA-STRAAT	26	Dab	1070 AN
1 à/tot 11 & 2 à/tot 16			
CAVATINE/			
RUE DE LA-STRAAT	26	Db	1080 MO
13 à fin/tot einde &			
18 à fin/tot einde			
CAVELL/RUE-STRAAT			
EDITH	41	Cc Fac	1180 UC
CAYERSHUIS/			
RUE-STRAAT	29	Ea	1200 WL
CEDERLAAN	64	Ad Dab	1640 S-G
CEDERSLAAN	31	Dc	1970 W-O
CEDERSSTRAAT	42	Fab	1170 WB
CEDRES/AVENUE DES	76	Db	1410 WA
CEDRES/AVENUE DES	64	Ad Dab	1640 S-G
CEDRES/AVENUE DES	31	Dc	1970 W-O
CEDRES/RUE DES	42	Fab	1170 WB
CELERI/RUE DU	34	Ea	1060 SG
CELIDEE/			
RUE DE LA-STRAAT	26	Ca	1080 MO
CELLEBROERSSTRAAT	27	Ecd	1000 BR
	92	Fc	1000 BR
CELTES/AVENUE DES	35	Bb Ca	1040 ET
CENDRES/RUE DES	27	Cc	1000 BR
	91	Dbd	1000 BR
CENS/RUE DU	19	Bd	1083 GA
CENSE/	76	Ed Fc	1410 WA
BOULEVARD DE LA	83	Bab	1410 WA
CENSE/CHEMIN DE LA	76	Fc	1410 WA
CENSE DE FLANDRE/RUE	81	Cd	1300 WA
CENTAURE/AVENUE DU	29	Ac	1200 WL
CENTAURE/CLOS DU	29	Ac	1200 WL
CENTAUREE/RUE DE LA	31	Eac	1970 W-O
CENTAURUSGAARDE	29	Ac	1200 WL

CENTAURUSLAAN	29	Ac	1200 WL
CENT-DOUZIEME/			
AVENUE DU	83	Fd	1410 WA
CENT-DOUZIEME/			
AVENUE DU	88	Ec	1420 B-A
CENTENAIRE/			
BOULEVARD DU	13	Ab Bac	1020 BR
CENTENAIRE/	82	Fd	1325 D-V
BOULEVARD DU	87	Cb	1325 D-V
CENTENAIRE/			
ESCALIER DE LA	55	Da	1630 LI
CENTENAIRE/PARC	78	Ccd	1332 GE
CENTENAIRE/PLACE DU	13	Ab	1020 BR
	6	Dd	1020 BR
CENTENAIRE/SQUARE DU	19	Ca	1083 GA
CENTRALE/AVENUE	37	Fc	1950 KR
	44	Ca	1950 KR
CENTRE/AVENUE DU	79	Da	1332 GE
CENTRE/GALERIE DU	27	Eb	1000 BR
	92	Cd	1000 BR
CENTREMONT/AVENUE	82	Dc	1300 WA
CENTRE SPORTIF/			
AVENUE DU	82	Aabc	1300 WA
CENTRUMGALERIJ	27	Eb	1000 BR
	92	Cd	1000 BR
CEPAGE/TIENNE DU	81	Ca	1300 WA
CEPES/AVENUE DES	42	Ed	1050 IX
CERBERE/CHEMIN DU	42	Ac	1000 BR
CERES/AVENUE DE-LAAN	42	Acd	1000 BR
CERF/PETITE RUE DU	40	Ba	1070 AN
CERF/PONT DU	36	Cb	1150 WP
CERF/RUE DU	40	Bb Ca	1070 AN
nos impairs			
CERF/RUE DU	40	Bb	1190 FO
nos pairs			
CERF/RUE DU	75	Dc	1310 L-H
CERF/RUE DU	75	Dcd Ec	1332 GE
	79	Bab	1332 GE
CERFS/AVENUE DES	37	Bd	1950 KR
CERF-VOLANT/	42	Fd	1170 WB
AVENUE DU	49	Cb	1170 WB
CERISAIE/SQUARE DE LA	50	Ab	1170 WB
CERISES/COIN DES	14	Ab	1120 BR
CERISIER/RUE DU	18	Fd	1082 BA
	25	Cb	1082 BA
CERISIERS/AVENUE DES	28	Fab	1030 SC
1 à 85 & 2 à 82			
CERISIERS/AVENUE DES	28	Fb	1200 WL
autres nos	29	Dacd	1200 WL
CERISIERS/AVENUE DES	85	Acd	1330 RI
CERISIERS/AVENUE DES	83	Ac	1420 B-A
CERISIERS/AVENUE DES	63	Fb	1640 S-G
	64	Dac	1640 S-G
CERISIERS/CLOS DES	76	Ab Ba	1410 WA
CERVANTES/RUE-STRAAT	41	Ab	1190 FO
CESAR/AVENUE JULES	36	Acd	1150 WP
CESARLAAN/AVENUE	30	Ecd	
MAURICE		Fac	1970 W-O
CEUPPENSLAAN JOZEF	38	Cd	3080 TE
CEUSTERS/AVENUE-LAAN			
LOUIS	36	Ba	1150 WP
CHABLIS/CHEMIN DES	42	Fc	1170 WB
CHAIR ET PAIN/RUE	27	Eb	1000 BR
	92	Cd	1000 BR

CHAISIERS/RUE DES	34	Bc	1000 BR
	94	Eb	1000 BR
CHALET/RUE DU-STRAAT	28	Ac	1210 SJ
	91	Fcd	1210 SJ
CHALETS/AVENUE DES	49	Dd Ec	1180 UC
CHALETS/RUE DES	18	Fb	1082 BA
	19	Ac Da	1082 BA
CHALON/RUE-STRAAT			
RENIER	41	Ca	1050 IX
CHAMBERY/			
RUE DE-STRAAT	35	Bc Ea	1040 ET
CHAMBON/CLOS-GAARDE			
WILLY	19	Bc	1083 GA
CHAMOIS/RUE DU	47	Facd	1180 UC
CHAMP/SENTIER DU	84	Ba	1330 RI
CHAMPAGNE/			
DREVE DE-DREEF	40	Fd	1190 FO
CHAMP DE BLE/AVENUE DU	1	Ebcd	1780 WE
CHAMP DE BOURGEOIS/			
CLOS DU	84	Bac	1330 RI
CHAMP DE COURSE/			
AVENUE DU	49	Ba	1000 BR
CHAMP DE COURSES/			
AVENUE DU	86	Cabd	1301 BI
CHAMP DE LA BLOQUERIE/			
AVENUE DU	83	Ecd	1420 B-A
CHAMP DE LA COURONNE/			
RUE DU	13	Ecd	1020 BR
CHAMP DE L'EGLISE/	70	Fb	1640 S-G
CHEMIN DU	71	Ac Da	1640 S-G
CHAMP DE L'EGLISE/			
RUE DU	20	Bbd	1020 BR
CHAMP DE MAI/AVENUE DU	76	Eabc	1410 WA
CHAMP DE MARS/	34	Cb	1050 IX
PLACE DU	95	Bc	1050 IX
CHAMP DE MARS/RUE DU	34	Cb	1000 BR
2 à 32A	95	Bcd	1000 BR
CHAMP DE MARS/RUE DU	34	Cb	1050 IX
nos impairs & 34 à fin	95	Bcd	1050 IX
CHAMP DES CAILLOUX	81	Db Ea	1300 WA
CHAMP DES FONTAINES	85	Ccd	1300 WA
	86	Ac	1300 WA
CHAMP DES MONTS	82	Dd	1300 WA
CHAMP DES MONTS/			
AVENUE DU	82	Dc	1300 WA
CHAMP DES MOTTES/AV.	74	Ebd	1310 L-H
CHAMP DES NOYERS	86	Da	1300 WA
CHAMP DES SARTS/			
TIENNE DU	81	Cd	1300 WA
CHAMP DE VILLERS	87	Eb	1300 WA
CHAMP D'OSSEGHEM/			
RUE	26	Babd	1080 MO
CHAMP DU MOULIN/			
VENELLE DU	19	Ea	1082 BA
CHAMP DU PEUPLIER/			
AVENUE	74	Ed	1310 L-H
CHAMP DU ROI/RUE	35	Bbcd	1040 ET
CHAMP DU SEUCHA	85	Bc	1300 WA
CHAMPELLAAN/AVENUE	64	Ac Da	1640 S-G
CHAMPETRE/RUE	85	Bbd Cc	1300 LI
CHAMPION/RUE DU	33	Abd	1070 AN
CHAMPIONNAT/AV. DU	13	Aab	1020 BR
CHAMP L'ABBE/RUE DU	79	Ab Ba	1332 GE
CHAMPLES/RUE DE	80	Cb	1301 BI
	81	Aac Da	1301 BI

CHAMP RODANGE/RUE	76	Dac	1410 WA
CHAMPS/AVENUE DES	35	Eb	1040 ET
CHAMPS/AVENUE DES	71	Dd	1420 B-A
CHAMPS/CHEMIN DES	78	Dbd Ea	1380 OH
CHAMPS/RUE DES	35	Eb	1040 ET
CHAMPS/RUE DES	21	Cd	1140 EV
	22	Ac	1140 EV
CHAMPS DE REPOS/	14	Fd	1140 EV
AVENUE	21	Cb	1140 EV
CHAMPS ELYSEES/	34	Cd Fb	1050 IX
RUE DES	95	Ed	1050 IX
CHANCELLERIE /	27	Fa	1000 BR
RUE DE LA	93	Ad Db	1000 BR
CHANDELIERS/RUE DES	34	Bb	1000 BR
	94	Cb	1000 BR
CHANOINE ROOSE/			
AVENUE	32	Cd	1070 AN
CHANT D'ALOUETTE/			
PLACE DU	26	Cc	1080 MO
CHANT DES GRENOUILLES/			
IMPASSE DU	40	Cd Fb	1190 FO
CHANT D'OISEAU/AV. DU	36	Dbcd	1150 WP
1 à 129 & 2 à 124			
CHANT D'OISEAU/			
AVENUE DU	36	Dc	1160 AU
autres nos	42	Cb	1160 AU
CHANT D'OISEAUX/			
AVENUE	67	Dac	1310 L-H
CHANT D'OISEAUX/RUE	39	Bd Cd	
		Eb Fab	1070 AN
CHANTECLER/AVENUE	83	Dc	1420 B-A
	88	Aa	1420 B-A
CHANTECLER/PARVIS	55	Ad Bc	1180 UC
CHANTEMERLE/			
AVENUE-LAAN	55	Bd Eb	1180 UC
CHANTERELLE/RUE DE LA	20	Ba	1020 BR
CHANTERELLES/			
CLOS DES	42	Eb	1050 IX
CHANTIER/QUAI DU	27	Bab	1000 BR
	90	Cc	1000 BR
CHANTIER/RUE DU	27	Bab	1000 BR
	90	Cc	1000 BR
CHANTILLY/			
RUE DE-STRAAT	42	Eb	1170 WB
CHANTRAINEPLANTSOEN			
JOSEPH	17	Eb	3070 KO
CHAPEAU/RUE DU	27	Dc	1070 AN
	34	Aa	1070 AN
CHAPELAIN/RUE DU	33	Ba	1070 AN
CHAPELET/IMPASSE DU	27	Eb	1000 BR
	92	Cd	1000 BR
CHAPELIE/RUE-STRAAT			
JEAN	41	Cbd	1050 IX
CHAPELIERS/RUE DES	27	Ebd	1000 BR
	92	Fb	1000 BR
CHAPELLE/AVENUE DE LA	29	Fac	1200 WL
CHAPELLE/AVENUE DE LA	23	Dc	1950 KR
	30	Aabd	1950 KR
CHAPELLE/CLOS DE LA	29	Fa	1200 WL
CHAPELLE/DREVE DE LA	57	Bd	1170 WB
CHAPELLE/PLACE DE LA	27	Ed	1000 BR
	92	Fd	1000 BR
	94	Cab	1000 BR
CHAPELLE/PLACE DE LA	23	Dc	1950 KR

C

C

Rue	Carte	Case	Code
CHAPELLE/RUE DE LA	27	Ed	1000 BR
	34	Bb	1000 BR
	92	Fc	1000 BR
	94	Ca	1000 BR
CHAPELLE/RUE DE LA	84	Ba	1330 RI
CHAPELLE-AUX-CHAMPS/ AVENUE	29	Cc Fab	1200 WL
CHAPELLE-AUX-CHAMPS/ CLOS	29	Fb	1200 WL
CHAPELLE DAVID/RUE	76	Dc	1410 WA
CHAPELLE MUSICALE/ CHEMIN DE LA	77	Ac Da	1410 WA
CHAPELLE ROBERT/ CHEMIN DE LA	84	Ecd Fc	1380 LA
CHAPELLE ROBERT/ SENTIER	84	Cab	1330 RI
CHAPELLE ROBIJNS/ AVENUE	87	Bb Ca	1300 WA
CHAPELLE ROYALE/ RUE DE LA	76	Eb Fa	1410 WA
CHAPELLE SAINTE-ELISABETH/RUE	81	Fb	1300 WA
CHAPITRE/RUE DU	33	Bac	1070 AN
CHAPLIN/RUE-STRAAT CHARLIE	12	Bd	1090 JE
CHAR/RUE DU	27	Db	1000 BR
	92	Ab Ba	1000 BR
CHARANÇONS/ AVENUE DES	49	Ca	1170 WB
CHARBO/AVENUE-LAAN	28	Bc Eab	1030 SC
CHARBONNAGES/ QUAI DES	27	Ad Bac	1080 MO
	90	Bcd Eac	1080 MO
CHARBONNIERS/ RUE DES	27	Ca	1210 SJ
	91	Aab	1210 SJ
CHARDONNERETS/ AVENUE DES	36	Dd	1150 WP
CHARDONNERETS/ RUE DES	88	Db	1420 B-A
CHARDONNERETS/ SENTE DES	82	Dc	1300 WA
CHARDONS/RUE DES	28	Bb	1030 SC
CHARIOTS/RUE DES	75	Fd	1331 RO
	80	Aa	1331 RO
CHARITE/RUE DE LA	28	Da	1210 SJ
	93	Cac	1210 SJ
CHARLANET/VENELLE	87	Ad	1300 WA
CHARLE-ALBERT/ AVENUE-LAAN	50	Ab Bab	1170 WB
CHARLEMAGNE/ BOULEVARD	28	Dbd	1000 BR
CHARLENT/RUE-STRAAT MAURICE	42	Cd	1160 AU
	43	Aac	1160 AU
CHARLEROI/ CHAUSSEE DE 1 à fin & 4 à fin	34	Cc Ebd Fa	1060 SG
	95	Dc	1060 SG
CHARLEROI/ CHAUSSEE DE numéro 2	34	Cc	1000 BR
	95	Dc	1000 BR
CHARLEROI/ CHAUSSEE DE	88	Cbd	1410 WA
CHARLEROI/ CHAUSSEE DE	88	Cb	1420 B-A
CHARLEROISE STEENWEG 1 tot einde & 4 tot einde	34	Cc Ebd Fa	1060 SG
	95	Dc	1060 SG
CHARLEROISESTEENWEG nummer 2	34	Cc	1000 BR
	95	Dc	1000 BR
CHARLES MARTEL/RUE	28	Dbd	1000 BR
CHARLES QUINT/AVENUE	18	Cd	1082 BA
121 à 153 & 406 à fin & 371 à fin	19	Acd	1082 BA
CHARLES QUINT/AVENUE autres nos	19	Ad Bcd Eb	1083 GA
CHARLES QUINT/RUE	28	Ad Db Ea	1000 BR
CHARLES-VI/RUE	28	Ac	1210 SJ
	93	Cb	1210 SJ
CHARLIER/AVENUE-LAAN JEAN	43	Fac	1160 AU
CHARLIERLAAN J.-B.	58	Dd Ecd	1560 HO
CHARME/RUE DU	40	Cb	1190 FO
	41	Aa	1190 FO
CHARMES/CLOS DES	36	Cc	1150 WP
CHARMILLE/ AVENUE DE LA	29	Bcd	1200 WL
CHARPENTIERS/RUE DES	34	Bc	1000 BR
	94	Eb	1000 BR
CHARRETTE/RUE DE LA	29	Ad Db	1200 WL
CHARROI/RUE DU 52 à 63 & 65	33	Fc	1070 AN
CHARROI/RUE DU autres nos	33	Fc	1190 FO
	40	Cab	1190 FO
CHARRON/RUE DU	88	Bcd Cac	1420 B-A
CHARRONS/CHEMIN DES	87	Ac Dabd Ea	1300 WA
CHARRONS/SENTIER DES	85	Bd	1300 LI
CHARTE/DREVE DE LA 107 à 109	12	Fc	1090 JE
CHARTE/DREVE DE LA autres nos	12	Fc	1083 GA
	19	Ca	1083 GA
CHARTRES/ AVENUE DE-LAAN	36	Fb	1150 WP
CHARTREUX/RUE DES	27	Ea	1000 BR
	92	Bbcd Ca	1000 BR
CHASSE/AVENUE DE LA	35	Bbd Eab	1040 ET
CHASSE/AVENUE DE LA	63	Fa	1640 S-G
CHASSE/LAIE DE LA	86	Fc	1300 LI
CHASSE ROYALE/ RUE DE LA	35	Fcd	1160 AU
	42	Ca	1160 AU
CHASSEUR/RUE DU	27	Ec	1000 BR
	92	Ed	1000 BR
CHASSEURS/AVENUE DES	72	Fcd	1410 WA
	77	Aa	1410 WA
CHASSEURS/AVENUE DES	37	Fc	1950 KR
	44	Bb Ca	1950 KR
CHASSEURS/CHEMIN DES	5	Bb Ca	1780 WE
CHASSEURS/CLOS DES	37	Dc	1150 WP
CHASSEURS/DREVE DES	72	Dd Ecd Fc	1410 WA
CHASSEURS/DREVE DES	72	Dd Ecd	1640 S-G
CHASSEURS ARDENNAIS/ PLACE DES	28	Eab	1030 SC
CHATAIGNERAIE/ AVENUE DE LA	79	Fb	1330 RI

CHATAIGNES/		
AVENUE DES	37 Ebd	1950 KR
CHATAIGNES/RUE DES	40 Cb	1190 FO
CHATAIGNIERS/		
AVENUE DES	36 Cc Fa	1150 WP
CHATAIGNIERS/		
AVENUE DES	64 Dbcd	1640 S-G
CHATAIGNIERS/		
DREVE DES	72 Fcd	1410 WA
CHATAIGNIERS/		
VENELLE DES	87 Ac Da	1300 WA
CHAT BOTTE/PLACE DU	55 Bc	1180 UC
CHATEAU/AVENUE DU	19 Ed Fc	1080 MO
nos impairs		
CHATEAU/AVENUE DU	19 Ebd Fc	1081 KO
nos pairs		
CHATEAU/AVENUE DU	80 Dac	1330 RI
CHATEAU/CHEMIN DU	23 Ec	1950 KR
CHATEAU/DREVE DU	19 Bb Ca	1083 GA
CHATEAU/DREVE DU	80 Da	1330 RI
CHATEAU/DREVE DU	77 Db Ea	1410 WA
CHATEAU/DREVE DU	55 Dab	1630 LI
CHATEAU/RUE DU	35 Db	1050 IX
CHATEAU/RUE DU	14 Ecd	1140 EV
CHATEAU/RUE DU	55 Db	1630 LI
CHATEAU BEYAERD/		
RUE DU	14 Abd	1120 BR
CHATEAU D'ASSE/RUE DU	15 Ac	1130 BR
CHATEAU D'EAU/CLOS DU	83 Fc	1410 WA
CHATEAU D'EAU/RUE DU	48 Ad Db	1180 UC
CHATEAU D'EAU/RUE DU	81 Ac	1301 BI
CHATEAU DE WALZIN/		
AVENUE	41 Eac	1180 UC
CHATEAU D'OR/RUE DU	48 Dc	1180 UC
CHATEAU JACO/		
AVENUE DU	76 Ed	1410 WA
CHATEAU KIEFFELT/		
RUE DU	29 Fa	1200 WL
CHATEAU ROCK/		
AVENUE DU	76 Db	1410 WA
CHATELAILLON-PLAGE/	34 Cd	1050 IX
SQUARE DE	95 Ed	1050 IX
CHATELAIN/PLACE DU	34 Fc	1050 IX
CHATELAIN/RUE DU	34 Fd	1000 BR
1 à 19 & 2 à 8B		
CHATELAIN/RUE DU	34 Fcd	1050 IX
25 à fin & 10 à fin		
CHATS/CLOS DES	36 Cc	1150 WP
CHATS/RUE DES	18 Facd	1082 BA
CHAUDOIR/DREVE-DREEF		
LOUISA	43 Ab Ba	1160 AU
CHAUDRON/AVENUE-LAAN		
JOSEPH	43 Eab	1160 AU
CHAUDRON/RUE DU	32 Ebcd	1070 AN
	39 Abd Ba	1070 AN
CHAUFFERETTE/	27 Eab	1000 BR
RUE DE LA	92 Cc	1000 BR
CHAUMIERE/		
AVENUE DE LA	64 Ab	1640 S-G
CHAUMIERE/RUE DE LA	27 Cb	1030 SC
	91 Babd	1030 SC
CHAUMONTEL/		
RUE-STRAAT	21 Bab	1030 SC
CHAUWERES/		
VENELLE DES	87 Dd Ec	1300 WA

CHAUX/QUAI A LA	27 Bac	1000 BR
	90 Eb	1000 BR
CHAZAL/AVENUE-LAAN	21 Ed	1030 SC
	28 Babc	1030 SC
CHEMIN CREUX/		
AVENUE DU	71 Dac	1420 B-A
CHEMIN CREUX/		
CLOS DU	21 Eb	1030 SC
CHEMIN DE FER/RUE DU	27 Cab	1210 SJ
	91 Ea	1210 SJ
CHEMIN DE FER/RUE DU	81 Fab	1300 WA
CHEMIN VERT	14 Bb	1120 BR
	7 Ed	1120 BR
CHENAIE/AVENUE DE LA	48 Eabd	1180 UC
	55 Bb Ca	1180 UC
CHENAIE/AVENUE DE LA	84 Da	1380 OH
CHENE/RUE DU	27 Ed	1000 BR
	92 Fab	1000 BR
CHENE/RUE DU	67 Dabc	1310 L-H
CHENE AUX RENARDS/	78 Fd	1380 OH
CHEMIN DU	79 Dc	1380 OH
CHENE CELESTE/		
CLOS DU	30 Dcd	1150 WP
CHENERAIE/ALLEE DE LA	87 Bd Cc	1300 WA
CHENES/AVENUE DES	49 Acd	1180 UC
CHENES/AVENUE DES	86 Cd	1301 BI
CHENES/AVENUE DES	64 Bc Db	
	Ea	1640 S-G
CHENES/CHEMIN DES	43 Cbd	1160 AU
CHENES/CLOS DES	49 Cd Fb	1170 WB
CHEREMONT	82 Db	1300 WA
CHEREMONT/AVENUE DE	82 Dbd	1300 WA
	87 Ab	1300 WA
CHESNAU/AVENUE DU	83 Aa	1410 WA
CHEVAL/IMPASSE DU	27 Bd	1000 BR
	90 Fd	1000 BR
	92 Cb	1000 BR
CHEVAL D'ARGENT/		
CLOS DU	42 Eb	1050 IX
CHEVALERIE/		
AVENUE DE LA	28 Ed	1000 BR
nos pairs	35 Bb	1000 BR
CHEVALERIE/		
AVENUE DE LA	28 Ed	1040 ET
nos impairs	35 Bb	1040 ET
CHEVALIER JEHAN/	82 Bc Dd	
AVENUE	Eac	1300 WA
CHEVALIERS/AVENUE DES	87 Ed	1325 D-V
CHEVALIERS/RUE DES	34 Cac	1050 IX
	95 Ad Db	1050 IX
CHEVALIERS DE MALTE/		
AVENUE DES	83 Fa	1410 WA
CHEVAL NOIR/RUE DU	27 Ad	1080 MO
	90 Dd	1080 MO
CHEVAUCHEE/	21 Fd	1140 EV
AVENUE DE LA	28 Cb	1140 EV
CHEVAUX/RUE DES	71 Cb	1640 S-G
	72 Aa	1640 S-G
CHEVREFEUILLE/		
AVENUE DU	36 Ca	1200 WL
CHEVRETTES/LAIE AUX	86 Fc	1300 LI
CHEVREUIL/ALLEE DU	72 Fd	1410 WA
CHEVREUIL/RUE DU	34 Ba	1000 BR
	94 Bd	1000 BR
CHEVREUIL/RUE DU	83 Dab	1420 B-A

Street	Map	Grid	Postcode
CHEVREUILS/CHEMIN DES	64	Fcd	1640 S-G
CHEVREUILS/DREVE DES	63	Cb	1640 S-G
	64	Aa	1640 S-G
CHEVREUILS/LAIE AUX	86	Fac	1300 LI
CHEVREUILS/ SENTIER DES	80	Dbd	1330 RI
CHEVROLETSTRAAT PAUL	53	Ebd	1651 LO
CHIEN DE BERGER/ SENTIER DU	6	Ed	1020 BR
CHIEN MARIN/RUE DU	27	Bc	1000 BR
	90	Ed Fc	1000 BR
CHIEN VERT/RUE DU	27	Ba	1080 MO
	90	Bc Ea	1080 MO
CHILI/AVENUE DU-LAAN	49	Bb	1000 BR
CHIMISTE/RUE DU	27	Dac	1070 AN
	92	Ac Da	1070 AN
CHOEUR/RUE DU	27	Ab Ba	1080 MO
	90	Ad Bac	1080 MO
CHOME/RUE-STRAAT HENRI	28	Ca	1030 SC
CHOME-WYNS/ RUE-STRAAT	33	Cb	1070 AN
CHOPIN/RUE-STRAAT	33	Dab	1070 AN
CHOPIN/VENELLE-STEEG	10	Ab	1083 GA
CHORISTES/SENTIER	79	Ec	1330 RI
	84	Ba	1330 RI
CHOUX/RUE AUX	27	Bd Cc	1000 BR
	91	Dcd	1000 BR
CHRIST/PONT DU	81	Fb	1300 WA
CHRISTIAENS/ RUE-STRAAT RENE	43	Fc	1160 AU
CHRISTINE/RUE	34	Bb	1000 BR
	94	Cabd	1000 BR
CHRYSANTENLAAN	64	Dc	1640 S-G
CHRYSANTENLAAN	16	Fa	1930 ZA
CHRYSANTENSTRAAT	13	Ed	1020 BR
CHRYSANTENSTRAAT	4	Cc	1800 VI
CHRYSANTENSTRAAT	8	Ca	1830 MA
CHRYSANTHEMES/ AVENUE DES	64	Dc	1640 S-G
CHRYSANTHEMES/ RUE DES	13	Ed	1020 BR
CHURCHILL/AVENUE-LAAN WINSTON	41	Bcd Eb Fab	1180 UC
CHURCHILL/AVENUE WINSTON	85	Aab	1330 RI
CHURCHILL/ROND-POINT-ROND PUNT WINSTON	41	Eb	1180 UC
CIBLE/RUE DE LA 1 à 7 & 2 à 40	28	Ad	1210 SJ
CIBLE/RUE DE LA autres nos	28	Ad	1030 SC
CIBOULETTE/RUE DE LA	6	Dc	1020 BR
CICEROLAAN	22	Dd	1140 EV
CICERON/AVENUE	22	Dd	1140 EV
CICHOREI-ERF	68	Cac	1500 HA
CICINDELES/SQUARE DES	49	Cab	1170 WB
CIEL BLEU/RUE DU	30	Dbd	1150 WP
CIGALES/ALLEE DES	83	Fb	1410 WA
CIGOGNE/AVENUE DE LA	80	Ec	1300 LI
	85	Ba	1300 LI
CIGOGNE/RUE DE LA	27	Bc	1000 BR
	90	Ed	1000 BR

Street	Map	Grid	Postcode
CIGOGNES/AVENUE DES	23	Fc	1970 W-O
	30	Ca	1970 W-O
CIGOGNES/CLOS DES	72	Ecd	1410 WA
CIJNSSTRAAT	19	Bd	1083 GA
CIMETIERE/ALLEE DU	14	Bab	1120 BR
CIMETIERE/AVENUE DU	19	Bd	1083 GA
CIMETIERE/AVENUE DU	30	Bb	1950 KR
CIMETIERE/RUE DU	81	Dd Ec	1301 BI
CIMETIERE/RUE DU	30	Cbcd	1970 W-O
CIMETIERE/SENTIER DU	79	Cd Fb	1330 RI
CIMETIERE DE BRUXELLES/ AVENUE DU	22	Dc	1140 EV
	29	Aa	1140 EV
CIMORNE/RUE DU	88	Dd	1420 B-A
CINEMA/RUE DU-STRAAT	27	Ad	1080 MO
	90	Dab	1080 MO
CINERAIRES/SENTIER DES	42	Ad	1000 BR
CINQ ARBRES/ AVENUE DES	74	Ed	1310 L-H
CINQ BONNIERS/ AVENUE DES	36	Ba	1150 WP
CINQUANTENAIRE/ CLOS DU	28	Fc	1040 ET
	35	Ca	1040 ET
CINQUANTENAIRE/ GALERIE DU	35	Ca	1040 ET
CINQUANTENAIRE/ PARC DU	28	Ecd	1000 BR
	35	Bab	1000 BR
CIPRESSTRAAT	27	Bd	1000 BR
	90	Fc	1000 BR
CIRCULAIRE/AVENUE	48	Bd Cac	1180 UC
CIRCUSSTRAAT	27	Bd	1000 BR
	90	Fd	1000 BR
CIRQUE/RUE DU	27	Bd	1000 BR
	90	Fd	1000 BR
CITADELLE/RUE DE LA	50	Db	1170 WB
CITADELSTRAAT	50	Db	1170 WB
CITE/RUE DE LA	35	Ac	1050 IX
	95	Fc	1050 IX
CITE/SQUARE DE LA	86	Ac	1300 LI
CITE JARDIN/ ROND-POINT DE LA	12	Cd	1090 JE
CITE JOYEUSE/RUE DE LA	26	Abd	1080 MO
CITE MODELE/ AVENUE DE LA	12	Cb	1020 BR
CITE MODELE/ PLACE DE LA	12	Cb	1020 BR
CITE MODELE/ SQUARE DE LA	12	Cb	1020 BR
CITE MODERNE/ RUE DE LA	19	Ea	1082 BA
CITOYENS/RUE DES	40	Ab	1070 AN
CITRINELLES/ AVENUE DES	43	Ab	1160 AU
CITROENBOMEN-DOORGANG	12	Cb	1020 BR
CITROENBOMENDREEF	12	Cb	1020 BR
CITROENBOMENLAAN	12	Cb	1020 BR
	5	Fd	1020 BR
CITROENBOMENOPRIT	12	Cb	1020 BR
CITROENBOMENPLEIN	12	Cb	1020 BR
CITROENKRUIDSTRAAT	7	Dd	1120 BR
CITRONNIERS/ALLEE DES	12	Cb	1020 BR
CITRONNIERS/ AVENUE DES	5	Fd	1020 BR
	12	Cb	1020 BR
CITRONNIERS/ PASSAGE DES	12	Cb	1020 BR

C

C

Street	Map	Code
CITRONNIERS/PLACE DES	12 Cb	1020 BR
CITRONNIERS/		
RAMPE DES	12 Cb	1020 BR
CLAES/AVENUE-LAAN		
ERNEST	43 Db	1160 AU
CLAES/RUE-STRAAT	34 Acd Db	1060 SG
JOSEPH	94 Dcd	1060 SG
CLAESLAAN	10 Eb	1820 ST
CLAESLAAN ERNEST	58 Eb	1560 HO
CLAESLAAN ERNEST	38 Dc	3080 TE
CLAESLAAN ERNEST	75 Ba	3090 OV
CLAESSENS/RUE-STRAAT	20 Bd Cc	1020 BR
CLAETERBOSCH/		
AVENUE-LAAN	32 Fb	1070 AN
CLAIRBERT/ALLEE-DREEF		
CLARA	33 Dc	1070 AN
CLAIRE/AVENUE	76 Cc Fa	1410 WA
CLAIREAU/	29 Fb	1200 WL
AVENUE DE LA-LAAN	30 Da	1200 WL
CLAIRIERE/AVENUE DE LA	42 Dc	1000 BR
CLAIRIERE/AVENUE DE LA	75 Acd	1310 L-H
CLAIRPRE/AVENUE DU	76 Fc	1410 WA
	83 Ca	1410 WA
CLARISSES/IMPASSE DES	81 Fb	1300 WA
CLAUDEL/AVENUE PAUL	82 Ed	1300 WA
CLAUS/RUE-STRAAT		
EMILE	42 Ac	1000 BR
1 à/tot 11 & 2 à/tot 12		
CLAUS/RUE-STRAAT	41 Cd	1050 IX
EMILE	42 Ac	1050 IX
13 à/tot 59B & 14 à/tot 54		
CLAUS/RUE-STRAAT EMILE	41 Cd	1180 UC
61 à fin/tot einde &		
56 à fin/tot einde		
CLAYS/AVENUE-LAAN	28 Ad Bc	1030 SC
CLE/RUE DE LA	27 Bc	1000 BR
	90 Ec	1000 BR
CLE DES CHAMPS/LA	30 Fbcd	1970 W-O
CLEMATISSTRAAT	19 Bd	1083 GA
CLEMATITES/RUE DES	19 Bd	1083 GA
CLEMENCEAU/	27 Dc	1070 AN
AVENUE-LAAN	34 Aab	1070 AN
	94 Aa	1070 AN
CLEMENTINALAAN	34 Dd	1190 FO
1 tot 27 & 2 tot einde		
CLEMENTINALAAN	34 Dd	1060 SG
29 tot einde		
CLEMENTINASQUARE	13 Ea	1020 BR
CLEMENTINE/AVENUE	34 Dd	1190 FO
1 à 27 & 2 à fin		
CLEMENTINE/AVENUE	34 Dd	1060 SG
29 à fin		
CLEMENTINE/		
RUE-STRAAT	35 Da	1050 IX
CLEMENTINE/SQUARE	13 Ea	1020 BR
CLERMONT TONNERRE/		
AVENUE	80 Dac	1330 RI
CLESSE/AVENUE-LAAN		
LOUIS	43 Ac	1160 AU
CLESSE/RUE-STRAAT		
ANTOINE	20 Ad Bc	1020 BR
CLINIQUE/RUE DE LA	27 Dc	1070 AN
	34 Aa	1070 AN
	92 Dc	1070 AN
CLIQUET/ROND-POINT-	34 Ca	1000 BR
PLEIN RENE	95 Ac Da	1000 BR
CLOCHER/RUE DU	35 Ba	1040 ET
CLOETENSSTRAAT/		
RUE FRANS	30 Bc	1950 KR
CLOITRE/ALLEE DU	42 Aa	1000 BR
CLOITRE/RUE DU	13 Ad Bc	1020 BR
CLOQUET/RUE	88 Ac	1420 B-A
CLOS/AVENUE DES	21 Fc	1030 SC
CLOS/AVENUE DU	82 Da	1300 WA
CLOS FLEURI/AVENUE DU	74 Fc	1310 L-H
CLOSIERE/AVENUE DE LA	76 Ec	1410 WA
	83 Ba	1410 WA
CLOSIERE/RUE DE LA	86 Dac	1300 LI
CLOS ROYAL/AVENUE DU	80 Ec	1330 RI
	85 Ba	1330 RI
CLOVIS/		
BOULEVARD-LAAN	28 Ad Db	1000 BR
CLUSE/AVENUE DE LA	29 Fb	1200 WL
CLUYSENAAR/		
RUE-STRAAT ALFRED	34 Dd Ec	1060 SG
COCCINELLES/ALLEE DES	83 Fb	1410 WA
COCCINELLES/		
AVENUE DES	49 Cc	1000 BR
95 à 99		
COCCINELLES/		
AVENUE DES	49 Cac	1170 WB
autres nos		
COCHER/AVENUE DU	85 Fa	1300 LI
COCHONS/CHEMIN DES	72 Dc	1410 WA
	76 Aac Da	1410 WA
COCHONS/DREVE DES	72 Dcd	1640 S-G
COCKER/	13 Bb	1020 BR
SENTIER DU-WEG	6 Ed	1020 BR
COCKX/AVENUE-LAAN		
JULES	42 Cbd	1160 AU
COCKX/RUE-STRAAT		
JULES	42 Cbd	1160 AU
COCQ/PLACE-PLEIN	34 Cd	1050 IX
FERNAND	95 Ed	1050 IX
COENEN/RUE-STRAAT		
HUBERT-JEAN	50 Bb Ca	1160 AU
COENEN/RUE-STRAAT		
LOUIS	34 Ea	1060 SG
COENENSTRAAT	10 Bac	1820 ST
COENRAETS/RUE-STRAAT	34 Acd Db	1060 SG
	94 Dcd	1060 SG
COEVOETSTRAAT		
FREDERIK	46 Eb Fac	1600 P-L
COFFY/	27 Eb	1000 BR
IMPASSE DU-GANG	92 Fb	1000 BR
COGHEN/AVENUE-LAAN	41 Ad Dbd	1180 UC
COGHEN/SQUARE	41 Dd	1180 UC
COGNASSIER/AVENUE DU	25 Cb	1082 BA
	26 Aa	1082 BA
COIN DE TERRE/RUE DU	20 Ad	1090 JE
COIN DE TERRE/RUE DU	88 Da	1420 B-A
COINS DE TERRE/		
VENELLE AUX	36 Cc	1150 WP
COLBIE/CLOS DU	88 Da	1420 B-A
COLEAU/RUE	83 Ed Fcd	1410 WA
COLIBRI/PLACE DU	43 Dbd	1170 WB
COLIGNON/PLACE-PLEIN	21 Da	1030 SC

COLIN/AVENUE-LAAN			
JEAN	43	Ac	1160 AU
COLLARTSTRAAT/			
RUE MARIE	54	Bb Ca	1620 DR
COLLE/AVENUE JULES	76	Bd	1410 WA
COLLECTEUR/RUE DU	33	Cab	1070 AN
COLLEGE/	34	Cd	1050 IX
RUE DU- STRAAT	35	Ac Da	1050 IX
COLLEGE/			
RUE DU-STRAAT	95	Ed Fc	1050 IX
COLLEGE ST.-MICHEL/	35	Cd	1150 WP
RUE DU	36	Ac	1150 WP
COLLEGIALE/	27	Fa	1000 BR
RUE DE LA-STRAAT	93	Acd	1000 BR
COLLIN/RUE ALPHONSE	79	Fd	1330 RI
	80	Dc	1330 RI
COLLINE/AVENUE DE LA	63	Fa	1640 S-G
COLLINE/RUE DE LA	27	Eb	1000 BR
	92	Cd	1000 BR
COLLINE DU GLAIN	79	Bd Eb	1330 RI
COLLINES/			
CHAUSSEE DES	81	Aa	1300 WA
COLLON/AVENUE-LAAN			
JEAN-ROCH	36	Ab Ba	1200 WL
COLO-HUGUES/PLACE	88	Ac	1420 B-A
COLO-HUGUES/RUE	88	Ac	1420 B-A
COLOMALAAN	53	Aa	1600 P-L
COLOMBIALAAN	49	Bbd	1000 BR
COLOMBIE/AVENUE DE LA	49	Bbd	1000 BR
COLOMBIER/RUE DU	27	Bd	1000 BR
	91	Dc	1000 BR
COLOMBOPHILES/			
RUE DES	40	Abd	1070 AN
COLON/RUE ADELIN	81	Cd	1300 WA
	82	Ac	1300 WA
COLONEL BOURG/RUE	28	Ccd	1030 SC
1 à 105 & 2 à 116	29	Ac	1030 SC
COLONEL BOURG/RUE	29	Aabc	1140 EV
105A à fin & 118 à fin			
COLONEL BREMER/PLACE	20	Da	1030 SC
COLONEL CHALTIN/RUE	48	Abd Bc	1180 UC
COLONEL DAUMERIE/			
AVENUE	36	Fcd	1150 WP
nos impairs			
COLONEL DAUMERIE/			
AVENUE	36	Fcd	1160 AU
nos pairs			
COLONELLE/RUE DE LA	83	Dc	1420 B-A
COLONEL MONTEGNIE/			
RUE	78	Cb	1310 L-H
COLONEL MONTEGNIE/			
RUE	78	Cabc	1332 GE
COLONEL PICQUART/			
AVENUE	21	Ab Ba	1030 SC
COLONEL VAN GELE/			
RUE	35	Bacd	1040 ET
COLONIALE/AVENUE	42	Fcd	1170 WB
	49	Ca	1170 WB
COLONIES/RUE DES	27	Fa	1000 BR
	93	Ad Bc	
		Db	1000 BR
COLONNE/RUE DE LA	27	Acd	1080 MO
	90	Dac	1080 MO
COL-VERT/AVENUE DU	42	Fa	1170 WB
COLYNS/RUE-STRAAT			
JEAN-BAPTISTE	41	Cac	1050 IX
COLZAS/ALLEE DES	43	Aa	1160 AU
COMBATTANTS/	79	Ad Babc	
AVENUE DES		Db	1332 GE
COMBATTANTS/	27	Ab	1081 KO
IMPASSE DES	90	Aa	1081 KO
COMBATTANTS/RUE DES	19	Db Ea	1082 BA
COMBATTANTS/RUE DES	81	Dabd	
		Ecd	1301 BI
COMBATTANTS/RUE DES	74	Fbcd	1310 L-H
	75	Da	1310 L-H
COMBATTANTS/			
SQUARE DES	20	Ba	1020 BR
COMBAZ/RUE-STRAAT			
GISBERT	34	Dbd	1060 SG
COMD. ROMAIN			
MARISSAL/DREVE	55	Ea	1630 LI
COMEDIENS/RUE DES	27	Cc Fa	1000 BR
	93	Aab	1000 BR
COMETE/RUE DE LA	27	Cd	1210 SJ
	91	Ebd	1210 SJ
COMETE DE HALLEY/			
AVENUE DE LA	85	Bb	1300 LI
COMHAIRE/AVENUE-LAAN			
RENE	19	Dcd	1082 BA
COMMANDANT CHARCOT/			
RUE-STRAAT	26	Ec	1070 AN
COMMANDANT J. DE			
BLOCK/PLACE-PLEIN	5	Ed	1780 WE
COMMANDANT			
LACHOUQUE/AVENUE	88	Cab	1410 WA
COMMANDANT			
LOTHAIRE/AVENUE	35	Fab	1040 ET
COMMANDANT			
PONTHIER/RUE	35	Eb Fa	1040 ET
COMMANDANT VANDER			
MEEREN/AVENUE-LAAN	26	Dd	1070 AN
COMMANDERIE/			
CLOS DE LA	83	Eb	1410 WA
COMMERCANTS/RUE DES	27	Bab	1000 BR
	90	Ccd Fb	1000 BR
COMMERCE/GALERIE DU	27	Bd	1000 BR
	90	Fd	1000 BR
	93	Aa	1000 BR
COMMERCE/QUAI DU	27	Ba	1000 BR
	90	Bd Cc	
		Eb	1000 BR
COMMERCE/RUE DU	27	Fd	1040 BR
69 à 113 & 68 à 114	28	Dac	1040 BR
	34	Cb	1040 BR
	93	Ed Fac	1040 BR
	95	Db	1040 BR
COMMERCE/RUE DU	27	Fd	1000 BR
autres nos	28	Dac	1000 BR
	34	Cb	1000 BR
	93	Ed Fac	1000 BR
	95	Bb	1000 BR
COMMERCE/RUE DU	81	Fb	1300 WA
COMMERE/RUELLE	84	Dcd	1380 LA
COMMONES/RUE DES	80	Fd	1301 BI
	81	Dc	1301 BI
COMMUNALE/PLACE	27	Ad	1080 MO
	90	Db	1080 MO
COMMUNALE/PLACE	79	Dab	1332 GE

C

Rue / Straat	Carte	Case	Code postal
COMMUNALE/PLACE	55	Db	1630 LI
COMMUNALE/RUE	19	Ca	1083 GA
COMMUNAUTES/			
AVENUE DES	22	Dd	1140 EV
2 - 3 - 4 - 5	29	Ab	1140 EV
COMMUNAUTES/			
AVENUE DES	29	Ab Ba	1200 WL
100 - 101 - 103			
COMMUNE/RUE DE LA	28	Ac	1210 SJ
	91	Fd	1210 SJ
	93	Cb	1210 SJ
COMPAGNONS/RUE DES	28	Ca	1030 SC
COMPAGNONS			
BATISSEURS/CLOS DES	29	Aab	1140 EV
COMPAS/RUE DU	27	Dc	1070 AN
COMPETITION/			
RUE DE LA	33	Abd	1070 AN
COMPTOIR/RUE DU	19	Ebd	1081 KO
COMTE/AVENUE DU	87	Ed	1325 D-V
COMTE/DREVE DU	49	Cc	
		Fabd	1170 WB
	56	Cb	1170 WB
	57	Aac Da	1170 WB
COMTE DE FERRARIS/			
CLOS	36	Cb	1150 WP
COMTE DE FLANDRE/	50	Cac	
DREVE DU		Ebd Fa	1170 WB
	57	Bb	1170 WB
COMTE DE FLANDRE/	27	Abd	1080 MO
RUE DU	90	Ad Dbd	1080 MO
COMTE DE JETTE/			
AVENUE DU	13	Dc	1090 JE
COMTE DE NAMUR/			
AVENUE	82	Ea	1300 WA
COMTE MOENS DE FERNIG/			
AVENUE DU	13	Bb	1020 BR
COMTES/DREVE DES	57	Dab	1640 S-G
	71	Ed Fcd	1640 S-G
	72	Dc	1640 S-G
COMTESSE DE FLANDRE/			
RUE DE LA	20	Bbd	1020 BR
CONCILIATION/			
RUE DE LA	33	Bb	1070 AN
CONCORDE/RUE DE LA	34	Cc	1050 IX
1 à 57 & 2 à 66	95	Dd Ec	1050 IX
CONCORDE/RUE DE LA	34	Cc	1000 BR
59 à fin & 68 à fin	95	Dd	1000 BR
CONCOURS/RUE DU	50	Ad	1170 WB
CONDOR/			
AVENUE DU-LAAN	26	Ad Bc	1080 MO
CONFEDERES/RUE DES	28	Db Eab	1000 BR
CONFIANCE/RUE DE LA	35	Bc	1040 ET
CONFORT/PLACE DU	33	Dd	1070 AN
	40	Ab	1070 AN
CONGO/AVENUE DU	42	Ad	1050 IX
1 à 5A & 2 à 8			
CONGO/AVENUE DU	42	Ad	1000 BR
7 à fin & 14 à fin			
CONGRES/	27	Fab	1000 BR
PLACE DU-PLEIN	93	Ba	1000 BR
CONGRES/	27	Fb	1000 BR
RUE DU-STRAAT	93	Bab	1000 BR
CONICHE/RUE	83	Dc	1420 B-A
CONINGHAM/			
AIR-MARSHAL			
AVENUE-LAAN	42	Ec	1000 BR
1 à/tot 5 &			
2 à fin/tot einde			
CONINGHAM/			
AIR-MARSHAL			
AVENUE-LAAN	42	Ec	1050 IX
numéro 7			
CONNEMARA/			
CHEMIN DU-WEG	21	Fbd	1140 EV
CONSCIENCE/			
AVENUE-LAAN			
HENRI-HENDRIK	21	Cac Fa	1140 EV
CONSCIENCE/			
PLACE-PLEIN			
HENRI-HENDRIK	35	Da	1050 IX
CONSCIENCELAAN/			
AVENUE H.	5	Da	1780 WE
CONSCIENCELAAN H.	59	Cabd	3090 OV
CONSCIENCEPAD	70	Dc	1650 BE
CONSCIENCEPAD	70	Dc	1653 DW
CONSCIENCESTRAAT			
HENDRIK	68	Bd Cac	1500 HA
CONSCIENCESTRAAT			
HENDRIK	46	Eb Fa	1600 P-L
CONSCIENCESTRAAT	62	Ad Bc	
HENDRIK		Db	1650 BE
CONSCIENCESTRAAT	62	Ad Bc	
HENDRIK		Db	1651 LO
CONSCIENCESTRAAT	62	Ad Bc	
HENDRIK		Db	1652 AL
CONSCIENCESTRAAT			
HENDRIK	4	Ba	1800 VI
CONSCIENCESTRAAT			
HENDRIK	2	Cd	1850 GR
CONSEIL/PLACE DU	34	Aa	1070 AN
CONSEIL/RUE DU	34	Cd	1050 IX
	35	Ac	1050 IX
	95	Ebd Fa	1050 IX
CONSOLATION/	28	Aabd	1030 SC
RUE DE LA	91	Cd	1030 SC
CONSTELLATION/			
PLACE DE LA	80	Ed	1300 LI
CONSTELLATIONS/			
AVENUE DES	29	Acd	1200 WL
CONSTITUTION/			
AVENUE DE LA	19	Cd Fb	1090 JE
46 à fin			
CONSTITUTION/			
AVENUE DE LA	19	Fb	1083 GA
autres nos			
CONSTITUTION/	34	Ab	1060 SG
PLACE DE LA	94	Abd	1060 SG
CONSTITUTION/	20	Fd	1030 SC
RUE DE LA	21	Dc	1030 SC
	91	Bb Ca	1030 SC
CONSTRUCTEUR/RUE DU	33	Cab	1070 AN
COOK/RUE-STRAAT			
JAMES	33	Dc	1070 AN
COOMANSSTRAAT			
MAURITS	60	Da	3090 OV
COOPERATEURS/			
PLACE DES	19	Ea	1082 BA

COOPMAN/RUE-STRAAT			
THEO	21	Eb	1030 SC
COOSEMANS/RUE-STRAAT			
JOSEPH	28	Babc	1030 SC
COOSEMANSSTRAAT JEF	45	Ab	3080 TE
COPERNIC/RUE	48	Cabd	1180 UC
COPERNICUSSTRAAT	48	Cabd	1180 UC
COPPENS/RUE-STRAAT	34	Bb	1000 BR
	94	Cb	1000 BR
	95	Aa	1000 BR
COPPENS/RUE-STRAAT			
WILLY	50	Ac	1170 WB
COPPENSOORD/CLOS			
EDMOND	30	Ea	1950 KR
COPPENSSTRAAT			
CHARLES	66	Babcd	1560 HO
COPPENSSTRAAT			
THEODOOR	11	Dd	
		Ebcd	1731 ZE
COPPIJN/AVENUE			
MARCEL	75	Abd	1310 L-H
COPPIJNLAAN MARCEL	75	Ad	3090 OV
COQ/IMPASSE DU	27	Bb Ca	1000 BR
	91	Da	1000 BR
COQ/RUE DU	48	Acd Da	1180 UC
COQ/RUE DU	77	Ed	1380 OH
COQ/RUE DU	77	Eabcd	1410 WA
COQUELICOTS/			
AVENUE DES	72	Dd Ec	1410 WA
COQUELICOTS/			
AVENUE DES	88	Bc	1420 B-A
COQUELICOTS/	23	Dd	1950 KR
AVENUE DES	30	Ab	1950 KR
COQUELICOTS/			
AVENUE DES	30	Fc	1970 W-O
COQUELICOTS/			
CHEMIN DES	55	Ea	1630 LI
COQUELICOTS/CLOS DES	71	Cc	1640 S-G
COQUELICOTS/RUE DES	35	Bd	1040 ET
COQUELICOTS/RUE DES	85	Fac	1300 LI
COQUELICOTS/RUE DES	87	Ccd	1325 D-V
COQUILHAT/RUE-STRAAT			
CAMILLE	35	Eb	1040 ET
CORAIL/RUE DU	25	Fd	1070 AN
	32	Cb	1070 AN
CORBEAU/RUE DU	21	Babd	1030 SC
COR DE CHASSE/			
AVENUE DU	49	Ca	1170 WB
COR DE CHASSE/			
AVENUE DU	72	Eb	1410 WA
COR DE CHASSE/			
AVENUE DU	72	Eab	1640 S-G
CORDERIE/RUE DE LA	81	Fd	1300 WA
CORDIALITE/RUE DE LA	26	Eb	1070 AN
CORDONNIER/			
IMPASSE DU	81	Fb	1300 WA
COREE/SQUARE DE	36	Ad	1150 WP
CORHAY/RUE-STRAAT			
LOUIS	26	Bab	1080 MO
CORMIERS/AVENUE DES	79	Bb Ca	1331 RO
CORMORANS/			
AVENUE DES	36	Dbd	1150 WP
CORNALINE/SENTIER	12	Cb	1020 BR
CORNEILLE/RUE-STRAAT	25	Fd	1070 AN

CORNEILLES/CHEMIN DES	23	Ecd	1950 KR
	30	Bab	1950 KR
CORNELIS/RUE	77	Cbd	1310 L-H
CORNELISSTRAAT PIETER	47	Dcd	1601 RU
CORNET/RUE DU	35	Ab Bab	1040 ET
CORNET DE GREZ/			
RUE-STRAAT	27	Cb	1030 SC
nos impairs/onpare nrs	91	Bd Cc	1030 SC
CORNET DE GREZ/			
RUE-STRAAT	27	Cb	1210 SJ
nos pairs/pare nrs	91	Bd Cc	1210 SJ
CORNICHE/AVENUE DE LA	75	Db Ea	1310 L-H
CORNICHE/AVENUE DE LA	71	Dc	1420 B-A
CORNICHE VERTE	37	Bc Ea	1150 WP
CORREGGIOSTRAAT	28	Eac	1000 BR
CORTENBACH/RUE DE	15	Aacd	1130 BR
CORTENBACH/			
SENTIER DU-PAD	15	Aa	1130 BR
CORTENBERGH/			
AVENUE DE	28	Ebcd	1040 ET
1 à 29 & 2 à 46			
CORTENBERGH/			
AVENUE DE	28	Ebcd	1000 BR
31 à fin & 48 à fin			
CORTIL JEROME/SENTIER	79	Fb	1330 RI
CORVETTE/RUE DE LA	25	Fd	1070 AN
	26	Dc	1070 AN
COSAQUE DE LA MEUSE	35	Eb	1040 ET
COSMONAUTE/			
AVENUE DU	36	Ca	1150 WP
COSTERMANSSTEDE	3	Ab	1850 GR
COSYN/RUE-STRAAT			
ARTHUR	20	Ca	1020 BR
COTEAUX/RUE DES	28	Aac	1210 SJ
1 à 41 & 2 à 38	91	Fb	1210 SJ
COTEAUX/RUE DES	21	Dd	1030 SC
43 à fin & 40 à fin	28	Aab	1030 SC
	91	Cd Fb	1030 SC
COTERIE/CLOSIERE DE	75	Fb	1331 RO
COTTAGES/AVENUE DES	19	Dd	1082 BA
COTTAGES/RUE DES	41	Db Ea	1180 UC
COUCOU/RUE DU	43	Dd	1170 WB
COUCOU/SENTIER DU	79	Ea	1330 RI
COUCOU/SENTIER DU	54	Fbd	1630 LI
	55	Da	1630 LI
COUDENBERG	27	Fc	1000 BR
	93	Dcd	1000 BR
COUDRIERS/AVENUE DES	13	Bb	1020 BR
COUDYSER/RUE-STRAAT			
GASTON	32	Ca	1070 AN
COULANT D'EAU/			
RUELLE DU	81	Fd	1300 WA
COULBAUT/			
AVENUE-LAAN RENE	43	Bd	1160 AU
COULOIR/RUE DU	35	Da	1050 IX
COUNTRYLAAN	22	Ed	1932 S-W
COURBE/CHEMIN	71	Bd	1640 S-G
COURBE/PONT	88	Aa	1420 B-A
COURBE/RUE	31	Dac	1970 W-O
COURBET/CITE-WIJK	34	Bc	1000 BR
	94	Fa	1000 BR
COUR BOISACQ/RUE	81	Dcd	1301 BI
	86	Ab Ba	1301 BI
COUR D'ESPAGNE/			
CHEMIN DE LA	15	Acd	1130 BR

C

COURLIS/RUE DES	50	Aa	1170 WB
COURONNE/	35	Acd	
AVENUE DE LA		Dbd Ec	1050 IX
	42	Babcd	1050 IX
	95	Fd	1050 IX
COURONNE/RUE DE LA	86	Cb	1301 BI
COURONNEMENT/	28	Fd	1200 WL
AVENUE DU	29	Dcd	1200 WL
COUROUBLE/RUE-STRAAT			
LEOPOLD	21	Ad	1030 SC
COURSES/AVENUE DES	42	Ad	1050 IX
1 à 9 & 2 à 26C			
COURSES/AVENUE DES	42	Ad	1000 BR
autres nos			
COURSIERS/ALLEE DES	42	Dd	1000 BR
	49	Ab	1000 BR
COURT/RUE-STRAAT			
ANTOINE	27	Aa	1081 KO
COURTE/RUE	19	Dacd	1082 BA
COURTE DU HEYSEL/RUE	13	Ad	1020 BR
COURTENS/AVENUE-LAAN			
FRANS	21	Fcd	1030 SC
autres nos/andere nrs	28	Ca	1030 SC
COURTENS/RUE-STRAAT			
FRANS	21	Fd	1140 EV
142 à/tot 144			
COURTENSDREEF FR.	52	Ed	3090 OV
COURTILIERES/			
AVENUE DES	49	Cabc	1170 WB
COURTOIS/PETITE RUE	27	Ab Ba	1080 MO
	90	Bc	1080 MO
COURTOIS/RUE-STRAAT	27	Ab Ba	1080 MO
	90	Bac	1080 MO
COURTOISIE/RUE DE LA	26	Ea	1070 AN
COURTRAI/RUE DE	26	Cd	1080 MO
	27	Ac	1080 MO
COUTEAUX/RUE-STRAAT			
FRANCOIS	20	Aa	1090 JE
COUVENT/AVENUE DU	31	Dc	1970 W-O
COUVENT/ CHEMIN DU	71	Ab Ba	1640 S-G
COUVENT/RUE DU	34	Fb	1050 IX
COUVENT/RUE DU	79	Dab	1332 GE
COUVENT/RUE DU	84	Dd	1380 LA
COUVENT/RUE DU	76	Fa	1410 WA
COYAUTES/CHEMIN DES	86	Dbd	1300 LI
CRABBE/RUE-STRAAT			
ANDRE	36	Ca	1200 WL
CRABBEGAT/	41	Ec	1180 UC
CHEMIN DU-WEG	48	Bab	1180 UC
CRAETVELD/RUE DU	14	Ab Ba	1120 BR
	7	Dd Ec	1120 BR
CRAPAUDS/RUE DES	71	Bd	1640 S-G
CRAPS/RUE-STRAAT			
FERDINAND	32	Cac	1070 AN
CRECHE/RUE DE LA	34	Cd	1050 IX
	95	Ebd	1050 IX
CRENEAUX/AVENUE DES	29	Fa	1200 WL
CREPUSCULE/AVENUE DU	72	Bbd Cc	1640 S-G
CREPUSCULE/CHEMIN DU	41	Cd Fb	1000 BR
	42	Ac	1000 BR
CREPUSCULE/SENTE DU	82	Db	1300 WA
CRESSON/RUE DU	5	Fd	1020 BR
	6	Dc	1020 BR
CRETE/CHEMIN DE LA	30	Ad Db	1200 WL
CREUSE/RUE	21	Dac	1030 SC

CRICKETSPELWEG	42	Da	1000 BR
CRICKX/RUE-STRAAT	34	Db	1060 SG
CRICKX/RUE-STRAAT	34	Ab	1070 AN
LAMBERT	94	Aab	1070 AN
CRIQUETS/AVENUE DES	49	Ca	1170 WB
CRISNAIRES/CHEMIN DES	86	Ebd	
		Fac	1300 LI
CROCK/AVENUE-LAAN			
GUILLAUME	43	Db	1160 AU
CROCQ/AVENUE-LAAN			
JEAN JOSEPH	12	Cd Fb	1020 BR
nos impairs/onpare nrs	13	Da	1020 BR
CROCQ/AVENUE-LAAN			
JEAN JOSEPH	12	Cd Fb	1090 JE
nos pairs/pare nrs	13	Da	1090 JE
CROCQ/RUE-STRAAT	29	Db	1200 WL
CROCUS/AVENUE DES	26	Dd Ec	1070 AN
CROCUS/AVENUE DES	72	Bc	1640 S-G
CROCUS/AVENUE DES	37	Cc	1950 KR
CROCUS/SENTIER DES	85	Ba	1300 LI
CROCUSLAAN/			
AVENUE DES	37	Cac	1970 W-O
CROCUSSENLAAN	37	Cc	1950 KR
CROCUSSENSTRAAT	4	Cd	1800 VI
CROISADES/RUE DES	27	Bb Ca	1210 SJ
	91	Acd	1210 SJ
CROISEE/AVENUE DE LA	87	Ab Ba	1300 WA
CROISSANT/RUE DU	34	Da	1060 SG
1 à 9 & 2 à 22			
CROISSANT/RUE DU	34	Dac	1190 FO
11 à fin & 24 à fin			
CROIX /CHAMP DE LA	23	Dc	1950 KR
	30	Aa	1950 KR
CROIX/CHENE A LA	78	Cab	1332 GE
CROIX/PACHIS A LA	75	Dc	1332 GE
	79	Aa	1332 GE
CROIX/RUE DE LA	34	Fb	1000 BR
numéro 76			
CROIX/RUE DE LA	34	Cd Fb	1050 IX
nos impairs & 2 à 74	95	Ed	1050 IX
CROIX/RUE DE LA	88	Acd	1420 B-A
CROIX DE BOURGOGNE/			
AVENUE	78	Bb Ca	1310 L-H
CROIX DE BOURGOGNE/			
AVENUE DE LA	83	Eb Fa	1410 WA
CROIX DE FER/RUE DE LA	27	Fb	1000 BR
	93	Bcd	1000 BR
CROIX DE GUERRE/	14	Ad Babc	
AVENUE DES		Db	1120 BR
CROIX DE LORRAINE/	67	Dc	1310 L-H
AVENUE	75	Aa	1310 L-H
CROIX DE L'YSER/			
AVENUE DES	14	Ba	1120 BR
CROIX DE PIERRE/			
RUE DE LA	34	Bd Eb	1060 SG
CROIX DU FEU/	13	Cabd	1020 BR
AVENUE DES	14	Ac Dab	1020 BR
CROIX DU FEU/	72	Ec	1410 WA
AVENUE DES	76	Ba	1410 WA
CROIX DU FEU/RUE DES	82	Da	1300 WA
CROIX DU FEU/RUE DES	88	Aac	1420 B-A
CROIX DU SUD/			
AVENUE DE LA	29	Acd Da	1200 WL
CROIX-ROUGE/	13	Bb	1020 BR
AVENUE DE LA	6	Ecd	1020 BR

Street	Map	Grid	Postcode
CROIX-ROUGE/ AVENUE DE LA	88	Ba	1420 B-A
CROIX-ROUGE/ PLACE DE LA	32	Ca	1070 AN
CROIX-ROUGE/ SQUARE DE LA	42	Aa	1050 IX
CROKAERT/AVENUE-LAAN	37	Dbcd Ea	1150 WP
CROKAERTSTRAAT ISIDOOR	11	Abd	1731 ZE
CROMMELYNCK/ CLOS-GAARDE ALBERT	36	Ecd	1160 AU
CROQUET/ CHEMIN DU-WEG	42	Ac Da	1000 BR
CROY/RUE ALBERT	79	Eb Fab	1330 RI
CROYDON/ AVENUE DE-LAAN numéro/nummer 5	22	Aab	1130 BR
CROYDON/ AVENUE DE-LAAN autres nos/andere nrs	22	Aa	1140 EV
CRYPTELAAN	18	Cbd	1702 G-B
CUBISME/RUE DU	26	Cb	1081 KO
	27	Aa	1081 KO
CUEILLETTE/RUE DE LA	55	Aab	1100 UC
CUERENS/RUE-STRAAT	27	Db	1000 BR
	92	Ad	1000 BR
CUILLERE/RUE DE LA	[illegible]	Ec	1640 S-G
CUISSEZ/RUE-STRAAT LEON	35	Dd	1050 IX
CULEE/RUE	83	Cc Eb Fa	1410 WA
CULLIGANLAAN	15	Fb	1831 DI
	16	Ac Da	1831 DI
CULOT/RUE DU	84	Dcd	1380 LA
CULOT/RUE DU	63	Fcd	1640 S-G
	71	Cb	1640 S-G
CULTES/RUE DES	27	Cd Fb	1000 BR
	93	Bb	1000 BR
CULTIVATEURS/RUE DES	35	Bd Eb	1040 ET
CULTURE/AVENUE DE LA	63	Fa	1640 S-G
CURE/PLACE DE LA	81	Fb	1300 WA
CURE/RUE DE LA	81	Fb	1300 WA
CURE/RUE DU	40	Fa	1190 FO
CURE/RUELLE DU	84	Dd	1380 LA
CUREGHEM/RUE DE	27	Dd Ec	1000 BR
	92	Db Ea	1000 BR
CURE GLIBERT/AVENUE	79	Fd	1330 RI
CURES/CHEMIN DES	23	Ec	1950 KR
CURIE/AVENUE-LAAN PIERRE	42	Bcd Ea	1050 IX
CURIE/SQUARE MARIE	32	Fd	1070 AN
	33	Dc	1070 AN
CURIELAAN/AVENUE PIERRE	2	Dc	1780 WE
CUSANCE/AVENUE BEATRICE	88	Bc Ea	1420 B-A
CUVE/IMPASSE DE LA	27	Eb	1000 BR
	92	Fb	1000 BR
CUVE/RUE DE LA	35	Dab	1050 IX
CUYLITS/RUE-STRAAT JOSEPH	41	Bd	1180 UC
CYCLAMENLAAN	30	Ad	1950 KR
CYCLAMENS/AVENUE DES	88	Ba	1420 B-A
CYCLAMENS/AVENUE DES	30	Ad	1950 KR
CYCLAMENS/ RUE DES-STRAAT	43	Dbd	1170 WB
CYCLISTES/AVENUE DES	37	Ab	1150 WP
CYCLONE/RUE DU	80	Dc	1330 RI
CYGNE/CHAMP DU	78	Cd Fb	1332 GE
CYGNES/AVENUE DES	72	Ad Dab	1640 S-G
CYGNES/RUE DES	35	Da	1050 IX
CYGNES SAUVAGES/ AVENUE DES	23	Fcd	1970 W-O
CYPRES/RUE DU	27	Bd	1000 BR
	90	Fc	1000 BR
CYPRES/VENELLE AUX	87	Abd	1300 WA
CYPRESSENLAAN	45	Acd Dab	3080 TE
CYTISES/AVENUE DES	49	Dcd	1180 UC
CYTISES/CLOS DES	76	Ab Ba	1410 WA

D

Street	Map	Grid	Postcode
DACHELENBERGSTRAAT	54	Bbd Cc Fa	1650 BE
DAGERAADDREEF	24	Da	1933 ST
DAGERAADLAAN	72	Bd Cc	1640 S-G
DAGERAADLAAN	63	Db Ea	1652 AL
DAGERAADLAAN	37	Fc	1950 KR
	44	Ca	1950 KR
DAGERAADPLEIN	32	Bb	1070 AN
DAGERAADPLEIN	59	Fa	3090 OV
DAGERAADSTRAAT	42	Aa	1000 BR
DAGERAADSTRAAT	46	Ab	1600 P-I
DAGUETS/LAIE AUX	86	Fc	1300 LI
DAGWANDSTRAAT	24	Fc	1933 ST
DAHLIA/RUE DU-STRAAT	21	Ad Bc	1030 SC
DAHLIALAAN	51	Cd	3090 OV
DAHLIAS/RUE DES	71	Cac	1640 S-G
DAHLIASGAARDE/ CLOS DES	30	Ad Bc	1950 KR
DAHLIASTRAAT	54	Aa	1601 RU
DAHLIASTRAAT	71	Cac	1640 S-G
DAHLIASTRAAT	4	Cd	1800 VI
DAILLY/AVENUE-LAAN	28	Ab Bac	1030 SC
DAILLY/PLACE-PLEIN	28	Bc	1030 SC
DAIM/AVENUE DU	43	Dd	1170 WB
DAIMS/AVENUE DES	37	Bd	1950 KR
DAIMS/LAIE AUX	86	Fcd	1300 LI
DALECHAMP/AVENUE-LAAN ROBERT	29	Ac Da	1200 WL
DALLAAN	63	Fab	1640 S-G
DALLAAN	24	Dd	1933 ST
	31	Aab	1933 ST
DALLAAN	75	Bc	3090 OV
DALLAAN MARIA	16	Ed	1930 ZA
	23	Bb	1930 ZA
DALOENSDELLE	60	Dc	3090 OV
DALSTRAAT 1 tot 29 & 2 tot 42B	35	Dc	1050 IX
DALSTRAAT	35	Dc	1000 BR
31 tot einde & 44 tot einde	42	Aa	1000 BR
DAM	27	Dd Ec	1000 BR
	92	Eac	1000 BR
DAM	71	Ac	1652 AL
DAM/RUE DU	27	Dd Ec	1000 BR
	92	Eac	1000 BR

C D

DAMBORDSTRAAT	27	Cc	1000 BR
	91	Dcd	1000 BR
DAMBRESTRAAT JEAN	46	Fcd	1600 P-L
DAME/AVENUE DE LA	87	Ed	1325 D-V
DAMES BLANCHES/			
AVENUE DES	37	Eab	1950 KR
DAMES BLANCHES/	36	Ed	1160 AU
DREVE DES	43	Bb	1160 AU
DAMES NOBLES/			
PLACE DES	40	Fa	1190 FO
DAMESRUSTDREEF	43	Fd	1160 AU
	44	Dc	1160 AU
	50	Cbd	1160 AU
DAMESRUSTDREEF	50	Ccd	
		Fac	1170 WB
	57	Bb Ca	1170 WB
DAMHERTENLAAN	37	Bd	1950 KR
DAMHERTLAAN	43	Dd	1170 WB
DAMIER/RUE DU	27	Cc	1000 BR
	91	Dcd	1000 BR
DAMLAAN	10	Bb Cac	1820 ST
DAMSTRAAT	35	Da	1050 IX
DANCO/PLACE-PLEIN			
EMILE	48	Ab	1180 UC
DANDOY/CLOS-GAARDE	41	Fc	1180 UC
DANDOY/PLACE-PLEIN			
AIME	35	Eb	1040 ET
DANEMARK/RUE DE	34	Acd Db	1060 SG
	94	Dc	1060 SG
D'ANETHAN/RUE-STRAAT	21	Ac	1030 SC
DANIELLESTRAAT/RUE	71	Ca	1640 S-G
DANISLAAN	54	Fac	1650 BE
DANSAERT/RUE-STRAAT	27	Ad Bc	
ANTOINE		Ea	1000 BR
	90	Ecd	1000 BR
	92	Bb Ca	1000 BR
DANSAERTLAAN ROBERT	18	Dab Eab	
		Fa	1702 G-B
DANSE/RUE-STRAAT	41	Dc	1180 UC
AUGUSTE	48	Aa	1180 UC
DANSETTE/RUE-STRAAT	20	Aab	1090 JE
DANTE/RUE-STRAAT	33	Cc	1070 AN
DAPPERENLAAN	29	Ecd	1200 WL
DAPPERENSQUARE	55	Dab	1630 LI
DAPPERENSTRAAT	19	Fd	1081 KO
DAPPERHEIDSPLEIN	33	Bac	1070 AN
DAPPERHEIDSSTRAAT	13	Dd	1090 JE
	20	Ab	1090 JE
D'ARCONATISTRAAT	25	Dabc	
		Ea	1700 DI
D'ARDENNE/RUE-STRAAT	34	Ccd Fa	1050 IX
JEAN	95	Dd Ec	1050 IX
D'AREZZO/PLACE GUY	41	Cc	1180 UC
DARIMON/RUE-STRAAT	27	Abd	1080 MO
	90	Db Ea	1080 MO
DARING/AVENUE DU-LAAN	26	Bb	1080 MO
DARWIN/RUE-STRAAT	41	Bb	1190 FO
1 à/tot 17 & 2 à/tot 18			
DARWIN/RUE-STRAAT	41	Bb	1050 IX
19 à fin/tot einde &			
20 à fin/tot einde			
DASHONDWEG	6	Ed	1020 BR
DASSENDREEF	49	Ab	1000 BR
D'AUBREMESTRAAT	4	Bcd	1800 VI
DAUDET/AVENUE	82	Ec	1300 WA
DAUMERIE/RUE-STRAAT	7	Ed	1120 BR
LEON	14	Bb	1120 BR
DAUPHIN / CLOS DU	29	Ad	1200 WL
DAUPHINELLES/			
AVENUE DES	39	Cd	1070 AN
DAUPHINS/AVENUE DES	83	Bab	1410 WA
DAUPHINS/RUE DES	26	Bcd	1080 MO
DAUTZENBERG/			
RUE-STRAAT	34	Fbd	1050 IX
1 à/tot 59 & 2 à/tot 66			
DAUTZENBERG/			
RUE-STRAAT	34	Fd	1000 BR
63 à fin/tot einde &			
68 à fin/tot einde			
DAUW-DEFOSSEZLAAN	39	Fc	1600 P-L
DAUWLAAN	72	Bbd	1640 S-G
DAUWSTRAAT	27	Dab	1070 AN
	92	Acd Da	1070 AN
DAVID/AVENUE	82	Da	1300 WA
DAVID/AVENUE LOUIS	83	Ed Fc	1410 WA
	88	Bb Ca	1410 WA
DAVIDSTRAAT J.-B.	4	Ba	1800 VI
DA VINCILAAN	16	Abcd	1930 ZA
DA VINCILAAN LEONARDO	16	Abcd	1831 DI
DA VINCISTRAAT			
LEONARDO	28	Ebd	1000 BR
DAYSTRAAT FRANS	69	Bc Ea	1501 BU
DEAN/SQUARE-PLEIN			
JAMES	12	Bd	1090 JE
DEBACKERSTRAAT	4	Dd	1800 VI
DE BAERDEMAEKER-	46	Cd	1601 RU
STRAAT EDWARD	47	Ac Da	1601 RU
DE BAISIEUX/RUE-STRAAT			
THEOPHILE	13	Dab	1090 JE
1 à/tot 169 & 2 à/tot 140			
DE BAISIEUX/RUE-STRAAT			
THEOPHILE	13	Ad Db	1020 BR
171 à fin/tot einde &			
142 à fin/tot einde			
DE BAST/RUE-STRAAT			
ALBERT	19	Bd	1083 GA
DEBATTY/AVENUE-LAAN			
LEON	26	Ed	1070 AN
DE BAVAYLEI	4	Bbd Ca	1800 VI
DE BEAUFFORTSTRAAT	1	Cb	1860 ME
DE BEAULIEU/	42	Cd	1160 AU
LAAN-AVENUE	43	Ac	1160 AU
DEBECKER/AVENUE-LAAN			
JEAN-FRANCOIS	29	Fbcd	1200 WL
DEBECKER/RUE-STRAAT	19	Fd	1081 KO
JULES	20	Dc	1081 KO
DE BECO/AVENUE-LAAN	35	Dd	1050 IX
EMILE	42	Ab Ba	1050 IX
DE BEJAR/AVENUE-LAAN	7	Cc	1120 BR
DEBELDER/RUE-STRAAT			
FRANCOIS	29	Dd Ec	1200 WL
DE BERGEN	25	Cacd	1700 DI
DE BERIOT/RUE-STRAAT	27	Cd	1210 SJ
	28	Ac	1210 SJ
	93	Ca	1210 SJ
DE BERLAIMONT/	27	Fa	1000 BR
BOULEVARD-LAAN	93	Abcd	1000 BR
DE BEUGHEM/	27	Cb	1030 SC
RUE-STRAAT	28	Aa	1030 SC
	91	Bd Cc	1030 SC

DE BEUSSCHERPLEIN			
ALBERT	24	Ed	1933 ST
DE BIOLLEY/			
AVENUE-LAAN	37	Dabd	1150 WP
DE BIST	53	Cc Eb	
		Fa	1651 LO
DEBLOCKSTRAAT	8	Bd	1830 MA
DE BLUTSLAAN EMILE	18	Eacd	1702 G-B
DE BOECK/RUE-STRAAT	20	Ab	1090 JE
DE BOECK/RUE-STRAAT			
AUGUSTE-AUGUST	21	Eb Fa	1140 EV
DE BOECKLAAN/			
AVENUE A.	5	Ad	1780 WE
DEBOECKLAAN RENE	68	Ed Fc	1500 HA
DE BOECKSTRAAT			
AUGUST	4	Bb	1800 VI
DEBOECKSTRAAT			
LEOPOLD	68	Fd	1500 HA
DEBOECKSTRAAT			
PETRUS	47	Aa	1600 P-L
DE BOLOGNE/	6	Fc	1020 BR
AVENUE-LAAN JEAN	13	Ca	1020 BR
DE BONDTSTRAAT LOUIS	11	Eac	1731 ZE
DE BONNE/RUE-STRAAT	26	Fb	1080 MO
DE BORNIVAL/			
AVENUE-LAAN	30	Db	1150 WP
DE BOURGOGNEWEG A./	64	Cb	1640 S-G
CHEMIN	65	Aa	1640 S-G
DE BRABANT/DREVE			
ALEYDE	36	Ed Fc	1150 WP
DE BRAECKELEER/			
RUE-STRAAT HENRI	28	Fc	1040 ET
DE BRAEKELEERSTRAAT			
HENDRIK	3	Fb	1800 VI
DE BRANDT/RUE-STRAAT			
ADOLPHE-ADOLF	21	Cc Fa	1140 EV
DE BRAUWERESTRAAT			
NOLET	4	Ad	1800 VI
DE BREUKER/RUE-STRAAT			
PIERRE	20	Aa	1090 JE
DE BROQUEVILLE/			
AVENUE-LAAN	35	Cb	1150 WP
1 à/tot 9 & 2 à/tot 12			
DE BROQUEVILLE/	29	Dcd Ec	1200 WL
AVENUE-LAAN	35	Cb	1200 WL
11 à fin/tot einde &	36	Aa	1200 WL
32 à fin/tot einde			
DE BROUCHOVEN DE			
BERGEYCK/RUE-	27	Cc	1000 BR
STRAAT JEAN	91	Dd	1000 BR
DE BROUCKERE/AVENUE			
LAAN HENRI	43	Ab Ba	1160 AU
DE BROUCKERE/AVENUE-			
LAAN LOUIS	19	Cac	1083 GA
DE BROUCKERE/PLACE-	27	Bd	1000 BR
PLEIN	90	Fd	1000 BR
	92	Cb	1000 BR
DE BROYER/RUE-STRAAT	48	Aab	1180 UC
DEBROYERSTRAAT			
ALBERT	40	Dc	1600 P-L
DE BRUESTRAAT JOS.	24	Ebd	1933 ST
DE BRUYCKERWEG/			
CHEMIN	47	Ab Ba	1620 DR
DE BRUYN/RUE-STRAAT	28	Dab	1210 SJ
	93	Cb	1210 SJ

DE BUCK/RUE-STRAAT			
CHARLES	35	Cd	1040 ET
DE BUE/RUE-STRAAT			
XAVIER	41	Dcd	1180 UC
DE BURBURELAAN/	30	Bd Cc	
AVENUE		Eb	1970 W-O
DE BURBURELAAN/	30	Bd Cc	
AVENUE OSCAR		Eb	1950 KR
DE BURLET/SQUARE-			
PLEIN JULES	28	Fc	1040 ET
DE BURTINSTRAAT	6	Babd	1853 S-B
DEBUSSCHERSTRAAT			
EMIEL	61	Ca	1651 LO
DEBUSSY/RUE-STRAAT			
CLAUDE	33	Dabd	1070 AN
DE CASTONIER/			
AVENUE-LAAN	56	Dd	1180 UC
DE CASTONIERLAAN/			
AVENUE	56	Dcd	1640 S-G
DECATSTRAAT	59	Dbd	
		Eac	3090 OV
DECEMBERSTRAAT	29	Da	1200 WL
DECEMBRE/RUE DE	29	Da	1200 WL
DECEUSTER/RUE DENIS	79	Ebd	1330 RI
DE CEUSTERSTRAAT			
CORNEEL	10	Cac	1831 DI
DECHAMPS/RUE JOSEPH	86	Bd Cc	
		Db Fab	1300 LI
DE CHANGY/AVENUE			
BAUDOUIN	84	Db	1380 LA
DE CIPLET/RUE-STRAAT	20	Cc	1020 BR
DECKERSEHOEKWEG	45	Fcd	3080 TE
	52	Cb	3080 TE
DE CLERCQ/RUE-STRAAT			
CORNEILLE	20	Ac	1090 JE
DECLERCQ/RUE-STRAAT			
RENE	36	Bbcd	1150 WP
DE CLETY/RUE-STRAAT			
CLEMENT	33	Dd	1070 AN
DE COCK/RUE-STRAAT			
AUGUSTE	19	Bd	1083 GA
DECOCK/RUE-STRAAT			
JEAN-BAPTISTE	26	Cd	1080 MO
DE COCK/RUE-STRAAT			
PIERRE	36	Bb	1150 WP
DE COCKPLEIN ALFONS	15	Bb	1831 DI
DE COENELAAN MARCEL	18	Dac	1700 DI
DE CONINCKLAAN			
GEORGES	15	Ccd	1831 DI
DE CONINCKSTRAAT			
ARTHUR	17	Fa	3070 KO
DE COSTER/AVENUE-LAAN			
ALBERT	33	Ac	1070 AN
DE COSTER/RUE			
CHARLES	83	Da	1420 B-A
DECOSTER/RUE-STRAAT			
CHARLES	34	Fb	1050 IX
DECOSTER/RUE-STRAAT	33	Fd	1190 FO
PIERRE	34	Dc	1190 FO
	41	Aa	1190 FO
DE COSTERLAAN CHARLES/			
AVENUE	5	Ad	1780 WE
DE COSTERLAAN KAREL	38	Cd	3080 TE
DE COUTEREAULAAN	10	Bb	1820 ST

D

DE CRAEN/RUE-STRAAT	14	Ed	1140 EV
JAN-FRANS	21	Bb	1140 EV
DE CRAENE/RUE-STRAAT			
ALEXANDRE	21	Eb	1030 SC
DE CRAENELAAN/AVENUE			
BAZIEL	5	Da	1780 WE
DE CRAYER/RUE-STRAAT	41	Cb	1000 BR
DECREE/RUE-STRAAT	12	Fa	1090 JE
DE CROIX D'HEUCHIN-			
LAAN	10	Bb	1820 ST
DECUYPER/AVENUE	85	Dbd Ea	1300 LI
DE CUYPER/CLOS-			
GAARDE THEODORE	29	Ca	1200 WL
DE CUYPER/RUE-STRAAT			
FELIX	33	Eac	1070 AN
DE CUYPER/RUE-STRAAT	29	Bd Cac	
THEODORE		Eab	1200 WL
DE DAPPER/RUE-STRAAT			
EDOUARD	19	Bb	1083 GA
DE DECKERSTRAAT			
ALOUIS	11	Eb Fa	1731 ZE
DE DEKT	62	Bbd Eb	1650 BE
DEESSE POMONE/			
AVENUE	83	Ac	1420 B-A
DEFACQZ/RUE-STRAAT	34	Fa	1000 BR
1 & 2 à/tot 24			
DEFACQZ/RUE-STRAAT	34	Fa	1050 IX
5 à/tot 55 & 26 à/tot 70			
DEFACQZ/RUE-STRAAT	34	Ed Fac	1060 SG
61 à fin/tot einde &			
72 à fin/tot einde			
DE FIENNES/RUE-STRAAT	34	Aab	1070 AN
	94	Aa	1070 AN
DE FIERLANT/AVENUE			
PAUL	85	Fcd	1300 LI
DE FIERLANT/RUE-STRAAT	34	Dac	1190 FO
DE FIERLANTSTRAAT	31	Ad	1933 ST
DEFNET/RUE-STRAAT			
GUSTAVE	34	Dbd	1060 SG
DE FOESTRAETS/	48	Fd	1180 UC
AVENUE-LAAN	49	Dc	1180 UC
	55	Cab	1180 UC
DE FORMANOIR/			
RUE-STRAAT	33	Bac	1070 AN
DEFOSSET/RUE-STRAAT			
LEON	35	Fa	1040 ET
DE FRE/AVENUE-LAAN	41	Ecd	
		Fcd	1180 UC
	42	Dc	1180 UC
	48	Ab Ba	1180 UC
DE FRE/SQUARE	41	Ec	1180 UC
DEFRECHEUX/RUE-			
STRAAT NICOLAS	21	Aab	1030 SC
DEGAS/RUE-STRAAT			
EDGARD	21	Cd	1140 EV
DEGELAENSTRAAT JOZEF	69	Aacd	1501 BU
DE GENEFFE/RUE-STRAAT	27	Ab	1080 MO
	90	Dab	1080 MO
DE GERLACHE/			
RUE-STRAAT	35	Db Ea	1040 ET
DEGEYNDTGAARDE FRANS	15	Ca	1831 DI
DE GHELDERODE/			
AVENUE-LAAN MICHEL	39	Cd	1070 AN
DE GHELDERODELAAN/			
AVENUE	5	Da	1780 WE
DEGORGE/RUE-STRAAT			
EUGENE	26	Cc	1080 MO
DEGOUVE DE NUNCQUES/			
RUE-STRAAT WILLIAM	28	Fb	1030 SC
DE GREEF/AVENUE-LAAN			
GUILLAUME	13	Dac	1090 JE
DEGREEF/RUE-STRAAT			
FRANCOIS	21	Dac	1030 SC
DE GREEF/RUE-STRAAT			
JEAN	19	Bd Cc	1083 GA
DE GREEF/SQUARE			
JEAN-BAPTISTE	42	Cb	1160 AU
DE GREEFLAAN			
JAN BAPTIST	11	Db	1731 ZE
DE GREEFSTRAAT FR.	70	Bb	
		Cab	1652 AL
DE GREEFSTRAAT			
LODEWIJK	15	Cb	1830 MA
DEGREEFSTRAAT WILLEM	58	Ad Bc	1560 HO
DE GRIJSE/RUE-STRAAT			
EDOUARD	12	Cd	1090 JE
DE GRIMBERGHE/			
AVENUE R.	79	Ed Fac	1330 RI
DE GRIMBERGHE/	27	Aa	1080 MO
RUE-STRAAT EDMOND	90	Ac Da	1080 MO
DE GRIMBERGHELAAN			
HELMAN	3	Aac	1850 GR
DE GRIMBERGHESTRAAT			
ROGER	4	Ad	1800 VI
DE GROESBEECKLAAN	10	Bb	1820 ST
DE GRONCKEL/			
RUE-STRAAT CHARLES	26	Aacd	1080 MO
DEGROOFF/PLACE-PLEIN			
JEAN-BAPTISTE	29	Dc	1200 WL
DEGROUX/RUE-STRAAT	28	Fc	1040 ET
CHARLES	35	Ca	1040 ET
DE GRUNNELAAN/AVENUE	37	Bb Cab	1970 W-O
DE GRYSE/AVENUE-LAAN			
GASTON	43	Db	1160 AU
DE GUISE/SQUARE-PLEIN	37	Da	1150 WP
DE GUNST/RUE-STRAAT			
LOUIS	26	Cd Fb	1080 MO
DE HAAK	12	Dd	1731 ZE
DE HAERNE/RUE-STRAAT	35	Ad Db	
		Ea	1040 ET
DEHAESSTRAAT/RUE			
FONS	55	Dab	1630 LI
DEHAN/RUE	79	Da	1332 GE
DE HAVESKERCKE/	40	Fcd	1190 FO
AVENUE-LAAN	47	Cb	1190 FO
DE HEETVELDELAAN	25	Bc Ea	1700 DI
DE HEIDE	70	Bc	1650 BE
DE HELFTWINNING	17	Fd	3070 KO
DEHEM/RUE-STRAAT			
ARTHUR	40	Ab Ba	1070 AN
DE HENE	5	Fac	1780 WE
DE HENNIN/RUE-STRAAT	34	Fb	1050 IX
DE HEYN/AVENUE-LAAN			
JOSEPH	12	Cacd	1090 JE
DE HINNISDAEL/	30	Dd Ec	1150 WP
AVENUE-LAAN	37	Ba	1150 WP
DE HORNES/RUE	34	Cb	1000 BR
	95	Bac	1000 BR
DEHOUX/AVENUE-LAAN			
LOUIS	43	Acd	1160 AU

DEJAER/AVENUE-LAAN			
PAUL	34	Ec	1060 SG
DE JAMBLINNE DE MEUX/			
PLACE-PLEIN	28	Eb	1030 SC
DEJONCKER/RUE-STRAAT	34	Bd Cc	1060 SG
	94	Fb	1060 SG
	95	Dac	1060 SG
DE JONGE/AVENUE-LAAN	12	Ed	1083 GA
MATHIEU	19	Bb	1083 GA
DE JONGHE/RUE-STRAAT			
DOMINIQUE	30	Dd	1150 WP
DE KEERSMAECKER-	11	Ad Db	
STRAAT JAN		Ea	1731 ZE
DE KEERSMAEKER/			
RUE-STRAAT	20	Ac	1090 JE
DE KEERSMAEKERLAAN/	1	Dd	1780 WE
AVENUE H.	5	Ab	1780 WE
DEKELVER/RUE-STRAAT			
GUILLAUME	43	Aac	1160 AU
DEKEN ADRIAENSSTRAAT	27	Ab	1080 MO
	90	Ad	1080 MO
DEKEN BOONESTRAAT	35	Bb	1040 ET
DEKEN FIERENSSTRAAT	27	Ab	1080 MO
	90	Ad Bc	1080 MO
DEKENIJSTRAAT	41	Dd	1180 UC
	48	Ab	1180 UC
DEKEN MICHIELSSTRAAT	68	Bbd Ca	1500 HA
DEKENS/RUE-STRAAT	35	Da	1040 ET
DEKENSTRAAT	68	Cc Fa	1500 HA
DE KERCHOVE D'	10	Cc Ebd	
EXAERDESTRAAT		Fa	1820 ST
DE KERCHOVE D'			
EXAERDESTRAAT	61	Dd Ec	1501 BU
OCTAAF	69	Aabc	1501 BU
DE KEUSTER/RUE-STRAAT			
FELIX	37	Ab Ba	1150 WP
DEKEYN/RUE-STRAAT			
JOSEPH	28	Ad Db	1210 SJ
DEKEYSER/AVENUE-LAAN			
MAURICE	12	Cbd	1090 JE
DEKEYSERSTRAAT ALF.	59	Cac	3090 OV
DEKEYSERSTRAAT J.-B.	60	Da	3090 OV
DE KEYZERSTRAAT/RUE	30	Ccd	
JAN-BAPTIST		Fbd	1970 W-O
DEKINDERSTRAAT JAN	11	Fd	1731 ZE
	18	Cb	1731 ZE
DEKKERSDELLE	54	Fa	1650 BE
DEKLEERMAEKERSTRAAT			
FILIP	16	Aa	1831 DI
DEKLEERMAEKERSTRAAT			
GUILLAUME	58	Bbd Eb	1560 HO
DE KLEETLAAN	15	Cd Fb	1831 DI
DEKNOOP/RUE-STRAAT			
EDOUARD-EDWARD	21	Bd Cc	1140 EV
DE KONINCK/			
RUE-STRAAT	26	Bb Ca	1080 MO
DE KOSTER/	27	Ad	1080 MO
IMPASSE-GANG	90	Da	1080 MO
DEKOSTER/RUE-STRAAT	14	Fcd	1140 EV
EDOUARD-EDWARD	21	Ca	1140 EV
DE KOSTERLAAN			
CHARLES	68	Bb Ca	1500 HA
DE KOSTERLAAN			
HENDRIK	18	Cb	1731 ZE

DELACROIX/RUE-STRAAT			
LEON	26	Fb	1080 MO
2 à/tot 8			
DELACROIX/RUE-STRAAT			
LEON	26	Fbd	1070 AN
nos impairs/onpare nrs &			
10 à fin/tot einde			
DELACROIX/RUE-STRAAT			
PIERRE	36	Cc	1150 WP
DELADRIERE/RUE LEON	85	Eac	1300 LI
DE LA FONTAINE/			
ALLEE-LAAN JEAN	55	Bac	1180 UC
DE LA HOESE/			
AVENUE-LAAN JEAN	26	Bb Ca	1080 MO
DE LALAING/RUE-STRAAT	28	Dcd	1040 BR
JACQUES	93	Fabd	1040 BR
DE LANNOYLAAN	10	Bab	1820 ST
DE LANTSHEERE/			
RUE-STRAAT LEON	28	Fc	1040 ET
DELATHOUWER/	13	Dc	1090 JE
RUE-STRAAT GUSTAVE	20	Aa	1090 JE
DE LATOUR/RUE-STRAAT			
ALBERT	28	Abd	1030 SC
DE LAUBESPIN/			
RUE-STRAAT	13	Db	1020 BR
DELAUNOY/RUE-STRAAT	20	Cd	1080 MO
	27	Ac Da	1080 MO
	92	Aa	1080 MO
DELBAR/RUE THEOPHILE	76	Eb Fa	1410 WA
DELBOVE/RUE-STRAAT			
LEOPOLD	42	Eab	1050 IX
DELCOIGNE/RUE-STRAAT	20	Dc	1081 KO
FRANCOIS	27	Aa	1081 KO
	90	Aac	1081 KO
DEL COPETTE/AVENUE	87	Fac	1325 D-V
DELCORDESTRAAT JULES	58	Dbd	1560 HO
DELCOURT/RUE-STRAAT			
EDMOND	33	Ba	1070 AN
DELEERS/RUE-STRAAT			
HENRI	33	Dd Ec	1070 AN
DE LEEUWSTRAAT JORIS	4	Fd	1830 MA
DE LENGLENTIER/	34	Ab Ba	1000 BR
RUE-STRAAT	94	Bc	1000 BR
DE LEVIS MIREPOIX/	19	Cd	1090 JE
AVENUE-LAAN	20	Ac	1090 JE
DELFORGE/			
CLOS-GAARDE	43	Ad	1160 AU
DELHAIZE/RUE-STRAAT			
JULES	26	Cab	1080 MO
DELHASSE/RUE-STRAAT			
FELIX	41	Bb	1060 SG
DELHAYE/RUE-STRAAT	42	Cb	1160 AU
JOSEPH	43	Aa	1160 AU
DELHAYE/SQUARE FELIX	28	Ad	1210 SJ
DELHOVE/RUE-STRAAT	19	Cc Eb	
LOUIS		Fa	1083 GA
DE LIEDEKERKE/	28	Ac Dab	1210 SJ
RUE-STRAAT	91	Fd	1210 SJ
	93	Cb	1210 SJ
DE LIGNE/RUE-STRAAT	27	Fab	1000 BR
	93	Ad Bac	1000 BR
DE LIMBURG STIRUMLAAN	53	Aa	1600 P-L
DE LIMBURG STIRUMLAAN/	5	Bc Eab	
AVENUE		Facd	1780 WE

D

DELINCE/RUE-STRAAT			
FELICIEN	50	Bb	1160 AU
DE LINDE/PLACE-PLEIN	33	Ad	1070 AN
DELIVRANCE/RUE DE LA	32	Ad Bc	1070 AN
DELIVRANCE/			
SQUARE DE LA	41	Ab	1190 FO
DELLA FAILLE/AVENUE	84	Ad Db	1380 LA
DELLEBLOKWEG	66	Babd	1560 HO
DELLEPUTSTRAAT	69	Aa	1501 BU
DELLEUR/AVENUE-LAAN	49	Cd	1170 WB
	50	Acd	1170 WB
DE LOCHT/RUE-STRAAT	20	Fbd	1030 SC
	21	Dc	1030 SC
DE LOMBAERDE/RUE-	22	Dd	1140 EV
STRAAT GEORGES	29	Ab	1140 EV
DE LORRAINE/			
AVENUE PAUL	83	Fa	1410 WA
DELPIERRE/			
RUE CLEMENT	77	Cbcd	1310 L-H
DEL PIRERE/AVENUE	87	Fc	1325 D-V
DELPORTE/PLACE-PLEIN			
ANTOINE	34	Ec	1060 SG
DELPORTE/RUE-STRAAT			
AUGUSTIN	35	Dd Ec	1050 IX
DELSTELHEIDESTRAAT	70	Ed Fc	1653 DW
DELTA/RUE DU-STRAAT	40	Cbd	1190 FO
DE LUXEMBOURG/			
AVENUE JEAN	85	Ab Ba	1330 RI
DELVA/RUE-STRAAT	13	Dd Ec	1020 BR
EMILE	20	Ab Ba	1020 BR
DELVAUX/AVENUE-LAAN			
ARNOLD	48	Ab	1180 UC
DELWART/RUE-STRAAT	32	Fd	1070 AN
	33	Dc	1070 AN
	39	Cb	1070 AN
DEMAEGHTLAAN	68	Bd Cc	
AUGUSTE		Ebd	1500 HA
DE MAILLE DE LA TOUR			
LANDRYLAAN	10	Bb	1820 ST
DEMANET/CHEMIN	84	Bd	1330 RI
DEMANET/CHEMIN	84	Bd	1380 LA
DEMANET/RUE-STRAAT	6	Fc	1020 BR
GUSTAVE	13	Ca	1020 BR
DEMANY/PONT-BRUG			
FERNAND	35	Cc	1040 ET
DEMARET/RUE	85	Eab	1300 LI
DEMEER/RUE-STRAAT			
CHARLES	20	Ad Bc	1020 BR
DE MEERSMAN/AVENUE-	19	Dd Ec	1082 BA
LAAN EVARISTE	26	Ba	1082 BA
DE MEESTER/AVENUE-			
LAAN RAYMOND	29	Dd	1200 WL
DE MEEUS/SQUARE	34	Cb	1050 IX
9 à/tot 21 & 8 à/tot 22B	35	Aa	1050 IX
	95	Bb Ca	1050 IX
DE MEEUS/SQUARE	34	Cb	1000 BR
autres nos/andere nrs	35	Aa	1000 BR
	95	Bb Ca	1000 BR
DEMENAGEURS/RUE DES	27	Aa	1080 MO
	90	Ac Da	1080 MO
DE MENTOCKPLEIN OTTO	6	Cc	1853 S-B
DE MERODE/AVENUE	80	Ecd Fc	1300 LI
DE MERODE/AVENUE	79	Ed Fcd	1330 RI
DE MERODE/RUE-STRAAT	34	Abcd	
1 à/tot 223A &		Da	1060 SG
2 à/tot 262A	94	Bc Dbcd	
		Ea	1060 SG
DE MERODE/RUE-STRAAT	33	Fd	1190 FO
225 à fin/tot einde &	34	Dac	1190 FO
264 à fin/tot einde			
DE MERODESTRAAT	2	Cd	1850 GR
	3	Ac Da	1850 GR
DE MERTEN/AVENUE-	19	Cd	1090 JE
LAAN PAUL	20	Ac	1090 JE
DEMESMAEKER/			
RUE-STRAAT LEOPOLD	19	Bc	1083 GA
DEMESMAEKERSTRAAT	68	Abd	
VICTOR		Dbd	
		Eac	1500 HA
DEMESSEMAEKER/RUE-			
STRAAT PIERRE-JEAN	26	Cc	1080 MO
DEMETS/QUAI-KAAI	26	Fcd	1070 AN
FERNAND	33	Ca	1070 AN
DEMEUR/AVENUE-LAAN			
ADOLPHE	34	Ec	1060 SG
DE MEURERS/AVENUE-			
LAAN JACQUES	37	Db	1150 WP
DEMEURSLAAN G.	61	Bc Eab	1654 HU
DEMEY/AVENUE-LAAN	43	Ad Bc	
GUSTAVE		Db	1160 AU
DE MEYER/RUE-STRAAT			
ALBERT	20	Ad	1020 BR
DEMI-CERCLE/RUE DU	7	Dd	1120 BR
DEMI-HEURE/	37	Dd	1150 WP
DREVE DE LA	44	Ab Ba	1150 WP
DEMI-LUNE/PLACE DE LA	30	Dd	1150 WP
DEMINEURS/AVENUE DES	13	Dc	1090 JE
	20	Aa	1090 JE
DEMOCRATIE/			
RUE DE LA-STRAAT	33	Bcd	1070 AN
DE MOERKERKE/	20	Fb	1030 SC
RUE-STRAAT	21	Da	1030 SC
DE MOL/RUE-STRAAT			
WILLEM	20	Ed Fc	1000 BR
DEMOLDER/AVENUE-			
LAAN EUGENE	21	Acd Bc	1030 SC
DE MOLSTRAAT/RUE H.	5	Ed Fc	1780 WE
DEMOLSTRAAT FRANS	39	Fd	1600 P-L
DE MOOR/PLACE-PLEIN	20	Ad	1090 JE
DE MOOR/PLACE-PLEIN			
MAURICE	20	Ad	1020 BR
DE MOOR/RUE-STRAAT			
MAURICE	20	Ad	1020 BR
DE MORANVILLE/			
RUE-STRAAT	20	Ac Da	1090 JE
DEMOSTHENE/RUE	26	Ecd	1070 AN
	33	Ba	1070 AN
DEMOSTHENESSTRAAT	26	Ecd	1070 AN
	33	Ba	1070 AN
DE MOT/AVENUE-LAAN			
EMILE	42	Aacd	1000 BR
DE MOT/RUE-STRAAT	35	Ab Ba	1040 ET
DE MUNCKLAAN E.	23	Ca	1930 ZA
DEMUNTER/RUE-STRAAT			
ALPHONSE	33	Abd	1070 AN
DEMUYLDER/RUE-	42	Cb	1160 AU
STRAAT GUILLAUME	43	Aa	1160 AU
DENAYER/AVENUE-LAAN	40	Fac	1190 FO

Straat	Kaart	Vak	Postcode
DENAYER/RUE-STRAAT			
SYLVAIN	26	Eb Fa	1070 AN
DENAYERSTRAAT/RUE	23	Dc	1950 KR
DENAYERSTRAAT	66	Bb	
JAN BAPTIST		Cacd	1560 HO
DENAYERSTRAAT JOSEPH	58	Ec	1560 HO
DENDERMONDESTRAAT	19	Ad Bc	
onpare nrs		Ea	1082 BA
DENDERMONDESTRAAT	11	Bc	1731 ZE
DENDERMONDSESTRAAT	19	Ad Bc	
pare nrs		Ea	1083 GA
DEN DOORN/	48	Bd Cc	
AVENUE-LAAN		Fa	1180 UC
DEN DRAAIER	54	Fcd	1650 BE
DE NECK/RUE-STRAAT	20	Dac	1081 KO
DENEMARKENSTRAAT	34	Acd Db	1060 SG
	94	Dc	1060 SG
DE NEUFFORGEPLEIN	8	Ca	1830 MA
DE NEUFFORGESTRAAT	8	Ca	1830 MA
DE NEUTER/RUE-STRAAT	19	Dd	1082 BA
ARMAND	26	Ab	1082 BA
DENEYERPLEIN ALBERT	62	Bab	1650 BE
DENEYERSTRAAT FR.	71	Aab	1652 AL
DENEYERSTRAAT J.	70	Bd Eb	
		Fa	1652 AL
DEN HAECKSTRAAT	4	Ba	1800 VI
DEN HAM	11	Cc Fa	1731 ZE
DEN HUYSMAN	53	Aa	1600 P-L
DENIE/RUE-STRAAT	18	Fd	1082 BA
AUGUSTE	19	Dc	1082 BA
DENIS/RUE-STRAAT			
EUGENE	50	Bb	1160 AU
DENIS/RUE-STRAAT			
HECTOR	41	Cb	1050 IX
DENIS/SENTIER	84	Ab Ba	1330 RI
DENIS/SQUARE OMER	40	Fa	1190 FO
DENNEBOSLAAN	56	Acd	1180 UC
DENNEBOSSTRAAT	50	Db Eac	1170 WB
DENNENBOSLAAN	42	Dd Ec	1000 BR
	49	Ba	1000 BR
DENNENBOSLAAN	29	Fc	1200 WL
DENNENBOSLAAN	75	Fa	3090 OV
DENNENLAAN	37	Db	1150 WP
DENNENLAAN	46	Cd	1600 P-L
DENNENLAAN	25	Dd	1700 DI
DENNENLAAN	1	Cab	1860 ME
DENNENLAAN	23	Eb	1933 ST
DENNENLAAN	37	Fc	1950 KR
DENNENLAAN	45	Ad Bc	3080 TE
DENNENOORD	37	Bb	1950 KR
DENONSTRAAT ADOLF	15	Bd	1831 DI
DENYS/RUE-STRAAT	32	Fb	1070 AN
JEAN-BAPTISTE	33	Da	1070 AN
FRANCOIS			
DENYSTRAAT ALBERT	53	Fcd	1651 LO
	54	Dac	1651 LO
	61	Ca	1651 LO
DE PADUWA/PLACE-			
PLAATS JEAN-JAN	29	Aa	1140 EV
DEPAEPE/RUE-STRAAT	34	Ad	1060 SG
CESAR	94	Ec	1060 SG
DEPAGE/AVENUE-LAAN			
ANTOINE	42	Db Ea	1000 BR
DEPAGE/AVENUE-LAAN			
ANTOINE	42	Ea	1050 IX
DEPAGE/RUE-STRAAT	41	Bd Cc	
MARIE		Eb	1180 UC
DEPAIRE/AVENUE-LAAN			
JEAN-BAPTISTE	12	Cd	1020 BR
1 à/tot 163 & 2 à/tot 196	13	Acd	1020 BR
DEPAIRE/AVENUE-LAAN			
JEAN-BAPTISTE	12	Cd	1090 JE
165 à fin/tot einde &			
200 à fin/tot einde			
DE PASCALE/	28	Dcd	1040 BR
RUE-STRAAT	95	Cb	1040 BR
DE PAUW/RUE-STRAAT			
FLORIMOND	33	Dcd	1070 AN
DEPAUWSTRAAT JOSEPH	53	Ac Da	1600 P-L
DE PAUWSTRAAT ORTAR	45	Ab Bac	3080 TE
DE PERCKE/RUE-STRAAT	55	Eb Fab	1180 UC
	56	Ac Da	1180 UC
DE POMP	7	Db	1800 VI
DEPORTES/AVENUE DES	81	Fb	1300 WA
	82	Da	1300 WA
DEPORTES/RUE DES	36	Bb Ca	1200 WL
DEPORTES/RUE DES	74	Fbd	1310 L-H
DEPORTES/RUE DES	79	Dab	1332 GE
DEPORTES			
ANDERLECHTOIS/			
RUE DES	33	Bcd	1070 AN
DE POTTER/			
RUE-STRAAT	20	Fd	1030 SC
DE PRAETERE/			
RUE-STRAAT	41	Cd	1050 IX
1 à/tot 43 & 6 à/tot 44	42	Ac	1050 IX
DE PRAETERE/			
RUE-STRAAT	42	Ac	1000 BR
2 à/tot 4			
DE PRAETERE/			
RUE-STRAAT	41	Cd	1180 UC
45 à fin/tot einde &			
46 à fin/tot einde			
DE PROOSTSTRAAT	10	Ba	1820 ST
DE PUYSSELAER/			
RUE-STRAAT PIERRE	47	Cd	1180 UC
DE QUIRINILAAN	58	Eb Fa	1560 HO
DERAECK/RUE-STRAAT			
JEAN	36	Bb	1150 WP
DE RAEDEMAEKERLAAN/			
AVENUE K. & H.	5	Ad	1780 WE
DERAEDT/RUE CONSTANT	81	Fb	1300 WA
DERAEDT/RUE-STRAAT			
HENRI	43	Fa	1160 AU
DERBY/ALLEE DU-DREEF	42	Dd Ec	1000 BR
DERBY/AVENUE DU-LAAN	42	Ec	1000 BR
11 - 17 - 17A			
DERBY/AVENUE DU LAAN	42	Ec	1050 IX
autres nos/andere nrs	49	Bab	1050 IX
DE REINELAAN	15	Bb	1831 DI
DE RENESSESTRAAT/	39	Fd	1600 P-L
RENE	40	Dc	1600 P-L
DEREUME/RUE EDOUARD	79	Bd Cc	
		Fab	1330 RI
DE RIBAUCOURT/	20	Dd Ec	1080 MO
RUE-STRAAT	27	Ab	1080 MO
	90	Abd Ba	1080 MO
DE RIDDERLAAN/			
AVENUE J.	5	Ed Fc	1780 WE
DERIDDERSTRAAT J.-B.	66	Bb	1560 HO

D

D

Street	Map	Postcode
DE RIVIEREN/		
DREVE-DREEF	19 Bb Ca	1083 GA
1 à/tot 241 & 2 à/tot 172		
DE RIVIEREN/		
DREVE-DREEF	12 Fcd	1090 JE
autres nos/andere nrs	19 Ca	1090 JE
DERNIER CARRE/		
AVENUE DU	88 Eac	1420 B-A
DERNIER REPOS/		
AVENUE DU	29 Ecd	1200 WL
DE ROBIANO/RUE-STRAAT	21 Dc	1030 SC
	91 Cb	1030 SC
DE ROBIANOSTRAAT	38 Ec	3080 TE
DE ROO/RUE-STRAAT		
ARMAND	21 Ea	1030 SC
DEROOVER/RUE-STRAAT		
EMILE	19 Eb Fa	1081 KO
DE ROOVERE/		
AVENUE-LAAN	26 Cc Fa	1080 MO
DEROOVERLAAN EMIEL	69 Bab	1501 BU
DERSCHEID/INSTITUT	73 Ed	1310 L-H
DERSCHEIDLAAN J.M.	24 Ec	1933 ST
	31 Bab	1933 ST
DE RUDDER/RUE-STRAAT	26 Ca	1080 MO
DERUYDTS/CARRE-BLOK	34 Cd	1050 IX
	95 Ec	1050 IX
DERUYVERSTRAAT	39 Fcd	1600 P-L
GASTON	46 Ca	1600 P-L
DE SAEDELEERSTRAAT	3 Fbd	1800 VI
VALERIUS	4 Da	1800 VI
DE SAEGHER/RUE-STRAAT		
HENRI	26 Cd	1080 MO
DE SAINT-EXUPERY/		
AVENUE-LAAN		
ANTOINE	36 Cab	1150 WP
DE SALMLAAN	10 Bb	1820 ST
DE SAULNIER/RUE-		
STRAAT ARMAND	26 Ba	1080 MO
DESCAMPSLAAN L.	69 Bb	1654 HU
DESCAMPSLAAN		
LOUIS	69 Bb	1501 BU
DESCHAMPHELEER/		
RUE-STRAAT	27 Ab	1080 MO
nos impairs/onpare nrs	90 Aab	1080 MO
DESCHAMPHELEER/		
RUE-STRAAT	27 Ab	1081 KO
nos pairs/pare nrs	90 Aab	1081 KO
DESCHAMPSSTRAAT		
JEAN	3 Cd	1850 GR
DESCHANEL/AVENUE-		
LAAN PAUL	28 Ad	1210 SJ
267 à/tot 273		
DESCHANEL/AVENUE-		
LAAN PAUL	21 Dd	1030 SC
autres nos/andere nrs	28 Abd	1030 SC
DESCHUYFFELEERDREEF/		
DREVE J.	5 Bac	1780 WE
DE SELLIERS DE		
MORANVILLE/		
AVENUE-LAAN	19 Dac	1082 BA
DE SELLIERSSTRAAT	16 Eac	1930 ZA
DE SELYS LONGCHAMPS/		
CARREFOUR-		
KRUISPUNT	42 Aa	1000 BR

Street	Map	Postcode
DESENFANS/AVENUE-		
LAAN ALBERT	21 Bc	1030 SC
DESENFANS/RUE ALBERT	83 Acd	
	Dab	1420 B-A
DE SEVIGNE/RUE-STRAAT	25 Fbd	1070 AN
	26 Dc	1070 AN
DES GREES DU LOU/		
SQUARE EMILE	40 Ed	1190 FO
DESIRS/AVENUE DES	22 Dc	1140 EV
	29 Aa	1140 EV
DESMARE/RUE-STRAAT		
MATHIEU	13 Fc	1020 BR
DESMEDT/RUE-STRAAT		
FRANCOIS	30 Dd Ec	1150 WP
DESMEDTSTRAAT	16 Ad Bc	1930 ZA
DE SMEDTSTRAAT		
AUGUST	18 Fa	1702 G-B
DE SMET/PLACE-PLEIN		
HENRI	26 Eb Fa	1070 AN
DESMET/RUE JOSEPH	79 Abd	1332 GE
DESMET/RUE-STRAAT		
DESIRE	21 Eb	1030 SC
DE SMET/RUE-STRAAT		
EUGENE	12 Fa	1090 JE
DE SMET/RUE-STRAAT	18 Fd	1082 BA
LOUIS	19 Dc	1082 BA
DE SMET DE NAEYER/		
BOULEVARD-LAAN	13 Dbcd	1090 JE
1 à/tot 423 &	19 Cbd	1090 JE
2 à/tot 496	20 Aa	1090 JE
DE SMET DE NAEYER/		
BOULEVARD-LAAN	13 Db Ea	1020 BR
523 à fin/tot einde &		
498 à fin/tot einde		
DESMETH/RUE-STRAAT		
JEAN-BAPTISTE-		
JAN-BAPTIST	21 Cc	1140 EV
DES OMBIAUX/		
RUE-STRAAT MAURICE	21 Ab	1030 SC
D'ESPINOSALAAN	2 Ad	1860 ME
DE SPOELBERCHPLEIN	8 Cab	1830 MA
DE SPOELBERCHSTRAAT	8 Cab	1830 MA
DESPRETLAAN MAURICE	24 Dacd	1933 ST
DESSY/SQUARE	79 Fc	1330 RI
DE STASSART/	34 Cac	1050 IX
RUE-STRAAT	95 Ad Bc	
	Dbd	1050 IX
DE STOLBERGLAAN	45 Bb	3080 TE
DESTOUVELLES/		
RUE-STRAAT	20 Fab	1030 SC
1 à/tot 81 & 2 à/tot 60		
DESTOUVELLES/		
RUE-STRAAT	20 Fa	1000 BR
numéro/nummer 68		
DESTREE/RUE JULES	83 Da	1420 B-A
DESTREE/RUE-STRAAT		
JULES	21 Bd Eb	1030 SC
DESTRIER/AVENUE DU	28 Cb	1140 EV
	29 Aa	1140 EV
DESTRYKERLAAN		
PHILIPPE	47 Dd	1601 RU
DE SWAEF/RUE-STRAAT		
LEOPOLD	26 Ebd	1070 AN

DE THEUX/RUE-STRAAT	35	Ad Bc	
1 à/tot 61 &		Db	1040 ET
nos pairs/pare nrs			
DE THEUX/RUE-STRAAT	35	Ad Db	1050 IX
63 à fin/tot einde			
DE THIBAULT/AVENUE-			
LAAN EDOUARD	35	Bd Cc	1040 ET
DE THIENNES/AVENUE-			
LAAN CHARLES	29	Ed	1200 WL
DE THIRIMONTLAAN	25	Db	1700 DI
DETHY/RUE-STRAAT	34	Db Ea	1060 SG
DETIENNE/RUE-STRAAT			
ACHILLE	21	Bc	1030 SC
DE TIERE/RUE-STRAAT			
NESTOR	21	Bc	1030 SC
DE TOLLENAERE/AVENUE-	32	Fb	1070 AN
LAAN CHARLES	33	Da	1070 AN
DE TOLLENAERE/			
ROND-POINT-PLEIN			
PIERRE	33	Ac	1070 AN
DETRESTRAAT AUGUST	46	Fc	1600 P-L
	53	Ca	1600 P-L
DETRESTRAAT HENRI	53	Ca	1600 P-L
DETROCH/AVENUE-LAAN			
GUILLAUME	43	Bc	1160 AU
DE TROOZ/AVENUE-LAAN			
JULES	36	Bac	1150 WP
DE TROOZ/SQUARE			
JULES	20	Cc	1000 BR
DE TYRAS/AVENUE-LAAN	7	Bd Cc	
		Fa	1120 BR
DEUX AUBEPINES/			
CLOS DES	7	Dd	1120 BR
DEUX CENSES/			
AVENUE DES	87	Eb Fac	1325 D-V
DEUX CHAUSSEES/			
RUE DES	43	Bd	1160 AU
DEUX DIMES/AVENUE DES	82	Dac	1300 WA
DEUX EGLISES/RUE DES	28	Dac	1000 BR
1 à 55 & 2 à 54	93	Cd Fab	1000 BR
DEUX EGLISES/RUE DES	28	Da	1210 SJ
57 à fin & 56 à fin	93	Cbd	1210 SJ
DEUX GARES/RUE DES	33	Cd	1070 AN
	34	Ac	1070 AN
DEUXIEME ARMEE	40	Cabc	
BRITANNIQUE/		Ebcd Fa	1190 FO
BOULEVARD DE LA	47	Ba	1190 FO
DEUXIEME REGIMENT DE			
LANCIERS/AVENUE DU	35	Ebd	1040 ET
DEUX MAISONS/	29	Ab Bac	
CHEMIN DES		Ea	1200 WL
DEUX MAISONS/RUE DES	22	Dcd	1140 EV
DEUX MONTAGNES/			
AVENUE DES	50	Da	1170 WB
DEUX MONTAGNES/	49	Fbcd	1170 WB
CHEMIN DES	50	Da	1170 WB
DEUX MONTAGNES/			
CHEMIN DES	56	Babc	1180 UC
DEUX MONTAGNES/	49	Fc	1180 UC
DREVE DES	56	Bbd Ca	1180 UC
DEUX MOUTIERS/			
DREVE DES	43	Bbd	1160 AU
DEUX PONTS/RUE DES	35	Ad Db	1050 IX
DEUX SAULES/CLOS DES	7	Dd	1120 BR

DEUX TILLEULS/			
AVENUE DES	35	Cb	1200 WL
DEUX TILLEULS/			
CLOS DES	7	Dd	1120 BR
DEUX TOURS/RUE DES	28	Acd Db	1210 SJ
DEUX TRIAGES/			
DREVE DES	49	Ecd	1180 UC
DEVAUX/RUE-STRAAT	27	Eab	1000 BR
PAUL	92	Cac	1000 BR
DEVEDELEERSTRAAT			
HENRI	69	Bac	1501 BU
DEVELOPPEMENT/			
RUE DU	33	Eb	1070 AN
DE VERGNIES/			
RUE-STRAAT	35	Da	1050 IX
DEVEZE/SQUARE ALBERT	42	Bc	1050 IX
DEVIENNE/AVENUE-LAAN			
MARCEL	29	Fbd	1200 WL
DEVIGNE/RUE-STRAAT			
PAUL	28	Bab	1030 SC
DE VILLEGAS/			
AVENUE-LAAN	19	Bd	1083 GA
DE VILLEGAS DE			
CLERCAMPSTRAAT	6	Bcd	1853 S-B
DEVILLERS/			
RUE-STRAAT RENE	07	Dd	1150 WP
DEVILLERSSTRAAT L.	69	Bb Ca	1654 HU
DE VILLIERSLAAN GH.	25	Fb	1700 DI
DE VINCI/RUE LEONARD	28	Ebd	1000 BR
DEVIS/AVENUE-LAAN			
PIERRE	43	Bc	1160 AU
DEVISSTRAAT J.B.	58	Dd	1560 HO
	66	Ab	1560 HO
DEVLEMINCKLAAN	68	Cac	1500 HA
DEVLEMINCKLAAN J.B.	16	Ed	1930 ZA
	23	Bbd	1930 ZA
DE VLEMINCKSTRAAT			
JOZEF	6	Ba	1853 S-B
DEVOERLAAN	6	Cb	1800 VI
	7	Aa	1800 VI
DEVOIR/RUE DU	33	Bb	1070 AN
DEVOS/RUE-STRAAT JEF	33	Fd	1190 FO
	34	Dc	1190 FO
DEVOS/RUE-STRAAT			
PROSPER-HENRI	25	Fd	1070 AN
DEVOSSTRAAT PR. H.	25	Fd	1700 DI
DEVREESE/RUE-STRAAT	21	Dd	1030 SC
GODEFROID	28	Ab Ba	1030 SC
DE VRIERE/RUE-STRAAT	13	Ed	1020 BR
DE WAETSTRAAT/RUE P.	5	Eb	1780 WE
DE WAHA/AVENUE-LAAN	43	Bab	1160 AU
DE WAND/RUE-STRAAT	13	Ca	1020 BR
	6	Fc	1020 BR
DEWANDELAERSTRAAT	24	Cc	1930 NO
DEWANDELEER/			
CARRE-BLOK	41	Fc	1180 UC
DEWANDELEERSTRAAT			
EMIEL	8	Eb	1830 MA
DEWANDRE/PLACE-PLEIN	37	Dd	1150 WP
DE WANSIJN/RUE-STRAAT	48	Fa	1180 UC
DE WANTLAAN	23	Fc	1933 ST
DE WARANDE	8	Bcd	1830 MA
DE WAUTIER/RUE-STRAAT	20	Bd Cac	1020 BR
DE WAVRANS/	36	Cb	1150 WP
AVENUE-LAAN	37	Aa	1150 WP

D

DE WIART/AVENUE-LAAN	19 Fb	1090 JE
CARTON	20 Da	1090 JE
DEWILDESTRAAT PETRUS	61 Cac	1651 LO
DE WINDESTRAAT J.	25 Ab Bac	1700 DI
DEWINTER/RUE-STRAAT		
ANTONIUS	43 Ebd	1160 AU
DE WINTERBERG/AVENUE	84 Cd	1331 RO
	85 Aac	1331 RO
DEWIT/RUE RENE	76 Fa	1410 WA
DE WITHEM/AVENUE		
HENRY	88 Bd	1420 B-A
DE WITTE/RUE-STRAAT		
ALPHONSE	35 Dc	1050 IX
DE WITTE DE HAELEN/	27 Bac	1000 BR
RUE-STRAAT	90 Eab	1000 BR
DE WITTHEM/AVENUE-		
LAAN	30 Db	1150 WP
DE WOELMONT/		
RUE-STRAAT	7 Cc	1120 BR
DEWOLFS/RUE-STRAAT		
PHILIPPE	50 Acd	1170 WB
DE WYNANTS/	34 Bbd	1000 BR
RUE-STRAAT	94 Fab	1000 BR
DEZANGRELAAN/AVENUE		
ARTHUR	23 Dd Ecd	1950 KR
D'HANNETAIRE/		
RUE-STRAAT	8 Dd	1130 BR
D'HOEVESTRAAT	11 Ccd	1731 ZE
D'HONDT/IMPASSE-GANG	27 Ac Da	1080 MO
D'HONDTSTRAAT JOSEPH	17 Ec	1930 NO
D'HOOGVORST/		
RUE-STRAAT	20 Fd	1030 SC
D'HOOGVORSTLAAN	2 Ab	1860 ME
D'HUART/RUE-STRAAT	40 Fb	1190 FO
DIABLE/RAVIN DU	42 Ac	1000 BR
DIABLOTINS/CLOS DES	22 Dd	1140 EV
DIAMANT/	28 Bd Cc	
AVENUE DU-LAAN	Fa	1030 SC
DIAMANTSTRAAT	3 Da	1850 GR
DIANALAAN	41 Cd Fb	1000 BR
	42 Ac	
	Dacd	1000 BR
DIANALAAN	18 Ad	1702 G-B
DIANE/AVENUE DE	41 Cd Fb	1000 BR
	42 Ac	
	Dacd	1000 BR
DICHTERSGAARDE	21 Fc	1030 SC
DICHTKUNSTLAAN	26 Dbd	1070 AN
DIDERICH/RUE-STRAAT		
ARTHUR	34 Ec	1060 SG
1 à/tot 75 & 2 à/tot 52	41 Ba	1060 SG
DIDERICH/RUE-STRAAT		
ARTHUR	41 Ba	1190 FO
77 à fin/tot einde		
DIDEROT/AVENUE DENIS	82 Ecd	1300 WA
DIEGEMSTRAAT	8 Ac	1800 VI
DIEGEMSTRAAT	8 Bd Eb	1830 MA
DIEGEMSTRAAT	16 Ad Bc	
	Ea	1930 ZA
DIEGEMVOETWEG	14 Fd	1140 EV
DIELEGHEM/		
CHAUSSEE DE	12 Fac	1090 JE
DIELEGHEM/		
DREVE DE-DREEF	12 Eb Fa	1090 JE
DIELEGHEMSE STEENWEG	12 Fac	1090 JE
DIEPE BOOMGAARD	3 Ab	1850 GR
DIEPEKANTEN	3 Cc	1850 GR
DIEPENBEEMD	54 Bd	1650 BE
DIEPENDELLE/	44 Dcd	1160 AU
CHEMIN-WEG	51 Aa	1160 AU
DIEPENDELLE/		
CHEMIN-WEG	50 Bcd Cc	1170 WB
DIEPESTRAAT	12 Ca	1020 BR
DIEPESTRAAT	48 Bcd Eb	1180 UC
DIEPESTRAAT	71 Da	1640 S-G
DIEPESTRAAT	70 Cbd	1652 AL
	71 Aac	1652 AL
DIEPESTRAAT	5 Ed	1780 WE
DIEPESTRAAT	38 Ac Da	3080 TE
DIEPESTRAAT	58 Fb	3090 OV
DIEPSTRAAT	37 Cbd	1970 W-O
	38 Ac Da	1970 W-O
DIERENRIEMSTRAAT	41 Ab Ba	1190 FO
DIERICKX/AVENUE-LAAN		
CHARLES	43 Db	1160 AU
DIESBEEKSTRAAT	69 Bd Cc	1654 HU
DIESDELLELAAN	42 Dcd	1000 BR
1 tot 19 & 65 tot einde &	49 Ab	1000 BR
55 - 53 - 45 - 4		
DIESDELLELAAN	49 Ab	1180 UC
57 tot 63		
DIETRICH/AVENUE-LAAN		
HENRI	35 Cb	1200 WL
1 à/tot 19 & 10 - 20		
DIETRICH/AVENUE-LAAN		
HENRI	35 Cb	1040 ET
21 à/tot 39		
DIETRICH/RUE-STRAAT		
MARLENE	12 Bd	1090 JE
DIEWEG	48 Ad Bcd	
	Dab	1180 UC
DIEWEG	38 Bac	1970 W-O
DIFFERDANGE/CLOS DE	76 Bb	1410 WA
DIGITALES/CLOS DES	83 Ca	1410 WA
DIGITALES/RUE DES	43 Db	1170 WB
DIGNITE/RUE DE LA	32 Bb	1070 AN
DIGUE/RUE DE LA	35 Da	1050 IX
DIJCK	5 Dd Ec	1780 WE
DIJKSTRAAT	68 Fa	1500 HA
DIJKSTRAAT	10 Bd Cc	
	Eb	1820 ST
DIJKVELDWEG	10 Bd Cc	1820 ST
DIJLESTRAAT	20 Ed	1000 BR
DIKKE-BEUKLAAN	12 Bbd	
249 & pare nrs	Cab Eb	1090 JE
DIKKEBEUKLAAN	12 Bb Cab	1020 BR
andere nrs		
DIKKE EIKWEG	45 Dab	3080 TE
DIKKELINDELAAN	13 Abd	
	Bab	1020 BR
DIKKEMEERWEG	62 Ebd	1652 AL
	70 Bd	
	Eabc	1652 AL
DIKKEMEERWEG	62 Ed	1653 DW
	70 Bbd	1653 DW
DIKSMUIDELAAN	27 Ba	1000 BR
	90 Bd Cc	1000 BR
DILBEEK/RUE DE	26 Eb	1070 AN
1 à 3 & 2 à 8		

Street	Map	Grid	Postcode
DILBEEK/RUE DE-STRAAT 5 à fin/tot einde & 10 à fin/tot einde	26	Bd Eb	1080 MO
DILBEEK/RUE DE-STRAAT	18	Fcd	1082 BA
DILBEEKSE STRAAT 1 tot 3 & 2 tot 8	26	Eb	1070 AN
DILIGENCE/ AVENUE DE LA	85	Bd Cc	1300 LI
DILIGENCE/ SQUARE DE LA	12	Ed	1083 GA
	19	Bb	1083 GA
DILLEN/SQUARE JEF	33	Ba	1070 AN
DILLENS/PLACE-PLEIN JULIEN	34	Bcd	1060 SG
	94	Fc	1060 SG
DILLENS/RUE-STRAAT	35	Da	1050 IX
DILLIE/RUE-STRAAT ALBERT	20	Dc	1081 KO
DILSSTRAAT JAN	8	Ed	1831 DI
DINANT/PLACE DE-PLEIN	27	Ed	1000 BR
	92	Fcd	1000 BR
DINANT/RUE DE-STRAAT	27	Ed	1000 BR
	92	Fd	1000 BR
DIONGRE/RUE-STRAAT JOSEPH	26	Bab	1080 MO
DIRECTOIRE/ AVENUE DU-LAAN	48	Fac	1180 UC
DIRIGEABLE/AVENUE DU	60	Ab	1170 WB
DISBEEKWEG	69	Bd Eab	1501 BU
DISCAILLES/RUE-STRAAT ERNEST	21	Dab	1030 SC
DISQUE/RUE DU	12	Cb	1020 BR
	13	Aa	1020 BR
DISSELSTRAAT	20	Ca	1020 BR
DISTELSSTRAAT	28	Bb	1030 SC
DISTELVINKLAAN	36	Dd	1150 WP
DISTELWEG	69	Bc Eab	1501 BU
DIVOORT/AVENUE-LAAN JOSEPH	55	Ab	1180 UC
DIX ARPENTS/ AVENUE DES	20	Bb Ca	1200 WL
DIX METRES/ DREVE DES	76	Bcd Cc	1410 WA
DIXMUDE/BOULEVARD DE	27	Ba	1000 BR
	90	Bd Cc	1000 BR
DIX-SEPT AVRIL/RUE DU	29	Aa	1140 EV
DOBBELENBERG/ RUE DU-STRAAT	8	Dabd	1130 BR
DOBBELENBERGSTRAAT	8	Dab	1830 MA
DOBRALAAN	75	Ea	3090 OV
DOCTEUR/RUE DU	43	Ad	1160 AU
DOCTEUR CHARLES BEUDIN/RUE	26	Bb Ca	1080 MO
DOCTEUR CHARLES LEEMANS/RUE	19	Dcd	1082 BA
DOCTEUR DECROLY/ AVENUE	40	Fd	1180 UC
	41	Dc	1180 UC
DOCTEUR DECROLY/ SQUARE	26	Ad	1080 MO
DOCTEUR DEJASE/ AVENUE	21	Bc Ea	1030 SC
DOCTEUR DE MEERSMAN/RUE	27	Dcd	1070 AN
	92	Dc	1070 AN
DOCTEUR DRYEPONDT/ RUE	35	Eb	1040 ET
DOCTEUR EDMOND CORDIER/AVENUE	36	Dc	1160 AU
	43	Aa	1160 AU
DOCTEUR ELIE LAMBOTTE/RUE	21	Ad Bbcd	1030 SC
DOCTEUR HUBERT CLERX/RUE	47	Fd	1180 UC
DOCTEUR HUET/RUE	33	Ac	1070 AN
DOCTEUR JACOBS/RUE	33	Bc	1070 AN
DOCTEUR JEAN JOLY/ SQUARE	35	Eab	1040 ET
DOCTEUR KUBORN/RUE	33	Cd	1070 AN
DOCTEUR LEMOINE/ AVENUE	32	Fb	1070 AN
DOCTEUR ROUX/RUE	33	Dac	1070 AN
DOCTEUR SCHWEITZER/ AVENUE	12	Ca	1780 WE
DOCTEUR SCHWEITZER/ AVENUE DU	84	Fb	1330 RI
DOCTEUR SCHWEITZER/ PLACE	19	Dd	1082 BA
DOCTEUR TERWAGNE/ AVENUE	74	Ed Fc	1310 L-H
DOCTEUR ZAMENHOF/ AVENUE	33	Eab	1070 AN
DODONEE/RUE-STRAAT	41	Cc Fa	1180 UC
DOEL	11	Ad	1731 ZE
DOGGEWEG	16	Eac	1930 ZA
DOICEAU/AVENUE DE	82	Bcd Cc	1300 WA
DOIGNON/RUE DU	83	Da	1420 B-A
DOIGNON/SENTIER DU	83	Dac	1420 B-A
DOKTER ALBERT SCHWEITZERSTRAAT	15	Fab	1831 DI
DOKTER CHARLES BEUDINSTRAAT	26	Bb Ca	1080 MO
DOKTER CHARLES LEEMANSSTRAAT	19	Dcd	1082 BA
DOKTER DECROLY/ SQUARE	26	Ad	1080 MO
DOKTER DECROLYLAAN	40	Fd	1180 UC
	41	Dc	1180 UC
DOKTER DEJASELAAN	21	Bc Ea	1030 SC
DOKTER DE MEERSMAN-STRAAT	27	Dcd	1070 AN
	92	Dc	1070 AN
DOKTER DRYEPONDT-STRAAT	35	Eb	1040 ET
DOKTER EDMOND CORDIERLAAN	36	Dc	1160 AU
	43	Aa	1160 AU
DOKTER ELIE LAMBOTTESTRAAT	21	Ad Bbcd	1030 SC
DOKTER EMILE GALLEMAERTSTRAAT	68	Bd	1500 HA
DOKTER H. FOLLETLAAN	5	Bc Ea	1780 WE
DOKTER HEMERIJCKX-LAAN	2	Cd Fab	1850 GR
DOKTER HUBERT CLERXSTRAAT	47	Fd	1180 UC
DOKTER HUETSTRAAT	33	Ac	1070 AN
DOKTER J.-P. DIEUDONNESTRAAT	59	Fb	3090 OV
	60	Da	3090 OV
DOKTER JACOBSSTRAAT	33	Bc	1070 AN
DOKTER JEAN JOLYPLEIN	35	Eab	1040 ET
DOKTER KUBORNSTRAAT	33	Cd	1070 AN
DOKTER LEMOINELAAN	32	Fb	1070 AN
DOKTER ROUXSTRAAT	33	Dac	1070 AN
DOKTER SCHWEITZER-LAAN	12	Ca	1780 WE

D

Straat	Kaart	Postcode
DOKTER SCHWEITZER-PLEIN	19 Dd	1082 BA
DOKTERSTRAAT	43 Ad	1160 AU
DOKTER ZAMENHOFLAAN	33 Eab	1070 AN
DOLEZ/AVENUE-LAAN	48 Fac	1180 UC
	55 Bbd Ca Eb Fa	1180 UC
DOLFIJNENSTRAAT	26 Bcd	1080 MO
DOLFIJNGAARDE	29 Ad	1200 WL
DOLLE KERVELLAAN	31 Dd Ec	1970 W-O
DOMAINE/AVENUE DU	40 Fbd	1190 FO
	41 Ac Da	1190 FO
DOMAINE/AVENUE DU	86 Acd	1300 LI
DOMAINE FUJI	37 Ccd Fb	1970 W-O
DOMAINE FUJI	37 Ccd	1950 KR
DOMAINE ROYAL	77 Bd	1410 WA
DOMEIN FUJI	37 Ccd Fb	1970 W-O
DOMEIN FUJI	37 Ccd	1950 KR
DOMEINLAAN	40 Fbd	1190 FO
	41 Ac Da	1190 FO
DOMINICAINES/ AVENUE DES	37 Eb	1950 KR
DOMINICAINS/RUE DES	27 Eb	1000 BR
	92 Cd	1000 BR
	93 Aac	1000 BR
DOMINICANESSENLAAN	37 Eb	1950 KR
DOMSTRAAT	39 Dab	1602 VL
DOMVART/CLOS	78 Cd	1332 GE
DON BOSCO/ AVENUE-LAAN	36 Bac	1150 WP
DONDERBERG	14 Aa	1120 BR
DONDERVELDSTRAAT	62 Acd Db	1651 LO
DONDERVELDWEG	62 Db Eac	1653 DW
DONJON/RUE DU	15 Aab	1130 BR
DONKERSTRAAT	29 Ed	1200 WL
2 tot 56	36 Bb	1200 WL
DONKERSTRAAT andere nrs	36 Bab	1150 WP
DONKERSTRAAT	54 Fa	1650 BE
DONS/RUE-STRAAT FRANCOIS	42 Bc Ea	1050 IX
DOOIERZWAMMEN-GAARDE	42 Eb	1050 IX
DOOLEGT/	14 Ed	1140 EV
RUE DU-STRAAT	21 Bb	1140 EV
DOORHAKKINGSDREEF	43 Cbd	1160 AU
DOORNBAAN	2 Bd	1850 GR
DOORNDAL	37 Dc	1150 WP
DOORNENLAAN	31 Db	1970 W-O
DOORNEVELD	24 Dcd	1933 ST
DOORNIKSTRAAT	27 Ec	1000 BR
	92 Ed	1000 BR
DOORNLARENHOOFD-STRAAT	71 Bb	1640 S-G
DOORNSTRAAT	32 Aabcd	1700 DI
DOORNSTRAAT	32 Aabcd	1701 IT
DOORNVELD	11 Ad Bcd	1731 ZE
DOPERE/RUE-STRAAT LEON	19 Cab	1090 JE
D'ORBAIX/AVENUE-LAAN	49 Dac	1180 UC
DOREKENSVELD	69 Dab	1501 BU
DOREKENSVELD	12 Ab	1780 WE
DOREKESVELD	6 Bb	1853 S-B
DORENT	47 Ad	1620 DR
D'ORJO DE MARCHOVE-LETTE/AVENUE-LAAN CHARLES	42 Cc	1160 AU
DORP	24 Ecd	1933 ST
DORPELINGSTRAAT	43 Babcd	1160 AU
DORPSLAAN	69 Ac	1501 BU
DORPSPLEIN	8 Bb	1830 MA
DORPSSTRAAT	33 Bbcd	1070 AN
DORPSSTRAAT	71 Ab Ba	1640 S-G
DORPSTRAAT	32 Aa	1701 IT
DORPSTRAAT	8 Bb Ca	1830 MA
DORSERSHOF	22 Cd	1932 S-W
	23 Ac	1932 S-W
DOUAIRE/AVENUE DU	86 Ac Da	1300 LI
DOUAIRE/SENTIER DU	86 Acd	1300 LI
DOULCERON/RUE-STRAAT ALFRED	19 Bd	1083 GA
D'OULTREMONT/ RUE-STRAAT	28 Ed Fc	1040 ET
DOUVRES/RUE DE	33 Bbd	1070 AN
DOUZE APOTRES/	27 Fac	1000 BR
RUE DES	93 Db	1000 BR
DOVERSTRAAT	33 Bbd	1070 AN
DOYEN/RUE-STRAAT NICOLAS	26 Fb	1080 MO
DOYEN ADRIAENS/RUE	27 Ab	1080 MO
	90 Ad	1080 MO
DOYEN BOONE/RUE	35 Bb	1040 ET
DOYEN FIERENS/RUE	27 Ab	1080 MO
	90 Ad Bc	1080 MO
DOYENNE/RUE DU	41 Dd	1180 UC
	48 Ab	1180 UC
DOYEN VAN BELLE/RUE	88 Ac	1420 B-A
DR. H. FOLLETLAAN/ AVENUE	5 Bc Ea	1780 WE
DR. J. APPELMANSLAAN	25 Eabd	1700 DI
DR. R. LAMBRECHTSLAAN	25 Ec	1700 DI
	32 Ba	1700 DI
DRAAIERSGANG	34 Ba	1000 BR
	94 Bd	1000 BR
DRAGON/CLOS DU	29 Ac	1200 WL
DRAGON/RUE DU	64 Dd	1640 S-G
	72 Aabc	1640 S-G
DRAGONDERSTRAAT	64 Dd	1640 S-G
	72 Aabc	1640 S-G
DRAKEHOF	29 Ac	1200 WL
DRAPEAU/RUE DU	33 Bbd	1070 AN
DRAPIERS/RUE DES	34 Cac	1050 IX
	95 Dabd	1050 IX
DRAPIERS/RUE DES	82 Acd Da	1300 WA
DRAPS-DOM/RUE-STRAAT	13 Ed	1020 BR
DRAPSSTRAAT HENDRIK	6 Bd	1853 S-B
DRASOP	69 Eacd	1501 BU
DRAVERSHOEKJE	31 Ad	1933 ST
DRAVERSHOEKJE	31 Acd	1970 W-O
DRAVERSLAAN	18 Dc	1700 DI
DREEF	53 Bd Eb Fa	1651 LO
DREEF	60 Ad Bbcd Ca Db	3090 OV
DREEF- DREVE	71 Ab Ba	1640 S-G
DREEFLAAN	25 Dc	1701 IT
	32 Aa	1701 IT
DREEFPAD	40 Acd	1070 AN
DREEFWEG	10 Bd	1820 ST

DRENKPLAATSSTRAAT	4	Ab	1800 VI
DRENKPLAATSWEG	73	Ab Ba	1560 HO
DRESSAERTLAAN	3	Eb Fa	1850 GR
DRESTSTRAAT	16	Aa	1831 DI
	9	Dc	1831 DI
DREVE/SENTIER DE LA	40	Acd	1070 AN
DRIE AARDBEIENSTRAAT	23	Bcd	1930 ZA
DRIE BOMENSTRAAT	48	Ac	1180 UC
DRIE BORRENWEG	43	Fbd	1160 AU
DRIEBRUGGENSTRAAT	42	Cb	1160 AU
DRIEBUNDERWEG	37	Cb	1970 W-O
DRIE FONTEINENSTRAAT	40	Dd Ec	1620 DR
DRIEGATENSTRAAT	14	Bbd	1120 BR
DRIEHOEKPLAATS	27	Da	1080 MO
	92	Aa	1080 MO
DRIEKASTANJELAARS- STRAAT	3	Abd	1850 GR
DRIE KLEURENGAARDE	36	Cb	1150 WP
DRIEKLEURENWEG	43	Cab	1160 AU
DRIE KONINGENLAAN	11	Eb Fa	1731 ZE
DRIE KONINGENSTRAAT	47	Fa	1180 UC
	54	Cab	1180 UC
DRIE KONINGENSTRAAT	47	Fc	1620 DR
	54	Ca	1620 DR
DRIEKONINGENSTRAAT	71	Ab	1650 BE
DRIE LINDENSTRAAT	50	Aa	1170 WB
DRIE LINDENSTRAAT	15	Bd Eb	1831 DI
DRIEPATRIJZENSTRAAT	37	Cb	1970 W-O
	38	Aa	1970 W-O
DRIEPIKKEL	11	Bd	1731 ZE
DRIES	42	Fc	1170 WB
	49	Bb Ca	1170 WB
DRIES	5	Bacd	1780 WE
DRIES/RUE DU-STRAAT	40	Eb	1190 FO
DRIES/RUE-STRAAT	29	Dbd Fa	1200 WL
DRIESBOSSTRAAT/RUE	63	Fd	1640 S-G
	64	Dac	1640 S-G
DRIESHOF	30	Fd	1970 W-O
	31	Dc	1970 W-O
DRIESPLEIN	17	Dd	1930 NO
DRIEVULDIGHEIDS- VOORPLEIN nummer 11	34	Fc	1060 SG
DRIEVULDIGHEIDS- VOORPLEIN andere nrs	34	Fc	1050 IX
DRIEWILGENSTRAAT	17	Cb	3071 E-K
DRIJFSTRAAT	3	Dac	1850 GR
DRIJPIKKELSTRAAT	1	Fd	1853 S-B
	2	Dcd	1853 S-B
	5	Cb	1853 S-B
	6	Aa	1853 S-B
DRIJVERSWEG	42	Dabd	1000 BR
DROGENBERG	59	Cc Fab	3090 OV
DROGENBOS/ CHAUSSEE DE	47	Fcd	1180 UC
	48	Dc	1180 UC
DROGENBOS/ CHAUSSEE DE- STEENWEG OP	47	Fc	1620 DR
DROGENBOSSE- STEENWEG	47	Fcd	1180 UC
	48	Dc	1180 UC
DROGENBOSSTRAAT	47	Aa	1600 P-L
DROGE VIJVERDREEF	45	Eac	3080 TE
	52	Ba	3080 TE
DROIT/PLACE DU	33	Bb	1070 AN
DROITS DE L'HOMME/ AVENUE	40	Aab	1070 AN
DROIT TIENNE/ CHEMIN DU	74	Aab	1310 L-H
DROME/CHAUSSEE DE LA	82	Ac	1300 WA
DRONKEMANSDREEF	51	Cb	3090 OV
	52	Aab Bab Cab	3090 OV
DRONKENMANSDREEF	51	Cb	3080 TE
	52	Aab Bab Cab	3080 TE
DROOGWEIDESTRAAT	63	Ea	1652 AL
DROOMLAAN	29	Fb	1200 WL
	30	Da	1200 WL
DROOTBEEK/RUE-STRAAT	20	Bcd	1020 BR
DROSSAARDGAARDE	48	Bd Eb	1180 UC
DROSSART/CLOS DU	48	Bd Eb	1180 UC
DROUART/AVENUE-LAAN ANDRE	42	Cbd	1160 AU
DROUET D'ERLON/ SQUARE	88	Ec	1420 B-A
DRUEZ/RUE-STRAAT JOSEPH	19	Cc	1083 GA
DRUIFHYACINTENPLEIN	40	Dbd	1170 WB
DRUIVENALLEE	28	Ac Da	1210 SJ
	03	Cb	1210 SJ
DRUIVENLAAN	58	Dbd	1560 HO
DRUIVENLAAN	67	Ec	3090 OV
DRUKKERIJSTRAAT pare nrs	34	Da	1060 SG
DRUKKERIJSTRAAT onpare nrs	34	Da	1190 FO
DRUKPERSSTRAAT	27	Fb	1000 BR
	93	Bbd	1000 BR
DRYADES/AVENUE DES	43	Dcd	1170 WB
DUBLIN/RUE DE-STRAAT	34	Cb	1050 IX
	95	Bd	1050 IX
DUBOIS/RUE FRANCOIS	75	Ac Da	1310 L-H
DUBOIS/RUE-STRAAT ALFRED	26	Bd Cc	1080 MO
DUBOISLAAN	57	Ecd Fc	1560 HO
	65	Ba	1560 HO
DUBOISLAAN/AVENUE	56	Fb	1640 S-G
	57	Dacd	1640 S-G
	65	Ab Ba	1640 S-G
DUBOIS-THORN/ RUE-STRAAT	26	Cbcd Fa	1080 MO
DUBRUCQ/AVENUE-LAAN JEAN	20	Ad Dabc	1080 MO
DUC/DREVE DU	40	Cd	1170 WB
	50	Ac	1170 WB
DUC/RUE DU 117 à fin	35	Cb	1200 WL
	36	Aa	1200 WL
DUC/RUE DU autres nos	35	Cb	1150 WP
	36	Aa	1150 WP
DUCAL/CHEMIN	38	Dab	1970 W-O
DUCALE/RUE	27	Fbd	1000 BR
	34	Cb	1000 BR
	93	Bd Ebcd	1000 BR
	95	Ba	1000 BR

D

Street	Map	Grid	Postcode
DUC DE CORSWAREM-			
LOOZ/AVENUE	82	Ea	1300 WA
DUC GODEFROID			
PREMIER/AVENUE	82	Ea	1300 WA
DUCHEGANG MARIUS	8	Abd	1800 VI
DUCHEHOF MAURITS	4	Bb	1800 VI
DUCHENE/PLACE-PLEIN			
ANDRE	43	Ed	1160 AU
DUC HENRI DE BRABANT/			
AVENUE	82	Dbd Ea	1300 WA
DUCHESSE/RUE DE LA	35	Cb	1040 ET
2 à 32			
DUCHESSE/RUE DE LA	35	Cb	1200 WL
numéro 34			
DUCHESSE/RUE DE LA	35	Cb	1150 WP
nos impairs			
DUCHESSE DE BRABANT/	26	Fb	1080 MO
PLACE DE LA	27	Da	1080 MO
DUCHESSE DE LORRAINE/			
AVENUE	82	Ea	1300 WA
DUCHESSE JEANNE/			
AVENUE	82	Db	1300 WA
DUCHESTRAAT MARIUS	4	Ab	1800 VI
DUC JEAN/AVENUE DU	19	Cc Fa	1083 GA
DUC JEAN PREMIER/			
AVENUE	82	Ea	1300 WA
DUCPETIAUX/	34	Ecd	1060 SG
AVENUE-LAAN	41	Ba	1060 SG
1 à/tot 157 &			
2 à/tot 148			
DUCPETIAUX/			
AVENUE-LAAN	41	Ba	1190 FO
150 à fin/tot einde			
DUCS/	37	Bb	
AVENUE DES		Cabcd	1970 W-O
DUCS/RUE DES	37	Bb Ca	1950 KR
DUCS DE BOURGOGNE/	82	Ad Db	
AVENUE DES		Ea	1300 WA
DUCS DE BRABANT/			
AVENUE DES	74	Ed	1310 L-H
DUC WENCESLAS/			
AVENUE	82	Db Ea	1300 WA
DUDINSART/DREVE	76	Da	1410 WA
DUDINSART/DREVE	76	Da	1640 S-G
DUIKERSTRAAT	13	Ec	1020 BR
DUINDOORNGALERIJ	29	Cd Fb	1200 WL
DUINGRASGAARDE	36	Fd	1150 WP
DUISBURGSEDREEF	38	Fd	3080 TE
DUISBURGSESTEENWEG	38	Ed	3080 TE
	45	Bb	
		Cab	3080 TE
DUITSLANDLAAN	60	Ab	3090 OV
DUIVELSBORREN	70	Fa	1652 AL
DUIVELSPUT	42	Ac	1000 BR
DUIVELTJESGAARDE	22	Dd	1140 EV
DUIVENKOTSTRAAT	27	Bd	1000 BR
	91	Dc	1000 BR
DUIVENMELKERSSTRAAT	40	Abd	1070 AN
DUIVENSCHIETING	37	Ad Db	
		Eac	1150 WP
	44	Ba	1150 WP
DUIVENSTRAAT	27	Ed	1000 BR
	94	Cb	1000 BR
DUIVENSTRAAT	59	Db Ea	3090 OV
DUIZENDBLADLAAN	59	Dac	3090 OV
DUIZENDBLADSTRAAT	7	Dd	1120 BR
DUIZENDGULDENKRUID-			
STRAAT	31	Eac	1970 W-O
DUIZEND METERLAAN	37	Abcd	1150 WP
DU JARDIN/AVENUE-LAAN			
JULES	37	Da	1150 WP
DUJARDIN/RUE-STRAAT			
JOSEPH	33	Cbd	1070 AN
DUMAS/AVENUE	82	Ecd	1300 WA
DUMAS/AVENUE			
ALEXANDRE	83	Fd	1410 WA
DUMON/PLACE-PLEIN	37	Ab Ba	1150 WP
DUMONCEAU/	34	Bcd	1000 BR
RUE-STRAAT	94	Fac	1000 BR
DUMONT/AVENUE-LAAN	29	Fb	1200 WL
ALBERT	30	Dac	1200 WL
DUMONT HERMANN/			
PLACE-PLEIN	34	Eb	1060 SG
DUMOULIN/RUE-STRAAT			
JEAN-BAPTISTE	37	Dd	1150 WP
DUNANT/AVENUE-LAAN	21	Fd	1140 EV
HENRY	22	Dc	1140 EV
D'UNION/AVENUE-LAAN			
PIERRE	49	Da	1180 UC
DUPLOYE/SQUARE EMILE	28	Ab	1030 SC
DUPONT/CLOS-GAARDE			
PIERRE	22	Dc	1140 EV
DUPONT/RUE-STRAAT	27	Cab	1030 SC
	91	Babd	1030 SC
DUPONT/RUE-STRAAT	34	Bb	1000 BR
JOSEPH	94	Cd	1000 BR
	95	Ac	1000 BR
DUPONT/RUE-STRAAT	21	Fb	1140 EV
PIERRE-PIETER	22	Dac	1140 EV
DUPRE/RUE-STRAAT	12	Fd	1090 JE
	13	Dc	1090 JE
DUPUICH/AVENUE-LAAN			
ADOLPHE	41	Ebcd	1180 UC
DUPUIS/BOULEVARD-	32	Cb	1070 AN
LAAN SYLVAIN	33	Aab Ba	1070 AN
DUQUESNOY/	27	Ed	1000 BR
RUE-STRAAT	92	Fb	1000 BR
	93	Da	1000 BR
DURAS/SQUARE	27	Bc	1000 BR
MARGUERITE	90	Eb	
DURAY/AVENUE-LAAN			
EMILE	42	Aabc	1050 IX
2 à/tot 62			
DURAY/AVENUE-LAAN			
EMILE	42	Ac	1000 BR
64 à fin/tot einde			
DU ROY DE BLICQUYLAAN	31	Ecd	1933 ST
DURY/RUE EMILE	76	Dbd	1410 WA
	83	Aab	1410 WA
DUVELSBORREWEG	70	Eab	1652 AL
DUVELSBORREWEG	70	Eab	1653 DW
DUYDELLE/RUE-STRAAT	26	Cc	1080 MO
DUYSBURGH/RUE-STRAAT	13	Dbd	1020 BR
1 à/tot 15 & 2 à/tot 20			
DUYSBURGH/RUE-STRAAT	13	Dcd	1090 JE
17 à fin/tot einde &			
22 à fin/tot einde			
DWARSHAAGSTRAAT/RUE	71	Bbd	1640 S-G

DWARSSTRAAT	27 Cd	1210 SJ
	28 Ac	1210 SJ
	91 Eb	
	Facd	1210 SJ
DWARSSTRAAT	67 Cb	3090 OV
DWERSBOS	55 Dac	1630 LI
DWERSBOS	54 Ed	1650 BE
	62 Bb	
	Cab	1650 BE
DWORPSESTRAAT	61 Cac	1651 LO
DYLE/RUE DE LA	20 Ed	1000 BR
DYLE/RUE DE LA	86 Bb	1301 BI
DYNASTIE/AVENUE DE LA	13 Bd Cc	1020 BR
DYNASTIE/PLACE DE LA	13 Bd	1020 BR

E

EAU/RUE DE L'	40 Ebd	1190 FO
EAU VIVE/RUE DE L'	83 Dd Ec	1420 B-A
EAUX VIVES/ AVENUE DES	75 Ecd	1331 RO
EBATS/RUE DES	19 Ea	1082 BA
EBBEBOMENLAAN	13 Bc Ea	1020 BR
EBENIERS/AVENUE DES	13 Bc Ea	1020 BR
EBRANT/RUE-STRAAT RAYMOND	40 Ac	1070 AN
EBURONENLAAN	5 Fc	1780 WE
EBURONENSTRAAT 2 tot 4	28 Db	1210 SJ
EBURONENSTRAAT onpare nrs & 6 tot einde	28 Db	1000 BR
EBURONS/ AVENUE DES	5 Fc	1780 WE
EBURONS/ CHAUSSEE DES	81 Ca	1300 WA
EBURONS/RUE DES 2 à 4	28 Db	1210 SJ
EBURONS/RUE DES nos impairs & 6 à fin	28 Db	1000 BR
ECHELLES/RUE DES	27 Bb	1000 BR
	90 Fb	1000 BR
ECHEVINAGE/ AVENUE DE L'	41 Dd Ec	1180 UC
ECHEVINS/RUE DES	35 Dcd	1050 IX
	42 Ab	1050 IX
ECHEVIN VAN MUYLDERS/ AVENUE	29 Fc	1200 WL
	36 Ba	1200 WL
ECKSTEINLAAN SERGE	11 Ccd	1731 ZE
ECLIPSE/RUE DE L'	27 Ea	1000 BR
	92 Bd	1000 BR
ECLIPSSTRAAT	27 Ea	1000 BR
	92 Bd	1000 BR
ECLUSE/RUE DE L'	29 Cab	1200 WL
ECLUSIER COGGE/ RUE DE L'	20 Cc Fa	1000 BR
ECOLE/RUE DE L'	27 Abd	1080 MO
	90 Ad Dab	1080 MO
ECOLE/RUE DE L'	72 Aac	1640 S-G
ECOLE/RUE DE L'	5 Bc	1780 WE
ECOLE MODERNE/RUE	33 Cb	1070 AN
ECOLES/RUE DES	85 Ea	1300 LI
ECOLES/RUE DES	74 Fd	1310 L-H
ECOLES/RUE DES	79 Fbd	1330 RI
	80 Da	1330 RI
ECOLES/SENTIER DES	80 Dac	1330 RI
ECOLIERS/CHEMIN DES	42 Dbd	1000 BR
ECOLIERS/RUE DES	43 Ad	1160 AU
ECONOMIE/RUE DE L'	34 Ba	1000 BR
	94 Bcd	1000 BR
ECOSSAIS/CLOS DES	83 Fbd	1410 WA
ECOSSE/RUE D'	34 Bd Eb	1060 SG
	94 Fd	1060 SG
ECU/AVENUE DE L'	21 Fd	1140 EV
ECUELLE/RUE DE L'	28 Eab	1000 BR
ECUREUIL/AVENUE DE L'	63 Cc Fa	1640 S-G
ECUREUIL/AVENUE DE L'	38 Aac	1970 W-O
ECUREUIL/CHEMIN DE L'	48 Ec	1180 UC
	55 Bac	1180 UC
ECUREUIL/CLOS DE L'	77 Aa	1410 WA
ECUREUILS/AVENUE DES	37 Cc Eb	
	Fa	1950 KR
ECUREUILS/SENTIER DES	49 Ba	1000 BR
ECUYER/AVENUE DE L'	72 Fb	1410 WA
ECUYER/AVENUE DE L'	72 Ccd	
	Fab	1640 S-G
ECUYER/RUE DE L'	27 Eb	1000 BR
	92 Cb	1000 BR
	93 Aac	1000 BR
EDELKNAAPSTRAAT	34 Fc	1050 IX
	41 Ca	1050 IX
EDELVROUWENPLEIN	40 Fa	1190 FO
EDELWEISS/ AVENUE DES-LAAN	30 Cd	1070 AN
EDEN CITY	41 Aa	1190 FO
EDIMBOURG/RUE D'	34 Cb	1050 IX
	95 Bc	1050 IX
EDINBURGSTRAAT	34 Cb	1050 IX
	95 Bc	1050 IX
EDINGENSESTEENWEG	68 Dd Ecd	1500 HA
EDINGENSESTEENWEG	68 Dd Ecd	1502 LE
EDINGENSTRAAT	26 Fb	1080 MO
EDISON/RUE-STRAAT	34 Dc	1190 FO
EDISONLAAN/AVENUE TH.	1 Fcd	1780 WE
EDUCATION/RUE DE L'	19 Ca	1083 GA
EECKELAERS/ RUE-STRAAT	28 Ad	1210 SJ
EEDGENOTENSTRAAT	28 Db Eab	1000 BR
EEDSTRAAT	33 Bab	1070 AN
EEKHOORNLAAN	63 Cc Fa	1640 S-G
EEKHOORNLAAN	38 Aac	1970 W-O
EEKHOORNLAAN	45 Ca	3080 TE
EEKHOORNTJESLAAN	37 Cc Eb	
	Fa	1950 KR
EEKHOORNTJESPAD	49 Ba	1000 BR
EEKHOORNWEG	48 Ec	1180 UC
	55 Bac	1180 UC
EEKHORENSWEG	65 Dd	1560 HO
	73 Aabc	1560 HO
EEKHORENTJESBRODEN-LAAN	42 Ed	1050 IX
EEKHOUD/AVENUE-LAAN GEORGES	21 Ba	1030 SC
EEKHOUT	60 Db Eac	3090 OV
EENBOOMSTRAAT	21 Cd	1140 EV
	22 Ac Dac	1140 EV
EENDEKKERLAAN	36 Cd	1150 WP
	37 Ac	1150 WP
EENDENLAAN	72 Ad	1640 S-G
EENDENLAAN	75 Aac	3090 OV

Straat	Kaart	Postcode
EENDRACHTLAAN	58 Fd	1560 HO
	66 Cb	1560 HO
EENDRACHTSTRAAT	34 Cc	1050 IX
1 tot 57 & 2 tot 66	95 Dd Ec	1050 IX
EENDRACHTSSTRAAT	34 Cc	1000 BR
59 tot einde &	95 Dd	1000 BR
68 tot einde		
EENENBOOMLAAN	22 Eb	1932 S-W
EENHOORNGAARDE	29 Ac	1200 WL
EENHOORNLAAN	29 Ac	1200 WL
EENMANSSTRAATJE	27 Eb	1000 BR
	92 Cd	1000 BR
EERLIJKHEIDSSTRAAT	42 Bd	1050 IX
EERWAARDE PATER	19 Fc	1080 MO
PIRESTRAAT	26 Ca	1080 MO
EEUWFEESTLAAN	13 Ab Bac	1020 BR
EEUWFEESTLAAN	2 Ab	1860 ME
EEUWFEESTPLEIN	13 Ab	1020 BR
	6 Dd	1020 BR
EEUWFEESTPLEIN	59 Fb	3090 OV
EEUWFEESTSQUARE	19 Ca	1083 GA
EEUWIGHEIDSLAAN	33 Bb	1070 AN
EEUWLAAN	3 Bd Eb	1850 GR
EEUWSTRAAT	51 Fa	3090 OV
EGALITE/AVENUE DE L'	87 Ccd	1325 D-V
EGALITE/AVENUE DE L'	88 Ec	1420 B-A
EGALITE/RUE DE L'	35 Eb	1040 ET
EGELANTIERENLAAN	36 Dabc	1150 WP
EGELDREEF	32 Fb	1070 AN
EGELLAAN	55 Bac	1180 UC
EGELSHOF	30 Ba	1950 KR
EGGE	3 Ab	1850 GR
EGGERGAT	54 Cb	1620 DR
EGGERICKXSTRAAT	58 Ed	1560 HO
WILLEM	66 Bab	1560 HO
EGGERICX/RUE-STRAAT		
JEAN-GERARD	36 Ab	1150 WP
EGGESTRAAT	43 Dd	1170 WB
EGIDIUSLAAN	59 Fa	3090 OV
EGLANTIERS/AVENUE DES	49 Dd	1180 UC
	55 Cb	1180 UC
	56 Aab	1180 UC
EGLANTIERS/CHEMIN DES	83 Da	1420 B-A
EGLANTINE/AVENUE DE L'	85 Bac	1300 WA
EGLANTINES/AVENUE DES	36 Dabc	1150 WP
EGLANTINES/AVENUE DES	83 Cab	1410 WA
EGLANTINES/AVENUE DES	2 Da	1780 WE
EGLANTINES/AVENUE DES	30 Fc	1970 W-O
	37 Ca	1970 W-O
EGLANTINES/CHEMIN DES	30 Eac	1950 KR
EGLISE/ALLEE DE L'	40 Fa	1190 FO
EGLISE DE FER/DREVE L'	77 Fc	1380 CO
EGLISE/PETITE RUE DE L'	36 Bb	1150 WP
EGLISE/PLACE DE L'	19 Dc	1082 BA
EGLISE/RUE DE L'	19 Dcd	1082 BA
EGLISE/RUE DE L'	30 Dd	1150 WP
	37 Ab	1150 WP
EGLISE/RUE DE L'	81 Dabd	1301 BI
EGLISE/RUE DE L'	74 Fd	1310 L-H
EGLISE/RUE DE L'	79 Fb	1330 RI
	80 Dacd	1330 RI
EGLISE/RUE DE L'	83 Aa	1410 WA
EGLISE/RUE DE L'	47 Fac	1620 DR
EGLISE/RUE DE L'	55 Dab	1630 LI
EGLISE/RUE DE L'	71 Bab	1640 S-G
EGLISE/RUE DE L'	5 Bc	1780 WE
EGLISE/SENTIER DE L'	83 Aa	1410 WA
EGLISE-SAINT-JULIEN/		
AVENUE DE L'	42 Cb	1160 AU
EGLISE-ST.-GILLES/	34 Ad Bc	
RUE DE L'	Ea	1060 SG
	94 Ec	1060 SG
EGLISE-ST.-LAMBERT/		
RUE DE L'	29 Ed	1200 WL
EGLISE ST.-MARTIN/		
RUE DE L'	19 Bd	1083 GA
EGLISE ST.-PIERRE/		
RUE DE L'	12 Fd	1090 JE
EGLISE STE.-ANNE/	20 Dc	1081 KO
RUE DE L'	27 Aa	1081 KO
EGMONT/RUE D'-STRAAT	34 Cb	1000 BR
	95 Babd	1000 BR
EGYPTENARENSTRAAT	42 Bc	1050 IX
EGYPTIENS/RUE DES	42 Bc	1050 IX
EIDER/RUE DE L'	50 Aa	1170 WB
EIDERGANSSTRAAT	50 Aa	1170 WB
EIERPLANTENSTRAAT	26 Dc	1070 AN
EIGENBRAKEL/		
STEENWEG NAAR	71 Ad	1652 AL
EIGENBRAKELSE-		
STEENWEG	71 Ad Db	1640 S-G
EIGENHUIS/RUE-STRAAT	50 Db	1170 WB
EIKDELLE	62 Fabd	1652 AL
EIKELENBERGSTRAAT	25 Cc	1700 DI
EIKELSTRAAT	40 Cb	1190 FO
	41 Aa	1190 FO
EIKENBERGSTRAAT	35 Eb	1040 ET
EIKENBOS	71 Aa	1652 AL
EIKENBOSLAAN	48 Eabd	1180 UC
	55 Bb Ca	1180 UC
EIKENBOSSTRAAT/RUE	71 Cc Fa	1640 S-G
EIKENDALLAAN	6 Fb	1800 VI
EIKENDALWEG	50 Fbcd	1170 WB
	51 Dac	1170 WB
	57 Bab Ca	1170 WB
EIKENHOF	23 Eb	1933 ST
EIKENHOUW	70 Dcd	1653 DW
EIKENLAAN	49 Acd	1180 UC
EIKENLAAN	69 Da	1500 HA
EIKENLAAN	64 Bc Db	
	Ea	1640 S-G
EIKENLAAN	51 Ebd	3090 OV
	58 Bb	3090 OV
EIKENWEG	43 Cbd	1160 AU
EIKESTRAAT	45 Ad Bc	
	Db Ea	3080 TE
EIKHOVE	49 Cd Fb	1170 WB
EIKLAAN	46 Fb	1600 P-L
EIKSTRAAT	27 Ed	1000 BR
	92 Fab	1000 BR
EIKSTRAAT	4 Bd	1800 VI
EIKVELDSTRAAT	69 Bb	1654 HU
EILANDENHOUTSTRAAT	19 Aac	1082 BA
EILAND ST.-HELENA-	33 Fc	1070 AN
STRAAT	40 Ca	1070 AN
EIZINGENDORP	69 Aab	1501 BU
EIZINGENSTRAAT	68 Fb	1500 HA
	69 Da	1500 HA
EKELMANS/RUE-STRAAT		
JEAN	43 Ed	1160 AU

E

Street	Map	Grid	Postal code
EKSELBOSLAAN/			
AVENUE D'	56	Dcd	1640 S-G
EKSTERBERG	23	Aa	1932 S-W
EKSTERSTRAAT	7	Aa	1800 VI
ELAN/RUE DE L'	42	Fc	1170 WB
	49	Ca	1170 WB
ELANDSTRAAT	42	Fc	1170 WB
	49	Ca	1170 WB
ELBEEKSTRAAT	68	Bcd Db	
		Ea	1500 HA
ELBERS/RUE-STRAAT			
FERDINAND	26	Aa	1082 BA
109 à/tot 111 &			
61 à/tot 73			
ELBERS/RUE-STRAAT			
FERDINAND	26	Aab	1080 MO
autres nos/andere nrs			
ELCERLYCLAAN	59	Fa	3090 OV
ELECTRICITE/RUE	33	Cac	1070 AN
ELEGASTLAAN	59	Fab	3090 OV
ELEGEMSTRAAT	18	Dd Ec	1700 DI
	25	Ab Bab	1700 DI
ELEGIE/			
RUE DE L'-STRAAT	26	Bd	1080 MO
ELEKTRICITEITSSTRAAT	33	Cac	1070 AN
ELEONORE/AVENUE-LAAN	35	Fbd	1150 WP
	38	Dc	1150 WP
ELEPHANT/RUE DE L'	27	Ac	1080 MO
	90	Dc	1080 MO
ELFBUNDERSLAAN	55	Dc	1650 BE
	63	Aacd	1650 BE
ELFBUNDERSLAAN	55	Dc	1652 AL
	63	Aacd	1652 AL
ELF-NOVEMBERLAAN	35	Bd Cc	1040 ET
ELISABETH/PARC-PARK	19	Fabd	1081 KO
	20	Dc	1081 KO
ELISABETHLAAN	17	Fb	3070 KO
ELISABETHLAAN	38	Bc Eab	3080 TE
ELISABETHLAAN/			
AVENUE	38	Bc Eab	1970 W-O
ELISABETHPARKSTRAAT	19	Fd	1081 KO
	20	Dc	1081 KO
ELISE/RUE	42	Abd Ba	1050 IX
ELIZASTRAAT	42	Abd Ba	1050 IX
ELLEBORES/RUE DES	43	Db	1170 WB
ELLEBOUDT/			
AVENUE-LAAN HENRI	41	Ec	1180 UC
ELOY/RUE-STRAAT	33	Cbd	1070 AN
	34	Aa	1070 AN
ELSEMHEIDELAAN	70	Fab	1652 AL
ELSENBORN/AVENUE D'	78	Fb	1332 GE
	79	Dac	1332 GE
ELSENEGALERIJ	34	Cab	1050 IX
	95	Bc	1050 IX
ELSENSE STEENWEG	34	Cacd	
		Fb	1050 IX
	35	Da	1050 IX
	95	Bc	
		Eacd	1050 IX
ELSGATVELD	63	Cab	1630 LI
ELSKAMP/RUE-STRAAT	33	Ac	1070 AN
ELST	47	Fc	1620 DR
	54	Ca	1620 DR
ELYZEESE VELDENSTRAAT	34	Cd Fb	1050 IX
	95	Ed	1050 IX

Street	Map	Grid	Postal code
ELZAS-LOTHARINGEN-	34	Cb	1050 IX
STRAAT	95	Bd	1050 IX
ELZEBOOMLAAN	41	Dc	1180 UC
	48	Aa	1180 UC
ELZENBOSWEG	71	Fd	1640 S-G
	72	Dc	1640 S-G
ELZENDREEF	25	Bd	1700 DI
ELZENGAARDE	75	Fd	3090 OV
ELZENLAAN	45	Bc	3080 TE
ELZENSTRAAT	18	Db Ea	1702 G-B
EMANCIPATION/RUE DE L'	40	Aa	1070 AN
EMBARCADERE/	42	Dd Ec	1000 BR
SENTIER DE L'	49	Ba	1000 BR
EMERAUDE/AVENUE DE L'	28	Bd Cc	1030 SC
EMERAUDE/AVENUE DE L'	71	Acd	
		Dab	1640 S-G
EMERILLONS/RUE DES	50	Aa	1170 WB
EMMANUELLAAN	8	Ad Dab	1830 MA
EMPEREUR/AVENUE DE L'	88	Ea	1420 B-A
EMPEREUR/	27	Ed Fc	1000 BR
BOULEVARD DE L'	92	Fcd	1000 BR
	93	Dac	1000 BR
EMULATION/RUE DE L'	26	Ed Fc	1070 AN
ENCLOS/CHEMIN DE L'	86	Dc	1300 LI
ENCLUME/RUE DE L'	28	Da	1210 SJ
	93	Cbd	1210 SJ
ENDYMION/CHEMIN-WEG	42	Dc	1000 BR
ENDYMIONS/SENTIER DES	49	Fab	1170 WB
ENERGIE/RUE DE L'	40	Ab	1070 AN
ENFANT DES ETOILES/			
CLOS DE L'	84	Bd	1330 RI
ENFANTS NOYES/	49	Ebcd	
DREVE DES		Fa	1180 UC
ENGELAND/RUE-STRAAT	48	Dacd	1180 UC
	55	Ab	
		Babd	1180 UC
ENGELANDLAAN	3	Fd	1800 VI
	7	Cab	1800 VI
ENGELANDSTRAAT	34	Ad	1060 SG
	94	Db Ea	1060 SG
ENGELANDSTRAAT	63	Ec	1652 AL
ENGELENBERGSTRAAT	20	Dcd	1081 KO
39 & pare nrs	90	Aa	1081 KO
ENGELENBERGSTRAAT	20	Dcd	1080 MO
andere nrs	90	Aa	1080 MO
ENGELSELAAN	58	Dd	1560 HO
	66	Ab	1560 HO
ENGELSESTRAAT	27	Ab	1080 MO
	90	Bc	1080 MO
ENGELWORTELSTRAAT	43	Db	1170 WB
ENGHIEN/RUE D'	26	Fb	1080 MO
ENGOULEVENT/RUE DE L'	50	Aa	1170 WB
ENNEPETALPLEIN	3	Fd	1800 VI
ENSEIGNEMENT/	27	Fb	1000 BR
RUE DE L'	93	Babc	1000 BR
ENSEMBLE/			
JEAN CHRISTOPHE	19	Db	1082 BA
ENSOR/RUE-STRAAT	26	Fc	1070 AN
JAMES	33	Bb Ca	1070 AN
ENSORDREEF	52	Eab	3090 OV
ENSORLAAN JAMES	3	Fabd	1800 VI
ENTHOUSIASME/RUE DE L'	32	Bb Ca	1070 AN
ENTR'AIDE/AVENUE DE L'	19	Ea	1082 BA
ENTREPOT/RUE DE L'	20	Bd	1020 BR
EOLIENNES/AVENUE DES	29	Cc	1200 WL

Straat / Rue	Kaart / Carte	Postcode / Code postal
EPARGNE/RUE DE L'	27 Bbd	1000 BR
	90 Fb	1000 BR
EPEAUTRE CHAMP DE L'	31 Db	1970 W-O
EPEE/RUE DE L'	34 Bb	1000 BR
	94 Ccd	1000 BR
EPELAAR	70 Dc	1653 DW
EPERON/AVENUE DE L'	82 Dd	1300 WA
	87 Ab	1300 WA
EPERONNIERS/ IMPASSE DES (VOIR RUE DES	27 Eb	1000 BR
EPERONNIERS 27-31)	92 Fb	1000 BR
EPERONNIERS/RUE DES	27 Ebd	1000 BR
	92 Fb	1000 BR
EPERONS D'OR/ AVENUE DES	35 Dc	1050 IX
EPERVIER/AVENUE DE L'	72 Bbd	1640 S-G
EPERVIERS/AVENUE DES	36 Dabc	1150 WP
EPICEAS/RUE DES	42 Fbd	1170 WB
EPICEAS/VENELLE AUX	87 Ad	1300 WA
EPICEASTRAAT	42 Fbd	1170 WB
EPINOCHES/CLOS DES	88 Dcd	1420 B-A
EPINOY/AVENUE D'	88 Ad	1420 B-A
EQUATEUR/RUE DE L'	48 Ccd	1180 UC
EQUERRE/RUE DE L'	14 Fd	1140 EV
	21 Cb	1140 EV
EQUINOXE/AVENUE DE L'	29 Dab	1200 WL
EQUINOXE/AVENUE DE L'	86 Ac	1300 LI
EQUIPAGES/ALLEE DES	42 Dbd	1000 BR
EQUIPAGES/DREVE DES	50 Dbd Ec	1170 WB
EQUITE/RUE DE L'	20 Aa	1090 JE
ERABLES/AVENUE DES	79 Bb	1332 GE
ERABLES/AVENUE DES	76 Cb	1410 WA
ERABLES/AVENUE DES	64 Dbcd Ea	1640 S-G
ERABLES/AVENUE DES	30 Ed	1970 W-O
ERABLES/CLOS DES	30 Ec	1950 KR
ERABLES/RUE DES	35 Bcd	1040 ET
ERASME/AVENUE	1 Facd	1780 WE
ERASME/RUE	33 Bab	1070 AN
ERASMUSLAAN	1 Facd	1780 WE
ERASMUSSTRAAT	33 Bab	1070 AN
EREDIENSTSTRAAT	27 Cd Fb	1000 BR
	93 Bb	1000 BR
ERF DE KEIZER	63 Dac	1652 AL
ERFPRINSLAAN	28 Fbd	1200 WL
	29 Dc	1200 WL
	36 Aa	1200 WL
ERF TENBROEK	70 Cd	1652 AL
ERICALAAN	56 Dcd	1640 S-G
ERICAS/AVENUE DES	56 Dcd	1640 S-G
ERMITAGE/AVENUE DE L'	70 Fd	1420 B-A
ERMITAGE/AVENUE DE L'	63 Fd	1640 S-G
ERMITAGE/RUE DE L'	34 Fb	1050 IX
	35 Da	1050 IX
ERMITAGE/RUE DE L'	81 Eb Fa	1300 WA
ERNESTINE/AVENUE-LAAN	42 Ad	1050 IX
ERNOTTE/RUE-STRAAT LOUIS	42 Ed Fc	1050 IX
nos impairs/onpare nrs	49 Bb	1050 IX
ERNOTTE/RUE-STRAAT LOUIS	42 Ed Fc	1170 WB
nos pairs/pare nrs	49 Bb Ca	1170 WB
ERPSESTRAAT	17 Db Eab	1930 NO
ERPSESTRAAT	17 Cd	3070 KO
ERRERA/AVENUE-LAAN LEO	41 Ebd	1180 UC
ESCADRON/RUE DE L'	35 Ccd	1040 ET
ESCAILLE/RUE DE L'	81 Cd	1300 WA
ESCALIER/RUE DE L'	27 Ed	1000 BR
	92 Fbd	1000 BR
ESCAUT/RUE DE L'	20 Ad Db	1080 MO
ESCAVEE ROUGE/ AVENUE DE L'	87 Fc	1325 D-V
ESCRIME/AVENUE DE L'	37 Aabc	1150 WP
ESCRIME/RUE DE L'	41 Aabd	1190 FO
ESCRIMEURS/RUE DES	34 Ba	1000 BR
	94 Ca	1000 BR
ESDOORNENHOF	30 Ec	1950 KR
ESDOORNENLAAN	51 Fbcd	3090 OV
ESDOORNLAAN	46 Fb	1600 P-L
ESDOORNLAAN	3 Eacd	1850 GR
ESKADRONSTRAAT	35 Ccd	1040 ET
ESLAAN	13 Cbd	1020 BR
ESMOREITLAAN	59 Cc Fa	3090 OV
ESPACE VERT/RUE DE L'	15 Acd	1130 BR
ESPAGNE/AVENUE D'	88 Dc	1420 B-A
ESPAGNE/PLACE D'	27 Eb	1000 BR
	92 Cd Fb	1000 BR
	93 Ac Da	1000 BR
ESPAGNE/RUE D'	34 Eacd	1060 SG
ESPERANCE/RUE DE L'	20 Dd	1080 MO
	27 Ab	1080 MO
	90 Ba	1080 MO
ESPINETTE/CHEMIN DE L'	72 Ba	1640 S-G
ESPINETTE CENTRALE/ AVENUE DE L'	64 Aabcd Ba	1640 S-G
ESPLANADE	6 Dd Ec	1020 BR
ESPLANADE/	30 Ed Fc	1970 W-O
AVENUE DE L'	37 Bb	1970 W-O
ESPLANADE/CLOS DE L'	30 Ed	1970 W-O
	37 Bb	1970 W-O
ESPLANADE/ RUE DE L'-STRAAT	34 Cb	1000 BR
nos pairs/pare nrs	95 Bbd	1000 BR
ESPLANADE/ RUE DE L'-STRAAT	34 Cb	1050 IX
nos impairs/onpare nrs	95 Bbd	1050 IX
ESSARTS/CLOS DES	37 Ad Bc	1150 WP
ESSARTS/CLOS DES	76 Dc	1410 WA
ESSEGHEM/RUE-STRAAT	13 Dd	1090 JE
	20 Ab	1090 JE
ESSELAAR	55 Ed	1630 LI
ESSELVELDSTRAAT/RUE	30 Bab	1950 KR
ESSENDALLAAN	7 Da	1800 VI
ESSENLAAN	37 Bc	1950 KR
ESSTRAAT	22 Fab	1932 S-W
EST/RUE DE L'	21 Dc	1030 SC
EST/RUE DE L'	21 Fd	1140 EV
ESTREE/AVENUE DE L'	83 Dc	1420 B-A
ETANG/AVENUE DE L'	82 Dcd	1300 WA
ETANG/RUE DE L'	35 Ad	1040 ET
ETANG/RUE DE L'	74 Fb	1310 L-H
ETANG DECELLIER/ AVENUE	74 Ebd	1310 L-H
ETANGS/AVENUE DES	71 Dc	1420 B-A
ETANGS/AVENUE DES	12 Ba	1780 WE
	5 Eabc	1780 WE
ETANGS/CHEMIN DES	43 Cd Fb	1160 AU
	44 Da	1160 AU

E

ETANGS/CHEMIN DES	63	Fd	1640 S-G
ETANGS/CLOS DES	35	Ad	1040 ET
ETANGS/DREVE DES	80	Abcd	
		Da	1330 RI
ETANGS/DREVE DES	55	Dac	1630 LI
ETANGS NOIRS/RUE DES	26	Cbd	1080 MO
	27	Aa	1080 MO
ETE/AVENUE DE L'	76	Ed Fc	1410 WA
	83	Bb	1410 WA
ETE/RUE DE L'	42	Babd	1050 IX
ETE/RUE DE L'	86	Ad	1300 LI
ETENDARD/RUE DE L'	28	Ea	1000 BR
ETERNITE/AVENUE DE L'	33	Bb	1070 AN
ETOILE/ROND-POINT DE L'	42	Ad	1050 IX
ETOILE/RUE DE L'	47	Cc Fa	1180 UC
ETOILE/RUE DE L'	80	Fbcd	1301 BI
	81	Da	1301 BI
ETOILE/RUE DE L'	47	Fac	1620 DR
ETOILE POLAIRE/			
RUE DE L'	18	Fd	1082 BA
ETOILES/CHAMP DES	31	Db	1970 W-O
ETOURNEAU/RUE DE L'	43	Dd	1170 WB
ETOURNEAUX/			
AVENUE DES	79	Fa	1330 RI
ETOURNEAUX/RUE DES	80	Cb	1301 BI
ETRIER/AVENUE DE L'	87	Ab	1300 WA
ETRIERS/AVENUE DES	37	Abd	1150 WP
ETTERBEEK/CHAUSSEE D'	28	Dd	1000 BR
1 à 15	35	Ab	1000 BR
ETTERBEEKSESTEENWEG	28	Dd	1000 BR
1 tot 15	35	Ab	1000 BR
ETUDIANTS/RUE DES	34	Ea	1060 SG
ETUVE/RUE DE L'	27	Ebcd	1000 BR
	92	Fabc	1000 BR
EUROPADORPSTRAAT	18	Fd	1082 BA
	19	Dc	1082 BA
EUROPADORPSTRAAT	25	Cb	1082 BA
EUROPAESPLANADE	34	Ab	1060 SG
	94	Acd	1060 SG
EUROPAKRUISPUNT	27	Fac	1000 BR
	93	Da	1000 BR
EUROPALAAN	59	Dd	1560 HO
	67	Ab	1560 HO
EUROPALAAN	53	Dac	1600 P-L
	61	Aa	1600 P-L
EUROPALAAN	22	Eabcd	1932 S-W
EUROPALAAN	30	Fd	1970 W-O
EUROPAPLEIN	35	Fb	1150 WP
	36	Da	1150 WP
EUROPAPLEIN	61	Ca	1651 LO
EUROPAPLEIN	3	Fd	1800 VI
EUROPE/AVENUE DE L'	84	Cd	1330 RI
	85	Aac	1330 RI
EUROPE/AVENUE DE L'	30	Fd	1970 W-O
EUROPE/	81	Fbcd	1300 WA
BOULEVARD DE L'	86	Ad Babc	
		Ca Dbcd	1300 WA
EUROPE/			
BOULEVARD DE L'	88	Ad Bc	1420 B-A
EUROPE/	27	Fac	1000 BR
CARREFOUR DE L'	93	Da	1000 BR
EUROPE/	34	Ab	1060 SG
ESPLANADE DE L'	94	Acd	1060 SG
EUROPE/SQUARE DE L'	35	Fb	1150 WP
EUROPE/SQUARE DE L'	36	Da	1150 WP
EUTERPE/RUE-STRAAT	26	Cac	1080 MO
EVENAARSSTRAAT	48	Ccd	1180 UC
EVENEPOEL/RUE-STRAAT			
HENRI	28	Cbcd	1030 SC
EVENINGLAAN	29	Dab	1200 WL
EVENTAIL/RUE DE L'	34	Bab	1000 BR
	94	Cc	1000 BR
EVEQUE/RUE DE L'	27	Bd Eb	1000 BR
	92	Cab	1000 BR
EVERAERTS/RUE GERY	86	Dd	1300 LI
EVERARD/AVENUE-LAAN	41	Ad	1190 FO
EVERE/RUE D'	22	Ad Bc	1140 EV
EVERS/RUE-STRAAT	34	Bc	1000 BR
	94	Fac	1000 BR
EVERSESTRAAT	22	Ad Bc	1140 EV
EVERSESTRAAT	22	Bcd Eb	
		Fab	1932 S-W
EVERSLAAN	24	Cbd	3078 EV
EVERZWIJNENSTRAAT	49	Cd	1170 WB
EVERZWIJNTJESSTRAAT	49	Cd	1170 WB
EVOLUTION/RUE DE L'	19	Ea	1082 BA
EXCELSIORLAAN	16	Dac	1930 ZA
EXCURSION/AVENUE DE L'	29	Fbd	1200 WL
EXPANSION/RUE DE L'	33	Ba	1070 AN
EXPOSITION/AVENUE DE L'	12	Bbd Cc	
		Fac	1090 JE
EXPOSITION UNIVERSELLE/	12	Fc	1083 GA
AVENUE DE L'	19	Cac	1083 GA
EXPRESSIONNISME/			
AVENUE DE L'-LAAN	21	Cb	1140 EV
EYCKENVELDSTRAAT/			
RUE	30	Bc Ea	1950 KR
EZELSSTRAAT	34	Ca	1000 BR
	95	Ab	1000 BR
EZELSWEG	71	Eb	
		Facd	1640 S-G

F

FABRIEKSSTRAAT	27	Db Ea	1000 BR
	92	Abd Bc	1000 BR
FABRIEKSSTRAAT	16	Ad Db	
		Eac	1930 ZA
FABRIEKSTRAAT	68	Eb	1500 HA
FABRIEKSTRAAT	47	Dcd	1601 RU
	53	Cbd	1601 RU
	54	Aa	1601 RU
FABRIEKSTRAAT	70	Fac	1652 AL
FABRIEKSTRAAT	4	Bd Cc	
		Eb Fa	1800 VI
FABRIEKSWEG	3	Cb	1850 GR
	4	Aa	1850 GR
FABRIQUE/			
PARKING DE LA	82	Ab	1300 WA
FABRIQUE/RUE DE LA	82	Ab	1300 WA
FABRIQUES/PONT DES	82	Ab	1300 WA
FABRIQUES/RUE DES	27	Db Ea	1000 BR
	92	Abd Bc	1000 BR
FABRY/RUE-STRAAT	36	Bb	1200 WL
FACQ/SENTIER LAURENT	81	Db	1301 BI
FACTEUR/RUE DU	27	Ab	1080 MO
	90	Db	1080 MO
FAES/RUE-STRAAT	19	Cd	1090 JE
EDOUARD	20	Ac	1090 JE

FAIDER/RUE-STRAAT	34	Eb Fa	1060 SG
1 à/tot 25A &			
2 à/tot 28A			
FAIDER/RUE-STRAAT	34	Fac	1050 IX
27 à fin/tot einde &			
30 à fin/tot einde			
FAINES/RUE DES	14	Babc	1120 BR
FAISAN/AVENUE DU	72	Ebd	1410 WA
FAISAN/RUE DU	83	Dbcd	1420 B-A
FAISANDERIE/			
AVENUE DE LA	36	Fd	1160 AU
numéro 1			
FAISANDERIE/			
AVENUE DE LA	36	Fd	1150 WP
autres nos	37	Dc	1150 WP
FAISANDERIE/			
AVENUE DE LA	75	Dd	1332 GE
FAISANS/AVENUE DES	80	Ca	1301 BI
FAISANS/AVENUE DES	64	Aa	1640 S-G
FAISANS/AVENUE DES	37	Bd Cc	
		Eb	1950 KR
FAISANS/CHEMIN DES	51	Aab	1160 AU
FAISANS/CLOS DES	1	Fc	1780 WE
FAISANS/RUE DES	34	Bc	1000 BR
	94	Ebd	1000 BR
FAKKELLOOPSTRAAT	20	Dc	1081 KO
	90	Aa	1081 KO
FAMILIELAAN	40	Fc	1190 FO
FAMILLES/AVENUE DES	40	Fc	1190 FO
FAONS/AVENUE DES	55	Bc	1180 UC
FAONS/LAIE AUX	86	Fcd	1300 LI
FAUBOURG/RUE DU	27	Bb	1000 BR
	90	Cb	1000 BR
FAUCHILLE/RUE-STRAAT			
ANDRE	36	Ac	1150 WP
FAUCILLE/	27	Bc	1000 BR
IMPASSE DE LA	92	Bb	1000 BR
FAUCILLE/RUE DE LA	37	Cd Fb	1970 W-O
FAUCON/AVENUE DU	72	Ebd	1410 WA
FAUCON/AVENUE DU	72	Eb	1640 S-G
FAUCON/RUE DU	34	Babd	1000 BR
	94	Cc Fa	1000 BR
FAUCONNERIE/	43	Dc	1170 WB
AVENUE DE LA	50	Aab	1170 WB
FAUCONS/LAIE AUX	86	Fc	1300 LI
FAUNES/SENTIER DES	42	Da	1000 BR
FAURE/AVENUE-LAAN			
GABRIEL	41	Aac	1190 FO
FAUVETTE/AVENUE DE LA	64	Ed Fc	1640 S-G
	72	Bb	1640 S-G
FAUVETTE/RUE DE LA	48	Abd	1180 UC
FAUVETTES/	80	Ecd	1300 LI
AVENUE DES	85	Ba	1300 LI
FAUVETTES/			
AVENUE DES	30	Ba	1950 KR
FAUVETTES/DREVE DES	55	Dcd	1630 LI
FAUVETTES/RUE DES	88	Dab	1420 B-A
FAVRESSE/PLACE			
ALPHONSE	75	Ac	1310 L-H
FAZANTENHEEM	1	Fc	1780 WE
FAZANTENLAAN	67	Aa	1560 HO
FAZANTENLAAN	61	Aabcd	1600 P-L
FAZANTENLAAN	64	Aa	1640 S-G
FAZANTENLAAN	7	Ad	1800 VI
FAZANTENLAAN	2	Db	1860 ME

FAZANTENLAAN	23	Bb	1930 ZA
FAZANTENLAAN	37	Bd Cc	
		Eb	1950 KR
FAZANTENLAAN	24	Cd	3078 EV
FAZANTENLAAN	45	Bb	3080 TE
FAZANTENLAAN	75	Aac	3090 OV
FAZANTENPARKLAAN	36	Fd	1160 AU
nummer 1			
FAZANTENPARKLAAN	36	Fd	1150 WP
andere nrs	37	Dc	1150 WP
FAZANTENSTRAAT	34	Bc	1000 BR
	94	Ebd	1000 BR
FAZANTENSTRAAT	3	Cd	1850 GR
FAZANTENWEG	51	Aab	1160 AU
FAZANTENWEG	70	Cab	1652 AL
FAZANTENWEG	38	Fbd	3080 TE
	45	Fc	3080 TE
	52	Ca	3080 TE
FEBRUARILAAN	28	Fb	1200 WL
	29	Ac Da	1200 WL
FECONDITE/			
AVENUE DE LA	32	Ca	1070 AN
FELDHEIMSTRAAT ALEX	16	Ad Bc	
		Ea	1930 ZA
FELICESTRAAT MARCEL	58	Ec	1560 HO
FELIX/AVENUE	80	Ac Da	1330 RI
FENAISON/RUE DE LA	19	Cac	1083 GA
FENELON/RUE-STRAAT	25	Fd	1070 AN
FENNERAIE/RUE DE LA	87	Ed	1325 D-V
FER A CHEVAL/			
CHEMIN DU	49	Fac	1170 WB
FER A CHEVAL/	49	Ebcd	
CHEMIN DU		Fac	1180 UC
	56	Bab	1180 UC
FER A CHEVAL/RUE DU	30	Fab	1970 W-O
FERDAUCI/AVENUE-LAAN	13	Cb	1020 BR
FERME/AVENUE DE LA	83	Aa	1410 WA
FERME/DREVE DE LA	30	Cd Fab	1970 W-O
FERME/RUE DE LA	28	Acd	1210 SJ
	91	Fd	1210 SJ
	93	Cb	1210 SJ
FERME/RUE DE LA	80	Dc	1330 RI
	85	Aa	1330 RI
FERME/RUE DE LA	63	Fac	1640 S-G
FERME/RUE DE LA	37	Ba	1950 KR
FERME DE L'EMPEREUR/			
AVENUE	78	Bb	1310 L-H
FERME DES MORTS/			
CHEMIN DE LA	86	Ebcd	1300 LI
FERME DU PLAGNIAU/			
RUE DE LA	80	Bb	1331 RO
FERME FRANCARD/			
AVENUE	74	Ebd	1310 L-H
FERME MALEVE	87	Bd Eb	
		Fa	1325 D-V
FERME RENARD/			
CHEMIN DE LA	84	Dc	1380 LA
FERMERIJGANG	27	Bd	1000 BR
	90	Fd	1000 BR
FERMERIJSTRAAT	27	Bd	1000 BR
	90	Fc	1000 BR
FERME ROSE/			
AVENUE DE LA	41	Ec	1180 UC
FERME ROSE/			
CHEMIN DE LA	78	Cc	1380 OH

Street	Page	Grid	Postcode
FERON/RUE-STRAAT	34	Ad Dab	1060 SG
EMILE	94	Dcd	
		Eac	1060 SG
FERRAILLE/	27	Ec	1000 BR
IMPASSE DE LA	92	Eab	1000 BR
FERRESTRAAT GEORGE	8	Bbd	1830 MA
FETIS/RUE-STRAAT	35	Bc	1040 ET
FETISSTRAAT	4	Bb	1800 VI
FEU/RUE DU	40	Cab	1190 FO
FEUILLAGE/AVENUE DU	49	Dbd	1180 UC
FEUILLIEN/AVENUE-LAAN	12	Ed	1083 GA
HENRI	19	Bb	1083 GA
FEVRIER/AVENUE DE	28	Fb	1200 WL
	29	Ac Da	1200 WL
FEZELARENSTRAAT	60	Da	3090 OV
FIANCEE/RUE DE LA	27	Bd	1000 BR
	90	Fbd	1000 BR
FIDELES/RUE DES	41	Dd	1180 UC
	48	Ab	1180 UC
FIDELITE/IMPASSE DE LA	27	Eb	1000 BR
	92	Cd	1000 BR
FIERS/RUE-STRAAT			
EDOUARD	21	Dd	1030 SC
FIJNE SPARRENDREEF	65	Abcd	
		Ba Da	1560 HO
FIJTLAAN JAN	52	Ec	3090 OV
FILATURE/RUE DE LA	94	Dc	1060 SG
	94	Ed	1060 SG
FILIPS DE GOEDESTRAAT	28	Dabc	1000 BR
	93	Fb	1000 BR
FILLEUL/RUE DU	41	Ba	1190 FO
FIN/RUE-STRAAT	27	Ad	1080 MO
	90	Dcd	1080 MO
FINANCIALAAN	67	Facd	3090 OV
FINEAU/RUE-STRAAT	13	Ec	1020 BR
FINISTERE/RUE DU	27	Bd	1000 BR
	91	Dc	1000 BR
FINISTERRAESTRAAT	27	Bd	1000 BR
	91	Dc	1000 BR
FISCHERLAAN LEON	2	Ab	1860 ME
FLAGEY/PLACE-PLEIN			
EUGENE	35	Da	1050 IX
FLAMAND/RUE PIERRE	83	Ad Bc	
		Dabc	1420 B-A
	88	Aa	1420 B-A
FLAMANDS/RUE DES	19	Cb	1090 JE
FLAMINGOHOF	60	Bb	3090 OV
FLANDRE/PORTE DE	27	Ad	1000 BR
	90	Ec	1000 BR
FLANDRE/RUE DE	27	Ad Bc	1000 BR
	90	Ecd	1000 BR
	92	Bb	1000 BR
FLANDRE/RUE DE	81	Fb	1300 WA
FLEAU D'ARMES/			
AVENUE DU	28	Cb	1140 EV
FLECHE/RUE DE LA	27	Bb	1000 BR
	90	Cbd	1000 BR
FLEMINGLAAN/AVENUE			
ALEXANDRE	1	Fab	1780 WE
FLERON/AVENUE DE-LAAN	40	Fc	1190 FO
FLESSINGUE/RUE DE	20	Dab	1080 MO
FLETRY/CHEMIN DU	80	Ebd	1300 LI
FLETTESTRAAT	25	Dd	1700 DI
	32	Ab	1700 DI
FLEURBEEKGANG	54	Eb	1650 BE

Street	Page	Grid	Postcode
FLEURBEEKSTRAAT/RUE	47	Cc Fa	1620 DR
FLEUR DE BLE/			
AVENUE DE LA	30	Da	1200 WL
FLEUR DE BLE/			
PLACE DE LA	30	Dacd	1200 WL
FLEUR D'ORANGER/			
RUE DE LA	30	Dd	1150 WP
FLEURI/CLOS	19	Dac	1082 BA
FLEURI/CLOS	64	Dab	1640 S-G
FLEURIE/IMPASSE	82	Da	1300 WA
FLEURIE/RUE	82	Dac	1300 WA
FLEURIE/RUELLE	82	Da	1300 WA
FLEURISTES/RUE DES	34	Ad Bac	1000 BR
	94	Bc Ea	1000 BR
FLEURISTES/RUE DES	19	Dac	1082 BA
FLEURS/AVENUE DES	36	Fac	1150 WP
FLEURS/AVENUE DES	30	Ec	1950 KR
	37	Ba	1950 KR
FLEURS/AVENUE DES	30	Ec	1970 W-O
FLEURS/CHAMP DES	31	Dd	1970 W-O
FLEURS/CLOS DES	21	Fc	1030 SC
	28	Ca	1030 SC
FLEURS/CLOS DES	37	Ba	1950 KR
FLEURS/RUE AUX	27	Bd	1000 BR
	90	Fbd	1000 BR
FLEURS/RUE AUX	78	Ad Bc	1380 OH
FLEURS/RUE DES	79	Bd	1330 RI
FLEURUS/	34	Cb	1050 IX
RUE DE-STRAAT	35	Aa	1050 IX
	95	Cc	1050 IX
FLINS/ALLEE DE-DREEF	33	Cb	1070 AN
FLODORP/RUE DE-STRAAT	15	Acd	1130 BR
FLORAISON/RUE DE LA	32	Fa	1070 AN
FLORALAAN	42	Ac	
		Dabd	1000 BR
FLORALAAN	69	Ac Da	1501 BU
FLORALIENSTRAAT	29	Ecd	1200 WL
FLORALIES/RUE DES	29	Ecd	1200 WL
FLORE/AVENUE DE	42	Ac	
		Dabd	1000 BR
FLOREAL/AVENUE	76	Ec	1410 WA
	83	Ba	1410 WA
FLOREAL/			
AVENUE DE-LAAN	41	Db Ea	1180 UC
FLORENCE/			
RUE DE-STRAAT	34	Fa	1000 BR
1 à/tot 13 & 2 à/tot 6			
FLORENCE/			
RUE DE-STRAAT	34	Fa	1050 IX
19 à/tot 57 & 20 à/tot 68			
FLORENCE/			
RUE DE-STRAAT	34	Fa	1060 SG
59 à fin/tot einde			
FLORIDA/AVENUE	76	Bac	1410 WA
FLORIDALAAN	41	Fbcd	1180 UC
FLORIDE/AVENUE DE LA	41	Fbcd	1180 UC
FLORIS/RUE-STRAAT	21	Da	1030 SC
FLOXENSTRAAT	43	Dbd Ea	1170 WB
FLUTE ENCHANTEE/			
RUE DE LA	26	Ad Db	1080 MO
FLUXENBERGWEG	1	Ba	1860 ME
FOIN/QUAI AU	27	Bab	1000 BR
	90	Eb Fab	1000 BR
FOKKERSDREEF	31	Eab	1933 ST
FOLIANT/CLOS-GAARDE	29	Fab	1200 WL

F

F

Street	Map	Postal code
FOLIE/AVENUE-LAAN		
FRANCOIS	48 Bd	1180 UC
FOLLE CHANSON/		
AVENUE DE LA	42 Aabd	1050 IX
FONDATION/RUE DE LA	19 Bc Ea	1082 BA
FOND CORON/		
CHEMIN DU	78 Dabc	1380 OH
FOND DE LA VIGNE/	79 Cd	1330 RI
AVENUE	80 Ac Da	1330 RI
FOND DES AILS/	73 Dd Ecd	
CHEMIN DU	Fcd	1310 L-H
FOND DES AILS/		
DREVE DU	73 Dad	1410 WA
FOND DES CLOCHES/		
AVENUE	82 Dd Ec	1300 WA
FOND DES MAYS/RUE DU	81 Fd	1300 WA
	82 Dc	1300 WA
	86 Cb	1300 WA
FOND DU DIABLE/	66 Fd	1310 L-H
AVENUE DU	67 Dc	1310 L-H
FOND DU GRAIVE/AVENUE	78 Bb	1310 L-H
FONDERIE/RUE DE LA	27 Aab	1080 MO
	90 Ac	1080 MO
FOND GENERET/AVENUE	87 Fab	1325 D-V
FOND JEAN ROSY/		
AVENUE	79 Ebcd	1330 RI
FOND MARIE MONSEU/	80 Dcd	1330 RI
AVENUE DU	85 Ab	1330 RI
FOND NOEL/CHEMIN	87 Eac	1300 WA
FOND'ROY/AVENUE	49 Dac	1180 UC
	56 Aab	1180 UC
FONDS DES CHEVAUX/		
RUE	80 Bb	1301 BI
FONDS DES MAYS	86 Cb	1301 BI
FOND THIRION/RUE	76 Dcd	1410 WA
FOND VANDENBOSCH/		
RUE	83 Ca	1410 WA
FONSNY/AVENUE-LAAN	34 Abcd	
	Da	1060 SG
	94 Ad Bc	
	Dabc	1060 SG
FONSON/RUE-STRAAT	14 Fd	1140 EV
FONTAINAS/CITE-HOF	34 Ad	1060 SG
	94 Eac	1060 SG
FONTAINAS/PLACE-PLEIN	27 Ec	1000 BR
	92 Eb	1000 BR
FONTAINAS/RUE-STRAAT	34 Ad Bc	1060 SG
	94 Dd Ec	1060 SG
FONTAINE/RUE DE LA	34 Ab Ba	1000 BR
	94 Ba	1000 BR
FONTAINE/RUE DE LA	79 Db	1332 GE
FONTAINE/RUE DE LA	71 Ba	1640 S-G
FONTAINE/SENTIER	79 Ec	1330 RI
FONTAINE AU CHENE	78 Cc	1332 GE
FONTAINEBLEAU/		
AVENUE DE	76 Cd	1410 WA
FONTAINE D'AMOUR/RUE	21 Dd Ec	1030 SC
FONTAINE DEL TURC/		
CHEMIN	86 Ec	1300 LI
FONTAINE DES DUCS/		
CLOS	66 Fd	1310 L-H
FONTAINE FONTENY	79 Db	1332 GE
FONTAINES/		
COURTE RUE DES	81 Fb	1300 WA
FONTAINES/PARKING DES	81 Fb	1300 WA

Street	Map	Postal code
FONTAINES/PONT DES	81 Fb	1300 WA
FONTAINES/RUE DES	81 Fab	1300 WA
FONTAINES/SENTIER DES	81 Dd Ec	1301 BI
	86 Ba	1301 BI
FONTEINSTRAAT	34 Ab Ba	1000 BR
	94 Ba	1000 BR
FONTEINSTRAAT	71 Ba	1640 S-G
FONTENAY-SOUS-BOIS/		
JARDINS DE-		
TUINEN VAN	35 Eb	1040 ET
FONTEYNE/CLOS-GAARDE	29 Fd	1200 WL
MARCEL	36 Cb	1200 WL
	37 Aa	1200 WL
FOOTBALL/AVENUE DU	13 Ab	1020 BR
FOOTBALL/AVENUE DU	36 Cd	1150 WP
	37 Ac	1150 WP
FOPPENS/RUE-STRAAT	27 Db	1070 AN
	92 Dab	1070 AN
FORCE AERIENNE/		
AVENUE DE LA	35 Ebd	1040 ET
FORELWEG	47 Fa	1180 UC
FORENDIJS	67 Ab Ba	1560 HO
FOREST/CHAUSSEE DE	34 Ad Bc	
45 à 223 & 2 à 258	Dbd	1060 SG
	94 Ec	1060 SG
FOREST/CHAUSSEE DE	34 Dd	1190 FO
225 à fin & 280 à fin		
FORESTERIE/	50 Acd	
AVENUE DE LA	Dbd Ec	1170 WB
FORESTIERE/RUE	34 Fd	1050 IX
	41 Cb	1050 IX
FORET/AVENUE DE LA	49 Bb	1050 IX
1 à 89 & 2 à 148		
FORET/AVENUE DE LA	49 Bbd	1000 BR
101 à fin & 150 à fin		
FORET/AVENUE DE LA	37 Bab	1950 KR
FORET/AVENUE DE LA	30 Ed	1970 W-O
	37 Bb	1970 W-O
FORET/CHEMIN DE LA	55 Babc	1180 UC
FORET/CHEMIN DE LA	73 Fc	1310 L-H
	77 Cab	1310 L-H
FORET/CLOS DE LA	37 Dcd	1150 WP
FORET/SENTIER DE LA	76 Fb	1410 WA
	77 Da	1410 WA
FORET/SENTIER DE LA	63 Ca	1630 LI
FORET DE SOIGNES/	63 Fbcd	1640 S-G
AVENUE DE LA	64 Ad Bc	
	Dab	1640 S-G
	71 Abd	
	Bab Ca	1640 S-G
FORET DE SOIGNES/RUE	76 Dac	1410 WA
FORET DE SOIGNIES/	50 Ec	1170 WB
CHEMIN DE LA	57 Aab Ba	1170 WB
FORET D'HOUTHULST/	27 Ba	1000 BR
RUE DE LA	90 Bd Eb	1000 BR
FORET NOIRE/		
PLACE DE LA	21 Fd	1140 EV
FORGE/RUE DE LA	34 Ea	1060 SG
FORGE/RUE DE LA	84 Dd	1380 LA
FORGERON/CHEMIN DU	21 Eb	1030 SC
FORGERON/CHEMIN DU	87 Dbd Ea	1300 WA
FORSYTHIAS/		
CHEMIN DES	80 Da	1330 RI
FORT/RUE DU-STRAAT	34 Dbd Ea	1060 SG

Street	Map	Grid	Postcode
FORT DE BONCELLES/			
RUE	35	Cc	1040 ET
FORTE DEI MARMI/			
SQUARE	35	Ad	1040 BR
FORTIFICATIONS/			
RUE DES	34	Db Ea	1060 SG
FORTIN/AVENUE-LAAN	28	Ca	1030 SC
FORT-JACO/			
AVENUE DU-LAAN	49	Dbcd	1180 UC
FORT JACO/			
DREVE DU-DREEF	49	Db Ea	1180 UC
FORTONLAAN/AVENUE			
ARMAND	23	Dd	1950 KR
FORTUNE/RUE LAMBERT	81	Cd Fab	1300 WA
FORT VAN BONCELLES-			
STRAAT	35	Cc	1040 ET
FORUM/AVENUE DU-LAAN	13	Bb Ca	1020 BR
	6	Ed Fc	1020 BR
FORY/DREVE DU	80	Aab	1331 RO
FOSSE/RUE DU	41	Dab	1180 UC
FOSSE AU SABLE/RUE	88	Ac Da	1420 B-A
FOSSE AUX LOUPS/	27	Bd Eb	
RUE DU		Fa	1000 BR
	92	Cb	1000 BR
	93	Aa	1000 BR
FOSSES/RUE DES	88	Ac	1420 B-A
FOSSES DES MOINES/			
SENTIER DES	76	Dab	1410 WA
FOUCART/AVENUE-LAAN			
RAYMOND	21	Eb	1030 SC
FOUGERES/AVENUE DES	36	Fab	1150 WP
FOUGERES/AVENUE DES	86	Cd	1301 BI
FOUGERES/AVENUE DES	37	Cc Fa	1950 KR
FOUGERES/AVENUE DES	37	Ccd	1970 W-O
FOUGERES/SENTIER DES	51	Aac Da	1160 AU
FOULONS/RUE DES	27	Dd Ec	1000 BR
	92	Dbd Ec	1000 BR
FOUR A BRIQUES/			
AVENUE DU	22	Dac	1140 EV
FOUR A BRIQUES/			
AVENUE DU	82	Bc Ea	1300 WA
FOURCHE/RUE DE LA	27	Eb	1000 BR
	92	Cbd	1000 BR
FOUREZ/RUE-STRAAT			
LEON	20	Dc	1081 KO
FOURMOIS/RUE-STRAAT	34	Fc	1050 IX
FOURRAGERE/			
RUE DE LA-STRAAT	48	Ab	1180 UC
FOYER SCHAERBEEKOIS/			
RUE DU	21	Bc	1030 SC
FRAEYMAN/RUE-STRAAT			
REMI	36	Cc	1150 WP
FRAICHEUR/RUE DE LA	26	Bd	1080 MO
FRAIKIN/RUE-STRAAT	21	Ac	1030 SC
FRAISES/RUE DES	40	Aac	1070 AN
FRAITEUR/AVENUE-LAAN			
ARNAUD	42	Bbd	1050 IX
FRAMBOISIER/RUE DU	41	Fbd	1180 UC
	42	Dc	1180 UC
FRAMBOISIERS/	57	Dd	1640 S-G
CHEMIN DES	65	Ab	1640 S-G
FRAMBOZEN-	57	Dd	1640 S-G
STRUIKENWEG	65	Ab	1640 S-G
FRAMBOZENSTRUIK-	41	Fbd	1180 UC
STRAAT	42	Dc	1180 UC

Street	Map	Grid	Postcode
FRAMEE/TIENNE DE LA	81	Cb	1300 WA
FRANCAIS/TIENNE DES	86	Cc Fa	1300 LI
FRANCART/RUE-STRAAT	34	Cbd	1050 IX
	95	Bc Ea	1050 IX
FRANCE/RUE DE	34	Ac	1060 SG
1 à 85 & 2 à fin	94	Da	1060 SG
FRANCE/RUE DE	34	Ac	1070 AN
87 à fin			
FRANCE/RUE-STRAAT	14	Dd Ec	1030 SC
ANATOLE	21	Ba	1030 SC
FRANCHISES/RUE DES	19	Bd Cc	1083 GA
FRANCINELAAN/			
AVENUE	63	Cd	1640 S-G
FRANCIS/DREVE	64	Cd Ebd	
		Fab	1640 S-G
FRANCIS/RUE JOSEPH	81	Ec	1301 BI
	86	Ba	1301 BI
FRANCISCAINS/			
AVENUE DES	36	Db	1150 WP
FRANCISCAINS/			
PARVIS DES	36	Db	1150 WP
FRANCISDREEF	64	Cd Ebd	
		Fab	1640 S-G
FRANCISKANENLAAN	36	Db	1150 WP
FRANCISKANEN-			
VOORPLEIN	36	Db	1150 WP
FRANCK/RUE-STRAAT			
CESAR	42	Babd	1050 IX
FRANCK/SQUARE	34	Ad	1060 SG
JACQUES	94	Ec	1060 SG
FRANCOISE/AVENUE	79	Fcd	1330 RI
	84	Cb	1330 RI
FRANCOISSTRAAT			
CAMILLE	8	Bb Ca	1830 MA
FRANCS/CHAUSSEE DES	81	Cb	1300 WA
FRANCS/RUE DES	35	Bb Ca	1040 ET
FRANKENSTRAAT	35	Bb Ca	1040 ET
FRANKLIN/RUE-STRAAT	28	Eabc	1000 BR
FRANKRIJKLAAN	3	Fcd	1800 VI
FRANKRIJKLAAN	60	Aa	3090 OV
FRANKRIJKSTRAAT	34	Ac	1060 SG
1 tot 85 & 2 tot einde	94	Da	1060 SG
FRANKRIJKSTRAAT	34	Ac	1070 AN
87 tot einde			
FRANKVELD	54	Cab	1620 DR
FRANQUI/RUE-STRAAT			
JULES	34	Dd	1190 FO
FRANS GASTHUISLAAN	19	Eb	1083 GA
2 tot 16			
FRANS GASTHUISLAAN	19	Eb	1082 BA
18 tot einde			
FRANS GASTHUISLAAN	19	Eb	1081 KO
onpare nrs			
FRANS LYCEUMLAAN	48	Ea	1180 UC
FRANSMAN/RUE-STRAAT	13	Ec	1020 BR
	20	Ba	1020 BR
FRATERNELLE/	32	Bbd	
SQUARE DE LA-PLEIN		Cac	1070 AN
FRATERNITE/			
AVENUE DE LA	87	Cc	1325 D-V
FRATERNITE/RUE DE LA	20	Fd	1030 SC
	91	Ba	1030 SC
FRATERNITE/RUE DE LA	88	Dd Ec	1420 B-A
FREDERIC/RUE-STRAAT	28	Bd Eb	
LEON		Fa	1030 SC

FREESIADREEF	21	Eabd	1030 SC
FREESIAS/ALLEE DES	21	Eabd	1030 SC
FREGATE/SQUARE DE LA	43	Dd	1170 WB
FREGATVOGELSQUARE	43	Dd	1170 WB
FREMINEUR/			
RUE-STRAAT	42	Fd	1170 WB
FRENAIE/ALLEE DE LA	87	Bbd	1300 WA
FRENE/AVENUE DU	13	Cbd	1020 BR
FRENE/AVENUE DU	85	Fc	1300 LI
FRENERAIE/VOIE DE LA	87	Ed	1300 WA
FRENES/AVENUE DES	76	Db Ea	1410 WA
FRENES/AVENUE DES	37	Bc	1950 KR
FRERE-ORBAN/	27	Bb	1000 BR
RUE-STRAAT	90	Cd	1000 BR
	91	Ac	1000 BR
FRERE-ORBAN/SQUARE	28	Dc	1040 BR
	93	Fac	1040 BR
FRERES BECQUE/	18	Fb	1082 BA
AVENUE DES	19	Da	1082 BA
FRERES FLEISCHMAN/			
AVENUE DES	88	Bb	1410 WA
FRERES GOEMAERE/			
AVENUE DES	43	Bd Eb	1160 AU
FRERES LEGRAIN/	35	Fb	1150 WP
AVENUE DES	36	Dac	1150 WP
FRERES LUMIERE/			
CLOS DES	12	Bd	1090 JE
FRERES MABILLE/			
AVENUE DES	85	Bd	1300 LI
FRESIASTRAAT	4	Cc	1800 VI
FRETBOS	18	Da	1702 G-B
FRETLAAN	55	Bac	1180 UC
FRICK/SQUARE HENRI	27	Cd	1210 SJ
	91	Fc	1210 SJ
FRIESLAND	18	Ab Ba	1702 G-B
FRIESLANDWEG	21	Fd	1140 EV
FRIOUL/AVENUE DU	21	Fbcd	1140 EV
FRIPIERS/RUE DES	27	Eb	1000 BR
	92	Cbd	1000 BR
FRIQUET/RUE DU	43	Dd	1170 WB
FRISE/CHEMIN DE LA	21	Fd	1140 EV
FRISHEIDSTRAAT	26	Bd	1080 MO
FRISON/SQUARE ELSA	33	Eab	1070 AN
FRISSEN/AVENUE-LAAN	35	Fd	1160 AU
THOMAS	36	Dc	1160 AU
FRIULILAAN	21	Fbcd	1140 EV
FROEBEL/RUE-STRAAT	27	Dd	1000 BR
	92	Db Ea	1000 BR
FROETENWEG	71	Ab	1652 AL
FROIDMONT/AVENUE DE	82	Dd	1300 WA
	87	Ab	1300 WA
FROIDMONT/FERME DE	84	Cb	1330 RI
	85	Aa	1330 RI
FROIDMONT/RUE DE	80	Dcd	1330 RI
FROISSART/RUE-STRAAT	28	Dd Ec	1040 BR
	35	Ab	1040 BR
FROMENT/RUE DU	32	Db Ea	1070 AN
FROMONTDREEF/DREVE	64	Bcd	
		Ccd	1640 S-G
FRONDAISON/			
AVENUE DE LA	82	Bc	1300 WA
FRONDAISONS/			
AVENUE DES	13	Bab	1020 BR
FRONT/			
AVENUE DU-LAAN	35	Cc	1040 ET
FRONTISPICE/RUE DU	20	Ed	1000 BR
	27	Bb	1000 BR
	90	Cbd	1000 BR
FRONTISPIESSTRAAT	20	Ed	1000 BR
	27	Bb	1000 BR
	90	Cbd	1000 BR
FRUCTIDOR/AVENUE	76	Ecd	1410 WA
FRUITS/RUE DES	33	Aac	1070 AN
FRUITSTRAAT	33	Aac	1070 AN
FUCHSIAS/			
CLOS DES-GAARDE	47	Ca	1190 FO
FUCHSIAS/			
RUE DES-STRAAT	19	Fcd	1080 MO
FUERISONPLAATS	10	Bacd	1820 ST
FUJIDOMEIN/DOMAINE DE	37	Ccd	1950 KR
FULTON/RUE-STRAAT	28	Eab	1000 BR
FUNKIAS/RUE DES	43	Db Ea	1170 WB
FUNKIASTRAAT	43	Db Ea	1170 WB
FURET/AVENUE DU	55	Bac	1180 UC
FUSAIN/AVENUE DU	13	Cbd	1020 BR
FUSEE/RUE DE LA	15	Ecd	1130 BR
	22	Aab Ba	1130 BR
FUSS/RUE-STRAAT			
GUSTAVE	28	Ad	1030 SC
FUSTENDREEF	40	Fbd	1190 FO
FUTAIE/CLOS DE LA	76	Dc	1410 WA
FUTAIE/VENELLE DE LA	87	Ac	1301 BI
FUTAILLES/DREVE DES	40	Fbd	1190 FO
FUTENSTRAAT	49	Cb	1170 WB

G

GAAILAAN	43	Dd Eac	1170 WB
GAARDENLAAN	21	Fc	1030 SC
GAASBEEKSESTEENWEG	68	Bb	1500 HA
GABIN/PLACE-PLEIN JEAN	12	Bd	1090 JE
GABRIELLE/RUE-STRAAT	41	Cc Fa	1180 UC
GABRIELLESTRAAT/RUE	71	Cab	1640 S-G
GACHARD/RUE-STRAAT	34	Fbd	1050 IX
1 à/tot 67 & 2 à/tot 88			
GACHARD/RUE-STRAAT	34	Fd	1000 BR
69 à fin/tot einde &			
96 à fin/tot einde			
GAILLEMARDE/	77	Cb	1310 L-H
CHEMIN DE	78	Aab Ba	1310 L-H
GAILLIARD/RUE-STRAAT			
FRANZ	34	Db	1060 SG
GAI SOLEIL/AVENUE	76	Dd	1410 WA
GAITE/RUE DE LA	33	Bd	1070 AN
GALAXIE/AVENUE DE LA	80	Ed Fc	1300 LI
GALGELAAN	22	Ec	1200 WL
2 - 8 - 10B			
GALGELAAN	22	Dbd Ec	1140 EV
andere nrs			
GALGENBERG	11	Bd Cc	1731 ZE
GALGENDRIES	55	Ec	1630 LI
	63	Ba	1630 LI
GALGENVELD	38	Ac Da	1970 W-O
GALGSTRAAT	46	Dd Ecd	1600 P-L
	53	Aabc	
		Da	1600 P-L
GALGSTRAAT	63	Bc Db	
		Ea	1652 AL

GALILEE/AVENUE-LAAN	27 Cd	1210 SJ
	91 Ed	1210 SJ
GALLAIT/RUE-STRAAT	20 Fbd	1030 SC
	21 Ac Da	1030 SC
GALLIERSLAAN	35 Bb Ca	1040 ET
GALLISCHEOPRIT	5 Fd	1020 BR
GALLOIS/CLOS DES	83 Fd	1410 WA
GALOPIN/AVENUE-LAAN		
ALEXANDRE	35 Bd Eb	1040 ET
GAMBIER/RUE-STRAAT		
VICTOR	48 Aa	1180 UC
GAND/CHAUSSEE DE	19 Ec	1080 MO
1 à 195 & 343 à 665 &	26 Bab	
2 à 772	Cab	1080 MO
	27 Aabd	1080 MO
	90 Ac Dabd	
	Ec	1080 MO
GAND/CHAUSSEE DE	26 Cb	1081 KO
197 à 341	27 Aa	1081 KO
GAND/CHAUSSEE DE	19 Ac Dabd	
autres nos	Ec	1082 BA
GANDHI/AVENUE-LAAN	19 Fd	1080 MO
MAHATMA	26 Cb	1080 MO
GANGSTRAAT	35 Da	1050 IX
GANSHOREN/RUE DE	19 Fd	1081 KO
	20 Dc	1081 KO
	27 Aa	1081 KO
GANSHOREN/		
RUE DE-STRAAT	19 Eb	1082 BA
GANSHORENSE STRAAT	19 Fd	1081 KO
	20 Dc	1081 KO
	27 Aa	1081 KO
GANZENLAAN	72 Acd Da	1640 S-G
GANZENWEIDESTRAAT	15 Aabc	1130 BR
	8 Dbd	1130 BR
GARDE/DREVE DU	76 Aacd	
	Bc	1410 WA
GARDE IMPERIALE/		
AVENUE	88 Fa	1420 B-A
GARDENIAS/RUE DES	43 Db	1170 WB
GARDENIASTRAAT	43 Db	1170 WB
GARDON/AVENUE DU	42 Cd Fb	1160 AU
GARE/AVENUE DE LA	86 Dc	1300 LI
GARE/PLACE DE LA	19 Ac	1082 BA
GARE/PLACE DE LA	36 Cac	1150 WP
GARE/PLACE DE LA	80 Dc	1330 RI
GARE/PLACE DE LA	76 Ea	1410 WA
GARE/PLACE DE LA	88 Aab	1420 B-A
GARE/RUE DE LA	35 Bd Cac	1040 ET
GARE/RUE DE LA	79 Fbd	1330 RI
	80 Dc	1330 RI
GARE DE BASSE WAVRE/		
RUELLE	82 Aab	1300 WA
GARE DU WITLOOF/		
RUE DE LA	15 Ad Db	1130 BR
GARENNES/RUE DES	50 Aab	1170 WB
GARIBALDI/RUE-STRAAT	34 Dd Ec	1060 SG
GARMILLES/CHEMIN DES	77 Ccd Fb	1310 L-H
GARMILLES/		
CHEMIN DES	77 Fb	1380 OH
GARNIR/RUE-STRAAT		
GEORGES	21 Ab	1030 SC
GARONNE/		
CHAUSSEE DE LA	81 Cbd	1300 WA
GASPAR/SENTIER	83 Ed	1410 WA

GASPARD/VENELLE	87 Ad Db	
	Ea	1300 WA
GASPELDOORNLAAN	63 Da	1652 AL
GASSEE/RUE-STRAAT		
PIERRE	20 Db	1080 MO
GASSTRAAT	13 Dd Ec	1020 BR
GASTENDELLE/	14 Ed	1140 EV
CHEMIN DU-WEG	21 Bb	1140 EV
GASTHUISSTRAAT	27 Ed	1000 BR
	92 Fbd	1000 BR
GATTI DE GAMOND/	40 Fd	1180 UC
RUE-STRAAT	47 Cbd	1180 UC
GAUCHERET/		
PLACE-PLEIN	20 Fa	1030 SC
GAUCHERET/		
RUE-STRAAT	20 Fac	1030 SC
GAUGUIN/RUE-STRAAT	21 Cbd	1140 EV
PAUL	22 Ac	1140 EV
GAULOIS/AVENUE DES	35 Bb Ca	1040 ET
GAULOIS/CHAUSSEE DES	81 Cbd	1300 WA
GAULOISE/RAMPE	5 Fd	1020 BR
GAULTIER/CLOS PIERRE	78 Bb	1310 L-H
GAUTIER/RUE-STRAAT		
ANTOINE	35 Bcd	1040 ET
GAVOTTE/		
RUE DE LA-STRAAT	26 Da	1080 MO
GAY/RUE-STRAAT		
FRANCOIS	30 Aab Ba	1160 WP
GAYSTRAAT	45 Ba	3080 TE
GAZ/RUE DU	13 Dd Ec	1020 BR
GAZ/RUE DU	76 Fc	1410 WA
GAZELLE/		
AVENUE DE LA-LAAN	55 Ab Ba	1180 UC
GAZOUILLIS/RUE DU	26 Db	1070 AN
1 à 15 & 2 à 16		
GAZOUILLIS/RUE DU	26 Db	1080 MO
autres nos		
GEAI/AVENUE DU	43 Dd Eac	1170 WB
GEBLADERTELAAN	49 Dbd	1180 UC
GEBROEDERS	19 Fb	1082 BA
BECQUELAAN	19 Da	1082 BA
GEBROEDERS	59 Cd Fb	3090 OV
DANHIEUXSTRAAT	60 Da	3090 OV
GEBROEDERS		
GOEMAERELAAN	43 Bd Eb	1160 AU
GEBROEDERS	35 Fb	1150 WP
LEGRAINLAAN	36 Dac	1150 WP
GEBROEDERS		
LUMIEREGAARDE	12 Bd	1090 JE
GEBROEDERS PATERS		
ABELOOSLAAN	24 Dab	1933 ST
GEBROKENHOFSTRAAT	34 Ba	1000 BR
	94 Ca	1000 BR
GEBURENSTRAAT	30 Cc	1970 W-O
GEDACHTENISSQUARE	35 Dc	1050 IX
GEDACHTENISSTRAAT	33 Bab	1070 AN
GEEFS/RUE-STRAAT	28 Aa	1030 SC
	91 Cd	1030 SC
GEELVINKENLAAN	43 Ab	1160 AU
GEER	70 Dd	1653 DW
GEERAERTSLAAN		
MAURICE	24 Dbd	1933 ST
GEERENSSTRAAT	9 Ca	1820 ME
GEESTDRIFTSTRAAT	32 Bb Ca	1070 AN
GEEVAERTWEG/CHEMIN	71 Ca	1640 S-G

G

Straat	Kaart	Postcode
GEHUCHTSTRAAT	71 Ccd	1640 S-G
	72 Ac	1640 S-G
GEITENBLADLAAN	36 Ca	1200 WL
GEITJESSTRAAT	55 Ad Bc	1180 UC
GEKWEELSTRAAT	26 Db	1070 AN
1 tot 15 & 2 tot 16		
GEKWEELSTRAAT	26 Db	1080 MO
andere nrs		
GELAARSDE KATPLEIN	55 Bc	1180 UC
GELDERSSTRAAT		
FRANS	4 Abd	1800 VI
GELE HOEKSTRAAT	30 Db	1150 WP
GELEYTSBEEK/		
RUE-STRAAT	48 Db Ea	1180 UC
GELIJKHEIDSTRAAT	35 Eb	1040 ET
GELINOTTE/RUE DE LA	43 Dd	1170 WB
GELOVIGENSTRAAT	41 Dd	1180 UC
	48 Ab	1180 UC
GELUKKIGE		
GRIJSHEIDSTRAAT	26 Abd	1080 MO
GELUKSDREEF	30 Dd Ec	1150 WP
GELUKSDREEF	30 Dd Ec	1950 KR
GELUKSSTRAAT	32 Bb Ca	1070 AN
GELUKZALIGHEIDSLAAN	21 Fd	1140 EV
	22 Dc	1140 EV
GEMEAUX/AVENUE DES	29 Acd	1200 WL
GEMEENSCHAPPENLAAN	22 Dd	1140 EV
2 - 3 - 4 - 5	29 Ab	1140 EV
GEMEENSCHAPPENLAAN	29 Ab Ba	1200 WL
100 - 101 - 103		
GEMEENTEHUISLAAN	71 Bab	1640 S-G
GEMEENTEHUISSTRAAT	70 Dd	1653 DW
GEMEENTELIJKE	43 Dd	1170 WB
GODSHUISSTRAAT	50 Ab	1170 WB
GEMEENTEPLAATS	27 Ad	1080 MO
	90 Db	1080 MO
GEMEENTEPLEIN	69 Ac	1501 BU
GEMEENTEPLEIN	58 Ecd	1560 HO
GEMEENTEPLEIN	55 Db	1630 LI
GEMEENTEPLEIN	25 Ea	1700 DI
GEMEENTEPLEIN	18 Bc	1702 G-B
GEMEENTEPLEIN	6 Bd	1853 S-B
GEMEENTEPLEIN VAN		
OUDERGEM	43 Bc	1160 AU
GEMEENTESTRAAT	19 Ca	1083 GA
GEMEENTESTRAAT	28 Ac	1210 SJ
	91 Fd	1210 SJ
	93 Cb	1210 SJ
GEMEENTESTRAAT	38 Ec	3080 TE
GEMEENVELDSTRAAT	71 Ac	1652 AL
GEMENEBEEMDEN-	14 Ad Bc	
STRAAT	Ea	1120 BR
GEMOEDSRUSTLAAN	22 Dc	1140 EV
GEMSLAAN	52 Bc Eab	
	Fa	3090 OV
GEMSSTRAAT	47 Facd	1180 UC
GENARD/RUE-STRAAT		
HECTOR	40 Ab Ba	1070 AN
GENDARMENDREEF	49 Abd	
	Dbd	1180 UC
GENDARMERIESTRAAT	4 Acd	1800 VI
GENDARMES/DREVE DES	49 Abd	
	Dbd	1180 UC
GENDEBIEN/RUE-STRAAT	20 Fac	1030 SC
GENEESHEERSTRAAT	66 Bb Ca	1560 HO

Straat	Kaart	Postcode
GENER. BARON EMPAIN/		
AVENUE-LAAN	36 Ed Fc	1150 WP
GENER. BASTIN/		
AVENUE-LAAN	29 Dd Ec	1200 WL
GENER. BERNHEIM/		
AVENUE-LAAN	35 Eabcd	1040 ET
GENER. BIEBUYCK/	14 Ad Db	
RUE DU-STRAAT	Ea	1120 BR
GENER. CAPIAUMONT/	35 Ad Bc	
RUE-STRAAT	Ea	1040 ET
GENER. DE CEUNINCK/	12 Cb	1020 BR
AVENUE DU-LAAN	13 Aa	1020 BR
GENER. DE GAULLE/	35 Dac	1050 IX
AVENUE DU-LAAN	42 Aa	1050 IX
GENER. DE LONGUEVILLE/		
AVENUE-LAAN	36 Ac Da	1150 WP
GENER. DOSSIN DE		
ST.-GEORGES/		
AVENUE-LAAN	42 Ea	1050 IX
GENER. DUMONCEAU/		
AVENUE-LAAN	40 Ed Fc	1190 FO
GENER. EENENS/		
RUE-STRAAT	21 Ad Dab	1030 SC
GENER. EISENHOWER/	21 Ec	1030 SC
AVENUE-LAAN	28 Ab Ba	1030 SC
GENER. FIVE/RUE-STRAAT	35 Eb Fa	1040 ET
GENER. GENEESHEER		
DERACHELAAN	42 Bac	1050 IX
GENER. GRATRY/		
RUE-STRAAT	28 Fa	1030 SC
GENER. HENRY/		
RUE-STRAAT	35 Bd Eb	1040 ET
GENER. JACQUES/	35 Ecd	1050 IX
BOULEVARD-LAAN	42 Abd Ba	1050 IX
1 à/tot 263G &		
2 à/tot 212		
GENER. JACQUES/		
BOULEVARD-LAAN	35 Ecd	1040 ET
222 à fin/tot einde		
GENER. JACQUES/		
BOULEVARD-LAAN	35 Ed Fc	1160 AU
265 à fin/tot einde		
GENER. LARTIGUE/	28 Fbd	1200 WL
AVENUE-LAAN	29 Da	1200 WL
GENER. LEMAN/		
RUE-STRAAT	35 Ab Ba	1040 ET
GENER. LOTZ/		
RUE-STRAAT	41 Cc Fa	1180 UC
GENER. MAC ARTHUR/		
RUE-STRAAT	41 Bd Eb	1180 UC
GENER. MEDECIN		
DERACHE/AVENUE	42 Bac	1050 IX
GENER. MEISER/		
PLACE-PLEIN	28 Cac	1030 SC
GENER. MERJAY/		
AVENUE-LAAN	43 Ea	1160 AU
GENER. MICHEL/		
RUE DU-STRAAT	14 Ad Bc	1120 BR
GENER. MOLITOR/		
RUE-STRAAT	35 Eb	1040 ET
GENER. PATTON/		
RUE-STRAAT	41 Cd	1050 IX
GENER. RUQUOY/		
RUE-STRAAT	26 Ebd Fa	1070 AN

Straat	Kaart	Vak	Postcode
GENER. THYS/			
RUE-STRAAT	42	Bbd	1050 IX
GENER. TOMBEUR/			
RUE-STRAAT	35	Bbd	1040 ET
GENER. WAHIS/	21	Ed	1030 SC
BOULEVARD-LAAN	28	Bb Cac	1030 SC
GENER. WANGERMEE/			
RUE-STRAAT	35	Bd	1040 ET
GENERAALBOSWEG	59	Cab	3090 OV
GENERAAL LEMANLAAN	8	Acd	1830 MA
GENERAAL LEMANSTRAAT	66	Bc Eab	1560 HO
GENERAAL LEMANSTRAAT	46	Fb	1600 P-L
GENERAL CORDIER/	79	Fd	1330 RI
AVENUE	80	Dc	1330 RI
GENERAL DE GAULLE/			
RUE	74	Cd Fb	1310 L-H
GENERAL DUBOIS/			
AVENUE	84	Bc Ea	1380 LA
GENERAL KELLERMAN/			
AVENUE	88	Ec	1420 B-A
GENERAL MILHAUD/			
AVENUE	88	Ec	1420 B-A
GENERAL RUQUOY/			
AVENUE	88	Ad	1420 B-A
GENES/RUE DE	34	Da	1190 FO
GENESSE/RUE-STRAAT	33	Ed	1070 AN
HENRI-JOSEPH	40	Db	1070 AN
GENET/CLOS DU	30	Ad	1950 KR
GENETS/AVENUE DES	42	Dd	1000 BR
	49	Ab Ba	1000 BR
GENETS/AVENUE DES	75	Dd	1332 GE
	79	Ab	1332 GE
GENETS/AVENUE DES	55	Fbd	1640 S-G
	56	Dac	1640 S-G
GENETS/AVENUE DES	38	Ad Dab	1970 W-O
GENETS/CHEMIN DES	13	Cb	1120 BR
GENETS/CHEMIN DES	64	Fd	1640 S-G
	72	Cab	1640 S-G
GENETS/CLOS DES	72	Dd	1410 WA
GENETS/RUE DES	85	Fa	1300 LI
GENETS/RUE DES	83	Dc	1420 B-A
GENEVE/RUE DE-STRAAT	21	Fcd	1030 SC
470 à/tot 480 &	28	Cb	1030 SC
492 à/tot 560			
GENEVE/RUE DE-STRAAT	21	Fabcd	1140 EV
autres nos/andere nrs	28	Cb	1140 EV
GENEVRIERS/RUE DES	5	Fd	1020 BR
	6	Dc	1020 BR
GENICOT/AVENUE-LAAN			
JULES	43	Ba	1160 AU
GENOT/RUE-STRAAT			
JOSEPH	19	Fc	1082 BA
6 à/tot 22			
GENOT/RUE-STRAAT			
JOSEPH	19	Ec	1080 MO
nos impairs/onpare nrs &			
28 à fin/tot einde			
GENSTBERG	62	Fbd	1652 AL
	63	Dc	1652 AL
GENSTSTRAAT	61	Cc Fa	1651 LO
GENTIANENSTRAAT	43	Db	1170 WB
GENTIANES/RUE DES	43	Db	1170 WB
GENTILHOMME/RUE DU	27	Fa	1000 BR
	93	Ad Bc	1000 BR
GENT/STEENWEG OP	19	Ec	1080 MO
1 tot 195 & 343 tot 665 &	26	Bab	
2 tot 772		Cab	1080 MO
	27	Aabd	1080 MO
	90	Ac Dabd	
		Ec	1080 MO
GENTSE STEENWEG	26	Cb	1081 KO
197 tot 341	27	Aa	1081 KO
GENTSESTEENWEG	19	Ac Dabd	
andere nrs		Ec	1082 BA
GENTSESTEENWEG	19	Ac	1700 DI
GENTSESTRAAT	6	Ad Db	1853 S-B
GENUASTRAAT	34	Da	1190 FO
GENVAL/ROUTE DE	78	Ed Fcd	1380 OH
GENVAL/RUE DE	74	Fd	1310 L-H
	78	Cb	1310 L-H
GENVAL/RUE DE	75	Fd	1331 RO
GENVALSTRAAT	75	Fd	3090 OV
GEOMETRE/RUE DU	26	Bcd	1080 MO
GEORGE DIT MARCHAL/			
RUE-STRAAT	20	Dc	1081 KO
GEORGETTE/AVENUE	85	Db	1300 LI
GEORGIN/AVENUE-LAAN	28	Cb	1030 SC
JACQUES	29	Aac	1030 SC
GEPLANTE BOSGAARDE	36	Db	1150 WP
GERANCE/RUE DE LA	19	Ea	1082 BA
GERANIUMLAAN	36	Da	1150 WP
GERANIUMS/AVENUE DES	36	Da	1150 WP
GERANIUMS/AVENUE DES	88	Ec	1420 B-A
GERANIUMSTRAAT	4	Cc	1800 VI
GERARD/AVENUE-LAAN			
ISIDORE	43	Cab	1160 AU
GERARD/RUE-STRAAT	28	Ed Fc	1040 ET
	35	Ca	1040 ET
GERARD/RUE-STRAAT			
FRANCOIS	33	Bd Eb	1070 AN
GERECHTIGHEIDSSTRAAT	20	Aa	1090 JE
GERECHTSPLEIN	27	Ed	1000 BR
	92	Fd	1000 BR
	93	Dc	1000 BR
GERECHTSSTRAAT	33	Bb	1070 AN
GERFAUTS/AVENUE DES	43	Dab	1170 WB
GERGELSTRAAT/RUE	30	Cd Fab	1970 W-O
GERIJSTRAAT	33	Fc	1070 AN
52 - 53 - 65			
GERIJSTRAAT	33	Fc	1190 FO
andere nrs	40	Cab	1190 FO
GERMINAL/AVENUE	88	Ecd	1420 B-A
GERMINAL/CLOS	83	Ba	1410 WA
GERMOIR/RUE DU	35	Db	1050 IX
GERSIS/RUE-STRAAT	30	Dd	1150 WP
EDOUARD	37	Ab	1150 WP
GERUSTHEIDSPLEIN	36	Da	1150 WP
GERUSTHEIDSSTRAAT	40	Abd	1070 AN
GERUZET/RUE-STRAAT			
PIERRE	43	Ed	1160 AU
GESCHENKENGANG			
(GELEGEN GRAS-	27	Eb	1000 BR
MARKT TS 6-8)	92	Cd	1000 BR
GESLACHTENDREEF	12	Fc	1083 GA
	19	Ca	1083 GA
GESPANHOEK	42	Dd	1000 BR
GESPSTRAAT	26	Ed	1070 AN
	33	Bb	1070 AN

G

Street	Map	Code
GETROUWHEIDSGANG		
(GELEGEN BEEN-		
HOUWERSSTRAAT	27 Eb	1000 BR
TS 10-12)	92 Cd	1000 BR
GETS/CITE-WIJK	33 Bc	1070 AN
GEURSTRAAT	26 Ec	1070 AN
	33 Ba	1070 AN
GEUZENPLEIN	28 Eb	1000 BR
GEVAERT/AVENUE	79 Abcd	
	Bab Da	1332 GE
GEVAERT/RUE-STRAAT	33 Cb	1070 AN
AUGUSTE	34 Aa	1070 AN
GEWIJDEBOOMSTRAAT	34 Cd Fb	1050 IX
1 tot 129 & pare nrs	95 Eac	1050 IX
GEWIJDEBOOMSTRAAT	34 Fb	1000 BR
131 tot einde		
GEYNSTBOS	69 Bc	1501 BU
GEYSKENS/AVENUE-LAAN		
ISIDORE	43 Ab Ba	1160 AU
GEZELLE/PLACE-PLEIN		
GUIDO	19 Bbd	1083 GA
GEZELLE/RUE-STRAAT		
GUIDO	21 Bb	1030 SC
GEZELLELAAN GUIDO	24 Dabc	1933 ST
GEZELLELAAN GUIDO	75 Ba	3090 OV
GEZELLENSTRAAT	28 Ca	1030 SC
GEZELLESTRAAT/		
RUE GUIDO	5 Ad Db	1780 WE
GEZELLESTRAAT GUIDO	68 Ca	1500 HA
GEZELLESTRAAT GUIDO	61 Bd Cc	
	Eb	1651 LO
GEZELLESTRAAT GUIDO	61 Eabc	1654 HU
GEZELLESTRAAT GUIDO	18 Eb	1702 G-B
GEZELLESTRAAT GUIDO	4 Ba	1800 VI
GEZONDHEIDSSTRAAT	32 Ca	1070 AN
GHESQUIEREWEG REMI	68 Fb	1500 HA
	69 Da	1500 HA
GHEUDE/RUE-STRAAT	27 Dcd	1070 AN
	92 Dc	1070 AN
	94 Aa	1070 AN
GHIJSSTRAAT EUGENE	47 Aa	1600 P-L
GHYSBRECHT/	27 Ad	1080 MO
IMPASSE-GANG	90 Dc	1080 MO
GIBECIERE/CLOS DE LA	76 Cb	1410 WA
GIBERNE/CLOS DE LA	83 Fc	1410 WA
GIBET/AVENUE DU	22 Ec	1200 WL
2 - 8 - 10b		
GIBET/AVENUE DU	22 Dbd Ec	1140 EV
autres nos		
GIBONSTRAAT GUSTAVE	39 Fcd	1600 P-L
GIELE/AVENUE-LAAN	19 Fb	1090 JE
GIERSTRAAT	27 Dd Ec	1000 BR
	92 Dd Eac	1000 BR
GIERVALKENLAAN	43 Dab	1170 WB
GIETERIJSTRAAT	27 Aab	1080 MO
	90 Ac	1080 MO
GIETERIJSTRAAT	47 Ad Db	1601 RU
GIETERSTRAAT	34 Bc	1000 BR
	94 Ea	1000 BR
GIJSELBOSSTRAAT	63 Dc	1652 AL
GILBERT/AVENUE-LAAN		
GUILLAUME	42 Eab	1050 IX
GILDENSTRAAT	28 Da	1210 SJ
nummer 2	93 Cd	1210 SJ
GILDENSTRAAT	28 Dab	1000 BR
onpare nrs & 4 tot einde	93 Cd	1000 BR
GILISQUET/AVENUE-LAAN		
CHARLES	21 Ebd Fa	1030 SC
GILKIN/RUE-STRAAT IWAN	21 Ab	1030 SC
GILLARDLAAN LEON	12 Dc	1731 ZE
	18 Cb	1731 ZE
	19 Aa	1731 ZE
GILLE/AVENUE-LAAN		
NORBERT	26 Ed Fc	1070 AN
GILLE/SQUARE-PLEIN		
VALERE	42 Ea	1050 IX
GILLEBERTUS/		
RUE-STRAAT	19 Cb	1090 JE
GILLEKENSSTRAAT	8 Aab	1800 VI
GILLIJNSSTRAAT	9 Ca	1820 ME
GILLON/RUE-STRAAT	27 Cbd	1210 SJ
	28 Ac	1210 SJ
	91 Eb Fa	1210 SJ
GILSON/PLACE-PLEIN		
ANTOINE	50 Ac	1170 WB
GILSON/RUE-STRAAT		
GUSTAVE	13 Dab	1090 JE
1 à/tot 145 & 2 à/tot 156		
GILSON/RUE-STRAAT		
GUSTAVE	13 Db	1020 BR
157 à fin/tot einde &		
170 à fin/tot einde		
GILSONLAAN/AVENUE		
PAUL	47 Bcd	1620 DR
GILSONLAAN PAUL	47 Db Ea	1601 RU
GILSONSTRAAT KAREL	47 Dbd	1601 RU
GILSOUL/AVENUE-LAAN		
VICTOR	29 Dcd	1200 WL
GILSOUL/CLOS-GAARDE		
VICTOR	29 Dc	1200 WL
GINESTE/RUE-STRAAT	27 Cac	1210 SJ
	91 Db	1210 SJ
GINSTLAAN	55 Fbd	1640 S-G
	56 Dac	1640 S-G
GIRAUD/AVENUE-LAAN		
ALBERT	21 Abd	1030 SC
GIROFLEE/IMPASSE DE LA	27 Eb	1000 BR
	92 Cb	1000 BR
GIRON/RUE-STRAAT		
ALFRED	35 Db	1050 IX
GIRONDE/	81 Cb	1300 WA
CHAUSSEE DE LA	82 Aa	1300 WA
GISTSTRAAT	35 Dab	1050 IX
GLACIERE/RUE DE LA	34 Ed	1060 SG
	41 Bb	1060 SG
GLADIOLENLAAN	66 Ab	1560 HO
GLADIOLENLAAN	39 Ed Fc	1600 P-L
	46 Bb	1600 P-L
GLADIOLENSTRAAT	71 Ca	1640 S-G
GLAIEULS/RUE DES	41 Db	1180 UC
GLAIEULS/RUE DES	71 Ca	1640 S-G
GLAISIERE/SENTIER DE LA	15 Abd	1130 BR
GLANDS/RUE DES	40 Cb	1190 FO
	41 Aa	1190 FO
GLANEURS/CHEMIN DES	87 Ed Fc	1325 D-V
GLASBLAZERIJLAAN	40 Ed Fc	1190 FO
GLASGOW/		
RUE DE-STRAAT	26 Fc	1070 AN

G

GLAZENMAKERSGANG	34	Bc	1000 BR
	94	Ea	1000 BR
GLETTES HAIE	66	Abd Bc	1472 V-G
GLIBERT/RUE-STRAAT	20	Fac	1000 BR
GLIMWORMENLAAN	49	Ca	1170 WB
GLIMWORMENWEG	42	Da	1000 BR
GLOBE/AVENUE DU-LAAN	40	Fbd	1190 FO
1 à/tot 225 & 2 à/tot 78			
GLOBE/AVENUE DU-LAAN	40	Fd	1180 UC
229 à/tot 249 &			
80 à/tot 82			
GLOIRES NATIONALES/			
AVENUE DES	19	Fb	1081 KO
1 à 15 & 2 à 16			
GLOIRES NATIONALES/			
AVENUE DES	19	Eb Fab	1083 GA
autres nos			
GLOXINIAS/RUE DES	43	Db	1170 WB
GLOXINIASTRAAT	43	Db	1170 WB
GLYCIENENLAAN	30	Abd	1950 KR
GLYCINES/AVENUE DES	21	Ea	1030 SC
GLYCINES/AVENUE DES	30	Abd	1950 KR
GOBELET D'OR/			
AVENUE DU	29	Fb	1200 WL
GOBERT/AVENUE-LAAN			
HECTOR	43	Ba	1160 AU
GOBERT/AVENUE-LAAN	41	Fbd	1180 UC
RENE	42	Da	1180 UC
GODAUX/AVENUE-LAAN			
EUGENE	36	Ac Da	1150 WP
1 à/tot 21A & 2 à/tot 40			
GODAUX/AVENUE-LAAN			
EUGENE	36	Da	1040 ET
23 à fin/tot einde &			
42 à fin/tot einde			
GODEAUSTRAAT LOUIS	69	Ab Ba	1501 BU
GODECHARLE/	35	Aac	1050 IX
RUE-STRAAT	95	Ccd Fb	1050 IX
GODEFROID DE	27	Cb	1210 SJ
BOUILLON/RUE	91	Bc Eab	1210 SJ
GODETIALAAN	18	Db Ea	1702 G-B
GODFRIED VAN	27	Cb	1210 SJ
BOUILLONSTRAAT	91	Bc Eab	1210 SJ
GODSHUIZENLAAN	55	Ad Bcd	
		Db	1180 UC
GODSHUIZENWEG	55	Bc Eab	1180 UC
GODSVRUCHTSTRAAT	43	Bd	1160 AU
GOEDE BEJEGENING-			
STRAAT	19	Ea	1082 BA
GOEDEFROY/AVENUE-			
LAAN PIETER	19	Bd Cc	1083 GA
GOEDE HERDERSTRAAT	28	Ab	1080 MO
GOEDE HERDERSTRAAT	14	Fc	1140 EV
	21	Ca	1140 EV
GOEDE KONINGINSTRAAT	29	Dd	1200 WL
GOEDE LUCHTLAAN	55	Fd	1640 S-G
	56	Dcd	1640 S-G
GOEDE LUCHTWIJK	11	Ab Ba	1731 ZE
GOEDE MOEDERSTRAAT	40	Fc	1190 FO
GOEDERENSTRAAT	33	Cd	1070 AN
GOEDHEIDSSTRAAT	34	Cc Fa	1000 BR
1 tot 5 & 2 tot 4A			
GOEDHEIDSSTRAAT	34	Fa	1060 SG
7 tot einde & 6 tot einde			
GOEDTSBERGE	11	Eac	1731 ZE
GOELANDS/AVENUE DES	36	Dd	1150 WP
GOETTE/RUE DE LA	88	Ac	1420 B-A
GOEVERNEMENTSWEG	37	Bc	
		Eabd	1150 WP
GOFFART/RUE-STRAAT	34	Cd	1050 IX
	35	Ac	1050 IX
	95	Facd	1050 IX
GOFFIN/AVENUE-LAAN			
JOSSE	19	Db Eab	1082 BA
GOLDEN HOPESTRAAT/			
RUE	47	Ac	1620 DR
GOLDSCHMIDT/			
SQUARE ROBERT	42	Bc	1050 IX
GOLF/AVENUE DU-LAAN	21	Cb	1140 EV
GOLFLAAN/AVENUE DU	72	Bb	
		Cacd	1640 S-G
GOLINVAUX/SQUARE			
GEORGES	43	Ecd	1160 AU
GOMAND/RUE-STRAAT			
AMELIE	20	Ab	1090 JE
GOMREE/			
AVENUE DE-LAAN	36	Fb	1150 WP
GONDELLIEDSTRAAT	26	Ad	1080 MO
GOOSSENS/PLACE-PLEIN			
HOMERE	41	Dd	1180 UC
GOOSSENS/RUE LUCIEN	85	Fb	1000 LI
GOOSSENS/RUE-STRAAT	21	Da	1030 SC
GOOSSENSSTRAAT FELIX	17	Dd	1930 NO
GOOTSTRAAT	27	Ec	1000 BR
	92	Eb Fa	1000 BR
GORDAALLAAN	38	Cd	3080 TE
GORDON BENNETT/			
COURS-WARANDE	42	Ed	1050 IX
GORGES BLEUES/			
AVENUE DES	36	Dc	1150 WP
1 à 9B & 2 à 38			
GORGES BLEUES/			
AVENUE DES	36	Dc	1160 AU
11 à 15 & 40			
GORISLAAN	10	Fbcd	1820 ST
	17	Bac	1820 ST
GORSSTRAAT	43	Dd	1170 WB
GOS/RUE JOSEPH	88	Ac Da	1420 B-A
GOSSART/RUE-STRAAT			
ERNEST	41	Fa	1180 UC
GOSSELIES/			
RUE DE-STRAAT	27	Da	1080 MO
GOSSETLAAN ALFONS	18	Bcd	
		Ccd	1702 G-B
GOSSIAUX/AVENUE-LAAN			
JOSEPH-JEAN	42	Cd	1160 AU
GOUBLOEMWEG	4	Ea	1800 VI
GOUDDALLAAN	38	Ab	1200 WL
115 tot einde &			
112 tot einde			
GOUDEN BEKERLAAN	29	Fb	1200 WL
GOUDENEILANDENLAAN	29	Eab	1200 WL
GOUDENREGENLAAN	49	Dcd	1180 UC
GOUDKASTEELLAAN	69	Bb	1654 HU
GOUDMERELLAAN	55	Fb	1640 S-G
GOUDSMEDENSTRAAT	34	Bac	1000 BR
	94	Eb	1000 BR
GOUDSTRAAT	8	Bb Ca	1830 MA
GOUDVINKENLAAN	69	Dc	1500 HA
GOUDVINKENPLEIN	36	Dcd	1150 WP

Street	Map	Grid	Postcode
GOUJONS/RUE DES	33	Cbcd	
		Fa	1070 AN
GOUMONT/CHEMIN DU	88	Ed	1420 B-A
GOUNOD/AVENUE-LAAN	33	Ad Bc	
		Db	1070 AN
GOUPIL/LAIE DU	86	Fc	1300 LI
GOUTSTOUWERSSTRAAT	61	Cc	1651 LO
GOUTTIER/RUE	76	Dd	1410 WA
GOUTTIERE/RUE DE LA	27	Ec	1000 BR
	92	Eb Fa	1000 BR
GOUVERNEMENTALE/	37	Bc	
ROUTE		Eabd	1150 WP
GOUVERNEMENTALE/	37	Bc	
ROUTE		Eabd	1950 KR
GOUVERNEMENT	27	Cd Fb	1000 BR
PROVISOIRE/RUE DU	93	Bab	1000 BR
GOUVERNEMENTSWEG	37	Bc	
		Eabd	1950 KR
GOUVERNEUR NENS/			
RUE-STRAAT	33	Ca	1070 AN
GOVAERT/PLACE-PLEIN			
FELIX	43	Ba	1160 AU
GRAAF A. RYCKMANS-			
STRAAT	22	Ed	1932 S-W
GRAAF DE FERRARIS-			
GAARDE	36	Cb	1150 WP
GRAAFDREEF	57	Dd	1560 HO
	65	Ab Ba	1560 HO
GRAAFDREEF	57	Dab	1640 S-G
GRAAF JOSEPH DE			
MEEUSSTRAAT	51	Fab	3090 OV
GRAAF MOENS DE			
FERNIGLAAN	13	Bb	1020 BR
GRAAFSCHAP			
JETTELAAN	13	Dc	1090 JE
GRAAF VAN	50	Cac	
VLAANDERENDREEF		Ebd Fa	1170 WB
	57	Bb	1170 WB
GRAAF VAN	27	Abd	1080 MO
VLAANDERENSTRAAT	90	Ad	
		Dbd	1080 MO
GRAANKAAI	68	Cd	
		Fabc	1500 HA
GRACHTSTRAAT	41	Dab	1180 UC
GRACHTWEIDELAAN	58	Fb	3090 OV
GRAINDOR/BOULEVARD-			
LAAN JULES	26	Ed Fc	1070 AN
GRAMINEES/CHEMIN DES	49	Ba	1000 BR
GRAMME/AVENUE-LAAN	14	Ec	1030 SC
ZENOBE	21	Ba	1030 SC
GRAMMELAAN/AVENUE			
ZENOBE	1	Fb	1780 WE
GRANAATSQUARE	12	Ca	1020 BR
GRANAATSTRAAT	12	Ca	1020 BR
GRAND AIR/AVENUE	63	Cd Fb	1640 S-G
GRAND-AIR/RUE DU	19	Bc Ea	1082 BA
GRAND-BIGARD/RUE DE	18	Fbd	1082 BA
	19	Dcd	1082 BA
	26	Ab Ba	1082 BA
GRAND BIGARD/RUE DU	47	Ac	1620 DR
GRAND BOIS/			
AVENUE DU	76	Dd Ec	1410 WA
GRAND BOIS/CHEMIN DU	78	Eacd	1380 OH
GRAND BON DIEU DU			
PITIE/VENELLE DU	87	Ad Bc	1300 WA
GRAND BON DIEU DU			
TOUR/VENELLE DU	87	Bbcd	1300 WA
GRAND CERF/RUE DU	34	Bb	1000 BR
	94	Cd	1000 BR
	95	Ac Da	1000 BR
GRANDCHAMP/AVENUE	30	Dd	1150 WP
	36	Cd	1150 WP
	37	Aabc	1150 WP
GRAND CORTIL/			
RUE DU	81	Fd	1300 WA
GRAND CORTIL/			
SENTIER DU	85	Ea	1300 LI
GRAND DUC/RUE DU	35	Bc Ea	1040 ET
GRANDE ARMEE/			
AVENUE DE LA	88	Db Eac	1420 B-A
GRANDE BOUCLE/			
AVENUE DE LA	71	Dd	1420 B-A
GRANDE BRUYERE/			
RUE DE LA	79	Ebd	1330 RI
GRANDE CEINTURE/			
BOULEVARD DE LA	26	Dbd	1070 AN
GRANDE ESPINETTE/	72	Abcd	
CHAUSSEE DE LA		Bab	1640 S-G
GRANDE HAIE/RUE DE LA	35	Bb Cac	1040 ET
GRANDE ILE/RUE DE LA	27	Eac	1000 BR
	92	Bd Eb	1000 BR
GRAND FORESTIER/			
AVENUE DU	43	Eac	1170 WB
1 à 5			
GRAND FORESTIER/			
AVENUE DU	43	Eac	1160 AU
autres nos			
GRAND GALOP/			
CHEMIN DU	78	Dcd	1380 OH
GRAND-HALLEUX/			
RUE DE-STRAAT	19	Dd	1082 BA
GRAND HOSPICE/	27	Bcd	1000 BR
RUE DU	90	Ed Fcd	1000 BR
GRAND-PLACE	27	Eb	1000 BR
	92	Cd	1000 BR
GRAND PRE/AVENUE DU	87	Ccd	1325 D-V
GRAND-PRE/RUE DU	26	Ab Ba	1082 BA
GRAND PRIEUR/CH. DU	75	Ecd	1330 RI
GRAND'ROUTE	54	Cb	1180 UC
1 à 7 & 2 à 6			
GRAND ROUTE	47	Bc Eabd	
		Fc	1620 DR
	54	Cab	1620 DR
GRAND ROUTE	54	Fb	1630 LI
GRAND SABLON/	27	Ed	1000 BR
PLACE DU	94	Cb	1000 BR
GRANDSART	85	Eb Fc	1300 WA
GRANDSART/RUE DE	85	Ea	1300 LI
GRANDS CARMES/	27	Eacd	1000 BR
RUE DES	92	Fa	1000 BR
GRANDS CLOS/			
ALLEE DES	78	Fcd	1380 OH
GRAND-SERMENT/	27	Ad Bc	
RUE DU		Db	1000 BR
	90	Ec	1000 BR
	92	Ba	1000 BR
GRANDS PRIX/	37	Ad Bac	
AVENUE DES		Dab	1150 WP
GRANDS PRIX/			
AVENUE DES	37	Bac	1950 KR

G

GRAND VENEUR/RUE DU	50	Ad	1170 WB
GRAND VIVIER/TIENNE DU	82	Aab	1300 WA
GRANGE AUX DIMES/			
DREVE	36	Bb	1200 WL
GRANGE DES CHAMPS/			
RUE	83	Ac Dac	1420 B-A
GRAPPE/DREVE DE LA	40	Fd	1190 FO
GRASDELLE/	56	Dd Ecd	
SENTIER DE-PAD		Fabc	1180 UC
GRASDREEF	37	Ed	1150 WP
	44	Bb	1150 WP
GRASDREEF	44	Babc	3080 TE
GRASMARKT	27	Eb	1000 BR
	92	Cd	1000 BR
GRASMUSDREEF	55	Dcd	1630 LI
GRASMUSLAAN	64	Ed Fc	1640 S-G
	72	Bb	1640 S-G
GRASMUSSENLAAN	30	Ba	1950 KR
GRASMUSSENPLEIN	75	Aa	3090 OV
GRASMUSSTRAAT	48	Abd	1180 UC
GRASPERKENWEG	49	Bac	1000 BR
GRASPERKLAAN	37	Acd	1150 WP
GRASPERKWEG	45	Dcd	3080 TE
GRASPLANTENWEG	49	Ba	1000 BR
GRATES/RUE-STRAAT	42	Fac	1170 WB
GRAUX/PLACE-PLEIN			
CHARLES	41	Cab	1050 IX
GRAUXLAAN/AVENUE			
KAREL-CHARLES	64	Aac	1040 [illegible]
GRAVELINES/RUE DE	28	Db	1000 BR
GRAVENDREEF	49	Cc	
		Fabd	1170 WB
	56	Cb	1170 WB
	57	Aac Da	1170 WB
GRAVENDREEF	71	Ed Fcd	1640 S-G
	72	Dc	1640 S-G
GRAVEN EGMONT EN	60	Acd	
HOORNLAAN		Dab	3090 OV
GRAVENHOFLAAN	70	Dab	1653 DW
GRAVIER/RUE DU	81	Fa	1300 WA
GRAVIN VAN			
VLAANDERENSTRAAT	20	Bbd	1020 BR
GRAY/RUE-STRAAT	35	Abd	1040 ET
1 à/tot 83A &			
2 à/tot 120B			
GRAY/RUE-STRAAT	35	Ad Dab	1050 IX
83B à fin/tot einde &			
122 à fin/tot einde			
GREBES/RUE DES	49	Cb	1170 WB
GREEPSTRAAT	27	Eb	1000 BR
	92	Cbd	1000 BR
GREFFE/RUE DU	33	Bb	1070 AN
GRENADIERS/			
AVENUE DES	84	Cc	1330 RI
GRENADIERS/			
AVENUE DES-LAAN	42	Eabd	1050 IX
GRENAT/RUE DU	12	Ca	1020 BR
GRENAT/SQUARE DU	12	Ca	1020 BR
GRENOUILLETTE/			
RUE DE LA	15	Dacd	1130 BR
GRENSSTRAAT	30	Dbd	1150 WP
GRENSSTRAAT	28	Aac	1210 SJ
	91	Ccd	
		Fac	1210 SJ
GRENSSTRAAT	53	Bb	
		Cacd	1651 LO
GRENSSTRAAT	15	Fbd	1831 DI
GRENSSTRAAT	30	Ad Dbd	1950 KR
GRENSSTRAAT	38	Bacd	
		Eb	1970 W-O
GRENSSTRAAT	38	Eb	3080 TE
GRENSWEG	69	Bbd	1501 BU
GRENSWEG	69	Bbd	1654 HU
GRETRY/RUE-STRAAT	27	Eb	1000 BR
	92	Cabd	1000 BR
GREVELINGENSTRAAT	28	Db	1000 BR
GREYSON/RUE-STRAAT			
VICTOR	35	Dcd	1050 IX
GRIBAUMONT/AVENUE-			
LAAN LOUIS	36	Aa	1150 WP
1 à/tot 73 & 2 à/tot 50			
GRIBAUMONT/AVENUE-	29	Dd	1200 WL
LAAN LOUIS	36	Aab	1200 WL
75 à fin/tot einde &			
52 à fin/tot einde			
GRIFFIESTRAAT	33	Bb	1070 AN
GRIJZE STENENPLEIN	36	Ed	1150 WP
GRIL/IMPASSE DU	27	Bc	1000 BR
	90	Ed	1000 BR
GRILLON/RUE DU	71	Db	1640 S-G
GRILLONS/ALLEE DES	83	Fb	1410 WA
GRILSTRAAT	26	Fb	1080 MO
GRIMBEERTSTRAAT	18	Aa	1702 G-B
GRIMBERGSESTEENWEG	3	Fab	1800 VI
	4	Ac Da	1800 VI
GRIMBERGSESTEENWEG	2	Fcd	1850 GR
	6	Bbd Ca	1853 S-B
GRIMOHAYE/RUE DE	85	Eabd	
		Fbcd	1300 LI
GRIOTTES/RUE DES	55	Aa	1180 UC
GRISAR/RUE-STRAAT	34	Aa	1070 AN
	94	Aac	1070 AN
GRIS MOULIN/AVENUE DU	74	Ebd Fc	1310 L-H
GRIVES/AVENUE DES	70	Ecd	1410 WA
GRIVES/AVENUE DES	30	Bac	1950 KR
GRIVES/RUE DES	40	Aacd	1070 AN
GROEBBE	38	Ac	1970 W-O
GROELSTVELD/			
AVENUE-LAAN	48	Dab	1180 UC
GROENDAL	2	Bac	1860 ME
GROENDALLAAN	6	Fabd	1800 VI
GROENDREEF	20	Cc Ebd	
		Fa	1000 BR
GROENDREEFSTRAAT	19	Dc	1082 BA
	26	Aa	1082 BA
GROENE CORNICHE	37	Bc Ea	1150 WP
GROENE HONDSTRAAT	27	Da	1080 MO
	90	Bc Ea	1080 MO
GROENE JAGERSLAAN	48	Cb	1180 UC
	49	Aa	1180 UC
GROENEJAGERSSTRAAT	70	Ed	1653 DW
GROENEJAGERSVELD	49	Aab	1000 BR
3 tot 85			
GROENE JAGERSVELD	49	Aa	1180 UC
86 tot einde			
GROENE JAGERSWIJK	49	Aa	1180 UC
GROENENBERG	29	Fb	1200 WL
GROENENDAALLAAN	75	Abd Bc	3090 OV

G

GROENENDAALSELAAN	42 Dd	1000 BR
	49 Ab	1000 BR
GROENENDAALSE-	57 Fd	1560 HO
STEENWEG	58 Dcd Ec	1560 HO
GROENENDAEL/	42 Dd	1000 BR
AVENUE DE	49 Ab	1000 BR
GROENENDAEL/		
PETITE DREVE DE	56 Ab Ba	1180 UC
GROENE SPECHTSTRAAT	43 Dd	1170 WB
GROENE SPECHTWEG	56 Cd	1170 WB
	57 Aac	1170 WB
GROENE SPECHTWEG	56 Ccd	1180 UC
GROENE WEG	2 Bab	1850 GR
GROENEWEG	59 Cb	3090 OV
	60 Aa	3090 OV
GROENE ZONESTRAAT	15 Acd	1130 BR
GROENHOF	31 Ec	1970 W-O
GROENINCKX-DE MAY/		
BOULEVARD-LAAN	26 Dd	1070 AN
MARIA	33 Ab	1070 AN
GROENINGELAAN	24 Dd	1933 ST
	31 Ab Ba	1933 ST
GROENINGEN-		
STRAAT	68 Bbcd	1500 HA
GROENINGHE/		
RUE DE-STRAAT	26 Cd	1080 MO
GROENKRAAGLAAN	42 Fa	1170 WB
GROENLAAN	67 Abcd	1560 HO
GROENLAAN	63 Ed	1640 S-G
GROENLAAN	63 Eabd	1652 AL
GROENSPECHTLAAN	55 Fb	1640 S-G
GROENSTRAAT	27 Cab	1210 SJ
1 tot 73 & 2 tot 80	91 Bc Ea	1210 SJ
GROENSTRAAT	20 Fd	1030 SC
andere nrs	27 Cb	1030 SC
	91 Babc	1030 SC
GROENSTRAAT	69 Abd Bc	1501 BU
GROENSTRAAT	39 Da	1602 VL
GROENSTRAAT	18 Ab Ba	1702 G-B
GROENSTRAAT	4 Bbcd	1800 VI
GROENSTRAAT	15 Eab	1831 DI
GROENSTRAAT	16 Bcd	
	Db Ea	1930 ZA
GROENSTRAAT	30 Db Ea	1950 KR
GROENTEBOERSTRAAT	25 Cb	1082 BA
GROENVELD	16 Bc	1930 ZA
GROENVELDLAAN	2 Ab Ba	1860 ME
GROENVINKSTRAAT	13 Ed	1020 BR
GROENWEG	14 Bb	1120 BR
	7 Ed	1120 BR
GROESELENBERG/	41 Ed Fc	1180 UC
RUE-STRAAT	48 Bab Ca	1180 UC
GRONDELSSTRAAT	33 Cbcd	
	Fa	1070 AN
GRONDWETLAAN	19 Cd Fb	1090 JE
46 tot einde		
GRONDWETLAAN	19 Fb	1083 GA
andere nrs		
GRONDWETPLEIN	34 Ab	1060 SG
	94 Abd	1060 SG
GRONDWETSTRAAT	20 Fd	1030 SC
	21 Dc	1030 SC
	91 Bb Ca	1030 SC
GROOT-BIJGAARDEN-	18 Fbd	1082 BA
STRAAT	19 Dcd	1082 BA
	26 Ab Ba	1082 BA
GROOT-BIJGAARDEN-		
STRAAT	47 Aac Da	1601 RU
GROOTBOSSTRAAT	62 Fbd	1652 AL
	70 Cb	1652 AL
GROOT BYGAERDEN-		
STRAAT	47 Ac	1620 DR
GROOT EILAND	27 Eac	1000 BR
	92 Bd Eb	1000 BR
GROOTGODSHUISSTRAAT	27 Bcd	1000 BR
	90 Ed Fcd	1000 BR
GROOTHERTOGSTRAAT	35 Bc Ea	1040 ET
GROOT-MOLENVELDLAAN	3 Fa	1850 GR
GROOTSERMENTSTRAAT	27 Ad Bc	
	Db	1000 BR
	90 Ec	1000 BR
	92 Ba	1000 BR
GROOTVELD	36 Ca	1200 WL
GROOTVELDERF	63 Dc	1652 AL
GROOTVELDLAAN	30 Dd	1150 WP
	36 Cd	1150 WP
	37 Aabc	1150 WP
GROOTVELDLAAN	31 Cd	3080 TE
GROOTVELDPAD	63 Dc	1650 BE
GROOTVELDSTRAAT	63 Dc	1652 AL
GROSEILLES/	34 Bac	1000 BR
IMPASSE DES	94 Fa	1000 BR
GROSJEAN/AVENUE-LAAN		
LEON	29 Aac	1140 EV
GROSSE TOUR/		
RUE DE LA	34 Cc	1000 BR
nos impairs	95 Dd	1000 BR
GROSSE TOUR/		
RUE DE LA	34 Cc	1050 IX
nos pairs	95 Dd	1050 IX
GROS TIENNE/		
CHEMIN DU	78 Bc	1310 L-H
GROS TIENNE/	78 Bd Cc	
CHEMIN DU	Fabd	1380 OH
GROS TIENNE/RUE DU	78 Cc Fab	1332 GE
	79 Da	1332 GE
GROS-TILLEUL/	13 Abd	
AVENUE DU	Bab	1020 BR
GROTE BAAN	54 Cb	1180 UC
GROTE BAAN	47 Bc Eabd	
	Fc	1620 DR
	54 Cab	1620 DR
GROTE BAAN	54 Fb	1630 LI
GROTE BAAN	54 Fbcd	1650 BE
	62 Bbcd	
	Ca	1650 BE
GROTE BAAN	62 Bcd	1652 AL
GROTE BOSSTRAAT	28 Bac	1030 SC
GROTE DAALSTRAAT	16 Ed	1930 ZA
	23 Babc	1930 ZA
GROTE GEESTSTRAAT	31 Ad Bc	1933 ST
GROTE HAAGSTRAAT	35 Bb Cac	1040 ET
GROTEHERTSTRAAT	34 Bb	1000 BR
	94 Cd	1000 BR
	95 Ac Da	1000 BR
GROTE HERTSTRAAT	62 Dd Ec	1653 DW
	70 Ba	1653 DW
GROTE HOEVE	17 Fd	3070 KO

Straat	Kaart	Vak	Postcode
GROTE HUTSESTEENWEG	72	Abcd	
		Bab	1640 S-G
GROTE KAPELLAAN	63	Dab	1652 AL
GROTE KLOOSTERSTRAAT	23	Abd	1932 S-W
GROTE MARKT	27	Eb	1000 BR
	92	Cd	1000 BR
GROTE MARKT	68	Fa	1500 HA
GROTE MARKT	4	Ad	1800 VI
GROTE OPPEMWEG	38	Aabd	
		Db	1970 W-O
GROTE PRIJZENLAAN	37	Ad Bac	
		Dab	1150 WP
GROTE PRIJZENLAAN	37	Bac	1950 KR
GROTE RINGLAAN	26	Dbd	1070 AN
GROTE VAARTDREEF	38	Fd	3080 TE
	45	Cb	3080 TE
GROTE WEIDE	68	Db Ea	1500 HA
GROTEWINKELLAAN	6	Ccd Fab	1853 S-B
GROTE ZAVEL	27	Ed	1000 BR
	94	Cb	1000 BR
GROTPLEIN	20	Ab	1090 JE
GROTSTRAAT	20	Ca	1020 BR
GROTSTRAAT	60	Db Eab	
		Fab	3090 OV
GROTTE/PLACE DE LA	20	Ab	1090 JE
GROTTE/RUE DE LA	20	Ca	1020 BR
GROTTE/RUE DE LA	74	Fd	1310 L-H
GRUMIAUXLAAN ARTHUR/ AVENUE	64	Ec	1640 S-G
GRUNER/RUE-STRAAT MARCEL	26	Ca	1080 MO
GRUYER/RUE DU	42	Fb	1170 WB
GRYSON/AVENUE LAAN EMILE	40	Acd	1070 AN
GUE/RUE AU	88	Da	1420 B-A
GUEMENEE/AVENUE DE	88	Ad Bc	1420 B-A
GUERET/AVENUE DU	80	Ec	1300 LI
	85	Bab	1300 LI
GUEUX/PLACE DES	28	Eb	1000 BR
GUFFENS/RUE-STRAAT GODEFROID	21	Eb	1030 SC
GUI/AVENUE DU	55	Cacd	1180 UC
GUIDON/RUE-STRAAT FIK	19	Ec	1080 MO
1 à/tot 31 & 2 à/tot 26	26	Ba	1080 MO
GUIDON/RUE-STRAAT FIK	26	Ba	1082 BA
autres nos/andere nrs			
GUILDES/RUE DES	28	Da	1210 SJ
numéro 2	93	Cd	1210 SJ
GUILDES/RUE DES	28	Dab	1000 BR
nos impairs & 4 à fin	93	Cd	1000 BR
GUILLAUME/AVENUE-LAAN FRANZ	22	Dcd	1140 EV
GUIMARD/RUE-STRAAT	27	Fd	1040 BR
	28	Dc	1040 BR
GUIMARD/RUE-STRAAT	93	Eb Fac	1040 BR
GUINEAGAARDE	37	Ad Bc	1150 WP
GUINEES/CLOS DES	37	Ad Bc	1150 WP
GULDEN BODEM/ RUE DU-STRAAT	26	Cc	1080 MO
GULDEN-BODEMPLEIN	54	Aa	1601 RU
GULDENBODEMSTRAAT	71	Aa	1652 AL
GULDENDAL	3	Ac	1850 GR
GULDENDALLAAN	36	Ab Bac	1150 WP
1 tot 113 & 2 tot 110			
GULDENDELLE	17	Ecd	1930 NO
GULDENDELLESTRAAT	17	Cd	3070 KO
GULDENHOOFDSTRAAT	27	Eb	1000 BR
	92	Ccd	1000 BR
GULDEN KASTEELSTRAAT	48	Dc	1180 UC
GULDEN KOORNSTRAAT	26	Ab	1082 BA
GULDENKOUTER	11	Bd Cc	1731 ZE
GULDENSCHAAPSTRAAT	4	Bc	1800 VI
GULDEN-SPORENLAAN	35	Dc	1050 IX
GULDENSPORENLAAN	66	Bd Eb	1560 HO
GULDEN-VLIESGALERIJ	34	Ca	1050 IX
	95	Ad Bc	1050 IX
GULDEN-VLIESLAAN	34	Bd Cac	1050 IX
1 tot 45A	95	Acd	
		Bc Da	1050 IX
GULDEN-VLIESLAAN	34	Bd Cac	1000 BR
46 tot 50	94	Fbcd	1000 BR
	95	Acd	
		Bc Da	1000 BR
GULDEN-VLIESLAAN	34	Bd Cac	1060 SG
51 tot einde	94	Fbcd	1060 SG
	95	Acd	
		Bc Da	1060 SG
GULLEDELLE	29	Ab Ba	1200 WL
GUNSSTRAAT LOUIS	52	Dabc	3090 OV
GURICKXSTRAAT FRANS	15	Cabd	1831 DI
GUSTAAFLAAN	63	Cd Fb	1640 S-G
	64	Ac Da	1640 S-G
GUSTAVE/AVENUE	63	Cd Fb	1640 S-G
	64	Ac Da	1640 S-G
GUTENBERG/SQUARE	28	Db	1000 BR
GUYOTSTRAAT/RUE L.	5	Ed Fc	1780 WE
GYMNASE/CHEMIN DU	42	Da	1000 BR
GYMNASIUMWEG	42	Da	1000 BR

H

Straat	Kaart	Vak	Postcode
HAACHTSESTEENWEG	27	Cbd	1210 SJ
1 tot 81 & 2 tot 84	91	Cc Eb	
		Fa	1210 SJ
HAACHTSESTEENWEG	21	Bcd	
83 tot 749 & 86 tot 742		Dabc Ea	1030 SC
	27	Cb	1030 SC
	91	Cac	1030 SC
HAACHTSESTEENWEG	21	Bd	
817 tot 1169 &		Cabc	1140 EV
910 tot 1280			
HAACHTSESTEENWEG	15	Ad Babc	
1177 tot einde &		Dbcd	1130 BR
1426 tot einde	21	Cb	1130 BR
	22	Aa	1130 BR
HAACHTSESTEENWEG	10	Aa	1820 ME
	9	Ad Bcd	
		Cabc	1820 ME
HAACHTSESTEENWEG	10	Aa	1820 ST
	9	Ad Bcd	
		Cabc	1820 ST
HAACHTSESTEENWEG	15	Bb	1830 MA
	8	Cd Ed	
		Fabc	1830 MA
	9	Acd	1830 MA
HAACHTSESTEENWEG	15	Bb	1831 DI
	8	Cd Ed	
		Fabc	1831 DI
	9	Acd	1831 DI

HAAGBEUKENDREEF	44	Eabd	3080 TE
	51	Bbd Cc	3080 TE
HAAGBEUKENGAARDE	36	Cc	1150 WP
HAAGBEUKENLAAN	29	Bcd	1200 WL
HAAGDOORNENLAAN	23	Dd	1950 KR
HAAGDOORNLAAN	64	Bc	1640 S-G
HAAGDOORNLAAN	5	Bbd	1780 WE
HAAGDOORNWEG	49	Ab	1000 BR
HAAGLAAN	59	Abd Ba	3090 OV
HAAGWINDELAAN	59	Dab	3090 OV
HAAGWINDENLAAN	13	Cb	1020 BR
	14	Aa	1020 BR
	7	Dc	1020 BR
HAANSTRAAT	48	Acd Da	1180 UC
HAASMANSDELLE/	64	Bbd	
CHEMIN DE		Ccd	1640 S-G
HAASSTRAAT	32	Fac	1070 AN
HABERMAN/RUE-STRAAT	27	Dcd	1070 AN
	92	Da	1070 AN
HAECHT/ANCIENNE			
CHAUSSEE DE	15	Bab	1130 BR
HAECHT/CHAUSSEE DE	27	Cbd	1210 SJ
1 à 81 & 2 à 84	91	Cc Eb	
		Fa	1210 SJ
HAECHT/CHAUSSEE DE	21	Bcd	
83 à 749 & 86 à 742		Dabc Ea	1030 SC
	27	Cb	1030 SC
	91	Cac	1030 SC
HAECHT/CHAUSSEE DE	21	Bd Cabc	1140 EV
817 à 1169 & 910 à 1280			
HAECHT/CHAUSSEE DE	15	Ad Babc	
1177 à fin & 1426 à fin		Dbcd	1130 BR
	21	Cb	1130 BR
	22	Aa	1130 BR
HAECK/RUE-STRAAT	20	Dbcd	1080 MO
HAGAARD	59	Ebd Fc	3090 OV
	67	Bb Cab	3090 OV
HAGAARDBOSWEG	59	Fcd	3090 OV
	67	Bbd Ca	3090 OV
HAGEDISSENWEG	42	Ac	1000 BR
HAGEDOORNLAAN	55	Fb	1180 UC
	56	Acd Da	1180 UC
HAGEDOORNLAAN	63	Dab	1652 AL
HAGEDOORNPAD	43	Fa	1160 AU
HAIE/RUE DE LA	81	Dcd	1301 BI
	86	Aa	1301 BI
HAINAUT/AVENUE-LAAN			
ROGER	43	Bd	1160 AU
HAINAUT/QUAI DU	27	Ad Db	1080 MO
	90	Dd	1080 MO
	92	Aab	1080 MO
HAINAUT/RUE DU	88	Ad Db	1420 B-A
HAINAUT/RUE-STRAAT			
AUGUSTE	20	Dab	1090 JE
HAKBOSSTRAAT	50	Ec	1170 WB
HAKEN EN STAKENDREEF	65	Bbd	
		Cab	1560 HO
HAKHOUTLAAN	42	Fac	1170 WB
HAKKENEIDREEF	21	Fd	1140 EV
	28	Cb	1140 EV
HAL/CHAUSSEE DE	70	Fab	1640 S-G
	71	Acd Da	1640 S-G
HAL/PORTE DE	34	Bc	1000 BR
	94	Ed	1000 BR
HAL/RUE DE	40	Ebd	1190 FO
HALDORP	63	Bb	1630 LI
HALFUURDREEF	37	Dd	1150 WP
	44	Ab Ba	1150 WP
HALFUURDREEF	44	Bac Eac	3080 TE
	51	Ba	3080 TE
HALLALI/			
CHEMIN DE L'-WEG	42	Dab	1000 BR
HALLAUX/CHEMIN	81	Bd Eb	
		Fa	1300 WA
HALL DES SPORTS/			
RUE DU	15	Ad	1130 BR
HALLE/STEENWEG NAAR	70	Ed Fabc	1652 AL
	71	Ad	1652 AL
HALLEBARDE/			
AVENUE DE LA	21	Fd	1140 EV
HALLEMANS/	27	Ad	1080 MO
IMPASSE-GANG	90	Dd	1080 MO
HALLENSTRAAT	27	Bd Eb	1000 BR
	92	Ca	1000 BR
HALLEPOORT	34	Bc	1000 BR
	94	Ed	1000 BR
HALLEPOORTLAAN	34	Abd Bc	1060 SG
	94	Bc Eac	1060 SG
HALLES/RUE DES	27	Bd Eb	1000 BR
	92	Ca	1000 BR
HALLESESTEENWEG	70	Fab	1640 S-G
	71	Acd Da	1640 S-G
HALLESTRAAT	40	Ebd	1190 FO
HALLEWEG	68	Fd	1500 HA
	69	Fac	1500 HA
HALLEWEG	69	Fabc	1653 DW
HALLIER/AVENUE DU	13	Ba	1020 BR
HALS/RUE-STRAAT FRANS	33	Dcd	1070 AN
HALS/SQUARE FRANS	33	Dac	1070 AN
HALSDREEF	52	Dd Eac	3090 OV
HALSENDALLAAN	70	Cb	1650 BE
	71	Aa	1650 BE
HALVE CIRKELSTRAAT	7	Dd	1120 BR
HALVEMAANPLEIN	30	Dd	1150 WP
HALVEMAANSTRAAT	34	Da	1060 SG
1 tot 9 & 2 tot 22			
HALVEMAANSTRAAT	34	Dac	1190 FO
11 tot einde & 24 tot einde			
HAM/RUE DU-STRAAT	48	Fb	1180 UC
	49	Da	1180 UC
HAMDREEF	10	Babc	1820 ST
HAMEAU/CHEMIN DU	81	Bbd Cc	1300 WA
HAMEAU/RUE DU	71	Ccd	1640 S-G
	72	Ac	1640 S-G
HAMEAU/SENTIER DU	81	Bd Cc	1300 WA
HAMERSTRAAT	28	Da	1210 SJ
2 tot 48	93	Ccd	1210 SJ
HAMERSTRAAT	28	Da	1000 BR
onpare nrs & 52 tot einde	93	Ccd	1000 BR
HAMMESEHOEK	5	Ac	1731 RE
HAMMESTRAAT/RUE DE	5	Ac	1780 WE
HAMOIR/AVENUE-LAAN	41	Fc	1180 UC
	48	Cabd	1180 UC
	49	Aac	1180 UC
HAMOIR/AVENUE-LAAN			
HUART	21	Ab Ba	1030 SC
HAMSTERGAARDE/			
CLOS DU	38	Ac	1970 W-O
HAMWEG	8	Da	1130 BR
HANCART/RUE-STRAAT	21	Dc	1030 SC

H

H

Straat	Kaart	Vak	Postcode
HANDBOOGHOF	68	Fa	1500 HA
HANDELBERGHLAAN FELIX	69	Da	1501 BU
HANDELSGALERIJ	27	Bd	1000 BR
	90	Fd	1000 BR
	93	Aa	1000 BR
HANDELSKAAI	27	Ba	1000 BR
	90	Bd Cc Eb	1000 BR
HANDELSKANTOORSTRAAT	19	Ebd	1081 KO
HANDELSSTRAAT	16	Eb	1040 BR
69 tot 113 & 68 tot 114	27	Fd	1040 BR
	28	Dac	1040 BR
	34	Cb	1040 BR
	93	Ed Fac	1040 BR
	95	Bb	1040 BR
HANDELSSTRAAT	27	Fd	1000 BR
andere nrs	28	Dac	1000 BR
	34	Cb	1000 BR
	93	Ed Fac	1000 BR
	95	Bb	1000 BR
HANDELSSTRAAT	16	Eb	1930 ZA
HANDSTRAAT	64	Dd	1640 S-G
	72	Ab	1640 S-G
HANEGANG	27	Bb Ca	1000 BR
	91	Da	1000 BR
HANEKAMMETJESLAAN	39	Cc Eb Fa	1070 AN
HANENBOSWEG	70	Acd Dab	1653 DW
HANEVELDLAAN	6	Cab	1850 GR
HANG/TIENNE DU	81	Cb	1300 WA
HANGAARWEG	56	Bcd	1180 UC
HANGAR/CHEMIN DU	56	Bcd	1180 UC
HANGEIKWEG	71	Bc	1640 S-G
HANKAR/RUE-STRAAT PAUL	48	Abd	1180 UC
HANNEKENSBOSLAAN	60	Dd	3090 OV
HANNETONS/AVENUE DES	42	Fb	1170 WB
	43	Da	1170 WB
HANNETONS/AVENUE DES	63	Cc	1640 S-G
HANS/RUE JULES	88	Ac	1420 B-A
HANSE/SQUARE-SQUARE JOSEPH	29	Cd Fb	1200 WL
HANSE JOSEPH/CLOS-HOF	43	Da	1170 WB
HANSEN-SOULIE/AVENUE-LAAN	35	Cc Fa	1040 ET
HANSOULSTRAAT CONSTANT	8	Bbd	1830 MA
HANSSENS/AVENUE-LAAN JULIEN	20	Dd	1080 MO
HANSSENS/RUE-STRAAT CHARLES	34	Bb	1000 BR
	94	Cb	1000 BR
HANSSENSLAAN BENOIT	4	Bd Eb	1800 VI
HANSSENSPARK BENOIT	4	Dabcd	1800 VI
HAP/JARDIN-TUIN FELIX	35	Bc	1040 ET
HAP/RUE-STRAAT FELIX	35	Bab	1040 ET
HAP/RUE-STRAAT LOUIS	35	Ad Bbcd	1040 ET
HAP LEMAITRE/RUE-STRAAT PIERRE	35	Eac	1040 ET
HAQUENEE/MAIL DE LA	21	Fd	1140 EV
	28	Cb	1140 EV
HARAS/AVENUE DU	37	Db	1150 WP
HARAS/CHEMIN DU	49	Ab Ba	1000 BR
HARAS/CLOS DU	86	Cd Fb	1301 BI
HARAS/DREVE DU	56	Bcd Eb Fab	1180 UC
HARBALORIFALAAN	59	Fa	3090 OV
HARDOUIN-MANSART/AVENUE JULES	83	Bb	1410 WA
HARDSTRAAT/RUE	37	Cab	1970 W-O
HARDY/PASSAGE-DOORGANG OLIVER	12	Bd	1090 JE
HARDY/RUE ARTHUR	86	Dbd Ecd	1300 LI
HARENBERG	15	Aac	1130 BR
HARENGS/RUE DES	27	Eb	1000 BR
	92	Cd	1000 BR
HARENHEIDELAAN	22	Ebd	1932 S-W
HARENHEIDESTRAAT	15	Ad Bc	1130 BR
HARENHEYDE/RUE	15	Ad Bc	1130 BR
HARENSESTEENWEG	4	Dd Eac	1800 VI
	8	Aabc Da	1800 VI
HARENWEG	14	Fd	1140 EV
HARINGSTRAAT	27	Eb	1000 BR
	92	Cd	1000 BR
HARMONIE/RUE DE L'-STRAAT	27	Bb	1000 BR
	90	Cbd	1000 BR
HARNOIS/AVENUE DU	28	Cb	1140 EV
	20	Aa	1140 EV
HARTELIJKHEIDSSTRAAT	26	Eb	1070 AN
HASSENBERGSTRAAT	60	Bcd	3090 OV
HAUBRECHTS/RUE-STRAAT	27	Ab	1080 MO
	90	Ea	1080 MO
HAULOTTE/RUE ALFRED	85	Dc	1342 LI
HAUSTRATENPLEIN	53	Ebd	1651 LO
HAUT-CHAMP/AVENUE DU	26	Ab Ba	1082 BA
HAUTE/RUE	27	Ed	1000 BR
	34	Babc	1000 BR
	92	Fd	1000 BR
	94	Cabc Ebd Fa	1000 BR
HAUTE/RUE	81	Fb	1300 WA
HAUTE/RUE	79	Ed	1330 RI
	84	Bab	1330 RI
HAUTE BORNE/RUE DE LA	88	Ab Ba	1420 B-A
HAUTFENNE/RUE ADELIN	79	Fb	1330 RI
HAUT PONT/AVENUE DU 1 à 11 & 2 à 14	41	Bb	1060 SG
HAUT PONT/AVENUE DU 13 à fin & 16 à fin	41	Bb	1050 IX
HAUT-PONT/CARRE DU	41	Ca	1050 IX
HAUTS TAILLIS/AVENUE DES	84	Cc Fa	1330 RI
HAUTS-TIENNES/RUE DES	88	Dac	1420 B-A
HAUWAERTS/SQUARE PIETER	21	Ca	1140 EV
HAUWAERTSTRAAT JOZEF	62	Ac Dabd	1651 LO
HAVAUX/RUE-STRAAT ERNEST	35	Ad Bc	1040 ET
HAVENLAAN	20	Ec	1080 MO
2 tot 82	27	Ba	1080 MO
	90	Bb	1080 MO
HAVENLAAN	20	Bd Ebcd	1000 BR
onpare nrs &	27	Ba	1000 BR
88 tot einde	90	Bb	1000 BR
HAVENSTRAAT	4	Dbd Ec	1800 VI
HAVERVELD	22	Cd	1932 S-W
	23	Ac	1932 S-W

H

Street	Page	Grid	Code
HELLINCKX/RUE ALPHONSE & MAURICE	19	Bd Eb	1083 GA
HELLINCKX/RUE-STRAAT FRANCOIS	26	Cb	1081 KO
HELLINGSTRAAT	43	Bacd	1160 AU
HELLINGSTRAAT	4	Abd Bc	1800 VI
HELMET/CHAUSSEE DE	21	Ad Babc	1030 SC
HELMET/PLACE DE	21	Bc	1030 SC
HELMETSEPLEIN	21	Bc	1030 SC
HELMETSESTEENWEG	21	Ad Babc	1030 SC
HELPE/	75	Dc	1332 GE
VIEUX CHEMIN DE L'	79	Aac	1332 GE
HEMELEIKGAARDE	30	Dcd	1150 WP
HEMELSTRAAT	53	Cd	1601 RU
	54	Ac	1601 RU
HEMELSTRAAT	53	Cd	1651 LO
	54	Ac	1651 LO
HENDRICKX/CLOS-GAARDE JOSEPH	19	Ad	1083 GA
HENDRICKX/	57	Bbd	
DREVE-DREEF		Cab	1170 WB
HENDRIK-I-LEI	4	Babc	1800 VI
HENEGOUWENKAAI	27	Ad Db	1080 MO
	90	Dd	1080 MO
	92	Aab	1080 MO
HENGSTENBERG	52	Dc	3090 OV
	59	Aabd	
		Db	3090 OV
HENGSTSTRAAT	54	Aa	1601 RU
HENISDAL	53	Da	1600 P-L
HENNEAULAAN HECTOR	15	Fd	1930 ZA
	16	Dcd	
		Ecd Fc	1930 ZA
HENNEBICQ/RUE-STRAAT ANDRE	34	Db	1060 SG
7 à/tot 47 & 2 à/tot 50			
HENNEBICQ/RUE-STRAAT ANDRE	34	Db	1190 FO
49 à fin/tot einde			
HENRARD/AVENUE-LAAN XAVIER	36	Db	1150 WP
HENRARD/RUE-STRAAT EDOUARD	35	Fd	1160 AU
HENRI/AVENUE-LAAN	28	Fcd	1200 WL
GEORGES	29	Dbcd Fa	1200 WL
HENROTTE/RUE-STRAAT	30	Dd	1150 WP
	37	Ab	1150 WP
HENRY/RUE-STRAAT RENE	33	Acd	1070 AN
HENSMANSSTRAAT GEORGES	46	Fa	1600 P-L
HEPBURN/RUE-STRAAT AUDREY	12	Bd	1090 JE
HERBATTE	82	Aa	1300 WA
HERBATTE/CHAUSSEE DE L'	82	Aac	1300 WA
HERBES/DREVE AUX	37	Ed	1150 WP
	44	Bb	1150 WP
HERBES SAUVAGES/CARRE DES	30	Dbd	1150 WP
HERBETTE/BOULEVARD-LAAN MAURICE	26	Ecd	1070 AN
HERDERINLAAN	19	Eb	1082 BA
HERDERSHONDWEG	6	Ed	1020 BR
HERDERSLIEDGAARDE	28	Cb	1140 EV

Street	Page	Grid	Code
HERDERSLIEDSTRAAT	26	Db Ea	1070 AN
37 tot 99 & 32 tot 100			
HERDERSLIEDSTRAAT	26	Db Ea	1080 MO
andere nrs			
HERDERSSTAFLAAN	43	Acd Db	1160 AU
onpare nrs & 76 tot 78			
HERDERSSTAFSTRAAT	43	Db	1170 WB
2 tot 74			
HERDERSSTRAAT	34	Cac	1050 IX
	95	Db Ea	1050 IX
HERDERSTRAAT	46	Ec	1600 P-L
HERDEWEG	39	Db Eab	
		Fac	1602 VL
HERENDAL	30	Dcd	1150 WP
	37	Ab	1150 WP
HEREN VAN WITTHEMLAAN	62	Ba	1650 BE
HERFSTLAAN	53	Bb	1600 P-L
HERFSTSTRAAT	42	Bab	1050 IX
HERGE/AVENUE-LAAN	35	Dbd	1050 IX
HERINCKX/AVENUE-LAAN GUILLAUME	48	Ac	1180 UC
HERIS/RUE-STRAAT	27	Dd	1000 BR
	92	Db	1000 BR
HERISEMWEG	70	Bd	
		Cabc	1652 AL
HERISSON/ALLEE DU	32	Fb	1070 AN
HERISSON/AVENUE DU	55	Bac	1180 UC
HERISSONS/CLOS DES	30	Ba	1950 KR
HERKOLIERS/RUE-STRAAT	26	Da	1081 KO
	90	Aa	1081 KO
HERLAERSTRAAT	4	Db Ea	1800 VI
HERLEVINGSLAAN	14	Fd	1140 EV
	21	Cb	1140 EV
HERLIN/AVENUE ANTOINETTE	74	Cd Fab	1310 L-H
HERMAN/RUE-STRAAT	21	Dbd	1030 SC
HERMANT/AVENUE JEAN	80	Dac	1330 RI
HERMELIJNLAAN	49	Cbd	1170 WB
HERMELIJNLAAN	31	Bcd Ea	1933 ST
HERMELIJNLAAN	38	Acd	1970 W-O
HERMES/ROND-POINT-PLEIN	33	Fa	1070 AN
HERMESLAAN	15	Ed	
		Fbcd	1831 DI
HERMESSTRAAT	24	Aab	1930 ZA
HERMINE/AVENUE DE L'	49	Cbd	1170 WB
HERMINE/AVENUE DE L'	38	Acd	1970 W-O
HERNALSTEENSTRAAT/	30	Fd	1970 W-O
RUE RAYMOND	37	Cb	1970 W-O
	38	Aa	1970 W-O
HEROISME/RUE DE L'	20	Aa	1090 JE
HERON/AVENUE DU	5	Bcd	1780 WE
HERON/RUE DU	43	Dd	1170 WB
HERONNIERE/AVENUE DE LA	43	Acd Da	1160 AU
102 à 104			
HERONNIERE/AVENUE DE LA	42	Fb	1170 WB
autres nos	43	Da	1170 WB
HEROS/AVENUE DES	43	Ed Fc	1160 AU
HEROS/AVENUE DES	31	Dc	1970 W-O
HEROS/PLACE DES	34	Ad	1060 SG
	94	Dd	1060 SG
HEROS/SQUARE DES	41	Dd Ec	1180 UC
	48	Ab	1180 UC

H

Straat	Kaart	Vak	Postcode
HERREWEGE/RUE-STRAAT	20	Ac Da	1090 JE
HERRMANN-DEBROUX/	43	Bcd	
AVENUE-LAAN		Eab	1160 AU
HERSE/RUE DE LA	43	Dd	1170 WB
HERTBRUGGE	36	Cb	1150 WP
HERTEDREEF	45	Bcd Eb	3080 TE
HERTENBERGSTRAAT	45	Babc	3080 TE
HERTENLAAN	57	Cd	1560 HO
	58	Aac	1560 HO
HERTENLAAN	37	Bd	1950 KR
HERTOGENDAL	42	Cb	1160 AU
	43	Aab	1160 AU
HERTOGENDAL	51	Fc	3090 OV
	58	Cab	3090 OV
HERTOGENDREEF	49	Cd	1170 WB
	50	Ac	1170 WB
HERTOGENLAAN	37	Bb	
		Cabcd	1970 W-O
HERTOGENSTRAAT	37	Bb Ca	1950 KR
HERTOGENVOETWEG	3	Bb Cac	1850 GR
HERTOGENWANDELING	10	Bb	1820 ST
HERTOGENWEG	38	Dbd Ec	3080 TE
HERTOGINNEDAL	43	Bab	1160 AU
HERTOGINNESTRAAT nummer 34	35	Cb	1200 WL
HERTOGINNESTRAAT onpare nrs	35	Cb	1150 WP
HERTOGINSTRAAT 2 tot 32	35	Cb	1040 ET
HERTOGIN VAN	26	Fb	1080 MO
BRABANTPLAATS	27	Da	1080 MO
HERTOG JANLAAN	19	Cc Fa	1083 GA
HERTOGSSTRAAT	27	Fbd	1000 BR
	34	Cb	1000 BR
	93	Bd Ebcd	1000 BR
	95	Ba	1000 BR
HERTOGSTRAAT	35	Cb	1200 WL
117 tot einde	36	Aa	1200 WL
HERTOGSTRAAT	35	Cb	1150 WP
andere nrs	36	Aa	1150 WP
HERTOGSWEGEL	21	Cc	1140 EV
HERTOGWEG	38	Dab	1970 W-O
HERTSTRAAT onpare nrs	40	Bb Ca	1070 AN
HERTSTRAAT pare nrs	40	Bb	1190 FO
HERTSTRAAT	60	Dd	3090 OV
HERTZSTRAAT ARMAND	4	Cc Fa	1800 VI
HERVORMINGSLAAN	19	Bb Ca	1083 GA
HERVORMINGSSTRAAT	41	Bb Ca	1050 IX
HERZIENINGSLAAN	33	Cd	1070 AN
	34	Aac	1070 AN
HESPERIDENLAAN	55	Cb	1180 UC
HESPERIDES/ AVENUE DES	55	Cb	1180 UC
HESS DE LILEZLAAN/ AVENUE	54	Cd	1630 LI
HESS DE LILEZSTRAAT	54	Ccd	1650 BE
HET BROEK	70	Cd	1652 AL
	71	Acd	1652 AL
HET DREVEKEN	36	Fb	1150 WP
HET HOUTEM	62	Bb	1650 BE
HETRAIE/ALLEE DE LA	87	Bd	1300 WA
HETRES/AVENUE DES	86	Cd Fb	1301 BI
HETRES/AVENUE DES	64	Ad Bc	1640 S-G

Straat	Kaart	Vak	Postcode
HETRES/DREVE DES	80	Dd	1330 RI
HETRES/RUE DES	54	Ca	1620 DR
HETRES/RUE DES	54	Fbcd	1630 LI
	55	Da	1630 LI
HETRES POURPRES/ AVENUE DES	13	Bab	1020 BR
HETRES ROUGES/ AVENUE DES	5	Bb	1780 WE
HETRES ROUGES/ AVENUE DES	37	Bb	1950 KR
HETRES ROUGES/	30	Ed	1970 W-O
AVENUE DES	37	Bb	1970 W-O
HET VEROOST	19	Ab	1083 GA
HEUKEN	64	Dd	1640 S-G
HEURES CLAIRES/ AVENUE DES	76	Dac	1410 WA
HEURKSTRAAT	60	Dc	3090 OV
	67	Cbd	3090 OV
HEUSBLOKLAAN	2	Ad	1860 ME
HEUVELDAL	6	Ed	1853 S-B
HEUVELLAAN	63	Fa	1640 S-G
HEUVELLAAN	25	Dd	1700 DI
HEUVELSTRAAT	27	Eb	1000 BR
	92	Cd	1000 BR
HEUVELSTRAAT	59	Fb	3090 OV
	60	Da	3090 OV
HEYDENBERG/ AVENUE-LAAN	29	Dabd	1200 WL
HEYDRIESSTRAAT	46	Ec	1600 P-L
HEYENBLOK	71	Bd Cc	1640 S-G
HEYLENS/RUE-STRAAT EMILE	26	Aa	1082 BA
HEYMANS/RUE-STRAAT HUBERT	19	Db	1082 BA
HEYMANS/RUE-STRAAT JEAN	13	Db	1020 BR
HEYMANSDRIES	71	Cc Fab	1640 S-G
	72	Da	1640 S-G
HEYMBOSCH/ AVENUE DU-LAAN	12	Cacd	1090 JE
HEYMBOSCH/ CHEMIN DU-WEGEL	12	Ccd	1090 JE
HEYRBAUTLAAN Z.E.H.A.	18	Dac	1700 DI
HEYSEL/RUE DU	13	Ad Bc	1020 BR
HEYSELLAAN	6	Fd	1800 VI
	7	Dc	1800 VI
HEYVAERT/RUE-STRAAT 1 à/tot 195 & 2 à/tot 52 & 110 à/tot 142	27	Dac	1080 MO
HEYVAERT/RUE-STRAAT	27	Dac	1070 AN
autres nos/andere nrs	92	Aac	1070 AN
HIBOUX/RUE DES	30	Dd	1150 WP
HIEL/RUE-STRAAT EMMANUEL	21	Da	1030 SC
HINCKAERTPLEIN	10	Bac	1820 ST
HINDELAAN	52	Bc Ea	3090 OV
HINDENLAAN	55	Ad Bc	1180 UC
HINDENLAAN	37	Bd Cc	1950 KR
HINDERNISLAAN	37	Ad	1150 WP
HIPPELENBERG	68	Abd	1500 HA
HIPPOCAMPES/RUE DES	26	Bcd	1080 MO
HIPPOCRATE/AVENUE	29	Cbd	1200 WL
	30	Acd	1200 WL
HIPPOCRATE/AVENUE	30	Acd	1950 KR
HIPPOCRATESLAAN	30	Acd	1950 KR

Straat	Blz.	Vak	Postcode
HIPPODROME/ AVENUE DE L'	35	Dc	1050 IX
	42	Aab	1050 IX
HIPPODROME/ AVENUE DE L'	49	Ad Bcd	1180 UC
HIPPODROME/ AVENUE DE L'	31	Aabd Db Ea	1970 W-O
HIPPODROOMLAAN	23	Fd	1933 ST
	24	Dc	1933 ST
	31	Aabd Db Eac	1933 ST
HIPPOKRATESLAAN	29	Cbd	1200 WL
	30	Acd	1200 WL
HIPPOKRATESLAAN	29	Cbd	1932 S-W
	30	Acd	1932 S-W
HIRONDELLES/ AVENUE DES	76	Cac	1410 WA
HIRONDELLES/ AVENUE DES	72	Ac Da	1640 S-G
HIRONDELLES/ AVENUE DES	1	Ebd	1780 WE
HIRONDELLES/ AVENUE DES	23	Ec	1950 KR
	30	Ba	1950 KR
HIRONDELLES/ CHAMP DES	31	Dd	1970 W-O
HIRONDELLES/RUE DES	27	Bd	1000 BR
	90	Fcd	1000 BR
HIRONDELLES/RUE DES	88	Ad Db	1420 B-A
HITCHCOCK/CHEMIN-WEG ALFRED	12	Bd	1090 JE
HIVER/AVENUE DE L'	83	Bb	1410 WA
HIVER/RUE DE L'	86	Ac	1300 LI
HOBBEMA/RUE-STRAAT	28	Ebd	1000 BR
HOBEREAUX/AVENUE DES	43	Dab	1170 WB
HOCHE/AVENUE-LAAN	48	Fc	1180 UC
HOCKEY/ AVENUE DU-LAAN	36	Cc Fab	1150 WP
HOCKEYLAAN	32	Ab	1700 DI
HOCKEYLAAN	22	Ed	1932 S-W
HODDEVELD	16	Fa	1930 ZA
HOEDEMAEKERS/SQUARE SERVAAS-SERVAES	21	Cc	1140 EV
HOEDENMAKERSSTRAAT	27	Ebd	1000 BR
	92	Fb	1000 BR
HOEDSTRAAT	27	Dc	1070 AN
	34	Aa	1070 AN
HOEF/AVENUE DU-LAAN	41	Fc	1180 UC
HOEFIJZERLAAN	67	Ab	1560 HO
HOEFIJZERSTRAAT	30	Fab	1970 W-O
HOEFIJZERWEG	49	Ebcd Fac	1180 UC
	56	Bab	1180 UC
HOEILAART/CHEMIN DE	66	Fabd	1310 L-H
	74	Cb	1310 L-H
	75	Aa	1310 L-H
HOEILAARTSESTEENWEG	67	Ac Dab Eacd Fc	3090 OV
HOEILAARTSEWEG	66	Fab	1560 HO
HOEKJE GRONDSTRAAT	20	Ad	1090 JE
HOEKPLEIN	16	Ad	1930 ZA
HOEKSTRAAT	27	Bb	1000 BR
	90	Cd	1000 BR
HOEKSTRAAT	63	Fcd	1640 S-G
	71	Cb	1640 S-G
HOEKSTRAAT	67	Bd	3090 OV
HOEKSTRAAT/RUE DU	54	Fb	1630 LI
	55	Da	1630 LI
HOENSVELD	12	Dc	1731 ZE
HOEVELAAN	59	Dc	1560 HO
HOEVESTRAAT	28	Acd	1210 SJ
	91	Fd	1210 SJ
	93	Cb	1210 SJ
HOEVESTRAAT	63	Fac	1640 S-G
HOEVESTRAAT	59	Ab Ba	3090 OV
HOEVEWEG	62	Bc Ea	1652 AL
HOFBERG	27	Fc	1000 BR
	93	Dd	1000 BR
HOFFELIJKHEIDSSTRAAT	26	Ea	1070 AN
HOFKENSSTRAAT	38	Dd	3080 TE
HOFKENSSTRAAT/RUE	38	Dabd	1970 W-O
HOFSTRAAT	17	Fb	3070 KO
HOF TE BEVERLAAN	5	Cd	1853 S-B
	6	Aabc	1853 S-B
HOF TEN BERG	29	Cab	1200 WL
HOF-TEN-BERG	71	Cbd	1640 S-G
HOF TEN BERG/ AVENUE-LAAN	29	Bb Ca	1200 WL
HOF-TEN-BERGLAAN	22	Ed	1932 S-W
	29	Bb	1932 S-W
HOF TEN BLEUTE/ SQUARE	54	Cd	1630 LI
HOF TEN BLOOTEN	69	Eb	1501 BU
HOF TEN BOESDAALLAAN	63	Bd	1652 AL
HOF TEN HORENLAAN	48	Bab	1180 UC
HOF-TEN-HOUT	71	Bd Cc Ebd	1640 S-G
HOF TEN VOORDESTRAAT	7	Da	1800 VI
HOF TE OPHEMHOEK/ CLOS	33	Aa	1070 AN
HOF TERHOLST	75	Babd	3090 OV
HOF TER MOTTEN	62	Ad	1650 BE
HOF TER MULLENSTRAAT	32	Ac	1700 DI
HOF TER MUSSCHEN/ DREVE-DREEF	29	Cd Fb	1200 WL
HOF TER PUTTENLAAN	23	Bd Eb	1700 DI
HOF TER SPRIETSTRAAT	2	Cc	1850 GR
HOF TER VLEEST/ ALLEE-DREEF	39	Fb	1070 AN
	40	Da	1070 AN
HOF TER WEERDESTRAAT	2	Cac	1850 GR
HOF VAN BOETSFORT	9	Ca	1820 ME
HOF VAN MONTENAKEN	24	Cbd	3078 ME
HOF VAN SPANJEWEG	15	Acd	1130 BR
HOFVELD	54	Fb	1630 LI
HOGE BEEKKANT	2	Cab	1850 GR
HOGEBOMENDAAL	49	Bb	1000 BR
HOGE-BRUGGEBLOK	41	Ca	1050 IX
HOGEBRUGGELAAN 13 tot einde & 16 tot einde	41	Bb	1050 IX
HOGE BRUGLAAN 1 tot 11 & 2 tot 14	41	Bb	1060 SG
HOGE HEIDE	66	Ca	1560 HO
HOGEKOUTER	53	Ab	1600 P-L
HOGELEESTSTRAAT	14	Aa	1120 BR
HOGENBOS/RUE-STRAAT 1 à/tot 109 & 2 à/tot 38	26	Aab	1082 BA
HOGE PAAL	53	Aab	1600 P-L
HOGESCHOOLLAAN	42	Bc	1050 IX
HOGESTEENWEG	3	Aa	1850 GR
HOGE WEI	24	Aabcd	1930 NO

Straat	Kaart	Postcode
HOLBEWONERSTRAAT	43 Dd	1170 WB
HOLIDAYSTRAAT	15 Fa	1831 DI
HOLLAND	1 Ec	1780 WE
	5 Bac	1780 WE
HOLLANDAIS/RAMPE DES	13 Aab	1020 BR
HOLLANDE/RUE DE	34 Ad	1060 SG
	94 Dbd	1060 SG
HOLLANDSE OPRIT	13 Aab	1020 BR
HOLLANDSTRAAT	34 Ad	1060 SG
	94 Dbd	1060 SG
HOLLANDSTRAAT	59 Bd Eb	
	Fa	3090 OV
HOLLEBEEK/		
SENTIER DU-PAD	8 Dd Ec	1130 BR
HOLLEBEEKSTRAAT/RUE	55 Dacd	
	Ec	1630 LI
	63 Bab Ca	1630 LI
HOLLEBEEKSTRAAT/RUE	63 Cab	1640 S-G
HOLLEKENSWEG	55 Ecd	1630 LI
HOLLESTRAAT	21 Dac	1030 SC
HOLLESTRAAT	68 Bb	1500 HA
HOLLEVELDWEG	68 Ba	1500 HA
HOLLEVIT	11 Cb	1731 RE
HOLLEVOET/AVENUE-		
LAAN HENRI	20 Db	1080 MO
HOLLEWEGGAARDE	21 Eb	1030 SC
HOLOFFE/AVENUE PIERRE	84 Fd	1342 LI
HOLSTRAAT	8 Ea	1831 DI
HOMBORCH	55 Abd Ba	1180 UC
HOMBORCHVELD/		
AVENUE D'-LAAN	55 Abd Bc	1180 UC
HOME/PLACE DU-PLEIN	19 Ca	1083 GA
HOMERE/RUE	25 Fd	1070 AN
HOMERUSSTRAAT	25 Fd	1070 AN
HOMME CHRETIEN/	27 Ed	1000 BR
RUE DE L'	92 Fb	1000 BR
HONDENBERG	50 Ac	1170 WB
HONDENWEDSTRAAT	50 Ac	1170 WB
HONGARIJESTRAAT	54 Fcd	1630 LI
HONGARIJESTRAAT	54 Fcd	1650 BE
	62 Cb	1650 BE
HONGARIJESTRAAT	63 Aa	1650 BE
HONGERSVELDSTRAAT	25 Aa	1700 DI
HONGRIE/RUE DE	54 Fcd	1630 LI
HONINGKLAVERSTRAAT	31 Db Ea	1970 W-O
HONNEKINBERG	30 Abd	1950 KR
HOOFDRIOOLSTRAAT	33 Cab	1070 AN
HOOGBOSCH/		
RUE DU-STRAAT	26 Ab	1080 MO
111 à fin/tot einde &		
98 à fin/tot einde		
HOOGELEEST/RUE	14 Aa	1120 BR
HOOGELST	53 Dd	1600 P-L
HOOGELST	53 Dd	1651 LO
HOOGHOFKOUTER	12 Dc	1731 ZE
HOOGHOFSTRAAT	25 Ec	1700 DI
	32 Ba	1700 DI
HOOGSTRAAT	27 Ed	1000 BR
	34 Babc	1000 BR
	92 Fd	1000 BR
	94 Cabc	
	Ebd Fa	1000 BR
HOOGSTRAAT	54 Ed	1650 BE
	62 Bb	1650 BE
HOOGSTRAAT	16 Ad Dbd	
	Ebcd	1930 ZA
HOOGTE HONDERDPLEIN	41 Ad	1190 FO
HOOGTEPUNT	11 Bcd	1731 ZE
HOOGVELD	69 Ba	1501 BU
HOOGVELD	3 Ed	1800 VI
	7 Bb	1800 VI
HOOGVELDLAAN	26 Ab Ba	1082 BA
HOOGVELDLAAN	63 Da	1652 AL
HOOGVELDLAAN	32 Bb	1700 DI
HOOGVELDLAAN	59 Bc	3090 OV
HOOGVELDLAAN/		
AVENUE	71 Bb Ca	1640 S-G
HOOGVELDPLEIN	62 Eb Fa	1650 BE
HOOGVELDSTRAAT	17 Fbd	3070 KO
	24 Cb	3070 KO
HOOGVELDWEG	9 Bab	1820 ME
HOOGVORSTWEG	37 Fd	1950 KR
HOOGVORSTWEG	37 Fd	3080 TE
	38 Dcd	3080 TE
HOOGVORSTWEG/		
CHEMIN D'	37 Fd	1950 KR
HOOIKAAI	27 Bab	1000 BR
	90 Eb Fab	1000 BR
HOOITIJDSTRAAT	19 Cac	1083 GA
HOOIWEG	9 Ba	1820 ME
HOOLANTSSTRAAT	9 Bbd	1820 ME
HOOPSTRAAT	20 Dd	1080 MO
	27 Ab	1080 MO
HOOPSTRAAT	90 Ba	1080 MO
HOORICKX/RUE-STRAAT	40 Aa	1070 AN
HOORNAERT/RUE-STRAAT		
CORNEILLE	12 Cd	1090 JE
HOORNESTRAAT	34 Cb	1000 BR
	95 Bac	1000 BR
HOORNKEVERSLAAN	49 Ca	1170 WB
HOORNKLAVERSGAARDE	7 Dd Ec	1120 BR
HOORNSTRAAT	35 Ab Bab	1040 ET
HOORNSTRAAT	68 Fa	1500 HA
HOORNZEELSTRAAT	38 Ed	3080 TE
	45 Bab	3080 TE
HOOVER/AVENUE	75 Ed	1332 GE
HERBERT	79 Bb	1332 GE
HOOVER/AVENUE-LAAN	28 Fb	1030 SC
HERBERT	29 Da	1030 SC
1 à/tot 165		
HOOVER/AVENUE-LAAN	28 Fb	1200 WL
HERBERT	29 Da	1200 WL
215 à fin/tot einde &		
nos pairs/pare nrs		
HOPITAL/		
PETITE RUE DE L'	30 Dc	1150 WP
HOPITAL/RUE DE L'	27 Ed	1000 BR
	92 Fbd	1000 BR
HOPITAL/RUE DE L'	88 Ac	1420 B-A
HOPITAL FRANCAIS/		
AVENUE DE L'	19 Eb	1083 GA
2 à 16		
HOPITAL FRANCAIS/		
AVENUE DE L'	19 Eb	1082 BA
18 à fin		
HOPITAL FRANCAIS/		
AVENUE DE L'	19 Eb	1081 KO
nos impairs		

Street	Map	Grid	Postcode
HOPSTRAAT	27	Ad Bc	1000 BR
	90	Dd Ec	1000 BR
	92	Ba	1000 BR
HORACE/RUE	26	Dc	1070 AN
HORATIUSSTRAAT	26	Dc	1070 AN
HORING	19	Aa	1731 ZE
HORIZON/AVENUE DE L'	84	Da	1380 OH
HORIZON/ AVENUE DE L'-LAAN	36	Acd	1150 WP
HORIZONTLAAN	67	Fcd	3090 OV
HORTA/PLACE-PLEIN	34	Aa	1060 SG
VICTOR	94	Ac Da	1060 SG
HORTENSIA	22	Eac	1932 S-W
HORTENSIALAAN	66	Aab	1560 HO
HORTENSIALAAN	64	Dc	1640 S-G
HORTENSIALAAN	11	Fd	1731 ZE
	12	Dc	1731 ZE
	19	Aa	1731 ZE
HORTENSIALAAN	6	Cbd	1853 S-B
HORTENSIALAAN	51	Cd Fb	3090 OV
HORTENSIAS/ AVENUE DES	64	Dc	1640 S-G
HORTENSIAS/ CLOS DES-GAARDE	19	Dc	1082 BA
HORTENSIASLAAN/	37	Bbd	
AVENUE DES		Cc	1950 KR
HORTENSIASLAAN/ AVENUE DES	31	Db	1970 W-O
HORTENSIASTRAAT	46	Ca	1000 D L
HORTENSIASTRAAT	4	Cd	1800 VI
HORTICULTEURS/RUE DES	13	Ebcd	1020 BR
HORZELSTRAAT	48	Dc	1180 UC
	55	Aac Da	1180 UC
HOSPICE COMMUNAL/	43	Dd	1170 WB
RUE DE L'	50	Ab	1170 WB
HOSPICES/AVENUE DES	55	Ad Bcd Db	1180 UC
HOSPICES/CHEMIN DES	55	Bc Eab	1180 UC
HOSPITAALDREEF	45	Fac	3080 TE
HOSPITALIERS DE ST.-JEAN/AVENUE DES	83	Ebd Fa	1410 WA
HOSTE/CHAUSSEE DE L'	82	Aa	1300 WA
HOSTE/RUE-STRAAT JULIUS	21	Eb	1030 SC
HOSTELLERIE/ DREVE DE L'	82	Aab	1300 WA
HOSTELLERIE/ TIENNE DE L'	82	Ab	1300 WA
HOTEL/RUE DE L'	81	Cd	1300 WA
HOTEL DES MONNAIES/	34	Bcd Ea	1060 SG
RUE DE L'	94	Fc	1060 SG
HOTEL DE VILLE/ PLACE DE L'	81	Fb	1300 WA
HOTON/RUE-STRAAT JACQUES	29	Db Ea	1200 WL
HOTTAT/RUE-STRAAT ALPHONSE	35	Db	1050 IX
HOUBA-DE STROOPER/	12	Cb	1020 BR
AVENUE-LAAN	13	Aacd Db Ea	1020 BR
	5	Fd	1020 BR
HOUBLON/RUE DU	27	Ad Bc	1000 BR
	90	Dd Ec	1000 BR
	92	Ba	1000 BR
HOUFFALIZE/ PLACE DE-PLEIN	21	Db	1030 SC
HOUGOUMONT/	56	Ad	
AVENUE D'-LAAN		Dbd	1180 UC
HOUGOUMONT/ SQUARE D'	88	Ec	1420 B-A
HOUILLE/QUAI A LA	27	Bc	1000 BR
	90	Eb	1000 BR
HOUILLEURS/RUE DES	27	Ba	1080 MO
	90	Bc	1080 MO
HOULETTE/AVENUE DE LA nos impairs & 76 à 78	43	Acd Db	1160 AU
HOULETTE/AVENUE DE LA	76	Ed	1410 WA
HOULETTE/RUE DE LA 2 à 74	43	Db	1170 WB
HOUSSAYE/AVENUE	83	Fcd	1410 WA
HENRY	88	Bb Ca	1410 WA
HOUTDUIVENWEG	63	Cbd	1640 S-G
HOUTEMSESTEENWEG	4	Bb Cab	1800 PE
HOUTEMSESTEENWEG	4	Bb Cab	1800 VI
HOUTHAKKERSSTRAAT	51	Cc Fa	1160 AU
HOUTHULSTBOSSTRAAT	27	Ba	1000 BR
	90	Bd Eb	1000 BR
HOUTKAAI	4	Ac	1800 VI
HOUTMARKT	27	Fa	1000 BR
	93	Ad Db	1000 BR
HOUTMEYERS/ RUE-STRAAT JACQUES/JAAK	21	Cc	1140 EV
HOUTSNIPLAAN	30	Ca	1970 W-O
HOUTSTRAAT	3	Eab	1850 GR
HOUTVELDLAAN	63	Dab	1652 AL
HOUTVESTERSTRAAT	59	Cc	3090 OV
HOUTWEG	14	Fd	1130 BR
onpare nrs	21	Cb	1130 BR
HOUTWEG pare nrs	14	Fd	1140 EV
HOUTWEG	71	Ad	1652 AL
HOUWAERT/PLACE-PLEIN	28	Ac	1210 SJ
	91	Fd	1210 SJ
HOUWENBERGLAAN	59	Ba	3090 OV
HOUX/AVENUE DU	43	Dd Ec	1170 WB
HOUYOUX/AVENUE-LAAN	42	Cd	1160 AU
LEON	43	Ac	1160 AU
HOUYOUX/ RUE DU-STRAAT	35	Fc	1160 AU
HOUZEAU/AVENUE-LAAN	41	Fc	1180 UC
	48	Ca	1180 UC
HOUZEAU DE LEHAIE/ RUE-STRAAT	20	Dd	1080 MO
1 à/tot 41 & 2 à/tot 38	90	Aab	1080 MO
HOUZEAU DE LEHAIE/	20	Dcd	1081 KO
RUE-STRAAT	27	Aa	1081 KO
autres nos/andere nrs	90	Aa	1081 KO
HOVENIERSSTRAAT	4	Cac	1800 VI
HOVENIERSSTRAAT	6	Bbd	1853 S-B
HOVENIERSTRAAT	20	Dd	1080 MO
41 tot 101 & 28 tot 78	27	Ab	1080 MO
	90	Aabd	1080 MO
HOVENIERSTRAAT	20	Dd	1081 KO
80 tot 106	27	Ab	1081 KO
	90	Aab	1081 KO
HOVINGENPAD	68	Ba	1500 HA
HUBAUT/PLACE	79	Bb	1330 RI

H

Straat	Kaart	Postcode
HUBERT/RUE-STRAAT		
EUGENE	13 Dab	1020 BR
nos impairs/onpare nrs		
HUBERT/RUE-STRAAT		
EUGENE	13 Dab	1090 JE
nos pairs/pare nrs		
HUBERTI/RUE-STRAAT		
GUSTAVE	21 Ba	1030 SC
HUBERTILAAN EDOUARD	45 Aab	3080 TE
HUBIN/RUE	86 Eb Fa	1300 LI
HUGO/AVENUE VICTOR	82 Ed	1300 WA
HUGO/AVENUE VICTOR	88 Ca	1420 B-A
HUGO/RUE VICTOR	83 Fd	1410 WA
HUGO/RUE-STRAAT	28 Bcd	
VICTOR	Eb Fa	1030 SC
HUIDENMARKT	27 Eb	1000 BR
	92 Cd	1000 BR
HUIDEVETTERIJSTRAAT	20 Dc	1081 KO
HUIDEVETTERSSTRAAT	34 Ab Ba	1000 BR
HUIDEVETTERSSTRAAT	94 Bbcd	1000 BR
HUILERIES/AVENUE DES	40 Ed	1190 FO
HUISHOUDENSSTRAAT	34 Bc	1000 BR
	94 Eab	1000 BR
HUISLOKENWEG	49 Bac	1000 BR
HUIS TEN HALVE	3 Bd Eb	1850 GR
HUIT BONNIERS/		
AVENUE DES	82 Dbd Ec	1300 WA
HUIT BONNIERS/		
SENTIER DES	82 Ec	1300 WA
HUIT HEURES/RUE DES	33 Dd	1070 AN
	40 Ab	1070 AN
HUITRES/IMPASSE AUX	27 Eb	1000 BR
	92 Cc	1000 BR
HUITRES/QUAI AUX	81 Fb	1300 WA
HULDENBERG/		
RUE DE-STRAAT	48 Ac	1180 UC
HULDERGEM/	6 Fd	1020 BR
AVENUE-LAAN	7 Dc	1020 BR
HULET/AVENUE	79 Da	1332 GE
HULLEBROECKLAAN		
EMIEL	23 Bb	1930 ZA
HULOTTE/RUE DE LA	43 Dd	1170 WB
HULPSTRAAT	27 Cb	1210 SJ
	91 Bcd	1210 SJ
HULSTLAAN	43 Dd Ec	1170 WB
HULSTPOELLAAN	31 Cd	3080 TE
HULSTSTRAAT	52 Cb	3080 DU
HULSTWEG	62 Db Ea	1652 AL
HUMANITE/	33 Fc	1070 AN
BOULEVARD DE L'	40 Bb	1070 AN
55 - 2 - 22 & 114 - 116		
HUMANITE/	40 Bb Ca	1190 FO
BOULEVARD DE L'	47 Ba	1190 FO
102 à 106 &		
216 à 350 & 415		
HUMANITE/	40 Eac	1620 DR
BOULEVARD DE L'	47 Bac	1620 DR
HUMANITEITSLAAN	33 Fc	1070 AN
55 - 2 - 22 & 114 tot 116	40 Bb	1070 AN
HUMANITEITSLAAN	40 Bb Ca	1190 FO
102 tot 106 &	47 Ba	1190 FO
216 tot 350 & 415		
HUMANITEITSLAAN	47 Ad Bc	
	Db	1601 RU

Straat	Kaart	Postcode
HUMANITEITSLAAN	40 Eac	1620 DR
	47 Bac	1620 DR
HUMBEECKPLEIN		
GHISLAINE	46 Fa	1600 P-L
HUMBEEKSESTEENWEG	3 Cbd	1850 GR
HUMBLET - VIEUSART/	79Ad Bc Ea	1332 GE
SENTIER		
HUMELGEMPAD	10 Bb	1820 ST
HUNDERENVELD/	18 Cd Fb	1082 BA
AVENUE DU-LAAN	19 Ac	1082 BA
HUSSARD/CLOS DU	83 Cc Fa	1410 WA
HUTSTRAAT	27 Cb	1030 SC
	91 Babd	1030 SC
HUTTEWEG	72 Ba	1640 S-G
HUY/CHAUSSEE DE	82 Dc	1300 WA
	87 Aab	
	Bab Ca	1300 WA
HUY/CHAUSSEE DE	87 Cb	1325 D-V
HUYBREGHTS/	12 Fc	1090 JE
RUE-STRAAT HENRI	19 Ca	1090 JE
HUYGENS/RUE-STRAAT	26 Bd	1080 MO
HUYGENS/RUE-STRAAT		
GEORGES	43 Fa	1160 AU
HUYNENSTRAAT		
GEORGES	66 Aabd	1560 HO
HUYSEGOMSSTRAAT		
PETRUS	46 Ad Bc	1600 P-L
HUYSMANS/AVENUE-	42 Bc	
LAAN ARMAND	Eabd	1050 IX
HUYSMANSLAAN		
JOZEF	53 Cd Fab	1651 LO
HYACINTENLAAN	21 Ecd	1030 SC
HYACINTENLAAN	66 Aabc	1560 HO
HYDRAULIQUE/RUE	28 Da	1210 SJ
	93 Ccd	1210 SJ
HYELAAN RAYMOND	52 Dc	3090 OV
	59 Aa	3090 OV
HYGIENE/		
RUE DE L'-STRAAT	32 Cac	1070 AN
HYMANS/AVENUE-LAAN	29 Eabc	
PAUL	Fa	1200 WL
HYMANS/RUE-STRAAT	41 Bbd	
LOUIS	Cc	1050 IX
HYMANS/RUE-STRAAT		
PAUL	28 Ca	1030 SC

I

Straat	Kaart	Postcode
IBIS/RUE DES	50 Aa	1170 WB
IBISSENSTRAAT	50 Aa	1170 WB
IDALIE/RUE D'-STRAAT	35 Aa	1050 IX
	95 Ccd Fa	1050 IX
IDEAALLAAN	30 Dabd	1200 WL
5 tot 37 & pare nrs		
IDEAALLAAN	30 Dabd	1150 WP
39 tot einde		
IDEAL/AVENUE DE L'	30 Dabd	1200 WL
5 à 37 & nos pairs		
IDEAL/AVENUE DE L'	30 Dabd	1150 WP
39 à fin		
IDIERS/RUE-STRAAT		
EMILE	43 Bac	1160 AU
IDYLLE/RUE DE L'-STRAAT	26 Db	1080 MO
IENA/AVENUE D'	76 Fd	1410 WA

H I

INTERNATIONALE 27 Ca 1210 SJ
DOORGANG 91 Ad Db 1210 SJ
INTERNATIONAL/
BOULEVARD 40 Bc 1070 AN
INTERNATIONALELAAN 40 Bc 1070 AN
INVALIDENLAAN 42 Cb 1160 AU
43 Aac 1160 AU
INVALIDENLAAN 16 Ba 1930 ZA
INVALIDES/ 42 Cb 1160 AU
BOULEVARD DES 43 Aac 1160 AU
IRIS/CHEMIN DES 49 Ab Ba 1000 BR
IRIS/CHEMIN DES 86 Acd 1301 BI
IRIS/CLOS DES 72 Dd 1410 WA
IRIS/CLOS DES 31 Db 1970 W-O
IRISLAAN 18 Dd 1702 G-B
IRISSENOORD 31 Db 1970 W-O
IRISSENWEG 49 Ab Ba 1000 BR
IRISSTRAAT 46 Ca 1600 P-L
IRISSTRAAT/RUE DES 63 Fc 1640 S-G
71 Ca 1640 S-G
IRLANDE/RUE D' 34 Eabd 1060 SG
ISABELLADREEF 45 Cbcd
Fa 3080 TE
ISABELLE/CLOS 76 Dd Ec 1410 WA
ITALIE/AVENUE D'-LAAN 42 Ed 1050 IX
49 Bb 1050 IX
ITALIELAAN 3 Fc 1800 VI
7 Cab 1800 VI
ITALIELAAN 60 Aa 3090 OV
ITTERBEEK/AVENUE D' 32 Bbd
Ccd 1070 AN
33 Acd 1070 AN
ITTERBEEKSEBAAN 32 Aabd
Babc 1700 DI
ITTERBEEKSEBAAN 32 Aa 1701 IT
ITTERBEEKSE LAAN 32 Bbd
Ccd 1070 AN
33 Acd 1070 AN
IXELLES/CHAUSSEE D' 34 Cacd Fb 1050 IX
35 Da 1050 IX
95 Bc Eacd 1050 IX
IXELLES/GALERIE D' 34 Cab 1050 IX
95 Bc 1050 IX
IZEGRIMSTRAAT 18 Aa 1702 G-B

J

JAARGETIJDENLAAN 42 Ba 1050 IX
JACHTBIJEENKOMST 42 Dab 1020 BR
JACHTDREEF 44 Bbd
Cc Fac 3080 TE
51 Cac 3080 TE
JACHTENKAAI 20 Cc 1020 BR
JACHTHONDENDREEF 65 Fd 1560 HO
66 Dabc 1560 HO
73 Bcd
Cabc Ea 1560 HO
JACHTHOORNLAAN 49 Ca 1170 WB
JACHTHOORNLAAN 72 Eab 1640 S-G
JACHTHOORNSTRAAT 46 Ab Ba 1600 P-L
JACHTKOPPELWEG 42 Db 1000 BR
JACHTLAAN 35 Bbd
Eab 1040 ET
JACHTLAAN 59 Dd 1560 HO
JACHTLAAN 63 Fa 1640 S-G
JACHTLAAN 45 Bb Ca 3080 TE
JACHTSTOETDREEF 50 Dbd Ec 1170 WB
JACHTSTRAAT 50 Ad 1170 WB
JACHTVELD 46 Ab 1600 P-L
JACINTHES/AVENUE DES 21 Ecd 1030 SC
JACMINSTRAAT JEAN 68 Bb Cac 1500 HA
JACOBS/AVENUE-LAAN
VICTOR 35 Db Ea 1040 ET
JACOBS/PLACE JEAN 76 Eb 1410 WA
JACOBS/PLACE-PLEIN 34 Bd 1000 BR
JEAN-JAN 94 Fb 1000 BR
JACOBS/RUE-STRAAT
HENRI 21 Bd 1030 SC
JACOBS/RUE-STRAAT
PIERRE-VICTOR 20 Dd 1080 MO
JACOBS-FONTAINE/
RUE-STRAAT 20 Ab Ba 1020 BR
1 à/tot 77 & 2 à/tot 100
JACOBS FONTAINE/
RUE-STRAAT 20 Ab 1090 JE
79 à fin/tot einde &
102 à fin/tot einde
JACOBSLAAN FRANCOIS 18 Cb 1731 ZE
19 Aa 1731 ZE
JACOBSSTRAAT
JAN-BAPTIST 8 Ed 1831 DI
JACQMAIN/ 27 Bbd 1000 BR
BOULEVARD-LAAN 90 Fbd 1000 BR
EMILE 91 Da 1000 BR
JACQUELINE/AVENUE 79 Fcd 1330 RI
JACQUES/CITE-GANG 27 Ad 1080 MO
90 Dc 1080 MO
JACQUES/RUE P. 83 Ca 1410 WA
JACQUET/RUE-STRAAT 26 Cb 1081 KO
JEAN 27 Aa 1081 KO
JACQUET/RUE-STRAAT
JOSEPH 21 Ac 1030 SC
JACQUET/SQUARE LEON 41 Bb 1050 IX
JADE/SENTIER DU-PAD 12 Cb 1020 BR
JADOT/RUE 86 Eab 1300 LI
JAGERIJDREEF 42 Dbd 1000 BR
JAGERSDAL 46 Ab Ba 1600 P-L
JAGERSDREEF 72 Dd Ecd 1640 S-G
JAGERSDREEF 45 Eacd 3080 TE
52 Ba 3080 TE
JAGERSGAARDE 37 Dc 1150 WP
JAGERSLAAN 37 Fc 1950 KR
44 Bb Ca 1950 KR
JAGERSSTRAAT 27 Ec 1000 BR
92 Ed 1000 BR
JAGERSSTRAAT 31 Babc 1933 ST
JAGERSSTRAAT 60 Bb 3090 OV
JAGERSVELD 50 Ac 1170 WB
JAGERSWEG 5 Bb Ca 1780 WE
JAMAR/BOULEVARD-LAAN 34 Ab 1060 SG
94 Aabcd 1060 SG
JAMBES/RUE DES 88 Ac 1420 B-A
JAMBONSTRAAT ALBERT 68 Ca 1500 HA
JANSBOSLAAN 30 Da 1200 WL
JANSEN/AVENUE-LAAN
BENJAMIN 43 Ba 1160 AU
JANSEN/RUE-STRAAT
JACQUES 28 Bc 1030 SC

JANSON/AVENUE-LAAN		
PAUL	33 Bc	1070 AN
JANSON/PLACE-PLEIN		
PAUL	34 Ed	1060 SG
JANSON/RUE-STRAAT		
PAUL	6 Fcd	1020 BR
JANSON/RUE-STRAAT		
PAUL EMILE	34 Fa	1000 BR
1 à/tot 3A & 2 à/tot 20		
JANSON/RUE-STRAAT		
PAUL EMILE	34 Fa	1050 IX
5 à fin/tot einde &		
22 à fin/tot einde		
JANSSEN/RUE STRAAT		
JEAN-BAPTISTE	26 Cab	1080 MO
JANSSENS/RUE-STRAAT		
FRANCOIS	33 Bd	1070 AN
JANUARILAAN	29 Da	1200 WL
JANVIER/AVENUE DE	29 Da	1200 WL
JAPANSE TORENSTRAAT	14 Aa	1120 BR
	7 Dc	1120 BR
JARDINAGE/RUE DU	26 Aab	1082 BA
JARDIN AUX FLEURS/	27 Ea	1000 BR
PLACE DU	92 Bc	1000 BR
JARDIN BOTANIQUE/	1 Fb	1780 WE
AVENUE DU	2 Da	1780 WE
JARDIN BOTANIQUE/	27 Bb	
BOULEVARD DU	Cacd	1000 BR
	91 Dab	
	Eacd	1000 BR
JARDIN DES OLIVES/	27 Eac	1000 BR
RUE DU	92 Eb Fa	1000 BR
JARDINETS/AVENUE DES	42 Fc	1170 WB
JARDINIER/RUE DU	20 Dd	1080 MO
41 à 101 & 28 à 78	27 Ab	1080 MO
	90 Aabd	1080 MO
JARDINIER/RUE DU	20 Dd	1081 KO
80 à 106	27 Ab	1081 KO
	90 Aab	1081 KO
JARDIN ROMPU/RUE DU	34 Ba	1000 BR
	94 Ca	1000 BR
JARDINS/AVENUE DES	21 Fc	1030 SC
	28 Bb Ca	1030 SC
JARDINS/RUE DES	85 Db Ea	1300 LI
JARDINS DE JETTE/		
PLACE DES	12 Bd	1090 JE
JASMIJNLAAN	46 Bb	1600 P-L
JASMIN/AVENUE-LAAN		
LOUIS	36 Cabd	1150 WP
JASMIN/RUE-STRAAT		
LOUIS	36 Ca	1200 WL
JASPAR/AVENUE-LAAN	34 Bcd	1060 SG
HENRI	94 Ed Fc	1060 SG
JASSOGNE/AVENUE		
AUGUSTE	76 Dd	1410 WA
JAUMOTTE/IMPASSE		
CHARLES	86 Da	1300 LI
JAUMOTTE/RUE CHARLES	86 Acd	
	Dac	1300 WA
JAURES/AVENUE-LAAN		
JEAN	21 Ab Ba	1030 SC
JAVAUX/AVENUE-STRAAT		
GINETTE	42 Cbd	1160 AU
JAVELINE/TIENNE DE LA	81 Cb	1300 WA
JAVELOT/RUE DU	13 Aa	1020 BR
JEAN CHARLES/PLACE	83 Aa	1410 WA
JEANNE/AVENUE	42 Ad	1050 IX
1 à 33 & 2 à 60		
JEANNE/AVENUE	42 Ad	1000 BR
numéro 35		
JEANNE/AVENUE	79 Ccd	1330 RI
JEAN XXIII/AVENUE	84 Cac	1330 RI
JECTA/CLOS-GAARDE	12 Cc	1090 JE
JEFFERYS/PLACE JACK	79 Fb	1330 RI
JENATZY/RUE-STRAAT	21 Dac	1030 SC
JENEVERBOMENSTRAAT	5 Fd	1020 BR
	6 Dc	1020 BR
JENNART/RUE-STRAAT	20 Dd	1080 MO
	27 Ab	1080 MO
JENNART/RUE-STRAAT	90 Ab	1080 MO
JENNER/RUE-STRAAT	35 Abd	1050 IX
1 à/tot 7 & 2 à/tot 10		
JENNER/RUE-STRAAT	35 Ab	1000 BR
9 à fin/tot einde		
JENNEVAL/RUE-STRAAT	28 Ea	1000 BR
JERUSALEM/		
RUE DE-STRAAT	21 Dbd	1030 SC
JESPERS/AVENUE-LAAN		
OSCAR	29 Bb Ca	1200 WL
JETSELAAN	19 Fb	1081 KO
1 tot 73 & 2 tot 116	20 Dac	1081 KO
JETSE LAAN	19 Cabd Fb	1090 JE
75 tot 233 & 118 tot 376		
JETSESTEENWEG	20 Dac	1081 KO
91 tot 211 & 108 tot 412	27 Aab	1081 KO
	90 Aa	1081 KO
JETSE STEENWEG	19 Cd Fb	1090 JE
321 tot einde &	20 Da	1090 JE
414 tot einde		
JETSESTRAAT	6 Eb	1853 S-B
JETSE TUINENPLEIN	12 Bd	1090 JE
JETTE/AVENUE DE	19 Fb	1081 KO
1 à 73 & 2 à 116	20 Dac	1081 KO
JETTE/AVENUE DE	19 Cabd Fb	1090 JE
75 à 233 & 118 à 376		
JETTE/AVENUE DE	19 Ca	1083 GA
235 à fin & 378 à fin		
JETTE/CHAUSSEE DE	20 Dac	1081 KO
91 à 211 & 108 à 412	27 Aab	1081 KO
	90 Aa	1081 KO
JETTE/CHAUSSEE DE	20 Dc	1080 MO
219 à 287	27 Ab	1080 MO
	90 Aac	1080 MO
JETTE/CHAUSSEE DE	19 Cd Fb	1090 JE
321 à fin & 414 à fin	20 Da	1090 JE
JETTESELAAN	19 Ca	1083 GA
235 tot einde & 378 tot einde		
JETTE/STEENWEG OP	20 Dc	1080 MO
219 tot 287	27 Ab	1080 MO
	90 Aac	1080 MO
JEU DE BALLE/PLACE DU	34 Ba	1000 BR
	94 Bd Eb	1000 BR
JEU DE CRIQUET/		
ALLEE DU	42 Da	1000 BR
JEU DE PAUME/	36 Cbd	1150 WP
AVENUE DU	37 Aa	1150 WP
JEUGDLAAN	28 Ca	1030 SC
JEUNESSE/		
AVENUE DE LA	28 Ca	1030 SC

Straat	Kaart	Postcode
JEUNIAU ALDERSON/ RUE-STRAAT	42 Cbd	1160 AU
JEUX/VENELLE AUX	36 Cc	1150 WP
JEZUS EIKLAAN	45 Abcd Da	3080 TE
JEZUS-EIKSESTEENWEG	58 Bbd Ca Eab	1560 HO
JOCKEYLAAN	37 Abd Bc	1150 WP
JOCKEYS/AVENUE DES	37 Abd Bc	1150 WP
JOHANNALAAN 1 tot 33 & 2 tot 60	42 Ad	1050 IX
JOHANNALAAN nummer 35	42 Ad	1000 BR
JOKEY/CHEMIN DU	81 Fd	1301 BI
	86 Cbd	1301 BI
	87 Ac	1301 BI
JOLE/AVENUE-LAAN	43 Eb	1160 AU
JOLI-BOIS/AVENUE DE	37 Dc	1150 WP
JOLI MAI/AVENUE DU	79 Ba	1332 GE
JOLLY/RUE-STRAAT	20 Fa	1030 SC
JOLYSTRAAT JOSEPH	58 Ecd	1560 HO
JONAS/RUE-STRAAT ACHILLE	26 Eb	1070 AN
JONC/AVENUE DU 1 à 39 & 2 à 4	40 Fd	1180 UC
JONC/AVENUE DU 45 à fin & 52 à fin	40 Fd	1190 FO
JONCHAIE/RUE DE LA	35 Bb Ca	1040 ET
JONC/RUE DES	88 Dcd	1420 B-A
JONCTION/AVENUE DE LA 1 à 29A & 2 à 16	41 Bb	1060 SG
JONCTION/AVENUE DE LA 31 à fin & 18 à fin	41 Bab	1190 FO
JONETLAAN/AVENUE	64 Aab	1640 S-G
JONGEN/AVENUE-LAAN JOSEPH	47 Cb	1180 UC
	48 Aa	1180 UC
JONKERSSTRAAT	27 Fa	1000 BR
	93 Ad Bc	1000 BR
JONNART/AVENUE-LAAN ALBERT	28 Fcd	1200 WL
JONNIAUX/RUE-STRAAT	35 Ba	1040 ET
JONQUILLES/AVENUE DES	85 Ad	1300 LI
JONQUILLES/RUE DES	19 Bd	1083 GA
JOODSE MARTELAREN-SQUARE	33 Cbd	1070 AN
JOORS/CITE-GANG	26 Bd	1080 MO
JOPPART/RUE JOSEPH	82 Ac	1300 WA
JORDAENS/RUE-STRAAT JACQUES/JAKOB	41 Cb	1000 BR
JORDAENSDREEF	52 Dd	3090 OV
JORDAENSSTRAAT	3 Fbd	1800 VI
JORDENS/SQUARE CHARLES	34 Db	1060 SG
JOREZ/RUE-STRAAT	27 Dc	1070 AN
	34 Aa	1070 AN
JOSAPHAT/RUE-STRAAT 1 à/tot 33 & 2 à/tot 40	28 Aa	1210 SJ
	91 Ccd Fa	1210 SJ
JOSAPHAT/RUE-STRAAT 35 à fin/tot einde & 42 à fin/tot einde	21 Dc	1030 SC
	28 Aa	1030 SC
	91 Cbd	1030 SC
JOSEE/AVENUE-LAAN JEAN	25 Fd	1070 AN
	26 Dc	1070 AN
	32 Cb	1070 AN
JOSEPH II/RUE	27 Fb	1000 BR
	28 Dacd	1000 BR
	93 Fab	1000 BR
JOSEPHINADREEF	65 Ec	1560 HO
	73 Babd	1560 HO
JOSEPHINE/DREVE	73 Bd Cc Facd	1310 L-H
JOSEPHINE CHARLOTTE/ AVENUE	80 Dd	1330 RI
	85 Ab	1330 RI
JOSEPHINE-CHARLOTTE/ SQUARE	36 Aa	1200 WL
JOSET/AVENUE-LAAN CAMILLE	35 Bd Cc Eb	1040 ET
JOSPA/RUE-STRAAT YVONNE	27 Ad Bc	1000 BR
	90 Ec	1000 BR
	92 Ba	1000 BR
JOTTRAND/AVENUE-LAAN	28 Ad	1210 SJ
JOUBARDES/CHEMIN DES	49 Bac	1000 BR
JOURDAN/CITE-WIJK	35 Ab	1040 ET
JOURDAN/PLACE-PLEIN	35 Ab	1040 ET
JOURDAN/RUE-STRAAT	34 Bcd Ea	1060 SG
	94 Fbcd	1060 SG
	95 Da	1060 SG
JOURET/RUE-STRAAT LEON	41 Ca	1050 IX
JOUREZ/AVENUE LEON	88 Aac	1420 B-A
JOYEUSE ENTREE/ AVENUE DE LA	28 Ec	1040 BR
	35 Ba	1040 BR
JOZEF II-STRAAT	27 Fb	1000 BR
	28 Dacd	1000 BR
	93 Fab	1000 BR
JUBELBERG	35 Bb	1040 ET
JUBELFEESTLAAN	20 Ad Dbd	1080 MO
JUBELGAARDE	28 Fc	1040 ET
	35 Ca	1040 ET
JUBELGALERIJ	35 Ca	1040 ET
JUBELPARK	28 Ecd	1000 BR
	35 Bab	1000 BR
JUBILE/BOULEVARD DU	20 Ad Dbd	1080 MO
JUILLET/AVENUE DE	28 Fb	1200 WL
	29 Da	1200 WL
JULIETTE/AVENUE-LAAN	48 Cab	1180 UC
JULILAAN	28 Fb	1200 WL
	29 Da	1200 WL
JUMELAGEPAD	3 Fc	1800 VI
JUPITER/AVENUE-LAAN	41 Aabc	1190 FO
JURDANT/RUE RENE	86 Abd	1301 BI
JUSTICE/CHEMIN DE LA	80 Fcd	1300 LI
	85 Bb Ca	1300 LI
JUSTICE/PLACE DE LA	27 Ed	1000 BR
	92 Fd	1000 BR
	93 Dc	1000 BR
JUSTICE/RUE DE LA	33 Bb	1070 AN

K

Straat	Kaart	Postcode
KAARLIJKSTRAAT	1 Bbd Eb	1860 ME
KAASMARKT	27 Ebd	1000 BR
	92 Fb	1000 BR
KAASMARKT	5 Ad Db Ea	1780 WE
KAATSSPELLAAN	36 Cbd	1150 WP
	37 Aa	1150 WP
KABOUTERSSTRAAT	47 Bb Ca	1190 FO
KALANDERLAAN	49 Ca	1170 WB

J K

KALENBERGSTRAAT	25 Dd Ec	1700 DI
	32 Ab	1700 DI
KALESTRAAT/RUE	30 Fd	1970 W-O
	31 Dc	1970 W-O
KALFSBORREWEG	59 Fcd	3090 OV
KALKKAAI	27 Bac	1000 BR
	90 Eb	1000 BR
KALVARIEBERG	60 Ad Db	3090 OV
KAM	5 Bc Ea	1780 WE
KAMELIALAAN	36 Da	1150 WP
KAMERDELLE/ AVENUE-LAAN	41 Ec	1180 UC
	48 Babd	1180 UC
KAMERIJKBOS	69 Ebd Fc	1501 BU
KAMERIJKBOS	69 Fa	1653 DW
KAMERIJKDELLE	69 Fac	1501 BU
KAMERIJKLAAN	25 Bc Db Ea	1700 DI
KAMMEVELD	23 Dc	1950 KR
	30 Aab	1950 KR
KAMPIOENSCHAPSLAAN	13 Aab	1020 BR
KAMPIOENSTRAAT	33 Abd	1070 AN
KAMPSTRAAT	15 Ac	1130 BR
KANADALAAN	3 Acd	1850 GR
KANARIELAAN	43 Aa	1160 AU
KANARIESTRAAT	11 Cb	1731 RE
	12 Aa	1731 RE
	5 Dc	1731 RE
KANDELAARSSTRAAT	34 Bb	1000 BR
	94 Cb	1000 BR
KANDRIESSCHESTRAAT	10 Ca	1910 NE
KANDRIESSTRAAT	10 Cac	1820 ST
KANOERSPAD	42 Dd	1000 BR
KANONSTRAAT	27 Cc	1000 BR
	91 Dd	1000 BR
KANSELARIJSTRAAT	27 Fa	1000 BR
	93 Ad Db	1000 BR
KANTELENLAAN	29 Fa	1200 WL
KANTERSTEEN	27 Fac	1000 BR
	93 Dab	1000 BR
KANUNNIK ROOSELAAN	32 Cd	1070 AN
KANUNNIKSTEEN	75 Aa	3090 OV
KAPELAANSPLEIN	71 Aab	1652 AL
KAPELAANSSTRAAT	33 Ba	1070 AN
KAPELBINNENHOF	29 Fa	1200 WL
KAPELDREEF	57 Bd	1170 WB
KAPELLAAN	29 Fac	1200 WL
KAPELLEDREEF	57 Bd Cabc	1560 HO
	58 Aa	1560 HO
KAPELLELAAN	30 Aa	1932 S-W
KAPELLELAAN	23 Dc	1950 KR
	30 Aabd	1950 KR
KAPELLEMARKT	27 Ed	1000 BR
	92 Fd	1000 BR
	94 Cab	1000 BR
KAPELLEPLAATS	23 Dc	1950 KR
KAPELLEROND	61 Ca	1651 LO
KAPELLESTRAAT	27 Ed	1000 BR
	34 Bb	1000 BR
	92 Fc	1000 BR
	94 Ca	1000 BR
KAPELLESTRAAT	38 Ec	3080 TE
	45 Ba	3080 TE
KAPELSTRAAT	58 Fc	1560 HO
	66 Ca	1560 HO

KAPELSTRAAT	25 Ecd Fc	1700 DI
KAPELWEG	45 Bd Eb	3080 TE
KAPITEIN CRESPELSTRAAT	34 Cac	1050 IX
	95 Dab	1050 IX
KAPITEIN FOSSOULLAAN	32 Cd	1070 AN
	33 Ac	1070 AN
KAPITEIN JOUBERTSTRAAT	35 Fac	1040 ET
KAPITEIN PIRETLAAN	36 Ab	1150 WP
KAPITEIN R. WOUTERSLAAN	5 Dd Ec	1780 WE
	12 Ab Ba	1780 WE
KAPITTELSTRAAT	33 Bac	1070 AN
KAPUCIJNBLOEMENLAAN	21 Ea	1030 SC
KAPUCIJNENDREEF	45 Dd Eabc Fa	3080 TE
	51 Cb	3080 TE
	52 Aab	3080 TE
KAPUCIJNENDREEF	51 Cbcd Fa	3090 OV
KAPUCIJNENPOORTDREEF	38 Fc	3080 TE
	45 Cab	3080 TE
KAPUCIJNENSTRAAT	34 Ba	1000 BR
	94 Bd Cc	1000 BR
KARABINIERSPLEIN	28 Cc	1030 SC
KARBLOKSTRAAT	45 Ba	3080 TE
KARDAAN	60 Da	3090 OV
KARDINAAL CARDIJNPLANTSOEN	13 Ed	1020 BR
KARDINAAL CARDIJNSTRAAT	68 Cc Fa	1500 HA
KARDINAAL CARDYNPLEIN	3 Fb	1800 VI
KARDINAAL LAVIGERIESTRAAT	35 Fac	1040 ET
KARDINAAL MERCIERPLEIN	12 Fd	1090 JE
	13 Dc	1090 JE
KARDINAAL MERCIERPLEIN	68 Fd	1500 HA
KARDINAAL MERCIERSTRAAT	27 Fa	1000 BR
	93 Ac Dab	1000 BR
KARDINAAL MICARALAAN	43 Bb Ca	1160 AU
KARDINAALSSTRAAT 1 tot 29	28 Db	1210 SJ
KARDINAALSSTRAAT 31 tot einde & pare nrs	28 Db	1000 BR
KAREELBAKKERIJSTRAAT	6 Fa	1853 S-B
KAREELOVEN	53 Aa	1600 P-L
KAREELOVENLAAN	22 Dac	1140 EV
KAREELOVENWEG	21 Fb	1140 EV
KAREELSTRAATJE	71 Ac	1652 AL
KAREELVELD	68 Ad	1500 HA
KAREELVELDLAAN	70 Ec	1653 DW
KAREKIETLAAN	63 Bd Eb	1640 S-G
KAREL DE GROTELAAN	28 Dbd	1000 BR
KAREL MARTELSTRAAT	20 Dbd	1000 BR
KAREL VI-STRAAT	28 Ac	1210 SJ
	93 Cb	1210 SJ
KARENBERG	46 Dbcd	1600 P-L
KARENBERG	22 Cb	1932 S-W
	23 Aa	1932 S-W
KARENBERGSTRAAT	5 Cbd	1853 S-B
KARENVELD	55 Dd	1630 LI
KARMELIETENSTRAAT	34 Ca	1000 BR
	95 Aab	1000 BR
KARMELIETENSTRAAT	41 Bc Db Ea	1180 UC
KARPATTEN	62 Bac	1650 BE

K

KARPERBRUG	27 Ea	1000 BR
	92 Bd Cac	1000 BR
KARPERSTRAAT	27 Aac	1080 MO
KARRENBERG	43 Dd	1170 WB
	50 Ab	1170 WB
KARRENBERGSTRAAT	58 Dbcd	1560 HO
KARRENBERGWEG	57 Fd	1560 HO
	58 Dac	1560 HO
KARRESTRAAT	29 Ad Db	1200 WL
KARREVELD/	19 Fc	1080 MO
AVENUE DU-LAAN	26 Ca	1080 MO
1 à/tot 81 & 2 à/tot 50		
KARREVELD/		
AVENUE DU-LAAN	19 Fc	1081 KO
83 à fin/tot einde &		
52 à fin/tot einde		
KARREVELDSTRAAT/RUE	47 Eb Fa	1620 DR
KARTUIZERSLAAN	2 Aa	1860 ME
KARTUIZERSSTRAAT	27 Ea	1000 BR
	92 Bbcd	
	Ca	1000 BR
KARVEELSTRAAT	25 Fd	1070 AN
	32 Cb	1070 AN
KASAIBINNENHOF	38 Cb	3080 TE
KASTANJEBOMENLAAN	36 Cc Fa	1150 WP
KASTANJEBOOMLAAN	55 Fd	1640 S-G
	56 Dac	1640 S-G
KASTANJEBOOMSTRAAT	27 Bd	1000 BR
	90 Fc	1000 BR
KASTANJEBOSLAAN	64 Dbcd	1640 S-G
KASTANJEDREEF	38 Ebd	3080 TE
KASTANJEDREEF	52 Eab	3090 OV
KASTANJELAAN	69 Eacd	1501 BU
KASTANJESLAAN	37 Ebd	1950 KR
KASTANJESTRAAT	40 Cb	1190 FO
KASTEEL BEYAERD-		
STRAAT	14 Abd	1120 BR
KASTEEL DE MARNIX	52 Fa	3090 OV
KASTEEL DE WALZINLAAN	41 Eac	1180 UC
KASTEELDREEF	19 Bb Ca	1083 GA
KASTEELDREEF	57 Ed Fc	1560 HO
KASTEELDREEF	55 Dab	1630 LI
KASTEELGAARDE	22 Fb	1932 S-W
	23 Da	1932 S-W
KASTEELHOF	15 Ab	1130 BR
	8 Dd	1130 BR
KASTEELLAAN	19 Ed Fc	1080 MO
onpare nrs		
KASTEELLAAN	19 Ebd Fc	1081 KO
pare nrs		
KASTEELLAAN	63 Ecd	1640 S-G
KASTEELLAAN	63 Eacd	1652 AL
KASTEELLAAN	18 Ad	1702 G-B
KASTEELSTRAAT	35 Db	1050 IX
KASTEELSTRAAT	14 Ecd	1140 EV
KASTEELSTRAAT	58 Dd Ec	1560 HO
	66 Ab	1560 HO
KASTEELSTRAAT	46 Abd Ba	1600 P-L
KASTEELSTRAAT	54 Bb Ca	1620 DR
KASTEELSTRAAT	55 Db	1630 LI
KASTEELSTRAAT	54 Dd Ec	1650 BE
	62 Ab Bac	1650 BE
KASTEELSTRAAT	54 Dd Ec	1652 AL
	62 Ab Bac	1652 AL
KASTEELSTRAAT	25 Db Eac	1700 DI
KASTEELSTRAAT	4 Ea	1800 VI
KASTEELSTRAAT	6 Cc Fa	1853 S-B
KASTEELSTRAAT	38 Ed	3080 TE
KASTEELSTRAAT	52 Dbd Ea	3090 OV
KASTEELTJESLAAN	49 Dd Ec	1180 UC
KASTEEL VAN		
ASSESTRAAT	15 Ac	1130 BR
KASTEELWEG	1 Da	1785 BR
KASTEELWEG	10 Bd	1820 ST
KASTEELWEG	23 Ec	1950 KR
KASTELEINSPLEIN	34 Fc	1050 IX
KASTELEINSSTRAAT	34 Fd	1000 BR
1 tot 19 & 2 tot 8B		
KASTELEINSSTRAAT	34 Fcd	1050 IX
25 tot einde & 10 tot einde		
KASTERLINDEN/	19 Dd	1082 BA
PETITE RUE-STRAATJE	26 Ab	1082 BA
KASTERLINDEN/	19 Dd	1082 BA
RUE-STRAAT	26 Aab	1082 BA
1 à/tot 141 & 2 à/tot 200		
KASTERLINDEN/		
RUE-STRAAT	25 Cbd	1080 MO
numéro/nummer 352	26 Aa	1080 MO
KASTERLINDENSTRAAT	25 Cbd	1700 DI
	26 Aa	1700 DI
KATANGA/RUE DU-STRAAT	40 Ed	1190 FO
KATARINALAAN	67 Ec	3090 OV
KATJESLAAN	59 Ad	3090 OV
KATTEBROEKSTRAAT	18 Fc	1700 DI
	25 Babc	
	Ca	1700 DI
KATTENBERG	50 Dbd	1170 WB
KATTENGAARDE	36 Cc	1150 WP
KATTEPUT/RUE-STRAAT	19 Ea	1082 BA
KATTESTRAAT	18 Facd	1082 BA
KAUDENAARDE/		
RUE-STRAAT	32 Cb	1070 AN
KAUDENAARDEDREEF	25 Ed	1700 DI
KAUDENAARDESTRAAT	25 Ed Fc	1700 DI
	32 Cab	1700 DI
KAUTERGAT	55 Eb Fa	1630 LI
KAUWBERG	48 Eb	1180 UC
KAZERNENLAAN	35 Eb	1040 ET
KAZERNESTRAAT	27 Dd Ec	1000 BR
	92 Ecd	1000 BR
	94 Ab Ba	1000 BR
KAZERNESTRAAT	4 Ab Ba	1800 VI
KEELBEEK/		
CHEMIN DU-WEG	15 Ab	1130 BR
KEELBEEK/		
RUE DU-STRAAT	15 Ab Bab	1130 BR
KEELSTRAAT	6 Cd	1800 VI
	7 Aac	1800 VI
KEERKRINGENLAAN	40 Cd	1190 FO
KEFVOETSTRAAT	18 Ed Fc	1700 DI
	25 Bb	1700 DI
KEIBERG	5 Ac	1780 WE
KEIBERGSTRAAT	16 Db Ea	1930 ZA
KEIENSTRAAT	67 Fc	3090 OV
KEIENVELD	18 Eac	1702 G-B
KEIENVELD	11 Bc Ea	1731 ZE
KEIENVELDLAAN	63 Dab	1652 AL
KEIENVELDSTRAAT	34 Ccd	1050 IX
	95 Db Eac	1050 IX

KEIZERIN CHARLOTTE-	6	Dc	1020 BR
LAAN	12	Cb	1020 BR
	13	Aab	1020 BR
KEIZERINLAAN	27	Fac	1000 BR
	93	Ac Da	1000 BR
KEIZERINLAAN	10	Babd	1820 ST
KEIZERINLAAN	2	Aab	1860 ME
KEIZERINNEDREEF	38	Cd Ed	
		Fabc	3080 TE
KEIZER KARELLAAN	18	Cd	1082 BA
371 tot einde &	19	Acd	1082 BA
121 tot 153 & 406 tot einde			
KEIZER KARELLAAN	19	Ad Bcd	
andere nrs		Eb	1083 GA
KEIZER KARELSTRAAT	28	Ad Db	
		Ea	1000 BR
KEIZERLAAN	51	Fd	3090 OV
	58	Cb	3090 OV
KEIZERSLAAN	27	Ed Fc	1000 BR
	92	Fcd	1000 BR
KEIZERSLAAN	93	Dac	1000 BR
KEIZERSTRAAT	58	Eb Fa	1560 HO
KELCHTERMANS/			
RUE-STRAAT JOSEPH	26	Eac	1070 AN
KELLE	70	Dc	1653 DW
KELLE/PETITE RUE	36	Cc	1200 WL
KELLE/RUE-STRAAT	36	Cc	1200 WL
2 à/tot 84			
KELLE/RUE-STRAAT	36	Bd Cc	
autres nos/andere nrs		Fb	1150 WP
KELLENBORRESTRAAT	58	Fd	1560 HO
	66	Cab	1560 HO
KELLER/RUE-STRAAT	35	Fd	1160 AU
ADOLPHE	42	Cab	1160 AU
KELLEVELDSTRAAT	54	Ed	1650 BE
KELLEVELDWEG	66	Cb	1560 HO
KELTENLAAN	35	Bb Ca	1040 ET
KEMMELBERGLAAN	34	Dd	1190 FO
1 tot 21 & 2 tot 22	41	Ab	1190 FO
KEMMELBERGLAAN	34	Dd	1060 SG
23 tot einde & 24 tot einde			
KEMPENSTRAAT	26	Cd	1080 MO
KENNEDY/AVENUE JOHN	79	Fc	1330 RI
	84	Cac	1330 RI
KENNEDY/AVENUE-LAAN			
JOHN	28	Ecd	1000 BR
KENNEDYLAAN J.-F.	15	Fab	1831 DI
KENNEDYLAAN J.-F.	23	Eb Fac	1933 ST
KENNEDYPLEIN J.-F.	23	Ca	1930 ZA
KENNIS/RUE-STRAAT			
GUILLAUME	21	Ea	1030 SC
KENNISSTRAAT	40	Ab	1070 AN
KENT/RUE DU-STRAAT	21	Fbd	1140 EV
KENTONPLEIN/PLACE	55	Dd	1630 LI
KEPERENBERGSTRAAT	32	Aac	1700 DI
KEPERENBERGSTRAAT	32	Aac	1701 IT
KEPPENSSTRAAT J.F.	4	Fcd	1830 MA
KERCKX/RUE-STRAAT	35	Dab	1050 IX
KERKBERGSTRAAT	30	Cc	1970 W-O
KERKDRIES	24	Ec	1933 ST
KERKEBLOKSTRAAT	3	Aab	1850 GR
KERKEDELLE	29	Ed	1200 WL
KERKEVELDLAAN/AVENUE	30	Ab	1950 KR
KERKEVELDSTRAAT	20	Bbd	1020 BR
KERKEVELDSTRAAT	25	Da	1700 DI

KERKEVELDWEG	70	Fb	1640 S-G
	71	Ac Da	1640 S-G
KERKEVELDWEG	22	Cd	1932 S-W
KERKEWEG	67	Cabc	3090 OV
KERKGANG	40	Fa	1190 FO
KERKHOFDREEF	14	Bab	1020 BR
KERKHOFDREEF	8	Ca	1830 MA
KERKHOFLAAN	19	Bd	1083 GA
KERKHOFLAAN	69	Dab	1501 BU
KERKHOFLAAN	63	Ac Da	1652 AL
KERKHOFLAAN	16	Fa	1930 ZA
KERKHOFLAAN	30	Bb	1950 KR
KERKHOFSTRAAT	46	Dd Ec	1600 P-L
KERKHOFSTRAAT	61	Cbd	1651 LO
	62	Ac	1651 LO
KERKHOFSTRAAT	30	Cbcd	1970 W-O
KERKHOF VAN	22	Dc	1140 EV
BRUSSELLAAN	29	Aa	1140 EV
KERKLAAN	11	Db Eab	1731 ZE
KERKLAAN	8	Bab	1830 MA
KERKPLEIN	19	Dc	1082 BA
KERKPLEIN	47	Db	1601 RU
KERKPLEIN	3	Aa	1850 GR
KERKPLEIN	16	Ed	1930 ZA
KERKSTRAAT	19	Dcd	1082 BA
KERKSTRAAT	30	Dd	1150 WP
	37	Ab	1150 WP
KERKSTRAAT	69	Ac	1501 BU
KERKSTRAAT	58	Ecd	1560 HO
KERKSTRAAT	47	Dbd	1601 RU
KERKSTRAAT	47	Fac	1620 DR
KERKSTRAAT	55	Dab	1630 LI
KERKSTRAAT	71	Bab	1640 S-G
KERKSTRAAT	70	Dd Ec	1653 DW
KERKSTRAAT	32	Aa	1701 IT
KERKSTRAAT	5	Bc	1780 WE
KERKSTRAAT	9	Bb	1820 ME
KERKSTRAAT	16	Fcd	1930 ZA
KERKSTRAAT	38	Ed	3080 TE
KERKTORENSTRAAT	15	Bb	1831 DI
KERKVELD	55	Db Eac	1630 LI
KERKVELD	15	Cc Fa	1831 DI
KERKVELDSTRAAT	54	Ebd Fab	1650 BE
KERKVELDWEG/CHEMIN	55	Dbd	1630 LI
KERKWEG	11	Fc	1702 G-B
KERKWEG	11	Ec	1703 SC
KERKWEG	11	Eac	1731 ZE
KERKWEGSTRAAT	32	Abd	1700 DI
KERKWEG VAN TENBROEK	70	Fc	1652 AL
KERKWEG VAN TENBROEK	70	Fc	1653 DW
KERNSTRAAT	34	Ca	1000 BR
	95	Abd	1000 BR
KERSBEEK/AVENUE-LAAN	40	Fac	1190 FO
1 à/tot 277 & 2 à/tot 280	47	Ca	1190 FO
KERSBEEK/AVENUE-LAAN	47	Cab	1180 UC
autres nos/andere nrs			
KERSBEEK WIJNGAARDERF	47	Ca	1190 FO
KERSEBOOMGAARD-			
SQUARE	50	Ab	1170 WB
KERSEBOOMSTRAAT	18	Fd	1082 BA
	25	Cb	1082 BA
KERSELAARSTRAAT	25	Cb	1700 DI
	26	Aa	1700 DI
KERSELARENBERG-			
STRAAT	29	Dd	1200 WL

K

Straat	Kaart	Postcode
KERSELARENLAAN	28 Fab	1030 SC
1 tot 85 & 2 tot 82		
KERSELARENLAAN	28 Fb	1200 WL
andere nrs	29 Dacd	1200 WL
KERSELARENLAAN	63 Aa	1650 BE
KERSELARENSTRAAT	59 Bd Cc	
	Fa	3090 OV
KERSENBERGSTRAAT	17 Dd	1930 NO
KERSENBOMENLAAN	51 Fabd	3090 OV
KERSENBOOMLAAN	63 Fb	1640 S-G
	64 Dac	1640 S-G
KERSENHOEK	14 Ab	1120 BR
KERSENSTRAAT	62 Dc	1653 DW
	70 Aab	1653 DW
KERSENTIJDSTRAAT	30 Dd	1150 WP
KERSTENMANNEKENS-	27 Ed	1000 BR
STRAAT	92 Fb	1000 BR
KERSTROZENSTRAAT	43 Db	1170 WB
KESSELS/RUE-STRAAT	21 Dd	1030 SC
KESTERBEEKLAAN	61 Fab	1651 LO
	62 Ac Da	1651 LO
KETELBERG	36 Cb	1150 WP
	37 Aa	1150 WP
KETELDELLEWEG	65 Dab Ea	1560 HO
KETELHEIDE	52 Cbd Fb	3090 OV
KETELHEIDESTRAAT	25 Dac	1700 DI
KETELS/RUE-STRAAT	20 Bab	1020 BR
KETELSTRAAT	32 Ebcd	1070 AN
	39 Abd Ba	1070 AN
KEUREDREEF	12 Fc	1090 JE
107 tot 109		
KEUREDREEF	12 Fc	1083 GA
andere nrs	19 Ca	1083 GA
KEVERSLAAN	42 Ec	1050 IX
nummer 26		
KEVERSLAAN	42 Ec	1000 BR
onpare nrs & 2 tot 24		
KEYEN/AVENUE-LAAN		
GUILLAUME	43 Aa	1160 AU
KEYENBEMPT/	47 Cc	
RUE-STRAAT	Fabd	1180 UC
KEYENVELD/RUE	34 Ccd	1050 IX
	95 Db Eac	1050 IX
KEYM/PLACE-PLEIN		
EUGENE	42 Fa	1170 WB
KIEKENMARKT	27 Eab	1000 BR
	92 Cacd	1000 BR
KIEKENSSTRAAT	32 Ecd	1070 AN
KIEVITENLAAN	18 Eac	1702 G-B
KIEVITENLAAN	30 Bac	1950 KR
KIEVITLAAN	7 Aabd	1800 VI
KIEVITLAAN	31 Bc	1933 ST
KIEVITLAAN	23 Fd	1970 W-O
	30 Cb	1970 W-O
KIEVITSTRAAT	3 Ca	1850 GR
KIEVITTENPAD	41 Fb	1000 BR
	42 Da	1000 BR
KIMWEG	30 Ad Db	1200 WL
KINDERGELUK/		
RUE-STRAAT	26 Cc	1080 MO
KINDERMANS/		
RUE-STRAAT	34 Fd	1000 BR
nos pairs/pare nrs		

Straat	Kaart	Postcode
KINDERMANS/		
RUE-STRAAT	34 Fd	1050 IX
nos impairs/onpare nrs		
KINDERPARADIJS	35 Fb	1040 ET
KINDVRIENDELIJK		
HUISSTRAAT	26 Abd	1080 MO
KINET/RUE-STRAAT	33 Bab	1070 AN
KING/AVENUE M.-L.	79 Fd	1330 RI
	80 Dc	1330 RI
KING MARTIN-LUTHER/		
PLACE-PLEIN	32 Fbd	1070 AN
KINNEBAKSTRAAT	27 Ea	1000 BR
	92 Bb	1000 BR
KINNENSTRAAT/		
RUE FERDINAND	30 Ebcd	1950 KR
KINNENSTRAAT/		
RUE FERDINAND	30 Ebcd	1970 W-O
KINSENDAEL/RUE-STRAAT	48 Dd	1180 UC
KIPPEKENSSTRAAT	48 Ac	1180 UC
KIPS/RUE-STRAAT		
RICHARD	35 Bc	1040 ET
KISTEVELDLAAN	45 Cab	3080 TE
KLAKKEDELLE/RUE-STRAAT	29 Fab	1200 WL
KLAPROOSERF	71 Cc	1640 S-G
KLAPROOSSTRAAT	46 Ca	1600 P-L
KLAPROOSSTRAAT	11 Aac	1731 ZE
KLAPROZENHOF	24 Dc	1933 ST
	31 Aa	1933 ST
KLAPROZENLAAN	23 Dd	1950 KR
	30 Ab	1950 KR
KLAPROZENSTRAAT	3 Bacd	1850 GR
KLAPROZENWEG	55 Ea	1630 LI
KLARASTRAAT	38 Ed	3080 TE
KLARISSENBOS	61 Cb	1651 LO
	62 Aac	1651 LO
KLATERBOSLAAN	32 Fb	1070 AN
KLAUWAARTSLAAN	35 Dc	1050 IX
	42 Aa	1050 IX
KLAUWAARTSLAAN	6 Eb	1853 S-B
KLAUWAERTS/	35 Dc	1050 IX
AVENUE DES	42 Aa	1050 IX
KLAUWIERLAAN	69 Dc	1500 HA
KLAVERBLOEMLAAN	31 Ab	1933 ST
KLAVERENWEG	70 Cc	1652 AL
KLAVERGAARDE	43 Ab	1160 AU
KLAVERSTRAAT	32 Fd	1070 AN
	39 Cb	1070 AN
	40 Aa	1070 AN
KLAVERWEG	59 Abd	3090 OV
KLAVERZURINGSTRAAT	43 Ea	1170 WB
KLEEMPUTPAD	15 Abd	1130 BR
KLEEMPUTSTRAAT	6 Bb	1853 S-B
KLEERKOPERSSTRAAT	27 Eb	1000 BR
	92 Cbd	1000 BR
KLEERTSTRAAT	63 Ac Dab	1652 AL
KLEETBOSLAAN	63 Aab	1650 BE
KLEIGROEVEERF	29 Aa	1140 EV
KLEIN-BERCHEMSTRAAT	19 Eab	1081 KO
1 & 61 tot 65		
KLEIN BERCHEMSTRAAT	19 Eabc	1082 BA
67 tot 73 & 32 tot 42		
KLEIN BEVER	2 Ad	1860 ME
KLEIN BIJGAARDEN-		
STRAAT	46 Cabd	1600 P-L
KLEIN DAL	29 Cd Fb	1200 WL

K

KLEINDALPAD/SENTIER	55	Eab	1630 LI
KLEINDALSTRAAT/RUE	55	Db Eab	1630 LI
KLEINE ANNA			
MAGNANISTRAAT	12	Bd	1090 JE
KLEINE BERGSTRAAT	22	Fbd	1950 KR
KLEINE BOSSTRAAT	22	Cd	1932 S-W
KLEINE BRUGSTRAAT	53	Cb	1601 RU
	54	Aa	1601 RU
KLEINE DAALSTRAAT	16	Ec	1930 ZA
	23	Ba	1930 ZA
KLEINE DACHELEN-			
BERGSTRAAT	54	Bbd	1650 BE
KLEINE DALSTRAAT	28	Da	1210 SJ
	93	Cac	1210 SJ
KLEINE EVERSEWEG	22	Bd Db	
		Eab	1932 S-W
KLEINE FLOSSENWEG	44	Bd Eb	
		Fabd	3080 TE
	51	Cb	3080 TE
KLEINE GANG	4	Ab	1800 VI
KLEINE GASTHUISSTRAAT	30	Dc	1150 WP
KLEINE GEESTSTRAAT	24	Ec	1933 ST
	31	Ab Ba	1933 ST
KLEINE GROENEN-			
DAALSEDREEF	56	Ab Ba	1180 UC
KLEINE HAM	4	Fd	1830 MA
KLEINE HERTWEG	62	Dd	1650 BE
	70	Ab	1650 BE
KLEINE HULPSTRAAT	27	Cb	1210 SJ
1 - 2 tot 4	91	Bd	1210 SJ
KLEINE HUTLAAN	56	Dab	1180 UC
KLEINE HUTWEG	56	Bc Ea	1180 UC
KLEIN-EILAND	33	Ccd Fa	1070 AN
KLEINEKAPELLAAN	32	Ca	1700 DI
KLEINE KERKSTRAAT	36	Bb	1150 WP
KLEINE KERKSTRAAT	3	Cd	1850 GR
KLEINE KERKSTRAAT	22	Cd	1932 S-W
	23	Ac Da	1932 S-W
KLEINE KLOOSTERSTRAAT	23	Ad	1932 S-W
KLEINE KOUTER	23	Ca	1930 ZA
KLEINE MAARSCHALK-			
DREEF	49	Ad	1180 UC
KLEINE MOLENSSTRAAT	3	Cd	1850 GR
KLEINENBERG	29	Ca	1200 WL
KLEINENBERGSTRAAT	22	Fbd	1932 S-W
	29	Cab	1932 S-W
KLEINE PARKLAAN	75	Ea	3090 OV
KLEINE ROMEINSE			
STEENWEG	6	Fc	1020 BR
KLEINE SINT-ANNASTRAAT	12	Eabd Fc	1090 JE
KLEINE VAARTDREEF	38	Fd	3080 TE
	45	Cb	3080 TE
KLEINE VELDOVENWEG	3	Cd	1800 VI
KLEINE VERBINDINGSLAAN	70	Fd	1640 S-G
KLEINE WIJNGAARD-			
STRAAT	43	Acd Bc	1160 AU
KLEINEWINKELLAAN	6	Cbcd	1853 S-B
KLEINE ZAVEL	34	Bb Ca	1000 BR
	95	Aa	1000 BR
KLEINE ZELLIKSE WEG	11	Ca	1731 RE
KLEIN HOOGVELD	7	Abd	
		Bac	1800 VI
KLEIN MOLENSTRAAT	4	Ad Bc	1800 VI
KLEIN NORMANDIE	23	Dd Ec	1950 KR
	30	Ab	1950 KR
KLEIN STEENSTRAAT	4	Cd	1800 VI
KLEINVELDHOF	17	Ecd	1930 NO
KLEINVELDWEG	60	Ac	3090 OV
KLEIN VUURGATSTRAAT	58	Bd	1560 HO
KLEIN ZWITSERLAND-			
GAARDE	21	Fd	1140 EV
KLEIN ZWITSERLAND-			
PLEIN	42	Ba	1050 IX
KLEIVELD	55	Eac	1630 LI
KLEPPERSTRAAT	1	Bb	1860 ME
KLESPER/RUE DU-STRAAT	15	Aa	1130 BR
KLEURENPRACHTLAAN	29	Ed	1200 WL
KLEUTERSBAAN	69	Acd	1501 BU
KLEUVERBOS	6	Bb	1853 S-B
KLIMOPLAAN	18	Ad	1702 G-B
KLIMOPSTRAAT	26	Cc	1080 MO
KLINIEKSTRAAT	27	Dc	1070 AN
	34	Aa	1070 AN
KLINIEKSTRAAT	92	Dc	1070 AN
KLINKAERT	68	Cc Fa	1500 HA
KLIPVELD/RUE-STRAAT	48	Abd Bc	1180 UC
KLISSENLAAN	19	Ac Da	1082 BA
KLOKBLOEMENSTRAAT	26	Ca	1080 MO
KLOKJESBLOEMSTRAAT	11	Bd	1731 ZE
KLOKJESLAAN	49	Ca	1170 WB
KLOKTORENSTRAAT	35	Ba	1040 ET
KLOOSTERBERGSTRAAT	39	Fcd	1600 P-L
KLOOSTERDREEF	42	Aa	1000 BR
KLOOSTERDREEF	45	Ebd	3080 TE
	52	Bb	3080 TE
KLOOSTERGANG	68	Fa	1500 HA
KLOOSTERLAAN	31	Dc	1970 W-O
KLOOSTERMUUR	18	Ac Dab	1702 G-B
KLOOSTERSTRAAT	13	Ad Bc	1020 BR
KLOOSTERSTRAAT	34	Fb	1050 IX
KLOOSTERSTRAAT	61	Cc	1651 LO
KLOOSTERSTRAAT	18	Dd	1700 DI
	25	Abd Bc	
		Ea	1700 DI
KLOOSTERSTRAAT	18	[illegible]	[illegible]
KLOOSTERSTRAAT	11	Fa	1731 ZE
KLOOSTERSTRAAT	6	Cac	1853 S-B
KLOOSTERSTRAAT	16	Ed Fc	1930 ZA
KLOOSTERSTRAAT	59	Eb Fa	3090 OV
KLOOSTERWEG	57	Ed	1560 HO
KLOOSTERWEG	71	Ab Ba	1640 S-G
KLOOSTERWEG	71	Ab	1652 AL
KLUISBOS	69	Ad Bc	
		Db	1501 BU
KLUISLAAN	63	Fd	1640 S-G
KLUISSTRAAT	34	Fb	1050 IX
	35	Da	1050 IX
KLUISSTRAAT	68	Fb	1500 HA
KLUITSTRAAT	49	Cb	1170 WB
	50	Aa	1170 WB
KLUIZEMARIALAAN	29	Fb	1200 WL
KLUIZENBOSSTRAAT	25	Ac Da	1700 DI
KLUTSSTRAAT	62	Bc Eab	1652 AL
KNAPEN/RUE-STRAAT	28	Fb	1030 SC
KNAPZAKSTRAAT	28	Eb	1000 BR
KNIJF/RUE DU-STRAAT	14	Aa	1120 BR
KNIPSTERWEG	66	Bd	1560 HO
KNOTWILGENKANT	18	Dc	1700 DI
KNOTWILGENLAAN	3	Ed	1850 GR

K

KOEDAALSTRAAT	58	Bb Cac	
		Facd	1560 HO
KOEDALSTRAAT	51	Ed Fc	3090 OV
	58	Abcd	
		Bab	3090 OV
KOEIESTRAAT	55	Dd Ec	1630 LI
KOEIVIJVER/			
RUE DE-STRAAT	32	Dbd	1070 AN
KOEIVIJVERSTRAAT	32	Dab	1700 DI
KOEIVIJVERSTRAAT	32	Dab	1701 IT
KOEKELBERG/			
AVENUE DE-LAAN	19	Ec	1082 BA
KOEKOEKPAD	54	Fbd	1630 LI
	55	Da	1630 LI
KOEKOEKSLAAN	3	Cab	1850 GR
KOEKOEKSTRAAT	43	Dd	1170 WB
KOEKOEKSTRAAT	6	Cd	1800 VI
KOEPOORTSTRAAT	4	Bc Ea	1800 VI
KOGELSTRAAT	27	Ea	1000 BR
	92	Babd	1000 BR
KOKERLAAN	59	Bac	3090 OV
KOKERSDELLE	72	Aac	1640 S-G
KOKSTRAAT	59	Cc	3090 OV
KOLDAMSTRAAT	58	Ed	1560 HO
KOLENBRANDERSLAAN	58	Fd	1560 HO
	59	Dc	1560 HO
KOLENMARKT	27	Eabc	1000 BR
	92	Cc Eb	
		Fa	1000 BR
KOLIBRIEPLEIN	43	Dbd	1170 WB
KOLLEBLOEMENLAAN	30	Fc	1970 W-O
KOLLEBLOEMENSTRAAT	35	Bd	1040 ET
KOLOMSTRAAT	27	Acd	1080 MO
	90	Dac	1080 MO
KOLONEL BOURGSTRAAT	28	Ccd	1030 SC
1 tot 105 & 2 tot 116	29	Ac	1030 SC
KOLONEL BOURGSTRAAT	29	Aabc	1140 EV
105A tot einde &			
118 tot einde			
KOLONEL BREMERPLEIN	28	Ba	1030 SC
KOLONEL CHALTINSTRAAT	48	Abd Bc	1180 UC
KOLONEL DAUMERIELAAN	36	Fcd	1150 WP
onpare nrs			
KOLONEL DAUMERIELAAN	36	Fcd	1160 AU
pare nrs			
KOLONEL PICQUARTLAAN	21	Ab Ba	1030 SC
KOLONEL VAN			
GELESTRAAT	35	Bacd	1040 ET
KOLONIALELAAN	42	Fcd	1170 WB
	49	Ca	1170 WB
KOLONIALE VETERANEN-			
SQUARE	26	Ed	1070 AN
KOLONIENSTRAAT	27	Fa	1000 BR
	93	Ad Bc	
		Db	1000 BR
KOLVENIERSSTRAAT	68	Fa	1500 HA
KOLVENIERSSTRAAT	4	Abd	1800 VI
KOLVENIERSSTRAAT	6	Db	1853 S-B
KOMATSULAAN	7	Bb Ca	1800 VI
KOMEDIANTENSTRAAT	27	Cc Fa	1000 BR
	93	Aab	1000 BR
KOMFORTPLEIN	33	Dd	1070 AN
	40	Ab	1070 AN
KOMMANDANT			
LOTHAIRELAAN	35	Fab	1040 ET

KOMMANDANT			
PONTHIERSTRAAT	35	Eb Fa	1040 ET
KOMMANDANT ROMAIN			
MARISSALDREEF	55	Ea	1630 LI
KOMMENSTRAAT	33	Cbcd	1070 AN
KONDELVELDSTRAAT	62	Ad	1651 LO
KONGOLAAN	42	Ad	1050 IX
1 tot 5A & 2 tot 8			
KONGOLAAN	42	Ad	1000 BR
7 tot einde & 14 tot einde			
KONIJNENBERG	36	Bb Ca	1200 WL
KONIJNENBERG	18	Acd Da	1702 G-B
KONIJNENBERGGAARDE	36	Ca	1200 WL
KONIJNENLAAN	45	Bb	3080 TE
KONIJNENSTRAAT	32	Fc	1070 AN
KONIJNENSTRAAT	23	Bb Cac	1930 ZA
KONIJNENSTRAAT	24	Cd	3078 EV
KONIJNENVOETWEG	21	Bb	1140 EV
KONIJNENWARANDE-			
STRAAT	50	Aab	1170 WB
KONIJNENWEG	45	Ed	3080 TE
	52	Bb	3080 TE
KONING ALBERT II - LAAN	91	Aac	1210 SJ
1 tot 25			
KONING ALBERT II - LAAN	20	Fac	1000 BR
2 tot 46	27	Bb Ca	1000 BR
	91	Aac	1000 BR
KONING ALBERT II - LAAN	20	Fac	1030 SC
nummer 27	27	Bb Ca	1030 SC
	91	Aac	1030 SC
KONING ALBERT-I-LAAN	5	Fc	1780 WE
KONING ALBERTLAAN	14	Aab	1120 BR
KONING ALBERTLAAN	18	Fb	1082 BA
	19	Dabd	1082 BA
KONING ALBERTLAAN	8	Bbd Cc	
		Fa	1830 MA
KONING ALBERT PLEIN	39	Fd	1600 P-L
KONING ALBERTSTRAAT	47	Aa	1600 P-L
KONING BOUDEWIJNLAAN	68	Fc	1500 HA
KONING BOUDEWIJNLAAN	7	Bb	1800 VI
KONING BOUDEWIJNLAAN	8	Eac	1830 MA
KONING BOUDEWIJN-			
PLEIN	19	Dd	1082 BA
KONING BOUDEWIJN-			
PLEIN	30	Dd	1150 WP
KONING BOUDEWIJN			
ROND-PUNT	30	Ad	1950 KR
KONINGIN ASTRIDLAAN	12	Ca	1780 WE
	5	Ed Fc	1780 WE
KONINGIN ASTRIDLAAN	8	Cbd	1830 MA
	9	Acd Db	1830 MA
KONINGIN ASTRIDLAAN	23	Ec	1950 KR
	30	Abd Ba	
		Db Eac	1950 KR
	37	Bac	1950 KR
KONINGIN ASTRIDPLEIN	19	Cd	1090 JE
KONINGIN ELISABETHLAAN	68	Fc	1500 HA
KONINGIN ELISABETHLAAN	25	Cd	1700 DI
KONINGIN ELISABETHLAAN	5	Fd	1780 WE
KONINGIN FABIOLALAAN	69	Bb Ca	1654 HU
KONINGIN FABIOLALAAN	5	Fbd	1780 WE
KONINGIN FABIOLALAAN	8	Bb Cacd	1830 MA
KONINGIN FABIOLALAAN	31	Bc	1933 ST
KONINGIN FABIOLAPLEIN	19	Bd	1083 GA

KONINGIN MARIA-HENDRIKALAAN	34	Dc	1190 FO
KONINGINNEGALERIJ	27	Eb	1000 BR
	92	Cd	1000 BR
	93	Ac	1000 BR
KONINGINNELAAN 1 tot 173 & 2 tot 148	20	Cc Fabd	1030 SC
KONINGINNELAAN 175 tot 235A & 150 tot 204	20	Cc	1000 BR
KONINGINNELAAN 237 tot einde & 206 tot einde	20	Cac	1020 BR
KONINGINNELAAN	67	Dbcd	3090 OV
	74	Cb	3090 OV
	75	Aa	3090 OV
KONINGINNEOORD	37	Cab	1970 W-O
KONINGINNEPLEIN	27	Cb	1030 SC
	91	Bbd Ca	1030 SC
KONINGINNESTRAAT	27	Eb	1000 BR
	92	Cb	1000 BR
KONINGINNEVOETWEG	56	Fd Fbcd	1640 S-G
	64	Ab Bab	1640 S-G
KONINGIN PAOLAPLEIN	19	Ab	1083 GA
KONING LEOPOLD-III-LAAN	5	Fc	1780 WE
KONING OVERWINNAAR-PLEIN	35	Cc	1040 ET
KONINGSCHAPSSTRAAT	20	Bb	1020 BR
KONINGSGALERIJ	27	Eb	1000 BR
	93	Ac	1000 BR
KONINGSLAAN 1 tot 79 & 2 tot 106	34	Ac Da	1060 SG
KONINGSLAAN 81 tot einde & 108 tot einde	34	Dac	1190 FO
KONINGSLOSESTEENWEG	6	Ccd	1853 S-B
KONINGSLOSTEENWEG	3	Fcd	1800 VI
	4	Da	1800 VI
	7	Bb	1800 VI
KONING-SOLDAATLAAN	33	Ad Bc Dab	1070 AN
KONINGSPLEIN	27	Fc	1000 BR
	93	Dd	1000 BR
KONINGSPLEIN	71	Bd	1640 S-G
KONINGSSTRAAT 1 tot 145B & 2 tot 234	27	Cd Fabc	1000 BR
	91	Ecd	1000 BR
	93	Bac Dbd Ea	1000 BR
KONINGSSTRAAT 151 tot 251 & 236 tot 324	27	Cbd	1210 SJ
	91	Bd Ebd	1210 SJ
KONINGSSTRAAT 253 tot einde & 326 tot einde	27	Cb	1030 SC
	91	Bd	1030 SC
KONINGSTRAATJE	37	Cb	1970 W-O
	38	Aa	1970 W-O
KONINGSTUIN	42	Aa	1000 BR
KONINGSVELDSTRAAT	35	Bbcd	1040 ET
KONING VAN SPANJE-STRAAT	46	Fac	1600 P-L
KONINKJESLAAN	30	Bc	1950 KR
KONINKLIJK ATHENEUM-STRAAT	29	Cc	1200 WL
KONINKLIJKE JACHTSTRAAT	35	Fcd	1160 AU
	42	Ca	1160 AU
KONINKLIJKE KASTEELDREEF	2	Aa	1860 ME
KONINKLIJKE-PRINSSTRAAT	34	Ccd	1050 IX
	95	Dbd Ea	1050 IX
KONINKLIJKE SINTE-MARIASTRAAT	20	Fd	1030 SC
	21	Dac	1030 SC
	27	Cb	1030 SC
	91	Ca	1030 SC
KONINKLIJKE WANDELING	44	Cc Fabd	3080 TE
	45	Dc Ecd Fac	3080 TE
	52	Aab Ba	3080 TE
KONINKLIJK PARKLAAN	13	Bd Cc Ebd Fc	1020 BR
KONKEL/RUE-STRAAT	36	Cab	1200 WL
88 à fin tot einde	37	Aa	1200 WL
KONKEL/RUE-STRAAT autres nos/andere nrs	36	Cac	1150 WP
KOOLBRANDERSSTRAAT	27	Ca	1210 SJ
	91	Aab	1210 SJ
KOOLMEZENSTRAAT	3	Ca	1850 GR
KOOLMIJNENKAAI	27	Ad Bac	1080 MO
	90	Bcd Eac	1080 MO
KOOLMIJNGRAVERS-STRAAT	27	Ba	1080 MO
	90	Bc	1080 MO
KOOLSTRAAT	27	Bd Cc	1000 BR
	91	Dcd	1000 BR
KOOPLIEDENSTRAAT	27	Bab	1000 BR
	90	Ccd Fb	1000 BR
KOORSTRAAT	27	Ab Ba	1080 MO
	90	Ad Bac	1080 MO
KOPHEIWEG	68	Ba	1500 HA
KORAALSTRAAT	25	Fd	1070 AN
	32	Cb	1070 AN
KORAALSTRAAT	2	Fb	1850 GR
	3	Da	1850 GR
KORDIALESTRAAT	59	Bc	3090 OV
KOREASQUARE	36	Ad	1150 WP
KORENAARENSTRAAT	59	Bab Cacd	3090 OV
	60	Ac	3090 OV
KORENBEEK/RUE DU-STRAAT	26	Ab Bab	1080 MO
KORENBLOEMENLAAN	72	Bc Ea	1640 S-G
KORENBLOEMENSTRAAT	30	Ea	1950 KR
KORENBLOEMLAAN	30	Da	1200 WL
KORENBLOEMLAAN	1	Ed	1780 WE
KORENBLOEMLAAN	24	Dc	1933 ST
	31	Aa	1933 ST
KORENBLOEMPLEIN	30	Dacd	1200 WL
KORENBLOEMSTRAAT	29	Ad Bc Ea	1200 WL
KORENBLOEMSTRAAT	46	Ca	1600 P-L
KORENBLOEMSTRAAT	8	Cabc	1830 MA
KORENBLOEMSTRAAT	3	Ba	1850 GR
KORENBLOEMWEG	69	Bab	1501 BU
KORENVELD	22	Cd	1932 S-W
	23	Aac	1932 S-W
KORENVELDLAAN	1	Ebcd	1780 WE
KORNALIJNPAD	12	Cb	1020 BR
KORNIJKVELD	69	Ac	1501 BU
KORPORAAL CLAESSTRAAT	21	Ea	1030 SC
KORPORAALDREEF	49	Cc Dd Eabc Fa	1180 UC

K

Straat	Kaart	Vak	Postcode
KORPORAAL			
TRESIGNIESSTRAAT	40	Eb Fa	1190 FO
KORTE BEENHOUWERS-	27	Eb	1000 BR
STRAAT	92	Cd	1000 BR
KORTE BOTERSTRAAT	27	Eb	1000 BR
	92	Cd	1000 BR
KORTE BRIGITTINEN-	27	Ec	1000 BR
STRAAT	34	Ba	1000 BR
	94	Ca	1000 BR
KORTE COURTOISSTRAAT	27	Ab Ba	1080 MO
	90	Bc	1080 MO
KORTE GROENWEG	14	Bb	1120 BR
	7	Ebd	1120 BR
KORTE HEIZELSTRAAT	13	Ad	1020 BR
KORTE HERTSTRAAT	40	Ba	1070 AN
KORTE HULPSTRAAT	27	Cb	1030 SC
alle nrs behalve 1 - 2 tot 4	91	Bd	1030 SC
KORTE KAMPSTRAAT	15	Ac	1130 BR
KORTE KELLESTRAAT	36	Cc	1200 WL
KORTE LINKEBEEKSTRAAT	54	Cbd	1620 DR
KORTE L'OLIVIERSTRAAT	28	Aa	1030 SC
	91	Cd	1030 SC
KORTE MALIBRANSTRAAT	35	Da	1050 IX
KORTEMANSSTRAAT	11	Acd Dac	1730 BE
KORTEMANSSTRAAT	11	Acd Dac	1731 ZE
KORTE METROLOGIELAAN	15	Ba	1130 BR
KORTE MINIMENSTRAAT	27	Ed	1000 BR
	94	Cb	1000 BR
KORTE MOLENSTRAAT	33	Dd Ec	1070 AN
	40	Ab	1070 AN
KORTE MUSEUMSTRAAT	27	Fc	1000 BR
	93	Dc	1000 BR
KORTENBACHSTRAAT	15	Aacd	1130 BR
KORTENBERGLAAN	28	Ebcd	1040 ET
1 tot 29 & 2 tot 46			
KORTENBERGLAAN	28	Ebcd	1000 BR
31 tot einde & 48 tot einde			
KORTENBERGSE-	10	Eb Facd	1820 ST
STEENWEG	17	Cb	1820 ST
KORTE NOORDSTRAAT	27	Fb	1000 BR
	93	Bb	1000 BR
KORTE POTTENGOED-	27	Db	1070 AN
STRAAT	92	Da	1070 AN
KORTE SPAARBEKKEN-			
STRAAT	15	Db	1130 BR
KORTESTRAAT	19	Dacd	1082 BA
KORTESTRAAT	69	Ba	1501 BU
KORTESTRAAT	58	Bd	1560 HO
KORTESTRAAT	47	Db	1601 RU
KORTESTRAAT	61	Ea	1654 HU
KORTESTRAAT	4	Ab	1800 VI
KORTE STRAAT	24	Ba	1930 NO
KORTEVELD	60	Aacd	3090 OV
KORTE VEST	68	Fa	1500 HA
*KORTE VIOLETSTRAAT	27	Ed	1000 BR
(GELEGEN VIOLETSTR.)	92	Fb	1000 BR
KORTE WOLVENSTRAAT	33	Dd	1070 AN
KORTRIJKSTRAAT	26	Cd	1080 MO
	27	Ac	1080 MO
KORTVONDELWEG	39	Fac	1600 P-L
KORVETSTRAAT	25	Fd	1070 AN
	26	Dc	1070 AN
KOSMONAUTLAAN	36	Ca	1150 WP
KOSTERSTRAAT	15	Bbd Eb	
		Fa	1831 DI

Straat	Kaart	Vak	Postcode
KOUDE DELLEWEG	65	Ed	
		Fabc	1560 HO
	66	Ac Da	1560 HO
KOUDENBERG	27	Fc	1000 BR
	93	Dcd	1000 BR
KOUDENBERGLAAN	70	Cb	1652 AL
	71	Aa	1652 AL
KOUTER	43	Aab Ba	1160 AU
KOUTER/AVENUE DU	43	Aab Ba	1160 AU
KOUTERHOF	16	Ed	1930 ZA
KOUTERLAAN	16	Fc	1930 ZA
	23	Ca	1930 ZA
KOUTERPAD	3	Ab	1850 GR
KOUTERSTRAAT	60	Acd	
		Babc	3090 OV
KOUTERVELDSTRAAT	15	Fbd	1831 DI
	16	Da	1831 DI
KOUTERWEG	16	Ed Fc	1930 ZA
KOVERIS	3	Aab	1850 GR
KRAAIENBROEKSTRAAT	25	Ab	1700 DI
KRAAIENWEG	23	Ecd	1950 KR
	30	Bab	1950 KR
KRAAINEM/			
AVENUE DE-LAAN	30	Db	1200 WL
KRAAINEMLAAN/			
AVENUE DE	30	Ad Db	1950 KR
KRAAKBESSENLAAN	62	Fd	1652 AL
KRAAKBESSENPAD	42	Ec	1000 BR
KRAAKBEZIENLAAN	55	Cd	1180 UC
KRAATVELDSTRAAT	14	Ab Ba	1120 BR
	7	Dd Ec	1120 BR
KRABBENBERG	59	Ab	3090 OV
KRABBOSSTRAAT	69	Fcd	1653 DW
	70	Dac	1653 DW
KRAINS/RUE-STRAAT			
HUBERT	21	Eb	1030 SC
KRAKEELPLEIN	34	Ba	1000 BR
	94	Bd	1000 BR
KRAKEELSTRAAT	34	Ba	1000 BR
	94	Bbd	1000 BR
KRANENBERG	12	Dcd	1731 ZE
KRAUWENBERG	70	Ec	1653 DW
KREBBEWEG	18	Ac	1702 G-B
KRECHTENBROEKLAAN/			
AVENUE	63	Cc Fa	1640 S-G
KREKELENBERG	50	Ad	1170 WB
KREKELENDRIES	14	Fb	1130 BR
KREKELENDRIES	47	Bd Cc	
		Eb Fa	1620 DR
KREKELENDRIES	55	Dd	1630 LI
KREKELHEIDE	66	Abd Bc	1560 HO
KREKELLAAN	70	Dd	1653 DW
KREKELSTRAAT	71	Cb	1640 S-G
KREPERLAAN LEON	39	Fd	1600 P-L
	40	Dc	1600 P-L
KREUPELBOSLAAN	13	Ba	1020 BR
KREUPELENSTRAAT	27	Bd Cc	1000 BR
	93	Aa	1000 BR
KREUPELHOUTGAARDE	37	Ea	1150 WP
KRIBBESTRAAT	34	Cd	1050 IX
	95	Ebd	1050 IX
KRIEKEBOMENSTRAAT	42	Fa	1170 WB
25 tot einde &			
26 tot einde			

KRIEKENBOMENSTRAAT	42	Ebd Fa	1050	IX
andere nrs				
KRIEKENPUT/				
RUE DU-STRAAT	55	Abd Bc	1180	UC
KRIJGSKUNDESTRAAT	35	Fc	1160	AU
KRINGS/RUE-STRAAT	36	Dc	1160	AU
ALBERT	43	Aa	1160	AU
KRISTINASTRAAT	34	Bb	1000	BR
	94	Cabd	1000	BR
KROENDAALPLEIN	60	Ad Db	3090	OV
KROGSTRAAT	1	Bb Cab	1860	ME
KROKUSLAAN	23	Fc	1933	ST
KROKUSSENLAAN	26	Dd Ec	1070	AN
KROKUSSENLAAN	72	Bc	1640	S-G
KROMMEDELLE	62	Fd	1652	AL
	63	Dc	1652	AL
KROMMESTRAAT	31	Dac	1970	W-O
KROMMEWEG	71	Bd	1640	S-G
KROMMEWEG	16	Fd	1930	ZA
KROMMEWEG	58	Fb	3090	OV
KROMSTRAAT	69	Dcd	1500	HA
KRONINGLAAN	28	Fd	1200	WL
	29	Dcd	1200	WL
KROONLAAN	35	Acd		
		Dbd Ec	1050	IX
	42	Babcd	1050	IX
	95	Fd	1050	IX
KROONLAAN	59	Dd	1560	HO
	67	Ab	1560	HO
KROONVELDSTRAAT	13	Ecd	1020	BR
KROONWEG	62	Dab	1700	DI
KRUIDENDAL	23	Ba	1930	ZA
KRUIDTUINLAAN	27	Bb		
		Cacd	1000	BR
	91	Dab		
		Eacd	1000	BR
KRUIDTUINLAAN	1	Fb	1780	WE
	2	Da	1780	WE
KRUIDTUINLAAN	1	Ca	1860	ME
KRUIDTUINSTRAAT	27	Cbd	1210	SJ
	91	Bc Eab	1210	SJ
KRUIPWEG	14	Ab	1120	BR
KRUISBERG	14	Ba	1120	BR
	7	Ec	1120	BR
KRUISBLOKWEG	1	Bb	1860	ME
KRUISBOOGLAAN	49	Cb	1170	WB
	50	Aa	1170	WB
KRUISBOOGSCHUTTERS-	34	Ba	1000	BR
STRAAT	94	Ca	1000	BR
KRUISBOOGSCHUTTERS-				
STRAAT	4	Bc	1800	VI
KRUISBOOGSQUARE	49	Cb	1170	WB
KRUISDAGENLAAN	28	Fcd	1200	WL
KRUISDREEF	71	Ab	1652	AL
KRUISKRUIDLAAN	59	Ac Da	3090	OV
KRUISPUNTSTRAAT	29	Dd	1200	WL
KRUISSTRAAT	34	Fb	1000	BR
nummer 76				
KRUISSTRAAT	34	Cd Fb	1050	IX
onpare nrs & 2 tot 74	95	Ed	1050	IX
KRUISSTRAAT	67	Ca	3090	OV
KRUISTOCHTENDREEF	65	Ccd Fb	1560	HO
KRUISVAARTENSTRAAT	27	Bb Ca	1210	SJ
	91	Acd	1210	SJ

KRUISVELD	23	Dc	1950	KR
	30	Aa	1950	KR
KRUITMOLENSTRAAT	27	Ad Db	1000	BR
	92	Abd	1000	BR
KUBISMESTRAAT	26	Cb	1081	KO
	27	Aa	1081	KO
KUFFERATH/AVENUE-LAAN				
EDOUARD	13	Ac	1020	BR
KUHNEN/RUE-STRAAT				
WILLEM	21	Ea	1030	SC
KUIKENSTRAAT/RUE	47	Bd Eb		
		Fac	1620	DR
KUIPERSSTRAAT	34	Bc	1000	BR
	94	Eb	1000	BR
KUIPGANG	27	Eb	1000	BR
	92	Fb	1000	BR
KUIPSTRAAT	35	Dab	1050	IX
KULTUURLAAN	67	Aa	1560	HO
KUMPSSTRAAT JOS.	67	Abcd	3090	OV
KUMPSSTRAAT JOSEPH	59	Dd	1560	HO
	67	Ab	1560	HO
KUNSTBERG	27	Fc	1000	BR
	93	Dacd	1000	BR
KUNSTENAARSGAARDE	28	Ca	1030	SC
KUNSTENAARSSTRAAT	13	Ecd	1020	BR
KUNSTLAAN	27	Fb	1210	SJ
1 tot 19	93	Cac	1210	SJ
KUNSTLAAN	27	Fbd	1000	BR
19A - 25 & 16 tot einde	34	Cb	1000	BR
	93	Cc Ebd		
		Fa	1000	BR
	95	Bb	1000	BR
KUNSTLAAN	27	Fb	1040	BR
26 tot 45	34	Cb	1040	BR
	93	Cac	1040	BR
	95	Bb	1040	BR
KUNSTLAAN	67	Aab	1560	HO
KUREGEMSESTRAAT	27	Dd Ec	1000	BR
	92	Db Ea	1000	BR
KUREGEMSTRAAT	15	Bab	1831	DI
	8	Ec	1831	DI
KURSAALSTRAAT	4	Ad	1800	VI
KURTH/RUE-STRAAT				
GODFROID	21	Eb Fa	1140	EV
KWADELINDEKENSWEG	71	Bac	1640	S-G
KWADEPLASSTRAAT/RUE	71	Bcd		
		Eab	1640	S-G
KWADE WEG	62	Fbd	1650	BE
KWAKKELSTRAAT	7	Abd		
		Db	1800	VI
KWARTELLAAN	43	Dacd	1170	WB
KWARTELLAAN	45	Ca	3080	TE
KWATRECHTSTRAAT	20	Fcd	1030	SC
	91	Bab	1030	SC
KWEEPEREBOOMLAAN	25	Cb	1082	BA
	26	Aa	1082	BA
KWEEPEREBOOMLAAN	25	Cb	1700	DI
KWEKERIJDREEF	57	Db	1560	HO
KWEKERIJLAAN	57	Dabc	1640	S-G
KWEKERIJSTRAAT	4	Fd	1830	MA
KWEKERIJWEG	45	Eab	3080	TE
KWETTERWEIDE	62	Dd Ec	1653	DW
	70	Ba	1653	DW
KWIKSTAARTENPAD	42	Db	1000	BR
KWIKSTAARTJESTRAAT	50	Aa	1170	WB

Street	Map	Grid	Code
KWIKSTAARTLAAN	36	Dd	1150 WP
KWIKSTAARTLAAN	69	Dc	1500 HA
KWIKSTAARTSTRAAT	7	Acd	1800 VI

L

Street	Map	Grid	Code
LAAGPLEIN	12	Cb	1020 BR
LAAKLINDE	53	Eabd	1651 LO
LAANBRUGSTRAAT	20	Cc	1000 BR
LAARBEEKLAAN	12	Eabc	
		Fa	1090 JE
LAARBEEKLAAN	11	Fa	1731 ZE
LAARHEIDESTRAAT	54	Ed	1650 BE
	62	Acd	
		Babc	1650 BE
LAARHEIDESTRAAT	54	Ed	1651 LO
	62	Acd	
		Babc	1651 LO
LAATSTE-RUSTLAAN	29	Ecd	1200 WL
LABARRE/RUE-STRAAT			
ANTOINE	35	Dc	1050 IX
LABARRE/RUE-STRAAT			
JEAN-BAPTISTE	48	Aab	1180 UC
LABBE/AVENUE	75	Ea	1310 L-H
LABBEEKSTRAAT	68	Ba	1500 HA
LABBELAAN	75	Bc Ea	3090 OV
LABEUR/RUE DU	40	Bb	1070 AN
LABOUREUR/IMPASSE DU	27	Ad	1000 BR
	90	Ec	1000 BR
LA BOURSE	85	Cc	1300 WA
LABRADOR/			
RUE DU-STRAAT	6	Ecd	1020 BR
LA BRISE/			
DREVE DE-DREEF	50	Aac	1170 WB
LAC/AVENUE DU	75	Ecd Fc	1332 GE
	79	Ca	1332 GE
LAC/RUE DU	35	Dc	1050 IX
1 à 35 & 2 à 20			
LAC/RUE DU	34	Fd	1000 BR
35A à fin & 22 à fin	35	Dc	1000 BR
LACAILLE/RUE-STRAAT	34	Ad Bc	1000 BR
	94	Ea	1000 BR
LA CLOSIERE	78	Cd Fb	1332 GE
LACOMBLE/AVENUE-LAAN			
ADOLPHE	28	Fa	1030 SC
LACOMBLE/AVENUE-LAAN			
EDOUARD	35	Cd	1150 WP
2 à/tot 6			
LACOMBLE/AVENUE-LAAN			
EDOUARD	35	Cd Fb	1040 ET
autres nos/andere nrs			
LA CONVERSERIE	87	Ea	1300 WA
LACROIX/RUE-STRAAT			
ALBERT	19	Ccd	1083 GA
LACROIXSTRAAT GEORGE	8	Ea	1830 MA
LADRIERE/SENTIER	79	Ad Bc	1332 GE
MARCEL			
LADDERSSTRAAT	27	Bb	1000 BR
	90	Fb	1000 BR
LAEKEBEEKLAAN	54	Aa	1601 RU
LAEKEN/AVENUE DE	19	Ccd	1090 JE
LAEKEN/RUE DE	27	Bbd	1000 BR
	90	Cd Fbcd	1000 BR
LAEKENVELD	5	Fbd	1780 WE
LAEKENVELD/			
RUE DU-STRAAT	20	Db Ea	1080 MO
LAENNEC/AVENUE-LAAN	13	Ac	1020 BR
LAERBEEK/AVENUE DU	12	Eabc	
		Fa	1090 JE
LAERMANS/RUE-STRAAT	27	Ab	1080 MO
EUGENE	90	Ad	1080 MO
LAFFINEUR/RUE EDMOND	86	Dc	1300 LI
LAFONTAINE/			
AVENUE-LAAN HENRI	29	Ca	1200 WL
LAGAELAAN JUL.	24	Db	1933 ST
LAGESTEENWEG	2	Cb	1850 GR
	3	Aa	1850 GR
LAGEY/RUE-STRAAT JEAN	32	Ca	1070 AN
LAGRANGE/SQUARE			
CHARLES	48	Ca	1180 UC
LA HAIE	85	Cd	1300 WA
	86	Ab	1300 WA
LAHAYE/RUE-STRAAT			
JULES	13	Dcd	1090 JE
LA HERONNIERE	86	Ab	1301 BI
LA HULPE/CHAUSSEE DE	49	Aab	
1 à 61 & 2 à 6		Bacd	1180 UC
LA HULPE/CHAUSSEE DE	49	Bd Cc	1000 BR
8 à 28 & 110 à 132			
LA HULPE/CHAUSSEE DE	49	Ccd	1170 WB
169 à fin & 150 à fin	50	Acd Db	
		Eac	1170 WB
	57	Babd	1170 WB
LA HULPE/CHAUSSEE DE	75	Acd Dab	1310 L-H
LA HULPE/RUE DE	75	Fd	1331 RO
	79	Cb	1331 RO
	80	Aa	1331 RO
LAINE/SQUARE	41	Aa	1190 FO
LAINES/RUE AUX	34	Bbcd Ca	1000 BR
	94	Cd Ed	
		Fabc	1000 BR
	95	Ac	1000 BR
LAITERIE/AVENUE DE LA	42	Dac	1000 BR
LAITERIE/RUE DE LA	26	Eb	1070 AN
1 à 119 & 2 à 118			
LAITERIE/RUE DE LA	26	Bd Eb	1080 MO
121 à fin & 122 à fin			
LAKENBERG	61	Ccd	1651 LO
LAKENSE LAAN	19	Ccd	1090 JE
LAKENSESTRAAT	27	Bbd	1000 BR
	90	Cd	
		Fbcd	1000 BR
LAKENSESTRAAT	6	Bd Eb	
		Fa	1853 S-B
LAKENSTRAAT	7	Dabc	1800 VI
LAKENWEVERSSTRAAT	34	Cac	1050 IX
	95	Dabd	1050 IX
LAMA/RUE DU-STRAAT	47	Fabc	1180 UC
LAMARTINE/CLOS	88	Cb	1420 B-A
LAMARTINE/RUE-STRAAT	25	Fd	1070 AN
LAMBEAU/AVENUE-LAAN	28	Fbd	1200 WL
	29	Da	1200 WL
LAMBEAUX/AVENUE-LAAN			
JEF	34	Ec	1060 SG
LAMBEAUXLAAN JEF	60	Bab	3090 OV
LAMBERMONT/	21	Aabd Bc	
BOULEVARD-LAAN		Eacd	1030 SC
LAMBERMONT/	14	Dc	1020 BR
RAMPE-OPRIT	21	Aa	1020 BR

K
L

LAMBERMONT/RUE	79	Ec	1330 RI
	84	Ab Ba	1330 RI
LAMBERMONT/	27	Fd	1000 BR
RUE-STRAAT	93	Ecd	1000 BR
LAMBERMONT/SENTIER	84	Ba	1330 RI
LAMBERT/BOULEVARD-			
LAAN THEO	33	Dabc	1070 AN
LAMBERTSTRAAT WILLEM	16	Ea	1930 ZA
LAMBIN/AVENUE-LAAN			
LEOPOLD FLORENT	43	Eb	1160 AU
LAMBIOTTE/RUE-STRAAT			
AUGUSTE	28	Bacd	1030 SC
LAMBOTTE/RUE-STRAAT			
JEAN	37	Dd	1150 WP
LAMBRECHTSLAAN/			
AVENUE E.	5	Eb	1780 WE
LAMBRECHTSSTRAAT	9	Cab	1820 ME
LAMBRETTESTRAAT G.	4	Fc	1830 MA
LAMBROEKSTRAAT	15	Fd	1831 DI
LAMBROEKSTRAAT	16	Ad Db	1930 ZA
LAMBYHAIE/RUE	85	Dcd	1342 LI
LAMEISBOSSTRAAT	62	Bd	1650 BE
LAMEY/RUE-STRAAT	36	Dc	1160 AU
LOUIS ISIDORE	43	Aa	1160 AU
LAMIER BLANC/			
AVENUE DU	31	Dbd	1970 W-O
LAMLAAN	55	Bc	1180 UC
LAMME GUICHE-ERF	68	Bac	1500 HA
LAMMERENDRIES	43	Db	1160 AU
onpare nrs			
LAMMERENDRIES	43	Db	1170 WB
pare nrs			
LAMPSTRAAT	68	Ab Ba	1500 HA
LAMSORENWEG	49	Bac	1000 BR
LANCASTER/			
AVENUE-LAAN ALBERT	48	Ccd	1180 UC
LANCE/AVENUE DE LA	28	Cb	1140 EV
LANCELOETLAAN	59	Fa	3090 OV
LANCEY/CLOS DE	83	Fd	1410 WA
	88	Cb	1410 WA
LANCSWEERT/			
RUE-STRAAT PAUL	36	Ba	1150 WP
LANDBOUWERSGANG	27	Ad	1000 BR
	90	Ec	1000 BR
LANDBOUWERSSTRAAT	35	Bd Eb	1040 ET
LANDBOUWLAAN	59	Da	3090 OV
LANDBOUWSTRAAT	21	Bacd Eb	1030 SC
LANDBOUWSTRAAT	16	Eab	1930 ZA
LANDERIJENSTRAAT	11	Cc	1731 ZE
LANDHUISJESSTRAAT	41	Db Ea	1180 UC
LANDHUIZENLAAN	19	Dd	1082 BA
LANDHUIZENLAAN	2	Ed Fc	1850 GR
	6	Bb	1850 GR
LANDHUIZENWEG	54	Bb Ca	1650 BE
LANDMETERSTRAAT	26	Bcd	1080 MO
LANDRAINSTRAAT/			
RUE FRANS	30	Eb Fa	1970 W-O
LANDSCHAPLAAN	30	Dabc	1200 WL
LANDSCHAPPENLAAN	56	Db	1180 UC
LANDSCHAPSCHILDERS-	42	Cb	1160 AU
STRAAT	43	Aa	1160 AU
LANDSCHAPSGAARDE	30	Db	1150 WP
LANDSROEMLAAN	19	Fb	1081 KO
1 à 15 & 2 à 16			

LANDSROEMLAAN	19	Eb Fab	1083 GA
andere nrs			
LAND VAN LUIKSTRAATJE	27	Bc	1000 BR
	90	Ed	1000 BR
LANDVOOGDDREEF	49	Acd	1180 UC
LANEAU/PLACE-PLEIN	19	Cb	1090 JE
LANEAU/RUE-STRAAT	20	Ab Ba	1020 BR
LANFRAY/RUE-STRAAT	35	Dc	1050 IX
LANGBLOK	61	Cab	1651 LO
LANGBUNDERDREEF	13	Cb	1020 BR
LANGE DELLE	38	Ac Da	1970 W-O
LANGE DREEF	76	Ac	1410 WA
LANGEDREEF	76	Aac Da	1640 S-G
LANGE EIKHOEKJE	31	Ac	1970 W-O
LANGE EIKSTRAAT	31	Ad	1933 ST
LANGE EIKSTRAAT	30	Cd	1970 W-O
	31	Acd	1970 W-O
LANGEHAAG	11	Fa	1731 ZE
LANGE-HAAGSTRAAT	34	Cc Fab	1050 IX
12 tot 62A			
LANGEHAAGSTRAAT	34	Cc Fab	1000 BR
andere nrs			
LANGE HAAGSTRAAT	55	Eacd	1630 LI
	63	Bb Ca	1630 LI
LANGE LAYE	71	Ccd	1640 S-G
LANGE MOLENSSTRAAT	4	Ad	1800 VI
LANGE STAARTDREEF	57	Abd Bc	1170 WB
LANGE STAARTDREEF	57	Bc	
		Eacd	1560 HO
	65	Bbd	
		Ebd Fc	1560 HO
	73	Ca	1560 HO
LANGESTRAAT	30	Ec	1150 WP
	37	Ba	1150 WP
LANGESTRAAT	47	Bd Cc	
		Fa	1620 DR
LANGESTRAAT	54	Dd	1650 BE
LANGESTRAAT	30	Ec	1950 KR
	37	Ba	1950 KR
LANGEVELD/RUE-STRAAT	41	Fcd	1180 UC
	42	Dc	1180 UC
LANGE WAGENSTRAAT	22	Cc Fa	1932 S-W
LANGEWEG	67	Ecd	3090 OV
	75	Ab Ba	3090 OV
LANG LEVENSTRAAT	34	Cbd	1050 IX
	95	Bcd Eb	1050 IX
LANGUEDOC/ALLEES DU-			
WANDELWEGEN	21	Cbd	1140 EV
LANGVELDERF	46	Eb Fa	1600 P-L
LANNOY/RUE-STRAAT	35	Dc	1050 IX
LANNOYE/RUE AUGUSTE	79	Bbcd	1332 GE
LANSLAAN	28	Cb	1140 EV
LANSRODEDREEF/			
DREVE DE	64	Eabc	1640 S-G
LAPEREAU/LAIE DU	86	Fc	1300 LI
LAPINS/RUE DES	32	Fc	1070 AN
LAPMOLEN	2	Ca	1850 GR
LARIELLESTRAAT			
ROBERT	68	Cb	1500 HA
LARIKKENWEG	62	Fd	1652 AL
	63	Dc	1652 AL
LARIKSENDREEF	37	Fcd	1950 KR
LARIKSENSTRAAT	41	Cab	1050 IX
LARMOYER/RUE	81	Acd	1301 BI
LAROUSSE/SQUARE	41	Bb	1190 FO

Street	Map	Postal code
LAROYSTRAAT/JEAN	68 Cbd	1501 BU
LAS CASES/CLOS	88 Bb	1410 WA
LASKOUTER	14 Aab	1120 BR
	7 Dc	1120 BR
LASKOUTERSTRAAT	14 Aab	1800 VI
	7 Dc	1800 VI
LASNE/CHAUSSEE DE	84 Ad Bac	1330 RI
LASNE/RUE DE LA	84 Acd Da	1380 LA
LATERALE/AVENUE	48 Cd	1180 UC
	49 Ac	1180 UC
LATIJNENSQUARE	42 Bc	1050 IX
LATINIS/AVENUE-LAAN		
GUSTAVE	21 Eacd	1030 SC
LATINS/SQUARE DES	42 Bc	1050 IX
LATTEPOORTDREEF	38 Fbd	3080 TE
LAUDE/RUE-STRAAT		
ERNEST	21 Dab	1030 SC
LAUDY/AVENUE-LAAN		
JEAN	36 Ab	1200 WL
LAUMANS/RUE-STRAAT		
JEAN	13 Db	1020 BR
LAURALAAN	19 Eac	1082 BA
LAURE/AVENUE	19 Eac	1082 BA
LAUREL/PASSAGE-		
DOORGANG STAN	12 Bd	1090 JE
LAURENT/RUE ERNEST	88 Dab	
	Eabd	1420 B-A
LAURENT/SENTIER	86 Ba	1301 BI
LAURIERGAARDE	37 Ec	1150 WP
LAURIER-KERSENLAAN	37 Bb	1950 KR
LAURIERLAAN	37 Eac	1150 WP
LAURIERPLEIN	46 Cd Fb	1600 P-L
LAURIERS/AVENUE DES	37 Eac	1150 WP
LAURIERS/CLOS DES	37 Ec	1150 WP
LAURIERS/		
RUE DES-STRAAT	42 Fc	1170 WB
LAURIERS/VENELLE DES	87 Aa	1300 WA
LAURIERS-CERISES/		
AVENUE	37 Bb	1950 KR
LAURIERS ROSES/		
CLOS DES	22 Dd	1140 EV
LAUSANNE/		
RUE DE-STRAAT	34 Eb	1060 SG
LAUTERS/RUE-STRAAT		
PAUL	42 Aa	1000 BR
1 à/tot 11 & 2 à/tot 2A		
LAUTERS/RUE-STRAAT	41 Cb	1050 IX
PAUL	42 Aa	1050 IX
13 à fin/tot einde &		
4 à fin/tot einde		
LAUWERS/RUE	74 Cbcd	1310 L-H
LAUWERSSTRAAT/RUE P.	5 Ed	1780 WE
LAUWERSSTRAAT KAREL	3 Cd	1850 GR
LAUWERSSTRAAT		
RAYMOND	58 Ed Fcd	1560 HO
LAVALLEE/RUE-STRAAT	27 Ab Ba	1080 MO
ADOLPHE	90 Ab Babd	1080 MO
LAVANDE/CLOS DE LA	71 Cc	1640 S-G
LAVANDE/RUE DE LA	5 Fd	1020 BR
LAVENDELERF	71 Ac Fab	1640 S-G
LA VAU/RUE	83 Ac Da	1420 B-A
LAVENDELSTRAAT	5 Fd	1020 BR
LAVENDELVELD	4 Ca	1800 VI
LA VENELLE	36 Fb	1150 WP
LA VERTE/VOIE	75 Cd	1330 RI

Street	Map	Postal code
LAVOIR/RUE DU	34 Ba	1000 BR
	94 Bacd	1000 BR
LEBEAU/RUE-STRAAT	27 Ed	1000 BR
	92 Fd	1000 BR
LEBON/AVENUE-LAAN	35 Fd	1160 AU
GABRIEL-EMILE	42 Cb	1160 AU
1 à/tot 143 & 2 à/tot 152		
LEBON/AVENUE-LAAN		
GABRIEL-EMILE	35 Fbd	1150 WP
145 à fin/tot einde &		
154 à fin/tot einde		
LEBRUN/RUE-STRAAT JULES	28 Cab	1030 SC
LECHARLIER/AVENUE-	19 Cd	1090 JE
LAAN FIRMIN	20 Ac Da	1090 JE
LECHAT/RUE-STRAAT		
CHARLES	43 Aa	1160 AU
LE CLAIR LOGIS	79 Fbd	1330 RI
LECLERCQ/AVENUE-LAAN		
GEORGES	19 Cc	1083 GA
LECLERCQ/RUE-STRAAT	33 Fd	1190 FO
GEORGES	40 Cb	1190 FO
LECLERCQ/RUE-STRAAT	35 Fd	1160 AU
GUSTAVE JEAN	42 Cb	1160 AU
LECOINTE/AVENUE-LAAN		
GEORGES	48 Bd	1180 UC
LECOMTE/RUE-STRAAT		
EMILE	41 Ea	1180 UC
LE CORREGE/RUE	28 Eac	1000 BR
LEDEGANCK/RUE-STRAAT	13 Dd	1090 JE
1 à/tot 13 & 2		
LEDEGANCK/RUE-STRAAT	13 Dd	1020 BR
15 à fin/tot einde &		
4 à fin/tot einde		
LEDELLAAN DOLF	60 Bab	3090 OV
LEDOUX/PROMENADE-		
WANDELING JACQUES	12 Bd	1090 JE
LEDUC/RUE-STRAAT PAUL	28 Cab	1030 SC
LEEGHEID	60 Dab	3090 OV
LEEKAERTS/RUE-STRAAT	21 Ccd	1140 EV
LEEMANS/AVENUE-LAAN		
JEAN-FRANCOIS	50 Bb	1170 WB
2 à/tot 4		
LEEMANS/AVENUE-LAAN		
JEAN-FRANCOIS	43 Ed Fc	1160 AU
autres nos/andere nrs	50 Bb	1160 AU
LEEMANS/BOULEVARD-	39 Ccd	1070 AN
LAAN JOSSE	40 Ac	1070 AN
LEEMANS/PLACE-PLEIN	34 Fcd	1050 IX
ALBERT	41 Cab	1050 IX
LEEMANSSTRAAT		
MATHIJS	11 Bb Ca	1731 RE
LEENWEG	66 Bac	1560 HO
LEERLOOIERIJSTRAAT	16 Abd Ba	1930 ZA
LEESTBEEKSTRAAT	5 Fb	1853 S-B
LEEUWENSTRAAT	68 Fa	1500 HA
LEEUWERIKENDREEF	52 Acd	
	Dab	3090 OV
LEEUWERIKENLAAN	36 Dc	1150 WP
LEEUWERIKENLAAN	69 Dc	1500 HA
LEEUWERIKENLAAN	63 Cb	1640 S-G
	64 Aa	1640 S-G
LEEUWERIKENLAAN	63 Ac	1650 BE
LEEUWERIKENLAAN	63 Ac	1652 AL
LEEUWERIKENLAAN	18 Eac	1702 G-B
LEEUWERIKENLAAN	11 Bcd	1731 ZE

L

Straat	Blz.	Vak	Postcode
LEEUWERIKENLAAN	1	Eab	
		Fac	1780 WE
LEEUWERIKENLAAN	6	Cb	1800 VI
	7	Aa	1800 VI
LEEUWERIKENLAAN	4	Fcd	1830 MA
	8	Cab	1830 MA
LEEUWERIKENLAAN	24	Ec	1933 ST
	31	Ba	1933 ST
LEEUWERIKENLAAN	30	Ba	1950 KR
LEEUWERIKENSTRAAT	33	Dcd	1070 AN
LEEUWERIKENSTRAAT	3	Cab	1850 GR
LEEUWERIKENSTRAAT	24	Cb	3078 EV
LEEUWERIKENVELD	31	Ec	1970 W-O
LEEUWERIKSLIEDPLAATS	26	Cc	1080 MO
LEEUWERIKSTRAAT	46	Bbcd	1600 P-L
LEEUWOPRIT	14	Dd Ec	1020 BR
LEEUWSTRAAT	14	Ec	1020 BR
LEFEBVRE DESNOUETTES/			
BOULEVARD PIRE	88	Eac	1420 B-A
LEFEVER/AVENUE-LAAN			
GUILLAUME	42	Cb	1160 AU
LEFEVRE/RUE-STRAAT			
DIEUDONNE	20	Bcd	1020 BR
LEFEVRE/RUE-STRAAT			
VICTOR	28	Ed Fc	1030 SC
LEFRANCQ/RUE-STRAAT	20	Fd	1030 SC
	21	Dc	1030 SC
LEGER/RUE-STRAAT	21	Cb	1140 EV
FERNAND	22	Aac	1140 EV
LEGERE EAU/RUE DE LA	83	Ecd	1420 B-A
	88	Ab Ba	1420 B-A
LEGERLAAN	35	Cbcd	1040 ET
LE GODRU	82	Ac	1300 WA
LEGRAND/AVENUE	79	Fb	1330 RI
	80	Da	1330 RI
LEGRAND/AVENUE-LAAN	42	Ac	1000 BR
1 à/tot 25 & 2 à/tot 22			
LEGRAND/AVENUE-LAAN	41	Cd	1050 IX
27 à/tot 69 & 24 à/tot 82	42	Ac	1050 IX
LEGRAND/AVENUE-LAAN	41	Cd	1180 UC
71 à fin/tot einde &			
84 à fin/tot einde			
LEGRELLE/RUE-STRAAT			
CHARLES	35	Ccd	1040 ET
LEGRELLE/RUE-STRAAT			
STANISLAS	19	Cab	1090 JE
LEGREVE/RUE CONSTANT	86	Aac Da	1300 LI
LEGREVE/RUE ELIE	85	Dd Eac	1300 LI
LEHMANLAAN FERNAND	2	Ab	1860 ME
LEHON/PLACE-PLEIN	21	Dac	1030 SC
LEIDE	68	Fa	1500 HA
LEIESTRAAT	20	Dabc	1080 MO
LEJEUNE/RUE-STRAAT			
JULES	41	Cac	1050 IX
1 à/tot 63A & 2 à/tot 64			
LEJEUNE/RUE-STRAAT			
JULES	41	Cc	1180 UC
65 à fin/tot einde &			
64A à fin/tot einde			
LEKEU/RUE-STRAAT			
GUILLAUME	33	Db	1070 AN
LELIEGAARDE	11	Fa	1731 ZE
LELIENLAAN	30	Bc	1950 KR
LELIESTRAAT	18	Dacd	1702 G-B
LELIESTRAAT	4	Cb	1800 VI
LELIEVRE/RUE FLORIAN	74	Fb	1310 L-H
LE LORRAIN/RUE-STRAAT	20	Dd Ec	1080 MO
LEMAIRE/AVENUE-LAAN			
JOSEPH	26	Ba	1080 MO
LEMAIRE/PARC-PARK			
JOSEPH	33	Da	1070 AN
LEMAIRE/RUE-STRAAT			
CHARLES	43	Eab	1160 AU
LE MARINEL/AVENUE-LAAN	35	Eb Fa	1040 ET
LEMMENS/PLACE-PLEIN			
ALPHONSE	27	Dabcd	1070 AN
LEMMENS/PLACE-PLEIN			
ALPHONSE	92	Da	1070 AN
LEMONNIER/BOULEVARD-	27	Dd Ec	1000 BR
LAAN MAURICE	31	Ab	1000 BR
	92	Ebcd	1000 BR
	94	Ba	1000 BR
LEMONNIER/PLACE			
CAMILLE	75	Da	1310 L-H
LEMONNIER/RUE-STRAAT			
CAMILLE	41	Cac	1050 IX
1 à/tot 117 & 2 à/tot 80			
LEMONNIER/RUE-STRAAT			
CAMILLE	41	Cc	1180 UC
119 à fin/tot einde &			
104 à fin/tot einde			
LENAERTSSTRAAT/			
RUE ALFONS	30	Cc	1970 W-O
LENAERTSSTRAAT/RUE	23	Ed	1950 KR
ALPHONSE-ALFONS	30	Bbd Cc	1950 KR
LENDERS/RUE-STRAAT	28	Da	1210 SJ
LEOPOLD	93	Ca	1210 SJ
LENNEKE MARELAAN	29	Fb	1200 WL
LENNIK/ROUTE DE	33	Dc	1070 AN
	39	Aabcd	
		Bcd	
		Cabc	1070 AN
	40	Aa	1070 AN
LENNIKSE BAAN	33	Dc	1070 AN
	39	Aabcd	
		Bcd	
		Cabc	1070 AN
	40	Aa	1070 AN
LENNIKSEBAAN	39	Aac	1602 VL
LENNIKSESTEENWEG	68	Ab Bab	1500 HA
LENNIKSEWEG	32	Dac	1701 IT
LENOIR/RUE-STRAAT	19	Cb	1090 JE
FERDINAND	20	Aa	1090 JE
LE NOTRE/AVENUE ANDRE	83	Bb Ca	1410 WA
LENS/RUE-STRAAT	34	Fbd	1000 BR
nos impairs/onpare nrs			
LENS/RUE-STRAAT	34	Fbd	1050 IX
nos pairs/pare nrs			
LENTEKLOKJESLAAN	13	Cb	1020 BR
	6	Fd	1020 BR
LENTELAAN	68	Fd	1500 HA
LENTELAAN	53	Bb	1600 P-L
LENTERIK	4	Dcd	1800 VI
	8	Aa	1800 VI
LENTESTRAAT	42	Ba	1050 IX
LENTESTRAAT	18	Ad	1702 G-B
LEON/RUE-STRAAT FRANS	14	Fc	1140 EV
	21	Ca	1140 EV
LEON XIII/RUE	14	Bab	1120 BR
LEOPOLD/AVENUE	80	Dcd Ec	1330 RI

L

Street	Map	Grid	Postcode
LEOPOLD/PETITE AVENUE	80	Dd	1330 RI
LEOPOLD/RUE-STRAAT	27	Eb	1000 BR
	92	Cb	1000 BR
	93	Aa	1000 BR
LEOPOLD I/RUE-STRAAT	13	Ed	1020 BR
1 à/tot 305A &	20	Ab Bab	1020 BR
2 à/tot 282			
LEOPOLD I/RUE-STRAAT	19	Cd	1090 JE
307 à fin/tot einde &	20	Aabc	1090 JE
284 à fin/tot einde			
LEOPOLD-II/	20	Dcd Ec	1080 MO
BOULEVARD-LAAN	27	Ab Ba	1080 MO
1 à/tot 233 & 2 à/tot 212	90	Ab Bab	1080 MO
LEOPOLD-II/			
BOULEVARD-LAAN	20	Dc	1081 KO
autres nos/andere nrs			
LEOPOLD II/SQUARE	36	Aac	1150 WP
LEOPOLD III/AVENUE	76	Bd Cc	1410 WA
LEOPOLD III/	21	Cbd	
AVENUE-LAAN		Fabc	1140 EV
	22	Aa	1140 EV
LEOPOLD III/	21	Fc	1030 SC
BOULEVARD-LAAN	28	Ca	1030 SC
LEOPOLD III LAAN	16	Ab Bab	1933 ST
	31	Bc	1933 ST
LEOPOLD-III-LAAN/	31	Dabd	1970 W-O
AVENUE	38	Ab Ba	1970 W-O
LEOPOLD II LAAN	57	Cbd	
		Fbcd	1560 HO
	58	Aa	1560 HO
LEOPOLD I LAAN	66	Aa	1560 HO
LEOPOLDSTADPLEIN	35	Db Ea	1040 ET
LEOPOLDSTRAAT	4	Bc Ea	1800 VI
LEOPOLDVILLE/SQUARE DE	35	Db Ea	1040 ET
LEOSTRAAT JAN	11	Cd	1731 ZE
LEO XIII-STRAAT	14	Bab	1120 BR
LEPAGE/AVENUE HENRI	81	Bd Ccd	1300 WA
LEPAGE/RUE-STRAAT			
JEAN-BAPTISTE	30	Dd	1150 WP
LEPAGE/RUE-STRAAT	27	Bc	1000 BR
LEON	90	Ed	1000 BR
LE PELERIN	85	Bb	1300 WA
LEPELSTRAAT	63	Ec	1640 S-G
LE POINT DU JOUR	81	Da	1300 WA
LE POTEAU	78	Fb	1330 RI
LEPOUTRE/AVENUE-LAAN			
LOUIS	41	Bb Ca	1050 IX
LEPREUX/RUE-STRAAT			
OMER	19	Eb Fa	1081 KO
LEQUIMELAAN/AVENUE	56	Dd	1640 S-G
	64	Aab	1640 S-G
L'ERMITAGE	81	Ea	1300 WA
LEROY/PLACE-PLAATS			
EDMOND	26	Bb	1080 MO
LEROY/RUE-STRAAT			
GREGOIRE	21	Ba	1030 SC
LEROY/SENTIER	81	Ec	1301 BI
	86	Ba	1301 BI
LE RY	81	Ba	1300 WA
LES BOULEAUX	87	Db	1300 WA
LESBROUSSART/			
RUE-STRAAT	34	Fb	1050 IX
1 à/tot 121 & 2 à/tot 126	35	Da	1050 IX

Street	Map	Grid	Postcode
LESBROUSSART/			
RUE-STRAAT	34	Fb	1000 BR
numéro/nummer 128			
LES CHAUDIERES	85	Cb	1300 WA
LES CHAUWERES	87	Ec	1300 WA
LESNINO/RUE-STRAAT			
FRANCOIS	20	Bbd	1020 BR
LES QUATRE CHEMINS	81	Fd	1300 WA
LESSE/			
AVENUE DE LA-LAAN	30	Da	1200 WL
LESSENSTRAAT	26	Cd Fb	1080 MO
LESSINES/RUE DE	26	Cd Fb	1080 MO
LESSIRE/RUE-STRAAT			
PAUL-EMILE	43	Ed Fc	1160 AU
LE TEMERAIRE/AVENUE			
CHARLES	82	Dd	1300 WA
LE TIENNE DU PREU	86	Dd	1300 WA
LE TIENNE VANASSE	86	Db Ea	1300 WA
LE TINTORET/RUE	28	Eabc	1000 BR
LE TITIEN/RUE	28	Eac	1000 BR
LETROYE/RUE	81	Fb	1300 WA
FLORIMOND	82	Da	1300 WA
LEUNENSSTRAAT	46	Bc	
CAMILLE		Eabd	1600 P-L
LEURQUIN/SQUARE	82	Da	1300 WA
LEUVENBAAN	10	Eb	1820 ST
LEUVENSEDREEF	38	Cd Fab	3080 TE
LEUVENSEPLEIN	27	Fa	1000 BR
	93	Bac	1000 BR
LEUVENSE POORT	27	Fb	1020 BR
	93	Bb Ca	1020 BR
LEUVENSESTEENWEG	27	Fb	1210 SJ
1 tot 261 & 2 tot 214	28	Ad Bc	
		Dab	1210 SJ
	93	Cab	1210 SJ
LEUVENSESTEENWEG	28	Ad Bc	
216 tot 368		Db	1000 BR
LEUVENSESTEENWEG	28	Bcd	
263 tot 701A &		Cabc	1030 SC
370 tot 782			
LEUVENSESTEENWEG	22	Dcd Ec	1140 EV
703 tot 987 &	28	Cb	1140 EV
862 tot 1130A	29	Aa	1140 EV
LEUVENSESTEENWEG	22	Ec	1200 WL
1105 tot einde & 1150 tot einde			
LEUVENSESTEENWEG	4	Bd Ccd	
		Fb	1800 PE
LEUVENSESTEENWEG	4	Bd Ccd	
		Fb	1800 VI
LEUVENSESTEENWEG	4	Fb	1830 MA
	9	Aab	1830 MA
LEUVENSESTEENWEG	17	Ecd Fc	1930 NO
	22	Ebcd	
		Fab	1930 NO
	23	Acd Bcd	
		Cbcd	
		Da	1930 NO
	24	Aab Ba	1930 NO
LEUVENSESTEENWEG	17	Ecd Fc	1930 ZA
	22	Ebcd	
		Fab	1930 ZA
	23	Acd Bcd	
		Cbcd	
		Da	1930 ZA
	24	Aab Ba	1930 ZA

Street	Map	Grid	Postcode	Commune
LEUVENSESTEENWEG	17	Ecd Fc	1932	S-W
	22	Ebcd		
		Fab	1932	S-W
	23	Acd Bcd		
		Cbcd		
		Da	1932	S-W
	24	Aab Ba	1932	S-W
LEUVENSESTEENWEG	17	Fabc	3070	KO
LEUVENSESTEENWEG	17	Fabc	3071	E-K
LEUVENSESTEENWEG	38	Bd Ccd		
		Eabd	3080	TE
LEUVENSESTEENWEG	38	Bd Ccd		
		Eabd	3080	VO
LEUVENSESTRAAT	4	Ad Bcd	1800	VI
LEUVENSEWEG	27	Fab	1000	BR
	93	Bcd	1000	BR
LEVALLOIS-PERRET/ RUE DE-STRAAT	26	Ea	1080	MO
LE VALLON	29	Cd Fb	1200	WL
LEVANT/RUE DU-STRAAT	42	Aa	1050	IX
LE VAU/AVENUE LOUIS	83	Bb Ca	1410	WA
LEVIE/SQUARE-PLEIN 1- 2 - 3	28	Fb	1200	WL
LEVIE/SQUARE-SQUARE	28	Fb	1030	SC
LEVISSTRAAT G.	4	Cc Fa	1800	VI
LEVOLDLAAN	25	Ea	1700	DI
LEVRIER / SENTIER DU	6	Ed	1020	BR
LEVURE/RUE DE LA	35	Dab	1050	IX
LEYBEEK/RUE DU-STRAAT	36	Bd Eb	1150	WP
LEYBURGSTRAAT	62	Da	1651	LO
LEYS/RUE-STRAAT	28	Ed	1000	BR
LEZARDS/CHEMIN DES	42	Ac	1000	BR
LIAISON/RUE DE LA	29	Dd	1200	WL
LIBELLENDREEF	49	Cc	1170	WB
LIBELLULES/AVENUE DES	76	Da	1410	WA
LIBELLULES/DREVE DES	49	Cc	1170	WB
LIBERATEURS/ SQUARE DES	20	Dbd	1080	MO
LIBERATION/ AVENUE DE LA	63	Cd Fab	1640	S-G
	64	Ac	1640	S-G
LIBERATION/CLOS DE LA	30	Db	1150	WP
LIBERT/RUE FRANCOIS	76	Eb Fac	1410	WA
LIBERTE/AVENUE DE LA	19	Fd	1081	KO
1 à 81 & 2 à 50 & 208 à 210	20	Dc	1081	KO
LIBERTE/AVENUE DE LA autres nos	19	Fcd	1080	MO
LIBERTE/AVENUE DE LA	88	Ec	1420	B-A
LIBERTE/PLACE DE LA	27	Fb	1000	BR
	93	Bb	1000	BR
LIBERTE/ROND-POINT DE LA	19	Bb	1083	GA
LIBERTE/RUE DE LA	47	Bd	1620	DR
LIBERTE/SQUARE DE LA	87	Cd	1325	D-V
LIBERTONSQUARE GEORGES	38	Cd	3080	TE
LIBRE ACADEMIE/AVENUE	32	Fb	1070	AN
	33	Da	1070	AN
LIBRE EXAMEN/RUE DU	33	Bb	1070	AN
LICORNE/AVENUE DE LA	29	Ac	1200	WL
LICORNE/CLOS DE LA	29	Ac	1200	WL
LIEBRECHT/AVENUE-LAAN HENRI	12	Cc Fab	1090	JE
LIEDTS/PLACE-PLEIN	20	Fd	1030	SC
LIEDTS/RUE-STRAAT	20	Fbd	1030	SC
LIED VAN SOTTERNIEEN- LAAN	42	Aabd	1050	IX
LIEFDADIGHEIDSSTRAAT	28	Da	1210	SJ
	93	Cac	1210	SJ
LIEFKENSSTRAAT	59	Bc	3090	OV
LIEGE/RUE DE	40	Fa	1190	FO
LIEGEOIS/RUE DES	35	Db	1050	IX
LIEKENSSTRAAT JAAK	69	Aab	1501	BU
LIERBAAN	3	Aa	1850	GR
LIERPUT	11	Ab	1730	KO
LIERRE/RUE DU	26	Cc	1080	MO
LIETART/RUE-STRAAT MAURICE	35	Cd	1150	WP
	36	Ac	1150	WP
LIEUTENANT COLONEL LOUIS BEGAULT/CLOS	42	Ec	1050	IX
LIEUTENANT FREDDY WAMPACH/RUE	29	Dcd	1200	WL
LIEUTENANT FREDERIC BOON/AVENUE	78	Cb	1332	GE
LIEUTENANT-GENERAL BARON SNOY/ ESPLANADE	88	Aac	1420	B-A
LIEUTENANT-GENERAL PIRE/AVENUE	37	Ab Ba	1150	WP
LIEUTENANT GRAFFPLEIN/PLACE	5	Eb	1780	WE
LIEUTENANT JEROME BECKER/RUE	35	Ea	1040	ET
LIEUTENANT LIEDEL/RUE	33	Bc Ea	1070	AN
LIEUTENANT LIPPENS/RUE	35	Eb	1040	ET
LIEUTENANT LOTIN/ RUE DU-STRAAT	40	Ea	1190	FO
LIEVEHEERSBEESTJES- LAAN 95 tot 99	49	Cc	1000	BR
LIEVEVROUWBROERS- STRAAT	27	Eacd	1000	BR
	92	Fa	1000	BR
LIEVRE/RUE DU	32	Fac	1070	AN
LIEVRES/AVENUE DES	30	Fc	1970	W-O
	37	Ca	1970	W-O
LIGNAGES/DREVE DES	12	Fc	1083	GA
	19	Ca	1083	GA
LIGUSTERSLAAN	37	Bab	1950	KR
LIJSTERBESSEBOMEN- LAAN	56	Ad Dab	1180	UC
LIJSTERBESSEBOMENPAD	49	Bc	1180	UC
LIJSTERBESSENBOMEN- LAAN	23	Dcd	1950	KR
LIJSTERBESSENLAAN	64	Ec	1640	S-G
LIJSTERBESSENLAAN	51	Fabd	3090	OV
LIJSTERHOF	23	Bb	1930	ZA
LIJSTERLAAN	69	Dc	1500	HA
LIJSTERSLAAN	61	Acd	1600	P-L
LIJSTERSLAAN	30	Bac	1950	KR
LIJSTERSSTRAAT	40	Aacd	1070	AN
LIJSTERSSTRAAT	24	Cd	3078	EV
LIJSTERSTRAAT	7	Ab	1800	VI
LIJSTERSTRAAT	4	Fc	1830	MA
	8	Cab	1830	MA
LIJSTERWEG	44	Fd	3080	TE
	51	Cab	3080	TE
LILAS/AVENUE DES	85	Fa	1300	LI
LILAS/AVENUE DES	76	Bb Ca	1410	WA
LILAS/AVENUE DES	63	Fa	1640	S-G
LILAS/CLOS DES	78	Fabc	1380	OH
LILAS/DREVE DES	66	Fd	1310	L-H
LILAS/RUE DES	79	Bd Eb	1330	RI

L

Straat	Kaart	Postcode
LILAS/RUE DU	27 Bd	1000 BR
	90 Fc	1000 BR
LILAS/SENTIER DES	43 Fa	1160 AU
LILAS BLANCS/CLOS DES	79 Bd	1332 GE
LILASLAAN/AVENUE DES	31 Db	1970 W-O
LIMA/AVENUE DE-LAAN	12 Cb	1020 BR
	13 Aa	1020 BR
LIMAL/RUE DE	80 Dc	1330 RI
	85 Aacd	1330 RI
LIMALSART/RUE DE	79 Cab	1330 RI
LIMALSART/RUE DE	79 Cab	1332 GE
LIMAUGE/RUE-STRAAT	35 Ac	1050 IX
	95 Fb	1050 IX
LIMBOSWEG	1 Cb	1860 ME
	2 Aa	1860 ME
LIMBOURG/AVENUE-LAAN	33 Bc	1070 AN
LIMITE/RUE DE LA	30 Dbd	1150 WP
LIMITE/RUE DE LA	28 Aac	1210 SJ
	91 Ccd	
	Fac	1210 SJ
LIMITE/RUE DE LA	81 Cd Fab	1300 WA
LIMITE/RUE DE LA	30 Ad Dbd	1950 KR
LIMITE/RUE DE LA	38 Bacd	
	Eb	1970 W-O
LIMNANDER/RUE-STRAAT	27 Dd	1070 AN
	34 Ab	1070 AN
	94 Aa	1070 AN
LINAIGRETTES/ SQUARE DES	39 Cb	1070 AN
LINCOLN/RUE-STRAAT 2 à/tot 4	41 Cd	1050 IX
LINCOLN/RUE-STRAAT autres nos/andere nrs	41 Cd	1180 UC
LINDEBOOMSTRAAT	45 Bac	3080 TE
LINDEGAARDE	19 Ea	1082 BA
LINDEGAARDE	8 Bd Eb	
	Fa	1830 MA
LINDEKEN	62 Bbd	
	Cc	1650 BE
LINDEKENS/RUE-STRAAT MARTIN	36 Ab Ba	1150 WP
LINDEKENSPLEIN	70 Cb	1652 AL
LINDEKENSWEG	63 Ebd	1640 S-G
LINDEKENSWEG	63 Bd Ebd	1652 AL
LINDELAAN	6 Eab	1853 S-B
LINDENBERG	29 Ed	1200 WL
LINDENBERGLAAN	24 Ecd	1933 ST
LINDENDREEF	1 Ed Fc	1780 WE
	5 Ca	1780 WE
LINDENHOEKJE	37 Ca	1970 W-O
LINDENLAAN	55 Aabd	1180 UC
LINDENLAAN	68 Fb	1500 HA
	69 Da	1500 HA
LINDENLAAN	64 Dbd	
	Eabc	1640 S-G
LINDENLAAN	18 Ea	1702 G-B
LINDENPLEIN	8 Fa	1830 MA
LINDENSTRAAT	16 Eac	1930 ZA
LINDESTRAAT pare nrs	21 Babd	
	Eb Fa	1030 SC
LINDESTRAAT onpare nrs	21 Bbd Eb	
	Fa	1140 EV
LINDESTRAAT	71 Bacd	1640 S-G
LINDESTRAAT	63 Eb	1650 BE
LINDESTRAAT	1 Dc	1785 HA
LINDEVELD	12 Eb	1090 JE
LINDEVELDSTRAAT	17 Eac	1930 NO
LINDTSSTRAAT JAN	58 Ad Bc	1560 HO
LINIERE/RUE DE LA	34 Bc	1060 SG
	94 Ed	1060 SG
LINIERS/RUE DES	82 Ac Da	1300 WA
LINKEBEEK/RUE COURTE	54 Cbd	1620 DR
LINKEBEEK/	54 Cbd	1180 UC
RUE DE-STRAAT	55 Ac	1180 UC
LINKEBEEKSEDREEF/	63 Cbd	1640 S-G
DREVE DE	64 Acd	1640 S-G
LINKEBEEKSTRAAT	55 Dc	1650 BE
	63 Aa	1650 BE
LINNE/RUE-STRAAT	27 Cab	1210 SJ
35 à/tot 99 & 28 à/tot 114	91 Bac	1210 SJ
LINNE/RUE-STRAAT	27 Cb	1030 SC
101 à fin/tot einde & 116 à fin/tot einde	91 Ba	1030 SC
LINOTTES/AVENUE DES	36 Dd	1160 AU
	43 Ab	1160 AU
LINTHOUT/PASSAGE	28 Fc	1200 WL
LINTHOUT/ RUE DE-STRAAT 1 à/tot 93 & 2 à/tot 102	28 Eb Fac	1030 SC
LINTHOUT/ RUE DE-STRAAT	28 Fc	1200 WL
93A à fin/tot einde	35 Ca	1200 WL
LINTHOUT/ RUE DE-STRAAT	28 Fc	1040 ET
116 à fintot einde	35 Ca	1040 ET
LINTHOUTBOSSTRAAT	29 Dac	1200 WL
LINTHOUTSE WERK-MANSWOONWIJK	28 Fa	1030 SC
LINTHOUTSTRAAT	63 Dc	1652 AL
LION/RAMPE DU	14 Dd Ec	1020 BR
LION/ROUTE DU	88 Cc Fab	1410 WA
LION/ROUTE DU	88 Bacd	
	Cc Fab	1420 B-A
LION/RUE DU	14 Ec	1020 BR
LIPPENSLAAN	54 Bd	1650 BE
LIPSE / RUE JUSTE	35 Ab	1040 BR
LIPSIUSPLEIN JUST.	60 Da	3090 OV
LIPSIUSSTRAAT JUSTUS	35 Ab	1040 BR
LIPSIUSSTRAAT JUSTUS	68 Bd	1500 HA
LIS/AVENUE DES	30 Bc	1950 KR
LISALA/RUE DE-STRAAT	47 Ca	1190 FO
LISBLOEMENSTRAAT	41 Db	1180 UC
LISBONNE/RUE DE	34 Db Ea	1060 SG
LISERONS/AVENUE DES	13 Cb	1020 BR
	14 Aa	1020 BR
	7 Dc	1020 BR
LISIERE/AVENUE DE LA	41 Fb	1000 BR
	42 Da	1000 BR
LISIERE/CLOS DE LA	79 Ab	1332 GE
LISKENSSTRAAT	38 Dbd	3080 TE
LISON/SQUARE	40 Fc	1190 FO
LISSABONSTRAAT	34 Db Ea	1060 SG
LIVERPOOL/ RUE DE-STRAAT 1 à/tot 59 & 2 à/tot 58	27 Dac	1080 MO
LIVERPOOL/	27 Dc	1070 AN
RUE DE-STRAAT 61 à fin/tot einde & 60 à fin/tot einde	92 Dac	1070 AN

Straat	Kaart	Vak	Postcode
LIVINGSTONE/			
AVENUE-LAAN	28	Dbd	1000 BR
LIVINGSTONELAAN	38	Cb	3080 TE
LIVORNOSTRAAT	34	Fa	1060 SG
1 tot 15 & 2 tot 4			
LIVORNOSTRAAT	34	Facd	1050 IX
23 tot 119A & 131 tot einde			
LIVORNOSTRAAT	34	Facd	1000 BR
121 tot 129 & 6 tot einde			
LIVOURNE/RUE DE	34	Fa	1060 SG
1 à 15 & 2 à 4			
LIVOURNE/RUE DE	34	Facd	1050 IX
23 à 119A & 131 à fin			
LIVOURNE/RUE DE	34	Facd	1000 BR
121 à 129 & 6 à fin			
LLOYD GEORGE/			
AVENUE-LAAN	42	Acd	1000 BR
LOBBOS	62	Bab	1650 BE
LOBELIAS/RUE DES	43	Db	1170 WB
LOBELIASTRAAT	43	Db	1170 WB
LOCQUENGHIEN/	27	Ad Bc	1000 BR
RUE-STRAAT	90	Eab	1000 BR
LODAAL/	14	Aa	1020 BR
CLOS DU-GAARDE	7	Dc	1020 BR
LOENSDELLEWEG	00	Dao	3090 OV
LOGIS/PLACE DU-PLEIN	43	Dd	1170 WB
LOI/RUE DE LA	27	Fabd	1000 BR
1 à 13 & 2 à 24	28	Dcd Ec	1000 BR
	93	Bc Eab	
		Fab	1000 BR
LOI/RUE DE LA	27	Fabd	1040 BR
15 à fin & 26 à fin	28	Dcd Ec	1040 BR
	93	Bc Eab	
		Fab	1040 BR
LOIRE/CHAUSSEE DE LA	81	Cbd	1300 WA
LOISIRS/AVENUE DES	21	Fab	1140 EV
LOISIRS/PLAINE DES	33	Dd	1070 AN
	40	Ab	1070 AN
LOIX/PLACE-PLEIN	34	Bd Eb	1060 SG
	94	Fd	1060 SG
LOKAARD	70	Dc	1653 DW
LOKAERTLAAN	38	Cb	3080 TE
LOKSUMSTRAAT	27	Fa	1000 BR
	93	Acd Db	1000 BR
LOKVOGELSTRAAT	20	Ba	1020 BR
L'OLIVIER/RUE-STRAAT	28	Aa	1030 SC
	91	Cacd	1030 SC
LOLLEPOTSTRAAT	27	Eab	1000 BR
	92	Cc	1000 BR
LOMBAERT/RUE-STRAAT			
JOSEPH	42	Cd	1160 AU
LOMBARD/	27	Eabd	1000 BR
RUE DU-STRAAT	92	Fab	1000 BR
LOMBARDIE/RUE DE	34	Ecd	1060 SG
LOMBARDIJESTRAAT	34	Ecd	1060 SG
LOMBARDSIJDESTRAAT	14	Aabc	1120 BR
LOMBARTZYDE/RUE DE	14	Aabc	1120 BR
LOMMERBERG	36	Db	1150 WP
LOMMERLAAN	36	Aa	1200 WL
LOMMERWEG	42	Ac Da	1000 BR
LO-MOLEN	10	Bc	1820 ST
LONCIN/RUE DE-STRAAT	34	Ec	1060 SG
LONDENPLEIN	34	Cb	1050 IX
	95	Bd	1050 IX
LONDENSTRAAT	34	Cb	1050 IX
	95	Bd	1050 IX
LONDRES/PLACE DE	34	Cb	1050 IX
	95	Bd	1050 IX
LONDRES/RUE DE	34	Cb	1050 IX
	95	Bd	1050 IX
LONG/CHEMIN	75	Acd Db	1310 L-H
LONG BONNIER/			
DREVE DU	13	Cb	1020 BR
LONGCHAMP/AVENUE DU	83	Fd	1410 WA
LONGCHAMP/RUE	83	Bd Cc	
		Ebcd	1420 B-A
LONGCHAMP/	41	Fb	1000 BR
SENTIER-PAD	42	Da	1000 BR
LONGCHAMPS/			
CHAUSSEE DU	82	Bb	1300 WA
LONG CHENE/CLOS DU	31	Ac	1970 W-O
LONG CHENEAU/			
CHEMIN DU	88	Dd Ec	1420 B-A
LONG FOND/CHEMIN DU	65	Fd	1310 L-H
	66	Dc	1310 L-H
	73	Cab	1310 L-H
	74	Aabd	1310 L-H
LONGICORNES/			
AVENUE DES	49	Ca	1170 WB
LONGIN/RUE-STRAAT			
PIERRE	33	Da	1070 AN
LONGINSTRAAT JAN	11	Ccd Fb	1731 ZE
LONGTIN/CLOS-GAARDE	20	Da	1000 JE
LONGTIN/RUE-STRAAT			
HONORE	20	Ac Da	1090 JE
LONGUE/DREVE	76	Aac Da	1640 S-G
LONGUE/RUE	30	Ec	1150 WP
	37	Ba	1150 WP
LONGUE/RUE	75	Aabc	1310 L-H
LONGUE/RUE	88	Ac Dacd	
		Ec	1420 B-A
LONGUE/RUE	47	Bd Cc	
		Fa	1620 DR
LONGUE/RUE	30	Ec	1950 KR
	37	Ba	1950 KR
LONGUE HAIE/RUE DE LA	34	Fab	1050 IX
12 à 62A			
LONGUE HAIE/RUE DE LA	34	Cc Fab	1000 BR
autres nos	95	Dd	1000 BR
LONGUE HAIE/RUE DE LA	55	Eacd	1630 LI
	63	Bb Ca	1630 LI
LONGUE QUEUE/			
DREVE DE LA	57	Abd Bc	1170 WB
LONGUE VIE/RUE	34	Cbd	1050 IX
	95	Bcd Eb	1050 IX
LOOFLAAN	41	Ec	1180 UC
LOOFSTRAAT	27	Dbd Ec	1000 BR
	92	Eabd	1000 BR
LOOFSTRAAT	23	Aac	1932 S-W
LOOPBRUGLAAN	13	Ba	1020 BR
LOOSSENS/RUE-STRAAT			
JOSEPH	20	Aab	1090 JE
LOPEZ/AVENUE THOMAS	85	Fc	1300 LI
LORAND/RUE-STRAAT	34	Cd	1050 IX
GEORGES	95	Eb Fa	1050 IX
L'ORANGERIE	81	Cb	1300 WA
LORD BYRON/AVENUE	83	Fc	1410 WA
	88	Cab	1410 WA

L

Straat	Kaart	Vak	Postcode
LUITENANT FREDDY			
WAMPACHSTRAAT	29	Dcd	1200 WL
LUITENANT-GENERAAL			
PIRELAAN	37	Ab Ba	1150 WP
LUITENANT JEROME			
BECKERSTRAAT	35	Ea	1040 ET
LUITENANT-KOLONEL			
LOUIS BEGAULTGAARDE	42	Ec	1050 IX
LUITENANT			
LIEDELSTRAAT	33	Bc Ea	1070 AN
LUITENANT			
LIPPENSSTRAAT	35	Eb	1040 ET
LUITENANT LOTINSTRAAT	40	Ea	1190 FO
LUITENANT			
PHILIPPARTSTRAAT	9	Bbd	1820 ME
LUIZENMOLEN/			
AVENUE DU-LAAN	32	Cc Fac	1070 AN
LUMIERE/RUE-STRAAT			
AUGUSTE	40	Ed Fc	1190 FO
LUMIERE/RUE-STRAAT			
LOUIS	40	Ed Fc	1190 FO
LUNETTES/IMPASSE DES	27	Ec	1000 BR
	92	Eb	1000 BR
LUPINENSTRAAT	43	Db	1170 WB
LUPINENSTRAAT	71	Bb Ca	1640 S-G
LUPINS/RUE DES	43	Db	1170 WB
LUPINS/RUE DES	71	Bb Ca	1640 S-G
LUSAMBO/			
RUE DE-STRAAT	47	Bb Ca	1190 FO
LUSSTEEG	30	Cc	1150 WP
LUSTHUIZENLAAN	25	Db	1700 DI
LUSTHUIZENSTRAAT	18	Fb	1082 BA
	19	Ac Da	1082 BA
LUSTHUIZENSTRAAT	11	Ad	1731 ZE
LUSTPLEIN	33	Dd	1070 AN
	40	Ab	1070 AN
LUTENS/AVENUE-LAAN			
YVAN	36	Fbd	1150 WP
LUTHER/RUE-STRAAT	28	Bc Ea	1000 BR
LUTINS/RUE DES	47	Bb Ca	1190 FO
LUTTREBRUGLAAN	33	Fd	1190 FO
	40	Cab	1190 FO
LUXEMBURG/ALLEE-	27	Ec	1000 BR
DREEF ROSA	34	Ab Ba	1000 BR
	92	Ed	1000 BR
	94	Ba	1000 BR
LUXEMBOURG/PLACE DU	35	Aa	1050 IX
	95	Cabcd	1050 IX
LUXEMBOURG/RUE DU	34	Cb	1000 BR
1 à 25 & nos pairs	35	Aa	1000 BR
	95	Bb Ca	1000 BR
LUXEMBOURG/RUE DU	34	Cb	1050 IX
27 à fin	35	Aa	1050 IX
	95	Bb Ca	1050 IX
LUXEMBURGLAAN	3	Fd	1800 VI
LUXEMBURGLAAN	60	Aab	3090 OV
LUXEMBURGPLEIN	35	Aa	1050 IX
	95	Cabcd	1050 IX
LUXEMBURGSTRAAT	34	Cb	1000 BR
1 tot 25 & pare nrs	35	Aa	1000 BR
	95	Bb Ca	1000 BR
LUXEMBURGSTRAAT	34	Cb	1050 IX
27 tot einde	35	Aa	1050 IX
	95	Bb Ca	1050 IX
LUXOR/PARC-PARK	36	Ec	1160 AU
LUYPAERTSTRAAT	3	Ccd	1850 GR
LEOPOLD	4	Ac	1850 GR
LUZERNE/			
RUE DE LA-STRAAT	28	Bbd	1030 SC
LYCEE/RUE DU	34	Eac	1060 SG
LYCEE FRANCAIS/			
AVENUE DU	48	Ea	1180 UC
LYCEUMSTRAAT	34	Eac	1060 SG
LYNEN/RUE-STRAAT	28	Ac Da	1210 SJ
AMEDEE	93	Cb	1210 SJ
LYNX/CLOS DU-			
BINNENHOF	29	Ab	1200 WL
LYNX/CLOS DU-GAARDE	29	Ab	1140 EV
LYR/AVENUE-LAAN RENE	55	Cd Fab	1180 UC
LYS/RUE DE LA	20	Dabc	1080 MO

M

Straat	Kaart	Vak	Postcode
MAAGDENSTRAAT	27	Ec	1000 BR
	92	Eab	1000 BR
MAAIERSSTRAAT	35	Bd Eb	1040 ET
MAAISTRAAT	17	Fd	3070 KO
MAALBEEK	11	Ca	1731 RE
MAALBEEKDALHOF	28	Dd	1000 BR
MAALBEEKLAAN	35	Ab	1000 BR
3 tot 21			
MAALBEEKLAAN	2	Ad Db	1060 ME
MAALBEEKLAAN/			
AVENUE DU	5	Bc Ea	1780 WE
MAALBEEKSTRAAT	18	Fc	1700 DI
MAALBEEKSTRAAT/			
RUE DU	23	Dd	1950 KR
MAALBEEKWEG	16	Db	1930 ZA
MAALDERSGAARDE	30	Fd	1970 W-O
MAANDAGMARKT	68	Fa	1500 HA
MAANDAL	70	Fc	1653 DW
MAARSCHALK			
FOCHLAAN	21	Ac Da	1030 SC
MAARSCHALK			
JOFFRELAAN	41	Acd	1190 FO
1 tot 139 & 2 tot 130			
MAARSCHALK			
JOFFRELAAN	41	Ad	1180 UC
141 tot 153 & 132			
MAARSCHALKLAAN	49	Ad Bcd Dab	1180 UC
MAARSCHALK			
MONTGOMERYPLEIN	35	Cb	1150 WP
MAARSCHALK NEYLAAN	55	Cbcd	1180 UC
	56	Aa	1180 UC
MAARTLAAN	28	Cd Fb	1200 WL
1 tot 43 & pare nrs	29	Da	1200 WL
MAARTLAAN	28	Cd Fb	1030 SC
andere nrs	29	Da	1030 SC
MAASKOZAK	35	Eb	1040 ET
MAAS SQUARE			
MARCEL & ROBERT	55	Db	1630 LI
MAASSTRAAT	20	Db	1080 MO
MAASTRICHTLAAN	3	Fc	1800 VI
	7	Ca	1800 VI
MABILLE/RUE-STRAAT			
VICTOR	13	Dd Ec	1020 BR
MA CAMPAGNE	34	Ed	1060 SG
MA CAMPAGNE/CLOS	83	Ab	1410 WA

M

Street	Map	Grid	Postcode
MA CAMPAGNE/RUE	83	Ab Ba	1410 WA
MACAU/AVENUE-LAAN GUILLAUME	35	Dcd	1050 IX
MACHELENSTRAAT	4	Ec	1800 VI
MACHELENSTRAAT	8	Ed	1831 DI
MACHELSESTEENWEG	9	Abd Babc	1820 ME
MACHOIRE/RUE DE LA	27	Ea	1000 BR
	92	Bb	1000 BR
MACHTENS/BOULEVARD-LAAN EDMOND	26	Ad Bcd Ccd	1080 MO
MACHTENS/SQUARE EDMOND	26	Bd	1080 MO
MACONS FUMISTES/RUE DES	88	Dd	1420 B-A
MADAME/SENTIER DE	73	Fb	1310 L-H
	74	Da	1310 L-H
MADELEINE/RUE DE LA	27	Ebd	1000 BR
	92	Fb	1000 BR
	93	Da	1000 BR
MADELIEFJESHOEK	39	Cd	1070 AN
MADELIEFJESHOF	31	Ab	1933 ST
MADELIEFJESLAAN	39	Fc	1600 P-L
MADELIEFJESLAAN	72	Bc Ea	1640 S-G
MADELIEFJESLAAN	30	Fc	1970 W-O
	37	Cab	1970 W-O
MADELIEFJESSTRAAT	21	Dd	1030 SC
	28	Ab	1030 SC
MADELIEFJESSTRAAT	3	Babd	1850 GR
MADELIN/AVENUE LOUIS	88	Bb Ca	1410 WA
MADELON/SQUARE	40	Fc	1190 FO
	47	Ca	1190 FO
MADONES/DREVE DES	43	Bb Ca	1160 AU
MADONNADREEF	43	Bb Ca	1160 AU
MADOU/PLACE-PLEIN	27	Fb	1210 SJ
	93	Ca	1210 SJ
MADOUX/AVENUE-LAAN ALFRED	36	Fb	1150 WP
	37	Da	1150 WP
MADOUX/AVENUE-LAAN CHARLES	35	Fcd	1160 AU
MADRID/AVENUE DE-LAAN	13	Bab	1020 BR
	6	Eac	1020 BR
MADRIGAL/RUE DU-STRAAT	26	Da	1080 MO
MADRILLE/IMPASSE-GANG	27	Eb	1000 BR
	92	Cc	1000 BR
MADYOL/RUE-STRAAT	29	Ed	1200 WL
	36	Bb	1200 WL
MAELBEEK/AVENUE DU 3 à 21	35	Ab	1000 BR
MAELBEEK/AVENUE DU-LAAN 23 à fin/tot einde & nos pairs/pare nrs	35	Abd	1040 ET
MAERCKAERT/AVENUE-LAAN GEORGES	29	Fd	1200 WL
MAES/RUE-STRAAT	34	Fb	1050 IX
	35	Da	1050 IX
MAES/RUE-STRAAT ARTHUR	15	Db Ea	1130 BR
MAES/RUE-STRAAT HENRI	33	Aac	1070 AN
MAESDELLELAAN	45	Ad	3080 TE
MAESDELLEWEG	45	Acd	3080 TE
MAESSCHALCK/RUE-STRAAT OSCAR	19	Bc	1083 GA
MAETERLINCK/AVENUE-LAAN MAURICE	21	Ba	1030 SC
MAETERLINCK/AVENUE MAURICE	87	Bab	1300 WA
MAGASIN/RUE DU	27	Bb	1000 BR
	90	Cc	1000 BR
MAGDALENASTEENWEG	27	Ebd	1000 BR
	92	Fb	1000 BR
	93	Da	1000 BR
MAGISTRAT/RUE DU 1 à/tot 7 & 2 à/tot 22	34	Fd	1000 BR
MAGISTRAT/RUE DU 17 à fin/tot einde & 24 à fin/tot einde	34	Fd	1050 IX
MAGNANERIE/RUE DE LA	47	Cd	1180 UC
MAGNANI/PETITE RUE ANNA	12	Bd	1090 JE
MAGNOLIALAAN	6	Dc	1020 BR
	12	Cb	1020 BR
	13	Aa	1020 BR
MAGNOLIAS/AVENUE DES	6	Dc	1020 BR
	12	Cb	1020 BR
	13	Aa	1020 BR
MAGNOLIAS/AVENUE DES	86	Cd	1301 BI
MAGNOLIAS/DREVE DES	75	Ed Fc	1332 GE
	79	Bb	1332 GE
MAGNOLIASDREEF/DREVE DES	37	Fd	1950 KR
MAGRITTE/RUE-STRAAT RENE	21	Cb	1140 EV
	22	Aac	1140 EV
MAHIERMONT/PETITE RUE	79	Dac	1332 GE
MAHIERMONT/RUE	79	Dacd	1332 GE
MAHILLON/AVENUE-LAAN LEON	28	Bd Eb	1030 SC
MAI/AVENUE DE	28	Fb	1200 WL
	29	Dab	1200 WL
MAI/PLACE DE	29	Da	1200 WL
MAIEURS/PLACE DES	36	Bab	1150 WP
MAIL	19	Ad Bc	1083 GA
MAIL/RUE DU	34	Fc	1050 IX
	41	Ca	1050 IX
MAIN/RUE DE LA	64	Dd	1640 S-G
	72	Ab	1640 S-G
MAINMORTE/VENELLE DE LA	87	Aa	1300 WA
MAISON COMMUNALE/AVENUE DE LA	71	Bab	1640 S-G
MAISON ROUGE/PLACE DE LA	20	Bd	1020 BR
MAITRE PAUL GILSON/AVENUE	47	Bd	1190 FO
MAJOOR BRUCKSTRAAT	50	Aab	1170 WB
MAJOOR DUBREUCQ-STRAAT RENE	34	Cb	1050 IX
	95	Bd Eb	1050 IX
MAJOOR PETILLON-STRAAT	35	Fac	1040 ET
MAJOR BRUCK/RUE	50	Aab	1170 WB
MAJOR DUBREUCQ/RUE RENE	34	Cb	1050 IX
	95	Bd Eb	1050 IX
MAJOR PETILLON/RUE	35	Fac	1040 ET
MALAISE/RUE DE	75	Cd	1331 RO
MALCORPS/RUE GUILLAUME	81	Dd	1301 BI
MALEVE/CITE	87	Aab	1300 WA

Street	Map	Grid	Postcode
MALHERBE/AVENUE-LAAN	26	Fc	1070 AN
FRANCOIS	33	Ca	1070 AN
MALIBRAN/PETITE RUE	35	Da	1050 IX
MALIBRAN/RUE-STRAAT	35	Ac Da	1050 IX
	95	Fd	1050 IX
MALIEPLEIN	19	Ad Bc	1083 GA
MALIESTRAAT	34	Fc	1050 IX
	41	Ca	1050 IX
MALIE VAN DE TOPWEG	20	Da	1090 JE
MALINES/CHAUSSEE DE	37	Cc Ed	
		Fac	1950 KR
MALINES/CHAUSSEE DE	31	Dbcd	1970 W-O
	37	Cbcd	1970 W-O
	38	Aa	1970 W-O
MALINES/RUE DE	27	Bbd Cc	1000 BR
	91	Da	1000 BR
MALIS/RUE-STRAAT			
CHARLES	26	Bbd	1080 MO
MALLE-POSTE/RUE DE LA	42	Fc	1170 WB
MALMAISON/AVENUE DE	76	Ccd	1410 WA
MALOLAAN	25	Db	1700 DI
MALOU/AVENUE-LAAN			
JULES	35	Bc Ea	1040 ET
MALOU/CHEMIN DE LA	83	Ebd Fa	1410 WA
MALOUE/CLOS DE LA	83	Ed	1410 WA
MALOUINIERES/			
CLOS DES-GAARDE	37	Ac	1150 WP
MALOUX/RUE DE LA	83	Ed	1420 B-A
MALPERTUUSBERG	59	Fa	3090 OV
MALUSTRAAT PAUL	58	Ed	1560 HO
MALUWENLAAN	49	Ba	1000 BR
MAMOUR/CHEMIN	83	Ac	1420 B-A
MANANDISE/SENTIER DE	79	Bd Eb	1330 RI
MANCHESTER/			
RUE DE-STRAAT	27	Da	1080 MO
MANDOLINE/			
RUE DE LA-STRAAT	26	Ad	1080 MO
MANEGE/RUE DU	86	Bb Ca	1301 BI
MANEGE/SQUARE DU	37	Ad	1150 WP
MANHATTAN/AVENUE DE	78	Ecd	1380 OH
MANIL	86	Fa	1300 LI
MANIL/RUE DU	81	Fd	1301 BI
	86	Cabc	1301 BI
MANKEVOSSTRAAT	1	Bb	1860 ME
MANNE/RUE-STRAAT			
JACQUES	26	Ec	1070 AN
MANOIR/AVENUE DU	41	Ec	1180 UC
	48	Ba	1180 UC
MANOIR/AVENUE DU	72	Fabd	1410 WA
	73	Dc	1410 WA
MANOIR/AVENUE DU	72	Eb Fa	1640 S-G
MANOIR/CLOS DU	36	Fb	1150 WP
	37	Da	1150 WP
MANOIR D'ANJOU/	36	Fb	1150 WP
AVENUE DU-LAAN	37	Da	1150 WP
MANON/SQUARE	40	Fc	1190 FO
MANTELINE/RUE DE LA	79	Db	1332 GE
MANTES/AVENUE DES	49	Cac	1170 WB
MANUEL/CLOS-GAARDE	36	Da	1150 WP
MAQUIS/RUE DU-STRAAT	29	Aab	1140 EV
MARAICHER/RUE DU	25	Cb	1082 BA
MARAICHERS/RUE DES	33	Ab	1070 AN
MARAIS/RUE DU	27	Cc	1000 BR
	91	Dbd	1000 BR
	93	Aab	1000 BR
MARATHON/			
AVENUE DE-LAAN	13	Aabd	1020 BR
MARAUDEURS/	49	Fd	1170 WB
SENTIER DES	50	Dc	1170 WB
MARBOTIN/RUE-STRAAT			
ADOLPHE	21	Bcd Ea	1030 SC
MARCASSINS/RUE DES	49	Cd	1170 WB
MARCELISSTRAAT/	30	Cc	
RUE LOUIS		Facd	1970 W-O
MARCETTE/RUE-STRAAT			
ALEX	35	Ea	1040 ET
MARCHAL/AVENUE			
GEORGES	79	Fd	1330 RI
MARCHAL/AVENUE-LAAN			
FELIX	28	Bcd Eb	1030 SC
MARCHANDISES/RUE DES	33	Cd	1070 AN
MARCHANDSTRAAT/			
RUE PIERRE	38	Ad Db	1970 W-O
MARCHANDSTRAAT			
VICTOR	58	Fd	1560 HO
MARCHANDSTRAAT			
VICTOR	58	Fd	3090 OV
MARCHANT/RUE-STRAAT			
PIERRE	33	Bd	1070 AN
MARCHE/RUE DU	27	Ca	1210 SJ
	91	Aabc Da	1210 SJ
MARCHE AU BOIS	27	Fa	1000 BR
	93	Ad Db	1000 BR
MARCHE AU CHARBON/	27	Eabc	1000 BR
RUE DU	92	Cc Eb	
		Fa	1000 BR
MARCHE AUX FROMAGES/	27	Ebd	1000 BR
RUE DU	92	Fb	1000 BR
MARCHE AUX HERBES/	27	Eb	1000 BR
RUE DU	92	Cd	1000 BR
MARCHE AUX PEAUX/	27	Eb	1000 BR
RUE DU	92	Cd	1000 BR
MARCHE AUX PORCS/	27	Bc	1000 BR
RUE DU	90	Ebd	1000 BR
MARCHE AUX POULETS/	27	Fab	1000 BR
RUE DU	92	Cacd	1000 BR
MARCONI/RUE-STRAAT	41	Abd Ba	1190 FO
MARCONILAAN/AVENUE G.	1	Fbd	1780 WE
	2	Dc	1780 WE
MARCQ/RUE-STRAAT	27	Bc	1000 BR
	90	Fac	1000 BR
MARCX/RUE-STRAAT			
LOUIS	35	Fd	1160 AU
MARE AUX LOUPS/	84	Cd	1330 RI
CLOS DE LA	85	Ac	1330 RI
MARECHAL/AVENUE DU	49	Ad Bcd	
		Dab	1180 UC
MARECHAL/			
PETITE DREVE DU	49	Ad	1180 UC
MARECHAL DE			
LUXEMBOURG/AVENUE	82	Db	1300 WA
MARECHAL FOCH/AVENUE	21	Ac Da	1030 SC
MARECHAL FOCH/AVENUE	79	Fd	1330 RI
MARECHAL JOFFRE/			
AVENUE	41	Acd	1190 FO
1 à 139 & 2 à 130			
MARECHAL JOFFRE/			
AVENUE	41	Ad	1180 UC
141 à 153 & 132			

M

Straat / Rue	Kaart	Vak	Code
MARECHAL MONTGOMERY/			
SQUARE	35	Cb	1150 WP
MARECHAL NEY/AVENUE	55	Cbcd	1180 UC
	56	Aa	1180 UC
MARECHAL NEY/AVENUE	76	Cd Fb	1410 WA
MARECHAL NEY/AVENUE	88	Ad	1420 B-A
MARECHAUX/CHEMIN DES	86	Cc Fab	1300 LI
MARELAAN LENNEKE	29	Cbd	1932 S-W
	30	Aa	1932 S-W
MARENGO/AVENUE	76	Fbcd	1410 WA
MARETAKLAAN	55	Cacd	1180 UC
MAREYDE/RUE-STRAAT	36	Cd Fb	1150 WP
MARGARETASQUARE	28	Ea	1000 BR
MARGARETHA VAN			
OOSTENRIJKPLEIN	19	Ad	1083 GA
MARGOT/CHEMIN DU	78	Fd	1380 OH
MARGUERITE/DREVE	76	Dcd	1410 WA
MARGUERITE/SENTIER	79	Fb	1330 RI
MARGUERITE/SQUARE	28	Ea	1000 BR
MARGUERITE			
D'AUTRICHE/PLACE	19	Ad	1083 GA
MARGUERITES/	30	Fc	1970 W-O
AVENUE DES	37	Cab	1970 W-O
MARGUERITES/			
CLOS DES	39	Cd	1070 AN
MARIA CHRISTINALAAN	75	Bab	3090 OV
MARIA-CHRISTINASTRAAT	20	Bab	
		Cac	1020 BR
MARIA-HEMELVAARTLAAN	29	Fb	1200 WL
	30	Da	1200 WL
MARIA-HENDRIKASTRAAT	35	Ac Da	1050 IX
MARIA-JOANNALAAN	72	Ad Bcd	
		Db Eab	1640 S-G
MARIA-LOUISALAAN	64	Ac Da	1640 S-G
MARIA-LOUIZASQUARE	28	Db	1000 BR
MARIANNE/RUE-STRAAT	41	Bd Eb	1180 UC
MARIA-THERISAOORD	30	Bd Cc	1970 W-O
MARIA-THERESIASTRAAT	28	Da	1000 BR
1 tot 35 & 2 tot 32	93	Cc Fa	1000 BR
MARIA-THERESIASTRAAT	28	Da	1210 SJ
37 tot einde &	93	Cbcd	1210 SJ
32A tot einde			
MARIA VAN BOURGONDIE-			
STRAAT	35	Aa	1050 IX
1 tot 13A & 2 tot 16	95	Cac	1050 IX
MARIA VAN BOURGONDIE-	28	Dc	1000 BR
STRAAT	35	Aa	1000 BR
15 tot einde &	93	Fc	1000 BR
18 tot einde	95	Ca	1000 BR
MARIA VAN HONGARIJE-			
LAAN	19	Acd	1082 BA
78 tot 80			
MARIA VAN HONGARIJE-			
LAAN	19	Ad Bcd	1083 GA
andere nrs			
MARICHAL/RUE-STRAAT			
HENRI	35	Ec	1050 IX
MARICOLLENDREEF	19	Dc	1082 BA
	26	Aa	1082 BA
MARICOLLES/DREVE DES	19	Dc	1082 BA
	26	Aa	1082 BA
MARIE-ANTOINETTE/			
AVENUE	83	Bb Ca	1410 WA
MARIE CHRISTINE/	80	Dd	1330 RI
AVENUE	85	Ab	1330 RI
MARIE-CHRISTINE/RUE	20	Bab	
		Cac	1020 BR
MARIE-CLOTILDE/			
AVENUE-LAAN	42	Fac	1170 WB
MARIE DE BOURGOGNE/			
RUE	35	Aa	1050 IX
1 à 13A & 2 à 16	95	Cac	1050 IX
MARIE DE BOURGOGNE/	28	Dc	1000 BR
RUE	35	Aa	1000 BR
15 à fin & 18 à fin	93	Fc	1000 BR
	95	Ca	1000 BR
MARIE DE HONGRIE/			
AVENUE	19	Acd	1082 BA
78 à 80			
MARIE DE HONGRIE/			
AVENUE	19	Ad Bcd	1083 GA
autres nos			
MARIE DE HONGRIE/			
AVENUE	82	Db	1300 WA
MARIE HENRIETTE/			
AVENUE	84	Cab	1330 RI
MARIE-HENRIETTE/RUE	35	Ac Da	1050 IX
MARIE-HENRIETTELAAN	25	Cd Fab	1700 DI
MARIE HENRIETTE-			
SQUARE	68	Fc	1500 HA
MARIE JEAN/AVENUE	79	Cc	1330 RI
MARIE-JEANNE/AVENUE	72	Ad Bcd	
		Db Eab	1640 S-G
MARIE JOSE/AVENUE	84	Cc	1330 RI
MARIE-JOSE/	28	Fd	1200 WL
AVENUE-LAAN	29	Dac	1200 WL
MARIE-JOSE/PLACE-PLEIN	42	Ec	1050 IX
MARIE-JOSE/			
SQUARE-PLEIN	29	Da	1200 WL
MARIE-JOSEWIJK	4	Dd	1800 VI
MARIE LA MISERABLE/			
AVENUE	29	Fb	1200 WL
MARIE-LOUISE/AVENUE	76	Ccd	1410 WA
MARIE-LOUISE/AVENUE	64	Ac Da	1640 S-G
MARIE-LOUISE/SQUARE	28	Db	1000 BR
MARIE-LOUISELAAN	25	Fb	1700 DI
MARIEMONT/	26	Fbd	1080 MO
QUAI DE-KAAI	27	Da	1080 MO
MARIEN/RUE-STRAAT			
MARCEL	28	Bcd	1030 SC
MARIENBORRE	7	Dd	1120 BR
MARIENDAAL	7	Dd Ec	1120 BR
MARIENSTEEN	7	Dd	1120 BR
MARIE-THERESE/AVENUE	83	Fb	1410 WA
MARIE-THERESE/CLOS	30	Bd Cc	1970 W-O
MARIE-THERESE/RUE	28	Da	1000 BR
1 à 35 & 2 à 32	93	Cc Fa	1000 BR
MARIE-THERESE/RUE	28	Da	1210 SJ
37 à fin & 32A à fin	93	Cbcd	1210 SJ
MARINIERS/RUE DES	27	Ad	1080 MO
	90	Dd	1080 MO
MARINUS/CLOS-GAARDE			
ALBERT	29	Ea	1200 WL
MARIVAUX/AVENUE	82	Ec	1300 WA
	87	Ba	1300 WA
MARJOLAINE/RUE DE LA	14	Bac	1120 BR
MARJOLEINSTRAAT	14	Bac	1120 BR
MARKELBACH/RUE-			
STRAAT ALEXANDRE	28	Abd Ba	1030 SC

Straat	Kaart	Postcode
MARKGRAAFLAAN	51 Fd	3090 OV
	58 Cb	3090 OV
MARKIESLAAN	58 Cab	3090 OV
MARKIESSTRAAT	27 Fa	1000 BR
	93 Acd	1000 BR
MARKIES VILLALOBAR-LAAN	36 Ebd	1150 WP
MARKT	5 Bc	1780 WE
MARKT	38 Ed	3080 TE
MARKTPLEIN	25 Ec	1700 DI
MARKTSTRAAT	27 Ca	1210 SJ
	91 Aabc Da	1210 SJ
MARKTSTRAAT	4 Ad	1800 VI
MARKTSTRAAT	16 Ed	1930 ZA
MARLOW/SQUARE GEORGES	48 Ab	1180 UC
MARLY/AVENUE DU-LAAN	7 Fc	1120 BR
MARLY/PETITE RUE DU-STRAATJE	14 Bb Ca	1120 BR
MARMOTLAAN	38 Aac	1970 W-O
MARMOTTE/AVENUE DE LA	38 Aac	1970 W-O
MARNE/RUE DE LA-STRAAT	20 Fd	1030 SC
MARNE/RUE DE LA-STRAAT	21 Bb Ca	1140 EV
MARNE/VAL DE-DAL	21 Ca	1140 EV
MARNIERES/AVENUE DES	87 Fa	1325 D-V
MARNIERES/AVENUE DES	83 Fd	1410 WA
MARNIX/AVENUE-LAAN	34 Ca	1050 IX
1 à/tot 7A & 2 à/tot 6	95 Bc	1050 IX
MARNIX/AVENUE-LAAN	34 Cab	1000 BR
13 à fin/tot einde & 12 à fin/tot einde	95 Babc	1000 BR
MARNIXLAAN	52 Dd Ebcd	3090 OV
MAROKIJNSTRAAT	27 Ab	1080 MO
	90 Ad Bc	1080 MO
MAROQUIN/RUE DU	27 Ab	1080 MO
	90 Ad Bc	1080 MO
MAROSDELLE	63 Fc	1640 S-G
MARQUIS/RUE DU	27 Fa	1000 BR
	93 Acd	1000 BR
MARQUIS DE BETHUNE/CLOS	78 Ba	1310 L-H
MARQUIS DE VILLALOBAR/AVENUE	36 Ebd	1150 WP
MARRONNIER/RUE DU	27 Bd	1000 BR
	90 Fc	1000 BR
MARRONNIERS/AVENUE DES	55 Fd	1640 S-G
	56 Dac	1640 S-G
MARRONNIERS/DREVE DES	72 Fc	1410 WA
MARRONNIERS/VENELLE DES	87 Ac Da	1301 BI
MARS/AVENUE DE	28 Cd Fb	1200 WL
1 à 43 & nos pairs	29 Da	1200 WL
MARS/AVENUE DE	28 Cd Fb	1030 SC
autres nos	29 Da	1030 SC
MARSAN/AVENUE DE	88 Bc	1420 B-A
MARSCHOUW/AVENUE PHILIBERT	82 Dab	1300 WA
MARSVELDPLEIN	34 Cb	1050 IX
	95 Bc	1050 IX
MARSVELDSTRAAT	34 Cb	1000 BR
2 tot 32a	95 Bcd	1000 BR
MARSVELDSTRAAT	34 Cb	1050 IX
onpare nrs & 34 tot einde	95 Bcd	1050 IX
MARTEAU/RUE DU	28 Da	1210 SJ
2 à 48	93 Ccd	1210 SJ
MARTEAU/RUE DU	28 Da	1000 BR
nos impairs & 52 à fin	93 Ccd	1000 BR
MARTELAARSPLEIN	27 Bd Cc	1000 BR
	91 Dc	1000 BR
MARTERGAARDE	38 Ac	1970 W-O
MARTIN/RUE-STRAAT FIRMIN	43 Ed	1160 AU
	50 Bb Ca	1160 AU
MARTIN/RUE-STRAAT GEORGES & JACQUES	36 Aa	1150 WP
1 à/tot 29 & 2 à/tot 30		
MARTIN/RUE-STRAAT GEORGES & JACQUES	36 Aa	1200 WL
31 à fin/tot einde & 38 à fin/tot einde		
MARTIN/RUE-STRAAT NESTOR	19 Aacd	1082 BA
nos impairs/onpare nrs		
MARTIN/RUE-STRAAT NESTOR	19 Aacd	1083 GA
pare nrs/nos pairs		
MARTINEAU/SENTIER DU	85 Fb	1300 LI
	80 Da	1300 LI
MARTINETS/AVENUE DES	36 Dd	1160 AU
	43 Ab	1160 AU
MARTIN-PECHEUR/AVENUE DU	42 Fab	1170 WB
MARTIN PECHEUR/AVENUE DU	23 Fd	1970 W-O
MARTINS PECHEURS/AVENUE DES	63 Bd Cc Eb Fa	1640 S-G
MARTINUS V-STRAAT	30 Da	1200 WL
MARTINUS V-TUIN	29 Cd	1200 WL
	30 Ac	1200 WL
MARTIN V/JARDIN	29 Cd	1200 WL
	30 Ac	1200 WL
MARTIN V/RUE	30 Da	1200 WL
MARTRE/CLOS DU	38 Ac	1970 W-O
MARTYRS/PLACE DES	27 Bd Cc	1000 BR
	91 Dc	1000 BR
MARTYRS/PLACE DES	79 Bb	1330 RI
MARTYRS JUIFS/SQUARE DES	33 Cbd	1070 AN
MASCAU/RUE	79 Ac Da	1332 GE
MASCRE/RUE-STRAAT LOUIS	33 Bb Ca	1070 AN
MASKERBLOEMENWEG	42 Ad Dab	1000 BR
MASOIN/AVENUE-LAAN ERNEST	13 Ac Da	1020 BR
89 à fin/tot einde & nos pairs/pare nrs		
MASOIN/AVENUE-LAAN ERNEST	13 Da	1090 JE
autres nos/andere nrs		
MASSART/RUE-STRAAT JEAN	35 Cc	1040 ET
MASSAUX/RUE-STRAAT	28 Aa	1030 SC
	91 Cd	1030 SC
MASSENA/SQUARE	55 Ca	1180 UC
MASSENET/AVENUE-LAAN	41 Aa	1190 FO
MASSEREE/CLOS DE LA	83 Dc	1420 B-A
MASSON/AVENUE ARTHUR	82 Eb	1300 WA

M

MASUI/PLACE-PLEIN	20 Cd	1030 SC
1 à/tot 11 & 2 à/tot 12		
MASUI/PLACE-PLEIN	20 Cd	1000 BR
13 à fin/tot einde &		
14 à fin/tot einde		
MASUI/RUE-STRAAT	20 Eb Fa	1000 BR
1 à/tot 115 & 2 à/tot 118		
MASUI/RUE-STRAAT	20 Ccd Fa	1030 SC
117 à fin/tot einde &		
120 à fin/tot einde		
MASUI PROLONGEE/RUE	20 Cd	1000 BR
MATELOTS/IMPASSE DES	27 Ba	1000 BR
	90 Fa	1000 BR
MATERIAALSTRAAT	26 Fc	1070 AN
	33 Cab	1070 AN
MATERIALENKAAI	20 Ebcd	1000 BR
	27 Ba	1000 BR
	90 Bb Ca	1000 BR
MATERIAUX/QUAI DES	20 Ebcd	1000 BR
	27 Ba	1000 BR
	90 Bb Ca	1000 BR
MATERIAUX/RUE DES	26 Fc	1070 AN
	33 Cab	1070 AN
MATHEUS/RUE-STRAAT	27 Ca	1210 SJ
GEORGES	91 Acd	1210 SJ
MATHEYS/RUE-STRAAT		
LEON	19 Cc	1083 GA
MATHIEU/IMPASSE		
JOSEPH	85 Fb	1300 LI
MATHIEU/RUE JOSEPH	85 Ccd Fb	1300 LI
MATHIEU/RUE-STRAAT		
ADOLPHE	35 Dd Ec	1050 IX
MATHY/RUE JOSEPH	85 Bd Eab	1300 LI
MATIGHEIDSLAAN	32 Ca	1070 AN
MATISSE/AVENUE-LAAN	21 Cb	1140 EV
HENRI	22 Aa	1140 EV
MATROZENGANG	27 Ba	1000 BR
	90 Fa	1000 BR
MATSTRAAT WILLEM	58 Ed Fc	1560 HO
	66 Ca	1560 HO
MATTAGNE/AVENUE	81 Cd Fb	1300 WA
AUGUSTE	82 Da	1300 WA
MATTHEUSSENS/		
RUE-STRAAT		
PIERRE-PIETER	21 Bb	1140 EV
MATTHYS/RUE-STRAAT		
PROSPER	40 Fb	1190 FO
MATTOT/RUE	76 Dbd	1410 WA
MAUBEL/RUE-STRAAT		
HENRI	41 Da	1190 FO
MAUBEUGELAAN	3 Fcd	1800 VI
MAUPASSANT/AVENUE	87 Bab	1300 WA
MAURICE/AVENUE-LAAN	42 Ad	1050 IX
MAUS/RUE-STRAAT	27 Eb	1000 BR
HENRI	92 Cc	1000 BR
MAUVES/AVENUE DES	49 Ba	1000 BR
MAX/AVENUE-LAAN	28 Bd Cc	
EMILE	Eb	1030 SC
MAX/BOULEVARD-LAAN	27 Bd Cac	1000 BR
ADOLPHE	90 Fd	1000 BR
	91 Dac	1000 BR
MAXIMILIEN/RUE-STRAAT	42 Ba	1050 IX
MAYELLE/RUE-STRAAT	20 Ad	1090 JE
MAZERINE/CLOS DE LA	78 Cb	1332 GE
MAZERINE/RUE DE LA	74 Fd	1310 L-H
	75 Dc	1310 L-H
MAZZA/AVENUE-LAAN		
RICHARD	19 Bb Ca	1083 GA
MEANDERVELD	61 Ca	1651 LO
MECANIQUE/RUE DE LA	33 Dd	1070 AN
MECHELSESTEENWEG	4 Ab Ba	1800 VI
MECHELSESTEENWEG	17 Bc Eac	1930 NO
	24 Bac	
	Eabd	1930 NO
	31 Ad Babc	
	Db	1930 NO
MECHELSESTEENWEG	17 Bc Eac	1933 ST
	24 Bac	
	Eabd	1933 ST
	31 Ad Babc	
	Db	1933 ST
MECHELSESTEENWEG	37 Cc Ed	
	Fac	1950 KR
MECHELSESTEENWEG	31 Dbcd	1970 W-O
	37 Cbcd	1970 W-O
	38 Aa	1970 W-O
MECHELSESTEENWEG	17 Cb	3071 E-K
MECHELSESTRAAT	27 Bbd	
	Cc	1000 BR
	91 Da	1000 BR
MECHELSESTRAAT	4 Abd	1800 VI
MEDAETS/RUE-STRAAT	36 Ab	1150 WP
MEDEDINGINGSTRAAT	33 Abd	1070 AN
MEDEKENSSTRAAT	31 Bc	1933 ST
MEDIALAAN	7 Bb Ca	1800 VI
MEDICIS/CLOS-GAARDE	42 Eb	1050 IX
MEDORI/RUE-STRAAT	13 Ebd	1020 BR
MEELBESSENLAAN	55 Ad Db	1180 UC
MEELFABRIEKSPLEIN	27 Ab	1080 MO
	90 Ea	1080 MO
MEERLAAN	75 Ecd Fc	3090 OV
MEERPLEIN	33 Ad Bc	1070 AN
MEERSTEEN	53 Acd Db	
	Ea	1600 P-L
MEERSTRAAT	35 Dc	1050 IX
1 tot 35 & 2 tot 20		
MEERSTRAAT	34 Fd	1000 BR
35A tot einde &	35 Dc	1000 BR
22 tot einde		
MEERT/CARRE-BLOK	41 Db Ea	1180 UC
MEERT/IMPASSE	34 Ba	1020 BR
	94 Bd Cc	
	Fa	1020 BR
MEERT/RUE-STRAAT		
CHARLES	21 Bab	1030 SC
MEERTGANG	34 Ba	1020 BR
	94 Bd Cc	
	Fa	1020 BR
MEERWEG	46 Fd	1600 P-L
	47 Dac	1600 P-L
	53 Cab	1600 P-L
MEESTER GILSONLAAN		
PAUL	47 Bd	1190 FO
MEEUWENGAARDE	21 Fc	1030 SC
MEEUWENLAAN	36 Dc	1150 WP
MEEUWENLAAN	6 Cbd	1800 VI
	7 Aa	1800 VI
MEEUWENLAAN	30 Cb	1970 W-O
MEEUWENLAAN	60 Bb	3090 OV

Straat	Kaart	Postcode
MEGISSIERS/RUE DES	27 Da	1070 AN
	92 Ac Da	1070 AN
MEHAUDENSSTRAAT JOSE	46 Cc	1600 P-L
MEIBLOEMPAD	50 Ecd	1170 WB
	57 Bb	1170 WB
MEIBLOEMSTRAAT	14 Bb	1120 BR
MEIBLOEMSTRAAT	39 Fc	1600 P-L
	46 Ca	1600 P-L
MEIBOOM	68 Cc	1500 HA
MEIBOOM/ RUE DU-STRAAT	27 Cc	1000 BR
	91 Dd	1000 BR
	93 Ab	1000 BR
MEIBOOMLAAN	25 Ba	1700 DI
MEIBOOMSTRAAT	11 Fc	1731 ZE
MEIBOOMWEG	70 Cc Fa	1052 AL
MEIDEKENSWEG	45 Ccd	
	Fbd	3080 TE
MEIDOORNLAAN	63 Da	1652 AL
MEIDOORNLAAN	2 Da	1860 ME
MEIERSPLEIN	36 Bab	1150 WP
MEIGEMHEIDESTRAAT	62 Bd Eab	1652 AL
MEIKEVERLAAN	63 Cc	1640 S-G
MEIKEVERSLAAN	42 Fb	1170 WB
	43 Da	1170 WB
MEIKLOKJESLAAN	00 Db	1150 WP
MEIKLOKJESLAAN	30 Dd Ec	1950 KR
MEIKLOKJESSTRAAT	4 Ccd	1800 VI
MEILAAN	28 Fb	1200 WL
	29 Dab	1200 WL
MEIPLEIN	29 Da	1200 WL
MEIR/ROND-POINT DU	33 Ad Bc	1070 AN
MEISESFLAAN	13 Bb	1020 BR
	6 Ecd	1020 BR
MEISESTRAAT	6 Babd	1853 S-B
MEISNIEDEGAARDE	42 Ecd	1050 IX
MEIVELD	5 Da	1731 RE
MELARD/RUE-STRAAT FERNAND	29 Ec	1200 WL
MELATI/SENTIER-PAD	43 Ac	1160 AU
MELBA/AVENUE-LAAN NELLIE	33 Ac Da	1070 AN
MELCKMANS/AVENUE-	33 Dd	1070 AN
LAAN GUILLAUME	40 Ab	1070 AN
MELDENDREEF	42 Ac	1000 BR
MELEZES/AVENUE DES	76 Db	1410 WA
MELEZES/DREVE DES	73 Db Eac	1310 L-H
MELEZES/DREVE DES	37 Fcd	1950 KR
MELEZES/RUE DES	41 Cab	1050 IX
MELEZES/RUE DES	80 Bb	1301 BI
MELIJNDREEF	38 Ec	3080 TE
MELILOTS/RUE DES	31 Db Ea	1970 W-O
MELISSES/RUE DES	7 Dd	1120 BR
MELKERIJLAAN	42 Dac	1000 BR
MELKERIJSTRAAT 1 tot 119 & 2 tot 118	26 Eb	1070 AN
MELKERIJSTRAAT 121 tot einde & 122 tot einde	26 Bd Eb	1080 MO
MELKERIJSTRAAT	68 Fabd	1500 HA
MELKRIEK/ RUE DU-STRAAT	47 Fabd	1180 UC
MELKSTRAAT	68 Fa	1500 HA
MELKSTRAAT	8 Eb Fa	1830 MA
MELLERY/RUE-STRAAT	13 Fc	1020 BR
	20 Ca	1020 BR
MELODIE/ RUE DE LA-STRAAT	26 Cc	1080 MO
MELOENSTRAAT	40 Cb	1190 FO
	41 Aa	1190 FO
MELON/RUE DU	40 Cb	1190 FO
	41 Aa	1190 FO
MELOPEE/ RUE DE LA-STRAAT	26 Bd Cc	1080 MO
MELOTTESTRAAT CHARLES	66 Abcd	1560 HO
MELPOMENE/ RUE-STRAAT	26 Cac	1080 MO
MELSBROEKSESTRAAT	8 Cb	1830 MA
MELSBROEKSTRAAT	17 Bc Ea	1930 NO
MELSENS/RUE-STRAAT	27 Bc Eab	1000 BR
	92 Da	1000 BR
MEMLING/RUE-STRAAT	27 Dc	1070 AN
	34 Aa	1070 AN
	92 Dc	1070 AN
	94 Aa	1070 AN
MEMLINGDREEF	52 Dbd Ea	3090 OV
MEMLINGSTRAAT	3 Fb	1800 VI
MENAGES/RUE DES	34 Bc	1000 BR
	94 Eab	1000 BR
MENAPIENS/RUE DES	35 Ca	1040 ET
MENAPIERSSTRAAT	35 Ca	1040 ET
MENDEN/AVENUE DE	88 Ad	1420 B-A
MENENSTRAAT	26 Cbd	1080 MO
MENESTRELENLAAN 1 tot 63 & 12 tot 72	26 Ea	1070 AN
MENESTRELS/ AVENUE DES 1 à 63 & 12 à 72	26 Ea	1070 AN
MENESTRELS/ AVENUE DES autres nos	26 Bd Eab	1080 MO
MENETRIER/AVENUE DU	82 Dac	1300 WA
MENIL/RUE DU	83 Ed Fac	1410 WA
MENIL/RUE DU	83 Ec	1420 B-A
	88 Ab Ba	1420 B-A
MENIL/SENTIER DU	83 Ecd	1420 B-A
	88 Ba	1420 B-A
MENIN/RUE DE	26 Cbd	1080 MO
MENISBERG	61 Fabc	1654 HU
	69 Ca	1654 HU
MENNEKENS/ PLACE-PLAATS JEF	26 Cac	1080 MO
MENSENRECHTENLAAN	40 Aab	1070 AN
MENSLIEVENDHEIDS-	34 Bc	1000 BR
STRAAT	94 Eab	1000 BR
MENUET/RUE DU-STRAAT	26 Db	1080 MO
MENUISIER/RUE DU	29 Dcd	1200 WL
MERBRAINE/RUE DE	88 Bc	1420 B-A
MERCATOR/RUE-STRAAT	33 Ab	1070 AN
MERCATORLAAN/AVENUE	1 Fd	1780 WE
GEERARD	2 Dc	1780 WE
MERCATORSTRAAT	7 Da	1800 VI
MERCELIS/RUE-STRAAT	34 Cd Fab	1050 IX
1 à/tot 87 & 2 à/tot 68	95 Ecd	1050 IX
MERCELIS/RUE-STRAAT 89 à fin/tot einde & 70 à fin/tot einde	34 Fab	1000 BR
MERCHTEM/ CHAUSSEE DE-STEENWEG OP	5 Abd Bc	1780 WE

M

Street	Page	Grid	Postcode	Commune
MERCHTEM/				
CHAUSSEE DE-	27	Aab	1080	MO
STEENWEG OP	90	Ac Da	1080	MO
MERCIERS/RUE DES	82	Ac Dab	1300	WA
MERCKAERT/	21	Fc	1030	SC
RUE-STRAAT JUL	28	Ca	1030	SC
MERCURE/AVENUE DE	48	Cc	1180	UC
MERCURIUSLAAN	48	Cc	1180	UC
MERCURIUSSTRAAT	24	Abd	1930	NO
MEREAUX/RUE-STRAAT				
JEAN	43	Fac	1160	AU
MERELLAAN	36	Dd	1150	WP
MERELLAAN	69	Dc	1500	HA
MERELLAAN	72	Acd Da	1640	S-G
MERELLAAN	2	Ad Db	1860	ME
MERELPAD	50	Ebd	1170	WB
MERELPLEIN	8	Ca	1830	MA
MERELSTRAAT	11	Eb Fa	1731	ZE
MERELWEG	5	Bd	1780	WE
MERGELPUTSTRAAT	3	Cd	1800	VI
	4	Ac Da	1800	VI
MERIDIEN/RUE DU	27	Cbd	1210	SJ
	91	Cc Fac	1210	SJ
MERINOS/	28	Ac	1210	SJ
RUE DU-STRAAT	91	Fbd	1210	SJ
MERISES/SQUARE DES	55	Ab	1180	UC
MERISIERS/AVENUE DES	75	Ed	1332	GE
	79	Bb	1332	GE
MERISIERS/AVENUE DES	76	Db	1410	WA
MERISIERS/RUE DES	42	Fa	1170	WB
25 à fin & 26 à fin				
MERISIERS/RUE DES	42	Ebd Fa	1050	IX
autres nos				
MERISIERS/VENELLE DES	87	Ac	1301	BI
MERJAY/RUE-STRAAT				
FRANZ	41	Bbd	1050	IX
1 à/tot 213 & 2 à/tot 196				
MERJAY/RUE-STRAAT				
FRANZ	41	Bd	1180	UC
217 à fin/tot einde &				
198 à fin/tot einde				
MERLE/AVENUE DU	72	Acd Da	1640	S-G
MERLES/AVENUE DES	36	Dd	1150	WP
MERLES/AVENUE DES	76	Cbcd	1410	WA
MERLES/SENTIER DES	50	Ebd	1170	WB
MERLO/RUE DU-STRAAT	47	Cabd	1180	UC
MERMOZ/CLOS-GAARDE				
JEAN	36	Cb	1150	WP
MERRILL/AVENUE-LAAN	40	Fc	1190	FO
STUART	47	Ca	1190	FO
MERTENS/RUE-STRAAT				
EMMANUEL	36	Cc	1150	WP
MERTENS/RUE-STRAAT				
JOSEPH	19	Dc	1082	BA
MERTENS/RUE-STRAAT				
KAREL	19	Ba	1083	GA
MERTENSSTRAAT JOZEF	11	Dc	1702	G-B
	18	Aabd		
		Bc	1702	G-B
MERTENSSTRAAT VICTOR	69	Ab Ba	1501	BU
MERTENSSTRAAT VICTOR	58	Eabcd	1560	HO
MESANGES/AVENUE DES	36	Dd	1160	AU
	43	Ab Ba	1160	AU
MESANGES/AVENUE DES	81	Ccd Fa	1300	WA
MESANGES/AVENUE DES	76	Cd	1410	WA

Street	Page	Grid	Postcode	Commune
MESANGES/AVENUE DES	72	Ac Dab	1640	S-G
MESANGES/CHEMIN DES	23	Ed	1950	KR
MESANGES/CLOS DES	36	Dd Ec	1160	AU
	43	Ba	1160	AU
MESANGES/CLOS DES	54	Fd	1630	LI
	55	Dc	1630	LI
MESANGES/DREVE DES	51	Acd Bac		
		Da	1160	AU
MESANGES/DREVE DES	50	Fbd	1170	WB
	51	Da	1170	WB
	57	Cab	1170	WB
MESANGES/	51	Bac		
PETITE DREVE DES		Eab	1160	AU
MESANGES/SENTIER DES	42	Dab	1000	BR
MESANGES BLEUES/RUE	88	Dbd	1420	B-A
MESENS/AVENUE-LAAN				
EDMOND	35	Cd Fb	1040	ET
MESSE/CHEMIN DE	85	Eab	1300	LI
MESSE/RUE DE	79	Ed Fc	1330	RI
	84	Bab	1330	RI
MESSIDOR/AVENUE	83	Ba	1410	WA
MESSIDOR/				
AVENUE DE-LAAN	41	Db Eab	1180	UC
METAALSTRAAT	34	Eab	1060	SG
METAIRIE/AVENUE DE LA	71	Dbd	1420	B-A
METAIRIE/RUE DE LA	19	Eb	1082	BA
1 à 31 & 2 à 32				
METAIRIE/RUE DE LA	19	Eb	1083	GA
autres nos				
METAL/RUE DU	34	Eab	1060	SG
METALENSTRAAT	35	Bc	1040	ET
METAUX/RUE DES	35	Bc	1040	ET
METIERS/IMPASSE DES	27	Eb	1000	BR
	92	Cd	1000	BR
METROLOGIE/				
AVENUE DE LA-LAAN	15	Ba	1130	BR
METROLOGIE/				
PETITE AVENUE DE LA	15	Ba	1130	BR
METSIJSDREEF	52	Ebcd	3090	OV
METSYS/RUE-STRAAT	21	Acd Db	1030	SC
METSYSSTRAAT QUINTEN	3	Fd	1800	VI
METTEWIE/BOULEVARD-				
LAAN LOUIS	19	Fc	1081	KO
1 à/tot 7 & 10 à/tot 30				
METTEWIE/BOULEVARD-	19	Ed Fc	1080	MO
LAAN LOUIS	26	Ad Babc		
9 à/tot 495 & 32 à/tot 332		Db	1080	MO
METTEWIE/BOULEVARD-				
LAAN LOUIS	26	Db	1070	AN
497 à fin/tot einde &				
334 à fin/tot einde				
MEUDON/RUE DE-STRAAT	14	Bb Ca	1120	BR
MEUDON/				
SQUARE DE-SQUARE	29	Dd	1200	WL
MEUNIER/AVENUE DU	71	Dcd	1420	B-A
MEUNIER/CHEMIN DU	85	Aa	1330	RI
MEUNIER/CLOS DU	30	Fd	1970	W-O
MEUNIER/PLACE-PLEIN				
CONSTANTIN	41	Bc	1190	FO
MEUNIER/RUE DU	81	Fd	1300	WA
MEUNIER/RUE DU	71	Cc	1640	S-G
MEUNIER/RUE-STRAAT				
ALBERT	43	Eb Fa	1160	AU
MEUNIER/RUE-STRAAT				
JEAN-BAPTISTE	41	Bcd	1050	IX

M

Street	Map	Postcode
MEUNIER/SENTIER DU	84 Cb	1330 RI
MEUNIERLAAN CONST.	60 Bb	3090 OV
MEUNIERS/AVENUE DES	42 Cd	1160 AU
	43 Ac	1160 AU
MEURICE/RUE-STRAAT ALBERT	35 Ba	1040 ET
MEUSE/AVENUE DE LA	80 Ecd	1300 LI
MEUSE/RUE DE LA	20 Db	1080 MO
MEUTE/CHEMIN DE LA	42 Db	1000 BR
MEUTE/DREVE DE LA	65 Fd	1310 L-H
	66 Dabc	1310 L-H
	73 Bcd Cabc Ea	1310 L-H
MEUTE/DREVE DE LA	72 Fd	1410 WA
	73 Dabc	1410 WA
	76 Cab	1410 WA
MEUTE/ PETIT DREVE DE LA	73 Cac	1310 L-H
MEUWIS/RUE-STRAAT HENRI	19 Ca	1083 GA
MEXICO/RUE DE-STRAAT	20 Dd Ec	1080 MO
	90 Ab Ba	1080 MO
MEYERBEER/RUE-STRAAT 1 à/tot 85 & 2 à/tot 108	41 Bc	1190 FO
MEYERBEER/RUE-STRAAT 87 à fin/tot einde & 110 à fin/tot einde	41 Ad Ba	1180 UC
MEYERS-HENNAU/ RUE-STRAAT	20 Bab	1020 BR
MEYLEMEERSCH/RUE	39 Ad Bd Db Eab	1070 AN
MEYSKENSSTRAAT/ RUE IS.	12 Bb	1780 WE
	5 Ebd	1780 WE
MEYSSE/ANCIENNE CHAUSSEE DE	6 Dbd Ec	1020 BR
MEYSSE/AVENUE DE	13 Bb	1020 BR
	6 Ecd	1020 BR
MEYSSENIERS/CLOS DES	42 Ecd	1050 IX
MEZENDREEF	50 Fbd	1170 WB
	51 Acd Bac Da	1170 WB
	57 Cab	1170 WB
MEZENDREEFJE	51 Bac Eab	1160 AU
MEZENGAARDE	36 Dd Ec	1160 AU
	43 Ba	1160 AU
MEZENHOF	54 Fd	1630 LI
	55 Dc	1630 LI
MEZENHOF	6 Bc	1853 S-B
MEZENHOF	24 Ec	1933 ST
	31 Ba	1933 ST
MEZENLAAN	36 Dd	1160 AU
	43 Ab Ba	1160 AU
MEZENLAAN	69 Dc	1500 HA
MEZENLAAN	72 Ac Dab	1640 S-G
MEZENLAAN	7 Acd	1800 VI
MEZENLAAN	75 Aa	3090 OV
MEZENPAD	42 Dab	1000 BR
MEZENSTRAAT	8 Cab	1830 MA
MEZENWEG	23 Ed	1950 KR
MICHAUX/SQUARE-PLEIN HENRI	41 Cab	1050 IX
MICHEL-ANGE/AVENUE	28 Eac	1000 BR
MICHEL-ANGELOLAAN	28 Eac	1000 BR
MICHELSTRAAT JOZEF	68 Cc	1500 HA

Street	Map	Postcode
MICHIELS/AVENUE-LAAN CHARLES 170 à/tot 178	42 Ccd	1170 WB
MICHIELS/AVENUE-LAAN CHARLES autres nos/andere nrs	42 Ccd	1160 AU
MICHIELS/RUE-STRAAT EDOUARD	47 Cd Fb	1180 UC
MICHIELS/RUE-STRAAT PAUL	19 Cb	1090 JE
	20 Aac	1090 JE
MICHIELSLAAN	31 Ebd	1933 ST
MICHIELSSTRAAT	16 Fbcd	1930 ZA
	23 Cb	1930 ZA
MICHIELSSTRAAT GUSTAAF	15 Cc	1831 DI
MICHIELSSTRAAT J.-B.	58 Ec	1560 HO
	66 Ba	1560 HO
MICHIELSSTRAAT PIETER	47 Dc	1601 RU
MICHOTLAAN/ AVENUE OCTAVE	63 Fbd	1640 S-G
MIDDAGLIJNSTRAAT	27 Cbd	1210 SJ
	91 Cc Fac	1210 SJ
MIDDELBOURG/RUE	50 Ad	1170 WB
MIDDELBURGPLEIN	3 Fc	1800 VI
MIDDELWEG	15 Ad Db	1130 BR
MIDDENDREEF	45 Dc	3080 TE
	51 Cb	3080 TE
	52 Aa	3080 TE
MIDDENHUTLAAN	64 Aabcd Ba	1640 S-G
MIDDENLAAN	37 Fc	1950 KR
	44 Ca	1950 KR
MIDDENSPRIETSTRAAT	2 Cac	1850 GR
MIDDENSTRAAT	25 Dd Ec	1700 DI
MIDI/BOULEVARD DU	27 Dd	1000 BR
	34 Abd Bc	1000 BR
	92 Dbd	1000 BR
	94 Ab Bac Eacd	1000 BR
MIDI/RUE DU	27 Eabc	1000 BR
	92 Cc Ebd Fa	1000 BR
MIERENBERG	68 Acd	1500 HA
MIERENDONKSTRAAT	2 Cac	1850 GR
MIESSE/SQUARE JULES & EDMOND	33 Cb	1070 AN
MIGERODE/ IMPASSE GANG	27 Dc	1070 AN
	92 Da	1070 AN
MIGNON/RUE-STRAAT LEON	28 Bc	1030 SC
MIGNOT DELSTANCHE/ RUE-STRAAT	41 Cac	1050 IX
MIJLENMEERSSTRAAT	39 Ad Bd Db Eab	1070 AN
MILCAMPS/AVENUE-LAAN	28 Bd Eb	1030 SC
MILLAIRSTRAAT VICTOR	53 Dc	1600 P-L
	61 Aa	1600 P-L
MILLEFEUILLE/RUE DU	7 Dd	1120 BR
MILLE METRES/ AVENUE DES	37 Abcd	1150 WP
MILLENAIRE/PLACE DU	79 Fd	1330 RI
MILLEPERTUIS/ AVENUE DES	39 Ccd	1070 AN
MILO/ROND POINT JEAN	79 Dd	1331 RO
MIMASTRAAT	4 Bd	1800 VI

MIMOSALAAN	35 Fbd	1150 WP
	36 Dc	1150 WP
MIMOSAS/AVENUE DES	35 Fbd	1150 WP
	36 Dc	1150 WP
MIMOSAS/ RUE DES-STRAAT	21 Eacd	1030 SC
MIMOSASLAAN/ AVENUE DES	37 Bb	1950 KR
MIMOSASOORD/ CLOS DES	37 Bb	1950 KR
MIMULES/CHEMIN DES	42 Ad Dab	1000 BR
MINDERBROEDERS- STRAAT	68 Eb Fa	1500 HA
MINERAUX/AVENUE DES	80 Ed Fc	1300 LI
MINERVA/ ALLEE DE LA-LEI	36 Ac	1150 WP
MINERVALAAN	41 Da	1190 FO
MINERVASTRAAT	16 Dc	1930 ZA
MINERVE/AVENUE	41 Da	1190 FO
MINIMENSTRAAT	27 Ed	1000 BR
	34 Bb	1000 BR
	92 Fd	1000 BR
	94 Cbcd Fa	1000 BR
MINIMES/PETITE RUE DES	27 Ed	1000 BR
	94 Cb	1000 BR
MINIMES/RUE DES	27 Ed	1000 BR
	34 Bb	1000 BR
	92 Fd	1000 BR
	94 Cbcd Fa	1000 BR
MINISTERSTRAAT	50 Aab	1170 WB
MINISTER WAUTERSPLEIN	40 Aab	1070 AN
MINISTRE/RUE DU	50 Aab	1170 WB
MINISTRE WAUTERS/ PLACE	40 Aab	1070 AN
MINNEBRONSTRAAT	21 Dd Ec	1030 SC
MINNEMOLENSTRAAT	3 Fbd	1800 VI
MINNEZANGERSLAAN alle nrs behalve 1 tot 63 & 12 tot 72	26 Bd Eab	1080 MO
MINOTAURE/ALLEE DU	42 Ac	1000 BR
MINOTAURUSWEG	42 Ac	1000 BR
MINOTERIE/PLACE DE LA	27 Ab	1080 MO
	90 Ea	1080 MO
MIRABEAU/AVENUE	82 Ec	1300 WA
MIRABELLENSQUARE	55 Aa	1180 UC
MIRABELLES/SQUARE DES	55 Aa	1180 UC
MIRAMAR/AVENUE DE-LAAN	6 Dd	1020 BR
MIROIR/RUE DU	27 Ec	1000 BR
	34 Bab	1000 BR
	94 Bb Cac	1000 BR
MIRTENLAAN	19 Ec	1080 MO
	26 Ba	1080 MO
MISPELAARSSTRAAT onpare nrs	42 Cd Fb	1160 AU
MISPELAARSSTRAAT pare nrs	42 Cd Fb	1170 WB
MISSIONARISSENLAAN 1 tot 51 & 2 tot 58	26 Ea	1070 AN
MISSIONARISSENLAAN 53 tot einde & 60 tot einde	26 Bc Ea	1080 MO
MISSIONNAIRES/ AVENUE DES 1 à 51 & 2 à 58	26 Ea	1070 AN

MISSIONNAIRES/ AVENUE DES 53 à fin & 60 à fin	26 Bc Ea	1080 MO
MISTRAL/AVENUE DU	87 Bd	1300 WA
MISTRAL/AV. DU-LAAN	29 Bd Cc	1200 WL
MODELE/CITE	12 Cab	1020 BR
MODELWIJK	12 Cab	1020 BR
MODELWIJKLAAN	12 Cb	1020 BR
MODELWIJKPLEIN	12 Cb	1020 BR
MODELWIJKSQUARE	12 Cb	1020 BR
MODERNE-SCHOOL- STRAAT	33 Cb	1070 AN
MODERNE WIJKSTRAAT	19 Ea	1082 BA
MODESTIE/RUE DE LA	32 Cc	1070 AN
MODE VLIEBERGH/ RUE-STRAAT	13 Ec	1020 BR
MOENS/RUE-STRAAT CHARLES	19 Bb Ca	1083 GA
MOENSBERG	55 Ac	1180 UC
MOENSSTRAAT J.	4 Fc	1830 MA
	8 Bb Ca	1830 MA
MOERBEZIEBOMENLAAN	42 Eb	1170 WB
MOEREMANSLAAN H.	25 Eab Fac	1700 DI
MOERENHOUTSTRAAT	59 Fbd	3090 OV
ALF.	67 Cb	3090 OV
MOERMAN/RUE-STRAAT POLYDORE	33 Abd	1070 AN
MOESHOF	23 Aa	1932 S-W
MOESHOVENIERSTRAAT	46 Bb	1600 P-L
MOESTUIN	18 Bd Eb	1702 G-B
MOESTUINSTEEG	36 Cc	1150 WP
MOHRFELD/RUE-STRAAT FREDERIC	12 Fbd	1090 JE
MOINEAUX/RUE DES	27 Ecd	1000 BR
	92 Fa	1000 BR
MOINEAUX/SENTIER DES	88 Dc	1420 B-A
MOINES/AVENUE DES	71 Dc	1420 B-A
MOINES/CHEMIN DES	63 Fd	1640 S-G
	71 Cb	1640 S-G
MOINES/RUE DES	34 Da	1190 FO
MOISSON/AVENUE DE LA	63 Fc	1640 S-G
MOISSONNEURS/ AVENUE DES	87 Ebd Fc	1325 D-V
MOISSONNEURS/ CHEMIN DES	81 Cc	1300 WA
MOISSONNEURS/RUE DES	35 Bd Eb	1040 ET
MOISSONS/RUE DES	28 Acd	1210 SJ
	91 Fd	1210 SJ
MOLE/PLACE DU	88 Ac	1420 B-A
MOLE/RUE DU	88 Ac	1420 B-A
MOLENBEEK/RUE DE	20 Bbcd Ca	1020 BR
MOLENBEEKDAL	11 Ed Fc	1731 ZE
MOLENBEEKSESTRAAT	20 Bbcd Ca	1020 BR
MOLENBEEKSTRAAT	70 Dd Ec	1653 DW
MOLENBEEKSTRAAT	18 Ed Fc	1702 G-B
MOLENBEEKVOETWEG	2 Ca	1850 GR
MOLENBERGDREEF	16 Ecd	1930 ZA
MOLENBERGLAAN	63 Ec	1652 AL
MOLENBERGLAAN	38 Cd	3080 TE
MOLENBERGSTRAAT	25 Dcd	1700 DI
MOLENBERGSTRAAT	25 Dcd	1701 IT

Straat	Kaart	Postcode
MOLENBLOK/		
RUE DU-STRAAT	14 Abd	1120 BR
MOLENBORRE	68 Fa	1500 HA
MOLENBOS	11 Fcd	1731 ZE
MOLENBOSWEG	57 Fd	1560 HO
	58 Dc	1560 HO
MOLENDAL	25 Dc	1700 DI
MOLENDREEF	59 Fbd	3090 OV
MOLENERF	68 Ba	1500 HA
MOLENHOF	54 Cd	1630 LI
	55 Ac	1630 LI
MOLENKOUTER	2 Ab	1860 ME
MOLENSTEEN/	47 Fd	1180 UC
RUE-STRAAT	54 Cb	1180 UC
MOLENSTRAAT	27 Cb	1210 SJ
	28 Aacd	1210 SJ
	91 Eb Fab	1210 SJ
MOLENSTRAAT	58 Fd	1560 HO
	59 Dcd	1560 HO
MOLENSTRAAT	54 Cd Fb	1630 LI
	55 Ac	1630 LI
MOLENSTRAAT	61 Bbcd	
	Ca	1651 LO
MOLENSTRAAT	8 Bd Eb	1830 MA
MOLENSTRAAT	20 Ead Fc	1932 S-W
MOLENSTRAAT	23 Ead Fc	1933 ST
MOLENSTRAAT	23 Dab	
	Fabd	1950 KR
MOLENVELD	70 Dd	1653 DW
MOLENVELDSTEEG	19 Ea	1082 BA
MOLENVELT/RUE-STRAAT	47 Cd Fb	1180 UC
MOLENWEG	14 Ab	1120 BR
MOLENWEG	50 Ecd Fc	1170 WB
	57 Cab	1170 WB
MOLENWEG	57 Cbd	1560 HO
	58 Ac Dab	1560 HO
MOLENWEG	71 Cd Fb	1640 S-G
MOLENWEG	11 Ad Bc	1731 ZE
MOLENWEG	5 Ac	1780 WE
MOLENWEG	17 Eabc	1930 NO
MOLENWEG	31 Ac	1970 W-O
MOLIERE/AVENUE	82 Ecd	1300 WA
	87 Bab	1300 WA
MOLIERE/AVENUE-LAAN	41 Ad Bcd	1190 FO
1 à/tot 29 & 2 à/tot 126 &		
43 à/tot 187		
MOLIERE/AVENUE-LAAN	41 Ad Cc	1180 UC
41 & 31 à/tot 33 &		
252 à/tot 302 &		
307A à/tot 357		
MOLIERE/AVENUE-LAAN	41 Bd Ccd	1050 IX
128 à/tot 250 &		
189 à/tot 307 &		
465 à fin/tot einde &		
456 à fin/tot einde		
MOLIGNEE/		
RUE DE LA-STRAAT	35 Fcd	1160 AU
MOLLEKENSSTRAAT	25 Bc	1700 DI
MOLLEMSTRAAT	46 Aabc	1600 P-L
MOLLENBERG	60 Da	3090 OV
MOLLENWEG	42 Dd	1000 BR
MOMMAERTS/		
AVENUE-LAAN		
LEONARD	29 Aa	1140 EV
MOMMAERTS/	20 Dd	1080 MO
RUE-STRAAT	27 Ab	1080 MO
	90 Abd	1080 MO
MOMMAERTSLAAN		
JAN EMIEL	15 Cd Fab	1831 DI
MOMMAERTSSTRAAT	60 Ed Fcd	3090 OV
MONACO/PETITE RUE DE-		
STRAATJE	40 Cd Fb	1190 FO
MONASTERE/RUE DU	42 Aa	1050 IX
numéro 3		
MONASTERE/RUE DU	42 Aa	1000 BR
5 à fin & nos pairs		
MONASTERE/RUE DU	79 Fd	1330 RI
	84 Cbd Fb	1330 RI
MONITEUR/RUE DU	27 Fb	1000 BR
	93 Ba	1000 BR
MONNAIE/PLACE DE LA	27 Eb	1000 BR
	92 Cb	1000 BR
MONNAIE/RUE DE LA	86 Cb	1301 BI
MONNET/AVENUE-LAAN		
JEAN	29 Bbd	1200 WL
MONNET/CARREFOUR-		
KRUISPUNT JEAN	28 Ec	1000 BR
MONNET/		
PARC-PARK JEAN	19 Da	1082 BA
MONNETWIJK JEAN	22 Eab	1002 S-W
MONNIKENSTRAAT	34 Da	1190 FO
MONNIKSKAPSTRAAT	40 Db	1170 WB
MONNIKSWEG	60 Fd	1640 S-G
	71 Cb	1640 S-G
MONNOYER/QUAI-KAAI	14 Dbcd	
LEON	Ea	1000 BR
MONOPLAN/AVENUE DU	36 Cd	1150 WP
	37 Ac	1150 WP
MON PIGNONDREEF	65 Dd Ec	1560 HO
	73 Aabc	1560 HO
MONPLAISIR/		
AVENUE-LAAN	21 Aab	1020 BR
nos pairs/pare nrs		
MONPLAISIR/		
AVENUE-LAAN	21 Aab	1030 SC
nos impairs/onpare nrs		
MONROE/CLOS-GAARDE		
MARILYN	12 Bd	1090 JE
MONROSE/RUE-STRAAT	28 Ab	1030 SC
MONS/CHAUSSEE DE	26 Fd	1070 AN
	27 Dcd	1070 AN
	33 Bd Cabc	
	Dbcd	
	Eab	1070 AN
	40 Aac Da	1070 AN
	92 Dabc	1070 AN
MONSEIGNEUR/AVENUE	79 Cabcd	
	Fb	1330 RI
MONSEIGNEUR		
CARDIJNLAAN	31 Ca	1933 ST
MONSEIGNEUR		
CROQUET/JARDIN DE	88 Ac	1420 B-A
MONSEIGNEUR		
DENAYERSTRAAT	11 Fac	1731 ZE
MONSEIGNEUR		
SENCIESTRAAT	68 Cc Fa	1500 HA
MONT/CHEMIN DU	77 Dd	1410 WA

M

MONTAGNE/RUE DE LA	27 Eb Fa	1000 BR
	92 Cd	1000 BR
	93 Ac	1000 BR
MONTAGNE/RUE DE LA	75 Fd	1331 RO
MONTAGNE/RUE DE LA	30 Cd	1970 W-O
MONTAGNE AU	36 Cb	1150 WP
CHAUDRON	37 Aa	1150 WP
MONTAGNE AUX ANGES/		
RUE	20 Dcd	1081 KO
39 & nos pairs	90 Aa	1081 KO
MONTAGNE AUX ANGES/		
RUE	20 Dcd	1080 MO
autres nos impairs	90 Aa	1080 MO
MONTAGNE AUX HERBES	27 Cc Eb	
POTAGERES/RUE	Fa	1000 BR
	93 Aac	1000 BR
MONTAGNE AUX OMBRES	36 Db	1150 WP
MONTAGNE D'AISEMONT	82 Dac	1300 WA
MONTAGNE DE LA COUR/	27 Fc	1000 BR
RUE	93 Dd	1000 BR
MONTAGNE DE LA GARE	36 Cac	1150 WP
MONTAGNE DE L'EGLISE/		
RUE	30 Cc	1970 W-O
MONTAGNE DE L'	27 Fa	1000 BR
ORATOIRE/RUE	93 Ab Ba	1000 BR
MONTAGNE DE SABLE	43 Bc	1160 AU
MONTAGNE DE SAINT-JOB	48 Cd Fb	1180 UC
MONTAGNE DES		
CERISIERS/RUE	29 Dd	1200 WL
MONTAGNE DES LAPINS	36 Bb Ca	1200 WL
MONTAGNE DES LAPINS/		
CLOS	36 Ca	1200 WL
MONTAGNE DU GODRU	82 Dabd	1300 WA
MONTAGNE DU PARC/RUE	27 Fa	1000 BR
	93 Db	1000 BR
MONTALD/AVENUE-LAAN	29 Dd	1200 WL
CONSTANT	36 Ab	1200 WL
MONTALEMBERT/	79 Fcd	1330 RI
AVENUE DE	84 Ca	1330 RI
MONTANA/AVENUE-LAAN	49 Abcd	1180 UC
MONTAND/PASSAGE-		
DOORGANG YVES	12 Bd	1090 JE
MONT-BLANC/RUE DU	34 Eab	1060 SG
MONT-DE-PIETE/	34 Ba	1000 BR
PLACE DU	94 Bb	1000 BR
MONT DES ARTS	27 Fc	1000 BR
	93 Dacd	1000 BR
MONT DU CHENE/RUE	35 Eb	1040 ET
MONT DU		
CINQUANTENAIRE	35 Bb	1040 ET
MONTE CARLO/		
AVENUE DE-LAAN	40 Fab	1190 FO
MONTENEGRO/		
RUE DE-STRAAT	34 Db	1060 SG
3 à/tot 59 & 2 à/tot 68A		
MONTENEGRO/	33 Fd	1190 FO
RUE DU-STRAAT	34 Dabc	1190 FO
61 à fin/tot einde &		
70 à fin/tot einde		
MONTESQUIEU/AVENUE	82 Bc Eab	1300 WA
MONTGOLFIER/		
AVENUE-LAAN	36 Cacd	1150 WP
MONTIGNYLAAN JULES	45 Ab	3080 TE
MONTJOIE/AVENUE-LAAN	41 Eb Fab	1180 UC
MONT-KEMMEL/	34 Dd	1190 FO
AVENUE DU	41 Ab	1190 FO
1 à 21 & 2 à 22		
MONT-KEMMEL/		
AVENUE DU	34 Dd	1060 SG
23 à fin & 24 à fin		
MONTOYER/RUE-STRAAT	35 Aa	1050 IX
69 à fin/tot einde	95 Cb	1050 IX
MONTOYER/RUE-STRAAT	27 Fd	1000 BR
autres nos/andere nrs	28 Dc	1000 BR
	35 Aa	1000 BR
	93 Ed	1000 BR
	95 Bb Cab	1000 BR
MONT SAINT-ALBAN/		
RUE DU	13 Eac	1020 BR
MONT SAINT-JEAN/	88 Bab	
CHAUSSEE DE	Cab	1420 B-A
MONTSERRAT/	34 Bcd	1000 BR
RUE DE-STRAAT	94 Fa	1000 BR
MONT-ST.-JEAN/	88 Bb	
CHAUSSEE DE	Cab	1410 WA
MONT-ST.-JEAN/	51 Dabc	1170 WB
ROUTE DE	58 Aa	1170 WB
MOOI-BOSLAAN	37 Dc	1150 WP
MOOILOVERLAAN	37 Bd Eb	1950 KR
MOONENS/RUE-STRAAT	29 Ea	1200 WL
MOORSELSTEENWEG	24 Ed Fcd	1933 ST
MOORSELSTRAAT	1 Aa	1860 ME
MOORSELSTRAAT	24 Fd	3080 TE
MOORSLEDE/		
RUE DE-STRAAT	20 Babc	1020 BR
MOORTEBEEK/	25 Fb	1080 MO
RUE DE-STRAAT	26 Da	1080 MO
MOORTEBEEKSTRAAT	25 Cc Fab	1700 DI
	26 Da	1700 DI
MOREAU/AVENUE-LAAN		
VICTOR	43 Ed	1160 AU
MOREAU/RUE-STRAAT	33 Cbd	1070 AN
GEORGES	34 Aa	1070 AN
MOREELS/RUE-STRAAT		
HENRI-FRANCOIS	43 Eb Fa	1160 AU
MORETUS/RUE-STRAAT	27 Dd	1070 AN
	92 Dbd	1070 AN
MORGENLANDSTRAAT	35 Ad Bc	1040 ET
MORGENSTONDWEG	42 Acd Db	1000 BR
MORICHAR/PLACE-PLEIN		
LOUIS	34 Ea	1060 SG
MORIENSART/RUE DE	85 Ad Bc	
	Ea	1300 LI
MORILLENPAD	41 Fb	1000 BR
MORILLES/DREVE DES	50 Ec	1170 WB
	57 Ba	1170 WB
MORILLES/SENTIER DES	41 Fb	1000 BR
MORIMONT/RUE	86 Dd Ec	1300 LI
MORINENSTRAAT	35 Cb	1040 ET
MORINS/RUE DES	35 Cb	1040 ET
MORIS/RUE-STRAAT	34 Ed	1060 SG
MORJAU/RUE-STRAAT		
JEAN	33 Bac	1070 AN
MORO/AVENUE ALDO	84 Bb	1330 RI
MORSAINT/SENTE DE	82 Bcd	1300 WA
MORSELAAN/AVENUE	1 Fd	1780 WE
SAMUEL	2 Dc	1780 WE
MOSCICKI/		
AVENUE-LAAN	41 Fabd	1180 UC

Street	Map	Grid	Postcode	Commune
MOSCOU/RUE DE	34	Bc Ea	1060	SG
	94	Ed	1060	SG
MOSKOUSTRAAT	34	Bc Ea	1060	SG
	94	Ed	1060	SG
MOSRAY/RUE FELICIEN	85	Eb	1300	LI
MOSSELMANS/RUE-STRAAT JEAN-BAPTISTE- JAN-BAPTIST	21	Cc Fa	1140	EV
MOSTINCK/ AVENUE-LAAN	36	Ad Db	1150	WP
MOTTARD/RUE-STRAAT GUY	19	Cc	1083	GA
MOTTE	5	Dbcd	1780	WE
MOUCHE-BOIS	87	Bd Cc Eb	1325	D-V
MOUCHERONS/RUE DES	27	Ec	1000	BR
	92	Eb	1000	BR
MOUETTES/AVENUE DES	36	Dc	1150	WP
MOUETTES/AVENUE DES	30	Cb	1970	W-O
MOUETTES/CLOS DES	21	Fc	1030	SC
MOUFLONLAAN	52	Eab	3090	OV
MOUFLONS/LAYON DES	86	Ebd Fc	1300	LI
MOULIN/CHEMIN DU	14	Ab	1120	BR
MOULIN/CHEMIN DU	50	Ecd Fc	1170	WB
	57	Cab	1170	WB
MOULIN/CHEMIN DU	71	Cd Fb	1640	S-G
MOULIN/CHEMIN DU	31	Ac	1970	W-O
MOULIN/CLOS DU	54	Cd	1630	LI
	55	Ac	1630	LI
MOULIN/DREVE DU	76	Bcd Eb	1410	WA
MOULIN/PETITE RUE DU	33	Dd Ec	1070	AN
	40	Ab	1070	AN
MOULIN/RUE DU	27	Cb	1210	SJ
	28	Aacd	1210	SJ
	91	Eb Fab	1210	SJ
MOULIN/RUE DU	77	Bb Ca	1310	L-H
MOULIN/RUE DU	79	Dbd Eac	1330	RI
MOULIN/RUE DU	54	Cd Fb	1630	LI
	55	Ac	1630	LI
MOULIN/RUE DU	23	Dab Eabd	1950	KR
MOULIN A EAU/RUE DU	86	Db Ea	1300	LI
MOULIN A PAPIER/RUE DU	43	Eab	1160	AU
MOULIN A VENT/RUE DU	21	Bd	1140	EV
MOULIN A VENT/RUE DU	81	Fa	1300	WA
MOULIN A VENT/RUE DU	38	Aab Ba	1970	W-O
MOULIN ROSE/ CHEMIN DU	55	Ad Bc Db	1180	UC
MOUNIER/AVENUE-LAAN	29	Cd	1200	WL
EMMANUEL	30	Ac Dab	1200	WL
MOURON/CLOS DU	36	Da	1150	WP
MOURON/RUE DU	31	Dd	1970	W-O
MOUSIN/RUE-STRAAT ALEXIS	37	Dd	1150	WP
MOUSINSTRAAT ALEXIS	58	Ed	1560	HO
MOUSSERONS/CLOS DES	42	Ebd	1050	IX
MOUSSON/AVENUE DE LA	87	Bd	1300	WA
MOUTERIJSTRAAT	35	Db	1050	IX
MOUTONS/ALLEE DES	6	Fd	1020	BR
	7	Dc	1020	BR
MOUTONS/CHEMIN DES	12	Ad Bcd	1090	JE
MOUTONS/RUE DES	48	Acd	1180	UC
MOUTSTRAAT	27	Bc Ea	1000	BR
	92	Bb	1000	BR
MOYENS/RUE-STRAAT JEAN-BAPTISTE	12	Cc	1090	JE
MOYSONSTRAAT JEAN	8	Ca	1830	MA
MOZART/AVENUE-LAAN 3 & 2 à/tot 10 & 92	41	Ac Da	1180	UC
MOZART/AVENUE-LAAN autres nos/andere nrs	41	Ac Dab	1190	FO
MOZART/VENELLE-STEEG	19	Ab	1083	GA
MOZARTLAAN	59	Fb	3090	OV
MOZARTLAAN/ AVENUE W.A.	40	Ea	1620	DR
MUGGENSTRAAT	27	Ec	1000	BR
	92	Eb	1000	BR
MUGUET/RUE DU	14	Bb	1120	BR
MUGUETS/AVENUE DES	36	Db	1150	WP
MUGUETS/AVENUE DES	71	Dcd	1420	B-A
MUGUETS/AVENUE DES	30	Dd Ec	1950	KR
MUGUETS/SENTIER DES	50	Ecd	1170	WB
	57	Bb	1170	WB
MUGUETS/SENTIER DES	85	Ba	1300	LI
MULDERSLAAN	42	Cd	1160	AU
	43	Ac	1160	AU
MULDERSTRAAT	71	Cc	1640	S-G
MULLIE/AVENUE-LAAN GILBERT	29	Eab	1200	WL
MULSLAAN	10	Bd Fb	1820	ST
MULSSTRAAT JAN	6	Bcd	1853	S-B
MUNSTERSTRAAT nummer 3	42	Aa	1050	IX
MUNSTERSTRAAT 5 tot einde & pare nrs	42	Aa	1000	BR
MUNT	27	Eb	1000	BR
	92	Cb	1000	BR
MUNTHOFSTRAAT	34	Bcd Ea	1060	SG
	94	Fc	1060	SG
MURES/AVENUE DES	55	Ad Dab	1180	UC
MURES/AVENUE DES	55	Dab	1630	LI
MURIERS/AVENUE DES	42	Eb	1170	WB
MURIERS/CLOS DES	83	Fc	1410	WA
MURIKGAARDE	36	Da	1150	WP
MURILLO/RUE-STRAAT	28	Ed	1000	BR
MUS/RUE-STRAAT FRANCOIS	20	Db	1080	MO
MUSCARDINS/ SENTIER DES	42	Dd	1000	BR
MUSCARIS/PLACE DES	43	Dbd	1170	WB
MUSEE/AVENUE DU	38	Bd Eb	1970	W-O
MUSEE/CHEMIN DU	84	Ad	1380	LA
MUSEE/PETITE RUE DU	27	Fc	1000	BR
	93	Dc	1000	BR
MUSEE/PLACE DU	27	Fc	1000	BR
	93	Dc	1000	BR
MUSEE/RUE DU	27	Fc	1000	BR
	93	Dcd	1000	BR
MUSES/AVENUE DES	55	Cc	1180	UC
MUSEUMLAAN	38	Cabc	1933	ST
MUSEUMLAAN	38	Bd Eb	1970	W-O
MUSEUMLAAN	38	Bd Cabc Eb	3080	TE
MUSEUMPLEIN	27	Fc	1000	BR
	93	Dc	1000	BR
MUSEUMSTRAAT	27	Fc	1000	BR
	93	Dcd	1000	BR
MUSICIENS/CLOS DES	19	Ad Bc	1083	GA

MUSIN/RUE-STRAAT	27	Cbd	1210 SJ
	91	Eb	1210 SJ
MUSSENSTRAAT	27	Ecd	1000 BR
	92	Fa	1000 BR
MUSSENSTRAAT	8	Cab	1830 MA
MUTSAARD/AVENUE-LAAN	6	Fc	1020 BR
	13	Bb Ca	1020 BR
MUTSAARDPLEIN	6	Fc	1853 S-B
MUTSAARDWEG	10	Bbd	1820 ST
MUTSAERTPLAATS	6	Fc	1800 VI
MUTSAERTSTRAAT	6	Fabd	1800 VI
MUTUALITE/RUE DE LA 1 à 57 & 2 à 34	41	Bc	1190 FO
MUTUALITE/RUE DE LA 57A à fin & 46 à fin	41	Bc Ea	1180 UC
MUURSTRAAT	31	Dd	1970 W-O
MUZENLAAN	55	Cc	1180 UC
MUZIKANTENGAARDE	19	Ad Bc	1083 GA
MYOSOTIS/AVENUE DES	71	Bab	1640 S-G
MYOSOTIS/RUE DES	47	Ccd	1180 UC
MYOSOTIS/SENTIER DES	49	Ba	1000 BR
MYRTES/AVENUE DES	19	Ec	1080 MO
	26	Ba	1080 MO
MYRTILLES/AVENUE DES	55	Cd	1180 UC
MYRTILLES/AVENUE DES	37	Fcd	1950 KR
MYRTILLES/CHEMIN DES	51	Aacd	1160 AU
MYRTILLES/SENTIER DES	42	Ec	1000 BR
MYSTERE/RUE DU	40	Cd	1190 FO
	41	Ac	1190 FO
MYSTERIESTRAAT	40	Cd	1190 FO
	41	Ac	1190 FO

N

NAALDSTRAAT	33	Bb Ca	1070 AN
NAAM JEZUSSTRAAT	27	Bc	1000 BR
	90	Ed	1000 BR
NAAMSE POORT	34	Ca	1000 BR
	95	Ad Bc	1000 BR
NAAMSE POORT GALERIJ	34	Cb	1050 IX
	95	Bc	1050 IX
NAAMSESTRAAT	27	Fc	1000 BR
	34	Ca	1000 BR
	93	Dd	1000 BR
	95	Abd	1000 BR
NACHTEGAALLAAN	70	Dcd	1653 DW
NACHTEGAALLAAN	11	Fa	1731 ZE
NACHTEGAALSLAAN	9	Bb	1820 ME
NACHTEGAALSTRAAT	69	Ac Dab Ea	1501 BU
NACHTEGAALSTRAAT	4	Ac	1800 VI
NACHTEGAALSWEG	14	Ba	1120 BR
NACHTEGALENHOF	31	Ba	1933 ST
NACHTEGALENLAAN	1	Ca	1860 ME
NACHTEGALENLAAN	30	Bab	1950 KR
NACHTEGALENLAAN	31	Dac	1970 W-O
NACHTVLINDERSLAAN 1 tot 29 & 26 tot 34	42	Ea	1000 BR
NACHTVLINDERSLAAN 35 & 36	42	Ea	1050 IX
NACHTZWALUWSTRAAT	50	Aa	1170 WB
NADIR/CLOS DU-GAARDE	18	Fb	1082 BA
NAESSENS DE LONCIN/ AVENUE	79	Cd	1330 RI
NAIADES/AVENUE DES	42	Fd	1170 WB
	43	Dc	1170 WB
NAJADENLAAN	42	Fd	1170 WB
	43	Dc	1170 WB
NAMENSTRAAT	17	Dbd Ec	1930 NO
NAMUR/CHAUSSEE DE	82	Dc	1300 WA
	87	Aac Dac	1300 WA
NAMUR/PORTE DE	34	Ca	1000 BR
	95	Ad Bc	1000 BR
NAMUR/RUE DE	27	Fc	1000 BR
	34	Ca	1000 BR
	93	Dd	1000 BR
	95	Abd	1000 BR
NAMUR/RUE DE	81	Fbd	1300 WA
	82	Dc	1300 WA
NANCY/RUE DE-STRAAT	34	Ba	1000 BR
	94	Bb Ca	1000 BR
NANSEN/RUE-STRAAT FRIDTJOF	33	Dc	1070 AN
NANTIERLAAN LEOPOLD	24	Dbd	1933 ST
NAPELSSTRAAT	34	Cb	1050 IX
	95	Bcd	1050 IX
NAPLES/RUE DE	34	Cb	1050 IX
	95	Bcd	1050 IX
NAPOLEON/AVENUE	76	Fa	1410 WA
NAPOLEON/AVENUE	88	Abd	1420 B-A
NAPOLEON/AVENUE-LAAN	49	Dc	1180 UC
	56	Aac	1180 UC
NAPSTRAAT	28	Eab	1000 BR
NARCISBLOEMENLAAN	56	Acd	1180 UC
NARCISSENLAAN	13	Bd	1020 BR
NARCISSENLAAN	69	Ab	1501 BU
NARCISSENLAAN	63	Fcd	1640 S-G
NARCISSENLAAN	51	Cd	3090 OV
	52	Ac	3090 OV
NARCISSES/AVENUE DES	13	Bd	1020 BR
NARCISSES/AVENUE DES	56	Acd	1180 UC
NARCISSES/AVENUE DES	63	Fcd	1640 S-G
NASSAULAAN	3	Aac	1850 GR
NATATION/RUE DE LA	35	Ad	1050 IX
NATIENSQUARE	49	Bbd Ca	1000 BR
NATIEPLEIN	27	Fb	1000 BR
	93	Bc	1000 BR
NATION/PLACE DE LA	27	Fb	1000 BR
	93	Bc	1000 BR
NATIONALE-MAAT-SCHAPPIJLAAN	33	Dc	1070 AN
	40	Aab	1070 AN
NATIONS/SQUARE DES	49	Bbd Ca	1000 BR
NATIONS-UNIES/ AVENUE DES	72	Ec	1410 WA
	76	Ab Ba	1410 WA
NAVETS/RUE DES	27	Eac	1000 BR
	92	Ea	1000 BR
NAVETSTRAAT	54	Fc	1650 BE
NAVEZ/RUE-STRAAT FRANCOIS-JOSEPH 2 à/tot 54 & nos impairs/onpare nrs	21	Aac	1030 SC
NAVEZ/RUE-STRAAT FRANCOIS-JOSEPH 60 à fin/tot einde	21	Aac	1000 BR
NAVIGATION/RUE DE LA	20	Bd	1020 BR
NEDERDELLELAAN	67	Cb	3090 OV
NEDERHEM	68	Cd Fb	1500 HA

M N

N

Straat	Kaart	Vak	Postcode
NIEUWENHOVENLAAN	46	Dc	1600 P-L
	53	Aa	1600 P-L
NIEUWENHUIS/AVENUE	75	Ab	1310 L-H
NIEUWENHUYSLAAN	75	Aab	3090 OV
NIEUWE SCHAPENWEG	3	Bd Cac	
		Eb	1850 GR
NIEUWE STALLESTRAAT	47	Db Ea	1600 P-L
NIEUWE STEENWEG	18	Cb	1731 ZE
NIEUWE ZAVENTEMSE-	8	Fcd	1831 DI
STEENWEG	15	Cb	1831 DI
	16	Aab	1831 DI
NIEUWLAAN	67	Aab	1560 HO
NIEUWLAND	27	Ec	1000 BR
	34	Ab Ba	1000 BR
	92	Ed Fc	1000 BR
	94	Babc	1000 BR
NIEUWLAND	59	Ac	
		Dabd	3090 OV
NIEUWPOORTLAAN	27	Ad Bac	1000 BR
	90	Eac	1000 BR
NIEUW-RODELAAN	63	Fbd	1640 S-G
NIEUWSTRAAT	27	Bd Cac	1000 BR
	90	Fd	1000 BR
	91	Dabc	1000 BR
	92	Cb	1000 BR
NIEUWSTRAAT	68	Fa	1500 HA
NIEUWSTRAAT	54	Bb Ca	1620 DR
NIEUWSTRAAT	71	Cac	1640 S-G
NIEUWSTRAAT	10	Ba	1820 ST
NIEUWSTRAAT	8	Bb Ca	1830 MA
NIEUWSTRAAT	24	Ecd	1933 ST
NIEUWSTRAAT	38	Ec	3080 TE
NIGELLENSTRAAT	43	Db Ea	1170 WB
NIGELLES/RUE DES	43	Db Ea	1170 WB
NIGELLESTRAAT/RUE	31	Dbd Ec	1970 W-O
NIHOULLAAN HERVE	69	Ba	1501 BU
NIJSBERGLAAN	63	Eac	1652 AL
NIJVELSEBAAN	60	Ecd	
		Fabc	3090 OV
NIJVELSEDREEF	35	Fd	1150 WP
onpare nrs & 2 tot 176	36	Dac	1150 WP
NIJVELSE DREEF	35	Fd	1160 AU
178 tot einde			
NIJVELSESTEENWEG	68	Fd	1500 HA
NIJVELSTRAAT	23	Aab	1930 ZA
NIJVERHEIDSKAAI	27	Dab	1000 BR
1 tot 3A & 2	92	Acd	1000 BR
NIJVERHEIDSKAAI	26	Fbd	1080 MO
5 tot 153	27	Ad Dab	1080 MO
	92	Aac	1080 MO
NIJVERHEIDSKAAI	26	Fcd	1070 AN
155 tot einde	33	Ca	1070 AN
NIJVERHEIDSLAAN	6	Cabc	1853 S-B
NIJVERHEIDSSTRAAT	27	Fd	1000 BR
1 tot 15 & 2 tot 18	28	Dc	1000 BR
	34	Cb	1000 BR
	93	Fac	1000 BR
	95	Ca	1000 BR
NIJVERHEIDSSTRAAT	27	Fd	1040 BR
21 tot einde &	28	Dc	1040 BR
22 tot einde	34	Cb	1040 BR
	93	Fac	1040 BR
	95	Ca	1040 BR
NIJVERHEIDSSTRAAT	68	Fbd	1500 HA
NIJVERHEIDSSTRAAT	4	Bbd Ca	1800 VI

Straat	Kaart	Vak	Postcode
NIJVERHEIDSSTRAAT	16	Eab	1930 ZA
NIJVERHEIDSTRAAT	4	Ec	1830 MA
	8	Ba	1830 MA
NIKKENBERG	68	Bcd	1500 HA
NILLEVELDSTRAAT	66	Bbd Eb	1560 HO
NIMFENLAAN	43	Dc	1170 WB
NINOOFSEPLEIN	27	Db	1000 BR
	92	Ab	1000 BR
NINOOFSEPOORT	27	Db	1000 BR
	92	Ab	1000 BR
NINOOFSE STEENWEG	25	Fb	1070 AN
279 tot 739 &	26	Dab Eab	
282 tot 788		Fa	1070 AN
NINOOFSESTEENWEG	26	Fab	1080 MO
andere nrs	27	Dab	1080 MO
	92	Aab	1080 MO
NINOOFSESTEENWEG	68	Aab	
		Babcd	
		Cc Fa	1500 HA
NINOOFSESTEENWEG	25	Dcd	
		Ecd	
		Fbcd	1700 DI
NINOOFSESTEENWEG	25	Dc	1701 IT
NINOVE/CHAUSSEE DE	25	Fb	1070 AN
279 à 739 & 282 à 788	26	Dab	
		Eab Fa	1070 AN
NINOVE/CHAUSSEE DE	26	Fab	1080 MO
autres nos	27	Dab	1080 MO
	92	Aab	1080 MO
NINOVE/PLACE DE	27	Db	1000 BR
	92	Ab	1000 BR
NINOVE/PORTE DE	27	Db	1000 BR
	92	Ab	1000 BR
NIPPONE/AVENUE	42	Cd	1160 AU
NIPPONLAAN	42	Cd	1160 AU
NISARD/RUE-STRAAT	50	Abd Bc	1170 WB
NIVEAU/RUE DU	27	Abd	1080 MO
	90	Db	1080 MO
NIVELLES/ANCIENNE			
ROUTE DE	70	Fb	1640 S-G
NIVELLES/AVENUE DE	85	Ad Babc	
		Cab	1300 LI
	86	Aa	1300 LI
NIVELLES/CHAUSSEE DE	88	Cabc	1410 WA
NIVELLES/CHAUSSEE DE	88	Cabc	
		Ebcd	
		Fa	1420 B-A
NIVELLES/DREVE DE	35	Fd	1150 WP
nos impairs & 2 à 176	36	Dac	1150 WP
NIVELLES/DREVE DE	35	Fd	1160 AU
178 à fin			
NIVELLES/RUE DE	81	Fab	1300 WA
NIVELLES/RUE DE	84	Bcd Cc	1330 RI
NIVEOLE/AVENUE DE LA	13	Cb	1020 BR
	6	Fd	1020 BR
NOBELSTRAAT	18	Aa	1702 G-B
NOCES/CHEMIN DES	76	Fc	1410 WA
	83	Bd Cac	
		Eb	1410 WA
NOCES/CHEMIN DES	83	Bd Cc	
		Eb	1420 B-A
NOEL/RUE	83	Aa	1410 WA
NOENDELLE	15	Ad	1130 BR
NOGENT/RUE-STRAAT			
HENRI	26	Bb	1080 MO

Street	Map	Grid	Postcode
NOIR BONHOMME/ SENTIER DU	83	Cc	1410 WA
NOISETIERS/ALLEE DES	37	Ba	1950 KR
NOISETIERS/AVENUE DES	42	Fcd	1170 WB
NOISETIERS/ VENELLE DES	87	Da	1300 WA
NOM DE JESUS/RUE DU	27	Bc	1000 BR
	90	Ed	1000 BR
NOODBEEKSTRAAT	2	Bb Ca	1850 GR
NOODLOTTIGE ROTSSTRAAT	29	Dd	1200 WL
NOORDDOORGANG	27	Bd	1000 BR
	90	Fd	1000 BR
NOORDDREEF	45	Ed Fc	3080 TE
NOORDERLAAN	11	Fc	1731 ZE
NOORDKRIEKENSTRAAT	55	Aa	1180 UC
NOORDKUSTLAAN	18	Cabd	1702 G-B
NOORDLAAN	59	Dd	1560 HO
NOORDPLEIN	27	Ca	1210 SJ
	91	Ab	1210 SJ
NOORDSTRAAT	27	Cd Fb	1000 BR
	93	Bb	1000 BR
NOORWEGENSTRAAT	34	Ad	1060 SG
	94	Dabc	1060 SG
NORD/PASSAGE DU	27	Bd	1000 BR
	90	Fd	1000 BR
NORD/PETITE RUE DU	27	Fb	1000 BR
	93	Bb	1000 BR
NORD/PLACE DU	27	Ca	1210 SJ
	91	Ab	1210 SJ
NORD/RUE DU	27	Cd Fb	1000 BR
	93	Bb	1000 BR
NORD/RUELLE DU	82	Dc	1300 WA
NORGA/RUE-STRAAT GUSTAVE-GUSTAAF	14	Fc	1140 EV
	21	Ca	1140 EV
NORMANDE/AVENUE	79	Bb Ca	1332 GE
NORMANDIE/ AVENUE DE	83	Ac	1410 WA
NORMANDIE/ RUE DE-STRAAT nos impairs/onpare nrs	19	Fd	1080 MO
NORMANDIE/ RUE DE-STRAAT nos pairs/pare nrs	19	Fd	1081 KO
NORMANDYLAAN	24	Dd Ec	1933 ST
	31	Ba	1933 ST
NORVEGE/RUE DE	34	Ad	1060 SG
	94	Dabc	1060 SG
NOSSEGEMSTRAAT	16	Ed Fc	1930 ZA
NOTARISSTRAAT	34	Ed Fc	1050 IX
NOTE/RUE-STRAAT JEAN	33	Dbcd	1070 AN
NOTELAARSSTRAAT onpare nrs	28	Bc Eabd	1000 BR
NOTELAARSTRAAT pare nrs	28	Bc Eabd	1030 SC
NOTELARENLAAN	46	Fb	1600 P-L
NOTHOMB/RUE-STRAAT	35	Eab	1040 ET
NOTKERHOF	17	Eac	1930 NO
NOTRE-DAME/AVENUE	21	Bd Cc	1140 EV
NOTRE-DAME/AVENUE	85	Fcd	1300 LI
NOTRE-DAME/PARVIS	13	Ed Fc	1020 BR
	20	Bb Ca	1020 BR
NOTRE-DAME/PARVIS	64	Ad	1640 S-G
NOTRE-DAME/RUE	29	Facd	1200 WL
NOTRE-DAME/RUE	88	Ac	1420 B-A
NOTRE-DAME DE BASSE WAVRE/AVENUE	82	Ab	1300 WA
NOTRE-DAME DE FATIMA/ AVENUE	19	Eb	1082 BA
NOTRE-DAME DE GRACES/RUE	34	Bb	1000 BR
	94	Cc	1000 BR
NOTRE-DAME DE LOURDES/AVENUE	20	Acd	1090 JE
NOTRE-DAME DES CHAMPS/VENELLE	87	Eab	1300 WA
NOTRE-DAME DES CHAMPS/VENELLE	87	Ebd	1325 CH
NOTRE-DAME DU SOMMEIL/RUE	27	Ad Db Ea	1000 BR
	92	Ab Bac	1000 BR
NOTRE-SEIGNEUR/RUE	34	Bab	1000 BR
	94	Ca	1000 BR
NOTRE SEIGNEUR/RUE	47	Fc	1620 DR
NOUVEAU MARCHE AUX GRAINS/ PLACE DU	27	Bc	1000 BR
	90	Ed	1000 BR
	92	Bab	1000 BR
NOUVEAU RHODE/ AVENUE DU	63	Fbd	1640 S-G
NOUVELLE/AVENUE	35	Db Eac	1040 ET
NOUVELLE/AVENUE	80	Aa	1331 RO
NOUVELLE/AVENUE	07	Ca	1970 W-O
NOVATEURS/ALLEE DES	32	Fb	1070 AN
NOVILLE/SQUARE DE	27	Aa	1081 KO
	90	Aa	1081 KO
NOWELEI JEAN BAPTISTE	4	Bc	1800 VI
NOYER/RUE DU nos impairs	28	Bc Eabd	1000 BR
NOYER/RUE DU nos pairs	28	Bc Eabd	1030 SC
NOYERS/VENELLE DES	87	Da	1300 WA
NUIT ET JOUR/RUELLE	81	Fb	1300 WA
NYMPHES/AVENUE DES	43	Dc	1170 WB
NYMPHES/AVENUE DES	83	Bb	1410 WA
NYS/RUE-STRAAT ANTOINE	32	Fb	1070 AN
	33	Da	1070 AN
NYSDAM/CLOS DU	74	Ed	1310 L-H

O

Street	Map	Grid	Postcode
OASEBINNENHOF	21	Fac	1140 EV
OASELAAN	67	Ec	3090 OV
OASIS/CLOS DE L'	21	Fac	1140 EV
OBBERG	12	Ab	1780 WE
	5	Dbd Ea	1780 WE
OBBERGEN	11	Cbd	1731 RE
	12	Aab	1731 RE
OBECQ/RUE	83	Ccd	1410 WA
OBSERVATOIRE/ AVENUE DE L'	42	Dc	1180 UC
	48	Cab	1180 UC
	49	Aa	1180 UC
OBSTACLES/AVENUE DES	37	Ad	1150 WP
OBUS/RUE DE L'-STRAAT	26	Eac	1070 AN
	33	Ba	1070 AN
OCTOBRE/RUE D'	29	Dab	1200 WL
OCTOGONE/PLACE DE L'	49	Cb	1170 WB
OCTROI/VENELLE DE L'	87	Aa	1300 WA
ODON/RUE-STRAAT	27	Dac	1070 AN
	92	Da	1070 AN

OEILLETS/RUE DES	27	Cc	1000 BR
	91	Dc	1000 BR
OESTERSGANG	27	Eb	1000 BR
	92	Cc	1000 BR
OEVERBEEMD	54	Aa	1601 RU
OEVERSTRAAT	29	Fab	1200 WL
OFFENBERG/ROND-POINT-PLEIN JEAN	13	Ba	1020 BR
OGENTROOSTLAAN	59	Da	3090 OV
OHAIN/ROUTE D'	78	Fb	1332 GE
	79	Da	1332 GE
OHAIN/VALLON D'- DAL	48	Fd	1180 UC
	49	Dc	1180 UC
OIES/AVENUE DES	72	Acd Da	1640 S-G
OISEAU BLEU/ AVENUE DE L'	35	Fb	1150 WP
	36	Da	1150 WP
OISELET/RUE DE L'	25	Fb	1080 MO
	26	Da	1080 MO
OISELEURS/CHEMIN DES nos impairs & 10 - 20	49	Aab	1000 BR
OISELEURS/CHEMIN DES autres nos pairs	49	Aa	1180 UC
OISILLONS/CHEMIN DES	88	Db	1420 B-A
OKTOBERSTRAAT	29	Dab	1200 WL
OLEANDERGAARD	22	Dd	1140 EV
OLEFFE/AVENUE-LAAN AUGUSTE	43	Ac	1160 AU
OLIEBRONSTRAAT	71	Ab Ba	1640 S-G
OLIESLAGERIJLAAN	40	Ed	1190 FO
OLIESLAGERS/ AVENUE-LAAN JAN	37	Aa	1150 WP
OLIESLAGERSLAAN JAN	4	Eb Fa	1800 VI
OLIFANTSTRAAT	27	Ac	1080 MO
	90	Dc	1080 MO
OLIVES/RUELLE AUX	82	Abd	1300 WA
OLIVETENHOF	27	Eac	1000 BR
	92	Eb Fa	1000 BR
OLIVIER/AVENUE-LAAN VICTOR	33	Eb	1070 AN
OLIVIER/CLOS-GAARDE LAURENCE	12	Bd	1090 JE
OLIVIER/PETITE RUE L'	28	Aa	1030 SC
	91	Cd	1030 SC
OLIVIER/RUE-STRAAT EDOUARD	42	Eb Fa	1170 WB
OLMENDREEF	38	Fd	3080 TE
OLMENGAARDE	75	Fd	3090 OV
OLMENLAAN	46	Fb	1600 P-L
OLMENOORD	37	Ca	1970 W-O
OLMENSTRAAT	16	Ad Bc	1930 ZA
OLMENSTRAAT	45	Bab	3080 TE
OLMENWEG	44	Ebd Fa	3080 TE
OLMKRUIDLAAN 1 tot 15 & 2 tot 16	14	Ac	1020 BR
OLMKRUIDLAAN 21 tot einde & 20 tot einde	14	Ac	1120 BR
OLMPJESLAAN	41	Ea	1180 UC
OLMSTRAAT pare nrs	28	Ed Fc	1030 SC
OLMSTRAAT onpare nrs	28	Ed Fc	1040 ET
OLMSTRAAT	4	Bbd	1800 VI
OLMSTRAAT	16	Abd	1831 DI
OLYMPIADELAAN	6	Fb	1800 VI
OLYMPIADENLAAN	21	Cd Fab	1140 EV
OLYMPIADES/AVENUE DES	21	Cd Fab	1140 EV
OLYMPIQUE/DREVE	32	Ed Fac	1070 AN
	39	Cac	1070 AN
OLYMPISCHE DREEF	32	Ed Fac	1070 AN
	39	Cac	1070 AN
OMBRAGES/AVENUE DES	36	Aa	1200 WL
OMBRE/CHEMIN DE L'	42	Ac Da	1000 BR
OMMEGANG/ RUE DE L'-STRAAT	27	Cc	1000 BR
	91	Dd	1000 BR
OMWENTELINGSSTRAAT	27	Cd	1000 BR
	93	Bb	1000 BR
ONAFHANKELIJKHEID-STRAAT	26	Cd	1080 MO
	27	Ac Da	1080 MO
	92	Aa	1080 MO
ONDERLINGE BIJSTANDSTRAAT 57A tot einde & 46 tot einde	41	Bc Ea	1180 UC
ONDERLINGE BIJSTANDSTRAAT 1 tot 57 & 2 tot 34	41	Bc	1190 FO
ONDERLINGE HULPLAAN	19	Ea	1082 BA
ONDERRICHTSSTRAAT	27	Fb	1000 BR
	93	Babc	1000 BR
ONDERWIJSSTRAAT 157 & 154 tot 160	34	Ac	1060 SG
	94	Da	1060 SG
ONDERWIJSSTRAAT andere nrs	33	Cb	1070 AN
	34	Aac	1070 AN
ONDERWIJSSTRAAT	68	Cc	1500 HA
ONDERWIJSSTRAAT	16	Bc Eab	1930 ZA
ONGENA/RUE-STRAAT	20	Da	1090 JE
ONS-HEERSTRAAT	34	Bab	1000 BR
	94	Ca	1000 BR
ONTARIO/RUE DE L'	76	Ba	1410 WA
ONTHAALSQUARE	21	Bd	1140 EV
ONTMIJNERSLAAN	13	Dc	1090 JE
	20	Aa	1090 JE
ONTVANGERSWEG	10	Bd	1820 ST
ONTVOOGDINGSSTRAAT	40	Aa	1070 AN
ONTWIKKELINGSSTRAAT	33	Eb	1070 AN
ONTWIKKELINGSTRAAT	19	Ea	1082 BA
ONYX/RUE DE L'-STRAAT	12	Cb	1020 BR
ONYX/SQUARE DE L'-SQUARE	12	Cb	1020 BR
ONZE-LIEVE-HEERS-BEESTJESLAAN alle nrs behalve 95 tot 99	49	Cac	1170 WB
ONZE LIEVE HEERWEG	1	Cb	1860 ME
ONZE-LIEVE-VROUWLAAN	21	Bd Cc	1140 EV
ONZE-LIEVE-VROUW-STRAAT	29	Facd	1200 WL
ONZE-LIEVE-VROUW-STRAAT	63	Dbd	1652 AL
	71	Aab	1652 AL
ONZE-LIEVE-VROUW-STRAAT	3	Aa	1850 GR
ONZE-LIEVE-VROUW VAN FATIMALAAN	19	Eb	1082 BA
ONZE-LIEVE-VROUW VAN GRATIESTRAAT	34	Bb	1000 BR
	94	Cc	1000 BR
ONZE-LIEVE-VROUW VAN LOURDESLAAN	20	Acd	1090 JE
ONZE-LIEVE-VROUW VAN VAAKSTRAAT	27	Ad Db Ea	1000 BR
	92	Ab Bac	1000 BR
ONZE-LIEVE-VROUW-VOORPLEIN	13	Ed Fc	1020 BR
	20	Bb Ca	1020 BR

Straat	Kaart	Postcode
ONZE-LIEVE-VROUW-		
VOORPLEIN	64 Ad	1640 S-G
ONZE-LIEVE-VROUWWEG	68 Bcd	1500 HA
O.L.VROUWWEG	44 Fac	3080 TE
	51 Cac	3080 TE
ONZE NOVEMBRE/		
AVENUE DU	35 Bd Cc	1040 ET
OOGSTLAAN	63 Fc	1640 S-G
OOGSTSTRAAT	28 Acd	1210 SJ
	91 Fd	1210 SJ
OOIENSTRAAT	42 Bd Cc	
pare nrs	Eb	1050 IX
OOIENSTRAAT	42 Bd Cc	
onpare nrs	Fb	1170 WB
OOIEVAARSLAAN	23 Fc	1970 W-O
	30 Ca	1970 W-O
OOIEVAARSSTRAAT	27 Bc	1000 BR
	90 Ed	1000 BR
OOIEVAARSTRAAT	7 Ac	1800 VI
OORBEEKSTRAAT	17 Fd	3070 KO
OORLOGSKRUISENLAAN	14 Ad Babc	
	Db	1120 BR
OOSTENDESTRAAT	26 Cd	1080 MO
	27 Aac	1080 MO
	90 Ac	1080 MO
OOSTSTRAAT	21 Dc	1030 SC
OOSTSTRAAT	21 Fd	1140 EV
OPAALLAAN	28 Cc Eb	
	Fa	1030 SC
OPALE/AVENUE DE L'	28 Cc Eb	
	Fa	1030 SC
OPBERG	30 Fb	1970 W-O
	31 Da	1970 W-O
OPEN LUCHTLAAN	63 Cd Fb	1640 S-G
OPENLUCHTSTRAAT	19 Bc Ea	1082 BA
OPENLUCHTVELD	32 Aa	1701 IT
OPENLUCHTWANDEL-		
GANG	36 Ccd	1150 WP
OPENVELD/RUE-STRAAT	19 Db Ea	1082 BA
OPENVELDLAAN	18 Acd	1702 G-B
OPENVELDSTRAAT	11 Eb	1731 ZE
OPHAALBRUGSTRAAT	29 Dc	1200 WL
OPHEM/AVENUE D'	30 Ec	1150 WP
OPHEM/RUE D'	27 Bac	1000 BR
	90 Ebd	1000 BR
OPLINKEBEEKPAD/		
SENTIER	55 Db Ea	1630 LI
OPPEM/	38 Aabd	
GRAND CHEMIN D'	Db	1970 W-O
OPPEMLAAN	30 Ec	1150 WP
OPPEMLAAN/AVENUE D'	30 Ec	1950 KR
OPPEMLAAN/AVENUE D'	30 Ecd Fc	1970 W-O
OPPEMSTRAAT	27 Bac	1000 BR
	90 Ebd	1000 BR
OPPEMSTRAAT	38 Db Eac	3080 TE
OPPERJACHTMEESTER-		
STRAAT	50 Ad	1170 WB
OPPERSTRAAT	34 Ccd Fa	1050 IX
1 tot 105 & 2 tot 108	95 Ecd	1050 IX
OPPERSTRAAT	34 Fa	1000 BR
107 tot einde & 110 tot einde		
OPPERVELDLAAN	7 Aab	1800 VI
OPRECHTHEIDSSTRAAT	33 Bab	1070 AN
OPSTALWEG	49 Aa	1180 UC
OPTIMISME/	21 Fd	1140 EV
AVENUE DE L'-LAAN	29 Aa	1140 EV
OPVOEDINGSSTRAAT	19 Ca	1083 GA
OPZICHTERSTRAAT	20 Dacd	
	Ec	1080 MO
	27 Ba	1080 MO
	90 Bab	1080 MO
ORANGERIE/AVENUE DE L'	83 Bbd	1410 WA
ORANGERIE/	81 Cab	1300 WA
CHAUSSEE DE L'	82 Aa	1300 WA
ORANGERS/AVENUE DES	36 Fa	1150 WP
ORANJEBLOESEMSTRAAT	30 Dd	1150 WP
ORANJELAAN	36 Fa	1150 WP
ORANJERIELAAN	25 Bd	1700 DI
ORATORIENBERG	27 Fa	1000 BR
	93 Ab Ba	1000 BR
ORBAN/AVENUE-LAAN	37 Abcd	
	Da	1150 WP
ORBAN/RUE-STRAAT		
ALFRED	33 Fbd	1190 FO
ORCHIDEEENGAARDE	36 Dab	1150 WP
ORCHIDEEENSTRAAT	33 Ca	1070 AN
ORCHIDEES/AVENUE DES	72 Dd Ec	1410 WA
ORCHIDEES/CLOS DES	36 Dab	1150 WP
ORCHIDEES/RUE DES	33 Ca	1070 AN
ORDESTRAAT	42 Bd	1050 IX
ORDRE/RUE DE L'	42 Bd	1050 IX
OREE/AVENUE DE L'	42 Db Ea	1000 BR
1 à 23 & nos pairs		
OREE/AVENUE DE L'	42 Ea	1050 IX
25A		
OREE/AVENUE DE L'	72 Bd Cc	1640 S-G
OREE/PLACE DE L'	37 Dc	1150 WP
ORFEVRES/RUE DES	34 Bac	1000 BR
	94 Eb	1000 BR
ORIENT/RUE DE L'	35 Ad Bc	1040 ET
ORIFLAMMENSQUARE	19 Bb	1083 GA
ORIFLAMMES/		
SQUARE DES	19 Bb	1083 GA
ORION/AVENUE-LAAN	29 Ac	1200 WL
ORLEANS/		
CLOS D'-GAARDE	36 Fbd	1150 WP
ORME/RUE DE L'	28 Ed Fc	1030 SC
nos pairs		
ORME/RUE DE L'	28 Ed Fc	1040 ET
nos impairs		
ORMEAUX/AVENUE DES	41 Ea	1180 UC
ORMES/CLOS DES	37 Ca	1970 W-O
ORPHELINAT/RUE DE L'	26 Eac	1070 AN
ORPINS/ALLEE DES	39 Cd	1070 AN
ORTELIUS/RUE-STRAAT	28 Dab	1000 BR
ORTOLAANSTRAAT	11 Cc	1731 ZE
ORTOLANENLAAN	42 Fd	1170 WB
	49 Cb	1170 WB
	50 Aa	1170 WB
ORTOLANENWEG	42 Fcd	1170 WB
ORTOLANS/AVENUE DES	42 Fd	1170 WB
	49 Cb	1170 WB
	50 Aa	1170 WB
ORTOLANS/CHEMIN DES	42 Fcd	1170 WB
ORTS/RUE-STRAAT	27 Eab	1000 BR
AUGUSTE	92 Cac	1000 BR
OSERAIES/DREVE DES	56 Fbd	1640 S-G
	57 Dcd	1640 S-G
	65 Ab	1640 S-G

O

Straat	Kaart	Vak	Postcode
OSIER FLEURI/RUE DE L'	15	Bac	1130 BR
OSIERS/RUE DES	27	Aac	1080 MO
OSSEGHEM/RUE-STRAAT	26	Bcd	
		Cabc	1080 MO
OSSEGHEMVELD	26	Babd	1080 MO
OSSEKOPGANG	27	Eb	1000 BR
	92	Cd	1000 BR
OSSENGANG	27	Eb	1000 BR
	92	Cd	1000 BR
OSTENDAEL/RUE-STRAAT	26	Cc	1080 MO
OSTENDE/RUE D'	26	Cd	1080 MO
	27	Aac	1080 MO
	90	Ac	1080 MO
OTLET/RUE-STRAAT	27	Dd	1070 AN
	92	Dac	1070 AN
OTTEN/CLOS-GAARDE JOSEPH	12	Cd	1090 JE
OTTENBOURG/	81	Cb	1300 WA
CHAUSSEE D'	82	Aac	1300 WA
OTTERVANGERSTRAAT	42	Fab	1170 WB
OTTERWEG	46	Bbcd	1600 P-L
OTTIGNIES/ROUTE D'	84	Ad	
		Dbd	1380 LA
OUDART/RUE-STRAAT VICTOR	28	Eb	1030 SC
OUD DORP	69	Ca	1654 HU
OUDE AFSPANNINGS-PLEIN	12	Fa	1090 JE
OUDE BAAN	69	Fb	1653 DW
	70	Da	1653 DW
OUDE BAAN	24	Bd Cc	1933 ST
OUDE BAAN	23	Dab	1950 KR
OUDE BORG	54	Dd	1650 BE
	62	Aab	1650 BE
OUDE BRUSSELBAAN	46	Ec	1600 P-L
	53	Abd Ba	1600 P-L
OUDE DIEWEG	48	Da	1180 UC
OUDE EIGENBRAKELSE-STEENWEG	71	Ad Db	1640 S-G
OUDE EIKELENBERG	25	Bbd	
		Cc Fa	1700 DI
OUDE GRAANMARKT	27	Bc Ea	1000 BR
	92	Bbd	1000 BR
OUDE GROENWEG	68	Dd Ec	1500 HA
OUDE HAACHTSE-STEENWEG	15	Bab	1130 BR
OUDE HAACHTSE-STEENWEG	15	Bb	1831 DI
OUDE JETSEWEG	5	Dc	1731 RE
	12	Aa	1731 RE
OUDE KEULSEWEG	23	Eb Fab	1933 ST
	24	Dab Ea	1933 ST
OUDE LEUVENSE BAAN	38	Cc	3080 TE
OUDE-LINDESQUARE	42	Ed	1050 IX
OUDE LINDESTRAAT	7	Da	1800 VI
OUDE MANNENSTRAAT	34	Ea	1060 SG
OUDE MECHELSESTRAAT	6	Babc	1850 GR
OUDE MECHELSESTRAAT	6	Babc	1853 S-B
OUDE MEISESESTEENWEG	6	Dbd Ec	1020 BR
OUDE MERCHTEMSEBAAN	11	Babd	1731 RE
OUDE MERCHTEMSE-BAAN	11	Babd	1731 ZE
OUDE MIDDELWEG	15	Ad	1130 BR
OUDE MOLENSTRAAT	43	Babc	1160 AU
OUDE MOLENSTRAAT	48	Fabcd	1180 UC
	49	Da	1180 UC
OUDE MOLENSTRAAT	47	Fa	1620 DR
OUDE MOLENSTRAAT	70	Cbd	1652 AL
OUDE NIJVELSEBAAN	70	Fb	1640 S-G
OUDE NIJVELSEBAAN	70	Fcd	1652 AL
OUDE PASTORIESTRAAT	19	Bd	1083 GA
OUDE PASTORIESTRAAT	40	Fa	1190 FO
OUDE POSTWEG	63	Dd	1652 AL
	71	Ab	1652 AL
OUDERGEMLAAN	28	Ec	1040 BR
	35	Bac	
		Eab	1040 BR
OUDERGEMSELAAN	31	Ecd	1933 ST
OUDERGEMSEWEG	31	Ebd	
		Fab	1933 ST
OUDERGEMSEWEG	31	Dd Ec	1970 W-O
	38	Aab	1970 W-O
OUDERGEMSE WEG	31	Fb	3080 TE
OUDE R. PELGRIMS DE BIGARDLAAN	18	Bbcd CA	1702 G-B
OUDE SCHAPENBAAN	3	Eb	1850 GR
OUDESMIDSESTRAAT	25	Dd Ec	1700 DI
OUDE VIJVERSSTRAAT	40	Cac	1190 FO
OUDE VIJVERWEG	69	Cd Fb	1653 DW
	70	Ac	1653 DW
OUDE WEG	55	Ac Da	1180 UC
OUDE WEG	55	Ac	1630 LI
OUD GASTHUISSTRAAT	45	Ba	3080 TE
OUDIJZERGANG	27	Ec	1000 BR
	92	Eab	1000 BR
OUD KAPELLEKE/ AVENUE DE L'-LAAN	21	Cabd	1140 EV
OUD KORENHUIS	27	Ed	1000 BR
	92	Fbd	1000 BR
OUD POSTGEBOUW-	27	Eb	1000 BR
GALERIJ	92	Cb	1000 BR
OUDSTATIONSSTRAAT	33	Ca	1070 AN
OUD STRIJDERSLAAN	21	Cd Fbd	1140 EV
	22	Dc	1140 EV
	29	Aa	1140 EV
OUDSTRIJDERSLAAN	63	Aac	1650 BE
OUDSTRIJDERSLAAN	9	Ca	1820 ME
OUD-STRIJDERSLAAN	23	Bbd	1930 ZA
OUDSTRIJDERSLAAN	23	Dabd	1950 KR
OUDSTRIJDERSPLEIN	68	Eb Fa	1500 HA
OUDSTRIJDERSPLEIN	1	Cb	1860 ME
OUDSTRIJDERSSTRAAT	40	Dac	1600 P-L
OUDSTRIJDERSSTRAAT	61	Ecd Fc	1654 HU
OUDSTRIJDERSSTRAAT	25	Eac	1700 DI
OUDSTRIJDERSSTRAAT	25	Eac	1703 SC
OUDSTRIJDERSSTRAAT	8	Bd Eab	1830 MA
OUEST/PLACE DE L'	26	Cd	1080 MO
OURS/CHEMIN DES	57	Ca	1170 WB
OURTHE/ RUE DE L'-STRAAT	20	Dd	1080 MO
OUTARDE/RUE DE L'	43	Dd	1170 WB
OUTERS/CLOS-GAARDE LUCIEN	35	Fcd	1160 AU
OUVRIERE DE LINTHOUT/ CITE	28	Fa	1030 SC
OVERHEM/ AVENUE D'-LAAN	48	Db	1180 UC
OVERIJSESTEENWEG	58	Ed Fc	1560 HO

O

OVERLOOPSTRAAT/	30 Fd	1970 W-O
RUE JAN BAPTIST	31 Dc	1970 W-O
	38 Aa	1970 W-O
OVERVLOEDSTRAAT	27 Cb	1210 SJ
	28 Aa	1210 SJ
	91 Cc	1210 SJ
OVERWINNINGSSTRAAT	34 Bc Eabd	1060 SG
	94 Ed	1060 SG
OVERWINNINGSSTRAAT	66 Bc Ea	1560 HO
OXALIS/RUE DES	43 Ea	1170 WB
OYATS/CLOS DES	36 Fd	1150 WP

P

PAALSTRAAT	27 Acd	1080 MO
	90 Dac	1080 MO
PAALVELDSTRAAT	3 Ad	1850 GR
PAAPSEMLAAN	33 Ecd Fc	1070 AN
PAAPSEMSTRAAT	33 Ed	1070 AN
	40 Bb Ca	1070 AN
PAARDENMARKTSTRAAT	45 Ab Ba	3080 TE
PAARDENSTRAAT	71 Cb	1640 S-G
	72 Aa	1640 S-G
PAARDENWATER	59 Dd Ec	1560 HO
PAARDGANG	27 Bd	1000 BR
	90 Fd	1000 BR
	92 Cb	1000 BR
PACHECO/	27 Ccd Fa	1000 BR
BOULEVARD-LAAN	91 Ec	1000 BR
	93 Ab Ba	1000 BR
PACHTHOEVESTRAAT	37 Ba	1950 KR
PACHTHOFDREEF	30 Cd Fab	1970 W-O
PACHTHOFSTRAAT	47 Dac	1601 RU
PACHTHOFSTRAAT	17 Dd	1930 NO
PACHY/CHEMIN DU	73 Fc	1310 L-H
	77 Ab Bab	
	Ca	1310 L-H
PACHY/CHEMIN DU	73 Dd	1410 WA
	77 Ab	1410 WA
PACHY DU RECEVEUR/		
AVENUE	78 Bb	1310 L-H
PACIFICATIESTRAAT	28 Da	1210 SJ
1 tot 43 & 2 tot 36	93 Cbd	1210 SJ
PACIFICATIESTRAAT	28 Dab	1000 BR
45 tot einde &	93 Cd	1000 BR
38 tot einde		
PACIFICATION/RUE DE LA	28 Da	1210 SJ
1 à 43 & 2 à 36	93 Cbd	1210 SJ
PACIFICATION/RUE DE LA	28 Dab	1000 BR
45 à fin & 38 à fin	93 Cd	1000 BR
PACIFIQUE/RUE DU	41 Bd Cc	1180 UC
PADDENSTRAAT	71 Bd	1640 S-G
PADDEPOEL	38 Bc	1970 W-O
PADDEPOEL	38 Bd	3080 TE
PADDOCK/		
AVENUE DU-LAAN	37 Ad Db	1150 WP
PADDOCKLAAN	18 Dc	1700 DI
PADENBORRE	62 Dac	1653 DW
PADOUE/RUE DE	34 Da	1190 FO
PADUASTRAAT	34 Da	1190 FO
PADVINDERSDAL	69 Fc	1653 DW
PAEPEDELLE/AVENUE DU	35 Fd	1160 AU
	42 Cb	1160 AU
PAEPSEM/BOULEVARD	33 Ecd Fc	1070 AN
PAEPSEM/RUE	33 Ed	1070 AN
	40 Bb Ca	1070 AN
PAGE/RUE DU	34 Fc	1050 IX
	41 Ca	1050 IX
PAGNOL/AVENUE MARCEL	87 Ba	1300 WA
PAGODENLAAN	13 Cab	1020 BR
	14 Aac	1020 BR
PAGODES/AVENUE DES	13 Cab	1020 BR
	14 Aac	1020 BR
PAILLE/RUE DE LA	27 Ed	1000 BR
	92 Fd	1000 BR
	93 Dc	1000 BR
PAIX/AVENUE DE LA	19 Fac	1081 KO
PAIX/AVENUE DE LA	80 Dc	1330 RI
PAIX/AVENUE DE LA	88 Bc	1420 B-A
PAIX/AVENUE DE LA	72 Dbcd	1640 S-G
PAIX/PLACE DE LA	21 Ca	1140 EV
PAIX/PLACE DE LA	23 Ec	1950 KR
PAIX/RUE DE LA	34 Cbd	1050 IX
	95 Bd Eab	1050 IX
PAIX/RUE DE LA	83 Fbd	1410 WA
PAKHUISSTRAAT	27 Bb	1000 BR
	90 Cc	1000 BR
PALAIS/PLACE DES	27 Fcd	1000 BR
	93 Dd Ec	1000 BR
PALAIS/RUE DES	20 Cd Fbd	1030 SC
1 à 199 & 2 à 312	27 Cb	1030 SC
	91 Bb	1030 SC
PALAIS/RUE DES	20 Ccd	1000 BR
245 à fin & 314 à fin		
PALAIS OUTRE-PONTS/	13 Fc	1020 BR
RUE DES	20 Cac	1020 BR
PALEIZENLAAN	38 Eab	3080 TE
PALEIZENPLEIN	27 Fcd	1000 BR
	93 Dd Ec	1000 BR
PALEIZENSTRAAT	20 Cd Fbd	1030 SC
1 tot 199 & 2 tot 312	27 Cb	1030 SC
	91 Bb	1030 SC
PALEIZENSTRAAT	20 Ccd	1000 BR
245 tot einde &		
314 tot einde		
PALEIZENSTRAAT	13 Fc	1020 BR
OVER DE BRUGGEN	20 Cac	1020 BR
PALESTRE/		
AVENUE-LAAN	30 Acd	1200 WL
PALFIJN/AVENUE-LAAN		
JEAN	12 Cb	1090 JE
96 tot einde/à fin		
PALFYN/AVENUE-LAAN		
JEAN-JAN	12 Cb	1020 BR
6 à/tot 94	13 Aa	1020 BR
PALFYN/SQUARE		
JEAN JAN	12 Cb	1020 BR
PALIO/		
VENELLE AU-STEEG	36 Cc	1150 WP
PALISSADEPAD	65 Ad Db	1560 HO
PALLIETERWEIDESTRAAT	61 Dd Ec	1501 BU
PALMBOOMSTRAAT	35 Fbd	1150 WP
PALMENLAAN	46 Fb	1600 P-L
PALMERSTON/		
AVENUE-LAAN	28 Db	1000 BR
PALMIERS/RUE DES	35 Fbd	1150 WP
PALOKE/RUE-STRAAT	25 Cd Fb	1080 MO
	26 Da	1080 MO
PALOKESTRAAT	25 Cd Fb	1700 DI

Street	Map	Grid	Postcode
PALOMBES/AVENUE DES	37	Ea	1150 WP
PAMPOEL/RUE-STRAAT	19	Bcd Ea	1083 GA
PANDHOFLAAN	35	Bc	1040 ET
PANGAERT/RUE-STRAAT	19	Cc Fa	1083 GA
PANNENHUIS/			
ROND-POINT DU-PLEIN	20	Ab	1090 JE
PANNENHUIS/RUE-STRAAT	20	Abd	1090 JE
onpare nrs/nos impairs			
PANNENHUIS/RUE-STRAAT	20	Abd	1020 BR
pare nrs/nos pairs			
PANORAMA/AVENUE DU	82	Db	1300 WA
PANORAMA/			
AVENUE DU-LAAN	42	Dd	1000 BR
PANORAMA/RUE DU	75	Fd	1331 RO
PANORAMA/SENTIER DU	75	Fd	1331 RO
PANORAMALAAN	58	Eac	1560 HO
PANORAMALAAN	62	Bb Ca	1650 BE
PANORAMALAAN	24	Dbd	1933 ST
PANORAMALAAN	38	Cb	3080 TE
PANORAMASTRAAT	70	Ed	1653 DW
PANORAMASTRAAT/	5	Fd	1780 WE
RUE DU	6	Dc	1780 WE
PANTHEON/	19	Eb	
AVENUE DU-LAAN		Fabd	1081 KO
1 à/tot 107			
PANTHEON/			
AVENUE DU-LAAN	19	Eb	1083 GA
autres nos/andere nrs			
PANTSERTROEPEN-	27	Bc	1000 BR
SQUARE	90	Ebd	1000 BR
PAOLA/AVENUE	85	Ab	1330 RI
PAONS/RUE DES	43	Ab	1160 AU
PAPAARD	54	Dd	1650 BE
PAPAVERLAAN	37	Bb Ca	1970 W-O
PAPAVERSTRAAT	28	Bb	1030 SC
PAPEDELLE	35	Fd	1160 AU
	42	Cb	1160 AU
PAPEGAAISTRAAT	7	Aa	1800 VI
PAPENHOUTLAAN	13	Cbd	1020 BR
PAPENKASTEEL/			
RUE-STRAAT	48	Dbd	1180 UC
PAPENROTWEG	70	Fa	1652 AL
PAPENVEST	27	Bc Ea	1000 BR
	90	Ecd	1000 BR
	92	Bac	1000 BR
PAPESTRAAT	68	Aa	1500 HA
PAPIERFABRIEKSSTRAAT	16	Db Ea	1930 ZA
PAPIERMOLENSTRAAT	43	Eab	1160 AU
PAPILLON/RUE DU	71	Cbd	1640 S-G
PAPILLONS/			
AVENUE DES	76	Da	1410 WA
PAPILLONS/CHAMP DES	31	Ea	1970 W-O
PAPILLONS/CHEMIN DES	42	Db	1000 BR
PAPILLONS/RUE DES	32	Bcd	
		Eb Fa	1070 AN
PAQUERETTES/			
AVENUE DES	79	Fcd	1330 RI
PAQUERETTES/	76	Bc Db	
AVENUE DES		Ea	1410 WA
PAQUERETTES/			
AVENUE DES	72	Bc Ea	1640 S-G
PAQUERETTES/RUE DES	21	Dd	1030 SC
	28	Ab	1030 SC
PAQUERETTES/RUE DES	87	Cd	1325 D-V
PAQUERETTES/RUE DES	88	Ab	1420 B-A

Street	Map	Grid	Postcode
PAQUOT/RUE-STRAAT			
JEAN	35	Dbd	1050 IX
PARADE/ALLEE DE LA-			
WANDELDREEF	21	Fd	1140 EV
PARADIJSSTRAAT	27	Ed Fc	1000 BR
	93	Dc	1000 BR
PARADIJSVOGELLAAN	36	Dc	1150 WP
115 tot einde &			
90 tot einde			
PARADIJSVOGELSLAAN	36	Dc	1160 AU
1 tot 103 & 2 tot 78	43	Aa	1160 AU
PARADIS/CLOS DU	86	Fbd	1300 LI
PARADIS/RUE DU	27	Ed Fc	1000 BR
	93	Dc	1000 BR
PARADIS/RUE DU	88	Da	1420 B-A
PARADISIERS/A			
VENUE DES	36	Dc	1160 AU
1 à 103 & 2 à 78	43	Aa	1160 AU
PARADISIERS/			
AVENUE DES	36	Dc	1150 WP
115 à fin & 90 à fin			
PARC/AVENUE DU	34	Dd Eac	1060 SG
1 à 89 & 2 à 118			
PARC/AVENUE DU	34	Dcd	1190 FO
91 à fin & 118A à fin			
PARC/AVENUE DU	82	Dc	1300 WA
PARC/AVENUE DU	75	Db Ea	1310 L-H
PARC/AVENUE DU	5	Bbd	1780 WE
PARC/CLOS DU	88	Dc	1420 B-A
PARC/ PETITE AVENUE DU	75	Ea	1310 L-H
PARC DE WOLUWE/	36	Ec	1160 AU
AVENUE DU	43	Ba	1160 AU
PARC ELISABETH/RUE DU	19	Fd	1081 KO
	20	Dc	1081 KO
PARC ROYAL/AVENUE DU	13	Bd Cc	
		Ebd Fc	1020 BR
PARC SAINT-JOB	82	Ad	1300 WA
PAR-DELA-L' EAU	86	Db Ea	1300 WA
PARELHOENSTRAAT	50	Aa	1170 WB
PARELSTRAAT	27	Aabd	1080 MO
	90	Dab	1080 MO
PARENTE/RUE-STRAAT			
CHARLES	34	Ac	1070 AN
PARFUMS/RUE DES	26	Ec	1070 AN
	33	Ba	1070 AN
PARIJSSTRAAT	34	Cb	1000 BR
14 tot einde	95	Bbd	1000 BR
PARIJSSTRAAT	34	Cb	1050 IX
onpare nrs & 2 tot 12	95	Bbd	1050 IX
PARIJSSTRAAT	21	Ca	1140 EV
PARIJSSTRAAT	39	Dabcd	1602 VL
PARIS/RUE DE	34	Cb	1000 BR
14 à fin	95	Bbd	1000 BR
PARIS/RUE DE	34	Cb	1050 IX
nos impairs & 2 à 12	95	Bbd	1050 IX
PARIS/RUE DE	21	Ca	1140 EV
PARKGAARDE	8	Cc	1830 MA
PARKIETENSTRAAT	3	Ca	1850 GR
PARKLAAN	34	Dd Eac	1060 SG
1 tot 89 & 2 tot 118			
PARKLAAN	34	Dcd	1190 FO
91 tot einde &			
118A tot einde			
PARKLAAN	68	Fa	1500 HA
PARKLAAN	67	Aab	1560 HO

PARKLAAN	70	Da	1653 DW
PARKLAAN	25	Db	1700 DI
PARKLAAN	5	Bbd	1780 WE
PARKLAAN	1	Cac	1860 ME
PARKLAAN	16	Ebd	1930 ZA
PARKLAAN	38	Bd	3080 TE
PARKLAAN	75	Ecd	
		Fcd	3090 OV
PARKPLEIN	46	Fb	1600 P-L
PARKPOORT	38	Ed	3080 TE
PARKSTRAAT	4	Eab	1800 VI
PARKSTRAAT	8	Cc	1830 MA
PARK VAN WOLUWELAAN	36	Ec	1160 AU
	43	Ba	1160 AU
PARLEMENT/GALERIE DU	27	Fb	1000 BR
	93	Bcd	1000 BR
PARLEMENT/RUE DU	27	Fb	1000 BR
	93	Bc	1000 BR
PARLEMENTSGALERIJ	27	Fb	1000 BR
	93	Bcd	1000 BR
PARLEMENTSSTRAAT	27	Fb	1000 BR
	93	Bc	1000 BR
PARMASTRAAT	34	Eab	1060 SG
PARME/RUE DE	34	Eab	1060 SG
PARMENTIER/AVENUE-	36	Ccd Eb	
LAAN EDMOND		Fa	1150 WP
PARMENTIER/CHEMIN	73	Fabc	1310 L-H
PARNASSE/CLOS DU	35	Aa	1050 IX
	95	Cc	1050 IX
PARNASSE/RUE DU	35	Aa	1050 IX
	95	Ccd	1050 IX
PARNASSUSGAARDE	35	Aa	1050 IX
	95	Cc	1050 IX
PARNASSUSSTRAAT	35	Aa	1050 IX
	95	Ccd	1050 IX
PAROCHIAANSSTRAAT	27	Fa	1000 BR
	93	Ad	1000 BR
PAROCHIESTRAAT	15	Abd	
		Bac	1130 BR
PAROISSE/RUE DE LA	15	Abd	
		Bac	1130 BR
PAROISSIENS/RUE DES	27	Fa	1000 BR
	93	Ad	1000 BR
PARUCK/RUE DU-STRAAT	19	Fc	1080 MO
	26	Ca	1080 MO
PARVIS EGLISE/RUE	88	Ac	1420 B-A
PAS/RUE-STRAAT	43	Fc	1160 AU
CHARLES	50	Ca	1160 AU
PASSAGE INTERNATIONAL	27	Ca	1210 SJ
	91	Ad Db	1210 SJ
PASSCHENDAELE/RUE DE	27	Bac	1000 BR
	90	Eb	1000 BR
PASSENDALESTRAAT	27	Bac	1000 BR
	90	Eb	1000 BR
PASSEREAUX/			
AVENUE DES	36	Dc	1150 WP
2 à 26	43	Aa	1150 WP
PASSEREAUX/			
AVENUE DES	36	Dc	1160 AU
nos impairs & 32 à fin	43	Aa	1160 AU
PASSERELLE/			
AVENUE DE LA	13	Ba	1020 BR
PASSERELLE PROLONGEE/			
AVENUE DE LA	13	Bd	1020 BR
PASSERSTRAAT	27	Dc	1070 AN
PASSICHE/SENTIER	79	Ec	1330 RI
PASSIEBLOEMENSTRAAT	43	Db	1170 WB
PASSIESTRAAT	9	Bb	1820 ME
PASSIFLORES/RUE DES	43	Db	1170 WB
PASTEUR/RUE-STRAAT	33	Cb	1070 AN
	34	Aa	1070 AN
PASTEURLAAN/AVENUE	1	Fbd	1780 WE
LOUIS	2	Dc	1780 WE
PASTOOR BERNAERTS-	68	Fd	1500 HA
STRAAT	69	Dc	1500 HA
PASTOOR BOLSSTRAAT	63	Dc	1652 AL
	71	Aab	1652 AL
PASTOOR CLAESHOF	6	Fa	1853 S-B
PASTOOR COOREMANS-			
STRAAT	18	Cb	1702 G-B
PASTOOR CUYLITSSTRAAT	27	Dc	1070 AN
	92	Da	1070 AN
PASTOOR D.J. DELESTRE-			
STRAAT	2	Fb	1850 GR
PASTOOR DUPONTSTRAAT	17	Dd	1930 NO
PASTOOR EVRARDLAAN	5	Da	1731 RE
PASTOORKESWEG	23	Ec	1950 KR
PASTOORSPAD	57	Ed Fc	1560 HO
	65	Ca	1560 HO
PASTOORSSTRAAT	40	Fa	1190 FO
PASTOOR			
VANDEREYCKENLAAN	24	Dac	1933 ST
PASTOOR	38	Ed	3080 TE
VANDERSANDESTRAAT	45	Bb	3080 TE
PASTOOR	39	Fd	1600 P-L
VENDELMANSSTRAAT	46	Cb	1600 P-L
PASTOOR WOUTERS-	2	Cb	1850 GR
STRAAT	3	Aa	1850 GR
PASTORALE/RUE DE LA	26	Db Ea	1070 AN
37 à 99 & 32 à 100			
PASTORALE/RUE DE LA	26	Db Ea	1080 MO
autres nos			
PASTORIESTRAAT	61	Ca	1651 LO
PASTORIESTRAAT	11	Cb	1731 RE
PASTORIESTRAAT	60	Da	3090 OV
PASTORIJPAD	55	Dab	1630 LI
PASTORIJSTRAAT	27	Ab	1080 MO
	90	Acd	1080 MO
PASTORIJSTRAAT	5	Ad Bc	1780 WE
PASTORIJSTRAAT	6	Bd Cc	1853 S-B
PASTOURELLE/			
CLOS DE LA	28	Cb	1140 EV
PASTUR/AVENUE-LAAN	48	Fcd	1180 UC
JACQUES	49	Dc	1180 UC
	55	Ca	1180 UC
PASTUR/RUE JACQUES	76	Dd	1410 WA
PATCH/RUE DU	79	Fb	1330 RI
PATER AGNELLOLAAN	36	Db	1150 WP
PATER DAMIAANLAAN	36	Abd	1150 WP
PATER DAMIAANLAAN	46	Ccd	1600 P-L
PATER DAMIAANSTRAAT	21	Cc Fa	1140 EV
PATER DAMIAANSTRAAT	15	Eb	1831 DI
PATER DE DEKENSTRAAT	35	Cac	1040 ET
PATER DUPIERREUXLAAN	38	Ccd	3080 TE
PATER EUDORE			
DEVROYESTRAAT	35	Cd	1040 ET
1 tot 61 & 2 tot 14			

P

Straat	Kaart	Postcode
PATER EUDORE	35 Cd	1150 WP
DEVROYESTRAAT	36 Ac	1150 WP
181 tot einde &		
50 tot einde		
PATER HILARIUSLAAN	36 Db	1150 WP
PATER I. TAYMANSSTRAAT	60 Aac Da	3090 OV
PATERNOSTERGANG	27 Eb	1000 BR
	92 Cd	1000 BR
PATER PIERAERTSSTRAAT	3 Aa	1850 GR
PATER PIRELAAN	1 Ca	1860 ME
PATERSDREEF	45 Ed	3080 TE
PATHE/RUE EMILE-STRAAT	47 Ba	1190 FO
PATHESTRAAT/RUE EMILE	47 Ba	1620 DR
PATIAUX/PLACE	76 Dc	1410 WA
PATIAUX/RUE	83 Aa	1410 WA
PATIAUX/SENTIER	76 Dc	1410 WA
PATINAGE/RUE DU	40 Ccd	1190 FO
PATINEURS/CHEMIN DES	42 Dacd	1000 BR
PATRIE/PLACE DE LA	28 Bab	1030 SC
PATRIJZENDAL	37 Dc	1150 WP
PATRIJZENLAAN	69 Da	1501 BU
PATRIJZENLAAN	67 Aa	1560 HO
PATRIJZENLAAN	61 Abcd	1600 P-L
PATRIJZENLAAN	72 Eb	1640 S-G
PATRIJZENLAAN	23 Bb	1930 ZA
PATRIJZENLAAN	37 Bd Cc	1950 KR
PATRIJZENLAAN	45 Bb	3080 TE
PATRIJZENLAAN	75 Aa	3090 OV
PATRIJZENSTRAAT	35 Bd Eb	1040 ET
PATRIJZENSTRAAT	7 Aa	1800 VI
PATRIJZENSTRAAT	24 Cd	3078 EV
PATRIJZENWEG	70 Ea	1652 AL
PATRIOTES/RUE DES	28 Eab	1000 BR
PATRIOTTENSTRAAT	28 Eab	1000 BR
PATRONAATSTRAAT	23 Dd Ec	1950 KR
PATRONAGE/RUE DU	23 Dd Ec	1950 KR
PATTIJN/PLACE-PLEIN		
GUSTAVE	12 Cd	1090 JE
PATURAGE/RUE DU	14 Abd	1120 BR
PATURINS/		
AVENUE DES	55 Bb Ca	1180 UC
PAULALAAN	36 Cd Fb	1150 WP
PAULE/AVENUE	36 Cd Fb	1150 WP
PAULE/AVENUE	74 Cbd	1310 L-H
PAULSEN/BOULEVARD-		
LAAN FELIX	26 Dd Ec	1070 AN
PAULSEN/SQUARE		
CAMILLE	32 Cb	1070 AN
PAULUSSTRAAT		
JAN-BAPTIST	15 Eb	1831 DI
PAUVRE DIABLE/		
CHEMIN DU	81 Bb Ca	1300 WA
PAUWELS/AVENUE-LAAN	29Dd	1200 WL
HENRI	36 Ab	1200 WL
PAUWELS/CARRE-BLOK	41 Db	1180 UC
PAUWELS/RUE-STRAAT		
MATHIEU	18 Fd	1082 BA
PAUWENSTRAAT	43 Ab	1160 AU
PAUWSTRAAT	7 Acd	1800 VI
PAVEURS/AVENUE DES	76 Dd	1410 WA
	83 Aab	1410 WA
PAVEURS/RUE DES	88 Dd	1420 B-A
PAVEZ/RUE-STRAAT		
JOSEPH	33 Bb	1070 AN

Straat	Kaart	Postcode
PAVIASTRAAT	28 Ad Db	
	Ea	1000 BR
PAVIE/RUE DE	28 Ad Db	
	Ea	1000 BR
PAVILJOENSTRAAT	20 Cd	1000 BR
2 tot 4	21 Ac	1000 BR
PAVILJOENSTRAAT	20 Cd Fb	1030 SC
onpare nrs & 6 tot einde	21 Ac	1030 SC
PAVILLON	87 Ca	1325 D-V
PAVILLON/RUE DU	20 Cd Fb	1000 BR
2 à 4	21 Ac	1000 BR
PAVILLON/RUE DU	20 Cd Fb	1030 SC
nos impairs & 6 à fin	21 Ac	1030 SC
PAVOTS/AVENUE DES	37 Bb Ca	1970 W-O
PAVOTS/RUE DES	28 Bb	1030 SC
PAVOUX/RUE-STRAAT		
EUGENE	26 Cd	1080 MO
PAYAU/RUELLE	82 Ad	1300 WA
PAYFA-FOSSEPREZ/		
PLACE-PLEIN A.	50 Abd	1170 WB
PAYSAGES/AVENUE DES	56 Db	1180 UC
PAYSAGISTES/RUE DES	42 Cb	1160 AU
	43 Aa	1160 AU
PAYS BAS/PLACE DES	88 Dc	1420 B-A
PAYS DE LIEGE/RUE DU	27 Bc	1000 BR
	90 Ed	1000 BR
PEAGE/AVENUE DU	22 Ec	1200 WL
11 à 59 & 8 à 76		
PECHERIE/RUE DE LA	48 Cc Eb	
	Fa	1180 UC
PECHERIES/RUE DES	42 Cd Fb	1170 WB
1 à 97 & 2	43 Ac	1170 WB
PECHERIES/RUE DES	42 Cd Fb	1160 AU
autres nos	43 Ac	1160 AU
PECHERS/RUE DES	14 Bac	1120 BR
PECHERS/VENELLE DES	87 Dab	1300 WA
PECHEURS/RUE DES	48 Eab	1180 UC
PECHEURS/SENTIER DES	63 Fd	1640 S-G
	64 Dc	1640 S-G
	72 Aa	1640 S-G
PEDE/		
SQUARE DE-SQUARE	33 Db	1070 AN
PEERCOURINIESTRAAT	45 Ba	3080 TE
PEEREBOOM/AVENUE-		
LAAN JOSEPH	19 Bab	1083 GA
PEETERS/AVENUE-LAAN		
FRANCOIS	37 Ab Bac	1150 WP
PEETERS/CARRE-BLOK	48 Ac	1180 UC
PEETERSSTRAAT		
CORNELIS	8 Bbd	1830 MA
PEETERSSTRAAT FRANS	31 Bbd Cc	1933 ST
PEGASE/AVENUE	29 Ac	1200 WL
PEGASUSLAAN	29 Ac	1200 WL
PEGASUSLAAN	15 Fb	1831 DI
PELERIN MONSEU/		
AVENUE DU	85 Ab	1330 RI
PELGRIMSLAAN/		
RAYMOND	18 Cab	1731 ZE
PELICAN/RUE DU	27 Bbd	1000 BR
	90 Fb	1000 BR
PELIKAANHOF	60 Bb	3090 OV
PELIKAANSTRAAT	27 Bbd	1000 BR
	90 Fb	1000 BR
PELLETIER/RUE-STRAAT		
FREDERIC	28 Fac	1030 SC

P

Street	Map	Grid	Postcode
PELOPONNESE/RUE DU	21	Fd	1140 EV
PELOPONNESOSSTRAAT	21	Fd	1140 EV
PELOUSE/			
AVENUE DE LA	37	Acd	1150 WP
PELOUSES/			
CHEMIN DES	49	Bac	1000 BR
PENARROYALAAN	3	Fc	1800 VI
	7	Ca	1800 VI
PENDU/TIENNE DU	81	Cb	1300 WA
PENE/RUE DU	27	Ad	1000 BR
	90	Ec	1000 BR
PENELOPE/			
AVENUE-LAAN	41	Ac Da	1190 FO
PENICHES/QUAI DES	20	Ebcd	1000 BR
	27	Ba	1000 BR
	90	Bb Ca	1000 BR
PENNON/AVENUE DU	21	Fd	1140 EV
	28	Cb	1140 EV
PENSEES/RUE DES	21	Ed	1030 SC
PENSEESTRAAT	21	Ed	1030 SC
PENTATHLON/			
AVENUE DU-LAAN	21	Fabc	1140 EV
PENTE/RUE DE LA	43	Bacd	1160 AU
PEPERMANS/RUE-STRAAT			
FRANS	21	Cac	1140 EV
PEPERSTRAAT	27	Eb	1000 BR
	92	Cd	1000 BR
PEPERSTRAAT	4	Ad	1800 VI
PEPERSTRAAT	38	Ecd	3080 TE
PEPIN/RUE DU	34	Ca	1000 BR
	95	Abd	1000 BR
PEPINGENSESTEENWEG	53	Da	1600 P-L
PEPINIERE/			
AVENUE DE LA	63	Fac	1640 S-G
PEPINIERE/RUE DE LA	34	Cab	1000 BR
	95	Ab Ba	1000 BR
PEQUEUR/SQUARE	27	Dd	1070 AN
ROBERT	94	Aa	1070 AN
PERCEE/DREVE DE LA	43	Cbd	1160 AU
PERCE NEIGE/			
AVENUE DES	85	Ba	1300 LI
PERCE-NEIGE/			
AVENUE DES	72	Ad Bc	1640 S-G
PERCE-NEIGE/			
CHEMIN DE LA	5	Fd	1020 BR
PERCHE/PLACE DE LA	80	Dc	1330 RI
PERCHE/RUE DE LA	34	Dbd Ec	1060 SG
PERCHE/RUE DE LA	14	Fd	1140 EV
PERCKVELDSTRAAT	4	Cd	1800 VI
PERDREAUX/VAL DES	37	Dc	1150 WP
PERDRIX/AVENUE DES	84	Ac Da	1380 OH
PERDRIX/AVENUE DES	72	Ebd	1410 WA
PERDRIX/AVENUE DES	72	Eb	1640 S-G
PERDRIX/AVENUE DES	37	Bd Cc	1950 KR
PERDRIX/RUE DES	35	Bd Eb	1040 ET
PERDRIX/SENTIER DES	80	Fbd	1301 BI
	81	Dc	1301 BI
PERE AGNELLO/AVENUE	36	Db	1150 WP
PERE DAMIEN/AVENUE	36	Abd	1150 WP
PERE DAMIEN/RUE	21	Cc Fa	1140 EV
PERE DE DEKEN/RUE	35	Cac	1040 ET
PERE EUDORE DEVROYE/			
RUE	35	Cd	1040 ET
1 à 61 & 2 à 14			
PERE EUDORE DEVROYE/			
RUE	35	Cd	1150 WP
181 à fin & 50 à fin	36	Ac	1150 WP
PERE HILAIRE/AVENUE	36	Db	1150 WP
PERES BLANCS/RUE DES	35	Fac	1040 ET
PERET/RUE-STRAAT			
LEOPOLD	13	Dab	1090 JE
PERGERE/RUE	83	Ecd	1420 B-A
PERGOLA/CLOS DE LA	75	Dc	1332 GE
	79	Aa	1332 GE
PERKSESTEENWEG	9	Cab	1820 ME
PERKSESTRAAT	4	Bd Ccd	1800 VI
PERKSTRAAT	31	Bc Eac	1933 ST
PERKSTRAAT/RUE	31	Ec	1970 W-O
	38	Ba	1970 W-O
PERKSTRAAT/RUE DE	55	Ebd	1630 LI
PERKVELD	31	Eac	1933 ST
PERKVELD	31	Db	1970 W-O
PERLE/RUE DE LA	27	Aabd	1080 MO
	90	Dab	1080 MO
PERMEKE/AVENUE-LAAN	21	Cbd	1140 EV
CONSTANT	22	Aa	1140 EV
PERMEKEDREEF	52	Eabd	3090 OV
PERMEKESTRAAT	3	Fab	1800 VI
PEROU/AVENUE DU	49	Cac	1000 BR
PERPETSTRAAT	10	Ebd	1820 ST
PERRONSTRAAT	17	Fac	1930 NO
PERSEVERANCE/	33	Dd	1070 AN
AVENUE DE LA	40	Aab	1070 AN
PERSIL/IMPASSE DU	27	Cc	1000 BR
	91	Dc	1000 BR
PERSIL/RUE DU	27	Cc	1000 BR
	91	Dc	1000 BR
	93	Aa	1000 BR
PERSPECTIEFLAAN	30	Dd	1150 WP
PERSPECTIVE/			
AVENUE DE LA	30	Dd	1150 WP
PERULAAN	49	Cac	1000 BR
PERVENCHES/CLOS DES	85	Ad	1300 LI
PERVIJZESTRAAT	35	Cc Fa	1040 ET
PERVYSE/RUE DE	35	Cc Fa	1040 ET
PERZIKBOMENSTRAAT	14	Bac	1120 BR
PESAGE/AVENUE DU	42	Eac	1050 IX
PETEKINDSTRAAT	41	Ba	1190 FO
PETERBOS/			
PARC DU-PARK	26	Dcd	1070 AN
PETERSELIEGANG	27	Cc	1000 BR
	91	Dc	1000 BR
PETERSELIESTRAAT	27	Cc	1000 BR
	91	Dc	1000 BR
	93	Aa	1000 BR
PETIT/RUE-STRAAT			
GABRIELLE	20	Ad Db	1080 MO
PETIT-BERCHEM/RUE DU	19	Eab	1081 KO
1 & 61 à 65			
PETIT-BERCHEM/RUE DU	19	Eabc	1082 BA
67 à 73 & 32 à 42			
PETIT BOIS/CHAMP DU	75	Dc	1332 GE
PETIT CHEMIN VERT	7	Ebd	1120 BR
	14	Bb	1120 BR
PETITE BELLE VOIE/			
PARKING DE LA	82	Ac	1300 WA
PETITE CIGUE/			
AVENUE DE LA	31	Dd Ec	1970 W-O

Street	Map	Grid	Postcode	Commune
PETITE ESPINETTE/				
AVENUE DE LA	56	Dab	1180	UC
PETITE ESPINETTE/				
SENTIER DE LA	56	Bc Ea	1180	UC
PETITE-ILE/RUE DE LA	33	Ccd Fa	1070	AN
PETITE JONCTION/				
AVENUE	70	Fd	1420	B-A
PETITE JONCTION/				
AVENUE DE LA	70	Fd	1640	S-G
PETITE MONTAGNE/				
RUE DE LA	22	Fbd	1950	KR
PETITE MONTAGNE/				
RUE DE LA	30	Cd	1970	W-O
PETITE NORMANDIE	23	Dd Ec	1950	KR
	30	Ab	1950	KR
PETITE SUISSE/				
CLOS DE LA	21	Fd	1140	EV
PETITE SUISSE/				
PLACE DE LA	42	Ba	1050	IX
PETIT JEAN/RUE DU	88	Ac	1420	B-A
PETIT PARIS/ALLEE DU	76	Fbcd	1410	WA
PETIT PERE DENIS/				
DREVE	88	Dd Ec	1420	B-A
PETIT PERE MICHEL/				
DREVE DU	88	Dd Ec	1420	B-A
PETIT REMPART/RUE DU	27	Dbd	1000	BR
	92	Db	1000	BR
PETIT-SABLON/PLACE DU	34	Bb Ca	1000	BR
	95	Aa	1000	BR
PETIT SART/RUE DU	85	Fbd	1300	LI
PETITS BOIS/				
AVENUE DES	63	Cd	1640	S-G
PETITS CARMES/	34	Ca	1000	BR
RUE DES	95	Aab	1000	BR
PETITS CHAMPS/	76	Cabd	1410	WA
AVENUE DES	77	Ac	1410	WA
PETRALES/CHAMP DES	79	Aa	1332	GE
PETRE/AVENUE-LAAN				
GEORGES	28	Ad Db	1210	SJ
PETRELS/AVENUE DES	63	Eb	1640	S-G
PETRESTRAAT JOSEPH	68	Fd	1500	HA
PETUNIAS/AVENUE DES	88	Ec	1420	B-A
PETUNIAS/RUE DES	43	Db	1170	WB
PETUNIASLAAN/				
AVENUE DES	30	Acd	1950	KR
PETUNIASTRAAT	43	Db	1170	WB
PEUPLE/RUE DU	27	Bb Ca	1000	BR
	91	Aa	1000	BR
PEUPLERAIE/ALLEE DE LA	87	Bbd Cc	1300	WA
PEUPLIER/RUE DU	27	Bcd	1000	BR
	90	Fc	1000	BR
PEUPLIERS/AVENUE DES	86	Cd	1301	BI
PEUPLIERS/CLOS DES	19	Dc	1082	BA
PEUPLIERS/CLOS DES	29	Bd Cc	1200	WL
PEUPLIERS/DREVE DES	77	Fab	1380	OH
PEUPLIERS/DREVE DES	5	Bcd	1780	WE
PEUTERHOUTLAAN	58	Fd	1560	HO
	66	Cb	1560	HO
PEUTIESESTEENWEG	4	Fbcd	1830	MA
PFEIFFER/RUE-STRAAT				
MARTIN	26	Bb Ca	1080	MO
PHALENES/ALLEE DES	83	Fb	1410	WA
PHALENES/AVENUE DES	42	Ea	1000	BR
1 à 29 & 26 à 34				
PHALENES/AVENUE DES	42	Ea	1050	IX
35 & 36				
PHILANTHROPIE/	34	Bc	1000	BR
RUE DE LA	94	Eab	1000	BR
PHILIPPE/PROMENADE-				
WANDELING GERARD	12	Bd	1090	JE
PHILIPPE/RUE JEAN	78	Ad Dab	1380	OH
PHILIPPE DE CHAMPAGNE/	27	Ec	1000	BR
RUE-STRAAT	92	Ebd Fc	1000	BR
PHILIPPE LE BON/AVENUE	82	Dd	1300	WA
PHILIPPE LE BON/RUE	28	Dabc	1000	BR
	93	Fb	1000	BR
PHILOMENE/RUE-STRAAT	28	Aa	1030	SC
	91	Ccd	1030	SC
PHLOX/RUE DES	43	Dbd Ea	1170	WB
PIAT/RUE THEOPHILE	81	Fa	1300	WA
PICARD/RUE-STRAAT	20	Db Eac	1000	BR
1 à/tot 15				
PICARD/RUE-STRAAT	20	Db Eac	1080	MO
andere nrs/autres nos				
PICARD/RUE-STRAAT				
EDMOND	41	Bd	1050	IX
1 à/tot 43 & 2 à/tot 52				
PICARD/RUE-STRAAT				
EDMOND	41	Bd	1180	UC
45 à fin/tot einde &				
54 à fin/tot einde				
PICARDIE/RUE-STRAAT	14	Ed Fc	1140	EV
	21	Bb	1140	EV
PICHAUTE/TIENNE DE LA	81	Ca	1300	WA
PIC VERT/AVENUE DU	55	Fb	1640	S-G
PIC-VERT/CHEMIN DU	56	Cd	1170	WB
	57	Aac	1170	WB
PIC-VERT/CHEMIN DU	56	Ccd	1180	UC
PIC-VERT/RUE DU	43	Dd	1170	WB
PIEPELINGENSTRAAT	50	Aab	1170	WB
PIERARD/AVENUE-LAAN				
LOUIS	21	Cbd	1140	EV
PIEREMAN	6	Cb	1853	S-B
PIEREMANS/RUE-STRAAT	34	Bc	1000	BR
	94	Eb	1000	BR
PIERMEZ/RUE-STRAAT				
PHILIPPE	26	Cb	1081	KO
PIERRARD/RUE-STRAAT				
ALEXANDRE	40	Aa	1070	AN
PIERRES/RUE DES	27	Eab	1000	BR
	92	Cc	1000	BR
PIERRES DE TAILLE/	27	Bab	1000	BR
QUAI AUX	90	Eb Fab	1000	BR
PIERRES GRISES/				
SQUARE DES	36	Ed	1150	WP
PIERRES ROUGES/	42	Fc	1170	WB
RUE DES	49	Ca	1170	WB
PIERRON/RUE-STRAAT	27	Acd	1080	MO
EVARISTE	92	Aab	1080	MO
PIERRON /RUE-STRAAT				
SANDER	21	Ba	1030	SC
PIERS/RUE-STRAAT	20	Dd	1080	MO
	27	Aab	1080	MO
	90	Abcd Ba	1080	MO
PIETE/RUE DE LA	43	Bd	1160	AU
PIETER/RUE-STRAAT	40	Fa	1190	FO
PIGEONS/RUE DES	27	Ed	1000	BR
	94	Cb	1000	BR

P

Street	Map	Code
PIJLSTRAAT	27 Bb	1000 BR
	90 Cbd	1000 BR
PIJNBOMENWEG	56 Ad	1180 UC
PIJNBOMENWEG	45 Ed	3080 TE
	52 Bb	3080 TE
PIJNBOSLAAN	55 Cd	1180 UC
	56 Ac	1180 UC
PIJNENVOETPAD	43 Fd	1160 AU
	50 Cabc	1160 AU
PIJPEKOPSTRAAT	59 Db	3090 OV
PIKDORENVELD	30 Eab	1950 KR
PIKKELBLOKSTRAAT	59 Cb	3090 OV
PILES/RUE DES	76 Dc	1410 WA
PILOOTLAAN	36 Cd	1150 WP
PILOTE/AVENUE DU	36 Cd	1150 WP
PIMPERNELLAAN	39 Cd	1070 AN
PIMPRENELLES/AVENUE	39 Cd	1070 AN
PINEDE/AVENUE DE LA	55 Cd	1180 UC
	56 Ac	1180 UC
PINEDE/AVENUE DE LA	84 Da	1380 OH
PINNEBEEK/		
DREEF-DREVE DE	50 Babc	1170 WB
PINOY/PLACE-PLEIN		
EDOUARD	43 Db	1160 AU
PINS/AVENUE DES	37 Fc	1950 KR
PINS/CHEMIN DES	56 Ad	1180 UC
PINS/DREVE DES	71 Dd	1420 B-A
PINS/SENTIER DES	43 Fd	1160 AU
	50 Cabc	1160 AU
PINS NOIRS/AVENUE DES	37 Ecd	1150 WP
PINS NOIRS/AVENUE DES	37 Ed	1950 KR
PINSON/CLOS DU	49 Cb	1170 WB
PINSON/RUE DU	49 Cbd	1170 WB
	50 Ac	1170 WB
PINSONS/AVENUE DES	36 Dc	1150 WP
PINSONS/AVENUE DES	76 Cacd	1410 WA
PINSONS/AVENUE DES	88 Dc	1420 B-A
PINSONS/AVENUE DES	71 Cc Fa	1640 S-G
PINSONS/AVENUE DES	23 Ec	1950 KR
	30 Da	1950 KR
PINSONS/CLOS DES	31 Dc	1970 W-O
PINSONS/SENTE DES	82 Dc	1300 WA
PINSONS/SENTIER DES	42 Da	1000 BR
PINTADE/RUE DE LA	50 Aa	1170 WB
PIOENENSTRAAT	5 Fd	1020 BR
	6 Dc	1020 BR
PIOENENSTRAAT	71 Ca	1640 S-G
PIOENENSTRAAT	4 Ca	1800 VI
PIPPELINGSTRAAT	34 Ca	1000 BR
	95 Abd	1000 BR
PIPPENZIJPE/	25 Fd	1070 AN
RUE DU-STRAAT	32 Cb	1070 AN
PIRE/RUE-STRAAT		
FERNAND	20 Ac	1090 JE
PIRENNE/AVENUE-LAAN	41 Dbd	
HENRI	Eac	1180 UC
PIRENNE/RUE HENRI	83 Ad	1420 B-A
PIRET/AVENUE-LAAN		
RENE	35 Eb Fa	1040 ET
PIRIAT/AVENUE DU	82 Db	1300 WA
PIRIAT/SENTE DU	82 Dab	1300 WA
PIRMEZ/AVENUE-LAAN		
EUDORE	35 Ea	1040 ET
PIRROY/CHEMIN DU	86 Eab	1300 LI
PITANTIEHOF	17 Fd	3070 KO

Street	Map	Code
PITTORESQUE/DREVE	55 Fb	1180 UC
nos impairs & 4 à 16	56 Dabd	1180 UC
PITTORESQUE/DREVE	55 Fb	1640 S-G
18 à fin	56 Dabd	1640 S-G
PIVOINES/RUE DES	5 Fd	1020 BR
	6 Dc	1020 BR
PIVOINES/RUE DES	71 Ca	1640 S-G
PLACESTRAAT HENDRIK	18 Ac	1702 G-B
PLAGNIAU/CHEMIN DU	80 Bb	1301 BI
PLAGNIAU/CHEMIN DU	80 Babc	
	Eac	1330 RI
PLAGNIAU/RUE DU	79 Cd	1330 RI
	80 Ac	1330 RI
PLAGNIAU/SENTIER DU	80 Aabc Ba	1331 RO
PLAINE/	35 Ed	1050 IX
BOULEVARD DE LA	42 Bb	1050 IX
PLAINE D'AVIATION/RUE	21 Cab	1140 EV
PLAINE DE JEUX/		
AVENUE DE LA	30 Aab	1950 KR
PLAINE DES SPORTS/RUE	30 Fcd	1970 W-O
	37 Ca	1970 W-O
PLANCENOIT/CHEMIN DE	88 Ed Fc	1420 B-A
PLANCHETTE/		
AVENUE DE LA	82 Da	1300 WA
PLANEUR/RUE DU	15 Dc	1130 BR
	22 Aa	1130 BR
PLANKVOETWEG	39 Db Ea	1602 VL
PLANTENSTRAAT	27 Cab	1210 SJ
67 tot 111 & 54 tot 102	91 Ad Bac	
	Db	1210 SJ
PLANTENSTRAAT	27 Cb	1030 SC
113 tot einde &	91 Ba	1030 SC
104 tot einde		
PLANTES/RUE DES	27 Cab	1210 SJ
67 à 111 & 54 à 102	91 Ad Bac	
	Db	1210 SJ
PLANTES/RUE DES	27 Cb	1030 SC
113 à fin & 104 à fin	91 Ba	1030 SC
PLANTIN/RUE-STRAAT	27 Dd	1070 AN
	32 Dabd	1070 AN
PLASKY/AVENUE-LAAN	28 Bd Cc	
EUGENE	Eb	1030 SC
PLASKY/SQUARE EUGENE	28 Bd Cc	1030 SC
PLATAANLAAN	11 Fab	1731 ZE
PLATANENLAAN	69 Da	1500 HA
PLATANENLAAN	46 Fb	1600 P-L
PLATANENLAAN	5 Bd	1780 WE
PLATANENLAAN	3 Ac	1850 GR
PLATANENSTRAAT	35 Bcd	1040 ET
PLATANENSTRAAT	4 Bb	1800 VI
PLATANENSTRAAT	16 Bc	1930 ZA
PLATANENWIJK	36 Cc	1150 WP
PLATANES/AVENUE DES	5 Dd	1780 WE
PLATANES/CARRE DES	36 Cc	1150 WP
PLATANES/RUE DES	35 Bcd	1040 ET
PLATANES/VENELLE DES	87 Ad	1300 WA
PLATEAU/RUE-STRAAT	27 Bd Eb	1000 BR
JOSEPH	92 Ca	1000 BR
PLATOLAAN	22 Dd	1140 EV
PLATON/AVENUE	22 Dd	1140 EV
PLATTEBORZELAAN JUL.	24 Dbd	1933 ST
PLATTESTEEN	27 Ea	1000 BR
	92 Cc Fa	1000 BR
PLEBEIENS/RUE DES	40 Ab	1070 AN
PLEBEJERSSTRAAT	40 Ab	1070 AN

P

Street	Map	Grid	Code
PLEIADES/AVENUE DES	29	Abcd	1200 WL
PLEIADES/AVENUE DES	80	Ed Fc	1300 LI
	85	Bb	1300 LI
PLEIN CIEL/COURSIVE	36	Ccd	1150 WP
PLEINHOEKJE	30	Ed	1970 W-O
	37	Bb	1970 W-O
PLEINLAAN	35	Ed	1050 IX
	42	Bb	1050 IX
PLEINLAAN	30	Ed Fc	1970 W-O
	37	Bb	1970 W-O
PLEINSTRAAT	18	Bd	1702 G-B
PLEINSTRAAT	18	Cb	1731 ZE
PLEISTERPLAATSSTRAAT 16 tot einde	42	Eb Fa	1170 WB
PLEISTERSTRAAT onpare nrs & 2 tot 14	42	Bd Eb	1050 IX
PLEJADENLAAN	29	Abcd	1200 WL
PLETINCKX/CITE-BLOK	40	Cd	1190 FO
PLETINCKX/RUE-STRAAT	27	Ea	1000 BR
	92	Bcd	1000 BR
PLICHTSTRAAT	33	Bb	1070 AN
PLISNIER/AVENUE CHARLES	82	Ed	1300 WA
PLISNIER/AVENUE-LAAN CHARLES	33	Ba	1070 AN
PLISNIER/RUE CHARLES	83	Da	1420 B-A
PLISSART/AVENUE-LAAN NESTOR 63 & 2 à/tot 30	35	Cd	1040 ET
PLISSART/AVENUE-LAAN NESTOR 65 à fin/tot einde & 76 à fin/tot einde	35	Cd	1150 WP
	36	Ac	1150 WP
PLUIMSTRAAT	34	Bac	1000 BR
	94	Eb	1000 BR
PLUKSTRAAT	55	Aab	1180 UC
PLUME/RUE DE LA	34	Bac	1000 BR
	94	Eb	1000 BR
PLUNDERAARSVOETPAD	49	Fd	1170 WB
	50	Dc	1170 WB
PLUVIERLAAN	23	Fd	1933 ST
	24	Dc	1933 ST
PLUVIERS/RUE DES	50	Aa	1170 WB
PLUVIERSTRAAT	50	Aa	1170 WB
POEDTS/RUE-STRAAT MAURICE	50	Ca	1160 AU
POELAERT/PLACE-PLEIN	34	Bb	1000 BR
	94	Cd	1000 BR
POELBOSCH/CHEMIN DU-WEGEL	12	Ebd Fa	1090 JE
POELS/AVENUE-LAAN GUILLAUME	43	Db	1160 AU
POELS/RUE-STRAAT FELIX	36	Bab	1150 WP
POELSTRAAT	4	Ac Da	1800 VI
POELWEG	67	Fc	3090 OV
	75	Ca	3090 OV
POENAARDLAAN	59	Abd	3090 OV
POESIE/AVENUE DE LA	26	Dbd	1070 AN
POESJKINPLEIN ALEXANDER	20	Bc	1020 BR
POETE/VIEUX CHEMIN DU	86	Aab Ba	1301 BI
POETES/CLOS DES	21	Fc	1030 SC
POGGE/PLACE-PLEIN	21	Da	1030 SC

Street	Map	Grid	Code
POILS/IMPASSE-GANG	27	Bc	1000 BR
	90	Ed	1000 BR
POILU/RUE DU	81	Ecd	1301 BI
POINCARE/BOULEVARD-LAAN 1 à/tot 77 & 2 à/tot 76	27	Dd	1070 AN
	34	Ab	1070 AN
	92	Dbd	1070 AN
	94	Ab	1070 AN
POINCARE/BOULEVARD-LAAN 79 à fin/tot einde & 78 à fin/tot einde	34	Ab	1060 SG
	94	Abd	1060 SG
POINCON/RUE DU	27	Ec	1000 BR
	92	Fc	1000 BR
	94	Ca	1000 BR
POIRIERS/VENELLE DES	87	Ac	1300 WA
POIS DE SENTEUR/AVENUE DU 1 à 59 & 2 à 70	13	Cbd	1020 BR
	14	Aa	1020 BR
POIS DE SENTEUR/AVENUE DU autres nos	14	Aa	1120 BR
POISSONNIERS/RUE DES	27	Ea	1000 BR
	92	Ca	1000 BR
POIVRE/RUE DU	27	Eb	1000 BR
	92	Cd	1000 BR
POLDERS/RUE DES-STRAAT	47	Cc	1180 UC
POLDERVOETWEG	2	Ca	1850 GR
POLE/RUE DU	27	Cd	1210 SJ
	91	Ed	1210 SJ
POLENSTRAAT	34	Ecd	1060 SG
POLICIERS/PASSAGE DES	35	Eb	1040 ET
POLITIEAGENTEN/DOORGANG VAN DE	35	Eb	1040 ET
POLITIEKE GEVANGENENLAAN	36	Bd	1150 WP
POLO/AVENUE DU-LAAN	36	Cd	1150 WP
	37	Ac	1150 WP
POLOGNE/RUE DE	34	Ecd	1060 SG
POMMERAGE/CLOS DE LA	75	Dac	1310 L-H
POMMERAGE/CLOS DE LA	75	Dc	1332 GE
POMMES/SENTIER DES	21	Ba	1030 SC
POMMIER/RUE DU	32	Ad Bcd Cc Db	1070 AN
POMMIERS/CLOS DES	67	Dc	1310 L-H
POMMIERS/CLOS DES	83	Ac	1420 B-A
POMMIERS/VENELLE DES	87	Ac	1300 WA
POMMIERS FLEURIS/CLOS DES	43	Eab	1160 AU
PONT/RUE DU	84	Acd	1380 LA
PONTBEEK	11	Bcd Cc Fabd	1731 ZE
	12	Dcd	1731 ZE
PONTBEEKGAARDE	18	Cb	1702 G-B
PONTBEEKGAARDE	18	Cb	1731 ZE
PONTBEEKSTRAAT	18	Cbd	1702 G-B
PONT DE LA CARPE/RUE DU	27	Ea	1000 BR
	92	Bd Cac	1000 BR
PONT DE L'AVENUE/RUE DU	20	Cc	1000 BR
PONT DE LUTTRE/AVENUE DU	33	Fd	1190 FO
	40	Cab	1190 FO
PONT DE SAINT-PIERRE/FOND DU	73	Cacd Fb	1310 L-H

P

Street	Map	Postcode
PONT DES DIAP/		
AVENUE DU	83 Dc	1420 B-A
PONT DU CHRIST/RUE DU	81 Fb	1300 WA
PONT DU GLAIN/SENTIER	79 Bd Cc	1330 RI
PONT-LEVIS/RUE DU	29 Dc	1200 WL
PONT NEUF	81 Fb	1300 WA
PONT NEUF/RUE DU	27 Bd Cc	1000 BR
	90 Fbd	1000 BR
	91 Dc	1000 BR
PONTONNIER/		
RUE DU-STRAAT	36 Bb Ca	1200 WL
PONT RUSTIQUE/		
CHEMIN DU	42 Da	1000 BR
PONT-SAINT-JEAN/		
PARKING DU	81 Fa	1300 WA
PONT-SAINT-JEAN/		
RUE DU	81 Facd	1300 WA
POOLSTERSTRAAT	18 Fd	1082 BA
POOLSTRAAT	27 Cd	1210 SJ
	91 Ed	1210 SJ
POOTESTRAATJE	38 Ec	3080 TE
POOTSTRAAT EUGENE	24 Ab Ba	1930 NO
POOTSTRAAT		
KAREL JAN FRANS	4 Ad	1800 VI
POPELIN/RUE-STRAAT	27 Ca	1210 SJ
MARIE	91 Ad Db	
POPERINGE/AVENUE DE	84 Cd	1330 RI
POPLIMONT/AVENUE-		
LAAN DEMOSTHENE	19 Ccd	1083 GA
nos impairs/onpare nrs		
POPLIMONT/AVENUE-		
LAAN DEMOSTHENE	19 Ccd	1090 JE
pare nrs/nos pairs		
POPLIS/CLOS DES	79 Aa	1332 GE
POPPEGANG	27 Ebd	1000 BR
	92 Fb	1000 BR
POPULIERENDALLAAN	3 Dd	
	Ebcd	1850 GR
POPULIERENDREEF	5 Bcd	1780 WE
POPULIERENHOF	29 Bd Cc	1200 WL
POPULIERENLAAN	46 Fb	1600 P-L
	47 Da	1600 P-L
POPULIERENLAAN	25 Ac	1700 DI
POPULIERENLAAN	45 Bc Ea	3080 TE
POPULIERENOORD	19 Dc	1082 BA
POPULIERENSTRAAT	16 Bac	1930 ZA
POPULIERSTRAAT	27 Bcd	1000 BR
	90 Fc	1000 BR
POPULIERSTRAAT	4 Bb	1800 VI
PORSELEIN/RUE-STRAAT	33 Bac	1070 AN
PORSELEINSTRAAT	68 Cb	1500 HA
	69 Aa	1500 HA
PORSELEINSTRAAT	68 Cb	1501 BU
	69 Aa	1501 BU
PORT/AVENUE DU	20 Ec	1080 MO
2 à 82	27 Ba	1080 MO
	90 Bb	1080 MO
PORT/AVENUE DU	20 Bd	
nos impairs & 88 à fin	Ebcd	1000 BR
	27 Ba	1000 BR
	90 Bb	1000 BR
PORTAELS/RUE-STRAAT	21 Aac	1030 SC
PORTAELSPLEIN	4 Bc Dd	1800 VI
PORTAELSSTRAAT	4 Bc	1800 VI
PORTE DE HAL/	34 Abd Bc	1060 SG
AVENUE DE LA	94 Bc Eac	1060 SG
PORTE DE NAMUR/	34 Cb	1050 IX
GALERIE DE LA	95 Bc	1050 IX
PORTE LOUISE/	34 Cc	1050 IX
GALERIE DE LA	95 Da	1050 IX
PORTE ROUGE/	34 Bb	1000 BR
RUE DE LA	94 Cabd	1000 BR
PORTUGAL/AVENUE DU	88 Dc	1420 B-A
PORTUGAL/		
RUE DU-STRAAT	34 Ed	1060 SG
POSSCHIER/		
RUE-STRAAT	35 Bc	1040 ET
POSSOZPLEIN	68 Fa	1500 HA
POSTALLEE	27 Cb	1210 SJ
	91 Ea	1210 SJ
POSTE/ALLEE DE LA	27 Cb	1210 SJ
	91 Ea	1210 SJ
POSTE/RUE DE LA	27 Cb	1210 SJ
1 à 85 & 2 à 78	91 Bd Eab	1210 SJ
POSTE/RUE DE LA	20 Fd	1030 SC
87 à fin & 80 à fin	21 Dc	1030 SC
	27 Cb	1030 SC
	91 Bbd	1030 SC
POSTELEINWEG	6 Dc	1020 BR
POSTES/CHEMIN DES	76 Dac	1410 WA
	83 Aac	1410 WA
POSTILJONSTRAAT	40 Ab	1180 UC
POSTILLON/RUE DU	40 Ab	1180 UC
POSTILLON/SENTIER DU	81 Cc	1300 WA
POSTKOETSSQUARE	12 Ed	1083 GA
	19 Bb	1083 GA
POSTSTRAAT	27 Cb	1210 SJ
1 tot 85 & 2 tot 78	91 Bd Eab	1210 SJ
POSTSTRAAT	20 Fd	1030 SC
87 tot einde &	21 Dc	1030 SC
80 tot einde	27 Cb	1030 SC
	91 Bbd	1030 SC
POSTSTRAAT	68 Eb	1500 HA
POSTSTRAAT	3 Fd	1800 VI
	7 Bb	1800 VI
POSTSTRAAT	6 Bd	1853 S-B
POSTWAGENSTRAAT	42 Fc	1170 WB
POSTWEG	39 Acd Da	1600 L-B
POTAARDE	2 Facd	1850 GR
	6 Bb Ca	1850 GR
POTAARDE	2 Eacd	1853 S-B
	6 Bb Ca	1853 S-B
POTAARDE/RUE-STRAAT	18 Fbd	1082 BA
POTAARDEDREEF	44 Dac	3080 TE
POTAARDEGAARDE	37 Ba	1950 KR
POTAARDELAAN	69 Bcd	1501 BU
POTAARDENBERGSTRAAT	26 Dcd	1070 AN
1 tot 315 & 2 tot 314	33 Ab Ba	1070 AN
POTAARDESTRAAT	37 Bab	1950 KR
POTAERDEGAT/	19 Ec	1080 MO
RUE-STRAAT	26 Ba	1080 MO
POTAERDENBERG/RUE DU	26 Dcd	1070 AN
1 à 315 & 2 à 314	33 Ab Ba	1070 AN
POTAERDENBERG/		
RUE-STRAAT	26 Dac	1080 MO
317 à fin/tot einde &		
316 à fin/tot einde		

POTAGERE/RUE	28 Aac	1210 SJ
1 à 179 & 2 à 158	91 Cd	
	Fbcd	1210 SJ
	93 Ca	1210 SJ
POTAGERE/RUE	28 Aa	1030 SC
181 à fin & 160 à fin	91 Cd	1030 SC
POTERIE/	27 Db	1070 AN
PETITE RUE DE LA	92 Da	1070 AN
POTERIE/RUE DE LA	27 Dbd	1070 AN
	92 Dab	1070 AN
POTIERS/RUE DES	27 Ec	1000 BR
	92 Ea	1000 BR
POTTENBAKKERSSTRAAT	27 Ec	1000 BR
	92 Ea	1000 BR
POTTENGOEDSTRAAT	27 Dbd	1070 AN
	92 Dab	1070 AN
POUCHKINE/PLACE		
ALEXANDRE	20 Bc	1020 BR
POUDRIERE/RUE DE LA	27 Ad Db	1000 BR
	92 Abd	1000 BR
POUILLARTGANG	68 Eb	1500 HA
POUILLOTS/CHEMIN DES	41 Fb	1000 BR
	42 Da	1000 BR
POULE D'EAU/		
AVENUE DE LA	30 Cab	1970 W-O
POULES D'EAU/		
AVENUE DES	72 Dab	1640 S-G
POULETS/RUE DES	32 Ecd	1070 AN
POULIE MARIE/PLACE	74 Fd	1310 L-H
	78 Cb	1310 L-H
POUPEE/IMPASSE DE LA	27 Ebd	1000 BR
	92 Fb	1000 BR
POURPIER/CHEMIN DU	6 Dc	1020 BR
POUSSINS/RUE DES	48 Ac	1180 UC
POVERSTRAAT	11 Cac	1731 RE
POVERSTRAAT	1 Da	1785 BR
POXCAT/RUE-STRAAT	33 Ed	1070 AN
PRAAGSTRAAT	34 Db	1060 SG
PRADO/RUE DU-STRAAT	27 Ad	1080 MO
	90 Dbd	1080 MO
PRAGUE/RUE DE	34 Db	1060 SG
PRAIRIE/RUE DE LA	27 Cab	1210 SJ
	91 Ad Bc	1210 SJ
PRE/IMPASSE DU	35 Ab Ba	1040 ET
PRE/RUE DU	71 Fb	1640 S-G
PREAU/AVENUE DU	35 Bc	1040 ET
PRE AU BOIS/AVENUE	72 Cac	1640 S-G
PRE AUX OIES/RUE DU	15 Aabc	1130 BR
	8 Dbd	1130 BR
PRE AUX OISEAUX/		
RUE DU	15 Bc	1130 BR
PRECKHER/		
RUE-STRAAT JEAN	33 Fd	1190 FO
PRECKHERSTRAAT JEAN	4 Ad	1800 VI
PRE DANNONSART	78 Cc	1332 GE
PRE DES AGNEAUX/		
AVENUE	43 Db	1160 AU
nos impairs		
PRE DES AGNEAUX/		
AVENUE	43 Db	1170 WB
nos pairs		
PRE DES GRAISSES/		
SENTIER	82 Ab Ba	1300 WA
PRE DES QUERELLES	81 Fac	1300 WA

PRE DE WILDRE/		
RUELLE DU	81 Cd Fb	1300 WA
PREDIKHERENSTRAAT	27 Eb	1000 BR
	92 Cd	1000 BR
PREDIKHERENSTRAAT	93 Aac	1000 BR
PRE FICHIN/CLOS DU	83 Ab	1410 WA
PRE FLEURI/AVENUE DU	30 Ea	1950 KR
PRE HUBERT	86 Db	1300 WA
PRE JOLI/VENELLE DU	87 Aa	1300 WA
PREKELINDEN/	28 Fbd	1200 WL
AVENUE-LAAN	35 Cb	1200 WL
PREKELINDEN/		
AVENUE-LAAN	36 Aa	1200 WL
PRE LIBERT	86 Da	1300 WA
PREMIER FOND/		
SENTIER DU	86 Fab	1300 LI
PRE QUINZE/AVENUE DU	66 Fd	1310 L-H
PRES/RUE DES	86 Dc	1300 LI
PRES/RUE DES	47 Bd	1620 DR
PRESBYTERE/RUE DU	27 Ab	1080 MO
	90 Acd	1080 MO
PRESBYTERE/RUE DU	86 Dc	1300 LI
PRESBYTERE/RUE DU	5 Ad Bc	1780 WE
PRESBYTERE/		
SENTIER DU	55 Dab	1630 LI
PRES COMMUNS/	14 Ad Bc	
RUE DES	Ea	1120 BR
PRESER/RUE-STRAAT		
PROSPER	19 Dcd	1082 BA
PRESIDENT/RUE DU	34 Cc	1050 IX
1 à 69 & 2 à 76	95 Dd Ec	1050 IX
PRESIDENT/RUE DU	34 Cc Fa	1000 BR
71 à fin & 78 à fin	95 Dd	1000 BR
PRESIDENT KENNEDYLAAN	3 Fcd	1800 VI
PRESSE/RUE DE LA	27 Fb	1000 BR
	93 Bbd	1000 BR
PRESSOIR/DREVE DU	40 Fbd	1190 FO
PRETERSBLOK	69 Cc Fa	1653 DW
PRETOIRE/RUE DU	33 Bb	1070 AN
PRETRES/RUE DES	34 Bcd	1000 BR
	94 Fa	1000 BR
PREUX/SENTIER DU	86 Dd	1300 LI
PREVINAIRE/RUE-STRAAT	33 Ccd	1070 AN
PREVOST-DELAUNAY/		
SQUARE	28 Bb	1030 SC
PREVOT/RUE DU	34 Fc	1050 IX
	41 Ca	1050 IX
PREVOYANCE/RUE DE LA	34 Bd	1000 BR
	94 Fa	1000 BR
PRIEELDREEF	25 Bd Eb	1700 DI
PRIEELSTRAAT	28 Dab	1000 BR
	93 Cd	1000 BR
PRIEMSTRAAT	27 Ec	1000 BR
	92 Fc	1000 BR
	94 Ca	1000 BR
PRIESTER CUYPERS-		
STRAAT	35 Ca	1040 ET
PRIESTER DE L'EPEE-		
STRAAT	29 Dc	1200 WL
PRIESTER FROIDURE-	47 Fb	1180 UC
GAARDE	48 Da	1180 UC
PRIESTER JEAN		
HEYMANSSTRAAT	29 Ea	1200 WL
PRIESTERLINDESTRAAT	3 Abd Ba	1850 GR

P

Street	Map	Grid	Postcode
PRIESTERSSTRAAT	34	Bcd	1000 BR
	94	Fa	1000 BR
PRIESTER VICTOR DE SLOOVERSTRAAT	12	Fd	1090 JE
	19	Cb	1090 JE
PRIEURE/DREVE DU	36	Ed	1160 AU
	43	Bb	1160 AU
PRIEURE NOTRE DAME/ AVENUE	78	Bb Ca	1310 L-H
PRIJSKAMPSTRAAT	50	Ad	1170 WB
PRIMEURS/RUE DES	40	Cab	1190 FO
PRIMEVERE/RUE DE LA	41	Cc	1180 UC
PRIMEVERES/ AVENUE DES	72	Bc Ea	1640 S-G
PRIMEVERES/ CHEMIN DES	42	Dd	1000 BR
	49	Ab Ba	1000 BR
PRIMEVERES/CLOS DES	85	Ad	1300 LI
PRIMEVERES/ SQUARE DES	79	Aa	1332 GE
PRINCE/DREVE DU	51	Bcd Ea	1160 AU
PRINCE/VAL DU	37	Bacd	1950 KR
PRINCE ALBERT/AVENUE	83	Bd Cc	1410 WA
PRINCE ALBERT/RUE DU	34	Ccd	1050 IX
	95	Eac	1050 IX
PRINCE BAUDOUIN/ AVENUE	36	Fd	1150 WP
	37	Dc	1150 WP
PRINCE BAUDOUIN/ AVENUE	76	Bd Cc	1410 WA
PRINCE BAUDOUIN/ AVENUE	5	Ebd Fa	1780 WE
PRINCE BAUDOUIN/RUE 2 à 80	19	Ccd	1090 JE
PRINCE BAUDOUIN/RUE nos impairs & 82 à fin	19	Ccd	1083 GA
PRINCE BONAPARTE/ AVENUE J.	88	Ecd	1420 B-A
PRINCE CAVALIER/ SENTIER	86	Bd Eb	1300 LI
PRINCE CHARLES/ AVENUE	83	Cb	1410 WA
PRINCE CHARLES/S QUARE	13	Ed	1020 BR
PRINCE CHARLES DE LORRAINE/AVENUE	88	Ad Bc Ea	1420 B-A
PRINCE DE LIEGE/ AVENUE	80	Dd	1330 RI
PRINCE DE LIEGE/ BOULEVARD	26	Dbd Ec	1070 AN
	33	Ba	1070 AN
PRINCE DE LIGNE/ AVENUE DU	48	Cd	1180 UC
	49	Ac	1180 UC
PRINCE DE VAUDEMONT/ AVENUE	82	Bc Ea	1300 WA
PRINCE D'ORANGE/ AVENUE	76	Fb	1410 WA
PRINCE D'ORANGE/ AVENUE	88	Bcd Eab	1420 B-A
PRINCE D'ORANGE/ AVENUE DU	55	Cabd	1180 UC
	56	Abcd	1180 UC
PRINCE D'ORANGE/ CLOS DU	88	Eb	1420 B-A
PRINCE HERITIER/ AVENUE DU	28	Fbd	1200 WL
	29	Dc	1200 WL
	36	Aa	1200 WL
PRINCE LEOPOLD/ SQUARE	13	Dbd	1020 BR
PRINCE REGENT/ AVENUE DU	30	Db	1150 WP
PRINCE ROYAL/AVENUE	83	Cb	1410 WA
PRINCE ROYAL/RUE DU	34	Ccd	1050 IX
	95	Dbd Ea	1050 IX
PRINCES/AVENUE DES	82	Da	1300 WA
PRINCES/GALERIE DES	27	Eb	1000 BR
	92	Cd	1000 BR
	93	Ac	1000 BR
PRINCES/GALERIE DES	82	Da	1300 WA
PRINCES/PARC DES	82	Ac	1300 WA
PRINCES/RUE DES	27	Eb	1000 BR
	92	Cb	1000 BR
	93	Aa	1000 BR
PRINCES BRABANCONS/ AVENUE DES	42	Fb	1170 WB
	43	Da	1170 WB
PRINCESSE/RUE DE LA	27	Da	1080 MO
PRINCESSE/ SENTIER DE LA	86	Bd	1300 LI
PRINCESSE CLEMENTINE/ RUE	20	Bb	1020 BR
PRINCESSE ELISABETH/ AVENUE	21	Abcd	1030 SC
PRINCESSE ELISABETH/ PLACE	21	Ab	1030 SC
PRINCESSE JEAN DE MERODE/SQUARE	35	Ca	1040 ET
PRINCESSE JOSEPHINE CHARLOTTE/AVENUE	5	Fa	1780 WE
PRINCESSE JOSEPHINE-CHARLOTTE/AVENUE	76	Bd	1410 WA
PRINCESSE JOSEPHINE CHARLOTTE/PLACE	30	Ba	1950 KR
PRINCESSE PAOLA/ AVENUE	83	Cb	1410 WA
PRINCESSE PAOLA/ AVENUE DE LA	48	Aa	1180 UC
PRINS/RUE-STRAAT ADOLPHE	33	Aabc	1070 AN
PRINS ALBERTSTRAAT	34	Ccd	1050 IX
	95	Eac	1050 IX
PRINS BOUDEWIJNLAAN	36	Fd	1150 WP
	37	Dc	1150 WP
PRINS BOUDEWIJNLAAN	69	Fc	1653 DW
PRINS BOUDEWIJNLAAN	5	Ebd Fa	1780 WE
PRINS BOUDEWIJNSTRAAT 2 tot 80	19	Ccd	1090 JE
PRINS BOUDEWIJNSTRAAT onpare nrs & 82 tot einde	19	Ccd	1083 GA
PRINS DE LIGNELAAN	48	Cd	1180 UC
	49	Ac	1180 UC
PRINS DE SALMLAAN	75	Ab	3090 OV
PRINSDREEF	51	Bcd Ea	1160 AU
PRINSEDAL	37	Bacd	1950 KR
PRINSENBEEMDLAAN	2	Ad	1860 ME
PRINSENDAL	51	Fc	3090 OV
	58	Ca	3090 OV
PRINSENDREEF	45	Fc	3080 TE
	52	Ca	3080 TE
PRINSENGALERIJ	27	Eb	1000 BR
	92	Cd	1000 BR
	93	Ac	1000 BR
PRINSENSTRAAT	27	Eb	1000 BR
	92	Cb	1000 BR
	93	Aa	1000 BR

PRINSENSTRAAT	3	Aac	1850 GR
PRINSEN VAN HORNELAAN	59	Ab	3090 OV
PRINSES CLEMENTINA-STRAAT	20	Bb	1020 BR
PRINSES ELISABETHLAAN	21	Abcd	1030 SC
PRINSES ELISABETHPLEIN	21	Ab	1030 SC
PRINSES JEAN DE MERODEPLEIN	35	Ca	1040 ET
PRINSES JOS. CHARLOTTELAAN	5	Fa	1780 WE
PRINSES JOS. CHARLOTTEPLEIN	30	Ba	1950 KR
PRINSES PAOLALAAN	48	Aa	1180 UC
PRINSES PAOLALAAN	68	Fc	1500 HA
PRINSESSTRAAT	27	Da	1080 MO
PRINS KARELLAAN	59	Ab Bacd	3090 OV
PRINS KARELSQUARE	13	Ed	1020 BR
PRINS LEOPOLDSQUARE	13	Dbd	1020 BR
PRINS REGENTLAAN	30	Db	1150 WP
PRINS VAN LUIKLAAN	26	Dbd Ec	1070 AN
	33	Ba	1070 AN
PRINS VAN LUIKLAAN	68	Fc	1500 HA
PRINS VAN ORANJELAAN	55	Cabd	1180 UC
	56	Abcd	1180 UC
PRINSWEG	51	Bbd	3080 TE
PRINTEMPS/AVENUE DU	76	Ed Fc	1410 WA
	83	Bab	1410 WA
PRINTEMPS/CLOS DU	86	Acd	1300 LI
PRINTEMPS/RUE DU	42	Ba	1050 IX
PRINTEMPS/RUE DU	78	Bc Eac	1380 OH
PRINTEMPS/SENTIER DU	79	Ec	1330 RI
PRIORIJDREEF	36	Ed	1160 AU
	43	Bb	1160 AU
PRISON/RUE DE LA	78	Bac	1310 L-H
PRISON/RUE DE LA	78	Bc	1380 OH
PRISONNIERS POLITIQUES/ AVENUE DES	36	Bd	1150 WP
PRIVATE DREEF	2	Ad	1860 ME
PRIVILEGES/SQUARE DES	19	Bb	1083 GA
PRIVILEGIENSQUARE	19	Bb	1083 GA
PROBITE/RUE DE LA	42	Bd	1050 IX
PROCESSIESTRAAT	33	Ad Bc	1070 AN
PROCESSIESTRAAT	60	Da	3090 OV
PROCESSIEWEG	65	Bb	1560 HO
PROCESSIEWEG	10	Ebd Fa	1820 ST
PROCESSION/RUE DE LA	33	Ad Bc	1070 AN
PROCESSION/RUE DE LA	75	Dac	1310 L-H
PROCESSION/ SENTIER DE LA	79	Fb	1330 RI
PROCESSION AUX RELIQUES/AVENUE	82	Ebd	1300 WA
PROCUREUR/RUE-STRAAT LEOPOLD	20	Ac	1090 JE
PROEFTEELTENWEG	64	Fd	1560 HO
	65	Dcd	1560 HO
PROFESSEUR HENDRICKX/RUE	33	Eab	1070 AN
PROFESSEUR HUSTIN/ RUE	47	Fa	1180 UC
PROFESSOR HENDRICKXSTRAAT	33	Eab	1070 AN
PROFESSOR HUSTINSTRAAT	47	Fa	1180 UC
PROFONDE/RUE	12	Ca	1020 BR
PROFONDE/RUE	5	Ed	1780 WE
PROFONDE/RUE	37	Cbd	1970 W-O
	38	Ac Da	1970 W-O
PROFONDSART	85	Dd	1300 WA
PROFONDSART/RUE DE	85	Dd	1342 LI
PROGRES/PLACE DU	81	Fb	1300 WA
PROGRES/RUE DU	20	Fc	1210 SJ
1 à 97 & 2 à 70	27	Ca	1210 SJ
	91	Abd Dab	1210 SJ
PROGRES/RUE DU	20	Cd Fabc	1030 SC
99 à fin & 72 à fin	91	Ab	1030 SC
PROGRES/RUE DU	81	Fb	1300 WA
PROGRES/RUE DU	83	Aa	1410 WA
PROMENADE/RUE DE LA	33	Dd	1070 AN
PROMETHEE/CLOS	30	Da	1200 WL
PROMETHEUSGAARDE	30	Da	1200 WL
PRONKERWTLAAN	13	Cbd	1020 BR
1 tot 59 & 2 tot 70	14	Aa	1020 BR
PRONKERWTLAAN andere nrs	14	Aa	1120 BR
PROSPERITE/RUE DE LA	27	Ab	1080 MO
	90	Bc Db Ea	1080 MO
PROVENCE/ALLEES DE	21	Ccd Fa	1140 EV
PROVENCEWANDEL-WEGEN	21	Ccd Fa	1140 EV
PROVIDENCE/ IMPASSE DE LA	27	Ed	1000 BR
	92	Fd	1000 BR
PROVINCIAAL DOMEIN	69	Ccd	1654 HU
PROVINCIALE/RUE	81	Ed Fac	1301 BI
	86	Abd Bab	1301 BI
PROVOOSTSTRAAT	34	Fc	1050 IX
	41	Ca	1050 IX
PRUNELIERS/AVENUE DES	5	Bb	1780 WE
PRUNIERS/VENELLE DES	87	Ac	1300 WA
PTOLEMEE/AVENUE-LAAN	41	Fd	1180 UC
	42	Dc	1180 UC
PUCCINI/RUE-STRAAT	26	Eac	1070 AN
PUELINCXSTRAAT FREDERIK	4	Fd	1830 MA
PUITS/CHEMIN DU	48	Dd Ec	1180 UC
	55	Ba	1180 UC
PUITS/DREVE DES	64	Cbd	1640 S-G
	65	Aab	1640 S-G
PUITS/RUE DU	81	Fd	1300 WA
	82	Dac	1300 WA
PUITS D'EAU/CHEMIN DU	15	Ad Dab	1130 BR
PURPERBEUKENLAAN	13	Bab	1020 BR
PUTDAAL	36	Fc	1160 AU
alle nrs behalve 17 tot 33	43	Bb Ca	1160 AU
PUTDAEL/ AVENUE DE-LAAN	36	Fcd	1150 WP
PUTDAEL/CHEMIN DE	36	Fc	1160 AU
tous les nos exc. 17 à 33	43	Bb Ca	1160 AU
PUTDAEL/CHEMIN DU-WEG	36	Fc	1150 WP
17 à/tot 33	43	Ca	1150 WP
PUTDAEL/ DREVE DU-DREEF	43	Cab	1160 AU
PUTDREEF	45	Ebd	3080 TE
PUTOIS/SENTIER DES	50	Fabc	1170 WB
PUTTENBERG	39	Dc	1600 P-L
	46	Aa	1600 P-L

Street	Map	Grid	Code
PUTTENDREEF	64	Cbd	1640 S-G
	65	Aab	1640 S-G
PUTTERIE	27	Ebd Fa	1000 BR
	93	Dab	1000 BR
PUTTERIJ	27	Ebd Fa	1000 BR
	93	Dab	1000 BR
PUTTESTRAAT	54	Db Eac	1650 BE
PUTTESTRAAT	38	Ec	3080 TE
PUTTESTRAAT	60	Ad Bc	3090 OV
PUTWEIDESTRAAT	25	Bc	1700 DI
PYRETHRES/RUE DES	43	Db Ea	1170 WB
PYRETRUMSTRAAT	43	Db Ea	1170 WB

Q

Street	Map	Grid	Code
QUARANTAINES/RUE DES	39	Bb Ca	1070 AN
14 BONNIERS/			
AVENUE DES	87	Ccd	1325 CH
QUATRE AOUT/PLACE DU	35	Cc	1040 ET
QUATRE AOUT/RUE DU	81	Cd	1300 WA
QUATRE BONNIERS/			
RUE DES	30	Eb	1950 KR
QUATRE BRAS/	73	Cabd	1310 L-H
CHEMIN DES	74	Ac Dab	1310 L-H
QUATRE BRAS/	34	Dbd	1000 BR
RUE DES-STRAAT	94	Cd Fb	1000 BR
	95	Da	1000 BR
QUATRE CHEMINS/RUE DES	81	Fd	1300 WA
QUATRECHT/RUE DE	20	Fcd	1030 SC
	91	Bab	1030 SC
QUATRE FILS AYMON/	34	Ca	1000 BR
RUE DES	95	Aa	1000 BR
QUATRE FRENES/	57	Aacd	
DREVE DES		Db	1170 WB
QUATRE JOURNEES/			
BOULEVARD DES	28	Ad	1210 SJ
QUATRE LIVRES/	27	Fc	1000 BR
IMPASSE DES	95	Ab	1000 BR
QUATRE NOEUDS/			
VENELLE AUX	36	Cc	1150 WP
QUATRE SAISONS/			
AVENUE DES	83	Bbcd	1410 WA
QUATRE- SAISONS/			
CLOS DES	29	Db	1200 WL
QUATRE SAPINS/	87	Bacd	
VOIE DES		Eb	1300 WA
QUATRES VENTS/			
AVENUE DES	5	Aa	1780 WE
QUATRE VENTS/CLOS DES	79	Ab	1332 GE
QUATRE-VENTS/RUE DES	26	Cd Fb	1080 MO
	27	Aac	1080 MO
	90	Da	1080 MO
QUATRE-VINGTS HETRES/			
AVENUE DES	12	Ed	1083 GA
QUEBEC/AVENUE DU	85	Aac	1330 RI
QUEBEC/CLOS DU	76	Ba	1410 WA
QUERELLE/PLACE DE LA	34	Ba	1000 BR
	94	Bd	1000 BR
QUERELLE/RUE DE LA	34	Ba	1000 BR
	94	Bbd	1000 BR
QUETELET/PLACE-PLEIN	27	Cd	1210 SJ
	28	Ac	1210 SJ
	91	Ed Fc	1210 SJ
QUETSTROEYELAAN HENRI	68	Fc	1500 HA
QUEUE DU PIGEON/			
CLOS DE LA	66	Fd	1310 L-H
QUIETUDE/AVENUE DE LA	22	Dc	1140 EV
QUIETUDE/SQUARE DE LA	36	Da	1150 WP
QUINAUX/RUE-STRAAT	21	Ac Da	1030 SC
QUINKENSTRAAT	16	Eb Fa	1930 ZA
QUINT/AVENUE CHARLES	82	Dd	1300 WA
QUINTUSSTRAAT ARTHUR	46	Fa	1600 P-L
QUITMANNPLEIN KAREL	16	Ea	1930 ZA
QUIVREUXSTRAAT RENE	4	Fc	1830 MA

R

Street	Map	Grid	Code
RAADSPLEIN	34	Aa	1070 AN
RAADSTRAAT	34	Cd	1050 IX
	35	Ac	1050 IX
	95	Ebd Fa	1050 IX
RAAFSTRAAT	21	Babd	1030 SC
RAAPEIKWEG	73	Bc	1560 HO
RABELAIS/AVENUE	82	Ec	1300 WA
	87	Bab	1300 WA
RABELAIS/RUE STRAAT	26	Dc	1070 AN
	33	Aa	1070 AN
RACINE/AVENUE	87	Ba	1300 WA
RACING/			
AVENUE DU-LAAN	49	Da	1180 UC
RADIATORENSTRAAT	4	Ab	1800 VI
RADIJZENSTRAAT	94	Dac	1000 BR
	94	Bd Eab	1000 BR
RADIS/RUE DES	34	Bac	1000 BR
	94	Bd Eab	1000 BR
RADIUM/RUE DU-STRAAT	28	Bcd	1030 SC
RADPLEIN	33	Dd	1070 AN
RADSTRAAT	27	Ec	1000 BR
	92	Ed	1000 BR
	94	Bb	1000 BR
RAEDEMAEKERSSTRAAT			
PIERRE	8	Bd Eb	1830 MA
RAEYMAEKERS/RUE-			
STRAAT GEORGES	21	Bd	1030 SC
RAILWAY/			
RUE DU-STRAAT	43	Ba	1160 AU
RAISINS/ALLEE DES	28	Ac Da	1210 SJ
	93	Cb	1210 SJ
RAKETLAAN	36	Cd	1150 WP
	37	Ac	1150 WP
RAKETSTRAAT	15	Ecd	1130 BR
	22	Aab Ba	1130 BR
RAMAEKERS/RUE-STRAAT			
CHARLES	13	Dd Ec	1020 BR
RAMBOUILLET/CLOS DE	76	Bab	1410 WA
RAMEE/AVENUE DE LA	41	Ec	1180 UC
RAMEE/AVENUE DE LA	72	Ed	1410 WA
RAMEE/CHEMIN DE LA	78	Ad	1380 OH
RAMEE/DREVE DE LA	73	Eacd	
		Fcd	1310 L-H
	74	Dc	1310 L-H
	78	Aabd	1310 L-H
RAMEE/VENELLE DE LA	87	Ac	1301 BI
RAMEIHOF	67	Fd	3090 OV
RAMEISTRAAT	67	Fcd	3090 OV
RAMEURS/RUE DES	20	Fa	1000 BR
RAMEURS/SENTIER DES	42	Ec	1000 BR
	49	Ba	1000 BR

PQR

RAMIER/AVENUE DU	43	Dd	1170	WB
RAMIER/RUE DU	14	Bb	1120	BR
RAMIERS/AVENUE DES	79	Eb Fa	1330	RI
RAMIERS/AVENUE DES	88	Dc	1420	B-A
RAMIERS/AVENUE DES	37	Bd Eb	1950	KR
RAMIERS/CHEMIN DES	63	Cbd	1640	S-G
RAMIERS/RUE DES	81	Aac	1301	BI
RAMLAAN	29	Ad	1200	WL
RAMONEURS/RUE DES	34	Bc	1000	BR
	94	Eb	1000	BR
RAMPELBERGSTRAAT	8	Bcd	1830	MA
RAMPELBERGSTRAAT	53	Bb		
JAN BAPTIST		Cacd	1601	RU
RAMSKAPELLE/				
RUE DE-STRAAT	35	Fa	1040	ET
RANKLAAN	67	Ecd	3090	OV
RANSBECK/CLOS DU	78	Ba	1310	L-H
RANSBEEK/	14	Bb Ca	1120	BR
RUE DE-STRAAT	7	Fac	1120	BR
RANSBERG	61	Fb	1651	LO
RANSFORT/RUE-STRAAT	27	Acd Da	1080	MO
	90	Dcd	1080	MO
	92	Aa	1080	MO
RANSON/RUE-STRAAT	14	Fb	1130	BR
RAPENSTRAAT	27	Eac	1000	BR
	92	Ea	1000	BR
RAPHAEL/RUE-STRAAT	33	Cb	1070	AN
	34	Aa	1070	AN
RAPPE/CLOS-GAARDE	29	Fd	1200	WL
ANDRE	30	Dc	1200	WL
	37	Aa	1200	WL
RAQUETTE/	36	Cd	1150	WP
AVENUE DE LA	37	Ac	1150	WP
RASIERE/RUE DE LA	34	Bac	1000	BR
	94	Eb	1000	BR
RASKIN/RUE-STRAAT	26	Ec	1070	AN
MAURICE ALBERT	33	Ab Ba	1070	AN
RASSEL	5	Acd	1780	WE
RASSELHOEK	5	Ac	1780	WE
RASSELSTRAAT	5	Ac	1731	RE
RASSON/RUE-STRAAT	28	Eab	1030	SC
RASTELBOS	70	Ec	1653	DW
RATELBERGSTRAAT	58	Fd	3090	OV
RATTENDAAL	39	Dcd	1600	P-L
	46	Aab	1600	P-L
RAUSCENT/	85	Bbd Eb		
RUE JOSEPHINE		Fabd	1300	LI
RAUTER/RUE-STRAAT				
VICTOR	33	Bcd Ea	1070	AN
RAVENLAAN	6	Cd	1800	VI
	7	Ac	1800	VI
RAVENSTEIN	44	Bbd Cc		
		Fabd	3080	TE
	45	Dc	3080	TE
RAVENSTEIN/	27	Fc	1000	BR
GALERIE-GALERIJ	93	Dab	1000	BR
RAVENSTEIN/	27	Fac	1000	BR
RUE-STRAAT	93	Dbd	1000	BR
RAVET/SENTIER	81	Ec	1301	BI
	86	Ba	1301	BI
RAVOTTERIJSTRAAT	19	Ea	1082	BA
RAYE/RUE-STRAAT	21	Ad Bc		
JACQUES		Db	1030	SC
RAYMOND PELGRIMS DE	11	Ed	1702	G-B
BIGARDLAAN	18	Bbcd	1702	G-B
RAYMOND/RUE-STRAAT				
JULES-EMILE	35	Fd	1160	AU
RECHERCHE/				
ALLEE DE LA	39	Bbcd	1070	AN
RECHTHOEKSTRAAT	27	Dab	1080	MO
	92	Aab	1080	MO
RECHTSCHAPENHEIDS-				
STRAAT	20	Ab	1090	JE
RECHTSPLEIN	33	Bb	1070	AN
RECHTSZAALSTRAAT	33	Bb	1070	AN
RECTANGLE/RUE DU	27	Dab	1080	MO
	92	Aab	1080	MO
RECTEUR VAN WAEYEN-				
BERGH/DREVE DU	21	Eab	1030	SC
RECTOR VAN WAEYEN-				
BERGHDREEF	21	Eab	1030	SC
REDERSKAAI	20	Cc Ebd		
		Fa	1000	BR
REDERSPLEIN	20	Ebd	1000	BR
REEBOKJESLAAN	55	Bc	1180	UC
REEBOKKENDREEF	63	Cb	1640	S-G
	64	Aa	1640	S-G
REEBOKKENWEG	64	Fcd	1640	S-G
REEBOKLAAN	45	Bb Cac	3080	TE
REEBOKSTRAAT	34	Ba	1000	BR
	94	Bd	1000	BR
REEBOKWEG	51	Fb	3090	OV
	52	Da	3090	OV
REEBORREDELLE	59	Bd	3090	OV
REEKSTRAAT	5	Da	1731	RE
REEWEG	45	Eabc	3080	TE
REFORME/AVENUE DE LA	19	Bb Ca	1083	GA
REFORME/RUE DE LA	41	Bb Ca	1050	IX
REGARD/RUE-STRAAT				
EMILE	41	Acd Db	1180	UC
REGATES/RUE DES	20	Fa	1000	BR
REGATTASTRAAT	20	Fa	1000	BR
REGENBOOGSTRAAT	66	Ccd	1560	HO
REGENCE/RUE DE LA	27	Fc	1000	BR
	34	Bb Ca	1000	BR
	93	Dd	1000	BR
	94	Cd	1000	BR
	95	Aabc	1000	BR
REGENMEUTERLAAN	67	Cbd	3090	OV
REGENT/	27	Fbd	1000	BR
BOULEVARD DU-LAAN	34	Cab	1000	BR
	93	Bbd Cc		
		Ebd	1000	BR
	95	Babc	1000	BR
REGENTSCHAPSSTRAAT	27	Fc	1000	BR
	34	Bb Ca	1000	BR
	93	Dd	1000	BR
	94	Cd	1000	BR
	95	Aabc	1000	BR
REGIMENTSBERG	15	Bd	1831	DI
REGINA VICTORIA/	27	Ccd	1210	SJ
AVENUE-LAAN	91	Db Eacd	1210	SJ
REGINA VICTORIA/	27	Cab	1210	SJ
SQUARE-PLANTSOEN	91	Ea	1210	SJ
REIBERG	69	Bbd	1654	HU
REIFF/RUE GASTON	83	Ec	1420	B-A
REIGERBOSLAAN	42	Fb	1170	WB
alle nrs behalve 102-104	43	Da	1170	WB
REIGERLAAN	23	Fd	1933	ST

REIGERSBOSLAAN 102 tot 104	43 Acd Da	1160 AU
REIGERSLAAN	5 Bcd	1780 WE
REIGERSLAAN	6 Cb	1800 VI
	7 Aa	1800 VI
REIGERSTRAAT	43 Dd	1170 WB
REIGERSTRAAT	3 Ccd	1850 GR
REIGERSVLIET/ RUE DU-STRAAT	35 Ec	1040 ET
REINAERT DE VOS/ AVENUE-LAAN	55 Bc	1180 UC
REINAERTSTRAAT	18 Aa	1702 G-B
REINE/AVENUE DE LA 1 à 173 & 2 à 148	20 Cc Fabd	1030 SC
REINE/AVENUE DE LA 175 à 235A & 150 à 204	20 Cc	1000 BR
REINE/AVENUE DE LA 237 à fin & 206 à fin	20 Cac	1020 BR
REINE/AVENUE DE LA	67 Dbcd	1310 L-H
	74 Cb	1310 L-H
	75 Aa	1310 L-H
REINE/CLOS DE LA	83 Cb	1410 WA
REINE/CLOS DE LA	37 Cab	1970 W-O
REINE/GALERIE DE LA	27 Eb	1000 BR
	92 Cd	1000 BR
	93 Ac	1000 BR
REINE/PLACE DE LA	27 Cb	1030 SC
	91 Dbd Ca	1030 SC
REINE/RUE DE LA	27 Eb	1000 BR
	92 Cb	1000 BR
REINE/RUE DE LA	84 Ab Ba	1330 RI
REINE/SENTIER DE LA	56 Ed Fbcd	1640 S-G
	64 Ab Bab	1640 S-G
REINE ASTRID/AVENUE	82 Dac	1300 WA
REINE ASTRID/AVENUE	74 Ed Fc	1310 L-H
	78 Ad Babc	1310 L-H
REINE ASTRID/AVENUE	79 Fd	1330 RI
	80 Dc	1330 RI
REINE ASTRID/AVENUE	76 Ccd Fab	1410 WA
	77 Da	1410 WA
REINE ASTRID/AVENUE	12 Ca	1780 WE
	5 Ed Fc	1780 WE
REINE ASTRID/AVENUE	23 Ec	1950 KR
	30 Abd Ba Db Eac	1950 KR
	37 Bac	1950 KR
REINE ASTRID/ CHAUSSEE	88 Ab Ba	1420 B-A
REINE ASTRID/PLACE	19 Cd	1090 JE
REINE DES PRES/ AVENUE DE LA 1 à 15 & 2 à 16	14 Ac	1020 BR
REINE DES PRES/ AVENUE DE LA 21 à fin & 20 à fin	14 Ac	1120 BR
REINE ELISABETH/ AVENUE	80 Dcd	1330 RI
REINE ELISABETH/ AVENUE	83 Cb	1410 WA
REINE ELISABETH/ AVENUE	5 Fd	1780 WE

REINE FABIOLA/AVENUE	80 Dcd	1330 RI
	85 Aa	1330 RI
REINE FABIOLA/AVENUE	5 Fbd	1780 WE
REINE FABIOLA/PLACE	19 Bd	1083 GA
REINE MARIE-HENRIETTE/ AVENUE	34 Dc	1190 FO
	41 Aab	1190 FO
REINE PAOLA/ PLACE DE LA	19 Ab	1083 GA
REINETTE/RUE DE LA	34 Ca	1000 BR
	95 Abd	1000 BR
REISDORFF/AVENUE-LAAN ACHILLE	47 Cd Fb	1180 UC
RELAI/CHEMIN DU	87 Ed	1325 C-G
RELAIS/CLOS DU	81 Cac	1300 WA
RELAIS/RUE DU nos impairs & 2 à 14	42 Bd Eb	1050 IX
RELAIS/RUE DU 16 à fin	42 Eb Fa	1170 WB
RELAIS DES DAMES/ DREVE DU	43 Fd	1160 AU
	44 Dc	1160 AU
	50 Cbcd Fac	1160 AU
	57 Bb Ca	1160 AU
RELAIS SACRE/RUE DU	20 Dc	1081 KO
	90 Aa	1081 KO
RELEGEMSESTRAAT	11 Cc	1731 ZE
REMBLAI/RUE DU	34 Bc	1000 BR
	94 Eabd	1000 BR
REMBRANDT/RUE-STRAAT	28 Ecd	1000 BR
REMBRANDTDREEF	52 Eac	3090 OV
REMBUCHER/DREVE DU	50 Dd Ec	1170 WB
REMEKERSTRAAT/RUE P.	5 Bd Cc	1780 WE
REMORQUEUR/RUE DU	35 Aa	1000 BR
REMPART DES MOINES/ RUE DU	27 Bc Ea	1000 BR
	90 Ecd	1000 BR
	92 Bac	1000 BR
REMY/RUE-STRAAT GEORGES	19 Eab	1082 BA
RENAISSANCE/ AVENUE DE LA-LAAN	28 Ecd	1000 BR
RENAN/AVENUE-LAAN ERNEST	21 Db	1030 SC
RENARD/AVENUE ANDRE	84 Cd Fb	1330 RI
RENARD/AVENUE-LAAN MARIUS	32 Fbd	1070 AN
	33 Da	1070 AN
RENARD/CLOS DU	72 Ec	1410 WA
RENARD/DREVE DU	43 Ca	1160 AU
RENARD/RUE-STRAAT ALPHONSE 1 à/tot 81 & 2 à/tot 64	41 Cac	1050 IX
RENARD/RUE-STRAAT ALPHONSE 83 à fin/tot einde & 72 à fin/tot einde	41 Cc	1180 UC
RENARD ARGENTE/ AVENUE DU	37 Cbd	1970 W-O
	38 Aa	1970 W-O
RENARDIERE/ AVENUE DE LA	84 Aa	1380 OH
RENARDS/DREVE DES	49 Bcd Dab Ea	1180 UC
RENARDS/DREVE DES	63 Cc	1640 S-G
RENARDS/RUE DES	34 Ba	1000 BR
	94 Bd Cc	1000 BR
RENAUXWIJK	68 Cc	1500 HA

Street	Page	Grid	Postcode
RENBAANLAAN	35	Dc	1050 IX
	42	Aab	1050 IX
RENBAANLAAN	49	Ad Bcd	1180 UC
RENBAANLAAN	18	Dc	1700 DI
RENBAANLAAN	31	Aabd Db Ea	1970 W-O
RENCY/RUE-STRAAT GEORGES	28	Fb	1200 WL
RENDEZ-VOUS DE CHASSE	42	Dab	1020 BR
RENIERS/RUE-STRAAT RENE	12	Fbcd	1090 JE
RENIPONT/ROUTE DE	84	Ac	1380 OH
RENIPONT/RUE DE	79	Dbd	1332 GE
RENISART/CLOS DU	81	Dc	1301 BI
RENKIN/RUE-STRAAT	21	Da	1030 SC
RENOIR/RUE-STRAAT	21	Cd	1140 EV
AUGUSTE	22	Ac	1140 EV
RENONCULES/ AVENUE DES	85	Ba	1300 LI
RENONCULES/CLOS DES	83	Ca	1410 WA
RENONCULES/RUE DES	43	Dbd	1170 WB
RENOUVEAU/AVENUE DU	14	Fd	1140 EV
	21	Cb	1140 EV
RENPAARDENDREEF	42	Dd	1000 BR
	49	Ab	1000 BR
REPER-VREVEN/ RUE-STRAAT	13	Ad Bc	1020 BR
REPOS/PLACE DU	33	Bb	1070 AN
REPOS/RUE DU	48	Bc Ea	1180 UC
REPUBLIEK ARGENTINIE SQUARE	48	Cb	1180 UC
REPUBLIQUE ARGENTINE/ SQUARE DE LA	48	Cb	1180 UC
REQUETTE/AVENUE-LAAN CARL	26	Ad Bac	1080 MO
RESEARCHDREEF	39	Bbcd	1070 AN
RESEDAS/RUE DES	33	Dd Ec	1070 AN
RESEDASTRAAT	33	Dd Ec	1070 AN
RESERVAATLAAN	56	Dc	1640 S-G
RESERVE/AVENUE DE LA	56	Dc	1640 S-G
RESERVE/VENELLE DE LA	87	Aac	1301 BI
RESERVOIR /AVENUE DU	49	Ba	1000 BR
RESERVOIR/CHEMIN DU	49	Bac Eac	1180 UC
RESERVOIR/RUE DU	81	Fa	1300 WA
RESERVOIR/RUE DU	84	Bbd Cc Fa	1330 RI
RESIDENCE/	35	Aac	1050 IX
SQUARE DE LA	95	Fab	1050 IX
RESIDENCE AIGUE MARINE	80	Ed	1300 LI
RESIDENCE ALTAIR	80	Ed	1300 LI
	85	Bb	1300 LI
RESIDENCE AMETHYSTE	80	Ed	1300 LI
RESIDENCE ANDROMEDE	80	Fc	1300 LI
RESIDENCE BETELGEUSE	80	Ed	1300 LI
RESIDENCE CASSIOPEE	80	Ed	1300 LI
RESIDENCE DE L'AISNE	80	Ed	1300 LI
RESIDENCE DE LA LESSE	80	Ed	1300 LI
RESIDENCE DE LA LYRE	80	Ed	1300 LI
RESIDENCE DE L'AMBLEVE	80	Ed	1300 LI
RESIDENCE DE LA MEUSE	80	Ec	1300 LI
RESIDENCE DE LA SAMBRE	80	Ed	1300 LI
RESIDENCE DE LA SEMOIS	80	Ed	1300 LI
RESIDENCE DE LA VESDRE	80	Ecd	1300 LI
RESIDENCE DE L'OURTHE	80	Ed	1300 LI
RESIDENCE DIAMANT	80	Fc	1300 LI
RESIDENCE DU CYGNE	85	Bb	1300 LI
RESIDENCE DU SAGITTAIRE	80	Ed	1300 LI
RESIDENCE EMERAUDE	80	Fc	1300 LI
RESIDENCE JUPITER	85	Bb Ca	1300 LI
RESIDENCE NEPTUNE	80	Fc	1300 LI
	85	Ca	1300 LI
RESIDENCE ONYX	80	Fc	1300 LI
RESIDENCE OPALE	80	Fc	1300 LI
RESIDENCE OPALE	80	Fc	1301 BI
RESIDENCE ORION	80	Ed	1300 LI
	85	Bb	1300 LI
RESIDENCE PLUTON	80	Fc	1300 LI
RESIDENCE RUBIS	80	Fc	1300 LI
RESIDENCE SAPHIR	80	Fc	1300 LI
RESIDENCE SATURNE	80	Fc	1300 LI
RESIDENCE TOPAZE	80	Fc	1300 LI
RESIDENCE TURQUOISE	80	Fc	1300 LI
RESIDENTIESQUARE	35	Aac	1050 IX
	95	Fab	1050 IX
RESISTANCE/ AVENUE DE LA	80	Eac	1300 LI
RESISTANCE/ AVENUE DE LA	80	Ea	1330 RI
RESISTANCE/PLACE DE LA	33	Bbd	1070 AN
RESISTANCE/RUE DE LA	20	Ab	1090 JE
RESISTANCE/RUE DE LA	21	Bd Cc	1140 EV
RESISTANCE/SQ. DE LA	80	Ea	1330 RI
RETORICASTRAAT	34	Ea	1060 SG
REVE/AVENUE DU	29	Fb	1200 WL
	30	Da	1200 WL
REVEIL/IMPASSE DU	27	Ea	1000 BR
	92	Bc	1000 BR
REVEREND PERE PIRE/ AVENUE	84	Bab	1330 RI
REVEREND PERE PIRE/	19	Fc	1080 MO
RUE DU	26	Ca	1080 MO
REVISION/	33	Cd	1070 AN
BOULEVARD DE LA	34	Aac	1070 AN
REVOLUTION/RUE DE LA	27	Cd	1000 BR
	93	Bb	1000 BR
REY/PLACE JEAN-PLEIN	35	Ab	1040 ET
REY/SQUARE HENRI	26	Ec	1070 AN
REYERS/BOULEVARD- LAAN AUGUSTE	28	Cc Fa	1030 SC
REYSTRAAT	47	Dcd	1601 RU
RHETORIQUE/RUE DE LA	34	Ea	1060 SG
RHODE/RUE DE	63	Bac	1630 LI
RHODE-ST-GENESE/ SENTIER DE	76	Bac	1410 WA
RHODODENDRONS/ AVENUE DES-LAAN	13	Bd Cc	1000 BR
RHODODENDRONS/ DREVE DES-DREEF 24 à/tot 26	49	Fa	1180 UC
RHODODENDRONS/ DREVE DES autres nos	49	Ccd Fab	1170 WB
RHODODENDRONSLAAN/ AVENUE DES	37	Bbd Cac	1950 KR
RHONE/CHAUSSEE DU	81	Cbd	1300 WA
RICHELLE/DREVE	76	Fcd	1410 WA
	83	Cb	1410 WA

R

RODENBACHLAAN		
ALBRECHT	2 Cb	1850 GR
RODENBACHSTRAAT/		
RUE AALBRECHT	5 Db	1780 WE
RODENBERG	43 Acd	1160 AU
RODENEMWEG	68 Fc	1500 HA
RODEPOORT	34 Bb	1000 BR
	94 Cabd	1000 BR
RODEPOORTSTRAAT	6 Cc	1853 S-B
RODE STENENSTRAAT	42 Fc	1170 WB
	49 Ca	1170 WB
RODESTRAAT	48 Ab Ba	1180 UC
RODESTRAAT	63 Bac	1630 LI
RODESTRAAT	71 Abd	1652 AL
RODIN/AVENUE-LAAN		
AUGUSTE	35 Dbd	1050 IX
RODODENDRONLAAN	70 Acd	1653 DW
RODODENDRONSDREEF	49 Ccd Fab	1170 WB
alle nrs behalve 24 & 26		
RODTSSTRAAT/		
RUE JOZEF-JOSEPH	47 Fa	1620 DR
ROEIERSPAD	42 Ec	1000 BR
	49 Ba	1000 BR
ROEIERSSTRAAT	20 Fa	1000 BR
ROEKELOOSBORRE	75 Ab	3090 OV
ROEKENSSTRAAT	9 Bb Ca	1820 ME
ROEKHOUT	11 Ecd	1702 G-B
	18 Bab	1702 G-B
ROELANDSHEIDE	45 Fb	3080 DU
ROELANDSVELDSTRAAT	25 Dbd Ea	1700 DI
ROELANDTS/RUE-STRAAT	28 Aab	1030 SC
ROELANTSLAAN/		
AVENUE M.	5 Da	1780 WE
ROELANTSLAAN MAURITS	24 Dab	1933 ST
ROELANTSSTRAAT JEAN	8 Bd	1830 MA
ROEMENIESTRAAT	34 Eabc	1060 SG
ROESBUNDER	71 Bd Cc	1640 S-G
ROETAERT/		
RUE DU-STRAAT	47 Cbd	1180 UC
ROFESSART/CHEMIN DE	85 Ad Dbd	1300 LI
ROFESSART/RUE DE	85 Db Ea	1300 LI
ROFFIAEN/RUE-STRAAT		
FRANCOIS	42 Ab Ba	1050 IX
ROGATIONS/AVENUE DES	28 Fcd	1200 WL
ROGGEBLOEMLAAN	29 Fd	1200 WL
	36 Cab	1200 WL
ROGGEMANSKAAI FELIX	61 Dbcd	1501 BU
	68 Cb	1501 BU
	69 Aa	1501 BU
ROGGEVELD	22 Cd	1932 S-W
ROGIER/AVENUE-LAAN	21 Dc	1030 SC
	28 Aab	
	Bab Ca	1030 SC
	91 Cab	1030 SC
ROGIER/PLACE-PLEIN	27 Ca	1210 SJ
CHARLES- KAREL	91 Db	1210 SJ
ROGIER/RUE-STRAAT	20 Fc	1000 BR
1 à/tot 25 &		
2 à/tot 30		
ROGIER/RUE-STRAAT	20 Fcd	1030 SC
autres nos/andere nrs	21 Dc	1030 SC
	91 Ca	1030 SC
ROHAN/AVENUE DE	88 Ad Bc	1420 B-A
ROI/AVENUE DU	34 Ac Da	1060 SG
1 à 79 & 2 à 106		
ROI/AVENUE DU	34 Dac	1190 FO
81 à fin & 108 à fin		
ROI/GALERIE DU	27 Eb	1000 BR
	93 Ac	1000 BR
ROI/JARDIN DU	42 Aa	1000 BR
ROI/PETITE RUE DU	37 Cb	1970 W-O
	38 Aa	1970 W-O
ROI/RUE DU	84 Ab Ba	1330 RI
ROI ALBERT/AVENUE DU	18 Fb	1082 BA
	19 Dabd	1082 BA
ROI ALBERT/AVENUE DU	14 Aab	1120 BR
ROI ALBERT I/AVENUE	5 Fc	1780 WE
ROI ALBERT II/	20 Fac	1210 SJ
BOULEVARD DU	27 Bb Ca	1210 SJ
1 à 25	91 Aac	1210 SJ
ROI ALBERT II/	20 Fac	1000 BR
BOULEVARD DU	27 Bb Ca	1000 BR
2 à 46	91 Aac	1000 BR
ROI ALBERT II/	20 Fac	1030 SC
BOULEVARD DU	27 Bb Ca	1030 SC
numéro 27	91 Aac	1030 SC
ROI BAUDOUIN/AVENUE	78 Bab	1310 L-H
ROI BAUDOUIN/PLACE DU	19 Dd	1082 BA
ROI BAUDOUIN/		
ROND-POINT	30 Ad	1950 KR
ROI BAUDOUIN/		
SQUARE DU	30 Dd	1150 WP
ROI CHEVALIER/		
AVENUE DU	29 Dd	1200 WL
ROI LEOPOLD-III-/AVENUE	5 Fc	1780 WE
ROI-SOLDAT/AVENUE DU	33 Ad Bc	
	Dab	1070 AN
ROI SOLEIL/AVENUE DU	83 Bab Ca	1410 WA
ROITELET/RUE DU	42 Fa	1170 WB
ROITELETS/AVENUE DES	30 Bc	1950 KR
ROI VAINQUEUR/		
PLACE DU	35 Cc	1040 ET
ROKLOOSTER	43 Cc	1160 AU
ROKLOOSTERDREEF	43 Bd Cc	1160 AU
ROKLOOSTERSTRAAT	43 Bd Cc	1160 AU
ROLAND/RUE-STRAAT		
ARTHUR	21 Ebd	1030 SC
ROLIN/BOULEVARD HENRI	76 Fc	1410 WA
ROLIN/PLACE-PLEIN	35 Fa	1040 ET
ROLIN/PROMENADE		
HIPPOLYTE	35 Eb Fa	1040 ET
ROLLAND/AVENUE-LAAN		
ROMAIN	33 Da	1070 AN
ROLLANTSTRAAT	24 Ed	1933 ST
ROLLEBAAN	63 Ed	1640 S-G
	71 Bb	1640 S-G
ROLLEBEEK/	27 Ed	1000 BR
RUE DE-STRAAT	92 Fd	1000 BR
ROLLEBEEKSTRAAT	62 Abd	1650 BE
ROLLEWAGENSTRAAT	4 Cd Fb	1800 PE
ROLLEWAGENSTRAAT	4 Cd Fb	1800 VI
ROLSTRAAT	27 Bcd	1000 BR
	90 Ed Fc	1000 BR
ROM/RUE-STRAAT		
LEOPOLD	37 Dd	1150 WP
ROMAINE/CHAUSSEE	5 Fd	1020 BR
321 à 817	6 Dbcd	
	Eacd	
	Fcd	1020 BR
	12 Bb Cab	1020 BR

R

Street	Map	Square	Postcode
ROMAINE/CHAUSSEE	5	Fd	1780 WE
	6	Dc	1780 WE
	12	Bb Cab	1780 WE
ROMAINE/			
PETITE CHAUSSEE	6	Fc	1020 BR
ROMAINE/RAMPE	5	Fd	1020 BR
ROMARIN/RUE DU	5	Fd	1020 BR
ROMBAUX/			
SQUARE EGIDE	33	Ac	1070 AN
ROMBOUTSSTRAAT	23	Ad	1932 S-W
ROME/RUE DE-STRAAT	34	Ea	1060 SG
ROMEINSEBAAN	11	Bc	1731 ZE
ROMEINSEBAAN	1	Acd	1785 BR
ROMEINSEOPRIT	5	Fd	1020 BR
ROMEINSESTEENWEG	12	Bb Cab	1020 BR
321 tot 817	5	Fd	1020 BR
	6	Dbcd	
		Eacd	
		Fcd	1020 BR
ROMEINSE STEENWEG	12	Bb Cab	1780 WE
	5	Fd	1780 WE
	6	Dc	1780 WE
ROMEINSESTEENWEG	6	Fbcd	1800 VI
	7	Ad Bc	
		Dab	1800 VI
ROMEINSESTEENWEG	6	Dbcd	
		Eacd	
		Fc	1853 S-B
ROMEINSE VILLADREEF	33	Dd	1070 AN
ROMMELAERE/			
AVENUE-LAAN	13	Ac	1020 BR
1 à/tot 145 & 2 à/tot 4D			
ROMMELAERE/			
AVENUE-LAAN	12	Cd	1090 JE
autres nos/andere nrs	13	Ac	1090 JE
RONCES/AVENUE DES	49	Dcd	1180 UC
RONCES/SENTIER DES	43	Cd	1160 AU
	44	Ac	1160 AU
RONCIER/SENTIER DU	87	Acd Db	1300 WA
ROND BOIS/VENELLE DU	87	Dd Ec	1300 WA
RONDE/CHEMIN DE-WEG	36	Eb	1150 WP
RONDE/PLACE	12	Cb	1020 BR
RONDEBOSSTRAAT	25	Dc	1700 DI
RONDENBOSLAAN	63	Dc	1652 AL
RONDEWEG	4	Db	1800 VI
RONDPLEIN	12	Cb	1020 BR
ROND POINT/AVENUE DU	79	Fd	1330 RI
ROND-POINT DE LA			
LIBERTE	81	Cc	1300 WA
RONDPUNT SINT-ANNA	64	Dc	1640 S-G
RONKEL	12	Ba	1780 WE
	5	Ec	1780 WE
RONSARD/RUE STRAAT	26	Dc	1070 AN
RONSMANS/CITE-WIJK	34	Bb	1000 BR
	94	Cb	1000 BR
ROOBAERT/RUE-STRAAT			
ADOLPHE	19	Ba	1083 GA
ROODAARDE	11	Bd Eb	1731 ZE
ROODBORSTJESLAAN	63	Eb Fa	1640 S-G
ROODBORSTJESLAAN	2	Db	1860 ME
ROODBORSTJESLAAN	30	Bab	1950 KR
ROODBORSTJESTRAAT	50	Db Ea	1170 WB
ROODBORSTJESWEG	50	Eab	1170 WB
ROODEBEEK/	28	Cd Eb	
AVENUE DE-LAAN		Fab	1030 SC
ROODEBEEK/	28	Cd	1200 WL
CHAUSSEE DE-	29	Ac Dab	
STEENWEG		Eab	1200 WL
ROODENBERG/RUE	43	Acd	1160 AU
ROODHUISPLEIN	20	Bd	1020 BR
ROOFKEVERSLAAN	49	Cc	1170 WB
ROOILANDGAARDE	37	Ad Bc	1150 WP
ROOS/RUE-STRAAT MAX	21	Aab	1030 SC
ROOSELAERSSTRAAT			
EDOUARD	53	Aa	1600 P-L
ROOSENDAEL/	40	Fbd	1190 FO
RUE-STRAAT	41	Dab	1190 FO
1 à/tot 235 & 2 à/tot 230			
ROOSENDAEL/			
RUE-STRAAT	41	Db	1180 UC
357 à fin/tot einde &			
244 à fin/tot einde			
ROOSEVELT/AVENUE	79	Bd Eabd	
FRANKLIN		Fc	1330 RI
ROOSEVELT/AVENUE-	42	Ad Db	
LAAN FRANKLIN		Eac	1050 BR
	49	Babd	1050 BR
ROOSEVELT/RUE-STRAAT			
THEODORE	28	Ed Fac	1030 SC
ROOSEVELTLAAN			
FRANKLIN	4	Ab Bac	1800 VI
ROOSTBAAN	2	Bab	1850 GR
ROOSTERGANG	27	Bc	1000 BR
	30	Ed	1000 BR
ROOSTSTRAAT	2	Ab Ba	1860 ME
ROPS/RUE-STRAAT			
FELICIEN	33	Dbd	1070 AN
ROPSY-CHAUDRON/	26	Fd	1070 AN
RUE-STRAAT	27	Dc	1070 AN
ROSACEES/CLOS DES	26	Ab Ba	1080 MO
ROSART/RUE-STRAAT			
GEORGES	37	Dd	1150 WP
ROSE/CLOS DE LA	83	Ab	1410 WA
ROSEAU/RUE DU	48	Dc	1180 UC
	55	Aa	1180 UC
ROSEAUX/RUE DES	88	Dc	1420 B-A
ROSEE/AVENUE DE LA	72	Bbd	1640 S-G
ROSEE/RUE DE LA	27	Dab	1070 AN
	92	Acd Da	1070 AN
ROSE FRANCE/AVENUE	79	Cc	1330 RI
ROSELAAN PRINCE	31	Ec	1933 ST
ROSERAIE/AVENUE DE LA	79	Cc	1330 RI
ROSERAIE/RUE DE LA	19	Dc	1082 BA
ROSES/AVENUE DES	85	Dd	1342 LI
ROSES/AVENUE DES	64	Ecd	1640 S-G
	72	Bb	1640 S-G
ROSES/CHEMIN DES	48	Abd	1180 UC
ROSES/RUE DES	27	Cc	1000 BR
	91	Dc	1000 BR
ROSIERES/CHEMIN DE	85	Bb	1300 LI
ROSIERES/RUE DE	80	Cb	1301 BI
ROSIERES/RUE DE	75	Fcd	1332 GE
	79	Bb Ca	1332 GE
ROSMARIJNSTRAAT	5	Fd	1020 BR
ROSSEELSLAAN HENRI	11	Eb	1731 ZE
ROSSIGNOL/CHEMIN DU	14	Ba	1120 BR
ROSSIGNOLS/			
AVENUE DES	75	Acd	1310 L-H
ROSSIGNOLS/			
AVENUE DES	76	Cd	1410 WA

R

Street	Map	Postal code
ROSSIGNOLS/		
AVENUE DES	30 Bab	1950 KR
ROSSIGNOLS/		
AVENUE DES	31 Dac	1970 W-O
ROSSIGNOLS/		
SENTIER DES	79 Fb	1330 RI
ROSSINI/RUE-STRAAT	34 Aa	1070 AN
ROSTAND/RUE-STRAAT		
EDMOND	26 Ebcd	1070 AN
ROTIERS/RUE-STRAAT		
EMILE	43 Ed	1160 AU
ROTON/CHEMIN DU	76 Fd	1410 WA
ROTSELAERLAAN	38 Cbd	3080 TE
ROTTERDAM/		
RUE DE-STRAAT	20 Db Ea	1080 MO
ROTTERIK	2 Dd	1853 S-B
ROTWEG	60 Eabd	3090 OV
ROUE/PLACE DE LA	33 Dd	1070 AN
ROUE/RUE DE LA	27 Ec	1000 BR
	92 Ed	1000 BR
	94 Bb	1000 BR
ROUEN-BOVIE/		
RUE-STRAAT	28 Ad	1210 SJ
ROUGE/RUE	48 Ab Ba	1180 UC
ROUGE-CLOITRE	43 Cc	1160 AU
ROUGE-CLOITRE/		
CLOS DU	67 Da	1310 L-H
ROUGE-CLOITRE/D		
REVE DU	43 Bd Cc	1160 AU
ROUGE-CLOITRE/		
RUE DU	43 Bd Cc	1160 AU
ROUGE-CLOITRE/	66 Fd	1310 L-H
RUE DU	67 Dac	1310 L-H
ROUGE-GORGE/		
CHEMIN DU	50 Eab	1170 WB
ROUGE-GORGE/RUE DU	50 Db Ea	1170 WB
ROUGE-GORGES/		
AVENUE DES	30 Bab	1950 KR
ROUGES GORGES/		
AVENUE DES	63 Eb Fa	1640 S-G
ROULEAU/RUE DU	27 Bcd	1000 BR
	90 Ed Fc	1000 BR
ROULIER/IMPASSE DU	27 Bc	1000 BR
	90 Ec	1000 BR
ROUMANIE/RUE DE	34 Eabc	1060 SG
ROUPPE/PLACE-PLEIN	27 Ec	1000 BR
	92 Ed	1000 BR
ROUPPE/RUE-STRAAT	27 Ec	1000 BR
	92 Ed	1000 BR
ROUSSART/CHEMIN DU	83 Eab	1420 B-A
ROUSSART/RUE DU	83 Ccd	1410 WA
ROUSSEAU/AVENUE-	40 Cd Fab	1190 FO
LAAN VICTOR	41 Acd	1190 FO
ROUSSEROLLES/		
AVENUE DES	63 Bd Eb	1640 S-G
ROUSSETTES/	83 Ed	1410 WA
CHEMIN DES	88 Bb	1410 WA
ROUSSETTES/	83 Ed	1420 B-A
CHEMIN DES	88 Bb	1420 B-A
ROWIESSTRAAT ALBERT	66 Bab	1560 HO
ROWIESSTRAAT NESTOR	60 Da	3090 OV
ROYALE/AVENUE	80 Dd Ec	1330 RI
ROYALE/PLACE	27 Fc	1000 BR
	93 Dd	1000 BR
ROYALE/PLACE	71 Bd	1640 S-G
ROYALE/RUE	27 Cd Fabc	1000 BR
1 à 145B & 2 à 234	91 Ecd	1000 BR
	93 Bac	
	Dbd Ea	1000 BR
ROYALE/RUE	27 Cbd	1210 SJ
151 à 251 & 236 à 324	91 Bd Ebd	1210 SJ
ROYALE/RUE	27 Cb	1030 SC
253 à fin & 326 à fin	91 Bd	1030 SC
ROYALE SAINTE-MARIE/	20 Fd	1030 SC
RUE	21 Dac	1030 SC
	27 Cb	1030 SC
	91 Ca	1030 SC
ROYAUTE/RUE DE LA	20 Bb	1020 BR
ROZE HOEVELAAN	41 Ec	1180 UC
ROZELAARLAAN	66 Aacd	1560 HO
ROZE MOLENWEG	55 Ad Bc	
	Db	1180 UC
ROZENDAAL	27 Ed	1000 BR
	92 Fac	1000 BR
ROZENDAL	65 Cb	1560 HO
	66 Aa	1560 HO
ROZENDALSTRAAT	38 Ec	3080 TE
	45 Ba	3080 TE
ROZENDOORNDREEF	25 Db	1700 DI
ROZENGAARDE	26 Ab Ba	1080 MO
ROZENGAARDSTRAAT	19 Dc	1082 BA
ROZENLAAN	69 Ab	1501 BU
ROZENLAAN	64 Ecd	1640 S-G
	72 Bb	1640 S-G
ROZENLAAN	25 Fc	1700 DI
ROZENLAAN	18 Ea	1702 G-B
ROZENLAAN	9 Abd	1820 ME
ROZENLAAN	6 Cd	1853 S-B
ROZENLAAN	52 Ac Da	3090 OV
ROZENSTRAAT	27 Cc	1000 BR
	91 Dc	1000 BR
ROZENSTRAAT	46 Ca	1600 P-L
ROZENSTRAAT	54 Ed	1650 BE
ROZENSTRAAT	4 Cc	1800 VI
ROZENSTRAAT	8 Bd	1830 MA
ROZENWEG	48 Abd	1180 UC
ROZENWEG	18 Cb	1731 ZE
ROZEWEIDEWEG	71 Bb	1640 S-G
ROZIERENSESTEENWEG	67 Fc	3090 OV
	75 Cabd	3090 OV
RUANDA/		
RUE DU-STRAAT	35 Bd	1040 ET
RUBENS/RUE-STRAAT	20 Fb	1030 SC
	21 Da	1030 SC
RUBENSDREEF	52 Dd Ec	3090 OV
RUBENSLAAN/AVENUE		
PIETER-PAUL	5 Dd	1780 WE
RUBENSPLEIN	59 Dcd	1560 HO
RUBENSSTRAAT	3 Fab	1800 VI
	4 Da	1800 VI
RUBIS/ALLEE DU	12 Cab	1020 BR
RUBIS/RUE DU	12 Ca	1020 BR
RUCHE/RUE DE LA	21 Dc	1030 SC
RUEKEVELDERF	68 Ba	1500 HA
RUELENS/PLACE-PLEIN		
OSCAR	19 Db	1082 BA
RUHL/RUE-STRAAT JULES	26 Fd	1070 AN
RUHLPLEIN	52 Ed	3090 OV
RUHONDO/SENTIER DE	85 Ac	1330 RI

R

Street	Map	Grid	Postcode
RUIMINGSKAAI	20	Ecd	1000 BR
	90	Ca	1000 BR
RUISBROEK/	47	Bbd	
CHAUSSEE DE		Ca	1190 FO
1 à 209 & 110			
RUISBROEK/	47	Bbd	
CHAUSSEE DE		Ca	1180 UC
18 à 74			
RUISBROEK/			
CHAUSSEE DE-			
STEENWEG OP	47	Bcd	1620 DR
RUISBROEKSE	47	Bbd	
STEENWEG		Ca	1190 FO
1 tot 209 & 110			
RUISBROEKSESTEENWEG	47	Bbd	
18 tot 74		Ca	1180 UC
RUISBROEKSESTEENWEG	46	Fbcd	1600 P-L
	47	Da	1600 P-L
RUISBROEKSTRAAT	27	Ed Fc	1000 BR
	34	Ca	1000 BR
	93	Dc	1000 BR
	95	Aa	1000 BR
RUISELAAR	62	Ac	1651 LO
RUISSEAU/AVENUE DU	82	Dd	1300 WA
RUISSEAU/RUE DU	27	Ab Ba	1080 MO
	90	Bc	1080 MO
RUISSEAU/RUE DU	63	Fc	1640 S-G
	71	Ca	1640 S-G
RUISSEAU/RUE DU	30	Cd Fbd	1970 W-O
	31	Da	1970 W-O
RUISSEAU/SENTIER DU	26	Ed	1070 AN
RUISSEAU DU GODRU/	82	Dabcd	1300 WA
AVENUE DU	87	Aab	1300 WA
RUISSELET/CLOS DU	19	Ea	1082 BA
RUITERIJLAAN	35	Ecd	1040 ET
RUITERSLAAN	72	Bd	1640 S-G
RUITERWEG	1	Ebd	1780 WE
	5	Bb	1780 WE
RULLENS/AVENUE-LAAN			
JULES-PIERRE	29	Ec	1200 WL
RUPEL/RUE DU-STRAAT	14	Dc	1000 BR
RUSATIRA/			
AVENUE DE -LAAN	19	Abd	1083 GA
RUSLANDSTRAAT	34	Abd	1060 SG
	94	Db Ea	1060 SG
RUSSIE/RUE DE	34	Abd	1060 SG
	94	Db Ea	1060 SG
RUSTLAAN	18	Ad	1702 G-B
RUSTOORDDREEF	16	Ec	1930 ZA
RUSTPLAATSLAAN	14	Fd	1140 EV
	21	Cb	1140 EV
RUSTPLEIN	33	Bb	1070 AN
RUSTSTRAAT	48	Bc Ea	1180 UC
RUTHSTRAAT	10	Bb Cac	1820 ST
RUTTEN/AVENUE-LAAN			
JOSEPH	37	Db	1150 WP
RUUSBROECSTRAAT JAN	47	Dc	1601 RU
RUWKRUIDLAAN	31	Dbd Ea	1970 W-O
RUYSBROECK/RUE DE	27	Ed Fc	1000 BR
	34	Ca	1000 BR
	93	Dc	1000 BR
	95	Aa	1000 BR
RUYSBROECKWEG			
JOANNES	57	Ed Fc	1560 HO
RUYSDAEL/RUE-STRAAT	34	Aa	1070 AN
RUYTINX/RUE-STRAAT			
FRANCOIS	43	Dd	1170 WB
RY/CHEMIN DU	81	Bab	1300 WA
RY-BEAU-RY/ROUTE DU	79	Dcd	1380 OH
	84	Aac	1380 OH
RYCKMANS/AVENUE-			
LAAN ANDRE	49	Ac	1180 UC
RYCKMANS/RUE-STRAAT	27	Ab	1080 MO
HELENE	90	Ad Bc	1080 MO

S

Street	Map	Grid	Postcode
SABLES/CHEMIN DES	70	Fbd	1640 S-G
	71	Dc	1640 S-G
SABLES/RUE DES	27	Cc	1000 BR
	91	Dd	1000 BR
	93	Ab	1000 BR
SABLES/RUE DES	55	Db	1630 LI
SABLES/RUE DES	30	Aa	1970 W-O
SABLES/SENTIER DES	56	Bac Ea	1180 UC
SABLIERE/AVENUE DE LA	43	Ba	1160 AU
SABLIERE/AVENUE DE LA	85	Ea	1300 LI
SABLIERE/RUE DE LA	79	Bb	1332 GE
SABLONNIERE/RUE DE LA	27	Cd	1000 BR
	91	Ed	1000 BR
SABLONS/RUE DES	27	Fd	1000 BR
	34	Bb	1000 BR
SABLONS/RUE DES	94	Cb	1000 BR
	95	Aa	1000 BR
SABRETACHE/			
CLOS DE LA	83	Ed Fc	1410 WA
SACRE-COEUR/			
AVENUE DU	13	Dac	1090 JE
SACRE-COEUR/PLACE DU	29	Ed	1200 WL
SACRE-COEUR/			
SQUARE DU	43	Eb	1160 AU
SADIN/CHEMIN DU	88	Dc	1420 B-A
SADIN/CLOS DU	88	Dc	1420 B-A
SAFFETIAU	81	Dc	1300 WA
SAFFETIAU/RUE DU	81	Dcd	1301 BI
SAFFIERLAAN	71	Da	1640 S-G
SAFFIERSTRAAT	28	Bd Cc	1030 SC
SAGITTAIRE/AVENUE DU	29	Acd	1200 WL
SAGITTAIRE/AVENUE DU	83	Cd Fb	1410 WA
SAINCTELETTE/	27	Ba	1080 MO
PLACE-PLAATS	90	Bb	1080 MO
SAINCTELETTE/	27	Ba	1000 BR
PLACE-PLEIN	90	Bb	1000 BR
SAINCTELETTE/SQUARE	27	Ba	1000 BR
	90	Bbd	1000 BR
SAINFOINS/AVENUE DES	39	Cc Eb	
		Fa	1070 AN
SAINT-ALPHONSE/RUE	28	Ac	1210 SJ
	91	Fcd	1210 SJ
SAINT-ANDRE/RUE	27	Bc	1000 BR
	90	Eb	1000 BR
SAINT ANTOINE/AVENUE	23	Dac	1950 KR
SAINT-ANTOINE/PLACE	35	Ea	1040 ET
SAINT-ANTOINE/PLACE	34	Da	1190 FO
SAINT-AUGUSTIN/AVENUE	41	Ad	1190 FO
SAINT-BERNARD/RUE	34	Ebcd	
		Fa	1060 SG
SAINT-BONIFACE/RUE	34	Cbd	1050 IX
	95	Ea	1050 IX

SAINT-CHRISTOPHE/RUE	27	Ea	1000 BR
	92	Bd	1000 BR
SAINT-CORNEILLE/DREVE	73	Dbd Ea	1310 L-H
	77	Ab	1310 L-H
SAINT-CORNEILLE/DREVE	77	Ab Ba	1410 WA
SAINT-DENIS/PLACE	40	Eb Fa	1190 FO
SAINT-DENIS/RUE	33	Fcd	1190 FO
	40	Cac Fa	1190 FO
SAINT-DOMINIQUE/ AVENUE	37	Bcd	1950 KR
SAINTE-ADRESSE/ PLACE DE-PLEIN	33	Ba	1070 AN
SAINTE-ALIX/AVENUE	37	Dbd	1150 WP
SAINTE-ALIX/PARVIS	37	Db	1150 WP
SAINTE-ALLIANCE/ PLACE DE LA	55	Cd	1180 UC
SAINTE-ANNE/AVENUE	43	Bbd Ca	1160 AU
SAINTE-ANNE/AVENUE	64	Dacd	1640 S-G
SAINTE-ANNE/ CARREFOUR	43	Bb	1160 AU
SAINTE ANNE/CHEMIN	78	Cc	1332 GE
SAINTE-ANNE/CHEMIN	78	Cc	1380 OH
SAINTE ANNE/CLOS	78	Ccd	1332 GE
SAINTE-ANNE/DREVE	13	Ebd	1020 BR
SAINTE-ANNE/IMPASSE	81	Fa	1300 WA
SAINTE-ANNE/PETITE RUE	12	Eabd Fc	1090 JE
SAINTE-ANNE/PLACE	88	Ac	1420 B-A
SAINTE-ANNE/RUE	27	Ed Fc	1000 BR
	93	Dc	1000 BR
	95	Aa	1000 BR
SAINTE-ANNE/RUE	81	Ad Bcd Cc Fa	1300 WA
SAINTE-ANNE/RUE	83	Fab	1410 WA
SAINTE-ANNE/RUE	88	Ac	1420 B-A
SAINTE-ANNE/SENTIER	78	Bd Cc	1332 GE
SAINTE-CATHERINE/	27	Bcd	1000 BR
PLACE	92	Bb Ca	1000 BR
SAINTE-CATHERINE/RUE	27	Ea	1000 BR
	92	Bb Ca	1000 BR
SAINTE-CECILE/PARVIS	19	Ba	1083 GA
SAINTE-CROIX/PLACE	35	Dac	1050 IX
SAINTE-ELISABETH/RUE	15	Aab	1130 BR
SAINTE-FAMILLE/ PLACE DE LA	29	Bc Ea	1200 WL
SAINTE-GERTRUDE	76	Aa	1640 S-G
SAINTE-GERTRUDE/RUE	35	Bab	1040 ET
SAINTE-GUDULE/PARVIS	27	Fa	1000 BR
	93	Ad	1000 BR
SAINTE-GUDULE/PLACE	27	Fa	1000 BR
	93	Ad	1000 BR
SAINTE-GUDULE/RUE	27	Fa	1000 BR
	93	Acd	1000 BR
SAINTE-MARIE/RUE	27	Abd	1080 MO
	90	Db Ea	1080 MO
SAINTE-PETRONILLE/	27	Eb	1000 BR
IMPASSE	92	Cd	1000 BR
SAINTE-REINE/RUE	81	Fd	1300 WA
	82	Dc	1300 WA
SAINTE-RITA/CLOS	88	Dcd	1420 B-A
SAINTE-ROLANDE/CLOS	83	Dc	1420 B-A
	88	Aa	1420 B-A
SAINT-ESPRIT/RUE DU	27	Ed	1000 BR
	92	Fcd	1000 BR

SAINTE-THERESE/ AVENUE	72	Bcd	1640 S-G
SAINTE-THERESE/RUE	34	Bac	1000 BR
	94	Bcd Ea	1000 BR
SAINTE-URSULE/IMPASSE	27	Ad	1000 BR
	90	Ec	1000 BR
SAINT-FRANCOIS/RUE	27	Cb	1210 SJ
	91	Bcd	1210 SJ
SAINT GEORGES/AVENUE	23	Dd	1950 KR
SAINT-GEORGES/CLOS	36	Fc	1150 WP
SAINT-GEORGES/CLOS	30	Ed	1970 W-O
SAINT-GEORGES/RUE	41	Cbd	1050 IX
SAINT-GERMAIN/RUE	83	Aab	1410 WA
SAINT-GERY/PLACE	27	Ea	1000 BR
	92	Bd Cc	1000 BR
SAINT-GERY/RUE	27	Ea	1000 BR
	92	Bd Cc	1000 BR
SAINT-GHISLAIN/RUE	34	Bab	1000 BR
	94	Bbd Cc	1000 BR
SAINT-GILLES/ BARRIERE DE	34	Eac	1060 SG
SAINT-GILLES/PARVIS	34	Ea	1060 SG
SAINT-GUIDON/COURS	33	Bc	1070 AN
SAINT-GUIDON/RUE	33	Ad Bc	1070 AN
SAINT-HENRI/PARVIS 1 à 57 & 2 à 54	28	Fd	1200 WL
SAINT-HENRI/RUE 59 à fin & 56 à fin	28	Fd	1200 WL
SAINT-HONORE/PASSAGE	27	Eb	1000 BR
	92	Ccd	1000 BR
SAINT-HUBERT/AVENUE	31	Ad Db	1970 W-O
SAINT-HUBERT/DREVE	56	Cbd	1170 WB
1 & 2	57	Aa	1170 WB
SAINT-HUBERT/DREVE 15 à 17	56	Bd Ccd Dd Eabc	1180 UC
*SAINT-HUBERT/	27	Eb	1020 BR
GALERIES ROYALES	93	Ac	1020 BR
SAINT-HUBERT/RUE	35	Cd	1150 WP
	36	Ac	1150 WP
SAINT-JACQUES/IMPASSE	27	Ed Fc	1000 BR
	34	Bb	1000 BR
	95	Aa	1000 BR
SAINT-JEAN/AVENUE	36	Fac	1150 WP
SAINT-JEAN/PLACE	27	Ed	1000 BR
	92	Fb	1000 BR
SAINT-JEAN/RUE	27	Ed	1000 BR
	92	Fb	1000 BR
	93	Da	1000 BR
SAINT-JEAN-BAPTISTE/	27	Ab	1080 MO
PARVIS	90	Ad	1080 MO
SAINT-JEAN	27	Bb	1000 BR
NEPOMUCENE/RUE	90	Fb	1000 BR
	91	Da	1000 BR
SAINT-JOB/AVENUE	82	Ad Bc	1300 WA
SAINT-JOB/AVENUE DE	49	Ab	1000 BR
SAINT-JOB/CHAUSSEE DE	48	Cd Dabc Eab Fab	1180 UC
SAINT-JOB/PLACE DE	48	Cd	1180 UC
SAINT-JOSEPH/RUE	27	Ab	1080 MO
	90	Acd	1080 MO
SAINT-JOSEPH/RUE	29	Aa	1140 EV
SAINT-JOSSE/GALERIE	28	Da	1210 SJ
	93	Ca	1210 SJ
SAINT-JOSSE/PLACE	28	Da	1210 SJ
	93	Cb	1210 SJ

SAINT-JOSSE/RUE	28	Ac Da	1210 SJ
	91	Fd	1210 SJ
	93	Cb	1210 SJ
SAINT-JULIEN/RUE	27	Aab	1080 MO
nos pairs	90	Aac	1080 MO
SAINT-JULIEN/RUE	27	Aab	1081 KO
nos impairs	90	Aac	1081 KO
SAINT-LAMBERT/MONT	36	Ca	1200 WL
SAINT-LAMBERT/PLACE	13	Bc	1020 BR
SAINT-LAMBERT/PLACE	29	Ed	1200 WL
SAINT-LAMBERT/RUE	29	Ebd	1200 WL
SAINT-LANDRY/DREVE	7	Cc	1120 BR
SAINT-LANDRY/FONT	7	Bd Cc	1120 BR
SAINT-LAURENT/RUE	27	Cc Fa	1000 BR
	93	Ab	1000 BR
SAINT-LAURENT/RUE	88	Da	1420 B-A
SAINT-LAZARE/	27	Cabd	1210 SJ
BOULEVARD	91	Ad Bc	
		Ea	1210 SJ
SAINT-LAZARE/COUR	26	Cd	1080 MO
SAINT-LAZARE/PLACE	27	Ca	1210 SJ
	91	Ad Bc	1210 SJ
SAINT-LAZARE/RUE	27	Ca	1210 SJ
	91	Db	1210 SJ
SAINT-MARTIN/CLOS	19	Bd Cc	1083 GA
SAINT-MARTIN/RUE	27	Ad	1080 MO
	90	Dcd	1080 MO
	92	Aa	1080 MO
SAINT-MICHEL/BOULEV.	35	Cbd	1150 WP
1 à 9 & 2 à 20			
SAINT-MICHEL/			
BOULEVARD	35	Cd	1040 ET
autres nos			
SAINT-MICHEL/COURS	35	Cc	1040 ET
SAINT-MICHEL/DREVE	56	Fd	1640 S-G
	57	Dc	1640 S-G
	64	Babc	
		Cab	1640 S-G
SAINT MICHEL/DREVE	23	Dd	1950 KR
SAINT-MICHEL/RUE	27	Bd	1000 BR
	90	Fd	1000 BR
	91	Dc	1000 BR
SAINT-NICOLAS/IMPASSE	27	Eb	1000 BR
	92	Cd	1000 BR
SAINT-NICOLAS/PLACE	14	Ab Ba	1120 BR
SAINT NICOLAS/RUE	74	Fd	1310 L-H
	75	Dc	1310 L-H
SAINT NORBERT/RUE	13	Dcd	1090 JE
	14	Ba	1090 JE
SAINT PANCRACE/AVENUE	23	Dd Ec	1950 KR
	30	Ab	1950 KR
SAINT-PAUL/CHEMIN	36	Fb	1150 WP
SAINT-PIERRE/CHAUSSEE	35	Abd	
		Babc	
		Ca	1040 ET
SAINT-PIERRE/PARVIS	36	Bb	1150 WP
SAINT-PIERRE/PARVIS	41	Dd	1180 UC
	48	Ab	1180 UC
SAINT-PIERRE/PARVIS	30	Cc	1970 W-O
SAINT-PIERRE/PLACE	35	Bb	1040 ET
SAINT-PIERRE/RUE	27	Bbd	1000 BR
	90	Fb	1000 BR
	91	Da	1000 BR
SAINT-PIERRE/RUE	81	Ec	1301 BI
SAINT-QUENTIN/			
RUE-STRAAT	28	Dbd	1000 BR
SAINT-ROCH/CLOS	83	Cc Eb	
		Fa	1410 WA
SAINT-ROCH/CLOS	30	Eb Fa	1970 W-O
SAINT-ROCH/PLACE	5	Ad	1780 WE
SAINT-ROCH/RUE	27	Bd	1000 BR
	90	Fb	1000 BR
SAINT-ROCH/RUE	81	Cd	1300 WA
	82	Ac	1300 WA
SAINT ROCH/RUE	79	Ec	1330 RI
	84	Ba	1330 RI
SAINT ROCH/TIENNE	74	Fc	1310 L-H
SAINT-SEBASTIEN/	27	Eb Fa	1000 BR
IMPASSE	93	Ac	1000 BR
SAINT-SEBASTIEN/PLACE	88	Ea	1420 B-A
SAINT-SEBASTIEN/RUE	82	Ac	1300 WA
SAINT-SEBASTIEN/RUE	88	Dab	1420 B-A
SAINT-SEBASTIEN/RUE	55	Da	1630 LI
SAINTS-PIERRE ET PAUL/			
RUE	14	Ba	1120 BR
SAINT-TROJAN/CLOS	30	Ec	1950 KR
SAINT-VINCENT/PLACE	14	Fc	1140 EV
SAINT-VINCENT/RUE	14	Fcd	1140 EV
	21	Cb	1140 EV
SAINT-VINCENT DE PAUL/	13	Dc	1090 JE
RUE	20	Aa	1090 JE
SAIO/AVENUE DE-LAAN	33	Db	1070 AN
SAISONS/AVENUE DES	42	Ba	1050 IX
SAISONS/RUE DES	86	Ac	1300 LI
SAKSEN-COBURGSTRAAT	28	Ac Da	1210 SJ
	91	Fc	1210 SJ
	93	Cab	1210 SJ
SALAMANDRES/RUE DES	88	Dd	1300 WA
SALANGANENGAARDE	36	Fd	1150 WP
SALANGANES/CLOS DES	36	Fd	1150 WP
SALIESTRAAT	5	Fd	1020 BR
SALLAERT/RUE-STRAAT	34	Ab Ba	1000 BR
	94	Ba	1000 BR
SALMON/RUE DU	79	Ba	1332 GE
SALOME/AVENUE-LAAN	37	Ac Da	1150 WP
SALU/RUE-STRAAT			
ERNEST	13	Db	1090 JE
12 à/tot 16			
SALU/RUE-STRAAT			
ERNEST	13	Ad Db	1020 BR
21 à fin/tot einde &			
18 à fin/tot einde			
SALUBRITE/			
AVENUE DE LA	32	Bb Ca	1070 AN
SALVIAS/RUE DES	43	Db	1170 WB
SALVIASTRAAT	43	Db	1170 WB
SAMARITAINE/RUE DE LA	27	Ed	1000 BR
	34	Bb	1000 BR
	94	Cb	1000 BR
SAMARITANESSESTRAAT	27	Ed	1000 BR
	34	Bb	1000 BR
	94	Cb	1000 BR
SAMBERSTRAAT	20	Db Ea	1080 MO
SAMBON/RUE CHARLES	81	Fb	1300 WA
SAMBRE/RUE DE LA	20	Db Ea	1080 MO
SAMBREE/RUE	86	Ba	1301 BI
SAMEDI/PLACE DU	27	Bd	1000 BR
	90	Fc	1000 BR
SAMEDI/PLACE DU	92	Ca	1000 BR

SAMENWERKERSPLEIN	19 Ea	1082	BA
SANATORIALAAN	69 Bc	1501	BU
SANATORIUM/CHEMIN DU	73 Dd Ecd	1310	L-H
SANATORIUM/CHEMIN DU	73 Dbd	1410	WA
SANATORIUMSTRAAT	62 Ad Bcd		
	Eb	1650	BE
SANATORIUMSTRAAT	62 Eb Fab	1652	AL
	63 Da	1652	AL
SANGLIERS/LAIE AUX	86 Ed Fc	1300	LI
SANGLIERS/RUE DES	49 Cd	1170	WB
SANSONNET/RUE DU	13 Ad	1020	BR
SANSONNETS/	76 Cbd	1410	WA
AVENUE DES	77 Ac	1410	WA
SANSONNETS/SENTE DES	82 Dcd	1300	WA
SANS-SOUCI/RUE-STRAAT	34 Cd	1050	IX
	35 Ac	1050	IX
	95 Eb		
	Facd	1050	IX
SANS-SOUCI/SQUARE	35 Ac	1050	IX
	95 Fcd	1050	IX
SANTE/RUE DE LA	32 Ca	1070	AN
SANTOS-DUMONT/CLOS-			
GAARDE ALBERTO	36 Cb	1150	WP
SAONE/CHAUSSEE DE LA	81 Cb	1300	WA
SAPHIR/AVENUE DU	71 Da	1420	B-A
SAPHIR/AVENUE DU	71 Da	1640	S-G
SAPHIR/RUE DU	28 Bd Cc	1030	SC
SAPINIERE/AVENUE DE LA	42 Dd Ec	1000	BR
	49 Ba	1000	BR
SAPINIERE/AVENUE DE LA	56 Acd	1180	UC
SAPINIERE/DREVE DE LA	73 Bd Cc		
	Eab	1310	L-H
SAPINIERE/RUE DE LA	50 Db Eac	1170	WB
SAPINS/AVENUE DES	37 Db	1150	WP
SAPINS/CHEMIN DES	80 Bbd	1301	BI
SAPINS/CLOS DES	37 Bb	1950	KR
SAPINS/DREVE DES	80 Ac	1330	RI
SAPONAIRES/CLOS DES	39 Cb	1070	AN
SARCELLE/RUE DE LA	43 Dd	1170	WB
SARCELLES/AVENUE DES	72 Ecd	1410	WA
SARMENT/TIENNE DU	81 Ca	1300	WA
SARRASIN CHAMP DU	31 Db	1970	W-O
SARRIETTE/AVENUE DE LA	13 Cb	1020	BR
	14 Aa	1020	BR
	6 Fd	1020	BR
SARTAGE/AVENUE DU	79 Ab	1332	GE
SASHOEK	53 Ed	1651	LO
SASPLEIN	47 Da	1601	RU
SASSTRAAT	29 Cab	1200	WL
SASSTRAAT	29 Cab	1932	S-W
SATURNE/	41 Fc	1180	UC
AVENUE DE-LAAN	48 Ca	1180	UC
SAUGE/RUE DE LA	5 Fd	1020	BR
SAULE/RUE DU	19 Ca	1083	GA
25 à fin			
SAULE/RUE DU	19 Cab	1090	JE
autres nos			
SAULES/AVENUE DES	76 Eb	1410	WA
SAULES/CLOS DES	23 Dd	1950	KR
SAULES/DREVE DES	13 Cab	1020	BR
SAULES/PARC DES	81 Ca	1300	WA
SAUSSALLES/RUE DES	81 Ed	1301	BI
SAUSSOIS/RUE DES	88 Dc	1420	B-A
SAUVAGINE/			
AVENUE DE LA	42 Fa	1170	WB

SAVOIE/RUE DE-STRAAT	34 Dd Ec	1060	SG
SAVOIR/RUE DU	40 Ab	1070	AN
SAVOIR/RUE-STRAAT LEON	50 Bb Ca	1160	AU
SAVONNERIE/RUE DE LA	27 Ac	1080	MO
SAX/PLACE-PLEIN			
ADOLPHE	35 Dd	1050	IX
SAXE-COBOURG/RUE	28 Ac Da	1210	SJ
	91 Fc	1210	SJ
	93 Cab	1210	SJ
SAXIFRAGES/RUE DES	43 Db	1170	WB
SCABIEUSES/RUE DES	43 Db	1170	WB
SCABIOSASTRAAT	43 Db	1170	WB
SCAILQUIN/RUE-STRAAT	27 Fb	1210	SJ
	28 Da	1210	SJ
	93 Cab	1210	SJ
SCAILTEUX/RUELLE DES	81 Fd	1300	WA
SCAMPART/RUE-STRAAT			
LEON	35 Bd	1040	ET
SCARABEES/AVENUE DES	42 Ec	1050	IX
numéro 26			
SCARABEES/AVENUE DES	42 Ec	1000	BR
nos impairs & 2 à 24			
SCARRON/RUE-STRAAT	35 Da	1050	IX
SCAVEE/RUE DE LA	86 Dcd	1300	LI
SCEPTRE/RUE DU	35 Acd	1050	IX
1 à 89 & 2 à 88	95 Fd	1050	IX
SCEPTRE/RUE DU	35 Ad	1040	ET
autres nos			
SCHAARBEEKLEI	4 Bc Dd		
	Eac	1800	VI
	8 Abcd Da	1800	VI
SCHAARBEEKSE			
HAARDSTRAAT	21 Bc	1030	SC
SCHAARBEEKSEPOORT	27 Cd	1020	BR
	91 Ecd	1020	BR
SCHAATBROEKSTRAAT	60 Fb	3090	OV
SCHAATSERSWEG	42 Dacd	1000	BR
SCHAATSSTRAAT	40 Ccd	1190	FO
SCHACHTSTRAAT FRANS	11 Fc	1731	ZE
SCHAERBEEK/PORTE DE	27 Cd	1020	BR
	91 Ecd	1020	BR
SCHALLEBIJTERSLAAN	49 Ccd	1170	WB
SCHALLER/AVENUE-LAAN			
CHARLES	43 Eb Fac	1160	AU
SCHAPENBAAN	11 Ccd	1731	RE
SCHAPENBAAN	11 Ccd	1731	ZE
SCHAPENBAAN	2 Ac Da	1860	ME
SCHAPENSTRAAT	48 Acd	1180	UC
SCHAPENSTRAAT	31 Cd	3080	TE
SCHAPENWEG	6 Fd	1020	BR
	7 Dc	1020	BR
SCHAPENWEG	12 Ad Bcd	1090	JE
SCHAPENWEG	6 Fd	1800	VI
	7 Dc	1800	VI
SCHAPENWEG	24 Ed	1933	ST
	31 Bb Ca	1933	ST
SCHAPULIERSTRAAT	4 Bc	1800	VI
SCHATTENS/AVENUE			
ADOLPHE	76 Eb Fa	1410	WA
SCHAVEI	59 Cd Fb	3090	OV
	60 Da	3090	OV
SCHAVEISTRAAT/RUE	55 Ec	1630	LI
	63 Ba	1630	LI
SCHAVEYSLAAN	63 Aab	1650	BE
SCHAVIJEWEG	63 Ac	1652	AL

SCHEEPSWERFKAAI	68	Cbcd	1500 HA
SCHEEWEG	55	Dbd	1630 LI
SCHEIKUNDIGESTRAAT	27	Dac	1070 AN
	92	Ac Da	1070 AN
SCHEITLER/AVENUE-LAAN ARMAND	36	Dcd	1150 WP
SCHELDESTRAAT	20	Ad Db	1080 MO
SCHEMERINGLAAN	59	Bd Eb	
		Fa	3090 OV
SCHEMERINGSWEG	41	Cd Fb	1000 BR
	42	Ac	1000 BR
SCHEMERINGSWEG	24	Da	1933 ST
SCHEMERLAAN	72	Bbd Cc	1640 S-G
SCHEPENENSTRAAT	35	Dcd	1050 IX
	42	Ab	1050 IX
SCHEPENIJLAAN	41	Dd Ec	1180 UC
SCHEPEN VAN MUYLDERSLAAN	29	Ec	1200 WL
	36	Ba	1200 WL
SCHEPERS/RUE	88	Ac	1420 B-A
SCHERDEMAALSTRAAT	32	Cc Eb	
		Fa	1070 AN
SCHERDEMAEL/RUE DE	32	Cc Eb	
		Fa	1070 AN
SCHERENDELLE	59	Bc Ea	3090 OV
SCHERMERSSTRAAT	34	Ba	1000 BR
	91	Ca	1000 BR
SCHERMLAAN	37	Aabc	1150 WP
SCHERMSTRAAT	41	Aabd	1190 FO
SCHETSSTRAAT	8	Ed	1831 DI
SCHEUT/ AVENUE DE-LAAN	26	Ebd Fc	1070 AN
SCHETSVELD	8	Ed	1831 DI
SCHEUTBOSCH/ AVENUE DU-LAAN	26	Bc Ea	1080 MO
SCHEUTBOSCH/ RUE-STRAAT	26	Ad	1080 MO
SCHEUTVELD/ RUE-STRAAT	33	Bb Ca	1070 AN
SCHEVESTRAAT	23	Cab	1930 ZA
SCHIETBAANSTRAAT	34	Db	1060 SG
SCHIETSCHIJFSTRAAT 1 tot 7 & 2 tot 40	28	Ad	1210 SJ
SCHIETSCHIJFSTRAAT andere nrs	28	Ad	1030 SC
SCHIJFSTRAAT	12	Cb	1020 BR
	13	Aa	1020 BR
SCHILDEKEN	71	Cc	1640 S-G
SCHILDERACHTIGE DREEF	55	Fb	1180 UC
4 tot 16 & onpare nrs	56	Dabd	1180 UC
SCHILDERACHTIGE DREEF	55	Fb	1640 S-G
18 tot einde	56	Dabd	1640 S-G
SCHILDERKUNSTLAAN	25	Ed Fcd	1700 DI
SCHILDERSPAD	4	Da	1800 VI
SCHILDKNAAPLAAN	72	Ccd	
		Fab	1640 S-G
SCHILDKNAAPSSTRAAT	27	Eb	1000 BR
	92	Cb	1000 BR
	93	Aac	1000 BR
SCHILDKNECHT/ RUE-STRAAT GUSTAVE	20	Bac	1020 BR
SCHILDLAAN	21	Fd	1140 EV
SCHIMPSTRAAT	66	Cc Fab	1560 HO
SCHIPHOL/ AVENUE DE-LAAN	22	Aa	1140 EV
SCHIPPERIJKAAI	27	Bb	1000 BR
	90	Ca	1000 BR
SCHIPPERSSTRAAT	40	Ab Ba	1070 AN
SCHIPPERSSTRAAT	27	Ad	1080 MO
	90	Dd	1080 MO
SCHIPSTRAAT	26	Fd	1080 MO
SCHLOSSER/RUE-STRAAT PIERRE	33	Dc	1070 AN
SCHMIDT/BOULEVARD-	35	Cd	
LAAN LOUIS		Fabc	1040 ET
SCHMITZ/RUE-STRAAT 1 à/tot 3	27	Aa	1080 MO
SCHMITZ/RUE-STRAAT autres nos/andere nrs	27	Aa	1081 KO
SCHOCKAERTSTRAAT	39	Fd	1600 P-L
L.-A.	46	Bb Cab	1600 P-L
SCHOENENGANG	34	Ba	1000 BR
	94	Bd	1000 BR
SCHOLIERENSTRAAT	43	Ad	1160 AU
SCHOLIERENWEG	42	Dbd	1000 BR
SCHOLLESTRAAT	32	Ed	1070 AN
	39	Bab	1070 AN
SCHOLS/RUE-STRAAT JOSEPH	26	Ca	1080 MO
SCHONE BEUKWEG	65	Dcd	1560 HO
	73	Aa	1560 HO
SCHONE BEUKWEG	72	Cb	1640 S-G
	73	Aa	1640 S-G
SCHONE EIKWEG	65	Dd	1560 HO
	73	Aab	1560 HO
SCHONE EIKWEG	72	Cbd	1640 S-G
	73	Aa	1640 S-G
SCHONE HORIZONT- LAAN	31	Ab	1933 ST
SCHONE LUCHT/ RESIDENTIEPARK	30	Fc	1970 W-O
SCHONE LUCHTLAAN	30	Ed Fac	1970 W-O
	37	Bb	1970 W-O
SCHOOFS/AVENUE-LAAN HENRI	35	Fc	1160 AU
SCHOOLGAT	42	Eb	1050 IX
SCHOOLGATWEG	61	Dd	1501 BU
	69	Ab Ba	1501 BU
SCHOOLSTRAAT	27	Abd	1080 MO
	90	Ad Dab	1080 MO
SCHOOLSTRAAT	47	Dc	1601 RU
SCHOOLSTRAAT	72	Aac	1640 S-G
SCHOOLSTRAAT	54	Ed Fc	1650 BE
SCHOOLSTRAAT	25	Dd Ec	1700 DI
SCHOOLSTRAAT	5	Bc	1780 WE
SCHOOLSTRAAT	6	Bd	1853 S-B
SCHOOLSTRAAT	67	Ed	3090 OV
	75	Bb	3090 OV
SCHOOL VAN TERVUREN- DREEF	38	Ed	3080 VO
SCHOON DAL	5	Eb Fa	1780 WE
SCHOONEJANS/ RUE-STRAAT PIERRE	43	Bd Eb	1160 AU
SCHOONHEIDSPLEIN	33	Ba	1070 AN
SCHOON-HORIZONLAAN	64	Ecd	1640 S-G
SCHOONSLAAPSTER- STRAAT	26	Db Ea	1080 MO
SCHOON UITZICHTLAAN	41	Ccd Fa	1180 UC
SCHOON VERBLIJFLAAN	41	Fb	1180 UC
SCHOONZICHTGAARDE	29	Eab	1200 WL

S

Street	Map	Postcode
SCHOORSTEENVEGERS-	34 Bc	1000 BR
STRAAT	94 Eb	1000 BR
SCHOOTSTRAAT	27 Ad	1000 BR
	90 Ec	1000 BR
SCHOTLANDSTRAAT	34 Bd Eb	1060 SG
	94 Fd	1060 SG
SCHOUWENDAAL	63 Ca	1630 LI
SCHOVELINGSBOS	59 Ab	3090 OV
SCHRANSDREEF	45 Ed	3080 TE
	52 Bb	3080 TE
SCHRANSDREEF	52 Bc Dbcd	
	Ea	3090 OV
SCHRANSSTRAAT	3 Fa	1850 GR
SCHRIJNWERKERSTRAAT	29 Dcd	1200 WL
SCHROEFLAAN	37 Ac	1150 WP
SCHROONSSTRAAT PIETER	8 Ea	1830 MA
SCHUBERT/		
VENELLE-STEEG	19 Ab	1083 GA
SCHUDDEVELD/	27 Eb	1000 BR
IMPASSE-GANG	92 Cd	1000 BR
SCHUERMANS/		
RUE-STRAAT JOSEPH	12 Fa	1090 JE
SCHUITENKAAI	27 Bc	1000 BR
	90 Eb	1000 BR
SCHUMAN/ROND-POINT-		
PLEIN ROBERT	28 Dd Ec	1040 BR
SCHUMANLAAN R.	22 Eab	1932 S-W
SCHUTSTRAAT	11 Da	1730 BE
SCHUTTERLAAN	29 Acd	1200 WL
SCHUTTERSHOF	3 Aa	1850 GR
SCHUTTERSHOF	24 Cc	3078 EV
SCHUTTERSHOF	51 Fc	3090 OV
SCHUTTERSLAAN	24 Ccd	1933 ST
SCHUTTERSLAAN	24 Ccd	3078 EV
SCIENCE/RUE DE LA	28 Dc	1000 BR
1 à 9 & 2 à 12	35 Aa	1000 BR
	93 Fabc	1000 BR
	95 Ca	1000 BR
SCIENCE/RUE DE LA	28 Dc	1040 BR
autres nos	35 Aa	1040 BR
	93 Fabc	1040 BR
	95 Ca	1040 BR
SCILLASTRAAT	43 Db	1170 WB
SCILLES/RUE DES	43 Db	1170 WB
SCOLASSE/RUE	83 Dab	1420 B-A
SCOLASSE/SENTIER	83 Dac	1420 B-A
SCOTT/AVENUE		
SIR WALTER	88 Ca	1410 WA
SCOTT/RUE-STRAAT		
ROBERT	48 Ab	1180 UC
SCUTENAIRE/RUE		
LOUIS-STRAAT	28 Bc	1030 SC
SEBASTOPOL/		
RUE DE-STRAAT	33 Bb	1070 AN
SEBRECHTS/AVENUE-		
LAAN FRANCOIS	19 Ecd	1080 MO
SEBRECHTS/AVENUE-		
LAAN FRANCOIS	19 Ebd	1081 KO
SECONDE REINE/		
RUE DE LA	41 Ad Db	1180 UC
SECOURS/PETITE RUE DES	27 Cb	1210 SJ
1 & 2 à 4	91 Bd	1210 SJ
SECOURS/PETITE RUE DES	27 Cb	1030 SC
autres nos	91 Bd	1030 SC
SECOURS/RUE DES	27 Cb	1210 SJ
	91 Bcd	1210 SJ
SECRETIN/AVENUE-LAAN	13 Dc	1090 JE
SECURITE/RUE DE LA	20 Dc	1081 KO
	27 Aa	1081 KO
SECURITE/RUE DE LA	90 Aa	1081 KO
SEGERS/RUE-STRAAT		
PAUL	35 Db Ea	1040 ET
SEGHERS/AVENUE-LAAN	19 Fd	1080 MO
1 à/tot 1F & 2 à/tot 34		
SEGHERS/AVENUE-LAAN	19 Facd	1081 KO
3 à/tot 115 &		
38 à/tot 188		
SEIGLE/AVENUE DU	85 Bd	1300 LI
SEIGNEURIE/		
AVENUE DE LA	87 Ed	1325 D-V
SEIGNEURIE/RUE DE LA	15 Ab	1130 BR
SEIGNEURIE DE SPONTIN/		
AVENUE	82 Ea	1300 WA
SEIGNEURIE DE WALHAIN/		
AVENUE	82 Ea	1300 WA
SEINE/CHAUSSEE DE LA	81 Cb	1300 WA
	82 Aa	1300 WA
SEL/RUE DU	33 Cac	1070 AN
SELDERIJSTRAAT	34 Ea	1060 SG
SELLAERSTRAAT	9 Bb Ca	1820 ME
SELLEKAERTSSTRAAT JUL.	24 Ecd	1933 ST
SEMAILLERE/RUE DE LA	88 Bac	1420 B-A
SEMAL/RUE EMILE	77 Cabc	1310 L-H
SEMAL/RUE EMILE	77 Bd Cc	1410 WA
SEMENCE/RUE DE LA	26 Eb	1070 AN
1 à 3		
SEMENCE/RUE DE LA	26 Bd Eb	1080 MO
autres nos		
SEMET/RUE-STRAAT		
VICTOR	42 Bd Eb	1050 IX
SEMOY/		
AVENUE DE LA-LAAN	30 Da	1200 WL
SENECHAL/DREVE DU	49 Acd	1180 UC
SENGHOR LEOPOLD		
SEDAR/ESPACE-		
PLAATS	35 Ab	1040 ET
SENNE/RUE DE LA	27 Dbd	1000 BR
	92 Ad Bac	
	Db	1000 BR
SENTIER NUMERO 42	79 Ab	1332 GE
SENTIER NUMERO 45	79 Abd	1332 GE
SENTIER NUMERO 50	79 Ad Bc	
	Ea	1332 GE
SENTIER NUMERO 51	79 Ad Bc	1332 GE
7 BONNIERS/AVENUE DES	79 Fd	1330 RI
SEPT BONNIERS/	41 Acd	
AVENUE DES	Dac	1180 UC
1 à 53 & 2 à 108		
SEPT BONNIERS/	41 Acd	
AVENUE DES	Dac	1190 FO
55 à fin & 110 à fin		
SEPTEMBERLAAN	29 Da	1200 WL
SEPTEMBRE/AVENUE DE	29 Da	1200 WL
SEPT ETOILES/RUE DES	18 Fb	1082 BA
	19 Da	1082 BA
SEPT FONTAINES/CH. DES	71 Dd	1420 B-A
SEQUOYASLAAN/		
AVENUE DES	37 Bab	1950 KR

SERBIE/RUE DE	34	Dab	1060 SG
1 à 37 & 2 à 36			
SERBIE/RUE DE	34	Da	1190 FO
autres nos			
SERENADE/			
RUE DE LA-STRAAT	25	Fb	1080 MO
SERGEANT DE	27	Dc	1070 AN
BRUYNESTRAAT	34	Aa	1070 AN
	94	Aa	1070 AN
SERGEANT SORENSEN-			
STRAAT	19	Bd	1083 GA
SERGENT COTTON/			
AVENUE DU	88	Bb Ca	1410 WA
SERGENT DE BRUYNE/	27	Dc	1070 AN
RUE	34	Aa	1070 AN
	94	Aa	1070 AN
SERGENT SORENSEN/RUE	19	Bd	1083 GA
SERGIJSELS/RUE-STRAAT	20	Dc	1081 KO
EMILE	27	Aa	1081 KO
	90	Aa	1081 KO
SERINGAS/AVENUE DES	13	Bcd	1020 BR
SERINGAS/CLOS DES	81	Fd	1301 BI
SERINGAS/RUE DES	30	Db Ea	1950 KR
SERINGENDREEF	16	Ab Bac	1930 ZA
SERINGENLAAN	63	Fa	1640 S-G
SERINGENPAD	43	Fa	1160 AU
SERINGENSTRAAT	39	Fc	1600 P-L
	40	Ca	1600 P-L
SERINGENSTRAAT	4	Cac	1800 VI
SERINGENSTRAAT	30	Db Ea	1950 KR
SERINGSTRAAT	27	Bd	1000 BR
	90	Fc	1000 BR
SERINS/SENTE DES	82	Dc	1300 WA
SERKEYN/RUE-STRAAT			
JEAN-BAPTISTE	20	Da	1000 JE
SERMENT/RUE DU	33	Bab	1070 AN
SERMENT/RUE DU	88	Ac	1420 B-A
SERMON/AVENUE-LAAN			
JACQUES	19	Ccd Fa	1083 GA
1 à/tot 63 & 2 à/tot 72			
SERMON/AVENUE-LAAN			
JACQUES	19	Cd	1090 JE
autres nos/andere nrs			
SERMONSTRAAT FRANS	53	Ebd	1651 LO
SERPENTIN/RUE DU	35	Da	1050 IX
SERPOLET/CHEMIN DU	42	Ec	1000 BR
SERPOLET/RUE DU	26	Bc	1080 MO
SERRE/			
RUE DE LA-STRAAT	26	Ab	1082 BA
SERRISTENWEG	66	Bac	1560 HO
SERRURE/RUE DE LA	27	Ad Bc	1000 BR
	90	Ec	1000 BR
SERSTE/CARRE-BLOK	41	Bc	1180 UC
SERVAIS/SQUARE J.	42	Ad Db	1000 BR
SERVAIS-KINET			
ALBERT & MARIE-			
LOUISE/RUE-STRAAT	29	Dc	1200 WL
SERVAISLAAN	68	Fc	1500 HA
SERVANDONI/RUE-STRAAT	15	Aab	1130 BR
SERVIESTRAAT	34	Dab	1060 SG
1 tot 37 & 2 tot 36			
SERVIESTRAAT	34	Da	1190 FO
andere nrs			
SERVRANCKXSTRAAT			
VICTOR	15	Eb Fa	1831 DI
SETTER/SENTIER DU-WEG	6	Ecd	1020 BR
SEUCHA/CHEMIN DU	85	Bd Eab	1300 LI
SEUTIN/RUE-STRAAT	28	Aa	1030 SC
	91	Cabd	1030 SC
SEVERIN/RUE-STRAAT			
FERNAND	21	Bab	1030 SC
SEVERINE/PLACE-PLEIN	32	Cac	1070 AN
SEXTANT/RUE DU-STRAAT	18	Fd	1082 BA
'S GRAVENMOLENSTRAAT	2	Bb Cab	1850 GR
'S-GRAVENVELD	24	Ed	1933 ST
	31	Bb Ca	1933 ST
SHAKESPEARE/			
BOULEVARD-LAAN	26	Dc	1070 AN
'S HEEREN HUYS/AVENUE	49	Bac	1000 BR
'S-HERENHUISLAAN	49	Bac	1000 BR
'S HERENSTRAAT	47	Fc	1620 DR
SIBELIUS/AVENUE-LAAN			
JEAN	32	Cd Fb	1070 AN
SICAMBRES/RUE DES	35	Cc	1040 ET
SIGNORET/PASSAGE-			
DOORGANG SIMONE	12	Bd	1090 JE
SIJSJESGAARDE	12	Ed	1083 GA
	19	Bb	1083 GA
SIJSJESLAAN	24	Ec	1933 ST
	31	Ba	1933 ST
SIJSJESLAAN	30	Dab	1950 KR
SIJSJESPLEIN	43	Dd	1170 WB
SIJZENPLEIN	75	Aa	3090 OV
SIKAMBRENSTRAAT	35	Cc	1040 ET
SIKKELGANG	27	Bc	1000 BR
	92	Bb	1000 BR
SILENCE/AVENUE DU	47	Fd	1180 UC
	55	Aa	1180 UC
SILENENSTRAAT	43	Db	1170 WB
SILENES/RUE DES	43	Db	1170 WB
SILEX/CHEMIN DES	50	Ad Dab	1170 WB
SILFENLAAN	43	Dac	1170 WB
SILLON/RUE DU	32	Cbd	1070 AN
1 à 119 & 2 à 146	33	Ac	1070 AN
SIMENON/RUE GEORGES	83	Ad	1420 B-A
SIMMEBEEKWEG	69	Dd	1501 BU
SIMOENS/RUE-STRAAT			
CAMILLE	21	Ac Da	1030 SC
SIMONART/SENTIER	81	Fa	1301 BI
SIMONAU/RUE-STRAAT	42	Ecd	1050 IX
SIMONET/BOULEVARD-			
LAAN HENRI	39	Babc	1070 AN
SIMONET/ROND-POINT-			
ROND-PUNT HENRI	39	Bc	1070 AN
SIMONIS/PLACE-PLEIN			
EUGENE	20	Dc	1081 KO
SIMONIS/RUE-STRAAT	34	Fac	1060 SG
1 à/tot 21 & 2 à/tot 14A			
SIMONIS/RUE-STRAAT	34	Fc	1050 IX
23 à fin/tot einde &			
14B à fin/tot einde			
SIMONNELAAN/AVENUE	63	Fb	1640 S-G
	64	Da	1640 S-G
SIMONS/RUE-STRAAT	20	Ed	1000 BR
	90	Cb	1000 BR
	91	Aa	1000 BR
SIMONS/RUE-STRAAT			
HENRI	43	Fc	1160 AU
SIMPSON/RUE-STRAAT			
GEORGES	19	Ccd	1083 GA

S

SINT-JANSLAAN	36	Fac	1150 WP
SINT-JANSPLEIN	27	Ed	1000 BR
	92	Fb	1000 BR
SINT-JANSSTRAAT	27	Ed	1000 BR
	92	Fb	1000 BR
	93	Da	1000 BR
SINT-JANSSTRAAT	38	Dd Ec	3080 TE
	45	Ba	3080 TE
SINT-JANSVELDSTRAAT	62	Eb Fa	1652 AL
SINT-JANSWEG	61	Ed	1654 HU
SINT-JOBSELAAN	49	Ab	1000 BR
SINT-JOBSESTEENWEG	48	Cd Dabc Eab Fab	1180 UC
SINT JOBSPLEIN	48	Cd	1180 UC
SINT-JOOSTGALERIJ	28	Da	1210 SJ
	93	Ca	1210 SJ
SINT-JOOSTPLEIN	28	Da	1210 SJ
	93	Cb	1210 SJ
SINT-JOOSTSTRAAT	28	Ac Da	1210 SJ
	91	Fd	1210 SJ
SINT-JOOSTSTRAAT	93	Cb	1210 SJ
SINT JORISLAAN	23	Dd	1950 KR
SINT-JORISOORD	30	Ed	1970 W-O
SINT-JORISSTRAAT	41	Cbd	1050 IX
SINT-JOZEFLAAN	69	Ac	1501 BU
SINT-JOZEFSTRAAT	27	Ab	1080 MO
	90	Acd	1080 MO
SINT-JOZEFSTRAAT	29	Aa	1140 EV
SINT-JOZEFSTRAAT	4	Ac	1800 VI
SINT-JULIAANSKERK-LAAN	42	Cb	1160 AU
SINT-JULIAANSTRAAT	27	Aab	1080 MO
pare nrs	90	Aac	1080 MO
SINT-JULIAANSTRAAT	27	Aab	1081 KO
onpare nrs	90	Aac	1081 KO
SINT KATARINASTRAAT	15	Cbd	1831 DI
SINT-KATELIJNEPLEIN	27	Bcd	1000 BR
	92	Bb Ca	1000 BR
SINT-KATELIJNESTRAAT	27	Ea	1000 BR
	92	Bb Ca	1000 BR
SINT-KATHARINAVEST	68	Cc Eb Fa	1500 HA
SINT KORNELIUSSTRAAT	15	Bb	1831 DI
SINT-KRISTOFFELS-	27	Ea	1000 BR
STRAAT	92	Bd	1000 BR
SINT-LAMBERTUSBERG	36	Ca	1200 WL
SINT-LAMBERTUS-KERKSTRAAT	29	Ed	1200 WL
SINT-LAMBERTUSPLEIN	13	Bc	1020 BR
SINT-LAMBERTUSPLEIN	29	Ed	1200 WL
SINT-LAMBERTUSSTRAAT	29	Ebd	1200 WL
SINT-LAMBERTUSSTRAAT	17	Dd	1930 NO
SINT-LAMBRECHTS-	35	Cb	1200 WL
WOLUWELAAN	36	Aa	1200 WL
SINT LAUREINS-BORREWEG	70	Ebcd	1653 DW
SINT-LAURENSSTRAAT	27	Cc Fa	1000 BR
	93	Ab	1000 BR
SINT-LAZARUSHOF	26	Cd	1080 MO
SINT-LAZARUSLAAN	27	Cabd	1210 SJ
	91	Ad Bc Ea	1210 SJ
SINT-LAZARUSPLEIN	27	Ca	1210 SJ
	91	Ad Bc	1210 SJ
SINT-LAZARUSSTRAAT	27	Ca	1210 SJ
	91	Db	1210 SJ
SINT-LENDRIKSBORRE	7	Bd Cc	1120 BR
SINT-LENDRIKSDREEF	7	Cc	1120 BR
SINT-LEONARDUSLAAN	61	Ed	1654 HU
	69	Bb	1654 HU
SINT-MAARTENSTRAAT	27	Ad	1080 MO
	90	Dcd	1080 MO
	92	Aa	1080 MO
SINT-MARIASTRAAT	27	Abd	1080 MO
	90	Db Ea	1080 MO
SINT-MARTINUSGAARDE	19	Bd Cc	1083 GA
SINT-MARTINUSKERK-STRAAT	19	Bd	1083 GA
SINT-MARTINUSWEG	68	Fa	1500 HA
SINT-MARTINUSWEG	16	Fbd	1930 ZA
	17	Dc	1930 ZA
	24	Aa	1930 ZA
SINT-MICHIELSDREEF	56	Fd	1640 S-G
	57	Dc	1640 S-G
	64	Babc Cab	1640 S-G
SINT MICHIELSDREEF	23	Dd	1950 KR
SINT-MICHIELSKOLLEGE-	35	Cd	1150 WP
STRAAT	36	Ac	1150 WP
SINT-MICHIELSLAAN 1 tot 9 & 2 tot 20	35	Cbd	1150 WP
SINT-MICHIELSLAAN andere nrs	35	Cd	1040 ET
SINT-MICHIELSSTRAAT	27	Bd	1000 BR
	90	Fd	1000 BR
	91	Dc	1000 BR
SINT-MICHIELSWARANDE	35	Cc	1040 ET
SINT-NIKOLAASGANG	27	Eb	1000 BR
	92	Cd	1000 BR
SINT-NIKOLAASPLEIN	14	Ba	1120 BR
SINT-NIKOLAASSTRAAT	14	Ab Ba	1120 BR
SINT-NORBERTUSSTRAAT	13	Dcd	1090 JE
SINT-PANCRATIUSLAAN	24	Fc	1933 ST
	31	Ca	1933 ST
SINT PANCRATIUSLAAN	23	Dd Ec	1950 KR
	30	Ab	1950 KR
SINT-PAULUSWEG	36	Fb	1150 WP
SINT-PETRONILLAGANG	27	Eb	1000 BR
	92	Cd	1000 BR
SINT-PIETER EN PAUWELSSTRAAT	14	Ba	1120 BR
SINT-PIETERSKERK-STRAAT	12	Fd	1090 JE
SINT-PIETERSPLEIN	35	Bb	1040 ET
SINT-PIETERSPLEIN	30	Cc	1970 W-O
SINT-PIETERSSTEENWEG	35	Abd Babc Ca	1040 ET
SINT-PIETERSSTRAAT	27	Bbd	1000 BR
	90	Fb	1000 BR
	91	Da	1000 BR
SINT-PIETERSVOORPLEIN	36	Bb	1150 WP
SINT-PIETERSVOORPLEIN	41	Dd	1180 UC
	48	Ab	1180 UC
SINT-PIETERSWEG	69	Eab	1501 BU
SINT-QUIRINUSLAAN	11	Eab	1731 ZE
SINT-ROCHUSOORD	30	Eb Fa	1970 W-O
SINT-ROCHUSPLEIN	5	Ad	1780 WE

SINT-ROCHUSSTRAAT	27 Bd	1000 BR
	90 Fb	1000 BR
SINT-ROCHUSSTRAAT	68 Facd	1500 HA
SINT ROMBOUTSWEG	10 Bd	1820 ST
SINT-SEBASTIAANSGANG	27 Eb Fa	1000 BR
	93 Ac	1000 BR
SINT-SEBASTIAANS- STRAAT	53 Ac	1600 P-L
SINT-SEBASTIAANSTRAAT	55 Da	1630 LI
SINT-SERVAASSTRAAT	3 Aacd	1851 HU
SINT-STEFAANSSTRAAT	22 Cd Fb	1932 S-W
	23 Ac	1932 S-W
SINT-STEVENSSTRAAT	39 Fd	1600 P-L
	40 Dc	1600 P-L
SINT-STEVENS-WOLUWE/ WEG NAAR	15 Bc Eabd	1830 MA
SINT-STEVENS-WOLUWE- STRAAT	15 Bc Eabd	1130 BR
SINT-STEVENS-WOLUWE- WEG	22 Aa	1140 EV
SINT-THERESIALAAN	72 Bcd	1640 S-G
SINT-THERESIASTRAAT	34 Bac	1000 BR
	94 Bcd Ea	1000 BR
SINT-TROJANOORD	30 Ec	1950 KR
SINT-URSULAGANG	27 Ad	1000 BR
	90 Ec	1000 BR
SINT-VINCENTIUS A PAULOSTRAAT	13 Dc 20 Aa	1090 JE 1090 JE
SINT-VINCENTIUSPLAATS	14 Fc	1140 EV
SINT-VINCENTIUSSTRAAT	14 Fcd	1140 EV
	21 Cb	1140 EV
SIPHON/RUE DU	13 Ec	1020 BR
SIPPELBERG/ AVENUE DE-LAAN	19 Fd 26 Cb	1080 MO 1080 MO
SIPPELBERG/CLOS DU- GAARDE	19 Bd Eb	1083 GA
SIRIUS/CLOS-GAARDE	29 Ad	1200 WL
SISTERVATSTRAAT	34 Bac	1000 BR
	94 Eb	1000 BR
SITE/AVENUE DU	30 Dabc	1200 WL
SITE/CLOS DU	30 Db	1150 WP
SITTELLES/AVENUE DES	37 Aa	1150 WP
SITTELLES/SENTE DES	82 Dc	1300 WA
SITTELLES/SENTIER DES	42 Dab	1000 BR
SIX AUNES/RUE DES	34 Bd	1000 BR
	94 Fab	1000 BR
SIX JETONS/RUE DES	27 Ea	1000 BR
	92 Bcd Eb	1000 BR
SIX JEUNES HOMMES/ RUE DES	34 Ca 95 Aa	1000 BR 1000 BR
S'JONGHERS/PLACE- PLEIN ERNEST	40 Aa	1070 AN
SKEPTERSTRAAT 1 tot 89 & 2 tot 88	35 Acd 95 Fd	1050 IX 1050 IX
SKEPTERSTRAAT andere nrs	35 Acd 95 Fd	1040 ET 1040 ET
SLACHTHUISLAAN	27 Dbd	1000 BR
	92 Ad Db	1000 BR
SLACHTHUISSTRAAT	27 Db	1000 BR
	92 Ad	1000 BR
SLACHTHUISSTRAAT	68 Eb	1500 HA
SLACHTHUISSTRAAT	4 Aabc	1800 VI
SLEECKX/AVENUE-LAAN	21 Abd	1030 SC
SLEEDOORNLAAN	5 Bb	1780 WE
SLEGERS/AVENUE-LAAN ANTOINE JOSEPH	29 Ecd 36 Aab Ba	1200 WL 1200 WL
SLEGERS/CLOS-GAARDE ANTOINE JOSEPH	36 Ab	1200 WL
SLEKKEWEG	69 Cc	1654 HU
SLESBROEKSTRAAT	46 Bbd Ca Eab	1600 P-L
SLEUTELBLOEMENLAAN	72 Bc Ea	1640 S-G
SLEUTELBLOEMENWEG	42 Dd	1000 BR
	49 Ab Ba	1000 BR
SLEUTELBLOEMLAAN	24 Dc	1933 ST
	31 Aa	1933 ST
SLEUTELBLOEMSTRAAT	41 Cc	1180 UC
SLEUTELBLOEMSTRAAT	11 Ac	1731 ZE
SLEUTELBLOEMSTRAAT	3 Bac	1850 GR
SLEUTELPLAS/ RUE DU-STRAAT 25 à/tot 65	25 Fb	1080 MO
SLEUTELPLASSTRAAT	25 Fbd	1700 DI
SLEUTELSTRAAT	27 Bc	1000 BR
	90 Ec	1000 BR
SLEUTELSTRAAT	3 Aa	1850 GR
SLINGERWEG	68 Ccd Fa	1500 HA
SLOESVELDSTRAAT	59 Dc	1560 HO
	66 Cbd	1560 HO
	67 Aa	1560 HO
SLOORDELLE	43 Aa	1160 AU
SLOTLAAN	28 Fd	1200 WL
	29 Dc	1200 WL
	35 Cb	1200 WL
SLOTSTRAAT	27 Ad Bc	1000 BR
	90 Ec	1000 BR
SLUIPDELLEWEG	44 Ac Da	3080 TE
SLUISMEESTER COGGESTRAAT	20 Cc Fa	1000 BR
SLUISSTRAAT	4 Dd	1800 VI
SLUYSSTRAAT L.A.	68 Ba	1500 HA
SMAL/AVENUE-LAAN MAX	19 Ba	1083 GA
SMARAGDLAAN	28 Bd Cc	1030 SC
SMARAGDLAAN	71 Acd Dab	1640 S-G
SMARAGDSTRAAT	2 Cd Fb	1850 GR
	3 Da	1850 GR
SMEERHOUT	69 Dd Ec	1501 BU
SMEKENS/RUE-STRAAT AIME	28 Fb	1030 SC
SMELLEKENSSTRAAT	50 Aa	1170 WB
SMETS/AVENUE-LAAN JOSSE	42 Cb	1160 AU
SMETS/SQUARE AUGUSTE	27 Db 92 Aabc	1080 MO 1080 MO
SMETSLAAN	67 Dcd	3090 OV
	75 Ab Bac	3090 OV
SMETSSTRAAT/ RUE HENDRIK	30 Cc Fa	1970 W-O
SMIDSESTRAAT	34 Ea	1060 SG
SMIDSTRAAT	22 Fb	1932 S-W
SMIDSWEG	21 Eb	1030 SC
SMISKENSVELD	11 Cbd	1731 RE
SMITS/RUE-STRAAT EUGENE	28 Ab	1030 SC
SMITS/RUE-STRAAT JAKOB	26 Ecd	1070 AN
SMITSSTRAAT JACOB	3 Fd	1800 VI
	4 Dac	1800 VI

S

Straat	Kaart	Vak	Postcode
SMOLDERSSTRAAT	23	Aabcd	
FRANS		Da	1932 S-W
SMOUTMOLEN	71	Cd	1640 S-G
	72	Ac	1640 S-G
SNAKKAERTSTRAAT	25	Ac	1700 DI
SNEESSENS/RUE JOSEPH	85	Ad Bac	1300 WA
SNEESSENS/RUE-STRAAT	35	Bc	1040 ET
SNEEUWKLOKJESLAAN	72	Ad Bc	1640 S-G
SNEEUWKLOKJESWEG	5	Fd	1020 BR
SNELBORRE	70	Dd	1653 DW
SNEPPENDREEF	25	Eb	1700 DI
SNEPPENLAAN	64	Aa	1640 S-G
SNEPPENLAAN	45	Bb Cac	3080 TE
SNEPPENWEG	64	Fb	1560 HO
	65	Abcd	
		Da	1560 HO
SNIEDERS/RUE-STRAAT	14	Ec	1030 SC
AUGUSTE	21	Ba	1030 SC
SNIJBOS	18	Dabd	1702 G-B
SNIJDERSDREEF	52	Ec	3090 OV
SNIPPENDAL	36	Fd	1150 WP
	37	Dc	1150 WP
SNIPPENLAAN	37	Eb Fa	1950 KR
SNOEKSTRAAT	35	Ad	1040 ET
74 tot einde			
SNOEKSTRAAT	35	Ad	1050 IX
onpare nrs & 2 tot 72			
SOBIESKI/AVENUE-LAAN			
JEAN JAN	10	Dc Ea	1020 BR
SOBRYSTRAAT LODE	4	Bb	1800 VI
SOCIETE NATIONALE/	33	Dc	1070 AN
AVENUE DE LA	40	Aab	1070 AN
SOCQUET/RUE-STRAAT			
LOUIS	28	Ca	1030 SC
SOENSSTRAAT VICTOR	6	Bd	1853 S-B
SOETEMANSLAAN LEON	38	Cbd	3080 TE
SOETENS/RUE-STRAAT			
REMY	12	Fa	1090 JE
SOETKIN/DREVE-DREEF	32	Cc Fa	1070 AN
SOHIE/RUE-STRAAT			
ARNOLD	21	Ca	1140 EV
SOHIESTRAAT EDGARD	58	Eb	1560 HO
SOHIESTRAAT FELIX	58	Ebd	1560 HO
SOIERIE/RUE DE LA	40	Ecd	1190 FO
SOIGNIES/RUE DE	27	Ec	1000 BR
	92	Eab	1000 BR
SOIR/SENTIER DU	15	Ac	1130 BR
SOL/RUE DU	86	Cb	1301 BI
SOLARIUM/			
RUE DU-STRAAT	14	Abd	1120 BR
SOLBOSCH/SQUARE DU	42	Ea	1050 IX
SOLBOSSQUARE	42	Ea	1050 IX
SOLDANELLES/CLOS DES	39	Cd	1070 AN
SOLDAT BRITANNIQUE/			
AVENUE DU	39	Cd	1070 AN
SOLDATENSTRAAT	19	Dd	1082 BA
SOLDATS/RUE DES	19	Dd	1082 BA
SOLEIL/AVENUE DU	72	Bab	1640 S-G
SOLEIL/ CHAMP DU	31	Db Ea	1970 W-O
SOLEIL/CLOS DU	36	Ab	1150 WP
SOLEIL/RUE DU	28	Aa	1210 SJ
1 à 21 & 2 à 26	91	Fb	1210 SJ
SOLEIL/RUE DU	28	Aa	1030 SC
23 à 27	91	Fb	1030 SC
SOLEIL COUCHANT/			
PASSAGE DU	29	Cd	1200 WL
SOLEIL LEVANT/RUE DU	83	Abd	1420 B-A
SOLHEIDE	58	Eb	1560 HO
SOLHEIDE	60	Ac Da	3090 OV
SOLHEIDESTRAAT	70	Dbd Ea	1653 DW
SOLIDARITE/RUE DE LA	40	Aa	1070 AN
SOLIDARITE/RUE DE LA	88	Ec	1420 B-A
SOLIDARITEITSSTRAAT	40	Aa	1070 AN
SOLLENBEEMD	68	Fa	1500 HA
SOLLENBEEMD	61	Ed	1654 HU
SOLLENBERG	61	Fab	1651 LO
SOLLENBERG	61	Fab	1654 HU
SOLLENERF	61	Fa	1654 HU
SOLLEVELD/RUE-STRAAT	29	Dd Ec	1200 WL
SOLS/RUE DES	27	Fc	1000 BR
	93	Dab	1000 BR
SOLVAY/AVENUE ERNEST	74	Bcd	
		Ccd	1310 L-H
	75	Ac	1310 L-H
SOLVAY/AVENUE-LAAN			
ALFRED	50	Ac	1170 WB
SOLVAY/DREVE-DREEF			
AURELIE	36	Fc	1150 WP
SOLVAY/PLACE-PLEIN	20	Fc	1030 SC
SOLVAY/RUE-STRAAT	34	Cbd	1050 IX
ERNEST	95	Bc Ea	1050 IX
SOMBRE/RUE	29	Ed	1200 WL
2 à 50	30	Bb	1200 WL
SOMBRE/RUE	36	Bab	1150 WP
autres nos			
SONATINE/			
RUE DE LA-STRAAT	25	Fb	1080 MO
SONNET/RUE DU-STRAAT	26	Bd Cc	1080 MO
SOPHORAS/			
AVENUE DES-LAAN	55	Ad Db	1180 UC
SORBEBOOMPLEIN	19	Ca	1083 GA
SORBIERS/AVENUE DES	56	Ad Dab	1180 UC
SORBIERS/AVENUE DES	82	Ad Db	1300 WA
SORBIERS/AVENUE DES	67	Dc	1310 L-H
SORBIERS/AVENUE DES	79	Fbd	1330 RI
SORBIERS/AVENUE DES	76	Eb	1410 WA
SORBIERS/AVENUE DES	64	Ec	1640 S-G
SORBIERS/AVENUE DES	23	Dcd	1950 KR
SORBIERS/PLACE DES	19	Ca	1083 GA
SORBIERS/SENTIER DES	49	Bc	1180 UC
SORBIERS/SQUARE DES	82	Ad	1300 WA
SOUBISE/AVENUE DE	88	Ad Bc	1420 B-A
SOUFFRAANSTRAAT	60	Ab Ba	3090 OV
SOULIERS/IMPASSE AUX	34	Ba	1000 BR
	94	Bd	1000 BR
SOURCE/CHEMIN DE LA	41	Ed	1180 UC
	48	Bb	1180 UC
SOURCE/CHEMIN DE LA	79	Cabc	1330 RI
SOURCE/CHEMIN DE LA	71	Cab	1640 S-G
SOURCE/			
PETITE RUE DE LA	71	Bd	1640 S-G
SOURCE/RUE DE LA	34	Bd Eb	1060 SG
	94	Fc	1060 SG
SOURCE/RUE DE LA	81	Fb	1300 WA
SOURCE D'HUILE/RUE	71	Ab Ba	1640 S-G
SOUVENIR/RUE DU	33	Bab	1070 AN
SOUVENIR/SQUARE DU	35	Dc	1050 IX

Straat	Kaart	Postcode
SOUVERAIN/	43 Eac	1170 WB
BOULEVARD DU	50 Ab Ba	1170 WB
1 à 25 & 2 à 142		
SOUVERAIN/	36 Ed	1160 AU
BOULEVARD DU	43 Babc	
47 à 259 & 144 à 404	Ea	1160 AU
SOUVERAIN/		
BOULEVARD DU	36 Ebd	1150 WP
275 & 406 à 412		
SOUVERAIN/		
ROND-POINT DU	43 Ba	1160 AU
SOUVERAIN/RUE DU	81 Fd	1301 BI
	86 Cb	1301 BI
SOUVERAIN/SQUARE DU	43 Ba	1160 AU
SOUVERAINE/RUE	34 Ccd Fa	1050 IX
1 à 105 & 2 à 108	95 Ecd	1050 IX
SOUVERAINE/RUE	34 Fa	1000 BR
107 à fin & 110 à fin		
SOYER/AVENUE RENE	74 Fd	1310 L-H
	75 Dc	1310 L-H
SPA/RUE DE-STRAAT	28 Da	1210 SJ
68 à fin/tot einde	93 Cd	1210 SJ
SPA/RUE DE-STRAAT	28 Dac	1000 BR
nos impairs/onpare nrs &	93Cd Fb	1000 BR
2 à/tot 56		
SPAAK/AVENUE-LAAN	34 Ab	1060 SG
PAUL-HENRI	94 Ac	1060 SG
SPAAK/ESPLANADE-		
VOORPLEIN		
PAUL-HENRI	36 Ba	1150 WP
SPAAK/RUE-STRAAT PAUL	34 Fb	1000 BR
nos impairs/onpare nrs		
SPAAK/RUE-STRAAT PAUL	34 Fb	1050 IX
nos pair/pare nrs		
SPAANDERBOERLAAN/		
AVENUE	71 Bc	1640 S-G
SPAANSE LINDEBAAN	2 Fbd	1850 GR
	3 Acd Da	1850 GR
SPAANSEWEG	46 Cc Fa	1600 P-L
SPAANSHOF	3 Da	1850 GR
SPAANS HUISDREEF	38 Ed	
	Fabc	3080 TE
SPAARBEKKENSTRAAT	15 Db	1130 BR
SPAARSTRAAT	27 Bbd	1000 BR
	90 Fb	1000 BR
SPAARZAAMHEIDSSTRAAT	16 Bd	1930 ZA
SPALTLAAN	59 Eb	3090 OV
SPANIENHOF	63 Ed Fc	1640 S-G
SPANJEBERGSTRAAT	25 Ecd	1700 DI
SPANJEPLEIN	27 Eb	1000 BR
	92 Cd Fb	1000 BR
	93 Ac Da	1000 BR
SPANJESTRAAT	34 Eacd	1060 SG
SPARREBOSSTRAAT	58 Db	1560 HO
SPARRENHOF	23 Eb	1933 ST
SPARRENLAAN	3 Ac	
	Dabd	1850 GR
SPARRENLAAN	51 Eb Fa	3090 OV
SPARRENWEG	70 Fc	1652 AL
SPECHTENBERG	22 Cb	1932 S-W
	23 Aa	1932 S-W
SPECHTLAAN	6 Cd	1800 VI
SPECHTLAAN	2 Db	1860 ME
SPEECKAERT/AVENUE-		
LAAN EDOUARD	29 Dab	1200 WL

Straat	Kaart	Postcode
SPEELBERG	60 Dc	3090 OV
	67 Cbd	3090 OV
SPEELBERGHOF	67 Cbd	3090 OV
SPEELBROEK	2 Cbd	1850 GR
SPEELPLEINLAAN	30 Aab	1950 KR
SPEELTUINDREVEKEN	36 Cc	1150 WP
SPEERHAAKSTRAAT	28 Da	1210 SJ
	93 Cd	1210 SJ
SPEERSTRAAT	13 Aa	1020 BR
SPELTVELD	31 Db	1970 W-O
SPERWERLAAN	36 Dabc	1150 WP
SPERWERLAAN	72 Bbd	1640 S-G
SPERWERLAAN	7 Aac	1800 VI
SPIEGELHOFVOETWEG	2 Bbd Ca	1850 GR
SPIEGELSTRAAT	27 Ec	1000 BR
	34 Bab	1000 BR
	94 Bb Cac	1000 BR
SPIEGELSTRAAT	4 Abd	1800 VI
SPILDOORN	11 Fd	1731 ZE
	12 Dc	1731 ZE
	18 Cb	1731 ZE
SPINNERIJSTRAAT	34 Bc	1060 SG
	94 Ed	1060 SG
SPIRAALBUISSTRAAT	35 Da	1050 IX
SPIRAALLAAN	30 Dac	1200 WL
SPIRALE/AVENUE DE LA	30 Dac	1200 WL
SPIREASTRAAT	43 Db Ea	1170 WB
SPIREES/RUE DES	43 Db Ea	1170 WB
SPITHERTLAAN	52 Fa	3090 OV
SPITSBOKKENDREEF	50 Ec	1170 WB
SPOORMAKERSGANG	27 Eb	1000 BR
	92 Fb	1000 BR
SPOORMAKERSSTRAAT	27 Ebd	1000 BR
	92 Fb	1000 BR
SPOORWEGSTRAAT	27 Cab	1210 SJ
	91 Ea	1210 SJ
SPOORWEGSTRAAT	47 Ad Dab	1601 RU
SPOORWEGSTRAAT	61 Ccd Fb	1651 LO
SPOORWEGSTRAAT	16 Eab	1930 ZA
SPORTCENTRUM	54 Ab	1600 P-L
SPORTHALSTRAAT	15 Ad	1130 BR
SPORTLAAN	13 Aa	1020 BR
SPORTLAAN	46 Cb	1600 P-L
SPORTLAAN	25 Dbd Ea	1700 DI
SPORTLAAN	75 Fa	3090 OV
SPORTPLEINSTRAAT	30 Fcd	1970 W-O
	37 Ca	1970 W-O
SPORTS/AVENUE DES	13 Aa	1020 BR
SPORTSTRAAT	16 Bcd	1930 ZA
SPREEUWENLAAN	23 Bb	1930 ZA
SPREEUWSTRAAT	13 Ad	1020 BR
SPREEUWSTRAAT	43 Dd	1170 WB
SPRIETMOLENSTRAAT	2 Dbd Ec	1850 GR
SPRINGAELSTRAAT JOZEF	61 Bd Cac	1651 LO
SPRINKHANENLAAN	49 Ca	1170 WB
SPRUYT/RUE-STRAAT	20 Ad	1090 JE
SPUYMOLENSTRAAT	4 Abcd	1800 VI
SQUARE DE L'ARBRE DE		
LA LIBERTE	81 Bd	1300 WA
STAARTMOLENSLAAN	29 Cc	1200 WL
STAARTSTERSTRAAT	27 Cd	1210 SJ
	91 Ebd	1210 SJ
STAATSBLADSSTRAAT	27 Fb	1000 BR
	93 Ba	1000 BR

S

Straat	Kaart	Vak	Postcode	Gemeente
STACQUET/RUE-STRAAT HENRI	28	Ba	1030	SC
STADE/AVENUE DU	29	Ed Fc	1200	WL
STADE/PARKING DU	82	Ac	1300	WA
STADE/RUE DU	40	Cb	1190	FO
STADIONLAAN	29	Ed Fc	1200	WL
STADIONSTRAAT	40	Cb	1190	FO
STADIONSTRAAT	8	Cc Fa	1830	MA
STADT/DREVE DE	81	Cb	1300	WA
STAFHOUDER BRAFFORTLAAN	60	Dab	3090	OV
STAFHOUDER BRAFFORTSTRAAT 2 tot 64	35	Cab	1200	WL
STAFHOUDER BRAFFORTSTRAAT andere nrs	35	Cab	1040	ET
STALINGRAD/ AVENUE DE-LAAN	27	Ec	1000	BR
	34	Ab Ba	1000	BR
STALINGRAD/ AVENUE DE-LAAN	92	Ecd	1000	BR
	94	Ba	1000	BR
STALKRUIDLAAN	6	Fcd	1020	BR
	7	Dc	1020	BR
STALLAERT/RUE-STRAAT JOSEPH 1 à/tot 73A & 2 à/tot 30	41	Bd	1050	IX
STALLAERT/RUE-STRAAT JOSEPH 75 à fin/tot einde & 36 à fin/tot einde	41	Bd Cc	1180	UC
STALLE/RUE DE-STRAAT	47	Ccd	1180	UC
	48	Aabc	1180	UC
STALLE/ RUE PROLONGEE DE	47	Bd Cc Eab	1620	DR
STANDAARDSTRAAT	28	Ea	1000	BR
STANLEY/RUE-STRAAT	41	Cd	1050	IX
STANLEY/RUE-STRAAT	41	Cd	1180	UC
STANLEYLAAN	38	Cb	3080	TE
STAPELHUISSTRAAT	20	Bd	1020	BR
STAPHYLINS/AVENUE DES	49	Cc	1170	WB
STAS/RUE-STRAAT JEAN	34	Bd	1060	SG
	94	Fd	1060	SG
	95	Dac	1060	SG
STASSART/AVENUE-LAAN GUILLAUME	33	Dac	1070	AN
STATICES/CHEMIN DES	49	Bac	1000	BR
STATIEPLAATS	23	Da	1932	S-W
STATIEPLAATS	23	Da	1950	KR
STATIEWEG	8	Ad Db	1830	MA
STATION/PLACE DE LA	63	Fc	1640	S-G
STATION/PLACE DE LA	23	Da	1950	KR
STATION/ PLACE DE LA-PLEIN	40	Eab	1190	FO
STATION/RUE DE LA	85	Fd	1300	LI
	86	Dc	1300	LI
STATION/RUE DE LA	66	Fa	1310	L-H
STATION/RUE DE LA	79	Bab	1332	GE
STATION/RUE DE LA	76	Eab	1410	WA
STATION/RUE DE LA	55	Ac Dab	1630	LI
STATION/RUE DE LA	63	Ecd Fc	1640	S-G
	71	Ba	1640	S-G
STATION/ RUE DE LA-STRAAT 111 à/tot 155	36	Bb	1150	WP

Straat	Kaart	Vak	Postcode	Gemeente
STATION/ RUE DE LA-STRAAT	40	Eb	1190	FO
STATION DE WOLUWE/ RUE DE LA 1 à 109 & nos pairs	36	Bb Ca	1200	WL
STATIONLEI	4	Bc Eab	1800	VI
STATIONPLEIN	4	Eb	1800	VI
STATIONSBERG	36	Cac	1150	WP
STATIONSLAAN	9	Bbd	1820	ME
STATIONSPLEIN	19	Ac	1082	BA
STATIONSPLEIN	36	Cac	1150	WP
STATIONSPLEIN	68	Fc	1500	HA
STATIONSPLEIN	63	Fc	1640	S-G
STATIONSPLEIN	59	Fb	3090	OV
	60	Da	3090	OV
STATIONSSTRAAT	47	Db	1601	RU
STATIONSSTRAAT	55	Ac Dab	1630	LI
STATIONSSTRAAT	53	Eabd Fc	1651	LO
	61	Bb	1651	LO
STATIONSSTRAAT	25	Aac Dab	1700	DI
STATIONSSTRAAT	18	Bd Cc Eb	1702	G-B
STATIONSSTRAAT	15	Bbd Cc	1831	DI
STATIONSSTRAAT	16	Eacd	1930	ZA
STATIONSSTRAAT	60	Da	3090	OV
STATIONSSTRAAT	63	Ecd Fc	1640	S-G
	71	Ba	1640	S-G
STATIONSSTRAAT VAN WOLUWE 1 tot 109 & pare nrs	36	Bb Ca	1200	WL
STATIONSTRAAT	35	Bd Cac	1040	ET
	36	Bb	1040	ET
STATIONSTRAAT	66	Fa	1560	HO
STATUAIRES/AVENUE DES	41	Ec	1180	UC
	48	Babd	1180	UC
STEAMERS/QUAI DES	20	Bd Cc Eb	1000	BR
STEDEBOUWSTRAAT	19	Bd Eb	1083	GA
STEEKSPELSTRAAT	41	Acd	1190	FO
STEEMAN/RUE STANISLAS ANDRE	83	Da	1420	B-A
STEENBAKKERIJENLAAN	29	Bb	1200	WL
STEENBAKKERIJSTRAAT	20	Bbcd	1020	BR
STEENBAKKERIJSTRAAT	39	Fc	1600	P-L
STEENBAKKERSERF	29	Ab	1140	EV
STEENBAKKERSWEG	67	Ad Bc	3090	OV
STEENBERGSTRAAT	58	Bc Ea	1560	HO
STEENBERGSTRAAT	39	Ac Dab	1602	VL
STEENBEUKSTRAAT	40	Cb	1190	FO
	41	Aa	1190	FO
STEENBLOKWEG	70	Eabd	1653	DW
STEENBOKLAAN	29	Abd	1200	WL
STEENBORRE	69	Ab	1501	BU
STEENBOS	63	Db	1652	AL
STEENBREEKSTRAAT	43	Db	1170	WB
STEENGROEFSTRAAT	19	Ed Fc	1081	KO
STEENKAAI	4	Acd Dbd	1800	VI
STEENKOOLKAAI	27	Bc	1000	BR
	90	Eb	1000	BR
STEENO/RUE-STRAAT EMILE	43	Ba	1160	AU
STEENOKKERZEELSTRAAT	16	Bd Eb	1930	ZA
STEENOVENSTRAAT	66	Bc	1560	HO

S

Straat	Kaart	Postcode
STEENPOEL	25 Dc	1701 IT
	32 Aa	1701 IT
STEENPUT	70 Ebd	1650 BE
STEENPUT	31 Bc Ea	1933 ST
STEENPUTWEG	70 Fa	1652 AL
STEENROTSSTRAAT	62 Bc	1652 AL
STEENS/PLACE-PLEIN LOUIS	13 Bac	1020 BR
STEENS/RUE-STRAAT	34 Eac	1060 SG
STEENSSTRAAT FELIX	68 Bd	1500 HA
STEENSTRAAT	27 Eab	1000 BR
	92 Cc	1000 BR
STEENSTRAAT	7 Dab	1800 VI
STEENTIJDPAD	64 Dd Ec	1640 S-G
STEENVELT/RUE-STRAAT	47 Fd	1180 UC
	54 Cb	1180 UC
STEENVOORDE	71 Cbd	1640 S-G
	72 Ac	1640 S-G
STEENWAGENSTRAAT	9 Babc	1820 ME
STEENZWALUWENLAAN	36 Dd	1160 AU
	43 Ab	1160 AU
STEERTVELD	69 Bb	1654 HU
STEEVOORTSTRAAT	4 Cd	1800 VI
STEFANIAPLEIN onpare nrs	34 Cc 95 Dcd	1000 BR 1000 BR
STEFANIAPLEIN pare nrs	34 Cc 95 Dcd	1050 IX 1050 IX
STEFANIASTRAAT	20 Bab Ca	1020 BR
STEIGERPAD	42 Dd Ec	1000 BR
	49 Ba	1000 BR
STEKELBAARSSTRAAT	2 Ca	1850 GR
STEKELBREMLAAN	36 Fab	1150 WP
STELLAIRES/AVENUE DES	39 Ccd	1070 AN
STENENBRUGDREEF	65 Cbcd	1560 HO
STENEN-KRUISSTRAAT	34 Bd Eb	1060 SG
STENGELTJESWEG	36 Cc	1150 WP
STENUIT/RUE VICTOR	85 Dd	1342 LI
STEPHANIE/PLACE nos impairs	34 Cc 95 Dcd	1000 BR 1000 BR
STEPHANIE/PLACE nos pairs	34 Cc 95 Dcd	1050 IX 1050 IX
STEPHANIE/RUE	20 Bab Ca	1020 BR
STEPHENSON/ PLACE-PLEIN	20 Cd 21 Ac	1030 SC 1030 SC
STEPHENSON/ RUE-STRAAT nos pairs/pare nrs	20 Cd 21 Ac	1000 BR 1000 BR
STEPHENSON/ RUE-STRAAT nos impairs/onpare nrs	20 Cd 21 Ac	1030 SC 1030 SC
STEPMAN/RUE-STRAAT	26 Cb	1081 KO
STEPPE/RUE-STRAAT	20 Abd	1090 JE
STERCKMANS/ AVENUE-LAAN MICHEL	36 Ab	1200 WL
STERCKX/RUE-STRAAT	34 Db Ea	1060 SG
STERCKX/RUE-STRAAT FELIX	13 Ad	1020 BR
STERCKXSTRAAT	10 Ba	1820 ST
STERDREEF	45 Ecd	3080 TE
STERREBEEKSE- STEENWEG	24 Cbcd	3070 KO
STERREBEEKSE- STEENWEG	24 Cbcd	3078 EV

Straat	Kaart	Postcode
STERREBEEKSTRAAT	16 Fc	1930 ZA
	23 Cacd	
	Fb	1930 ZA
STERREBEELDENLAAN	29 Acd	1200 WL
STERREBEELDLAAN	59 Cc Eb	
	Fa	3090 OV
STERREMUURLAAN	39 Ccd	1070 AN
STERRENKUNDELAAN	27 Cd Fb	1210 SJ
	28 Ac	1210 SJ
	91 Fc	1210 SJ
	93 Ca	1210 SJ
STERRENKUNDIGEN- STRAAT	49 Aa	1180 UC
STERRENLAAN	67 Ab	1560 HO
STERRENLAAN	63 Eb	1652 AL
STERRENLAAN	18 Dd Ec	1700 DI
	25 Ab Ba	1700 DI
STERRENVELD	31 Db	1970 W-O
STERREPLEIN	42 Ad	1050 IX
STERREWACHTLAAN	42 Dc	1180 UC
	48 Cab	1180 UC
	49 Aa	1180 UC
STERREWEGEL	24 Da	1933 ST
STERSTRAAT	47 Cc Fa	1180 UC
STERSTRAAT	47 Fac	1620 DR
STEURS/SQUARE ARMAND	28 Ad	1210 SJ
STEVENS/AVENUE-LAAN RENE	43 Ecd	1160 AU
STEVENS/CARRE-BLOK	41 Db	1180 UC
STEVENS/RUE-STRAAT ALFRED	13 Eac	1020 BR
STEVENS/RUE-STRAAT JOSEPH	27 Ed 92 Fd	1000 BR 1000 BR
	94 Cb	1000 BR
STEVENS-DELANNOY/ RUE-STRAAT	13 Ad Db	1020 BR
STEVIN/RUE-STRAAT	28 Dabd	
	Ec	1000 BR
	93 Fb	1000 BR
STEYAERT/AVENUE HECTOR	78 Cb 79 Aa	1332 GE 1332 GE
STEYLS/RUE-STRAAT	13 Dd Ec	1020 BR
STICHELBERG	18 Eac	1702 G-B
STICHELGAT	18 Ec	1702 G-B
STICHELGATSTRAAT	18 Ec	1700 DI
STICHTINGSSTRAAT	19 Bc Ea	1082 BA
STIENON/AVENUE-LAAN 1 à/tot 95 & nos pairs/pare nrs	13 Ac	1020 BR
STIENON/AVENUE-LAAN 97 à fin/tot einde	12 Cd 13 Ac	1090 JE 1090 JE
STIERNET/RUE-STRAAT HUBERT	20 Ca	1020 BR
STIJGBEUGELLAAN	37 Abd	1150 WP
STIJNS/RUE-STRAAT REIMOND	26 Bb Ca	1080 MO
STILLELAAN	47 Fd	1180 UC
	55 Aa	1180 UC
STILLE OCEAANSTRAAT	41 Bd Cc	1180 UC
STOBBAERTS/ AVENUE-LAAN JAN	28 Bab	1030 SC
STOBBAERTSDREEF	52 Ec	3090 OV
STOCKEL/CHAUSSEE DE 1 à 263 & 2 à 294	29 Fcd 36 Bb Ca	1200 WL 1200 WL

Street	Map	Grid	Postcode
STOCKEL/CHAUSSEE DE	29	Fd	1150 WP
autres nos	30	Dcd	1150 WP
STOCKEL/RUE DE	23	Ec	1950 KR
	30	Ba	1950 KR
STOCQ/RUE-STRAAT			
GUILLAUME	35	Dcd	1050 IX
STOCQUOY/CHEMIN DU	87	Dc	1300 WA
STOELENMAKERSSTRAAT	34	Bc	1000 BR
	94	Eb	1000 BR
STOETERIJDREEF	56	Bcd Eb	
		Fab	1180 UC
STOETERIJLAAN	37	Db	1150 WP
STOETERIJWEG	49	Ab Ba	1000 BR
STOFE/COURTE RUE DU	81	Fb	1300 WA
STOKERIJSTRAAT	46	Ca	1600 P-L
STOKERIJSTRAAT	17	Dd	1930 NO
STOKKELSE STEENWEG	29	Fcd	1200 WL
1 tot 263 & 2 tot 294	36	Bb Ca	1200 WL
STOKKELSESTEENWEG	29	Fd	1150 WP
andere nrs	30	Dcd	1150 WP
STOKKELSTRAAT	23	Ec	1950 KR
	30	Ba	1950 KR
STOKKEMSTRAAT	60	Bbd	
		Ccd	3090 OV
STOOFSTRAAT	27	Ebcd	1000 BR
	93	Fabc	1000 BR
STOOFSTRAAT	68	Fa	1500 HA
STOOFSTRAAT	62	Bb	1650 BE
STOOMBOTENKAAI	20	Bd Cc	
		Eb	1000 BR
STOOMSLEPERSSTRAAT	35	Aa	1000 BR
STOPPELAERE/			
RUE-STRAAT POL	32	Cb	1070 AN
STORMENWEG	51	Ad Db	
		Ea	1160 AU
STORMHELMLAAN	28	Cb	1140 EV
STORMKLOKSTRAAT	28	Ea	1000 BR
STORMSTRAAT	27	Fa	1000 BR
	93	Aac	1000 BR
STORMVOGELLAAN	63	Eb	1640 S-G
STOUFFS/RUE J.-B.	79	Dac	1332 GE
STRAATSBURGSTRAAT	15	Dcd	1130 BR
	22	Aa	1130 BR
STRAATSBURGSTRAAT	22	Aa	1140 EV
STRASBOURG/RUE DE	15	Dcd	1130 BR
	22	Aa	1130 BR
STRASBOURG/RUE DE	22	Aa	1140 EV
STRATEGIE/RUE DE LA	35	Fc	1160 AU
STRAUVEN/AVENUE-LAAN			
HENRI	43	Aac	1160 AU
STRAUWEN/RUE-STRAAT			
PIERRE	13	Db Ea	1020 BR
STREEKBAAN	7	Aac	
		Dab	1800 VI
STREUVELS/RUE-STRAAT			
STIJN	21	Bd	1030 SC
STREUVELSLAAN STIJN	58	Eb	1560 HO
STREUVELSLAAN STIJN	46	Cb	1600 P-L
STREUVELSLAAN STIJN	24	Dabc	1933 ST
STREUVELSLAAN STIJN	37	Fbd	3080 TE
STREUVELSLAAN STIJN	75	Ba	3090 OV
STREUVELSLAAN STIJN/			
AVENUE	5	Ad Db	1780 WE
STREUVELSOORD/			
CLOS STIJN	38	Aa	1970 W-O

Street	Map	Grid	Postcode
STREUVELSSTRAAT STIJN	15	Eb	1831 DI
STRIJDERSGANG	27	Ab	1081 KO
	90	Aa	1081 KO
STRIJDERSSQUARE	20	Ba	1020 BR
STRIJDERSSTRAAT	19	Db Ea	1082 BA
STRIJDERSSTRAAT	66	Aa	1560 HO
STRIJDROSLAAN	28	Cb	1140 EV
	29	Aa	1140 EV
STRIJDVLEGELLAAN	28	Cb	1140 EV
STROBLOEMENLAAN	39	Cbd	1070 AN
STROMBEEK-	2	Aacd	
BEVERSELAAN		Db	1860 ME
STROMBEEKLINDE	6	Cc Fac	1853 S-B
STROMBEEKSESTEENWEG	6	Cd	1800 VI
	7	Ac Dab	1800 VI
STROOBANT/			
AVENUE-LAAN PAUL	48	Bacd	1180 UC
STROOBANT/RUE-STRAAT			
FRANCOIS	41	Bb Ca	1050 IX
STROOBANTS/			
RUE-STRAAT	14	Ed Fc	1140 EV
STROOISTRAAT	1	Ba	1860 ME
STROPPENWEG	68	Cb	1500 HA
STROSTRAAT	27	Ed	1000 BR
	92	Fd	1000 BR
	93	Dc	1000 BR
STRUIKENLAAN	63	Cd	1640 S-G
	64	Aac	1640 S-G
STRUISVOGELSTRAAT	43	Dd	1170 WB
STRUWEELGAARD	25	Bd Eb	1700 DI
STRUYKBEKEN/			
CHEMIN DU-WEG	29	Fc	1200 WL
STUCKENS/RUE-STRAAT			
EDOUARD-EDWARD	21	Bb Ca	1140 EV
STUDENTENSTRAAT	34	Ea	1060 SG
STUIVENBERGSTRAAT	13	Ad Db	1020 BR
STUIVERSSTRAAT	27	Fc	1000 BR
	93	Dab	1000 BR
STUYVENBERG	30	Dd	1150 WP
STUYVENBERGH/RUE	13	Ad Db	1020 BR
SUCRERIE/CHEMIN DE LA	81	Db Eab	
		Fa	1301 BI
SUCRERIE/			
PARKING DE LA	81	Fa	1301 BI
SUEDE/RUE DE	34	Ad	1060 SG
	94	Dabd	1060 SG
SUFFRAGE UNIVERSEL/			
AVENUE DU	21	Db	1030 SC
SUIKERKAAI	68	Fac	1500 HA
SUISSE/RUE DE	34	Bd	1060 SG
	94	Fd	1060 SG
SUKKELWEG	41	Ecd	1180 UC
SUM	69	Aab	1501 BU
SUMATRA/			
AVENUE DE-LAAN	41	Fc	1180 UC
SURDIAC/SQUARE	40	Ea	1190 FO
SURDIAC/SQUARE-PLEIN	40	Ea	1620 DR
SUREAU/CITE DU	27	Bc	1000 BR
	90	Fac	1000 BR
SUREAU/CLOS DU	18	Fd	1082 BA
SURLET DE CHOKIER/	27	Fb	1000 BR
PLACE-PLEIN	93	Bbd	1000 BR
SUZANNE/AVENUE	79	Cc	1330 RI
SWALUSSTRAAT TOBIE	61	Ac Da	1600 P-L

Street	Map	Postcode
SWARTENBROUCK/ AVENUE-LAAN	12 Cc	1090 JE
SWARTSSTRAAT THEODOOR	17 Fac	3070 KO
SWEVERS/RUE-STRAAT ARMAND	43 Aacd	1160 AU
SYLPHES/AVENUE DES	43 Dac	1170 WB
SYLVE/CLOS DE LA	83 Fd	1410 WA
SYLVIANELAAN/AVENUE	63 Cd Fb	1640 S-G
SYMBOLE/RUE DU	40 Aa	1070 AN
SYMPATHIE/ RUE DE LA-STRAAT	33 Dd Ec	1070 AN

T

Street	Map	Postcode
TAAIBOOMSTRAAT	18 Abd	1702 G-B
TABAKBERGSTRAAT	45 Ab Ba	3080 TE
TABELLION/RUE DU	34 Ed Fc	1050 IX
TABORA/RUE DE-STRAAT	27 Eb	1000 BR
	92 Ccd	1000 BR
TACHTIGBEUKENLAAN	12 Ed	1083 GA
TACITURNE/RUE DU	28 Dbd	1000 BR
TACQUET/RUE-STRAAT	20 Bb Ca	1020 BR
TAGETES/ AVENUE DES-LAAN	13 Bac	1020 BR
TAHON/AVENUE-LAAN VICTOR	43 Cac	1160 AU
TAILLETTE/RUE DE LA	79 Ed	1330 RI
TAILLEVENT/CLOS DU	88 Cc Fa	1420 B-A
TAILLIS/AVENUE DES	42 Fac	1170 WB
TAILLIS/AVENUE DES	83 Fac	1410 WA
TAILLIS/CLOS DU	37 Ea	1150 WP
TAILLIS/RUE DU	87 Fd	1325 D-V
TALINGLAAN	23 Fd	1933 ST
TALINGSTRAAT	43 Dd	1170 WB
TALUS/CHEMIN DES	88 Dd	1420 B-A
TALUS/SENTIER DES	88 Dd	1420 B-A
TAMARIS/AVENUE DES	26 Bac	1080 MO
TAMARISKENLAAN	26 Bac	1080 MO
TAMBOERDREEF	50 Bcd Cc Fab	1170 WB
	51 Da	1170 WB
TAMBOUR/DREVE DU	50 Bcd Cc Fab	1170 WB
	51 Da	1170 WB
TAMINES/RUE DE-STRAAT	34 Ec	1060 SG
TANCARVILLE/AVENUE DE	83 Aa	1410 WA
TANCHE/AVENUE DE LA	42 Cd Fb	1160 AU
TANGANIKA/ RUE DU-STRAAT	47 Bac	1190 FO
TANGANIKA/ RUE DU-STRAAT	47 Bac	1620 DR
TANGEDALLAAN	3 Fa	1850 GR
TANGEMOLENLAAN	3 Cc	1850 GR
TANGEMOLENWEG	3 Cd Fb	1800 VI
TANGESTRAAT	3 Acd	1850 GR
TANGEWEG	3 Fb	1800 VI
TANNERIE/RUE DE LA	20 Dc	1081 KO
TANNERIES/IMPASSE DES	81 Fd	1300 WA
TANNERIES/QUAI DES	81 Fbd	1300 WA
TANNEURS/RUE DES	34 Ab Ba	1000 BR
	94 Bbcd	1000 BR
TARANTELLASTRAAT 1 tot 25 & 2 tot 20	26 Dab	1070 AN
TARANTELLASTRAAT 27 tot einde & 22 tot einde	26 Da	1080 MO
TARENTELLE/RUE DE LA 1 à 25 & 2 à 20	26 Dab	1070 AN
TARENTELLE/RUE DE LA 27 à fin & 22 à fin	26 Da	1080 MO
TARIN/PLACE DU	43 Dd	1170 WB
TARINS/AVENUE DES	80 Cac	1301 BI
TARINS/AVENUE DES	88 Dc	1420 B-A
TARINS/AVENUE DES	30 Bab	1950 KR
TARINS/CLOS DES	12 Ed	1083 GA
	19 Bb	1083 GA
TARWELAAN	59 Da	3090 OV
TARWESTRAAT	32 Db Ea	1070 AN
TASNIER/FOND	75 Dd	1332 GE
	79 Aab	1332 GE
TASNIERE/RUE DE LA	75 Ec	1332 GE
	79 Ab Ba	1332 GE
TASSON-SNEL/ RUE-STRAAT	34 Eb Fa	1060 SG
TASTEVIN/ DREVE DU-DREEF	40 Fcd	1190 FO
TAUPES/CHEMIN DES	42 Dd	1000 BR
TAXANDRES/ CHAUSSEE DES	81 Cb	1300 WA
TAXANDRES/RUE DES	35 Cac	1040 ET
TAXUSDREEF/DREVE DES	30 Fd	1970 W-O
TAYETTE/CHEMIN DE LA	84 Dd	1380 LA
TAYMANSSTRAAT	24 Ed	1933 ST
TAZIEAUX/RUE-STRAAT	27 Aab	1080 MO
	90 Ac	1080 MO
'T CORTENBOSCH/ CHEMIN PRIVE- PRIVATE WEG	48 Ea	1180 UC
TECHNOLOGIE/ RUE DE LA-STRAAT	19 Aac	1082 BA
TEDESCO/AVENUE- LAAN	43 Ba	1160 AU
TEELTLAAN	63 Fa	1640 S-G
TEENBOSSENDREEF	56 Fbd	1640 S-G
	57 Dcd	1640 S-G
	65 Ab	1640 S-G
TEICHMAN/PONT-BRUG	21 Aa	1030 SC
TEINTURERIE/RUE DE LA	40 Ed Fc	1190 FO
TEINTURIERS/RUE DES	27 Ea	1000 BR
	92 Cc	1000 BR
TEIRLINCK/RUE-STRAAT ISIDOOR	27 Ac Da	1080 MO
TEIRLINCKLAAN HERMAN	58 Eb	1560 HO
TEIRLINCKPLEIN HERMAN	54 Ec	1650 BE
TELECOMLAAN	15 Fac	1831 DI
TELEMACHUSLAAN	41 Ac Da	1190 FO
TELEMAQUE/AVENUE	41 Ac Da	1190 FO
TELL/RUE GUILLAUME	34 Db	1060 SG
TELLSTRAAT WILLEM	34 Db	1060 SG
TEMMERMANSTRAAT ALBERT	19 Aa	1731 ZE
TEMPELSTRAAT	34 Bb	1000 BR
	94 Cab	1000 BR
TEMPERANCE/AVENUE	32 Ca	1070 AN
TEMPETES/CHEMIN DES	51 Ad Db Ea	1160 AU
TEMPLE/RUE DU	34 Bb	1000 BR
	94 Cab	1000 BR
TEMPLIERS/CLOS DES	83 Eb Fa	1410 WA

S
T

Street	Map	Grid	Postcode
TEMPS DES CERISES/			
RUE DU	30	Dd	1150 WP
TEMSELAAN	6	Db Ea	1853 S-B
TEMSESTEENWEG	6	Ad Bc	
		Db Ea	1853 S-B
TENAERTSLAAN	15	Ccd	1831 DI
TENBOS	34	Fd	1000 BR
1 tot 21 & 2 tot 34			
TENBOSCH	34	Fd	1000 BR
1 à 21 & 2 à 34			
TENBOSCH/RUE DE	34	Fd	1050 IX
23 à fin & 38 à fin	41	Ca	1050 IX
TENBOSLAAN	58	Fd	1560 HO
23 tot einde &	66	Cabd	1560 HO
38 tot einde			
TENBOSSTRAAT	34	Fd	1050 IX
	41	Ca	1050 IX
TENBROECK/AVENUE DE	71	Dc	1420 B-A
TENBROEKLAAN	75	Ea	3090 OV
TENBROEKSTRAAT/RUE	70	Fb	1640 S-G
	71	Dac	1640 S-G
TENDERIE/AVENUE DE LA	49	Cab	1170 WB
TENDERIE/AVENUE DE LA	82	Dcd	1300 WA
TENDEUR/AVENUE DU	82	Dc	1300 WA
TEN HOREN/			
AVENUE-LAAN	48	Bab	1180 UC
TENIERS/RUE-STRAAT	21	Dd	1030 SC
TENIERSDREEF	52	Db Ea	3090 OV
TENIERSLAAN/AVENUE			
DAVID	5	Dd	1780 WE
TENIERSSTRAAT	3	Fbd	1800 VI
	4	Da	1800 VI
TENIERSWEG/			
CHEMIN DAVID	5	Dd	1780 WE
TENNIS/AVENUE DU-LAAN	36	Cbd	1150 WP
TENNIS/SENTIER DU	81	Da	1301 BI
TENNISDREEF/DREVE DU	5	Db Ea	1780 WE
TENNISLAAN	25	Dbd	1700 DI
TENNISLAAN	22	Ed Fc	1932 S-W
TENOTS	60	Dc	3090 OV
TENREUKEN	43	Ec	1170 WB
	50	Bab	1170 WB
TENRODESTRAAT	67	Cac	3090 OV
TENTOONSTELLINGSLAAN	12	Bbd Cc	
		Fac	1090 JE
TENTRAPPENSTRAAT	59	Dc	1560 HO
	67	Aac	1560 HO
TERARKEN/RUE-STRAAT	27	Fc	1000 BR
	93	Dd	1000 BR
TERBLOKSTRAAT	58	Aacd	3090 OV
TER BORCHT	46	Dc	1600 P-L
	53	Aa	1600 P-L
TERCOIGNE/			
AVENUE DE-LAAN	42	Cd Fb	1170 WB
TERDELLESTRAAT	66	Ba	1560 HO
TERDELT/PLACE-PLEIN	21	Ea	1030 SC
TER ELST/RUE-STRAAT	15	Ab	1130 BR
TEREYCKENLAAN/			
AVENUE	30	Acd	1950 KR
TER EYCKENSTRAAT	29	Cb	1932 S-W
	30	Aac	1932 S-W
TERHEIDESTRAAT	58	Ed	1560 HO
	66	Bb	1560 HO
TERHEYDESTRAAT/RUE	71	Bd Cc	1640 S-G
TERHOLSTDREEF	75	Ad Bcd	3090 OV

Street	Map	Grid	Postcode
TERHULPENSESTEENWEG	49	Aab	
1 tot 61 & 2 tot 6		Bacd	1180 UC
TERHULPENSESTEENWEG	60	Dbd	3090 OV
	67	Cd Ed	
		Fabc	3090 OV
TERHULPENSESTEENWEG	75	Ad	
		Babc	3090 OV
TERHULPSESTEENWEG	49	Bd Cc	1000 BR
110 tot 132 & 8 tot 28			
TERHULPSESTEENWEG	49	Ccd	1170 WB
169 tot einde &	50	Acd Db	
150 tot einde		Eac	1170 WB
	57	Babd	1170 WB
TERHULPSESTEENWEG	57	Bd Eb	
		Facd	1560 HO
	65	Cb	1560 HO
	66	Aacd	
		Db	1560 HO
TERJANSDELLE	66	Ca	1560 HO
TER KAMERENBOSLAAN	42	Eb Fa	1170 WB
1 tot 41 & 2 tot 40			
TER KAMERENBOSLAAN	42	Ebcd	1050 IX
43 tot einde & 42 tot einde			
TERKAMERENDALSQUARE	42	Ab	1050 IX
TERKAMERENLAAN	42	Ad	1050 IX
1 tot 3 /& 2 tot 4			
TERKAMERENLAAN	42	Acd	1000 BR
17 tot einde & 6 tot einde			
TERKAMERENSTRAAT	36	Aab	
onpare nrs		Bab	1150 WP
TER KAMERENSTRAAT	36	Aab Ba	1200 WL
pare nrs			
TERKLUIZENDREEF	76	Da	1410 WA
TERLAAK	61	Cc	1651 LO
TERLINDEN/AVENUE	75	Ab	1310 L-H
TERLINDEN/AVENUE PAUL	80	Dac	1330 RI
TERLINDEN/RUE-STRAAT			
FELIX	35	Ea	1040 ET
TERLINDENLAAN	75	Abd Bc	3090 OV
TERLONGVAL/	82	Dc	1300 WA
VENELLE DE	87	Aabd	1300 WA
TER MEERENLAAN/			
AVENUE	31	Dbd	1970 W-O
TER MERENLAAN	23	Bb Ca	1930 ZA
TERMEULENSTRAAT	63	Bc Ea	1652 AL
TERMEULENSTRAAT/RUE	63	Ed	1640 S-G
	71	Bb Ca	1640 S-G
TERMEULENWEG	63	Ebd	1652 AL
TERMOLENHOFLAAN	11	Eabc	1731 ZE
TERMONDE/RUE DE	19	Ad Bc	
nos impairs		Ea	1082 BA
TERMONDE/RUE DE	19	Ad Bc	
nos pairs		Ea	1083 GA
TERMONIASTRAAT JOZEF	11	Fd	1731 ZE
	18	Cb	1731 ZE
TER PLAST/RUE	13	Ec	1020 BR
TERPLASTSTRAAT	13	Ec	1020 BR
TERRE-NEUVE/RUE	27	Ec	1000 BR
	34	Ab Ba	1000 BR
	92	Ed Fc	1000 BR
	94	Babc	1000 BR
TERRESTLAAN	59	Ab Ba	3090 OV
TERRIENNE/RUE DE LA	81	Dcd	1301 BI
	86	Ab	1301 BI
TERRIERWEG	58	Dac	1560 HO

T

Street	Map	Grid	Code
THUMASSTRAAT/RUE JEF	23	Dac	1950 KR
THUYAS/RUE DES	42	Fab	1170 WB
THUYAS/VENELLE AUX	87	Abd	1300 WA
THUYASDREEF/ DREVE DES	30	Fd	1970 W-O
THUYASLAAN	45	Da	3080 TE
THYM/AVENUE DU	26	Ba	1080 MO
THYS/RUE-STRAAT LOUIS	36	Bb	1150 WP
THYSSENLAAN M./ AVENUE	1	Fbd	1780 WE
THYS-VANHAM/	13	Ec	1020 BR
RUE-STRAAT	20	Ba	1020 BR
TIBEERTSTRAAT	18	Aa	1702 G-B
TIBERGHIEN/RUE-STRAAT	28	Ac	1210 SJ
	91	Fab	1210 SJ
TIBET/ROND POINT DU- PLEIN	37	Da	1150 WP
TIBOUT/CHEMIN	21	Bb	1140 EV
TIBOUTSWEG	21	Bb	1140 EV
TICHELENBERG	10	Fac	1820 ST
TICHELRYE	3	Cc	1850 GR
TIEBACKX/ RUE-STRAAT JAN	12	Fa	1090 JE
TIEBOUTSTRAAT JAN	12	Dc	1731 ZE
	18	Cb	1731 ZE
	19	Aa	1731 ZE
TIELEMANS/RUE-STRAAT	20	Ba	1020 BR
TIENDAGWANDLAAN	29	Bb Ca	1200 WL
TIENDENSCHUURDREEF	36	Bb	1200 WL
TIENDESCHUURVELD	22	Bd Ccd Eb	1932 S-W
TIENDEWEG	10	Cb	1910 NE
TIENNE SAINT-ROCH/RUE	84	Dcd	1380 LA
TIGELLES/CHEMIN DES	36	Cc	1150 WP
TIJLOZENSTRAAT	19	Bd	1083 GA
TIJMLAAN	26	Ba	1080 MO
TILLENS/CARRE-BLOK	41	Dbd	1180 UC
TILLEUL/CHAMP DU	12	Eb	1090 JE
TILLEUL/CHAUSSEE DU	82	Aa	1300 WA
TILLEUL / CLOS DU	19	Ea	1082 BA
TILLEUL/RUE DU nos pairs	21	Babd Eb Fa	1030 SC
TILLEUL/RUE DU nos impairs	21	Bbd Eb Fa	1140 EV
TILLEUL/RUE DU	82	Aab	1300 WA
TILLEUL/RUE DU	78	Cb	1331 RO
	79	Aacd	1331 RO
TILLEUL/RUE DU	71	Bacd	1640 S-G
TILLEULS/ALLEE DES	1	Fd Fc	1780 WE
	5	Ca	1780 WE
TILLEULS/AVENUE DES	55	Aabd	1180 UC
TILLEULS/AVENUE DES	76	Eab	1410 WA
TILLEULS/AVENUE DES	64	Dbd Eabc	1640 S-G
TILLEULS/CLOS DES	37	Ca	1970 W-O
TILLMANS/RUE-STRAAT MARIA	33	Aac	1070 AN
TILMONT/RUE-STRAAT	19	Cb	1090 JE
	20	Aa	1090 JE
TILQUIN/AVENUE MARCEL	79	Fd	1330 RI
TIMMERHOUTKAAI	27	Bac	1000 BR
	90	Eb	1000 BR
TIMMERLIEDENSTRAAT	34	Bc	1000 BR
	94	Eb	1000 BR
TIMMERMANS/ RUE-STRAAT	41	Ab	1190 FO
TIMMERMANS/ RUE-STRAAT GUSTAVE	43	Fac	1160 AU
TIMMERMANS/ RUE-STRAAT JEAN-BAPTISTE	29	Dac	1200 WL
TIMMERMANS/ RUE-STRAAT PIERRE	19	Cbd	1090 JE
TIMMERMANSLAAN FEL.	75	Ba	3090 OV
TIMMERMANSLAAN FELIX	58	Eb	1560 HO
TIMMERMANSLAAN FELIX	8	Fbcd	1831 DI
TIMMERMANSLAAN FELIX	24	Dac	1933 ST
TIMMERMANSLAAN FELIX	37	Fd	3080 TE
TIMMERMANSSTRAAT	6	Aabcd	1853 S-B
TIMMERMANSSTRAAT FRANS	46	Cc Fa	1600 P-L
TIMMERMANSSTRAAT FRANS	11	Cc Fac	1731 ZE
TIMON/RUE DU	20	Ca	1020 BR
TINEL/RUE-STRAAT EDGAR	33	Db	1070 AN
TINELSTRAAT EDGARD	68	Fd	1500 HA
	69	Dc	1500 HA
TINELSTRAAT EDGARD	4	Dab	1800 VI
TINKLAAN	42	Cd Fb	1160 AU
TINTORETTOSTRAAT	28	Eabc	1000 BR
TIR/RUE DU	34	Db	1060 SG
TIR/RUE DU	81	Cc Fa	1300 WA
TIR AUX PIGEONS	37	Ad Db Eac	1150 WP
	44	Ba	1150 WP
TIRCHER/PLACE-PLEIN MAX	12	Cd	1090 JE
TISSERANDS/RUE DES	27	Aa	1081 KO
TISSERANDS/RUE DES	88	Ac	1420 B-A
TITECA/RUE-STRAAT LOUIS	36	Bcd	1150 WP
TITIAANSTRAAT	28	Eac	1000 BR
TITZ/RUE-STRAAT LOUIS	35	Bbd	1040 ET
TIVOLI/RUE DU-STRAAT	20	Bd	1020 BR
'T JAEGERKE/CLOS	12	Cc	1090 JE
TJIFTJAFSWEG	41	Fb	1000 BR
	42	Da	1000 BR
T' KINT/RUE-STRAAT	27	Db Ea	1000 BR
	92	Ad Bc	1000 BR
TOCSIN/RUE DU	28	Ea	1000 BR
TOEGANGSWEG	40	Cc Fa	1190 FO
TOEKOMSTLAAN	63	Ebd Fac	1640 S-G
TOEKOMSTSTRAAT	27	Ab Ba	1080 MO
	90	Bc Ea	1000 MO
TOEKOMSTSTRAAT	4	Ad Bc	1800 VI
TOEKOMSTSTRAAT	8	Bd Cc	1830 MA
TOEKOMSTSTRAAT	16	Bac	1930 ZA
TOEKOMSTSTRAAT	30	Bc	1950 KR
TOERISTENLAAN	37	Aab	1150 WP
TOERISTENLAAN	63	Facd	1640 S-G
TOERISTENSTRAAT	42	Fcd	1170 WB
TOILIERS/RUE DES	82	Ad	1300 WA
TOINON/SQUARE	40	Fc	1190 FO
TOISON D'OR/ AVENUE DE LA 1 à 45A	34	Bd Cac	1050 IX
	95	Acd Bc Da	1050 IX

T

Street	Page	Grid	Postal code
TOISON D'OR/	34	Bd Cac	1000 BR
AVENUE DE LA	94	Fbcd	1000 BR
46 à 50	95	Acd	
		Bc Da	1000 BR
TOISON D'OR/	34	Bd	1060 SG
AVENUE DE LA	94	Fbcd	1060 SG
51 à fin	95	Da	1060 SG
TOISON D'OR/	34	Ca	1050 IX
GALERIE DE LA	95	Ad Bc	1050 IX
TOLLAAN	22	Ec	1200 WL
11 tot 59 & 8 tot 76			
TOLLAAN	22	Ecd	1932 S-W
TOLLENAERE/			
RUE-STRAAT EDMOND	20	Abd	1020 BR
TOLSTOI/AVENUE-LAAN	26	Dc	1070 AN
TOMBERG	29	Dd Ecd	1200 WL
TOMBERG	16	Fc	1930 ZA
	23	Ca	1930 ZA
TOMBERG/			
PLACE DU-PLEIN	29	Ec	1200 WL
TOMBERGLAAN	23	Ca	1930 ZA
TOMBES/RUELLE DES	79	Ad Db	1332 GE
TOMBEURSTRAAT JEAN	59	Fbd	3090 OV
TOMBU/AVENUE-LAAN			
LEON	29	Dc	1200 WL
TOM & JERRY/			
CLOS-GAARDE	12	Bd	1090 JE
TONDEUR/AVENUE			
VALENTIN	83	Fab	1410 WA
TONGERENSTRAAT	35	Ca	1040 ET
TONGRES/RUE DES	35	Ca	1040 ET
TONNELIERS/RUE DES	34	Bc	1000 BR
	94	Eb	1000 BR
TONNET/CLOS-GAARDE			
FERNAND	12	Cc	1090 JE
TOPAASLAAN	28	Bd	1030 SC
TOPAASLAAN	52	Dd	3090 OV
	59	Ab	3090 OV
TOPAZE/AVENUE DE LA	28	Bd	1030 SC
TOPWEG/MAIL DU	20	Da	1090 JE
TOPWEG/RUE-STRAAT	20	Da	1090 JE
TOREKENSLAAN	30	Fc	1970 W-O
	37	Ca	1970 W-O
TOREKENSTRAAT	35	Ab Ba	1040 ET
TORENDREEF	38	Ed Fc	3080 TE
	45	Cab	3080 TE
TORENTJESLAAN	5	Babd	1780 WE
TORLEYLAAN H.	61	Fc	1654 HU
	69	Cac	1654 HU
TORNOOIVELD/			
AVENUE DU-LAAN	28	Cb	1140 EV
TORREKENSSTRAAT	10	Bc	1820 ST
TORTELDUIVENLAAN	36	Dcd	1150 WP
TORTELDUIVENLAAN	37	Bd Eb	1950 KR
TOULOUSE/	28	Dcd	1040 BR
RUE DE-STRAAT	93	Fd	1040 BR
TOUQUET/AVENUE DU	84	Cb	1330 RI
	85	Aa	1330 RI
TOURAINE/			
DREVE DE-DREEF	40	Fd	1180 UC
TOURELLE/RUE DE LA	35	Ab Ba	1040 ET
TOURELLES/AVENUE DES	30	Fc	1970 W-O
	37	Ca	1970 W-O
TOURELLES/AVENUE DES	5	Babd	1780 WE
TOURISTES/AVENUE DES	37	Aab	1150 WP
TOURISTES/AVENUE DES	63	Facd	1640 S-G
TOURISTES/RUE DES	42	Fcd	1170 WB
TOUR JAPONAISE/	7	Dc	1120 BR
RUE DE LA	14	Aa	1120 BR
TOURNAI/RUE DE	27	Ec	1000 BR
	92	Ed	1000 BR
TOURNESOLS/			
AVENUE DES	64	Dc	1640 S-G
TOURNESOLS/RUE DES	26	Ea	1070 AN
TOURNEU/AVENUE DU	83	Aa	1410 WA
TOURNEURS/	34	Ba	1000 BR
IMPASSE DES	94	Bd	1000 BR
TOURNOI/RUE DU	41	Acd	1190 FO
TOURTERELLES/			
AVENUE DES	36	Dcd	1150 WP
TOURTERELLES/			
AVENUE DES	79	Fa	1330 RI
TOURTERELLES/			
AVENUE DES	88	Dc	1420 B-A
TOURTERELLES/			
AVENUE DES	37	Bd Eb	1950 KR
TOURTERELLES/	80	Fd	1301 BI
CHEMIN DES	81	Dc	1301 BI
TOUSSAINT/RUE-STRAAT			
EUGENE	19	Ca	1083 GA
1 à/tot 57			
TOUSSAINT/RUE-STRAAT			
EUGENE	12	Fcd	1090 JE
autres nos/andere nrs	19	Ca	1090 JE
TOUSSAINT/RUE-STRAAT	35	Ec	1050 IX
FRITZ	42	Ab Ba	1050 IX
TOUTES LES COULEURS/			
AVENUE DE	29	Ed	1200 WL
TOVERFLUITSTRAAT	26	Ad Db	1080 MO
TOXANDRIERSSTRAAT	35	Cac	1040 ET
TRAIT/TIENNE DU	81	Cb	1300 WA
TRAM/QUAI DU	84	Ba	1330 RI
TRAM/VOIE DU	81	Fbd	1300 WA
TRAMLAAN	23	Ed Fcd	1933 ST
	24	Dcd	
		Ecd	1933 ST
TRAMLAAN/AVENUE DU	22	Fb	1950 KR
TRAMONTANE/			
AVENUE DE LA	87	Bd	1300 WA
TRAMONTANE/			
CLOS DE LA-GAARDE	29	Bd	1200 WL
TRAMSTRAAT	68	Bd	
		Eabd	1500 HA
TRAMSTRAAT	6	Bb Ca	1853 S-B
TRAMSTRAAT	22	Fb	1932 S-W
TRANQUILLITE/RUE DE LA	40	Abd	1070 AN
TRANSVAAL/			
RUE DU-STRAAT	33	Cab	1070 AN
TRAP DER			
HONDERDJARIGE	55	Da	1630 LI
TRAPGANSSTRAAT	43	Dd	1170 WB
TRAPPUTWEG	61	Ac	1600 P-L
TRAPSTRAAT	27	Ed	1000 BR
	92	Fbd	1000 BR
TRAQUE/LAIE DE LA	86	Fc	1300 LI
TRAQUET/SENTIER DU	81	Dc	1301 BI
TRAQUETS/AVENUE DES	36	Dd	1150 WP
112 à fin	43	Ab	1150 WP
TRAQUETS/AVENUE DES	36	Dd	1160 AU
nos impairs & 2 à 110	43	Aab	1160 AU

T

TRAQUEURS/			
CHEMIN DES	42	Dabd	1000 BR
TRASSERSWEG	7	Eabd	
		Fa	1120 BR
TRASSERSWEG	7	Db Ea	1800 VI
TRAVAIL/PASSAGE DU	27	Dd Ec	1000 BR
	34	Ba	1000 BR
	94	Ba	1000 BR
TRAVAIL/RUE DU	20	Fa	1000 BR
TRAVERSE/CHEMIN DE	15	Ab	1130 BR
TRAVERSIERE/RUE	27	Cd	1210 SJ
	28	Ac	1210 SJ
	91	Eb	
		Facd	1210 SJ
TRAWOOLSTRAAT	4	Fa	1800 VI
TREFLE/CLOS DU	43	Ab	1160 AU
TREFLES/RUE DES	32	Fd	1070 AN
	39	Cb	1070 AN
	40	Aa	1070 AN
TREFT	6	Dbd	1853 S-B
TREILLE/RUE DE LA	42	Eb	1050 IX
TREIZIEME TIRAILLEUR/	85	Fcd	1300 LI
AVENUE DU	86	Dc	1300 LI
TREKKERSTRAAT JULIEN	23	Da	1932 S-W
TRELON/SENTIER DE	84	Cd Fb	1330 RI
TREMBLES/AVENUE DES	13	Bbcd	
		Eb	1020 BR
TREMBLES/AVENUE DES	64	Ad Db	1640 S-G
TREMBLES/AVENUE DES	37	Cc	1950 KR
TREMBLES/AVENUE DES	37	Cc	1970 W-O
TREURENBERG	27	Fa	1000 BR
	93	Ad Bc	1000 BR
TREURWILGENLAAN	51	Fabcd	3090 OV
TREVES/RUE DE	35	Aa	1050 IX
1 à 1A & 2 à 54A	95	Cbd	1050 IX
TREVES/RUE DE	28	Dc	1000 BR
3 à 23 & 56 à 72	35	Aa	1000 BR
	93	Fbd	1000 BR
	95	Cb	1000 BR
TREVES/RUE DE	28	Dc	1040 ET
25 à fin & 74 à fin	35	Aa	1040 ET
	93	Fbd	1040 ET
	95	Cb	1040 ET
TREVIERENSTRAAT	35	Cb	1040 ET
TREVIRES/DREVE DES	81	Cb	1300 WA
TREVIRES/RUE DES	35	Cb	1040 ET
TRIAGE/RUE DU	50	Ec	1170 WB
TRIAGE BRUYERE/	70	Fd	1420 B-A
DREVE DU	71	Dc	1420 B-A
TRIANGLE/AVENUE DU	71	Dd	1420 B-A
TRIANGLE/PLACE DU	27	Da	1080 MO
	92	Aa	1080 MO
TRIANONS/AVENUE DES	83	Bb	1410 WA
TRIBUNE/	27	Fb	1000 BR
RUE DE LA-STRAAT	93	Bac	1000 BR
TRIBUT/VENELLE DU	87	Aa	1301 BI
TRIERSTRAAT	35	Aa	1050 IX
1 tot 1A & 2 tot 54A	95	Cbd	1050 IX
TRIERSTRAAT	28	Dc	1000 BR
3 tot 23 & 56 tot 72	35	Aa	1000 BR
	93	Fbd	1000 BR
	95	Cb	1000 BR
TRIERSTRAAT	28	Dc	1040 ET
25 tot einde &	35	Aa	1040 ET
74 tot einde	93	Fbd	1040 ET
	95	Cb	1040 ET
TRIGONELLES/CLOS DES	7	Dd Ec	1120 BR
TRILPOPULIERENLAAN	64	Ad Db	1640 S-G
TRILPOPULIERENLAAN	37	Cc	1950 KR
TRILPOPULIERENLAAN	37	Cc	1970 W-O
TRILPOPULIERENLAAN	51	Fcd	3090 OV
TRINITE/PARVIS DE LA	34	Fc	1050 IX
1 à 9 & 2 à 10A			
TRINITE/PARVIS DE LA	34	Fc	1060 SG
numéro 11			
TRIOHOFSTRAAT	2	Ccd Fa	1850 GR
TRIOMFLAAN	35	Ed Fc	1050 IX
1 - 79 - 83 - 135 -	42	Bbd	
151 tot 157 - 181		Cac	1050 IX
TRIOMFLAAN	35	Ed Fc	1160 AU
andere nrs			
TRIOMPHE/			
BOULEVARD DU	35	Ed Fc	1050 IX
1 - 79 - 83 - 135 -	42	Bbd	
151 à 157 - 181		Cac	1050 IX
TRIOMPHE/			
BOULEVARD DU	35	Ed Fc	1160 AU
autres nos			
TRITOMAS/RUE DES	43	Dab	1170 WB
TRITOMASTRAAT	43	Dab	1170 WB
TRITONS/AVENUE DES	43	Dc	1170 WB
TRITONS/AVENUE DES	83	Bd Cac	1410 WA
TROENES/AVENUE DES	37	Bab	1950 KR
TROGLODYTE/RUE DU	43	Dd	1170 WB
TROIS APOTRES/RUE DES	88	Ac	1420 B-A
TROIS ARBRES/RUE DES	48	Ac	1180 UC
TROIS BONNIERS/			
CHEMIN DES	37	Cb	1970 W-O
TROIS COLONNES/			
SQUARE DES	74	Fc	1310 L-H
TROIS COULEURS/			
CHEMIN DES	43	Cab	1160 AU
TROIS COULEURS/			
CLOS DES	36	Cb	1150 WP
TROIS FONTAINES/			
CHEMIN DES	43	Fbd	1160 AU
TROIS FONTAINES/			
CLOS DES	43	Eb	1160 AU
TROIS FONTAINES/			
RUE DES	40	Dd Ec	1620 DR
TROIS MAISONS	74	Bc	1310 L-H
TROIS PERDRIX/RUE DES	37	Cb	1970 W-O
	38	Aa	1970 W-O
TROIS PERTUIS/RUE DES	14	Bbd	1120 BR
TROIS PONTS/RUE DES	42	Cb	1160 AU
TROIS ROIS/RUE DES	47	Fa	1180 UC
	54	Cab	1180 UC
TROIS ROIS/RUE DES	47	Fc	1620 DR
	54	Ca	1620 DR
TROIS SOURCES/	75	Dc	
AVENUE DES	79	Aa	1330 RI
TROIS TILLEULS/RUE DES	50	Aa	1170 WB
TROMPETTE/QUAI DU	81	Fb	1300 WA
	82	Da	1300 WA
TRONE/PLACE DU	27	Fd	1000 BR
	34	Cb	1000 BR
	95	Ba	1000 BR

T

Street	Map	Code
TRONE/RUE DU	34 Cb	1000 BR
1 à 27 & 2 à 34	95 Bbd	1000 BR
TRONE/RUE DU	34 Cb	1050 IX
29 à fin & 36 à fin	35 Aac	1050 IX
	95 Bbd Cc	
	Fabd	1050 IX
TROONPLEIN	27 Fd	1000 BR
	34 Cb	1000 BR
	95 Ba	1000 BR
TROONSAFSTANDS-		
STRAAT	28 Bc Ea	1000 BR
TROONSTRAAT	34 Cb	1000 BR
1 tot 27 & 2 tot 34	95 Bbd	1000 BR
TROONSTRAAT	34 Cb	1050 IX
29 tot einde &	35 Aac	1050 IX
36 tot einde	95 Bbd Cc	
	Fabd	1050 IX
TROOSTSTRAAT	28 Aabd	1030 SC
	91 Cd	1030 SC
TROOSTSTRAAT	4 Bc	1800 VI
TROPEESTRAAT	33 Abd	1070 AN
TROPHEE/RUE DU	33 Abd	1070 AN
TROPIQUES/AVENUE DES	40 Cd	1190 FO
TROSDREEF	40 Fd	1190 FO
TROTTEURS/CLOS DES	31 Acd	1970 W-O
TROUBADOURS/	12 Ed Fc	1083 GA
AVENUE DES-LAAN	19 Ca	1083 GA
TROUCHEAUSTRAAT		
JAN BAPTIST	46 Eac	1600 P-L
TRUBECHE/SENTIER DU	81 Ccd	1300 WA
TRUFFAUT/CHEMIN-WEG		
FRANÇOIS	12 Bd	1090 JE
TRUITE/CHEMIN DE LA	47 Fa	1180 UC
TRY/PONT DU	82 Abd	1300 WA
TRY/TIENNE DU	81 Cb	1300 WA
T' SERCLAES/	27 Fa	1000 BR
RUE-STRAAT	93 Ac	1000 BR
'T SERCLAES/SENTIER	83 Fa	1410 WA
T' SERCLAESLAAN	46 Ba	1600 P-L
TUBEREUSES/RUE DES	43 Db	1170 WB
TUBEROZENSTRAAT	43 Db	1170 WB
TUCHTHUISSTRAAT	4 Ad Db	
	Ea	1800 VI
TUILERIES/PLACE DES	81 Fd	1300 WA
TUINBOUW	21 Fbd	1140 EV
TUINBOUWERSSTRAAT	13 Ebcd	1020 BR
TUINBOUWLAAN	25 Ecd	1700 DI
	32 Bb	1700 DI
TUINBOUWSTRAAT	26 Aab	1082 BA
TUINDELLE	59 Bcd	
	Cc Ea	3090 OV
TUINTJESLAAN	42 Fc	1170 WB
TUINWIJK	69 Ba	1501 BU
TUINWIJK DE HEUVE	4 Fd	1830 MA
TUINWIJKPLEIN	12 Cd	1090 JE
TUINWIJKSTRAAT	16 Ad Bac	1930 ZA
TUINWIJK ZUUN	53 Bb Ca	1600 P-L
TULIPE/RUE DE LA	34 Cd	1050 IX
	95 Ebd	1050 IX
TULIPES/CLOS DES	72 Dd	1410 WA
TULIPES/CLOS DES	30 Ea	1950 KR
TULIPES/RUE DES	71 Cac	1640 S-G
TULIPES/RUE DES	30 Db Ea	1950 KR
TULIPIER/RUE DU	40 Cb	1190 FO
TULPEBOOMSTRAAT	40 Cb	1190 FO

Street	Map	Code
TULPENHOF	30 Ea	1950 KR
TULPENLAAN	66 Abd	1560 HO
TULPENLAAN	18 Dcd	1702 G-B
TULPENLAAN	6 Cd	1853 S-B
TULPENLAAN	51 Cd	3090 OV
	52 Ac	3090 OV
TULPENSTRAAT	46 Bb Ca	1600 P-L
TULPENSTRAAT	71 Cac	1640 S-G
TULPENSTRAAT	54 Ed	1650 BE
TULPENSTRAAT	4 Cc	1800 VI
TULPENSTRAAT	30 Db Ea	1950 KR
TULPSTRAAT	34 Cd	1050 IX
	95 Ebd	1050 IX
TUMULI/	49 Fabd	1170 WB
CHEMIN DES-WEG	56 Cb	1170 WB
	57 Aacd	1170 WB
TUMULI/		
DREVE DES-DREEF	49 Ccd	1170 WB
TUMULI/		
DREVE DES-DREEF	49 Cc Fa	1180 UC
TUMULIWEG	57 Ad Db	
	Eab	1560 HO
TURCKSINSTRAAT	4 Fc	1830 MA
	8 Ca	1830 MA
TURCKSINSTRAAT PAUL	69 Bacd	1501 BU
TURF/ALLEE DU-DREEF	42 Dd	1000 BR
	49 Ab	1000 BR
TURFLAAN	18 Dc	1700 DI
TURKOOISLAAN	71 Dab	1640 S-G
TURKOOISPAD	12 Cb	1020 BR
TURKOOISSQUARE	12 Cab	1020 BR
TURQUOISE/AVENUE DE LA	71 Db	1420 B-A
TURQUOISE/AVENUE DE LA	71 Dab	1640 S-G
TURQUOISE/SENTIER DE LA	12 Cb	1020 BR
TURQUOISE/		
SQUARE DE LA	12 Cab	1020 BR
'T VELD	71 Aa	1652 AL
'T VELDEKE	30 Fbcd	1970 W-O
'T VELLEKEN	10 Bd Eb	1820 ST
'T VOORSTRAAT	2 Fcd	1850 GR
	6 Cb	1850 GR
TWAALFAPOSTELEN-	27 Fac	1000 BR
STRAAT	93 Db	1000 BR
TWEE BARRELENDREEF	44 Dab	
	Eab Fa	3080 TE
TWEE BERGENLAAN	50 Da	1170 WB
TWEE BERGENWEG	49 Fbcd	1180 UC
	50 Da	1180 UC
	56 Babcd	
	Ca	1180 UC
TWEEBRUGGENSTRAAT	35 Ad Db	1050 IX
TWEEDEKKERSTRAAT	14 Fd	1140 EV
nummer 187		
TWEEDEKKERSTRAAT	14 Fbd	1130 BR
andere nrs		
TWEEDE KONINGIN-		
STRAAT	41 Ad Db	1180 UC
TWEEDE LANSIERS		
REGIMENTLAAN	35 Ebd	1040 ET
TWEEDORENKESGAARDE	7 Dd	1120 BR
TWEE GEBIEDENDREEF	49 Ecd	1180 UC
TWEE HUIZENSTRAAT	22 Dcd	1140 EV
TWEEHUIZENWEG	29 Ab Bac	
	Ea	1200 WL

TWEEKERKENSTRAAT	28	Dac	1000 BR
1 tot 55 & 2 tot 54	93	Cd Fab	1000 BR
TWEEKERKENSTRAAT	28	Da	1210 SJ
57 tot einde & 56 tot einde	93	Cbd	1210 SJ
TWEEKLOOSTERSDREEF	43	Bbd	1160 AU
TWEE LEEUWENWEG	3	Fc	1800 VI
	7	Ca	1800 VI
TWEELINDENDREEF	3	Eabd	1850 GR
TWEELINDENGAARDE	7	Dd	1120 BR
TWEELINDENLAAN	35	Cb	1200 WL
TWEELINGENLAAN	29	Acd	1200 WL
TWEESTATIONSSTRAAT	33	Cd	1070 AN
	34	Ac	1070 AN
TWEESTEENWEGEN-STRAAT	43	Bd	1160 AU
TWEETORENSTRAAT	28	Acd Db	1210 SJ
TWEEWILGENGAARDE	7	Dd	1120 BR
TWYENINCK/RUE-STRAAT	15	Ab	1130 BR
	8	Dd	1130 BR
TYTGAT/AVENUE-LAAN EDGARD	36	Ab	1200 WL

U

UCCLE/AVENUE D'	40	Cd Fb	1190 FO
UCCLE/CHAUSSEE D'	54	Ccd	1630 LI
UGEUX/RUE-STRAAT GEORGES	47	Fbd	1180 UC
UILENSPIEGELDREEF TIJL	32	Cc Fa	1070 AN
UILENSPIEGELLAAN	69	Bc	1501 BU
UILENSPIEGELPARK	5	Dac	1731 RE
UILENSTRAAT	30	Dd	1150 WP
UITBREIDINGSSTRAAT	33	Ba	1070 AN
UITBREIDINGSTRAAT	11	Fc	1731 ZE
UITSTAPLAAN	29	Fbd	1200 WL
UKKEL/STEENWEG OP	54	Cc Ebcd Fa	1650 BE
UKKELSE LAAN	40	Cd Fb	1190 FO
UKKELSESTEENWEG	54	Ccd	1630 LI
ULENS/RUE-STRAAT	20	Dd Ec	1080 MO
	90	Bb	1080 MO
ULENSPIEGEL/DREVE TYL	32	Cc Fa	1070 AN
ULYSSE/AVENUE-LAAN	41	Da	1190 FO
UNE PERSONNE/RUE D'	27	Eb	1000 BR
	92	Cd	1000 BR
UNIESTRAAT	27	Cd	1210 SJ
	28	Ac	1210 SJ
	91	Fc	1210 SJ
UNION/RUE DE L'	27	Cd	1210 SJ
	28	Ac	1210 SJ
	91	Fc	1210 SJ
UNIVERSITE/AVENUE DE L'	42	Bc	1050 IX
URBANISME/RUE DE L'	19	Bd Eb	1083 GA
URSULINENSTRAAT	27	Ecd	1000 BR
	92	Fc	1000 BR
	94	Bb Ca	1000 BR
URSULINES/RUE DES	27	Ecd	1000 BR
	92	Fc	1000 BR
	94	Bb Ca	1000 BR
URUGUAY/ AVENUE DE L'-LAAN	49	Bb Ca	1000 BR
USINE/PARKING DE L'	81	Eb	1300 WA
USINE/RUE DE L'	81	Ebd	1301 BI
USINES/IMPASSE DES	20	Bb	1020 BR
USINES/QUAI DES	13	Fd	1000 BR
	14	Dc	1000 BR
	20	Cabc	1000 BR
UTRILLO/RUE-STRAAT MAURICE	21	Cd	1140 EV
UURPLAATSTRAAT	28	Ac	1210 SJ
	91	Fbd	1210 SJ
UWENBERG	54	Ec	1650 BE
UYLENBROECKSTRAAT FERDINAND	61	Aabd	1600 P-L
UYLENBROECKSTRAAT JOSEPH	68	Cb	1500 HA
UYTROEVER/RUE-STRAAT MELCHIOR LOUIS	19	Eb	1081 KO
UYTTENHOVE/RUE-STRAAT ROSALIE	20	Acd	1090 JE

V

VAANDELSTRAAT	33	Bbd	1070 AN
VAARTDIJK	33	Cac Ebcd Fa	1070 AN
VAARTDIJK	14	Bd Cac Fab	1130 BR
	7	Cd Fb	1130 BR
	8	Ac	1130 BR
VAARTDIJK	47	Dac	1601 RU
	53	Cbd	1601 RU
	54	Aa	1601 RU
VAARTDIJK	4	Ac Da	1800 VI
VAARTKANT	61	Dabc	1500 HA
VAARTKANT	47	Abcd	1620 DR
VAARTKANT-OOST	40	Dbd	1600 P-L
	47	Ab	1600 P-L
VAARTKANT-WEST	61	Ad Bac Db	1600 P-L
VAARTLAAN	53	Ccd Ecd Fac	1650 BE
	61	Ba	1650 BE
VAARTSTRAAT	27	Bcd	1000 BR
	90	Eb Fab	1000 BR
VAARTSTRAAT	40	Fd	1601 RU
VAARTSTRAAT	4	Ad	1800 VI
VAARTWEG	53	Ccd Fd Fac	1651 LO
VADERLANDSPLEIN	28	Bab	1030 SC
VAES/RUE-STRAAT	34	Da	1190 FO
VAESGAARDE/CLOS HENRI	37	Eb	1950 KR
VAGEVUURSTRAAT	46	Ac	1600 P-L
VAILLANCE/PLACE DE LA	33	Bac	1070 AN
VAILLANTS/AVENUE DES	29	Ecd	1200 WL
VAL/VENELLE DU	87	Ec	1300 WA
VAL AU BOIS/AVENUE DU	37	Cc Ebd Fa	1950 KR
VAL AU BOIS/CLOS DU	37	Fa	1950 KR
VAL D'ARGENT/ PROMENADE DU	77	Bbd Cac	1310 L-H
VAL D'ARGENT/ PROMENADE DU	77	Bb	1410 WA
VAL DE LA CAMBRE/ SQUARE DU	42	Ab	1050 IX

T U V

VAL DE LA FUTAIE	49 Bb	1000 BR
VAL DES BECASSES	36 Fd	1150 WP
	37 Dc	1150 WP
VAL DES EPINETTES	37 Dc	1150 WP
VAL DES ROSES/	27 Ed	1000 BR
IMPASSE DU	92 Fac	1000 BR
VAL DES SEIGNEURS	30 Dcd	1150 WP
	37 Ab	1150 WP
VAL D'OR/AVENUE DU	36 Ab Bac	1150 WP
1 à 113 & 2 à 110		
VAL D'OR/AVENUE DU	36 Ab	1200 WL
115 à fin & 112 à fin		
VALDUC/RUE	42 Cb	1160 AU
	43 Aab	1160 AU
VALDUCHESSE/		
AVENUE	43 Bab	1160 AU
VAL DU HERON/		
SENTIER DU	79 Ed Fc	1330 RI
VAL ECOSSAIS/CLOS	88 Dd	1420 B-A
VALERIANENSTRAAT	43 Db	1170 WB
VALERIANES/RUE DES	43 Db	1170 WB
VAL FLEURI/AVENUE DU	47 Cb	1180 UC
VAL FLEURI/DREVE DU	79 Db	1332 GE
VAL JOLI	5 Eb Fa	1780 WE
VALKENDAL	6 Fa	1853 S-B
VALKENERS/AVENUE-	35 Fd	1160 AU
LAAN ALPHONSE	36 Dc	1160 AU
VALKENLAAN	72 Eb	1640 S-G
VALKENLAAN	6 Cbd	1800 VI
	7 Ac	1800 VI
VALKENWEG	52 Fd	3090 OV
VALKERIJLAAN	43 Dc	1170 WB
	50 Aab	1170 WB
VALKSTRAAT	34 Babd	1000 BR
	94 Cc Fa	1000 BR
VALLE/RUE DE LA	30 Cd	1970 W-O
VALLEE/CHAMP DE LA	77 Fb	1380 OH
	78 Da	1380 OH
VALLEE/RUE DE LA	35 Dc	1050 IX
1 à 29 & 2 à 42B		
VALLEE/RUE DE LA	35 Dc	1000 BR
31 à fin & 44 à fin	42 Aa	1000 BR
VALLEE BAILLY/RUE	83 Dd	1420 B-A
	88 Ab	1420 B-A
VALLON/AVENUE DU	78 Cc Ebd	
	Fa	1380 OH
VALLON/AVENUE DU	63 Fab	1640 S-G
VALLON/PETITE RUE DU	79 Ad	1332 GE
VALLON/RUE DU	28 Da	1210 SJ
	93 Cac	1210 SJ
VALLON/RUE DU	79 Ad Bac	
	Dab	1332 GE
VALLON/RUE DU	78 Cc	1380 OH
VALLON DES CHENES/	50 Fbcd	1170 WB
SENTIER DU	51 Dac	1170 WB
	57 Bab Ca	1170 WB
VALLONS/AVENUE DES	83 Fb	1410 WA
VAL MARIA	7 Dd Ec	1120 BR
VAL SAINT-PIERRE/		
DREVE DU	79 Bc	1332 GE
VAN/CLOS DU	87 Fa	1325 D-V
VAN AA/RUE-STRAAT	34 Cd	1050 IX
	35 Ac	1050 IX
	95 Ed Fc	1050 IX
VAN AKENSTRAAT	2 Cab	1850 GR
VAN ANTWERPEN/		
RUE-STRAAT HENRI	43 Eab	1160 AU
VAN AREZZOPLEIN GUIDO	41 Cc	1180 UC
VAN ARTEVELDE/RUE	27 Ea	1000 BR
	92 Bbcd	
	Ca Ea	1000 BR
VAN ASBROECK/		
RUE-STRAAT LEOPOLD	43 Fc	1160 AU
VAN ASSCHE/RUE-STRAAT		
FRANCOIS-FRANS	21 Ca	1140 EV
VAN ASSCHESTRAAT	9 Bb Ca	1820 ME
VANASSE/CLOS	86 Ec	1300 LI
VAN BECELAERE/	42 Fc	1170 WB
AVENUE-LAAN EMILE	49 Cabd	1170 WB
VAN BEESEN/		
AVENUE-LAAN	19 Cd	1090 JE
VAN BEETHOVEN/		
RUE-STRAAT LOUIS	33 Dab	1070 AN
VAN BELLINGENSTRAAT	17 Ec	1930 NO
VAN BEMMEL/	28 Ac	1210 SJ
RUE-STRAAT	91 Fcd	1210 SJ
VAN BERGEN/		
RUE-STRAAT	20 Dc	1081 KO
VAN BEVER/	49 Dd Ec	1180 UC
AVENUE-LAAN	56 Ab	1180 UC
VAN BEVER/RUE-STRAAT		
DAVID	36 Cc Fa	1150 WP
VAN BEVER/SQUARE	49 Dd	1180 UC
	56 Ab	1180 UC
VAN BEVERENSTRAAT	11 Ec	1702 G-B
ISIDOOR	18 Bac	1702 G-B
VANBEVERENSTRAAT		
LOUIS	68 Bcd Eb	1500 HA
VAN BOECKEL/RUE-		
STRAAT LODEWIJK	21 Ca	1140 EV
VAN BOELAERELAAN		
TOUSSAINT	68 Bb	1500 HA
VAN BOENDALELAAN JAN	38 Dcd	3080 TE
VAN BORTONNE/	12 Fd	1090 JE
RUE-STRAAT HENRI	19 Cb	1090 JE
VAN BOTERDAEL/		
RUE-STRAAT JOSEPH	33 Ab	1070 AN
VAN BRABANTDREEF		
ALEYDE	36 Ed Fc	1150 WP
VAN BRABANTWEG	65 Eb	
GENOVEVA	Fabd	1560 HO
	66 Dc	1560 HO
VAN CAMP/RUE-STRAAT		
JOSEPH	21 Aab	1030 SC
VAN CAMPENHOUT/		
RUE-STRAAT	28 Ea	1000 BR
VAN CAMPENHOUTPLEIN		
JULES	1 Ca	1860 ME
VAN CAMPENHOUT-		
STRAAT/RUE G.	5 Ab Ba	1780 WE
VAN CAMPLAAN CAMILLE	45 Aab	3080 TE
VAN CAPPELLEN/	27 Ad	1080 MO
CITE-GANG	90 Ea	1080 MO
VAN CAULAERT/SQUARE		
GERARD	34 Dab	1060 SG
VAN CAUWENBERGH/		
RUE-STRAAT EDMOND	20 Db	1080 MO
VAN COTTHEMSTRAAT		
ALBERT	46 Cab	1600 P-L
VAN COUDENBERGDREEF	38 Fd	3080 TE

V

Street	Map	Postal code
VAN CROMBRUGGHE/	37 Dabc	
AVENUE-LAAN	Ea	1150 WP
VAN CUTSEM/CARRE-RIJ	20 Da	1090 JE
VAN CUTSEM/RUE-STRAAT		
FRANS	14 Fd	1130 BR
VAN CUTSEM/RUE-STRAAT		
FRANS	14 Fd	1140 EV
VANDAMMESTRAAT		
ILDEFONSE	57 Fd	1560 HO
VAN DAMSTRAAT JOZEF	23 Aac	1932 S-W
VANDELEENE/		
AVENUE-LAAN JULES	42 Cd	1160 AU
VANDELOOCKSTRAAT		
CAMILLE	39 Fd	1600 P-L
VANDE MAELE/		
RUE-STRAAT F.	21 Cc	1140 EV
VANDEMAELESTRAAT		
FONS	68 Ccd	1500 HA
VANDEN BERGHE/		
RUE-STRAAT GUSTAAF	33 Ba	1070 AN
VANDEN BERGHESTRAAT		
EMIEL	8 Bb	1830 MA
VAN DEN BERGHESTRAAT	3 Cd	1850 GR
JOZEF	4 Ac	1850 GR
VANDENBOOGAERDE/		
RUE-STRAAT	20 Dd Ec	1080 MO
VANDENBOSCHSTRAAT		
ALFONS	47 Dd	1801 RU
VANDENBOSCHSTRAAT		
J. B.	70 Cb	1052 AL
VANDEN BOSSCHE/		
RUE-STRAAT		
ALPHONSE-ALFONS	21 Cc	1140 EV
VANDENBRANDEN/	27 Ad Db	1000 BR
RUE-STRAAT	90 Dd Ec	1000 BR
	92 Ab	1000 BR
VANDENBROECK/	35 Acd	1050 IX
RUE-STRAAT	95 Fb	1050 IX
VANDEN BROECKSTRAAT/		
RUE J.	5 Bcd	1780 WE
VANDENBROECKSTRAAT		
EMILE	58 Ed	1560 HO
VANDENBUSSCHE/		
RUE-STRAAT	28 Ba	1030 SC
VANDEN CORPUT/		
RUE-STRAAT	41 Ab Ba	1190 FO
VANDENDRIESCH/		
RUE-STRAAT		
JEAN-BAPTISTE	19 Dc	1082 BA
VANDENDRIESSCHE/		
AVENUE-LAAN ROGER	36 Ac Da	1150 WP
VANDEN DRIESSCHE-		
STRAAT VICTOR	11 Ad Db	1731 ZE
VANDEN EECKHOUDT-		
STRAAT	68 Cc	1500 HA
VAN DEN EEDESTRAAT		
HENDRIK	18 Bab	1702 G-B
VANDEN ELSCHENSTRAAT	46 Fd	1601 RU
VAN DEN EYNDELAAN JAN	1 Ca	1860 ME
VANDENHOVEN/		
RUE-STRAAT	36 Bb	1200 WL
2 à/tot 12 &		
nos impairs/onpare nrs		

Street	Map	Postal code
VANDENHOVEN/		
RUE-STRAAT	36 Bb	1150 WP
14 à fin/tot einde		
VANDENHOVEN/		
RUE-STRAAT LAURENT	14 Fcd	1140 EV
VANDENPEEREBOOM/		
RUE-STRAAT		
ALPHONSE	26 Cbd Fb	1080 MO
VANDENPEEREBOOM-	68 Cd	
STRAAT	Fabc	1500 HA
	69 Ac	1500 HA
VANDENPEEREBOOM-	68 Cd	
STRAAT	Fabc	1501 BU
	69 Ac	1501 BU
VANDENSCHRIECK/	12 Fd	1090 JE
RUE-STRAAT ADOLPHE	19 Cb	1090 JE
VANDENSTEENSTRAAT		
CAMIEL	15 Bd	1831 DI
VANDEN THOREN/	43 Fc	1160 AU
AVENUE-LAAN PAUL	50 Bb Ca	1160 AU
VAN DEN VONDELSTRAAT		
JOOST	4 Ba	1800 VI
VAN DEN WEGHESTRAAT		
MEDARD J.	68 Cc	1500 HA
VANDE PUTSTRAAT		
WALTER	58 Ec	1560 HO
VANDER AA/RUE-STRAAT		
ERNEST	13 Ec	1020 BR
VANDER AASTRAAT	15 Bb Cac	1831 DI
VANDER ACHTERSTRAAT	38 Fc	3080 TE
	45 Ba	3080 TE
VANDERAEY/		
AVENUE-LAAN	48 Ad Bc	1180 UC
VANDER BIEST/		
AVENUE-LAAN PIERRE	30 Dbd	1150 WP
VANDER BIEST/		
CLOS-GAARDE	30 Db	1150 WP
VANDERBORGHT/		
DREVE-DREEF JOSEPH	43 Ed	1160 AU
VANDERBORGHT/		
RUE-STRAAT	19 Fb	1081 KO
1 à/tot 39 & 2 à/tot 44		
VANDERBORGHT/		
RUE-STRAAT	19 Ccd Fb	1090 JE
41 à fin/tot einde &		
46 à fin/tot einde		
VANDERBORGHTSTRAAT	9 Ca	1820 ME
VANDER BRUGGEN/		
AVENUE-LAAN		
RAYMOND	33 Bb Ca	1070 AN
VANDER BRUGGEN/		
SQUARE EMILE	33 Db	1070 AN
VANDERCAM/RUE J.B.	79 Db	1332 GE
VANDERCAMMEN/		
RUE-STRAAT	43 Ed	1160 AU
JEAN-BAPTISTE	50 Bb	1160 AU
VAN DER DILFTLAAN	46 Dc	1600 P-L
	53 Aa	1600 P-L
VANDERDUSSEN/	26 Cd	1080 MO
RUE-STRAAT	27 Aac	1080 MO
VANDER ELST/		
PLACE-PLEIN JEAN	41 Dc	1180 UC
VANDER ELST/	27 Bd	1000 BR
RUE-STRAAT	90 Fd	1000 BR
VANDER ELST/RUE-		

Street	Map	Grid	Postcode
STRAAT FRANCOIS	37	Ba	1150 WP
nos impairs/onpare nrs			
VANDER ELST/			
RUE-STRAAT			
PHILIPPE-FILIP	14	Ba	1120 BR
VANDER ELST/			
RUE-STRAAT			
THEOPHILE	42	Fabd	1170 WB
VANDERELSTSTRAAT/			
RUE FRANS	37	Ba	1950 KR
VAN DER GOES/			
AVENUE-LAAN HUGO	43	Fa	1160 AU
VANDERGOTEN/			
RUE-STRAAT ANTOINE	43	Bac	1160 AU
VANDERHAEGEN/	34	Ba	1000 BR
RUE-STRAAT	94	Bb	1000 BR
VANDERHEYDENWEG	57	Dbd	
		Eab	1560 HO
VANDERHOEFT/			
RUE-STRAAT VICTOR	21	Eb	1030 SC
VANDERHOEVEN/			
RUE-STRAAT	28	Ad	1210 SJ
VANDERKINDERE/			
PLACE-PLEIN LEON	41	Bc	1180 UC
VANDERKINDERE/	41	Ad Bcd	
RUE-STRAAT		Ccd	1180 UC
VANDERKINDERE/	26	Cd	1080 MO
RUE-STRAAT ALBERT	27	Ac Da	1080 MO
VANDERLINDEN/	20	Cd Fb	1030 SC
RUE-STRAAT	21	Ac	1030 SC
VANDERLINDEN/	42	Dc	1180 UC
RUE-STRAAT JOSEPH	49	Aa	1180 UC
VANDERMAELEN/			
AVENUE-LAAN			
VINCENT	12	Cbd	1090 JE
VANDERMAELEN/	27	Ad	1080 MO
RUE-STRAAT	90	Db Eac	1080 MO
VANDERMAELEN/			
RUE-STRAAT HENRI	30	Dd	1150 WP
VANDERMEEREN/			
RUE-STRAAT	26	Fab	1080 MO
VANDERMEERSCH/	20	Fb	1030 SC
RUE-STRAAT	21	Da	1030 SC
VAN DER MEERSCHEN/	37	Dbcd	
AVENUE-LAAN		Ea	1150 WP
VANDERMEULEN/	27	Cd	1000 BR
RUE-STRAAT	93	Ba	1000 BR
VANDERMOTTENLAAN			
IRMA	51	Fb	3090 OV
VANDERNOOT/			
RUE-STRAAT	20	Dcd	1080 MO
VAN DER NOOTSTRAAT	6	Bd	1853 S-B
VANDERPERREN/			
RUE-STRAAT	20	Da	1090 JE
VANDERSAENEN/			
RUE-STRAAT HENRI	43	Ac	1160 AU
VANDERSCHELDELAAN FL.	24	Db	1933 ST
VANDERSCHRICK/	34	Bc Db	
RUE-STRAAT		Ea	1060 SG
	94	Ed	1060 SG
VANDERSMISSEN/			
AVENUE-LAAN JOSEPH	35	Fb	1040 ET
1 à/tot 45 & 2 à/tot 36			

Street	Map	Grid	Postcode
VANDERSMISSEN/	35	Fb	1150 WP
AVENUE-LAAN JOSEPH	36	Da	1150 WP
47 à fin/tot einde &			
38 à fin/tot einde			
VANDERSTAPPEN/			
RUE-STRAAT CHARLES	21	Eb	1030 SC
VAN DER STAPPENSTRAAT	8	Ca	1830 MA
VANDERSTEENENSTRAAT			
EMILE	53	Bb	1600 P-L
VANDERSTICHELEN/			
RUE-STRAAT	20	Dbd	1080 MO
VANDERSTRAETEN/			
AVENUE-LAAN			
FONTAINE	40	Fbd	1190 FO
VANDERSTRAETEN/			
RUE-STRAAT	27	Ac Da	1080 MO
VANDERSTRAETEN-	46	Ccd	
STRAAT JAN		Eb Fa	1600 P-L
VANDER SWAELMEN/			
AVENUE-LAAN LOUIS	43	Dcd	1170 WB
VANDERVAERENSTRAAT			
DESIRE	58	Ed	1560 HO
VANDERVAERENSTRAAT	58	Ad Db	
EDMOND		Ea	1560 HO
VANDERVEKEN/			
RUE-STRAAT	19	Ab Bac	1083 GA
VANDER VEKENSTRAAT/	5	Bd Cc	
RUE J.		Fab	1780 WE
VANDERVEKENSTRAAT			
ADR.	15	Cc Fa	1831 DI
VANDERVELDE/	29	Fab	1200 WL
AVENUE-LAAN EMILE	30	Da	1200 WL
VANDERVELDE/PLACE E.	83	Cc	1410 WA
VANDERVELDE/	27	Ed	1000 BR
PLACE-PLEIN EMILE	92	Fd	1000 BR
	94	Cb	1000 BR
VANDERVELDE/	42	Bd Cc	
RUE-STRAAT LAMBERT		Fa	1170 WB
VANDERVELDE/SQUARE			
EMILE	33	Ca	1070 AN
VANDERVELDENLAAN	71	Ab	1652 AL
VANDERVLEET/			
RUE-STRAAT JACQUES	20	Acd	1090 JE
VAN DER WEYDEN/	27	Ec	1000 BR
RUE-STRAAT	92	Ecd	1000 BR
ROGER-ROGIER	94	Bb	1000 BR
VANDERWEYDENDREEF	52	Ecd	3090 OV
VANDER WEYDENSTRAAT			
ROGER	3	Fb	1800 VI
VANDER ZIJPENSTRAAT/			
RUE L.	5	Eab	1780 WE
VANDE SANDE/	19	Fd	1081 KO
RUE-STRAAT FELIX	20	Dc	1081 KO
VANDE SANDE/			
SQUARE FELIX	20	Dc	1081 KO
VANDEUREN/			
RUE-STRAAT JEAN	42	Eab	1050 IX
VANDEVELDE/RUE-			
STRAAT FRANCISCUS	43	Ebd	1160 AU
VANDEVELDE/RUE-STRAAT			
RICHARD	21	Bcd	1030 SC
VANDE VELDELAAN			
HENRY	38	Dcd	3080 TE
VANDEVOORDE/			
RUE-STRAAT PIERRE	33	Ba	1070 AN

VANDEWEYER/	20	Fd	1030 SC
RUE-STRAAT	21	Dc	1030 SC
VAN DE WIELE/RUE-			
STRAAT MARGUERITE	21	Bb	1030 SC
VANDE WOESTEYNE/			
RUE-STRAAT LEON	43	Ed Fc	1160 AU
VANDE WOESTIJNE/			
RUE-STRAAT KAREL	33	Acd	1070 AN
VANDE WOESTIJNELAAN/			
AVENUE K.	5	Da	1780 WE
VAN DIJCKLAAN	16	Bcd Eb	1930 ZA
VAN DIJCKLAAN ARTHUR	38	Cd	3080 TE
VAN DOORSLAERLAAN	1	Bd	
AUGUST		Cabc	1860 ME
VAN DOORSLAERLAAN J.	5	Da	1731 RE
VAN DORMAELSTRAAT/			
RUE ARTHUR	55	Da	1630 LI
VAN DRIESSCHE/RUE-			
STRAAT EMMANUEL	41	Bb Ca	1050 IX
VANDROMME/AVENUE-			
LAAN	43	Aac	1160 AU
VAN DROOGENBROECK/			
RUE-STRAAT	21	Bab	1030 SC
VAN DYCK/RUE PIERRE	67	Ac Dab	1310 L-H
VAN DYCK/RUE-STRAAT	28	Aa	1030 SC
	91	Ccd	1030 SC
VAN DYCK/RUE-STRAAT			
ROMAINE	26	Dd Ec	1070 AN
VAN DYCKDREEF	52	Db	3090 OV
VAN DYCKSTRAAT	4	Da	1800 VI
VAN EEPOEL/RUE-STRAAT			
HUBERT	19	Cab	1090 JE
VANEL/CHEMIN-WEG			
CHARLES	12	Bd	1090 JE
VAN ELDEREN/			
AVENUE-LAAN			
FRANCOIS-ELIE	43	Eb	1160 AU
VAN ELEWIJCKSTRAAT/	5	Bd Cc	
RUE E.		Eb	1780 WE
VAN ELEWIJCKSTRAAT			
JOZEF	6	Ebcd	1853 S-B
VAN ELEWYCK/	34	Fb	1050 IX
RUE-STRAAT	35	Da	1050 IX
VAN ENGELAND/			
AVENUE-LAAN	12	Ccd	1090 JE
VAN ENGELGOMSTRAAT			
JAN JOZEF	4	Ac	1850 GR
VAN ERMENGEM/			
AVENUE-LAAN EMILE	12	Cd	1020 BR
1 à/tot 77 & 2 à/tot 76	13	Ac	1020 BR
VAN ERMENGEM/			
AVENUE-LAAN EMILE	12	Cbd	1090 JE
autres nos/andere nrs			
VAN ESPENLAAN	17	Ec	1930 NO
VANEUKEM/AVENUE-LAAN			
CAMILLE	33	Ac Da	1070 AN
VAN EXTER/RUE-STRAAT			
CAMILLE	48	Ac	1180 UC
VAN EYCK/RUE-STRAAT	41	Cb	1000 BR
nos pairs/pare nrs			
VAN EYCK/RUE-STRAAT	41	Cb	1050 IX
nos impairs/onpare nrs			
VAN EYCKDREEF	52	Ec	3090 OV
VAN EYCKLAAN/AVENUE	12	Ab Ba	1780 WE
VAN EYCKSTRAAT	3	Fab	1800 VI
VAN FRACHENLAAN	10	Ba	1820 ST
VAN FRAECHEMSTRAAT	8	Ca	1830 MA
VAN GAVER/RUE-STRAAT	27	Bb	1000 BR
	90	Cd Fb	1000 BR
VAN GEHUCHTEN/			
PLACE-PLEIN ARTHUR	13	Da	1020 BR
2 à/tot 4			
VAN GEHUCHTEN/			
PLACE-PLEIN ARTHUR	13	Da	1090 JE
autres nos/andere nrs			
VAN GENEGEN/	36	Cd	1150 WP
AVENUE-LAAN JOSEPH	37	Ac	1150 WP
VAN GIJSSELLAAN/	1	Fab	1780 WE
AVENUE J.	2	Dabd	1780 WE
VAN GOGH/AVENUE-LAAN			
VINCENT	21	Cbd	1140 EV
VAN GOIDTSNOVEN/			
AVENUE-LAAN OSCAR	41	Ad	1180 UC
5 à/tot 47 & 2 à/tot 58			
VAN GOIDTSNOVEN/			
AVENUE-LAAN OSCAR	41	Ad	1190 FO
59 à fin/tot einde &			
60 à fin/tot einde			
VAN GOOLEN/AVENUE-			
LAAN JOSEPH-GERARD	36	Ab	1200 WL
VAN GORP/AVENUE-LAAN			
LOUIS	36	Fb	1150 WP
VAN GROOTVEN/			
RUE VICTOR	[illegible]	Cc Fab	1000 LI
VAN GULICK/RUE-STRAAT	20	Bd Cc	1020 BR
VANHAELEN/AVENUE-			
LAAN JEAN	43	Db Ea	1160 AU
VAN HAELEN/BOULEVARD-	34	Dc	1190 FO
LAAN GUILLAUME	40	Cb	1190 FO
VAN HAM/IMPASSE-GANG	27	Ad	1080 MO
	90	Dab	1080 MO
VAN HAMME/RUE-STRAAT			
HENRI-HENDRIK	21	Bb Ca	1140 EV
VAN HAMMEE/			
RUE-STRAAT	28	Ab Ba	1030 SC
VANHAMSTRAAT	61	Dbd	1501 BU
VAN HASSELT/			
RUE-STRAAT ANDRE	28	Ad	1210 SJ
1 à/tot 13 & 2 à/tot 16			
VAN HASSELT/RUE-			
STRAAT ANDRE	28	Ad	1030 SC
15 à fin/tot einde &			
18 à fin/tot einde			
VANHELLEMONT/			
AVENUE-LAAN JOSEPH	32	Fb	1070 AN
VAN HELMONT/	27	Ec	1000 BR
RUE-STRAAT	92	Ebd	1000 BR
VAN HELMONTSTRAAT	4	Bcd Ea	1800 VI
VAN HEMELRIJCK/			
AVENUE-LAAN			
MAURICE	26	Ad	1080 MO
VAN HEMELRIJCK/			
RUE-STRAAT THOMAS	26	Cd	1080 MO
VAN HOEGAERDE/	27	Aa	1080 MO
PLACE-PLEIN	90	Ac	1080 MO
VAN HOEGAERDE/	27	Aa	1081 KO
PLACE-PLEIN	90	Ac	1081 KO
VANHOEGAERDE/			
RUE-STRAAT	27	Aa	1080 MO
nos impairs/onpare nrs	90	Ac	1080 MO

Street	Map	Grid	Postcode
VAN HOEGAERDE/			
RUE-STRAAT	27	Aa	1081 KO
nos pairs/pare nrs	90	Ac	1081 KO
VANHOETER/	27	Bb	1000 BR
IMPASSE-GANG	90	Fb	1000 BR
VAN HOORDE/			
RUE-STRAAT	21	Dcd	1030 SC
VAN HOORDE/			
RUE-STRAAT HUBERT	21	Ca	1140 EV
VAN HORENBEECK/	43	Ebd	1160 AU
AVENUE-LAAN JEAN	50	Bb	1160 AU
VANHOUTSTRAAT			
LODEWIJK	15	Bd Eb	1831 DI
VAN HOVE/RUE-STRAAT	28	Aab	1030 SC
VAN HOVESTRAAT/RUE	22	Fb	1950 KR
JOSEPH-JOZEF	23	Dac	1950 KR
VAN HOVESTRAAT JOZEF	22	Fb	1932 S-W
VANHUFFEL/PLACE-PLEIN			
HENRI	20	Dc	1081 KO
VAN HUMBEEK/			
RUE-STRAAT PIERRE	26	Fb	1080 MO
VAN HUYNEGEM/	12	Fd	1090 JE
RUE-STRAAT GUSTAVE	20	Aa	1090 JE
VAN IMMERSEELLAAN	2	Ad	1860 ME
VAN INGELGOMSTRAAT	24	Bcd	1930 NO
VAN KALCK/RUE-STRAAT	26	Bd Cc	1080 MO
VAN KALKEN/AVENUE-			
LAAN FRANS	33	Eac	1070 AN
VANKEERBERGHEN-			
STRAAT LOD.	15	Bd Cc	1831 DI
VAN KERM/AVENUE-LAAN	50	Dbcd	1170 WB
VAN KERM/DREVE-DREEF	50	Dc	1170 WB
	56	Cd	1170 WB
	57	Aac	1170 WB
VAN KERM/DREVE-DREEF	56	Cd Fb	1180 UC
VAN KIELDONCK/			
CITE-WIJK	26	Fc	1070 AN
VAN LAER/AVENUE-LAAN			
MARC-HENRI	40	Ac	1070 AN
VANLAETHEM/AVENUE	66	Db	1310 L-H
VAN LAETHEM/			
RUE-STRAAT			
GUILLAUME-WILLEM	29	Aa	1140 EV
VANLAETHEMSTRAAT	66	Bc Db	
ALBERT		Ea	1560 HO
VAN LAETSTRAAT J.	61	Ea	1654 HU
VAN LEEUW/AVENUE-LAAN			
GUILLAUME-WILLEM	21	Cb	1140 EV
VAN LERBERGHE/			
RUE-STRAAT CHARLES	21	Bbcd	1030 SC
VAN LIER/RUE-STRAAT			
MARTIN	33	Ba	1070 AN
VAN LIERDE/RUE-STRAAT			
JEAN	26	Dd Eac	1070 AN
VANLINDT/			
SQUARE ANTOINE	43	Eb	1160 AU
VAN LINT/RUE-STRAAT	33	Cb	1070 AN
	34	Aa	1070 AN
VAN LISHOUTSTRAAT/			
RUE JEF	55	Da	1630 LI
VAN LORREINENLAAN/			
KAREL	37	Fb	1950 KR
VAN LORREINENLAAN			
KAREL	37	Fb	1970 W-O

Street	Map	Grid	Postcode
VAN LORREINENLAAN	37	Fb	3080 TE
KAREL	38	Da	3080 TE
VAN MAERLANT/	28	Dd	1040 BR
RUE-STRAAT	35	Ab	1040 BR
VAN MALDER/	26	Cd	1080 MO
RUE-STRAAT	27	Ac	1080 MO
VAN MALDEREN/			
RUE JOSEPH	74	Fcd	1310 L-H
VAN MALDERENSTRAAT			
CESAR	11	Ebd Fc	1731 ZE
VAN MALDERLAAN V.	25	Abd Bc	1700 DI
VAN MALE DE GHORAIN/	27	Ac	1080 MO
RUE-STRAAT	90	Da	1080 MO
VAN MEENEN/PLACE-			
PLEIN MAURICE	34	Ec	1060 SG
VAN MEULECOM/RUE-			
STRAAT FRANCOIS	26	Cc	1080 MO
VAN MEYEL/PLACE-PLEIN	35	Ba	1040 ET
VAN MEYEL/RUE-STRAAT	20	Ec	1080 MO
VAN MOER/RUE-STRAAT	34	Bb	1000 BR
	94	Cbd	1000 BR
VAN MOLDERSTRAAT			
FRANS	8	Bb Ca	1830 MA
VAN MUYLDERS/			
RUE-STRAAT EDOUARD	32	Ca	1070 AN
VANNE/RUE DE LA	34	Fb	1000 BR
nos impairs			
VANNE/RUE DE LA	34	Fb	1050 IX
nos pairs			
VANNEAU/AVENUE DU	23	Fd	1970 W-O
	30	Cb	1970 W-O
VANNEAUX/AVENUE DES	30	Bac	1950 KR
VANNEAUX/SENTIER DES	41	Fb	1000 BR
	42	Da	1000 BR
VAN NEROM/AVENUE-			
LAAN GUILLAUME	43	Eacd	1160 AU
VAN NEROM/RUE-STRAAT			
HENRI-HENDRIK	21	Bb Ca	1140 EV
VANNEUSE/			
AVENUE DE LA	37	Cd	1970 W-O
VANNIERS/RUE DES	81	Fd	1300 WA
VAN NIEUWENBORGH/			
RUE-STRAAT MICHEL	18	Fd	1082 BA
VAN NIEUWENHUYSE/			
AVENUE-LAAN			
EDMOND	43	Acd Db	1160 AU
VAN NIJLEN/			
SENTIER-WEG JAN	48	Da	1180 UC
VANNOT/CARRE-BLOK	35	Ac	1050 IX
	95	Fa	1050 IX
VANNYPEN/RUE-STRAAT			
JEAN-BAPTISTE	43	Fa	1160 AU
VAN OBBERGHEN/			
RUE-STRAAT			
PIERRE-PIETER	21	Bb Cac	1140 EV
VAN OBBERGHENSTRAAT	8	Bb	1830 MA
VAN OOST/RUE-STRAAT	21	Ac	1030 SC
VAN OPHEM/RUE-STRAAT	47	Cd Fb	1180 UC
EGIDE	48	Da	1180 UC
VAN OPHEMLAAN			
DROSSAARD	23	Cac	1930 ZA
VANOPHEMSTRAAT CLEM.	52	Fd	3090 OV
	59	Cabc	3090 OV
VAN OPSTALSTRAAT	17	Dd	1930 NO

Street	Map	Postcode
VAN ORLEY/RUE-STRAAT	27 Cd	1000 BR
	91 Ed	1000 BR
VAN OSS/AVENUE-LAAN		
ANTOON	7 Fab	1120 BR
VAN OSTADE/		
RUE-STRAAT	28 Ed	1000 BR
VAN OVERBEKE/	19 Babd	
AVENUE-LAAN	Cc Fa	1083 GA
VAN OVERSTRAETEN/		
RUE-STRAAT EMILE	19 Dc	1082 BA
VAN PAEPEGHEMSTRAAT		
VICTOR	47 Aa	1600 P-L
VAN PAGE/RUE-STRAAT		
JEAN-BAPTISTE	19 Bd Cc	1083 GA
VAN PARIJSLAAN	23 Ca	1030 ZA
VANPE/AVENUE-LAAN		
THEO	43 Db Ea	1170 WB
18 à/tot 20		
VANPE/AVENUE-LAAN		
THEO	43 Db Ea	1160 AU
autres nos/andere nrs		
VANPE/RUE-STRAAT		
JEAN-BAPTISTE	40 Fa	1190 FO
VANPEE/AVENUE	81 Cd	1300 WA
VAN PERCK/RUE-STRAAT		
WILLEBRORD	21 Bbd	1140 EV
VAN PRAAG/AVENUE-LAAN		
MAXIME	41 Ea	1180 UC
VAN PRAET/AVENUE-LAAN	13 Cacd	1020 BR
	14 Ac Dac	1020 BR
VAN PRAET/PONT-BRUG	14 Dc	1020 BR
VAN PRAET/RUE-STRAAT	27 Eab	1000 BR
JULES	92 Cc	1000 BR
VAN REYMENANT/		
RUE-STRAAT PIERRE	32 Bbd	1070 AN
VAN ROLLEGHEM/		
RUE-STRAAT MAURICE	12 Ccd	1090 JE
VAN RUUSBROECK/		
RUE-STRAAT JAN	21 Cc Fa	1140 EV
VAN RUUSBROECKBRUG		
JAN	54 Ea	1651 LO
VAN RUUSBROECLAAN/		
AVENUE JAN	64 Abd	1640 S-G
VAN RUUSBROECLAAN		
JAN	38 Dac	3080 TE
VAN RUUSBROECPARK		
JAN	58 Ecd	1560 HO
VAN RUYCHEVELTSTRAAT		
THEODORE	68 Fa	1500 HA
VAN SCHOOR/		
RUE-STRAAT	20 Cd Fb	1030 SC
VAN SEVERLAAN/AVENUE	30 Fd	1970 W-O
	31 Dcd	1970 W-O
VAN SIMAEY/		
SQUARE LOUIS	43 Ec	1160 AU
VAN SOUST/RUE-STRAAT	25 Fd	1070 AN
1 à/tot 509 & 2 à/tot 536	26 Dabc	
	Eab	1070 AN
VAN SOUST/RUE-STRAAT	25 Fd	1080 MO
511 à/tot 617	26 Dc	1080 MO
VAN SOUSTSTRAAT	25 Fbd	1700 DI
VAN SWAE/RUE-STRAAT	20 Abd	1090 JE
VAN VOLSEM/	34 Fb	1050 IX
RUE-STRAAT JEAN	35 Ac Da	1050 IX
	95 Fd	1050 IX
VAN VOLXEM/	33 Fbd	1190 FO
AVENUE-LAAN	34 Da	1190 FO
	40 Cbd	1190 FO
VAN WAEYENBERGH/		
RUE-STRAAT	14 Fcd	1140 EV
VAN WAMBEKE/		
RUE-STRAAT	26 Ea	1070 AN
1 à/tot 27 & 2 à/tot 32		
VAN WAMBEKE/		
RUE-STRAAT	26 Ea	1080 MO
31 à fin/tot einde &		
32A à fin/tot einde		
VAN WAYENBERGHSTRAAT	6 Bd	1853 S-B
VAN WEERDEWEG	2 Cab	1850 GR
VAN WINGHEN/		
RUE-STRAAT	40 Ab	1070 AN
VAN YSENDYCK/		
RUE-STRAAT	21 Ad Db	1030 SC
VAN ZANDE/RUE-STRAAT		
AUGUSTE	19 Ec	1082 BA
58 à fin/tot einde		
VAN ZANDE/RUE-STRAAT		
AUGUSTE	19 Ec	1080 MO
nos impairs/onpare nrs &		
2 à/tot 56		
VAN ZUYLEN/RUE-STRAAT		
HENRI	48 Ad	1180 UC
VARENLAAN	36 Fab	1150 WP
VARENLAAN	62 Fd	1652 AL
VARENSLAAN	37 Cc Fa	1950 KR
VARENSLAAN	37 Ccd	1970 W-O
VARENSLAAN	75 Cc Fa	3090 OV
VARENSPLEIN	70 Fc	1652 AL
VARENSVOETPAD	51 Aac Da	1160 AU
VARKENSDREEF	72 Dcd	1640 S-G
VARKENSMARKT	27 Bc	1000 BR
	90 Ebd	1000 BR
VARKENSMARKT	4 Ad	1800 VI
VAUCAMPSLAAN	61 Db	1501 BU
VAUCAMPSLAAN A.	61 Db	
	Eabd	1654 HU
VAUDEMONT/AVENUE DE	88 Ad	1420 B-A
VAUTIER/RUE-STRAAT	35 Aac	1000 BR
nos impairs /onpare nrs	95 Cd Fb	1000 BR
VAUTIER/RUE-STRAAT	35 Aac	1050 IX
nos pairs/pare nrs	95 Cd Fb	1050 IX
VAUTOUR/RUE DU	27 Dd Ec	1000 BR
	92 Dd Eac	1000 BR
V-DAY/AVENUE DU-LAAN	29 Aa	1140 EV
VECHAUX/CLOS DES	86 Ac Da	1300 LI
VECQUEE/PASSAGE	29 Fb	1200 WL
DE LA-PASSAGE	30 Da	1200 WL
VECQUEE/		
PLACE DE LA-PLEIN	30 Da	1200 WL
VECQUEE/	29 Fb	1200 WL
RUE DE LA-STRAAT	30 Da	1200 WL
VEEARTSENSTRAAT	34 Ac	1060 SG
VEEARTSENSTRAAT	33 Cd	1070 AN
	34 Ac	1070 AN
VEEBOSLAAN	23 Eb	1933 ST
VEEWEIDE	60 Bb Ca	3090 OV
VEEWEIDEKAAI	40 Abd Db	1070 AN
VEEWEIDESTRAAT	33 Bc Ea	1070 AN
VEEWEYDE/QUAI DE	40 Abd Db	1070 AN
VEEWEYDE/RUE DE	33 Bc Ea	1070 AN

V

Straat	Kaart	Vak	Code
VEILIGHEIDSSTRAAT	20	Dc	1081 KO
	27	Aa	1081 KO
	90	Aa	1081 KO
VEKEMANS/RUE-STRAAT			
FRANCOIS-FRANS	14	Ab Bab	1120 BR
VELDBLOEMENLAAN	11	Aa	1731 ZE
VELDEKE	16	Ebd	1930 ZA
VELDEKENSSTRAAT PAUL	39	Ac	1602 VL
VELDGODENPAD	42	Da	1000 BR
VELDKANTSTRAAT	3	Aab	1850 GR
VELDKANTWEG	10	Bb	1820 ST
VELDKAPELGAARDE	29	Fb	1200 WL
VELDKAPELLAAN	29	Cc Fab	1200 WL
VELDKERSLAAN	39	Cd	1070 AN
VELDKERSSTRAAT	23	Bac	1930 ZA
VELDLAAN	35	Eb	1040 ET
VELDMANSSTRAAT JAN	4	Fd	1830 MA
VELDOVENWEG	3	Fb	1800 VI
VELDSTRAAT	35	Eb	1040 ET
VELDSTRAAT	21	Cd	1140 EV
	22	Ac	1140 EV
VELDSTRAAT	66	Cd	1560 HO
VELDSTRAAT	47	Acd	1601 RU
VELDSTRAAT	7	Dac	1800 VI
VELDTIJMWEG	42	Ec	1000 BR
VELDWEG	61	Fb	1651 LO
VELDWEG	8	Fc	1831 DI
VELDWEG	17	Bcd Eb	1930 NO
VELGESTRAAT JEAN	66	Aac	1560 HO
VELGHE/SQUARE	29	Fb	1200 WL
VELLEMOLEN/			
CHEMIN DU-WEG	29	Cc Fac	1200 WL
VENDANGES/DREVE DES	40	Fabcd	1190 FO
VENERIE/ALLEE DE LA	42	Dbd	1000 BR
VENERIE/RUE DE LA	50	Ad	1170 WB
VENETIESTRAAT	34	Cd Fb	1050 IX
	35	Da	1050 IX
	95	Ed	1050 IX
VENEZUELA/			
AVENUE DU-LAAN	49	Bb	1050 IX
14 à fin/tot einde			
VENEZUELA/			
AVENUE DU-LAAN	49	Bb	1000 BR
nos impairs/onpare nrs &			
2 à/tot 12			
VENISE/RUE DE	34	Cd Fb	1050 IX
	35	Da	1050 IX
VENISE/RUE DE	95	Ed	1050 IX
VENIZELOS/AVENUE-LAAN	33	Dcd	1070 AN
VERACHTERT/RUE-STRAAT			
GUY-JEAN	50	Ca	1160 AU
VERBEECK/AVENUE-LAAN			
THEO	33	Ad	1070 AN
VERBEEK/RUE MICHEL	76	Fa	1410 WA
VERBEEKSTRAAT FR.	58	Fd	3090 OV
	59	Dcd Ebcd	
		Fab	3090 OV
VERBERTVELD	6	Eb	1853 S-B
VERBEYST/RUE-STRAAT			
JEAN-BAPTISTE	20	Aa	1090 JE
VERBEYTSTRAAT	6	Bd Eb	1853 S-B
VERBIERS/CLOS DES	88	Da	1420 B-A
VERBIEST/RUE-STRAAT			
JEAN	26	Ba	1080 MO

Straat	Kaart	Vak	Code
VERBINDINGSLAAN	41	Bb	1060 SG
1 tot 29A & 2 tot 16			
VERBINDINGSLAAN	41	Bab	1190 FO
31 tot einde &			
18 tot einde			
VERBINDINGSTRAAT	29	Dd	1200 WL
VERBINDINGSWEG	3	Cd	1850 GR
	4	Ac	1850 GR
VERBIST/RUE-STRAAT	28	Acd Da	1210 SJ
1 à/tot 111 & 2 à/tot 90	93	Cb	1210 SJ
VERBIST/RUE-STRAAT	28	Ad	1030 SC
113 à fin/tot einde &			
92 à fin/tot einde			
VERBOECKHAVEN/			
RUE-STRAAT	28	Aac	1210 SJ
1 à/tot 67 & 2 à/tot 70	91	Fbd	1210 SJ
VERBOECKHAVEN/	28	Aa	1030 SC
RUE-STRAAT	91	Fb	1030 SC
69 à fin/tot einde &			
72 à fin/tot einde			
VERBOEKHOVEN/			
PLACE-PLEIN EUGENE	21	Ac	1030 SC
VERBOMENSTRAAT/			
RUE HUBERT	38	Ba	1970 W-O
VERBONDSSTRAAT	28	Ac Da	1210 SJ
	93	Ca	1210 SJ
VERBOVEN/AVENUE-LAAN			
FRANCOIS-BERNARD	43	Db	1160 AU
VERBRANDEDREEF	44	Aacd	
		Dbd	3080 TE
	51	Ab	3080 TE
VERBRANDENDREEF	37	Dc	1150 WP
	44	Aa	1150 WP
VERBRUGGESTRAAT	4	Ac	1850 GR
VERCAUTEREN/			
AVENUE-LAAN LOUIS	43	Bbd	1160 AU
VERCINGETORIX/SQUARE	81	Ca	1300 WA
VERDI/AVENUE-LAAN	19	Bb Ca	1083 GA
VERDI/PLACE-PLEIN	33	Db	1070 AN
VERDIER/RUE DU	13	Ed	1020 BR
VERDIERS/SENTE DES	82	Dc	1300 WA
VERDONCK/			
RUE-STRAAT DENIS	26	Eb Fa	1070 AN
VERDONCK/RUE-STRAAT			
FRANS	21	Bb	1140 EV
VERDOODT/AVENUE-LAAN			
JAN	12	Bd Eb	1090 JE
VERDRONKEN	49	Ebcd	
KINDERENDREEF		Fa	1180 UC
VERDUN/RUE DE-STRAAT	14	Fbd	1130 BR
	15	Abcd Da	1130 BR
	8	Dd	1130 BR
VERDUNNINGSDREEF	64	Cd Fb	1560 HO
	65	Dabd	
		Ec	1560 HO
VERDURE/RUE DE LA	27	Dbd Ec	1000 BR
	92	Eabd	1000 BR
VEREECKENSTRAAT	9	Bb Ca	1820 PE
VEREMAN/RUE-STRAAT			
PIERRE	19	Dac	1082 BA
VERENIGINGSTRAAT	27	Cd Fb	1000 BR
	91	Ed	1000 BR
	93	Bb	1000 BR
VER EYCKEN/RUE-STRAAT			
HENRI	43	Eb	1160 AU

Straat	Kaart	Vak	Postcode
VERGAARBAKLAAN	49	Ba	1000 BR
VERGAARBAKWEG	49	Bac	
		Eac	1180 UC
VERGEET-MIJ-NIETJES-			
LAAN	71	Bab	1640 S-G
VERGEET-MIJ-NIETJES-			
PAD	49	Ba	1000 BR
VERGEET-MIJ-NIETJES-			
STRAAT	47	Ccd	1180 UC
VERGELSLAAN H.	25	Ecd	1700 DI
VERGER/AVENUE DU	64	Abd	1640 S-G
VERGER/CHEMIN DU	71	Bbcd	1640 S-G
VERGER/CLOS DU	81	Ac	1301 BI
VERGER/CLOS DU	84	Da	1380 OH
VERGER/CLOS DU	30	Bbd Ca	1950 KR
VERGER/RUE DU	43	Bac	1160 AU
VERGER/RUE DU	47	Bd	1620 DR
VERGER/RUE DU	5	Eb	1780 WE
VERGER/RUE DU	30	Bbd	1950 KR
VERGER/SENTIER DU	14	Ad Bc	1120 BR
VERGOTE/RUE-STRAAT	28	Fac	1030 SC
nos impairs/onpare nrs			
VERGOTE/RUE-STRAAT	28	Fc	1200 WL
nos pairs/pare nrs			
VERGOTE/SQUARE-PLEIN	28	Fbcd	1200 WL
1 à/tot 25A & 2 à/tot 14			
VERGOTE/			
SQUARE SQUARE	28	Fabc	1030 SC
27 à fin/tot einde &			
16 à fin/tot einde			
VERHAEGEN/RUE-STRAAT	34	Ac Dab	
THEODORE		Ea	1060 SG
VERHAEGENLAAN/AVENUE			
CHARLES-KAREL	23	Dcd	1950 KR
VERHAEREN/AVENUE			
EMILE	87	Bb	1300 WA
VERHAEREN/AVENUE-			
LAAN EMILE	21	Abd Bc	1030 SC
VERHAEREN/SQUARE			
ALBERT	35	Dd	1050 IX
VERHAERENLAAN/			
AVENUE E.	5	Ad	1780 WE
VERHAS/RUE-STRAAT	21	Da	1030 SC
VERHASSELT/RUE-STRAAT			
JOSEPH	19	Ca	1083 GA
VERHASSELTSTRAAT/			
RUE A	5	Bc	1780 WE
VERHAVERTSTRAAT			
CYPRIAAN	68	Bbd	1500 HA
VERHEGGEN/RUE-STRAAT			
EUGENE	41	Ba	1060 SG
1 à/tot 23 & 2 à/tot 26			
VERHEGGEN/RUE-STRAAT			
EUGENE	41	Ba	1190 FO
25 à fin/tot einde &			
28 à fin/tot einde			
VERHEYDEN/RUE-STRAAT	26	Fa	1080 MO
1 à/tot 25 & 2 à/tot 22			
VERHEYDEN/RUE-STRAAT	26	Ed Fac	1070 AN
25A à fin/tot einde &			
24 à fin/tot einde			
VERHEYDEN/RUE-STRAAT	34	Cc	1050 IX
ISIDORE	95	Dd Ec	1050 IX
VERHEYDEN/RUE-STRAAT			
JEAN-BAPTISTE	30	Dd	1150 WP
VERHEYDENSTRAAT	25	Eac	1700 DI
VERHEYLEWEGHEN/			
AVENUE-LAAN PAUL	43	Bc	1160 AU
VERHEYLEWEGHEN/			
PLACE-PLEIN	29	Ea	1200 WL
VERHEYLEWEGHEN/			
RUE-STRAAT	29	Eac	1200 WL
VERHOEVEN/RUE-STRAAT	20	Bc	1020 BR
VERHUIZERSSTRAAT	27	Aa	1080 MO
	90	Ac Da	1080 MO
VERHULST/RUE-STRAAT	41	Dd	1180 UC
VERIJK	1	Fac	1780 WE
VERITE/RUE DE LA	33	Bb	1070 AN
VERKENSGATWEG	57	Fb	1560 HO
VERLAATSTRAAT	34	Fb	1000 BR
onpare nrs			
VERLAATSTRAAT	34	Fb	1050 IX
pare nrs			
VERLAINE/AVENUE PAUL	82	Ed	1300 WA
	87	Bb	1300 WA
VERLANDE VIJVERS	3	Eb	1850 GR
VERLENGDE			
LOOPBRUGLAAN	13	Bd	1020 BR
VERLENGDE			
MASUISTRAAT	20	Cd	1000 BR
VERLENGDE	47	Bd Cc	
STALLESTRAAT		Eab	1620 DR
VERLOSSINGSSQUARE	41	Ab	1190 FO
VERLOSSINGSSTRAAT	32	Ad Bc	1070 AN
VERMAAKSTRAAT	33	Ba	1070 AN
VERMEERDREEF	52	Ea	3090 OV
VERMEERSCH/			
RUE-STRAAT JULIEN	36	Abd Ba	1150 WP
VERMEYLEN/AVENUE-			
LAAN AUGUSTE	22	Dd Ec	1140 EV
VERMICELLEFABRIEK-	27	Aa	1080 MO
STRAAT	90	Ac	1080 MO
VERMICELLERIE/	27	Aa	1080 MO
RUE DE LA	90	Ac	1080 MO
VERMINKTENSTRAAT	46	Fb	1600 P-L
VERNIEUWERSDREEF	32	Fb	1070 AN
VERONESE/RUE-STRAAT	28	Eac	1000 BR
VERONICAPLEIN	43	Db	1170 WB
VERONIQUES/PLACE DES	43	Db	1170 WB
VERRASSINGSDREEF	44	Fb	3080 TE
	45	Dab Ea	3080 TE
VERREGAT/			
CITE-JARDIN DU-			
TUINWIJK	6	Dc	1020 BR
VERREGAT/RUE DU-STRAAT	6	Dc	1020 BR
VERREPT-DEKEYSER/	27	Ac	1080 MO
RUE-STRAAT	90	Dc	1080 MO
	92	Aa	1080 MO
VERRERIE/AVENUE DE LA	40	Ed Fc	1190 FO
VERREWINKEL/			
RUE DE-STRAAT	48	Dd Ecd	1180 UC
VERRIEST/RUE-STRAAT			
HUGO	29	Aa	1140 EV
VERRIESTLAAN HUGO	75	Ba	3090 OV
VERRIESTSTRAAT/			
RUE HUGO	5	Ad Db	1780 WE
VERRIESTSTRAAT HUGO	18	Ac Da	1702 G-B
VERSAILLES/AVENUE DE	83	Bbd Cc	1410 WA

V

VERSAILLES/	13	Cb	1020 BR
AVENUE DE-LAAN	14	Aa	1020 BR
2 à/tot 72			
VERSAILLES/	13	Cb	1120 BR
AVENUE DE-LAAN	14	Aab Ba	1120 BR
nos impairs/onpare nrs &			
74 à fin/tot einde			
VERSCHELDEN/			
RUE-STRAAT PIERRE	13	Dab	1090 JE
VERSE/AVENUE-LAAN	19	Dd Ec	1082 BA
GISSELEIRE	26	Ab	1082 BA
VERSE/RUE-STRAAT EMILE	33	Ad	1070 AN
VERSEAU/AVENUE DU	29	Ad Db	1200 WL
VERSTRAETEN/			
RUE-STRAAT ALOIS	20	Ac	1090 JE
VERSTRAETEN/			
RUE-STRAAT LIEVIN	42	Cab	1160 AU
VERT/CHEMIN	84	Aa	1380 OH
VERTAKKINGSSTRAAT	42	Ccd	1170 WB
VERT BOCAGE/			
AVENUE DU	72	Ecd	1410 WA
VERT CHASSEUR/	48	Cb	1180 UC
AVENUE DU	49	Aa	1180 UC
VERT CHASSEUR/			
CHAMP DU	49	Aab	1000 BR
3 à 85 & 2 à 84			
VERT CHASSEUR/			
CHAMP DU	49	Aa	1180 UC
85 à fin & 86 à fin			
VERT CHASSEUR/CITE DU	49	Aa	1180 UC
VERTE/ALLEE	20	Cc Ebd	
		Fa	1000 BR
VERTE/AVENUE	63	Ed	1640 S-G
VERTE/PLACE	80	Dc	1330 RI
VERTE/RUE	27	Cab	1210 SJ
1 à 73 & 2 à 80	91	Bc Ea	1210 SJ
VERTE/RUE	20	Fd	1030 SC
autres nos	27	Cb	1030 SC
	91	Babc	1030 SC
VERTE/RUE	30	Db Ea	1950 KR
VERTES BORNES/	88	Ed	
CHEMIN DES		Fabc	1420 B-A
VERTONGENSTRAAT/			
RUE P.	5	Bd Eb	1780 WE
VERTROUWENSTRAAT	35	Bc	1040 ET
VERVAECK/RUE-STRAAT			
FRANS	19	Cac	1083 GA
VERVERIJSTRAAT	40	Ed Fc	1190 FO
VERVERSSTRAAT	27	Ea	1000 BR
	92	Cc	1000 BR
VERVIERS/RUE DE-STRAAT	28	Da	1000 BR
3 à fin/tot einde	93	Cd	1000 BR
VERVIERS/RUE DE-STRAAT	28	Da	1210 SJ
nos pairs/pare nrs & 1	93	Cd	1210 SJ
VERVLOESEM/			
RUE-STRAAT	29	Eacd	1200 WL
VERVLOET/RUE-STRAAT	47	Fbcd	1180 UC
FRANCOIS	48	Da	1180 UC
VERWEE/RUE-STRAAT	21	Da	1030 SC
VERWELKOMINGSSTRAAT	40	Ad Bc	1070 AN
VERZETSPLEIN	33	Bbd	1070 AN
VERZETSSTRAAT	20	Ab	1090 JE
VERZOENINGSSTRAAT	33	Bb	1070 AN
VESALE/			
AVENUE ANDREAS	1	Fab	1780 WE

VESALE/RUE	27	Cd	1000 BR
	93	Ba	1000 BR
VESALIUSLAAN ANDREAS	1	Fab	1780 WE
VESALIUSSTRAAT	27	Cd	1000 BR
	93	Ba	1000 BR
VESTALENLAAN	43	Dc	1170 WB
VESTALES/AVENUE DES	43	Dc	1170 WB
VESTE	23	Ac Da	1932 S-W
VESTENSTRAAT	4	Ab	1800 VI
VESTENSTRAAT	38	Dd	3080 TE
	45	Ab	3080 TE
VESTINGSTRAAT	34	Db Ea	1060 SG
VESTINGSTRAAT	68	Cc	1500 HA
VESTJE	27	Dbd	1000 BR
	92	Db	1000 BR
VETERANS COLONIAUX/			
SQUARE DES	26	Ed	1070 AN
VETERINAIRES/RUE DES	33	Cd	1070 AN
	34	Ac	1070 AN
VETKRUIDWEG	39	Cd	1070 AN
VEYDT/RUE-STRAAT	34	Fa	1060 SG
1 à/tot 27 & 6 à/tot 34			
VEYDT/RUE-STRAAT	34	Fa	1050 IX
29 à fin/tot einde &			
36 à fin/tot einde			
VIADUC/RUE DU	34	Cd	1050 IX
	35	Ac	1050 IX
	95	Ed	
		Fabc	1050 IX
VIADUCTSTRAAT	34	Cd	1050 IX
	35	Ac	1050 IX
	95	Ed	
		Fabc	1050 IX
VIADUCTSTRAAT	8	Bcd	1830 MA
VICTOIRE/RUE DE LA	34	Bc	
		Eabd	1060 SG
	94	Ed	1060 SG
VICTOR-EMMANUEL III/	48	Cd	1180 UC
AVENUE-LAAN	49	Ac	1180 UC
VICTORIA/AVENUE-LAAN	42	Ad Dbd	
		Ec	1000 BR
VIEILLARDS/RUE DES	34	Ea	1060 SG
VIEILLE FERME DE			
CAMBRAI/SENTIER	88	Bbd	1420 B-A
VIEILLE HALLE AUX BLES/	27	Ed	1000 BR
PLACE DE LA	92	Fbd	1000 BR
VIEILLE RUE DU MOULIN	48	Fabcd	1180 UC
	49	Da	1180 UC
VIEILLE SOURCE/			
AVENUE DE LA	83	Fd	1410 WA
VIEILLESSE HEUREUSE/			
RUE DE LA	26	Abd	1080 MO
VIEILLE TAILLE/			
PLACE DE LA	79	Fd	1330 RI
VIER ARMENDREEF	65	Ecd	1560 HO
	73	Bb	1560 HO
VIER AUGUSTUSPLEIN	35	Cc	1040 ET
VIER BUNDERSTRAAT	30	Eb	1950 KR
VIER ESSENDREEF	57	Aacd	
		Db	1170 WB
VIER ESSENDREEF	57	Dbd	1560 HO
VIER ESSENPAD	57	Dd Ecd	1560 HO
VIERGE/SENTIER DE LA	80	Dbd	1330 RI
VIERGE NOIRE/RUE DE LA	27	Bd Eab	1000 BR
	92	Ca	1000 BR

Straat	Kaart	Vak	Postcode
VIERGES/RUE DES	27	Ec	1000 BR
	92	Eab	1000 BR
VIERHEEMSKINDEREN-	34	Ca	1000 BR
STRAAT	95	Aa	1000 BR
VIERHUIZENSTRAAT	17	Fd	3070 KO
VIER-KNOPENSTEEG	36	Cc	1150 WP
VIERPONDENGANG	27	Fc	1000 BR
	95	Ab	1000 BR
VIER SEIZOENENHOF	29	Db	1200 WL
VIER-SEPTEMBER-			
DAGENLAAN	28	Ad	1210 SJ
VIERWEGENDREEF	65	Ecd	1560 HO
	73	Bb Ca	1560 HO
VIERWINDEN	23	Cd	1930 ZA
VIERWINDENLAAN	5	Aa	1780 WE
VIER-WINDENSTRAAT	26	Cd Fb	1080 MO
	27	Aac	1080 MO
	90	Da	1080 MO
VIEUJANT/RUE-STRAAT			
JULES	26	Ccd	1080 MO
VIEUSART/CHEMIN DE	87	Abd Bc	
		Eacd	1300 WA
VIEUX AMIS/AVENUE DES	83	Fb	1410 WA
VIEUX AMIS/SENTIER DES	83	Cc	1410 WA
VIEUX CHEMIN	55	Ac Da	1100 UC
VIEUX CHEMIN	55	Ac	1630 LI
VIEUX CHEMIN/RUE DU	82	Ab Ba	1300 WA
VIEUX CORNET/			
AVENUE DU	48	Bab	1180 UC
VIEUX FOSSES/			
RUELLE DES	81	Cd Fb	1300 WA
VIEUX MARCHE AUX	27	Bc Ea	1000 BR
GRAINS/RUE DU	92	Bbd	1000 BR
VIEUX MOULIN/CLOS DU	76	Bd	1410 WA
VIEUX MOULIN/RUE DU	43	Babc	1160 AU
VIEUX MOULIN/RUE DU	47	Fa	1620 DR
VIEUXTEMPS/RUE-STRAAT			
HENRI	33	Db Ea	1070 AN
VIEUX TILLEUL/SQUARE DU	42	Fd	1050 IX
VIFQUIN/RUE-STRAAT	21	Dc	1030 SC
VIGNE/RUE DE LA	32	Fb	1070 AN
VIGNE KERSBEEK/			
CLOS DE LA	47	Ca	1190 FO
VIGNES/AVENUE DES	30	Facd	1970 W-O
VIGNES/CHAUSSEE DES	81	Cb	1300 WA
VIGNES/RUE DES	13	Ed Fc	1020 BR
VIGNETTE/RUE DE LA	43	Aad Bc	1160 AU
VIGNOBLE/RUE DU	40	Cd	1190 FO
VIGNOBLE/RUE DU	88	Dac	1420 B-A
VIGNOBLE/TIENNE DU	81	Ca	1300 WA
VIJFBEUKENDREEF	44	Ad Bc	3080 VO
VIJF BUNDERLAAN	36	Ba	1150 WP
VIJFENTWINTIG	27	Bd Eb	1000 BR
AUGUSTUSGALERIJEN	92	Cb	1000 BR
VIJVERHOF	23	Ea	1950 KR
VIJVERSDREEF	55	Dac	1630 LI
VIJVERSGAARDE	35	Ad	1040 ET
VIJVERSLAAN	12	Ba	1780 WE
	5	Eabc	1780 WE
VIJVERSTRAAT	35	Ad	1040 ET
VIJVERSTRAAT	62	Bab	1650 BE
VIJVERSTRAAT	6	Bd Cc	1853 S-B
VIJVERSTRAAT	16	Ed	1930 ZA
VIJVERSTRAAT	60	Ad Bc	3090 OV
VIJVERSWEG	43	Cd Fb	1160 AU
	44	Da	1160 AU
VIJVERSWEG	63	Fd	1640 S-G
VIJVERSWEG	44	Ad Bc	
		Dab	3080 TE
VIJVERWEG	70	Cc Fa	1650 BE
VILAIN-XIV/RUE-STRAAT	35	Dc	1050 IX
1 à/tot 17A & 2 à/tot 20			
VILAIN-XIV/RUE-STRAAT	34	Fd	1000 BR
19 à fin/tot einde &	35	Dc	1000 BR
22 à fin/tot einde			
VILLAGE	81	Dd	1300 WA
VILLAGE/RUE DU	33	Bbcd	1070 AN
VILLAGE/RUE DU	71	Ab Ba	1640 S-G
VILLAGE EUROPEEN/	18	Fd	1082 BA
RUE DU	19	Dc	1082 BA
	25	Cb	1082 BA
VILLAGEOIS/RUE DU	43	Babcd	1160 AU
VILLAGEXPO	80	Ed	1300 WA
VILLA HERMOSA/	27	Fc	1000 BR
RUE-STRAAT	93	Dd	1000 BR
VILLALAAN	34	Dd Ec	1060 SG
1 tot 65 & 2 tot 46A			
VILLALAAN	34	Dcd	1190 FO
65A tot einde & 80			
VILLALAAN	68	Fd	1500 HA
	69	Dcd	1500 HA
VILLALAAN	54	Aab	1801 RU
VILLALAAN	55	Dd Ec	1630 LI
	63	Ba	1630 LI
VILLARD/RUE-STRAAT			
HENRY	21	Dd	1030 SC
VILLA ROMAINE/			
ALLEE DE LA	33	Bd	1070 AN
VILLAS/AVENUE DES	34	Dd Ec	1060 SG
1 à 65 & 2 à 46A			
VILLAS/AVENUE DES	34	Dcd	1190 FO
65A à fin & 80			
VILLAS/AVENUE DES	55	Dd Ec	1630 LI
	63	Ba	1630 LI
VILLASTRAAT	8	Ea	1830 MA
VILLEFRANCHE/			
AVENUE DE	84	Cc Fab	1330 RI
VILLEFRANCHE/			
AVENUE DE	84	Fab	1380 LA
VILLEQUIER/AVENUE DE	83	Aac	1410 WA
VILLERS/RUE DE-STRAAT	27	Ed	1000 BR
	92	Fbcd	1000 BR
VILLON/AVENUE-LAAN			
FRANCOIS	22	Dd Ec	1140 EV
VILVOORDELAAN	4	Ecd	1830 MA
	8	Bb	1830 MA
VILVOORDELAAN	10	Dac Ea	1930 ZA
VILVOORDESTRAAT	4	Cd	1800 PE
VILVOORDSE HAARD/PLEIN	3	Fb	1800 VI
VILVOORDSELAAN	14	Dd Eac	1000 BR
1 tot 13 & 2 tot 210			
VILVOORDSELAAN	14	Bd Cabc	
andere nrs		Eab	1130 BR
	7	Fbd	1130 BR
	8	Da	1130 BR
VILVOORDSESTEENWEG	13	Fd	1020 BR
1 tot 17 & 2 tot 48	14	Dabc	1020 BR
	20	Cabc	1020 BR

VILVOORDSESTEENWEG	14 Bbcd Ca	
21 tot 35 & 50 tot 300	Db Ea	1120 BR
	7 Cd	
	Fbcd	1120 BR
	8 Aac	1120 BR
VILVOORDSESTEENWEG	3 Aabd Bcd	
	Eb Fa	1850 GR
VILVORDE/AVENUE DE	14 Dd Eac	1000 BR
1 à 13 & 2 à 210		
VILVORDE/AVENUE DE	14 Bd Cabc	
autres nos	Eab	1130 BR
	7 Fbd	1130 BR
	8 Da	1130 BR
VILVORDE/CHAUSSEE DE	13 Fd	1020 BR
1 à 17 & 2 à 48	14 Dabc	1020 BR
	20 Cabc	1020 BR
VILVORDE/CHAUSSEE DE	14 Bbcd Ca	
21 à 35 & 50 à 300	Db Ea	1120 BR
	7 Cd	
	Fbcd	1120 BR
	8 Aac	1120 BR
VINCOTTE/RUE-STRAAT		
THOMAS	28 Ad Bc	1030 SC
VINDICTIVE/		
RUE DU-STRAAT	35 Bd	1040 ET
VINGERHOEDSKRUID-		
STRAAT	43 Db	1170 WB
VINGT-CINQ AOUT/	27 Bd Eb	1000 BR
GALERIE DU	92 Cb	1000 BR
VINGT-QUATRE HETRES/		
SENTE DES	82 Eb	1300 WA
VINKENBERG	23 Aa	1932 S-W
VINKENLAAN	36 Dc	1150 WP
VINKENLAAN	69 Acd	1501 BU
VINKENLAAN	71 Cc Fa	1640 S-G
VINKENLAAN	11 Eb Fa	1731 ZE
VINKENLAAN	7 Aab	1800 VI
VINKENLAAN	2 Ad	1860 ME
VINKENLAAN	23 Bb	1930 ZA
VINKENLAAN	23 Ec	1950 KR
	30 Ba	1950 KR
VINKENOORD	31 Dc	1970 W-O
VINKENPAD	42 Da	1000 BR
VINKENSTRAAT	3 Cabc	1850 GR
VINKEWEG	75 Ab	3090 OV
VINKGAARDE	49 Cb	1170 WB
VINKSTRAAT	49 Cbd	1170 WB
	50 Ac	1170 WB
VINKSTRAAT JAN-BAPTIST	17 Ccd	
	Eb Fa	3070 KO
VIOLETSTRAAT	27 Ebd	1000 BR
	92 Fb	1000 BR
VIOLETTE/CLOS DE LA	76 Eab	1410 WA
*VIOLETTE/PETITE RUE		
DE LA (SITUEE RUE	27 Ed	1020 BR
DE LA VIOLETTE)	92 Fb	1020 BR
VIOLETTE/RUE DE LA	27 Ebd	1000 BR
	92 Fb	1000 BR
VIOLETTES/AVENUE DES	85 Ba	1300 LI
VIOLETTES/AVENUE DES	64 Ed	1640 S-G
VIOLETTES/AVENUE DES	30 Fcd	1970 W-O
	37 Ca	1970 W-O
VIOLIERGANG	27 Eb	1000 BR
	92 Cb	1000 BR
VIOOLTJESHOF	24 Dc	1933 ST

VIOOLTJESLAAN	64 Ed	1640 S-G
VIOOLTJESLAAN	30 Fcd	1970 W-O
	37 Ca	1970 W-O
VIOOLTJESSTRAAT	54 Aa	1601 RU
VIOOLTJESSTRAAT	4 Cac	1800 VI
VIRGILE/RUE	25 Fd	1070 AN
	26 Dc	1070 AN
VIRGILIUSSTRAAT	25 Fd	1070 AN
	26 Dc	1070 AN
VISCONTI/CHEMIN-WEG		
LUIGI	12 Bd	1090 JE
VISE/AVENUE DE-LAAN	42 Eb Fa	1170 WB
VISITANDINENSTRAAT	34 Bab	1000 BR
	94 Ca	1000 BR
VISITANDINES/RUE DES	34 Bab	1000 BR
	94 Ca	1000 BR
VISSERIJSTRAAT	42 Cd Fb	1170 WB
1 tot 97 & 2	43 Ac	1170 WB
VISSERIJSTRAAT	42 Cd Fb	1160 AU
andere nrs	43 Ac	1160 AU
VISSERIJSTRAAT	48 Cc Eb	
	Fa	1180 UC
VISSERSPAD	63 Fd	1640 S-G
	64 Dc	1640 S-G
VISSERSPAD	72 Aa	1640 S-G
VISSERSSTRAAT	48 Eab	1180 UC
VISSERSSTRAAT	4 Ad	1800 VI
VISVERKOPERSSTRAAT	27 Ea	1000 BR
	92 Ca	1000 BR
VISVIJVERBLOK	35 Db	1050 IX
VISVIJVERSTRAAT	35 Ad Db	1050 IX
VITRIERS/IMPASSE DES	34 Bc	1000 BR
	94 Ea	1000 BR
VITSEROELSTRAAT	46 Cb	1600 P-L
VIVALDI/VENELLE-STEEG	19 Ab	1083 GA
VIVIER/CARRE DU	35 Db	1050 IX
VIVIER/CLOS DU	23 Ea	1950 KR
VIVIER/RUE DU	35 Ad Db	1050 IX
VIVIER D'OIE/AVENUE DU	42 Dcd	1000 BR
1 à 19 & 53 - 55 - 45 &	49 Ab	1000 BR
65 à fin & 4		
VIVIER D'OIE/AVENUE DU	49 Ab	1180 UC
57 à 63		
VLAAMSE POORT	27 Ad	1080 MO
	90 Ec	1080 MO
VLAAMSESTEENWEG	27 Ad Bc	1000 BR
	90 Ecd	1000 BR
	92 Bb	1000 BR
VLAANDERENSTRAAT	4 Acd	1800 VI
VLAANDERVELDLAAN	66 Ab Ba	1560 HO
VLAKTEDREEF	44 Fd	3080 TE
	45 Dac	3080 TE
	51 Cbd	3080 TE
VLAMINGENSTRAAT	19 Cb	1090 JE
VLASENDAALSTRAAT	32 Acd	
	Dab	1700 DI
VLASENDAEL/RUE	32 Ad	1070 AN
15 à 37 & 18 à 50		
VLASFABRIEKSTRAAT	34 Bc	1060 SG
	94 Ed	1060 SG
VLASVINKENLAAN	36 Dd	1160 AU
	43 Ab	1160 AU
VLAZENDAALLAAN	32 Aac	1701 IT
VLAZENDAALSTRAAT	32 Ad	1070 AN
15 tot 37 & 18 tot 50		

VLEERMUISSTRAAT	25	Ad Bc	1700 DI
VLEES-EN-BROODSTRAAT	27	Eb	1000 BR
	92	Cd	1000 BR
VLEESKERSENSTRAAT	48	Dc	1180 UC
	55	Aab	1180 UC
VLEUGELSSTRAAT	21	Ac Dab	1030 SC
VLEUGSTRAAT	52	Fd	3090 OV
	59	Cb	3090 OV
VLEUGSTRAAT	60	Aa	3090 OV
VLEURGAT/CHAUSSEE DE 107 à 149 & 106 à 220	34	Fd	1000 BR
VLEURGAT/CHAUSSEE DE autres nos	34	Fd	1050 IX
	35	Dac	1050 IX
	41	Cbd	1050 IX
VLEURGATSESTEENWEG 107 tot 149 & 106 tot 220	34	Fd	1000 BR
VLEURGATSE STEENWEG andere nrs	34	Fd	1050 IX
	35	Dac	1050 IX
	41	Cbd	1050 IX
VLIEGERLAAN	42	Fd	1170 WB
	49	Cb	1170 WB
VLIEGER THIEFFRYSTRAAT	35	Cc Fa	1040 ET
VLIEGPLEINSTRAAT	21	Cab	1140 EV
VLIEGTUIGLAAN	36	Cbcd	1150 WP
VLIEGVELDSTRAAT	15	Bc Ea	1130 BR
VLIEGWEZENLAAN	11	Bd	1731 ZE
VLIERBEEKBERG	51	Fd	3090 OV
	52	Dc	3090 OV
	58	Fbd	3090 OV
	59	Aac Da	3090 OV
VLIERBOOMLAAN	3	Acd	1850 GR
VLIERBOOMSTRAAT	45	Bc	3080 TE
VLIERGAARDE	18	Fd	1082 BA
VLIERGAARDE	18	Abcd	1702 G-B
VLIERKENSSTRAAT	3	Fbd	1800 VI
	4	Da	1800 VI
VLIERSTRAAT	10	Ba	1820 ST
VLIERSTRAAT	23	Bc	1930 ZA
VLIERTJESLAAN	52	Dc	3090 OV
	58	Cb	3090 OV
	59	Aa	3090 OV
VLIERWIJK	27	Bc	1000 BR
	90	Fac	1000 BR
VLIJTSTRAAT	43	Abd	1160 AU
VLINDERSSTRAAT	32	Bcd Eb Fa	1070 AN
VLINDERSTRAAT	71	Cbd	1640 S-G
VLINDERSTRAAT	32	Bc	1700 DI
VLINDERSVELD	31	Ea	1970 W-O
VLINDERSWEG	42	Db	1000 BR
VLISSINGENSTRAAT	20	Dab	1080 MO
VLOGAERT/RUE-STRAAT	34	Ad	1060 SG
	94	Dd Ec	1060 SG
VLONDERSE HOEK	38	Ed	3080 TE
VOERDELAAN	3	Fc	1800 VI
VOERMANSGANG	27	Bc	1000 BR
	90	Ec	1000 BR
VOETBALLAAN	13	Ab	1020 BR
VOETBALLAAN	36	Cd	1150 WP
	37	Ac	1150 WP
VOETBALSTRAAT	16	Bbd	1930 ZA
VOETS/SQUARE VICTOR	32	Fb	1070 AN
VOETWEG 37	10	Ed	1820 ST
VOETWEG BERGENSE-STEENWEG	46	Cd Fb	1600 P-L
VOGELENZANGSTRAAT	39	Bd Cd Eb Fab	1070 AN
VOGELPERS	68	Fc	1500 HA
VOGELSTRAAT	46	Dd Eabc	1600 P-L
VOGELVANGERSWEG onpare nrs & 10 - 20	49	Aab	1000 BR
VOGELVANGERSWEG andere pare nrs	49	Aa	1180 UC
VOGELVANGSTLAAN	49	Cab	1170 WB
VOGELWEIDESTRAAT	15	Bc	1130 BR
VOGELZANG	36	Dc	1160 AU
131 tot einde & 126 tot einde	42	Cb	1160 AU
VOGELZANGLAAN 1 tot 129 & 2 tot 124	36	Dbcd	1150 WP
VOGELZANGSTRAAT	7	Aa	1800 VI
VOGLER/RUE-STRAAT	21	Dab	1030 SC
VOIRIE/QUAI DE LA	20	Ecd	1000 BR
	90	Ca	1000 BR
VOISINS/RUE DES	30	Cc	1970 W-O
VOLCKERICK/SQUARE RAYMOND	49	Cb	1170 WB
VOLDERS/AVENUE-LAAN JEAN	34	Bc Ea	1060 SG
	94	Fc	1060 SG
VOLDERS/RUE JEAN	83	Dcd Ec	1420 B-A
	88	Aa	1420 B-A
VOLDERSSTRAAT	27	Dd Ec	1000 BR
	92	Dbd Ec	1000 BR
VOLHARDINGSLAAN	33	Dd	1070 AN
	40	Aab	1070 AN
VOLKSSTRAAT	27	Bb Ca	1000 BR
	91	Aa	1000 BR
VOLONTAIRES/AVENUE DES 1 à 103	35	Fabc	1160 AU
VOLONTAIRES/AVENUE DES 2 à 178	35	Fabc	1040 ET
	36	Da	1040 ET
VOLONTAIRES/AVENUE DES 147 à fin & 262 à fin	35	Fb	1150 WP
	36	Da	1150 WP
VOLONTAIRES/RUE DES	81	Fa	1300 WA
VOLONTAIRES/RUE DES	78	Fb	1332 GE
	79	Acd Da	1332 GE
VOLONTE/RUE DE LA	40	Aab	1070 AN
VOLPESTRAAT	68	Fa	1500 HA
VOLRAL/RUE-STRAAT FERNANDE	12	Fcd	1090 JE
VOLTA/RUE-STRAAT	42	Bd	1050 IX
VOLTAIRE/AVENUE	87	Ba	1300 WA
VOLTAIRE/AVENUE-LAAN	21	Acd Dbd	1030 SC
VOLTAIRE/PLACE	27	Aa	1080 MO
	90	Ac	1080 MO
VOLTAIREPLEIN	27	Aa	1080 MO
219 tot 287	90	Ac	1080 MO
VOLUBILIS/DREVE DES	42	Fc	1170 WB
VONCK/RUE-STRAAT 1 à/tot 57 & 2 à/tot 64	28	Acd	1210 SJ
VONCK/RUE-STRAAT 59 à fin/tot einde & 66 à fin/tot einde	28	Abcd	1030 SC
VONDEL	68	Fa	1500 HA

VONDEL/RUE-STRAAT	20 Fb	1030 SC
	21 Da	1030 SC
VON STROHEIM/		
CHEMIN-WEG ERIC	12 Bd	1090 JE
VOORDESTRAAT	23 Da	1932 S-W
VOORHAVENSTRAAT	14 Dbd Ec	1000 BR
VOORLOPIG	27 Cd Fb	1000 BR
BEWINDSTRAAT	93 Bab	1000 BR
VOORNLAAN	42 Cd Fb	1160 AU
VOORSPOEDLAAN	25 Ec	1700 DI
	32 Ba	1700 DI
VOORSPOEDSTRAAT	27 Ab	1080 MO
	90 Bc Db	
	Ea	1080 MO
VOORSTADSSTRAAT	27 Bb	1000 BR
	90 Cb	1000 BR
VOORSTRAAT	32 Cbd	1070 AN
1 tot 119 & 2 tot 146	33 Ac	1070 AN
VOORSTRAAT	39 Db Ea	1602 VL
VOORSTRAAT	32 Ca	1700 DI
VOORUITGANGSSTRAAT	20 Fc	1210 SJ
1 tot 97 & 2 tot 70	27 Ca	1210 SJ
	91 Abd	
	Dab	1210 SJ
VOORUITGANGSTRAAT	20 Cd	
99 tot einde &	Fabc	1030 SC
72 tot einde	91 Ab	1030 SC
VOORZIENIGHEIDSGANG	27 Ed	1000 BR
	92 Fd	1000 BR
VOORZITTERSSTRAAT	34 Cc	1050 IX
1 tot 69 & 2 tot 76	95 Dd Ec	1050 IX
VOORZITTERSSTRAAT	34 Cc Fa	1000 BR
71 tot einde &	95 Dd	1000 BR
78 tot einde		
VOORZORGSSTRAAT	34 Bd	1000 BR
	94 Fa	1000 BR
VOORZORGSSTRAAT	16 Bcd	1930 ZA
VOOT/RUE-STRAAT	29 Ed	1200 WL
	36 Bb	1200 WL
VORSENZANG	40 Cd Fb	1190 FO
VORSTENHUISLAAN	13 Bd Cc	1020 BR
VORSTENHUISPLEIN	13 Bd	1020 BR
VORSTERIELAAN	50 Acd	
	Dbd Ec	1170 WB
VORSTERSTRAAT	59 Cc	3090 OV
VORSTLAAN	43 Eac	1170 WB
1 tot 25 & 2 tot 142	50 Ab Ba	1170 WB
VORSTLAAN	36 Ed	1160 AU
47 tot 259 & 144 tot 404	43 Babc Ea	1160 AU
VORSTLAAN	36 Ebd	1150 WP
275 & 406 tot 412		
VORSTRONDPUNT	43 Ba	1160 AU
VORSTSE STEENWEG	34 Ad Bc	
45 tot 223 & 2 tot 258	Dbd	1060 SG
	94 Ec	1060 SG
VORSTSESTEENWEG	34 Dd	1190 FO
225 tot einde &		
280 tot einde		
VORSTSESTEENWEG	47 Ad Bc	
	Db	1601 RU
VORSTSQUARE	43 Ba	1160 AU
VOSBERG	31 Dcd	1970 W-O
	38 Abd	1970 W-O
VOSDELLESTRAAT	66 Bac	1560 HO
VOSDREEF	43 Ca	1160 AU
VOSKAPELLELAAN	17 Ec	1930 NO
	24 Babd	
	Cc	1930 NO
VOSKAPELSTRAAT	24 Bd Cc	
	Ebd	1933 ST
VOSKAPELSTRAAT	24 Fb	3080 TE
VOSSEBEEKWEG	60 Dd	3090 OV
VOSSEGAT/	47 Cb	1180 UC
AVENUE DU-LAAN	48 Aa	1180 UC
VOSSEGAT/		
CHEMIN DU-WEG	48 Aa	1180 UC
VOSSEMLAAN	24 Ebd Fc	1933 ST
	31 Ca	1933 ST
VOSSENDREEF	49 Bcd	
	Dab Ea	1180 UC
VOSSENDREEF	63 Cc	1640 S-G
VOSSENLAAN	37 Ad	1150 WP
VOSSENLAAN	45 Babcd	3080 TE
VOSSENPLEIN	34 Ba	1000 BR
	94 Bd Eb	1000 BR
VOSSENSTRAAT	34 Ba	1000 BR
	94 Bd Cc	1000 BR
VOSSENSTRAAT	24 Cc	1933 ST
VOSSENSTRAAT	24 Cd	3078 EV
VOSSENWEG	10 Bd	1820 ST
VOSSEPUTTEN	10 Fb	3071 E-K
VOSSESTRAAT	59 Ad Bc	
	Ea	3090 OV
VOYAGEUR/RUE DU	86 Aa	1301 BI
VREDELAAN	19 Fac	1081 KO
VREDELAAN	47 Dd	1601 RU
VREDELAAN	72 Bbcd	1640 S-G
VREDELAAN	23 Bd Cc	1930 ZA
VREDEPLAATS	23 Ec	1950 KR
VREDEPLEIN	21 Ca	1140 EV
VREDESTRAAT	34 Cbd	1050 IX
	95 Bd Eab	1050 IX
VREDESTRAAT	58 Dd	1560 HO
VREDESTRAAT	8 Bd Cc	1830 MA
VRIENDSCHAPSPLEIN	35 Fc	1160 AU
VRIENDSCHAPSSTRAAT	59 Bbcd	3090 OV
VRIENDSCHAPSTRAAT	66 Ccd	1560 HO
VRIJDAGS/PROMENADE-		
WANDELING		
PIERRE-LOUIS	22 Dbd	1140 EV
VRIJDOMMENSTRAAT	19 Bd Cc	1083 GA
VRIJE-ACADEMIELAAN	32 Fb	1070 AN
	33 Da	1070 AN
VRIJETIJDSLAAN	21 Fab	1140 EV
VRIJHEIDSDREEF	16 Bac	1930 ZA
VRIJHEIDSLAAN	19 Fd	1081 KO
1 tot 81 & 2 tot 50 &	20 Dc	1081 KO
208 tot 218		
VRIJHEIDSLAAN	19 Fcd	1080 MO
andere nrs		
VRIJHEIDSLAAN	66 Cab	1560 HO
VRIJHEIDSLAAN	25 Dd Ec	1700 DI
VRIJHEIDSPLEIN	27 Fb	1000 BR
	93 Bb	1000 BR
VRIJHEIDSROTONDE	19 Bb	1083 GA
VRIJHEIDSTRAAT	47 Bd	1620 DR
VRIJ-ONDERZOEKSTRAAT	33 Bb	1070 AN
VRIJWILLIGERSLAAN	35 Fabc	1160 AU
1 tot 103		

VRIJWILLIGERSLAAN	35	Fabc	1040 ET
2 tot 178	36	Da	1040 ET
VRIJWILLIGERSLAAN	35	Fb	1150 WP
147 tot einde &	36	Da	1150 WP
262 tot einde			
VRIJWILLIGERSLAAN	38	Dd	3080 TE
VROEGEGROENTEN-			
STRAAT	40	Cab	1190 FO
VROENENBOSSTRAAT	70	Dd	1653 DW
VRONENBERGLAAN	59	Cd	3090 OV
	60	Aac	3090 OV
VRONERODELAAN	49	Dac	1180 UC
	56	Aab	1180 UC
VROONWEG	3	Eb Fa	1850 GR
VRUCHTBAARHEIDSLAAN	32	Ca	1070 AN
VRUNTESTRAAT	2	Cb	1850 GR
VRUNTSTRAAT	27	Eb	1000 BR
	92	Ccd Fb	1000 BR
VUILBEEKPAD	56	Bcd	
		Cac	1180 UC
VUURBERG	16	Abd	1831 DI
VUURBERG	16	Ad	1930 ZA
VUURGATSTRAAT	51	Fac	3090 OV
	58	Bb Ca	3090 OV
VUURKRUISENLAAN	13	Cabd	1020 BR
	14	Ac Dab	1020 BR
VUURKRUISENLAAN	4	Ad Dab	1800 VI
VUURKRUISENLAAN	8	Cc	1830 MA
VUURKRUISENLAAN	23	Bd Cac	1930 ZA
VUURKRUISENPLEIN	4	Da	1800 VI
VUURKRUISENSTRAAT	68	Fa	1500 HA
VUURSTEENWEG	50	Ad Dab	1170 WB
VUURSTRAAT	40	Cab	1190 FO
VUYLBEEK/SENTIER DU	56	Bcd	
		Cac	1180 UC
VUYLBEEK/	49	Fd	1170 WB
SENTIER DU-PAD	50	Dac	1170 WB
	56	Cab	1170 WB

W

WAAGLAAN	42	Eac	1050 IX
WAAIENBERG	22	Fcd	1932 S-W
WAAIENBERGSTRAAT	35	Ad	1050 IX
WAAIERSTRAAT	34	Bab	1000 BR
	94	Cc	1000 BR
WAALSESTRAAT	24	Ed Fc	1933 ST
	31	Ca	1933 ST
WAAMSEBERG	71	Aa	1652 AL
WAARDIGHEIDSSTRAAT	32	Bb	1070 AN
WAARHEIDSSTRAAT	33	Bb	1070 AN
WACHTERSWEG	52	Aab Ba	3080 TE
WACHTTORENSTRAAT	15	Aab	1130 BR
WAEFELAER/RUE-STRAAT			
FELIX	40	Cb	1190 FO
WAELHEM/RUE-STRAAT	21	Acd	1030 SC
WAFELAERTS/RUE-	34	Ed	1060 SG
STRAAT HENRI	41	Bb	1060 SG
WAGEBAK	58	Db Ea	1560 HO
WAGENSTRAAT	27	Db	1000 BR
	92	Ab Ba	1000 BR
WAGENSTRAAT	47	Cd	1180 UC
	48	Ac	1180 UC
WAGNER/CLOS-GAARDE			
JACQUES	19	Ba	1083 GA
WAGON/RUE DU	47	Cd	1180 UC
	48	Ac	1180 UC
WAGRAM/CLOS	76	Fd	1410 WA
WAGRAM/	48	Fd	1180 UC
CLOS DE-GAARDE	55	Cb	1180 UC
WALCKIERS/AVENUE-LAAN	43	Bd	1160 AU
WALCKIERS/RUE-STRAAT	14	Ecd	1030 SC
nos impairs/onpare nrs			
WALCOURT/RUE-STRAAT	33	Db Eac	1070 AN
	40	Ba	1070 AN
WALENBERG	17	Ebd Fc	1930 NO
WALENHOF	24	Ed	1933 ST
WALENPLEIN	27	Ec	1000 BR
	92	Ed Fc	1000 BR
WALENSTRAAT	19	Cb	1090 JE
WALENSTRAAT	17	Ebd Fc	3070 KO
	24	Cac	3070 KO
WALENWEG	17	Fc	1930 NO
	24	Cac	1930 NO
WALKIERS/RUE-STRAAT	14	Ecd	1140 EV
nos pairs/pare nrs			
WALKIERSSTRAAT PIERRE	40	Dac	1600 P-L
WALLER/RUE-STRAAT			
MAX	40	Ed	1190 FO
WALLONS/PLACE DES	27	Ec	1000 BR
	92	Ed Fc	1000 BR
WALLONS/RUE DES	19	Cb	1090 JE
WALRAEVENS/	20	Cb	1020 BR
RUE-STRAAT	21	Aa	1020 BR
WALRAEVENSSTRAAT			
ADRIAAN	3	Cd	1850 GR
WALRAVENSBOSSTRAAT	60	Ba	3090 OV
WALRAVENSLAAN LIV.	25	Fcd	1700 DI
WALRAVENSSTRAAT	53	Cc Ebd	
FRANS		Fa	1651 LO
WALSCHAERTS/			
RUE-STRAAT EGIDE	34	Dbd	1060 SG
WAMBEEKSTRAAT	10	Ab Ba	1820 ST
WANDELAARSTRAAT	45	Bab	3080 TE
WANDELINGSTRAAT	33	Dd	1070 AN
WANDELINGSTRAAT	47	Dcd	1601 RU
	54	Ab Ba	1601 RU
WANMOLENLAAN	37	Cd	1970 W-O
WANNECOUTER/AVENUE	6	Fcd	1020 BR
WANNECOUTER/CLOS	6	Fd	1020 BR
WANNEKOUTERGAARDE	6	Fd	1020 BR
WANNEKOUTERLAAN	6	Fcd	1020 BR
WANSART/AVENUE-LAAN	47	Cd	1180 UC
ADOLPHE	48	Aac	1180 UC
WAPENRUSTINGLAAN	28	Cb	1140 EV
	29	Aa	1140 EV
WAPENRUSTINGLAAN	41	Acd	1190 FO
WAPENSTILSTANDSTRAAT	19	Fd	1081 KO
	20	Dac	1081 KO
WAPPERS/PLACE-PLEIN	28	Ed	1030 SC
1 à/tot 11			
WAPPERS/PLACE-PLEIN	28	Ed	1000 BR
12 à fin/tot einde			
WAPPERS/RUE-STRAAT	28	Ed	1000 BR
WARANDE	38	Ed	3080 TE
WARANDEBERG	27	Fa	1000 BR
	93	Db	1000 BR

WARANDEBERG	23	Fcd	1970	W-O
	30	Cabc	1970	W-O
WARANDEBERGLAAN	23	Fc	1933	ST
WARANDELAAN	6	Fbd	1800	VI
	7	Aabc Da	1800	VI
WARANDELAAN	60	Acd	3090	OV
WARANDESTRAAT	10	Ed	1820	ST
WARANDEVELD/				
RUE-STRAAT	14	Aac	1120	BR
WARCHE/AVENUE DE LA	80	Ecd	1300	LI
WARCHE/RUE DU	77	Cb	1310	L-H
	78	Aa	1310	L-H
WARLAND/AVENUE-LAAN	19	Cd	1090	JE
ODON	20	Acd	1090	JE
WARLANDES/				
IMPASSE DES	82	Ab Ba	1300	WA
WARMOESBERG	27	Cc Eb		
		Fa	1000	BR
	93	Aac	1000	BR
WARMOESHOF	6	Bc	1853	S-B
WARMOESSTRAAT	28	Aac	1210	SJ
1 tot 179 & 2 tot 158	91	Cd		
		Fbcd	1210	SJ
	93	Ca	1210	SJ
WARMOESSTRAAT	28	Aa	1030	SC
181 tot einde &	91	Cd	1030	SC
160 tot einde				
WARMOEZENIERSSTRAAT	25	Cb	1700	DI
WASHINGTON/				
RUE-STRAAT	34	Fd	1000	BR
2 à/tot 6				
WASHINGTON/	34	Fd	1050	IX
RUE-STRAAT	41	Cab	1050	IX
nos impairs/onpare nrs &				
26 à fin/tot einde				
WASHUISSTRAAT	27	Db Ea	1000	BR
	92	Bc Ea	1000	BR
WASKAARSSTRAAT	27	Da	1070	AN
	92	Ac Da	1070	AN
WASSERIJSTRAAT	34	Ba	1000	BR
	94	Bacd	1000	BR
WASTINNE/RUE DE LA	81	Ed	1301	BI
	86	Bb	1301	BI
WATERHOENLAAN	72	Dab	1640	S-G
WATERHOENLAAN	2	Db	1850	GR
WATERHOENLAAN	2	Db	1860	ME
WATERHOENLAAN	30	Cab	1970	W-O
WATERKASTEELSTRAAT	48	Ad Db	1180	UC
WATERKERSSTRAAT	5	Fd	1020	BR
	6	Dc	1020	BR
WATERKRACHTSTRAAT	28	Da	1210	SJ
	93	Ccd	1210	SJ
WATERLEIDINGSSTRAAT	34	Fcd	1050	IX
67 tot einde & 56 tot einde				
WATERLELIENLAAN	43	Ba	1160	AU
WATERLELIENWEG	42	Dd	1000	BR
	49	Ab	1000	BR
WATERLELIESOORD	30	Fb	1970	W-O
WATERLOO/	34	Bbcd		
BOULEVARD DE-LAAN		Ca	1000	BR
	94	Ed		
		Fabc	1000	BR
	95	Acd Da	1000	BR

WATERLOO/CHAUSSEE DE	34	Bc Eacd	1060	SG
1 à 361A & 2 à 408A	41	Bb Cabd	1060	SG
	94	Ed	1060	SG
WATERLOO/CHAUSSEE DE	34	Ed	1050	IX
363 à 671 & 410 à 656A	41	Bb		
		Cabd	1050	IX
WATERLOO/CHAUSSEE DE	41	Cd Fb	1180	UC
673 à fin & 658 à 874 &	42	Dac	1180	UC
930 à fin	49	Aac		
		Dacd	1180	UC
	56	Abd Dbd	1180	UC
WATERLOO/CHAUSSEE DE	41	Cd Fb	1000	BR
876 à 928				
WATERLOO/				
GALERIE DE-GALERIJ	41	Ca	1050	IX
WATERLOO/	56	Bac		
PAD-SENTIER DE		Db Ea	1180	UC
WATERLOOSESTEENWEG/	56	Dd	1640	S-G
CHAUSSEE DE	64	Ab Bac		
		Eabd	1640	S-G
WATERLOOSESTEENWEG/				
CHAUSSEE DE	72	Bbd Eb	1640	S-G
WATERLOOSE STEENWEG	34	Ed	1050	IX
363 tot 671 &	41	Bb		
410 tot 656A		Cabd	1050	IX
WATERLOOSESTEENWEG	41	Cd Fb	1180	UC
673 tot einde &	42	Dac	1180	UC
658 tot 874 &	49	Aac		
930 tot einde		Dacd	1180	UC
	56	Abd		
		Dbd	1180	UC
WATERLOOSESTEENWEG	41	Cd Fb	1000	BR
876 tot 928				
WATERLOSE STEENWEG	34	Bc		
1 tot 361A &		Eacd	1060	SG
2 tot 408A	94	Ed	1060	SG
WATERMAALSELAAN	42	Dd	1000	BR
WATERMAALSE				
STEENWEG	43	Abcd	1160	AU
WATERMAEL/AVENUE DE	42	Dd	1000	BR
WATERMAEL/				
CHAUSSEE DE	43	Abcd	1160	AU
WATERMANLAAN	29	Ad Db	1200	WL
WATERMOLENDREEF	38	Fcd	3080	TE
	45	Ca	3080	TE
WATERMOLENLAAN	53	Aa	1600	P-L
WATERMOLENPLEIN	59	Fb	3090	OV
WATERMOLENSTRAAT	61	Eb Fac	1654	HU
WATERMOLENSTRAAT	15	Bb Ca	1831	DI
WATERMOLENWEG	2	Eac	1850	GR
WATERPASSTRAAT	27	Abd	1080	MO
	90	Db	1080	MO
WATERPOEL	70	Ca	1652	AL
WATERPOELSTRAAT	62	Ed Fc	1652	AL
	70	Cab	1652	AL
	71	Aa	1652	AL
WATERPUTWEG	15	Ad Dab	1130	BR
WATERRAAFLAAN	36	Dbd	1150	WP
WATERRANONKEL-				
STRAAT	15	Dacd	1130	BR
WATERSNEPPENLAAN	36	Dd	1160	AU
	43	Ab	1160	AU
WATERSTRAAT	40	Ebd	1190	FO
WATERSTRAAT	70	Dd	1653	DW
WATERTORENLAAN	8	Fab	1830	MA

WATERTORENLAAN	16	Eab	1930 ZA
WATERTORENSTRAAT	69	Bab	1501 BU
WATERTORENSTRAAT	58	Bcd	1560 HO
WATERTORENSTRAAT	46	Bb Ca	1600 P-L
WATERTORENSTRAAT	67	Fa	3090 OV
WATERVALSTRAAT	3	Fa	1850 GR
WATERWILDLAAN	42	Fa	1170 WB
WATT/RUE-STRAAT JAMES	21	Ac	1030 SC
WATTEEU/RUE-STRAAT	34	Bb	1000 BR
	94	Cb	1000 BR
WAUCQUEZLAAN A.	25	Fab	1700 DI
WAUTELETSTRAAT HUBERT	17	Dd Ec	1930 NO
WAUTERBOS	71	Bb	1640 S-G
WAUTERS/ALLEE	27	Cb	1210 SJ
	91	Bc	1210 SJ
WAUTERS/PLACE-PLEIN JOSEPH	43	Dbd	1170 WB
WAUTERS/RUE JOSEPH	81	Fcd	1300 WA
WAUTERS/RUE JOSEPH	81	Fcd	1301 BI
WAUTERS/RUE-STRAAT ALPHONSE	13	Ea	1020 BR
WAUTERS/RUE-STRAAT EMILE	13	Bc Ea	1020 BR
WAUTERS/RUE-STRAAT JOSEPH	21	Fab	1030 SC
WAUTERS-KOECKX/ RUE-STRAAT	27	Aa	1080 MO
	90	Ac	1080 MO
WAUTERSPLEIN JOZEF	4	Cc	1800 VI
WAUTERSSTRAAT JAN BAPTIST	46	Ed	1600 P-L
	53	Bb	1600 P-L
WAUWERINGENVELD	69	Fbd	1653 DW
WAUWERMANS/ RUE-STRAAT	28	Ad	1210 SJ
WAVER/STEENWEG OP	43	Fbd	3080 TE
	44	Dcd	3080 TE
	51	Ab Bacd	3080 TE
WAVER/STEENWEG OP 295 tot 861 & 330 tot 900	35	Abd Bc Eabd Fc	1040 ET
WAVERSE STEENWEG 1 tot 293 & 2 tot 328	34	Cabd	1050 IX
	35	Acd	1050 IX
	95	Bcd Eb Fab	1050 IX
WAVERSESTEENWEG 999 tot einde & 1002 tot einde	35	Fcd	1160 AU
	42	Cb	1160 AU
	43	Aabd Bcd Eb Fa	1160 AU
WAVERSESTEENWEG	58	Ed	1560 HO
	66	Bbd Ccd Fa	1560 HO
WAVERSESTEENWEG	67	Ac	1560 HO
WAVERSESTEENWEG	60	Dabd Ec	3090 OV
WAVRE/CHAUSSEE DE 1 à 293 & 2 à 328	34	Cabd	1050 IX
	35	Acd	1050 IX
	95	Bcd Eb Fab	1050 IX
WAVRE/CHAUSSEE DE 295 à 861 & 330 à 900	35	Abd Bc Eabd Fc	1040 ET
WAVRE/CHAUSSEE DE 999 à fin & 1002 à fin	35	Fcd	1160 AU
	42	Cb	1160 AU
	43	Aabd Bcd Eb Fa	1160 AU
WAVRE/CHAUSSEE DE	84	Bab Cac	1330 RI
WAVRE/RUE DE	80	Cb	1301 BI
	81	Aabd	1301 BI
WAXWEILER/ AVENUE-LAAN	33	Dcd	1070 AN
WAYENBERG/RUE	35	Ad	1050 IX
WAYEZ/RUE-STRAAT	33	Bbcd Ca	1070 AN
WEDIJVERSTRAAT	26	Ed Fc	1070 AN
WEDRENNENLAAN 1 tot 9 & 2 tot 26C	42	Ad	1050 IX
WEDRENNENLAAN andere nrs	42	Ad	1000 BR
WEDRENNENWEG	45	Bcd Cc Fa	3080 TE
WEEGSCHAALBINNENHOF	29	Ad	1200 WL
WEEMSTRAAT	58	Ed Fcd	1560 HO
WEERSTANDERSLAAN	25	Fc	1700 DI
WEERSTANDERSSTRAAT	8	Bd Cc	1830 MA
WEERSTANDSLAAN	23	Bbd Ca	1930 ZA
WEERSTANDSPLEIN	39	Fd	1600 P-L
WEERSTANDSTRAAT	21	Bd Cc	1140 EV
WEESHUISSTRAAT	26	Eac	1070 AN
WEGGEVOERDENLAAN	25	Fc	1700 DI
WEGGEVOERDENSTRAAT	36	Bb Ca	1200 WL
WEG NR. 18	46	Ad Bc Db Ea	1600 P-L
WEG NR. 8	53	Ab Bacd Eab	1600 P-L
WEIDEGANG	35	Ab Ba	1040 ET
WEIDELAAN	59	Dab	3090 OV
WEIDENSTRAAT	47	Bd	1620 DR
WEIDESTRAAT	27	Cab	1210 SJ
	91	Ad Bc	1210 SJ
WEIDESTRAAT	71	Fb	1640 S-G
WEIDESTRAAT	54	Eabd	1650 BE
WEIDESTRAAT	32	Aab	1700 DI
WEIDESTRAAT	22	Cd	1932 S-W
	23	Ac	1932 S-W
WEIDEWEG	44	Eb Fa	3080 TE
WEIGELIAS/ DREVE DES-DREEF	42	Fa	1170 WB
WEIHOEK	24	Ad	1930 NO
WEIKANTLAAN	3	Ec	1850 GR
WEIKANTSTRAAT	7	Aa	1800 VI
WEILANDSTRAAT	26	Ab Ba	1082 BA
WEILANDSTRAAT	14	Abd	1120 BR
WEIVELDLAAN	23	Cd	1930 NO
	24	Acd Bc	1930 NO
WEIVELDLAAN	23	Cd	1930 ZA
	24	Acd Bc	1930 ZA
WEKKERGANG	27	Ea	1000 BR
	92	Bc	1000 BR
WELDADIGHEIDSSTRAAT	27	Ca	1210 SJ
	91	Acd	1210 SJ
WELDADIGHEIDSSTRAAT	16	Ad	1930 ZA
WELDOENERSPLEIN	28	Ba	1030 SC
WELDOENERSSTRAAT	8	Bd Cc	1830 MA
WELGELEGENSTRAAT	34	Fb	1000 BR

Straat	Kaart	Postcode
WELKOMSTRAAT	65 Cb	1560 HO
	66 Aa	1560 HO
WELKOMSTRAAT	11 Bc	1731 ZE
WELLENS/RUE-STRAAT JEAN	36 Bc	1150 WP
WELLINGTON/AVENUE	76 Fab	1410 WA
WELLINGTON/ AVENUE DE	88 Bd Cc	1420 B-A
WELLINGTON/ AVENUE-LAAN	49 Dc	1180 UC
	56 Aabd	1180 UC
WELRIEKENDEDREEF	51 Dcd Eabc Fa	3090 OV
	58 Aa	3090 OV
WELVAARTLAAN	58 Fd	1560 HO
	66 Cb	1560 HO
WELZIJNSTRAAT	26 Eb	1070 AN
WEMAERE/RUE-STRAAT PAUL	36 Bc	1150 WP
WEMMEL/CHAUSSEE DE	12 Fd	1090 JE
	19 Cbd	1090 JE
WEMMELSE STEENWEG	12 Fd	1090 JE
	19 Cbd	1090 JE
WEMMELSESTRAAT	6 Bd	1853 S-B
WERELDTENTOON- STELLINGSLAAN	12 Fc	1083 GA
	19 Cac	1083 GA
WERFKAAI	27 Bab	1000 BR
	90 Cc	1000 BR
WERFSTRAAT	27 Bab	1000 BR
	90 Cc	1000 BR
WERKHUIZENGANG	20 Bb	1020 BR
WERKHUIZENKAAI	13 Fd	1000 BR
	14 Dc	1000 BR
	20 Cabc	1000 BR
WERKHUIZENSTRAAT	27 Ab Ba	1080 MO
	90 Bcd	1080 MO
WERKHUIZENSTRAAT	4 Ab	1800 VI
WERKMANSSTRAAT	16 Ed Fc	1930 ZA
WERKTUIGKUNDESTRAAT	33 Dd	1070 AN
WERKZAAMHEIDSTRAAT	29 Eac	1200 WL
WERRIE/PLACE-PLEIN PHILIPPE	20 Dab	1090 JE
WERRIE/RUE-STRAAT HENRI	19 Cb	1090 JE
WERY/RUE-STRAAT	35 Ac Da	1050 IX
	95 Fd	1050 IX
WESTENWINDSTRAAT	29 Dab	1200 WL
WESTPLAATS	26 Cd	1080 MO
WESTVAARTDIJK	4 Aac	1850 GR
WESTVAARTDIJK	4 Aac	1851 HU
WETENSCHAPSSTRAAT 1 tot 9 & 2 tot 12	28 Dc	1000 BR
	35 Aa	1000 BR
	93 Fabc	1000 BR
	95 Ca	1000 BR
WETENSCHAPSSTRAAT andere nrs	28 Dc	1040 BR
	35 Aa	1040 BR
	93 Fabc	1040 BR
	95 Ca	1040 BR
WETHOUDERSSTRAAT 1 tot 7 & 2 tot 22	34 Fd	1000 BR
WETHOUDERSSTRAAT 17 tot einde & 24 tot einde	34 Fd	1050 IX
WETSTRAAT	27 Fabd	1000 BR
1 tot 13 & 2 tot 24	28 Dcd Ec	1000 BR
	93 Bc Eab Fab	1000 BR
WETSTRAAT	27 Fabd	1040 BR
15 tot einde & 26 tot einde	28 Dcd Ec	1040 BR
	93 Bc Eab Fab	1040 BR
WEVERIJSTRAAT	47 Dd	1601 RU
	54 Ab	1601 RU
WEVERSSTRAAT	27 Aa	1081 KO
WEYNBOSLAAN	16 Fbd	1930 NO
	17 Dacd	1930 NO
WEZELLAAN	38 Ac Da	1970 W-O
WEZELSLAAN	55 Ad Bc	1180 UC
WEZELWEG	45 Ed	3080 TE
WEZEMBEEK/AVENUE DE numéro 1	30 Dab	1200 WL
WEZEMBEEK/AVENUE DE	30 Ccd Eb Fa	1970 W-O
WEZEMBEEK/ AVENUE DE-LAAN 3 à/tot 23 & 20	30 Db	1150 WP
WEZEMBEEKLAAN/ AVENUE DE	30 Db Eab	1950 KR
WEZEMBEEKSE LAAN nummer 1	30 Dab	1200 WL
WEZEMBEEKSTRAAT	23 Bd Eb	1930 ZA
WEZEMBEEKSTRAAT	38 Dabd	3080 TE
WEZEMBEEKSTRAAT/ RUE DE	30 Ccd Eb Fa	1970 W-O
WHITE STAR/ PLACE DU-PLEIN	36 Cc	1150 WP
WIELEMANS/PLACE-PLEIN LEON	33 Fd	1190 FO
WIELEMANS CEUPPENS/ AVENUE-LAAN	33 Fd	1190 FO
	34 Dc	1190 FO
WIELEMANSSTRAAT J.	70 Ccd	1652 AL
WIELEWAALLAAN	36 Dd	1150 WP
1 tot 27 & 2 tot 28	43 Ab	1150 WP
WIELEWAALLAAN 29 tot einde & 30 tot einde	43 Ab	1160 AU
WIELEWAALLAAN	69 Dc	1500 HA
WIELEWAALLAAN	3 Cac	1850 GR
WIELEWAALSTRAAT	43 Dd	1170 WB
WIELRIJDERSLAAN	37 Ab	1150 WP
WIENER/AVENUE-LAAN LEOPOLD	42 Fbd	1170 WB
	43 Dc	1170 WB
	50 Aa	1170 WB
WIENER/PLACE-PLEIN LEOPOLD	50 Abd	1170 WB
WIERTZ/RUE-STRAAT	35 Aac	1050 IX
1 à/tot 39 & nos pairs/pare nrs	95 Cbd Fb	1050 IX
WIERTZ/RUE-STRAAT	35 Aa	1000 BR
43 à fin/tot einde	95 Cbd	1000 BR
WIJCKMANSSTRAAT	10 Bc	1820 ST
WIJKPLEIN	69 Bab	1501 BU
WIJMENHOFSTRAAT	70 Ec	1653 DW
WIJNBRONDAL	55 Dbd Ec	1630 LI
WIJNDAALSTRAAT	58 Ea	1560 HO
WIJNGAARDENSTRAAT	13 Ed Fc	1020 BR
WIJNGAARDLAAN	30 Facd	1970 W-O
WIJNGAARDSTRAAT	32 Fb	1070 AN

Street	Map	Grid	Postcode
WIJNGAARDSTRAAT	40	Cd	1190 FO
WIJNGAARDSTRAAT	10	Fab	1820 ST
WIJNGAARDSTRAAT	23	Ac	1932 S-W
WIJNGAARDSTRAAT	38	Ec	3080 TE
WIJNHEUVELENSTRAAT	28	Aac	1210 SJ
1 tot 41 & 2 tot 38	91	Fb	1210 SJ
WIJNHEUVELENSTRAAT	21	Dd	1030 SC
43 tot einde &	28	Aab	1030 SC
40 tot einde	91	Cd Fb	1030 SC
WIJNLAAN	67	Ec	3090 OV
	75	Ba	3090 OV
WIJNOOGSTDREEF	40	Fabcd	1190 FO
WIJNPERSDREEF	40	Fbd	1190 FO
WIJNSTOKSTRAAT	42	Eb	1050 IX
WIJTMANPAD/			
SENTIER J. & R.	55	Db Ea	1630 LI
WILDEHOEK	30	Dbd	1150 WP
WILDEJASMIJNENLAAN	13	Bcd	1020 BR
WILDE KERSENSQUARE	55	Ab	1180 UC
WILDER/RUE DU-STRAAT	19	Dc	1082 BA
WILDERKASTEELLAAN	46	Cd	1600 P-L
WILDEROSELAARSLAAN	49	Dd	1180 UC
	55	Cb	1180 UC
	50	Aab	1180 UC
WILDE ROZENLAAN	11	Bd Eb	1731 ZE
WILDE ROZENLAAN	2	Da	1700 WE
WILDE ROZENLAAN	30	Fc	1970 W-O
	37	Ca	1970 W-O
WILDE ROZENWEG	30	Eac	1950 KR
WILDE TIJMSTRAAT	26	Bc	1080 MO
WILDETIJMWEG	73	Abd Bc	1560 HO
WILDEWOUDSTRAAT	27	Fa	1000 BR
	93	Ad	1000 BR
WILDE ZWANENLAAN	23	Fcd	1970 W-O
WILDE ZWIJNENWEG	38	Fcd	3080 TE
WILGENDAAN	2	Cc Fab	1850 GR
WILGENDAAL	11	Cc Fab	1731 ZE
WILGENDREEF	18	Cab	1020 BR
WILGENGAARDE	18	Dbd	
		Eac	1702 G-B
WILGENGAARDE	23	Dd	1950 KR
WILGENLAAN	46	Cd Fb	1600 P-L
WILGENSTRAAT	4	Fcd	1830 MA
WILGENSTRAAT	16	Bc	1930 ZA
WILGENVELD	68	Dd Ecd	1500 HA
WILGENWEG	44	Eb Fac	3080 TE
WILGEROOSJESSTRAAT	23	Ba	1930 ZA
WILGEROOSJESTRAAT	15	Bac	1130 BR
WILGSTRAAT	19	Ca	1083 GA
25 tot einde			
WILGSTRAAT	10	Cab	1090 JE
andere nrs			
WILLAME/RUE-STRAAT			
ROBERT	43	Ad	1160 AU
WILLAMEKAAI	68	Cd Fab	1500 HA
WILLEBROECK/QUAI DE	20	Ebd	1000 BR
	27	Bab	1000 BR
	90	Cac	1000 BR
WILLEBROEKKAAI	20	Ebd	1000 BR
	27	Bab	1000 BR
	90	Cac	1000 BR
WILLEM/RUE-STRAAT			
ALEXIS	43	Ed	1160 AU
WILLEM DE ZWIJGERLAAN	2	Ad	1860 ME
WILLEM DE ZWIJGERSTRAAT	28	Dbd	1000 BR

Street	Map	Grid	Postcode
WILLEMS/PLACE-PLEIN			
JOSEPH BENOIT	20	Bb	1020 BR
WILLEMS/RUE-STRAAT	28	Db	1000 BR
58 à/tot 62			
WILLEMS/RUE-STRAAT	28	Dab	1210 SJ
nos impairs/onpare nrs &	93	Cb	1210 SJ
2 à/tot 56 - 64			
WILLEMSKOUTER	69	Fd	1653 DW
	70	Dc	1653 DW
WILLEMSSTRAAT			
JAN FRANS	4	Bab	1800 VI
WILLEM VAN ORANJEHOF	31	Bc Ea	1933 ST
WILLEMYNS/RUE-STRAAT	32	Cb	1070 AN
ADOLPHE	33	Aab	1070 AN
WILLERIEKEN/DREVE DE	51	Eab Fa	1160 AU
16 à 54			
WILLERIEKENDREEF	50	Ad Bc	
2 tot 4		Eab	
		Facd	1170 WB
	57	Cb	1170 WB
WILLERIEKSEDREEF	51	Eab Fa	1160 AU
16 tot 54			
WILLOXSTRAAT WILLEM	8	Ed	1831 DI
WILMOTTE/RUE-STRAAT			
MAURICE	34	Fd	1060 SG
WILSKRACHTSTRAAT	40	Ab	1070 AN
WILSON/RUE-STRAAT			
JOHN WATERLOO	28	Db	1000 BR
WILSTRAAT	40	Aab	1070 AN
WIMPELBERG/	14	Bb	1120 BR
RUE DU-STRAAT	7	Ecd	1120 BR
WINDBERG	1	Dc	1780 WE
	5	Aabd	1780 WE
WINDBREUKWEG	42	Fc	1170 WB
WINDEDREEF	42	Fc	1170 WB
WINDERICKXPLEIN	71	Ad	1652 AL
WINDHONDWEG	6	Ed	1020 BR
WINDMOLEN	71	Cd	1640 S G
WINDMOLEN	11	Ad	1731 ZE
WINDMOLENBERG	29	Ed	1200 WL
WINDMOLENLAAN	24	Eac	1933 ST
WINDMOLENSTRAAT	21	Bd	1140 EV
WINDMOLENSTRAAT	68	Ba	1500 HA
WINDMOLENSTRAAT	54	Ed Fc	1650 BE
WINDMOLENSTRAAT	25	Cc	1700 DI
WINDMOLENSTRAAT	4	Cd	1800 VI
WINDMOLENSTRAAT	38	Aab Ba	1970 W-O
WINDMOLENSTRAAT	17	Fbd	3070 KO
WINKEGAAR	70	Dc	1653 DW
WINKEL	5	Bd Eb	1780 WE
WINKELHAAKSTRAAT	14	Fd	1140 EV
	21	Cb	1140 EV
WINKELVELDSTRAAT	25	Cd Fb	1700 DI
WINKELVELDSTRAAT	6	Fb	1800 VI
	7	Da	1800 VI
WINTERBERG/AVENUE DE	85	Ac	1330 RI
WINTERKONINKJESTRAAT	42	Fa	1170 WB
WINTERLAAN	53	Bb	1600 P-L
WINTEROY/RUE-STRAAT			
EGIDE	19	Eac	1082 BA
WINTERPERRE	62	Ed	1653 DW
WIPSTRAAT	34	Dbd Ec	1060 SG
WIPSTRAAT	14	Fd	1140 EV
WIPSTRAAT	4	Cc Fa	1800 VI

Straat	Kaart	Vak	Postcode
WISER/SQUARE-PLEIN			
CHARLES-MAURICE	35	Ba	1040 ET
WISSENSTRAAT	27	Aac	1080 MO
WITHERENDREEF	51	Cc Fab	3090 OV
	52	Dab	3090 OV
WITHERENSTRAAT	4	Bc	1800 VI
WIT KAPELLEKE	70	Cb	1652 AL
	71	Aa	1652 AL
WITLOOF/RUE DU-STRAAT	8	Dd Ec	1130 BR
1 à/tot 201			
WITLOOFSTATION-			
STRAAT	15	Ad Db	1130 BR
WITLOOFSTRAAT	17	Fac	3070 KO
WITPAARDGANG	68	Cc	1500 HA
WITTE-ACACIALAAN	13	Eab	1020 BR
WITTE-BERGSTRAAT	34	Eab	1060 SG
WITTE DAMENLAAN	37	Eab	1950 KR
WITTE DOVENETELLAAN	31	Dbd	1970 W-O
WITTEHOEDSTRAAT	47	Ad Db	1601 RU
WITTE PATERSSTRAAT	35	Fac	1040 ET
WITTE VROUWENDREEF	36	Ed	1160 AU
	43	Bb	1160 AU
WITTE VROUWENLAAN	37	Dbcd	
		Ea	1150 WP
WITTEWEG	71	Aa	1652 AL
WITTMANN/RUE-STRAAT			
EMILE	28	Bbcd	1030 SC
WITTOUCK/RUE-STRAAT			
LOUIS	20	Ba	1020 BR
WITTOUCKSTRAAT FELIX	40	Dc	1600 P-L
WITTOUCKSTRAAT	46	Ed	
GEORGES		Fabc	1600 P-L
WITVISSENLAAN	42	Cd	1160 AU
WOERINGEN/	27	Dd	1000 BR
RUE DE-STRAAT	94	Ab Ba	1000 BR
WOESTE/AVENUE-LAAN			
CHARLES	20	Aac Da	1090 JE
WOLFERS/AVENUE	75	Ad Db	1310 L-H
WOLFPOORTSTRAAT	70	Bd	
		Cabc	1652 AL
WOLLEGRASSQUARE	39	Cb	1070 AN
WOLLENDRIESTOREN	34	Cc	1000 BR
onpare nrs	95	Dd	1000 BR
WOLLENDRIESTOREN-	34	Cc	1050 IX
STRAAT	95	Dd	1050 IX
pare nrs			
WOLLES/RUE-STRAAT			
CAMILLE	28	Ca	1030 SC
WOLSEMSTRAAT	18	Da	1700 DI
WOLSTRAAT	34	Bbcd	
		Ca	1000 BR
	94	Cd Ed	
		Fabc	1000 BR
WOLSTRAAT	95	Ac	1000 BR
WOLUWE/AVENUE DE LA	8	Ec	1130 BR
WOLUWE/BOULEVARD	29	Cbcd	
DE LA-DAL		Ed Fac	1200 WL
71 & 34 à/tot 108	36	Bb	1200 WL
WOLUWE/BOULEVARD			
DE LA-LAAN	36	Bbd	1150 WP
2 à/tot 28			
WOLUWEDAL	22	Fbd	1932 S-W
	23	Aac Da	1932 S-W
WOLUWEDAL	29	Cb	1932 S-W
WOLUWELAAN	8	Ec	1130 BR

Straat	Kaart	Vak	Postcode
WOLUWELAAN	4	Cbd	
		Fabc	1800 VI
WOLUWELAAN	15	Bab	
		Cacd	1830 MA
	4	Ed Fc	1830 MA
	8	Babc	
		Eac	1830 MA
WOLUWELAAN	15	Bab	
		Cacd	1831 DI
	4	Ed Fc	1831 DI
	8	Babc	
		Eac	1831 DI
WOLUWELAAN/	22	Fd	1950 KR
BOULEVARD DE LA	23	Dac	1950 KR
WOLUWE-SAINT-ETIENNE/			
CHEMIN DE	22	Aa	1140 EV
WOLUWE-SAINT-ETIENNE/	15	Bc	
RUE DE		Eabd	1130 BR
WOLUWE-SAINT-LAMBERT/	35	Cb	1200 WL
AVENUE DE	36	Aa	1200 WL
WOLUWESTRAAT	8	Bbd	1830 MA
WOLUWESTRAAT	16	Ec	1930 ZA
WOLUWEVELD	23	Aac	1932 S-W
WOLUWEWEG	16	Dd Ec	1930 ZA
WOLVENBERG/			
RUE DU-STRAAT	48	Ac	1180 UC
WOLVENDAEL/			
AVENUE-LAAN	48	Ab Bac	1180 UC
WOLVENDREEF	51	Db Ea	1160 AU
WOLVENGRACHT	27	Bd Eb Fa	1000 BR
	92	Cb	1000 BR
	93	Aa	1000 BR
WOLVENS/AVENUE-LAAN	22	Fc	1200 WL
HENRI-VICTOR	29	Ca	1200 WL
WOLVENSTRAAT	33	Dd	1070 AN
	40	Ab Ba	1070 AN
WOLVENWEG	45	Bbd	
		Cc Fa	3080 TE
WOLVERTEMSESTEENWEG	2	Cb	1850 GR
	3	Aa	1850 GR
WOLVINDREEF	50	Bac	1170 WB
WOONWIJKSTRAAT	35	Ac	1050 IX
	95	Fc	1050 IX
WORTELENBERG	70	Abd	
		Db	1653 DW
WOUDLAAN	49	Bb	1050 IX
1 tot 89 & 2 tot 148			
WOUDLAAN	49	Bbd	1000 BR
101 tot einde &			
150 tot einde			
WOUDLAAN	37	Bab	1950 KR
WOUDLAAN	30	Ed	1970 W-O
	37	Bb	1970 W-O
WOUDMEESTERDREEF	44	Fcd	3080 TE
	45	Dc	3080 TE
WOUDMEESTERLAAN	43	Eac	1170 WB
1 tot 5			
WOUDMEESTERLAAN	43	Eac	1160 AU
andere nrs			
WOUDMEESTERLAAN	46	Ccd	1600 P-L
WOUDMEESTERSTRAAT	59	Cc	3090 OV
WOUDPAD	63	Ca	1630 LI
WOUDWEG	55	Babc	1180 UC
WOUTERBOS	55	Ec	1630 LI
	63	Ba	1630 LI

Street	Map	Grid	Postcode
WOUTERS/PLACE-PLEIN			
RIK	50	Db	1170 WB
WOUTERS/RUE-STRAAT A.	12	Fa	1090 JE
WOUTERSPLEIN	52	Ed	3090 OV
WOUTERSSTRAAT J.-B.	70	Cbcd	
		Eb Fa	1652 AL
WULPENHOF	23	Fd	1933 ST
WULPENHOF	23	Fd	1970 W-O
WULPENSTRAAT	50	Aa	1170 WB
WYBRAN/AVENUE-LAAN			
JOSEPH	39	Ad	1070 AN
WYTSMAN/RUE-STRAAT	35	Dd Ec	1050 IX
JULIETTE	42	Ba	1050 IX

X

Street	Map	Grid	Postcode
XHONEUX/RUE-STRAAT			
MAURICE	33	Bd	1070 AN

Y

Street	Map	Grid	Postcode
YACHTS/QUAI DES	20	Cc	1020 BR
YERNAUX/AVENUE DESIRE	82	Ac Da	1300 WA
YORKSHIRE/			
AVENUE DU-LAAN	29	Babcd	1200 WL
YOURCENAR/AVENUE-			
LAAN MARGUERITE	35	Dd	1050 IX
YOURCENAR/			
PASSAGE-DOORGANG	34	Bb	1000 BR
MARGUERITE	95	Ac	1000 BR
YPRES/BOULEVARD D'	27	Ba	1000 BR
	90	Bd Eb	1000 BR
YSAYE/AVENUE-LAAN			
EUGENE	33	Acd Db	1070 AN
YSAYESTRAAT EUGENE	69	Dd	1500 HA
YSER/AVENUE DE L'	28	Ed	1040 ET
	35	Bb Ca	1040 ET
YSER/PLACE DE L'	27	Bab	1000 BR
	90	Cc	1000 BR
YSER/RUE DE L'	54	Cb	1180 UC
29 à fin & 44 à fin			
YSER/RUE DE L'	54	Cab	1620 DR
YSEWYN/RUE-STRAAT			
FRANCOIS	33	Eb	1070 AN
YVAN/AVENUE	79	Ccd	1330 RI

Z

Street	Map	Grid	Postcode
ZAADSTRAAT	26	Eb	1070 AN
1 tot 3			
ZAADSTRAAT	26	Bd Eb	1080 MO
andere nrs			
ZAMAN/AVENUE-LAAN	40	Cd Fb	1190 FO
ZANDBEEK/RUE -STRAAT	47	Fd	1180 UC
	48	Dc	1180 UC
	54	Cb	1180 UC
ZANDBLAUWTJESLAAN	59	Da	3090 OV
ZANDGROEFLAAN	43	Ba	1160 AU
ZANDKEVERSSQUARE	49	Cab	1170 WB
ZANDSTRAAT	27	Cc	1000 BR
	91	Dd	1000 BR
	93	Ab	1000 BR
ZANGRIJELAAN	7	Ac	1800 VI
ZANGVOGELLAAN	36	Dc	1150 WP
2 tot 26	43	Aa	1150 WP
ZANGVOGELSLAAN	36	Dc	1160 AU
onpare nrs & 32 tot einde	43	Aa	1160 AU
ZATERDAGPLEIN	27	Bd	1000 BR
	90	Fc	1000 BR
	92	Ca	1000 BR
ZAVELBERG	43	Bc	1160 AU
ZAVELBERG	5	Ac	1780 WE
ZAVELBERGWEG	70	Fbd	1640 S-G
	71	Dc	1640 S-G
ZAVELDREEF	38	Fcd	3080 TE
ZAVELENBERG/			
CLOS DU-GAARDE	19	Ac Da	1082 BA
ZAVELPAD	56	Bac Ea	1180 UC
ZAVELPUT	27	Cd	1000 BR
	91	Ed	1000 BR
ZAVELSTRAAT	27	Ed	1000 BR
	34	Bb	1000 BR
	94	Cb	1000 BR
	95	Aa	1000 BR
ZAVELSTRAAT	55	Db	1630 LI
ZAVELSTRAAT	54	Fa	1650 BE
ZAVELSTRAAT	4	Cd	1800 VI
ZAVELSTRAAT	24	Dab	
		Eac	1933 ST
ZAVELSTRAAT	08	Aa	1970 W-O
ZAVENTEM/CHAUSSEE DE	20	Eac	1950 KR
ZAVENTEM/			
RUE DE-STRAAT	22	Dbcd	1140 EV
ZAVENTEM/			
STEENWEG OP	23	Eac	1950 KR
ZAVENTEMSEBAAN	22	Cab	1932 S-W
ZAVENTEMSEBAAN	22	Cab	1933 ST
ZAVENTEMSESTEENWEG	15	Bb Cab	1831 DI
	8	Ed	1831 DI
ZAVENTEMSEWEG	23	Ea	1933 ST
ZEDIGHEIDSSTRAAT	32	Cc	1070 AN
ZEECRABBE/RUE-STRAAT	41	Ed Fc	1180 UC
ZEEGODENLAAN	43	Dc	1170 WB
ZEEHONDSTRAAT	27	Bc	1000 BR
	90	Ed Fc	1000 BR
ZEEMEEUWENLAAN	36	Dd	1150 WP
ZEEMTOUWERSSTRAAT	27	Da	1070 AN
	92	Ac Da	1070 AN
ZEENSTRAAT	24	Dcd Ec	1933 ST
ZEEPAARDJESSTRAAT	26	Bcd	1080 MO
ZEEPKRUIDHOEK	39	Cb	1070 AN
ZEEPZIEDERIJSTRAAT	27	Ac	1080 MO
ZEEVAARTSTRAAT	20	Bd	1020 BR
ZELFBESTUURSSTRAAT	34	Ab	1070 AN
	94	Aab	1070 AN
ZELLIK/CHAUSSEE DE-	18	Cd	1082 BA
STEENWEG OP	19	Ac Da	1082 BA
ZENITH/RUE DU	18	Fbcd	1082 BA
ZENITSTRAAT	18	Fbcd	1082 BA
ZENNEBEEMDEN	54	Bcd	
		Dbd Ea	1650 BE
ZENNEDREEF	54	Ecd	1650 BE
ZENNELAAN	4	Acd	1800 VI
ZENNESTRAAT	27	Dbd	1000 BR
	92	Ad Bac	
		Db	1000 BR

Straat	Kaart	Vak	Postcode
ZENNESTRAAT	53	Fc	1651 LO
	61	Cab	1651 LO
ZENNESTRAAT	4	Aac	1850 GR
ZENNEWEG	69	Aa	1501 BU
ZEPHYR/RUE DU	29	Dab	1200 WL
ZESBUNDERSPLEIN	59	Ac	3090 OV
ZESELLENSTRAAT	34	Bd	1000 BR
	94	Fab	1000 BR
ZESJONKMANSSTRAAT	34	Ca	1000 BR
	95	Aa	1000 BR
ZESPENNINGENSTRAAT	27	Ea	1000 BR
	92	Bcd Eb	1000 BR
ZEVENBRONNENSTRAAT	70	Ecd	1653 DW
ZEVENBUNDERLAAN	41	Acd	
55 tot einde &		Dac	1190 FO
110 tot einde			
ZEVEN BUNDERSLAAN	41	Ad	1180 UC
1 tot 53 & 2 tot 108			
ZEVENGATENLAAN	63	Eabd	1652 AL
ZEVENSTER	38	Fd	3080 TE
ZEVENSTERRENSTRAAT	18	Fb	1082 BA
	19	Da	1082 BA
ZEVENTIEN APRILSTRAAT	29	Aa	1140 EV
ZEVEN TOMMEN	16	Eb Fab	1930 ZA
	17	Dab	1930 ZA
ZEYP/RUE-STRAAT	19	Bbd	1083 GA
ZIEKENHUISLAAN	68	Eab	1500 HA
ZIJDETEELTSTRAAT	47	Cd	1180 UC
ZIJDEWEVERIJSTRAAT	40	Ecd	1190 FO
ZIJLAAN	48	Cd	1180 UC
	49	Ac	1180 UC
ZIJP	1	Fcd	1780 WE
	2	Dcd	1780 WE
ZIKKELSTRAAT	37	Cd Fb	1970 W-O
ZILVERBEEKDREEF	75	Fcd	3090 OV
ZILVEREN PAARDGAARDE	42	Eb	1050 IX
ZILVERMEEUWLAAN	3	Ca	1850 GR
ZILVERREIGERSSTRAAT	50	Aa	1170 WB
ZILVERSTRAAT	27	Bd Cc	
		Eb	1000 BR
	93	Aa	1000 BR
ZILVERSTRAAT	2	Fb	1850 GR
	3	Da	1850 GR
ZILVERVOSLAAN	37	Cbd	1970 W-O
	38	Aa	1970 W-O
ZINKSTRAAT	68	Dd	1500 HA
ZINKSTRAAT	68	Dd	1502 LE
ZINNEBEELDSTRAAT	40	Aa	1070 AN
ZINNER/RUE-STRAAT	27	Fd	1000 BR
	93	Eb	1000 BR
ZINNIAPLEIN	43	Db Ea	1170 WB
ZINNIAS/PLACE DES	43	Db Ea	1170 WB
ZINNIKSTRAAT	27	Ec	1000 BR
	92	Eab	1000 BR
ZIRCON/SENTIER DU	12	Cb	1020 BR
ZIRKOONPAD	12	Cb	1020 BR
ZITTERBOSWEG	62	Aab	1650 BE
ZITTERT	61	Cabc	1651 LO
ZODIAQUE/RUE DU	41	Ab Ba	1190 FO
ZOLA/AVENUE-LAAN			
EMILE	21	Ab	1030 SC
ZOMERLAAN	53	Bb	1600 P-L
ZOMERSTRAAT	42	Babd	1050 IX
ZOMERVIOLIERSTRAAT	39	Bb Ca	1070 AN
ZONDAGSBOSLAAN	36	Fc	1150 WP
ZONIENBOSLAAN	51	Ec	3090 OV
	58	Ba	3090 OV
ZONIENBOSSTRAAT	58	Dbd	1560 HO
ZONIENBOSWEG	50	Ec	1170 WB
	57	Aab Ba	1170 WB
ZONIENWOUDLAAN	63	Fbcd	1640 S-G
	64	Ad Bc	
		Dab	1640 S-G
	71	Abd	
		Bab Ca	1640 S-G
ZONIENWOUDLAAN	71	Ad	1652 AL
ZONLAAN	18	Dd Ec	1700 DI
	25	Ab Ba	1700 DI
ZONNEBLOEMENSTRAAT	26	Ea	1070 AN
ZONNEBLOEMLAAN	55	Ab Ba	1180 UC
ZONNEBLOEMLAAN	64	Dc	1640 S-G
ZONNEBOSLAAN	37	Bbd Cc	1950 KR
ZONNEDALLAAN	16	Fc	1930 ZA
	23	Bb Ca	1930 ZA
ZONNEGAARDE	36	Ab	1150 WP
ZONNELAAN	69	Ba	1501 BU
ZONNELAAN	72	Bab	1640 S-G
ZONNELAAN	63	Eb	1652 AL
ZONNELAAN	67	Dd Ec	3090 OV
ZONNESTRAAT	28	Aa	1210 SJ
1 tot 21 & 2 tot 26	91	Fb	1210 SJ
ZONNESTRAAT	28	Aa	1030 SC
23 tot 27	91	Fb	1030 SC
ZONNEVELD	31	Db Ea	1970 W-O
ZONNEWEELDE	46	Abcd	1600 P-L
ZONNEWEGEL	24	Da	1933 ST
ZOOMLAAN	42	Db Ea	1000 BR
1 tot 23 & pare nrs			
ZOOMLAAN	42	Ea	1050 IX
nummer 25A			
ZOOMLAAN	72	Bd Cc	1640 S-G
ZORGVLIET	59	Fc	3090 OV
ZOUTSTRAAT	33	Cac	1070 AN
ZUEN/RUE DE	40	Dab	1070 AN
ZUIDDREEF	45	Ed	3080 TE
ZUIDERKRUISLAAN	29	Acd Da	1200 WL
ZUIDERLAAN	11	Fd	1731 ZE
	18	Cb	1731 ZE
ZUIDLAAN	27	Dd	1000 BR
	34	Abd Bc	1000 BR
	92	Dbd	1000 BR
	94	Ab Bac	
		Eacd	1000 BR
ZUIDLAAN	59	Dcd	1560 HO
ZUIDSTRAAT	27	Eabc	1000 BR
	92	Cc Ebd	
		Fa	1000 BR
ZUINIGHEIDSSTRAAT	34	Ba	1000 BR
	94	Bcd	1000 BR
ZUSTER BERNARDA-	68	Bd Eb	
STRAAT		Fa	1500 HA
ZUUNBEEKLAAN	46	Ccd	1600 P-L
ZUUNDALLAAN	46	Dc	1600 P-L
ZUUNSTRAAT	40	Dab	1070 AN
ZUURBESSENLAAN	51	Fcd	3090 OV
ZWAAB/RUE-STRAAT			
MICHEL	20	Dd	1080 MO
ZWAANSTRAAT	68	Cc Fa	1500 HA
ZWAARDSTRAAT	34	Bb	1000 BR
	94	Ccd	1000 BR

ZWALUWENLAAN	69	Dc	1500	HA
ZWALUWENLAAN	72	Ac Da	1640	S-G
ZWALUWENLAAN	63	Aab	1650	BE
ZWALUWENLAAN	1	Ebd	1780	WE
ZWALUWENLAAN	23	Ec	1950	KR
	30	Ba	1950	KR
ZWALUWENPLEIN	75	Aac	3090	OV
ZWALUWENSTRAAT	27	Bd	1000	BR
	90	Fcd	1000	BR
ZWALUWENSTRAAT	7	Aa	1800	VI
ZWALUWENSTRAAT	8	Ca	1830	MA
ZWALUWENVELD	31	Dd	1970	W-O
ZWALUWSTRAAT	49	Cb	1170	WB
	50	Aa	1170	WB
ZWALUWSTRAAT	3	Cc	1850	GR
ZWANENHOFSTRAAT	18	Eb	1702	G-B
ZWANENLAAN	72	Ad Dab	1640	S-G
ZWANENLAAN	60	Bb Ca	3090	OV
ZWANENSTRAAT	35	Da	1050	IX
ZWARTEBEEK/ RUE-STRAAT	47	Cc	1180	UC
ZWARTE DENNENLAAN	37	Ecd	1150	WP
ZWARTE LIEVEVROUW-STRAAT	27	Bd Eab	1000	BR
	92	Ca	1000	BR
ZWARTE PIJNBOMENLAAN	37	Ed	1950	KR
ZWARTE VIJVER	3	Cd	1850	GR
ZWARTE VIJVERSSTRAAT	26	Cbd	1080	MO
	27	Aa	1080	MO
ZWARTE WOUDPLEIN	21	Fd	1140	EV
ZWARTKEELTJESLAAN 112 tot einde	36	Dd	1150	WP
	43	Ab	1150	WP
ZWARTKEELTJESLAAN onpare nrs & 2 tot 110	36	Dd	1160	AU
	43	Aab	1160	AU
ZWART PAARDSTRAAT	27	Ad	1080	MO
	90	Dd	1080	MO
ZWEDENSTRAAT	34	Ad	1060	SG
	94	Dabd	1060	SG
ZWEEFVLIEGTUIGSTRAAT	15	Dc	1130	BR
	22	Aa	1130	BR
ZWEMKUNSTSTRAAT	35	Ad	1050	IX
ZWITSERLANDSTRAAT	34	Bd	1060	SG
	94	Fd	1060	SG

LISTE ALPHABETIQUE DES COMMUNES

avec leur abréviation, le code postal + la situation des centres administratifs des nouvelles entités sur le plan et hors plan (H.P.)

ALFABETISCHE LIJST VAN DE GEMEENTEN

met hun afkorting, postnummer + situering van de administratieve centra van de nieuwe entiteiten op het plan en buiten het plan (B.P.)

GEMEINDEVERWALTUNGEN

(Adressen, in alfabetischen Straßenverzeichnis verwandete Abkürzungen, Postleitzahlen, Stadtbezuche,...)

TOWN COUNCILS

(Adresses, abbreviations used in the alphabetical index of street names, postal code, borough,...)

LEGENDE		LEGENDE
Nouvelle entité	**BEERSEL**	Nieuwe entiteit
Ancienne commune	**Alsemberg**	Vroegere gemeente
Commune francophone	(F)	Franstalige gemeente
Commune néerlandophone	(N)	Nederlandstalige gemeente
Commune bilingue	(F/N) / (N/F)	Tweetalige gemeente
Commune néerlandophone avec facilités pour francophones	(Nf)	Nederlandstalige gemeente met faciliteiten voor de Franstaligen
Commune francophone avec facilités pour néerlandophones	(Fn)	Franstalige gemeente met faciliteiten voor de Nederlandstaligen

Etant donné que certaines communes de Bruxelles ont plusieurs codes postaux, pour connaître le code postal exact d'une rue, consulter l'index alphabétique des rues.

Daar sommige gemeenten van Brussel onder meerdere postkantons vallen, is het juiste postnummer vermeld naast elke straat in de alfabetische stratenindex.

1652 **Alsemberg** (AL) BEERSEL (N)

1070 **ANDERLECHT** (AN) (F/N)

Adm. communale : place du Conseil, 1 - 1070 B - 02/558.08.00 .... 34 Aa
Police : rue Démosthene, 36 - 1070 B - 02/559.80.00 .... 33 Abd
C.P.A.S. : Chaussée de Mons, 602 - 1070 B - 02/529.41.00 .... 33 Cb

1070 **ANDERLECHT** (AN) (N/F)

Adm. diensten : Raadsplein, 1 - 1070 B - 02/558.08.00 .... 34 Aa
Politie : Demosthenesstraat, 36 - 1070 B - 02/559.80.00 .... 33 Abd
O.C.M.W. : Bergensesteenweg, 602 - 1070 B - 02/529.41.00 .... 33 Cb

1730 **ASSE** (AS) (N) (1730 Asse - 1730 Bekkerzeel - 1730 Kobbegem - 1730 Mollem - 1731 Relegem - 1731 Zellik)
Adm. diensten : Gemeenteplein 1, 02/454.19.19 .... B.P./H.P.
Politie : Z5 Mollem 230, 02/452.50.05 .... B.P./H.P.
O.C.M.W. : Gasthuisstraat 2, 02/452.80.67 .... B.P./H.P.

1160 **AUDERGHEM** (AU) (F/N)
Adm. communale : rue E. Idiers, 12 - 1160 B - 02/676.48.10 .... 43 Bac
Police : rue E. Idiers, 12 - 1160 B - 02/676.49.14 .... 43 Bac
C.P.A.S. : av.du Paepedelle, 87 - 1160 B - 02/679.94.10 .... 43 Bac

1650 **BEERSEL** (BE) (N) (1650 Beersel - 1652 Alsemberg - 1653 Dworp - 1654 Huizingen - 1651 Lot)
Adm. diensten : Alsembergsteenweg, 1046 - 1652 Alsemberg - 02/359.17.17 .... B.P./H.P.
Politie : Alsembergsteenweg, 1046 - 1652 Alsemberg - 02/359.19.21 .... B.P./H.P.
O.C.M.W. : H. Torleylaan, 13 - 1654 Huizingen - 02/356.73.18 .... 61 Ed

1082 **BERCHEM-SAINTE-AGATHE** (BA) (F/N)
Adm. communale : avenue du Roi Albert, 33 - 1082 B - 02/464.04.11 .... 19 Da
Police : rue des Alcyons, 15 - 1082 B - 02/412.66.33 .... 19 Da
C.P.A.S. : avenue du Roi Albert, 88 - 1082 B - 02/482.13.00 .... 19 Da

3060 **BERTEM** (BE) (N) (3060 Bertem - 3060 Korbeek-Dijle - 3061 Leefdaal)
Adm. diensten : Tervuursesteenweg, 178 - 016/49.99.90 .... B.P./H.P.
Politie : Tervuursesteenweg, 178 - 016/49.99.86 .... B.P./H.P.
O.C.M.W. : Dorpsstraat, 492 - 3061 Leefdaal - 02/686.31.00 .... B.P./H.P.

1301 **BIERGES** (BI) WAVRE (F)

1420 **BRAINE-L'ALLEUD** (B-A) (F) (1420 Braine-l'Alleud - 1428 Lillois-Witterzée - 1421 Ophain-Bois-Seigneur-Isaac)
Adm. comm. . Grand'Place Baudouin 1er, 02/386.05.11 .... 88 Ac
Police : av. Maréchal Ney, 36 - 02/384.40.90 .... 88 Abd
C.P.A.S. : rue du Paradis, 1 - 02/389.00.90 .... 88 Da-BA

1000 **BRUSSEL** (BR) (N/F) **(Centrum -1ste distrikt)**
Stadhuis Grote Markt - 1000 B - 02/279.22.11 .... 92 Cd
Kabinet van de Burgemeester - 02/279.50.10
Administratief Centrum en burgerlijke stand - Anspachlaan, 6 - 1000 B - 02/279.22.11
Politie : Kolenmarkt, 30 - 1000 B - 02/279.79.79 .... 92 Cc
O.C.M.W. : Hoogstraat, 298A - 1000 B - 02/543.61.11 .... 94 Cabc
(2de distrikt) (B2) (N/F)

1000 • **Noord-Oostwijk**
Verbindingsbureau : Leuvensesteenweg 300 - 02/733.16.36 .... 28 Ad-Bc-Db

1020 • **Laken** (BR) 1020 Brussel
Verbindingsbureau : E. Bockstaellaan 246 - 02/279.37.00 .... 20 Ba

1120 • **Neder-Over-Heembeek** (BR) 1120 Brussel
Verbindingsbureau : Kraatveldstraat, 9 - 1120 B - 02/262.02.24 .... 14 Ba

1130 • **Haren** (BR) 1130 Brussel
Verbindingsbureau : Kortenbachstr., 10 - 1130 B - 02/241.33.97 .... 15 Ad

1000 **BRUXELLES** (BR) (F/N) **(Centre - 1er district)**
Hôtel de Ville - Grand Place - 1000 B - 02/279.22.11 .... 92 Cd
Cabinet du Bourgmestre - 02/279.50.10
Centre administratif et état-civil, bd. Anspach, 6 - 1000 B - 02/279.22.11
Police : Rue du Marché Charbon, 30 - 1000 B - 02/279.79.79 .... 92 Cc
C.P.A.S. : rue Haute, 298A - 1000 B - 02/543.61.11 .... 92Cabc

(2e district) (B2) (F/N)

1000 · **Quartier Nord-Est**
Bureau de liaison - Ch. de Louvain 300 - 02/733.16.36 .... 28 Ad-Bc-Db

1020 · **Laeken** (BR) 1020 Bruxelles
Bureau de liaison : Bd. Emile Bockstael 246 - 02/279.37.00 .... 20 Ba

1120 · **Neder-Over-Heembeek** (BR) 1120 Bruxelles
Bureau de liaison - rue Craetveld, 9 - 1120 B - 02/262.02.24 .... 14 Ab

1130 **Haeren** (BR) 1130 Bruxelles
Bureau de liaison : rue de Cortenbach, 10 - 1130 B - 02/241.33.97 .... 15 Ad

1501 **BUIZINGEN** (BU) HALLE (N)

1831 **DIEGEM** (DI) MACHELEN (N)

1700 **DILBEEK** (DK) (N) (1700 Dilbeek - 1702 Groot-Bijgaarden - 1701 Itterbeek - 1703 Schepdaal - 1700 Sint-Martens-Bodegem - 1700 Sint-Ulriks-Kapelle)
Adm. diensten : Gemeenteplein, 1 - 02/451.68.00 .... 25 Ea
Politie : Stationsstraat, 283 - 02/464.96.30 .... 25 Ea
O.C.M.W. : Itterbeeksebaan, 208 - 1701 Itterbeek - 02/568.05.00 .... 32 Ab

1620 **DROGENBOS** (DR) (N/F)
Adm. diensten : Grote Baan, 222 - 02/333.85.10 .... 47 Fc
Politie : Grote Baan, 226 - 02/334.35.00 .... 47 Fc
O.C.M.W. : Grote Baan, 226 - 02/334.72.35 .... 47 Fc

1653 **DWORP** (DW) BEERSEL (N)

1050 **ELSENE** (IX) (N/F)
Adm. diensten : Elsensesteenweg 168 - 1050 B - 02/515.61.11 .... 34 Cd
Politie : Collegestraat, 1, 1050 B - 02/515.71.11 .... 34 Cd
O.C.M.W. : Boondaalsestwg., 92 - 1050 B - 02/641.54.11 .... 35 Dacd

1040 **ETTERBEEK** (ET) (F/N)
Adm. comm. : Avenue D'Auderghem, 113-115 - 1040 B - 02/627.21.11 .... 35 Bac
Police : ch. St. Pierre, 122 - 1040 B - 02/788.91.00 .... 35 Bbc
C.P.A.S. : sq. Dr. Jean Joly, 2 - 1040 B - 02/627.21.00 .... 35 Eab

1040 **ETTERBEEK** (ET) (N/F)
Adm. diensten. : Oudergemlaan, 113-115 - 1040 B - 02/627.21.11 .... 35 Bac
Politie : St.-Pieterssteenweg, 122 - 1040 B - 02/788.91.00 .... 35 Bbc
O.C.M.W. : Dr. Jean Jolyplein, 2 - 1040 B - 02/627.21.00 .... 35 Eab

3078 **Everberg** (EV) KORTENBERG (N)

1140 **EVERE** (EV) (F/N)
Adm. comm. : sq. S. Hoedemaekers, 10 - 1140 B - 02/247.62.62 .... 21 Ccd
Police : sq. S. Hoedemaekers, 9 - 1140 B - 02/249.22.00 .... 21 Ccd
C.P.A.S. : sq. S. Hoedemaekers, 10 - 1140 B - 02/247.65.65 .... 21 Ccd

1140 **EVERE** (EV) (N/F)
Adm. diensten : S. Hoedemaekerssquare, 10 - 1140 B - 02/247.62.62 .... 21 Ccd
Politie : S. Hoedemaekerssquare, 9 - 1140 B - 02/249.22.00 .... 21 Ccd
O.C.M.W. : S. Hoedemaekersplein, 10 - 1140 B - 02/247.65.65 .... 21 Ccd

1190 **FOREST** (FO) (F/N)
Adm. comm. : rue du Curé, 2 - 1190 B - 02/370.22.11 .... 40 Fa
Police : rue de Pattinage, 44 - 1190 B - 02/559.89.00 .... 40 Ccd
C.P.A.S. : rue du Curé, 35 - 1190 B - 02/349.63.09 .... 40 Fa

1083 **GANSHOREN** (GA) (F/N)
Adm. comm. : av. Charles Quint, 140 - 1083 B - 02/465.12.77 .... 19 Bc
Police : av. Van Overbeke, 163 - 1083 B - 02/412.67.06 .... 19 Bd
C.P.A.S. : av. de la Réforme, 63 - 1083 B - 02/422.57.57 .... 19 Bb

1083 **GANSHOREN** (GA) (N/F)
Adm. diensten : Keizer Karellaan, 140 - 1083 B - 02/465.12.77 ..... 19 Bc
Politie : Van Overbekelaan, 163 - 1083 B - 02/412.67.06 ..... 19 Bd
O.C.M.W. : Hervormingslaan, 63 - 1083 B - 02/422.57.57 ..... 19 Bb
1332 **GENVAL** (GE) RIXENSART (F)
1850 **GRIMBERGEN** (GR) (N) (1850 Grimbergen - 1852 Beigem - 1851 Humbeek - 1853 Strombeek-Bever)
Adm. diensten : Prinsenstraat, 3 - 02/260.12.11 ..... 3 Aac
Politie : Kerkplein, 7 - 02/272.72.72 ..... 3 Aa
O.C.M.W. : Verbeytstraat, 30 - 1853 Strombeek - Bever - 02/267.15.05 ..... 6 Bd-Eb
1702 **GROOT-BIJGAARDEN** (G-B) DILBEEK (N)
1500 **HALLE** (HA) (N) (1500 Halle - 1501 Buizingen - 1502 Lembeek)
Adm. diensten : Oudstrijdersplein, 18 - 02/363.22.11 ..... 68 Cab
Politie : V. Baetensstraat, 4 - 02/363.23.00 ..... 68 Ca
O.C.M.W. : A. Demaeghtlaan, 30 - 02/361.16.16 ..... 68 Ad
1560 **HOEILAART** (HO) (N)
Adm. diensten : Jan van Ruusbroecpark - 02/658.28.40 ..... 58 Ed
Politie : J. Van Ruusbroecpark - 02/657.13.18 ..... 58 Ed
O.C.M.W. : J.B. Charlierlaan, 78 - 02/658.09.90 ..... 58 Dd-Ecd
1654 **Huizingen** (HU) BEERSEL (N)
3040 **HULDENBERG** (HU) (N) (3040 Huldenberg - 3040 Loonbeek - 3040 Neerijse - 3040 Ottenburg -3040 Sint-Agatha-Rode)
Adm. diensten : Gemeenteplein, 1 - 02/687.70.07 ..... B.P./H.P.
Politie : Gemeenteplein, 1 - 02/687.52.64 ..... B.P./H.P.
O.C.M.W. : St. Jansbergsteenweg, 44A - 3040 Loonbeek - 016/52.57.50 ..... B.P./H.P.
1701 **ITTERBEEK** (IT) DILBEEK (N)
1050 **IXELLES** (IX) (F/N)
Adm. comm. : ch. d'Ixelles, 168 - 1050 B - 02/515.61.11 ..... 34 Cd
Police : rue du Collège, 1 - 1050 B - 02/515.71.11 (urgence) 02/515.71.00 ..... 34 Cd
C.P.A.S. : ch. Boondael, 92 - 1050 B - 02/641.54.11 ..... 35 Dacd
1090 **JETTE** (JE) (F/N)
Adm. comm. : Chausée de Wemmel, 100 - 1090 B - 02/423.12.11 ..... 20 Da
Police : place Card. Mercier, 1 - 1090 B - 02/412.68.06 ..... 12 Fd
C.P.A.S. : rue de l'Eglise Saint-Pierre, 47-49 - 1090 B - 02/422.46.11 ..... 12 Fd
1090 **JETTE** (JE) (N/F)
Adm. diensten : Wemmelsesteenweg, 100 - 1090 B - 02/423.12.11 ..... 20 Da
Politie: Kardinaal Mercierplein, 1 - 1090 B - 02/412.68.06 ..... 12 Fd
O.C.M.W. : Sint-Pieterskerkstraat, 47-49 - 1090 B - 02/422.46.11 ..... 12 Fd
1910 **KAMPENHOUT** (KA) (N) (1910 Berg - 1910 Buken - 1910 Kampenhout - 1910 Nederokkerzeel)
Adm. diensten : Gemeentehuisstraat, 16 - 016/65.99.11 ..... B.P./H.P.
Politie : Gemeentehuisstraat, 16 - 016/31.48.40 ..... B.P./H.P.
O.C.M.W. : Dorpsstraat, 9 - 016/31.43.10 ..... B.P./H.P.
1081 **KOEKELBERG** (KO) (F/N)
Adm. comm. : pl. Henri Vanhuffel, 6 - 1081 B - 02/412.14.11 ..... 20 Dc
Police : rue de la Sécurité, 4 - 1081 B - 02/412.65.32 ..... 90 Aa, 20 Dc, 27 Aa
C.P.A.S. : rue F. Delcoigne, 39 - 1081 B - 02/412.16.52 ..... 27 Aa
1081 **KOEKELBERG** (KO) (N/F)
Adm. diensten : H. Van Huffelplein, 6 - 1081 B - 02/412.14.11 ..... 20 Dc
Politie : Veiligheidsstraat, 4 - 1081 B - 02/412.65.32 ..... 90 Aa, 20 Dc, 27 Aa
O.C.M.W. : F. Delcoignestraat, 39 - 1081 B - 02/412.16.52 ..... 27 Aa

3070 **KORTENBERG (Erps-Kwerps)** (KO) (N)
(3071 Erps-Kwerps - 3078 Everberg - 3070 Kortenberg - 3078 Meerbeek)
Adm. diensten : Dr. V. De Walsplein, 30 - 02/755.22.00 ....B.P./H.P.
Politie : Dr. V. De Walsplein, 30 - 02/755.23.00 ....B.P./H.P.
O.C.M.W. : Dr. V. Walsplein, 30 - 02/755.23.20 ....B.P./H.P.

1950 **KRAAINEM** (KR) (N/F)
Adm. diensten : A. Dezangrélaan, 17 - 02/719.20.40 .... 23 Ecd
Politie : F. Kinnenstraat, 76 - 02/731.12.47 .... 30 Ecd
O.C.M.W. : A. Dezangrélaan, 17 - 02/719.20.70 .... 23 Ecd

1310 **LA HULPE** (L-H) (F)
Adm. comm. : rue des Combattants, 59 - 02/634.30.70..75 Da
Police : Av. du Gris Moulin, 14 - 1310 La Hulpe - 02/655.16.70 ....74 Ebd Fc
C.P.A.S. : rue de la Grotte, 2 - 02/634.01.30 .... 74 Fd

1380 **LASNE** (LA) (F) (1380 Couture-Saint-Germain (CO) - 1380 Lasne-Chapelle-Saint-Lambert (LA) - 1380 Maransart (MA) - 1380 Ohain (OH) - 1380 Plancenoit) (PL)
Adm. comm. : place Communale, 1 - 02/633.18.17 ....H.P./B.P.
Police : rue de la Gendarmerie, 23 - 02/655.97.80..H.P./B.P.
C.P.A.S. : rue de la Gendarmerie, 7 - 02/633.25.29 ....H.P./B.P.

1300 **Limal** (LI) WAVRE (F)

1630 **LINKEBEEK** (LI) (N/F)
Adm. diensten : Gemeenteplein, 2 - 02/380.62.15..55 Dab
Politie : Dapperensquare Sq. des Braves 16 - 02/363.83.60 ....55 Dab
O.C.M.W. : Beukenstraat, 23 - 02/380.69.23 ....55 Da

1651 **Lot** (LO) BEERSEL (N)

1830 **MACHELEN** (MA) (N) (1831 Diegem - 1830 Machelen)
Adm. diensten : Woluwestraat, 1 - 02/254.12.11..8 Bbd
Politie : Woluwestraat, 1 - 02/254.12.12 ....8 Bbd
O.C.M.W. : C. Peetersstraat, 45 - 02/756.55.10..8 Bbd

1860 **MEISE** (ME) (N) (1860 Meise - 1861 Wolvertem)
Adm. diensten : Gemeenteplein, 21 - 1861 Wolvertem - 02/272.00.50.................B.P./H.P.
Politie : Hoogstraat, 36 - 1861 Wolvertem - 02/269.14.00 ..............................B.P./H.P.
O.C.M.W. : Godshuisstraat, 33 - 1861 Wolvertem - 02/269.18.82 .......................B.P./H.P.

1820 **Melsbroek** (ME) STEENOKKERZEEL (N)

1785 **MERCHTEM (ME)**
(1785 Brussegem - 1785 Merchtem - 1785 Hamme)
Adm. diensten : Nieuwstraat, 1 - 052/38.11.70 ....B.P./H.P.
Politie : August De Boeckstraat, 62 - 052/37.12.22 ....B.P./H.P.
O.C.M.W. : Gasthuisstraat, 17 - 052/38.18.00..B.P./H.P.

1080 **MOLENBEEK-SAINT-JEAN** (M-S-J) (F/N)
Adm. comm. : rue du Comte de Flandre, 20 - 1080 B - 02/412.37.90.......................90 Db
Police : rue du Facteur, 2 - 1080 B - 02/412.12.12..90 Db
C.P.A.S. : rue Alphonse Vandenpeereboom, 14 - 1080 B - 02/412.53.11 ....26 Cbd, Fb

1930 **Nossegem** (NO) ZAVENTEM (N)

1380 **Ohain** (OH) LASNE (F)

1160 **OUDERGEM** (AU) (N/F)
Adm. diensten : E. Idiersstraat, 12 - 1160 B - 02/676.48.10.................................. 43 Bac
Politie : E. Idiersstraat, 12 - 1160 B - 02/676.49.14 .... 43 Bac
O.C.M.W. : E. Idiersstraat, 37/39 - 1160 B - 02/676.49.00 .... 43 Bac

3090 **OVERIJSE** (OV) (N)
Adm. diensten : J. Lipsiusplein, 9 - 02/687.60.40 .... 60 Da
Politie : Brusselsesteenweg 145, 02/769.69.30 .... 59 Fb
O.C.M.W. : Dr. J.P. Dieudonnéstraat, 3 - 02/687.51.56 .... 60 Dc

1800 **Peutie** (PE) VILVOORDE (N)

1731 **Relegem** (RE) ASSE (N)

1640 **Rhode-Saint-Genèse** (SG) zie/voir **SINT-GENESIUS-RODE**

1330 **RIXENSART** (RI) (F) (1332 Genval - 1330 Rixensart - 1331 Rosières)
Adm. comm. : av. de Mérode, 75 - 02/634.21.21 .... 79 Fc
Police : av. de Mérode, 75 - 02/655.14.60 .... 79 Fc
C.P.A.S. : rue A. Collin, 11 - 02/655.14.00 .... 80 Ac

1331 **Rosières-Saint-André** (RO) RIXENSART (F)

1601 **Ruisbroek** (RU) SINT-PIETERS-LEEUW (N)

1060 **SAINT-GILLES** (S-G) (F/N)
Adm. comm. : place M. Van Meenen, 39 - 1060 B - 02/536.02.11 .... 34 Ec
Police : rue A. Bréart, 104 - 1060 B - 02/536.81.40 .... 34 Ec
C.P.A.S. : rue F. Bernier, 40 - 1060 B - 02/600.54.11 .... 34 Dab

1210 **SAINT-JOSSE-TEN-NOODE** (SJ) (F/N)
Adm. comm. : av. de l'Astronomie, 13 - 1210 B - 02/220.26.11 .... 93 Ca
Police : rue de Bériot, 2A - 1210 B - 02/249.26.00 .... 93 Ca
C.P.A.S. : rue Verbist, 88 - 1210 B - 02/220.29.71 .... 28 Ad

1030 **SCHAARBEEK** (SC) (N/F)
Adm. diensten : Colignonplein, 1 - 1030 B - 02/244.75.11 .... 21 Da
Politie : Georges Rodenbachlaan, 15 - 1030 B - 02/249.24.00 .... 21 Ab
O.C.M.W. : Rogierlaan, 43 - 1030 B - 02/247.32.11 .... 28 Ab, 28 Bab

1030 **SCHAERBEEK** (SC) (F/N)
Adm. comm. : place Colignon, 1- 1030 B - 02/244.75.11 .... 21 Da
Police : av. Georges Rodenbach, 15 - 1030 B - 02/249.24.00 .... 21 Ab
C.P.A.S. : av. Rogier, 43 - 1030 B - 02/247.32.11 .... 28 Ab, 28 Bab

1082 **SINT-AGATHA-BERCHEM** (BA) (N/F)
Adm. diensten : Kon. Albertlaan, 33 - 1082 B - 02/464.04.11 .... 19 Da
Politie : Alcyonstraat, 15 - 1082 B - 02/412.66.33 .... 19 Da
O.C.M.W. : Kon. Albertlaan, 88 - 1082 B - 02/482.13.00 .... 19 Da

1640 **SINT-GENESIUS-RODE** (SG) (N/F)
Adm. diensten : Dorpsstraat, 46 - 02/609.86.00 .... 71 Ba
Politie : Dorpsstraat, 46 - 02/358.58.59 .... 71 Ba
O.C.M.W. : Dorpsstraat, 74 - 02/380.55.55 .... 71 Ba

1060 **SINT-GILLIS** (S-G) (N/F)
Adm. diensten : M. Van Meenenplein, 39 - 1060 B - 02/536.02.11 .... 34 Ec
Politie : A. Bréartstraat, 104 - 1060 B - 02/536.81.40 .... 34 Ec
O.C.M.W. : F. Bernierstraat, 40 - 1060 B - 02/600.54.11 .... 34 Dab

1080 **SINT-JANS-MOLENBEEK** (MO) (N/F)
Adm. diensten : Graaf van Vlaanderenstraat, 20 - 1080 B - 02/412.37.90 .... 90 Db
Politie : Briefdragerstraat, 2 - 1080 B - 02/412.12.12 .... 90 Db
O.C.M.W. : A.Vandenpeereboomstraat, 14 - 1080 B - 02/412.53.11 .... 26 Cbd, Fb

1210 **SINT-JOOST-TEN-NODE** (SJ) (N/F)
Adm. diensten : Sterrenkundelaan, 13 - 1210 B - 02/220.26.11 .... 93 Ca
Politie : de Bériotstraat, 2A - 1210 B - 02/249.26.00 .... 93 Ca
O.C.M.W. : Verbiststraat, 88 - 1210 B - 02/220.29.11 .... 28 Ad

1200 **SINT-LAMBRECHTS-WOLUWE** (WL) (N/F)
Adm. diensten : Paul Hymanslaan, 2 - 1200 B - 02/761.27.11 .... 29 Eabc,Fa
Politie : F. Debelderstraat, 15-17 - 1200 B - 02/788.92.00 .... 29 Dd
O.C.M.W. : Karrestraat, 27 - 1200 B - 02/777.75.11 .... 29 Ad,Db

1600 **SINT-PIETERS-LEEUW** (P-L) (N) (1600 Oudenaken - 1601 Ruisbroek - 1600 Sint-Laureins-Berchem - 1600 Sint-Pieters-Leeuw - 1602 Vlezenbeek)
Adm. diensten : Pastorijstraat, 21 - 02/371.22.11 .... B.P./H.P.
Politie : Pepingensesteenweg, 250 - 02/359.99.39 .... B.P./H.P.
O.C.M.W. : Fabriekstraat, 1 - 02/371.03.40 .... B.P./H.P.

1150 **SINT-PIETERS-WOLUWE** (WP) (N/F)
Adm. diensten : Ch. Thielemanslaan, 93 - 1150 B - 02/773.05.11 .... 36 Ba
Politie : David Van Beverstraat, 6 - 1150 B - 02/788.93.00 .... 36 Cc
O.C.M.W. : Schetlanderdreef, 15 - 1150 B - 02/773.59.00 .... 37 Bb

1932 **Sint-Stevens-Woluwe** (SW) ZAVENTEM (N)

1820 **STEENOKKERZEEL** (ST) (N) (1820 Melsbroek - 1820 Perk - 1820 Steenokkerzeel)
Adm. diensten : Orchideeënlaan, 17 - 02/254.19.00 .... 10 Bd
Politie : Tervuursesteenweg, 295 - 02/759.78.72 .... B.P./H.P.
O.C.M.W. : Fuérisonplaats, 14 - 1820 Perk - 02/758.01.70 .... B.P./H.P.

1933 **Sterrebeek** (ST) ZAVENTEM (N)

1853 **Strombeek-Bever** (S-B) GRIMBERGEN (N)

3080 **TERVUREN** (TE) (N) (3080 Duisburg - 3080 Tervuren - 3080 Vossem)
Adm. diensten : Brusselsesteenweg, 13 - 02/769.20.11 .... 38 Ec
Politie : Markt, 7 - 02/767.30.00 .... 38 Ed
O.C.M.W. : Lindeboomstraat, 25/1 - 02/767.35.72 .... 38 Ec

1180 **UCCLE** (UC) (F/N)
Adm. comm. : place Jean Vander Elst, 29 - 1180 B - 02/348.65.11 .... 41 Dc
Police : Square Georges Marlow, 3 - 1180 B - 02/373.58.11 .... 41 Dc
C.P.A.S. : ch. d'Alsemberg, 860 - 1180 B - 02/370.75.11 .... 41 Dbd

1180 **UKKEL** (UC) (N/F)
Adm. diensten : J. Vander Elstplein, 29 - 1180 B - 02/348.65.11 .... 41 Dc
Politie : Georges Marlow Square, 3 - 1180 B - 02/373.58.11 .... 41 Dc
O.C.M.W. : Alsembergsesteenweg, 860 - 1180 B - 02/370.75.11 .... 41 Dbd

1800 **VILVOORDE** (VI) (N) (1800 Peutie - 1800 Vilvoorde)
Adm. diensten : Grote Markt - 02/255.45.11 .... 4 Ad
Politie : Zennelaan, 76 - 02/259.33.33 .... 4 Ad
O.C.M.W. : Kursaalstraat, 40 - 02/257.98.11 .... 4 Ad

1602 **Vlezenbeek** (VL) SINT-PIETERS-LEEUW (N)

1190 **VORST** (FO) (N/F)
Adm. diensten : Pastoorsstraat, 2 - 1190 B - 02/370.22.11 .... 40 Fa
Politie : Schaatsstraat, 44 - 1190 B - 02/559.89.00 .... 40 Ccd
O.C.M.W. : Pastoorsstraat, 35 - 1190 B - 02/349.63.00 .... 40 Fa

1410 **WATERLOO** (WA) (F)
Adm. comm. : rue François Libert, 28 - 02/352.98.11 .... 76 Fa
Police : rue François Libert, 28 - 02/352.98.00 .... 76 Fc
C.P.A.S. : Chemin du Bon Dieu de Gibloux, 26 - 02/352.35.11 .... 83 Ca

1170 **WATERMAAL-BOSVOORDE** (WB) (N/F)
Adm. diensten : A. Gilsonpl. 1 - 1170 B - 02/674.74.11 .... 50 Ac
Politie : Hertogendreef, 2 - 1170 B - 02/674.74.74 .... 50 Ac
O.C.M.W. : Ottervangersstraat, 69 - 1170 B - 02/663.08.00 .... 42 Fb

1170 **WATERMAEL-BOITSFORT** (WB) (F/N)
Adm. comm. : place A. Gilson, 1 - 1170 B - 02/674.74.11 .... 50 Ac
Police : drève du Duc, 2 - 1170 B - 02/674.74.74 .... 50 Ac
C.P.A.S. : rue du Loutrier, 69 - 1170 B - 02/663.08.00 .... 42 Fb

1300 **WAVRE** (WA) (F) (1301 Bierges - 1300 Limal - 1300 Wavre)
Adm. comm. : place de l'Hôtel de ville - 010/23.03.11 .... 81 Fb
Police : Chaussee De Louvain, 34 - 010/23.32.48 .... 81 Fb
C.P.A.S. : av. H. Lepage, 7 - 010/24.16.26 .... 81 Cc

1780 **WEMMEL** (WE) (N/F)
Adm. diensten ; Dr. H. Folletlaan, 28 - 02/462.05.00 .... 5 Bc
Politie : Dries, 77 - 02/462.06.00 .... 4 Bacd
O.C.M.W. : De Limburg Stirum Laan, 116 - 02/462.06.80 .... 5 Ebd

1970 **WEZEMBEEK-OPPEM** (W-O) (N/F)
Adm. diensten : L. Marcelisstraat, 134 - 02/783.12.11 .... 30 Fd
Politie : Molenweg 20 - 1970 Wezenbeek-Oppem - 02/766.18.18 .... 30 Ec
O.C.M.W. : J. De Keyzerstraat, 15 -17 - 02/766.13.00 .... 30 Fd

1200 **WOLUWE-SAINT-LAMBERT** (WL) (F/N)
Adm. comm. : av. P. Hymans, 2 - 1200 B - 02/761.27.11 .... 29 Eabc, Fa
Police : rue F. Dobolder, 15 -17 - 1200 B - 02/788.92.00 .... 29 Dd
C.P.A.S. : rue de la Charrette, 27 - 02/777.75.11 .... 29 Ad

1150 **WOLUWE-SAINT-PIERRE** (WP) (F/N)
Adm. comm. : av. C. Thielemans, 93 - 1150 B - 02/773.05.11 .... 36 Ba
Police : rue David Van Bever, 6 - 1150 B - 02/788.93.00 .... 36 Cc
C.P.A.S. : Dève des Schetlands, 15 -1150 B - 02/773.59.00 .... 37 Dac

1930 **ZAVENTEM** (ZA) (N) (1930 Nossegem - 1932 Sint-Stevens-Woluwe - 1933 Sterrebeek - 1930 Zaventem)
Adm. diensten : Diegemstraat, 37 - 02/717.89.00 .... 16 Ea
Politie : Hoogstraat, 20 - 02/719.10.10 .... 16 Ebd
O.C.M.W. : H. Henneaulaan, 1 - 1932 St.-St.-Woluwe - 02/720.88.84 .... 15 Fd

1731 **Zellik** (ZE) ASSE (N)

NUMEROS POSTAUX PARTICULIERS
BIJZONDERE POSTNUMMERS
BESONDERE POSTNUMMER
SPECIAL POSTCODES

- 1005 B Conseil de la Région Bruxelles-Capitale/Brusselse Hoofdstedelijke Raad
- 1005 B Assemblée réunie de la Commission Communautaire Commune/ Verenigde Vergadering van de Gemeenschappelijke Gemeenschapscommissie
- 1006 B Raad van de Vlaamse Gemeenschapscommissie
- 1007 B Assemblée de la Commission Communautaire Française
- 1008 B Chambre des Représentants/Kamer van Volksvertegenwoordigers
- 1009 B Sénat de Belgique/Belgische Senaat
- 1010 B Cité Administrative de l'Etat/Rijksadministratief Centrum
- 1011 B Vlaamse Raad - Vlaams Parlement
- 1012 B Parlement de la Communauté Française/Parlement van de Franse Gemeenschap
- 1035 B Ministerie van het Brussels Hoofdstedelijk Gewest
- 1041 B International Press Center
- 1042 B Parlement de la Communauté Française/Parlement van de Franse Gemeenschap
- 1043 B VRT
- 1044 B RTBF
- 1045 B D.I.V. (uniquement les formulaires roses)/(uitsluitend roze formulieren)
- 1047 B Parlement Européen/Europees Parlement
- 1048 B Union Européenne - Conseil/Europese Unie - Raad
- 1049 B Union Européenne - Commission/Europese Unie - Commissie
- 1100 B Postcheque
- 1105 B SOC. (La Poste - De Post)
- 1110 N NATO - OTAN - NAVO
- 1201 B RTL-TVI
- 1414 Wa PROMO-CONTROL
- 1804 V CARGOVIL
- 1818 V VTM
- 1931 BRUCARGO
- 1934 Bruxelles X - Aeroport REM/Brussel X - Luchthaven REM
- 4090 F.B.A./B.S.D. (Forces Belges en Allemagne)/(Belgische Strijdkrachten in Duitsland)
- 7010 S.H.A.P.E.-Belgique-België

SITES INSTITUTIONNELS EMPLOI - FORMATION
ADMINISTRATIEVE INLICHTINGEN
STAATSBEHÖRDE FÜR ARBEITSBESCHAFFUNG
NATIONAL EMPLOYMENT OFFICE

- ACTIRIS
  Boulevard Anspachlaan 65 - 1000 Brussel - 02/505.77.77 .... 27 Ed Eabc/ 92 Bd Cabe
  www.actiris.be
- B.G.D.A. Brusselse Gewestelijke Dienst voor Arbeidsbemiddeling
  Anspachlaan, 65 - 1000 Brussel - 02/505.14.11 ....92 Cabc
- BRUXELLES FORMATION
  Rue des Chartreux, 70A - 1000 Bruxelles - 02/502.38.74.. 27 Ea, 92 Bbd
- O.N.E.M. Office National de l'Emploi (Administration centrale)
  bd. Empereur, 7 - 1000 Brussel - 02/515.41.11, www.omgm.be ....92 Fd, 93 Dac
- O.R.B.E.M. Office Regional Bruxellois de l'Emploi

bd. Anspach, 65 - 1000 Brussel - 02/505.14.11 .... 92 Cabc

- R.V.A. Rijksdienst voor Arbeidsvoorziening
  Keizerslaan, 7 - 1000 Brussel - 02/515.41.11, www.rva.be .... 92 Fd, 93 Dac
- VDAB Beroepsopleiding
  Bergense Steenweg 1440 - 1070 Brussel - 02/525.00.30 .... 53 Bbd, Ca, Dcd
- Service Public Fédéral emploi, Travail et Concertation Sociale
  Rue Ernest Blerotstraat - 1070 Brussel - 02/233.41.11 .... 34 Aabc
- VDAB Hoofdzetel
  Keizerslaan - Boulevard De L'Empereur, 11 - 1000 Brussel - 0800/30700 .... 27 Ed, Fc 92 Fed
  www.vdab.be
- VDAB Regionale dienst Brussel
  Gasthuisstraat 31, 1000 Brussel - 02/506.17.41 .... 27 Ed, 92 Fbd
  www.vdab.be/contact

ORGANISATIONS EUROPEENNES
EUROPESE ORGANISATIES
EUROPÄISCHE ORGANISATIONEN
EUROPEAN ORGANIZATIONS

COMMISSION EUROPEENNE : rue de la Loi 200 - 1049 Brl T.02 299 11 11
COMITE DES REGIONS : rue Montoyer 92 - 102 - 1000 Brl T.02 282 22 11
COMITE ECONOMIQUE ET SOCIAL : rue Ravenstein 2 - 1000 Brl T.02 546 90 11
CONSEIL DE L'UNION EUROPEENNE : rue de la Loi 175 B - 1048 Brl T.02 285 61 11
PARLEMENT EUROPEEN : rue Wiertz 60 - 1047 Brl T.02 284 21 11
COMITE VAN DE REGIO'S : Montoyerstraat 92 -102 - 1000 Brl T.02 282 22 11
EUROPESE COMMISSIE : Wetstraat 200 - 1049 Brl T.02 299 11 11
ECONOMISCH EN SOCIAAL COMITE : Ravensteinstraat 2 - 1000 Brl T.02 546 90 11
RAAD VAN DE EUROPESE UNIE : Wetstraat 175 B - 1048 Brl T.02 285 61 11
EUROPEES PARLEMENT : Wiertzstraat 60 - 1047 Brl T.02 284 21 11

CENTRES DE CONFERENCES ET DE CONGRES - CONFERENTIE- EN CONGRESCENTRA KONFERENZ- UND KONGRESSZENTREN CONFERENCE AND CONGRESS CENTRES -

- **Atomium** - sq. de l'Atomium Sq. - 1020 B - 02/475.47.77, www.atomium.be...............13 AB, Bac-B2
- **Auditorium Jacques Brel** ....
  avenue Emile Gryson Laan, 1 - 1070 Anderlecht - 02/526.70.20 - www.ceria.be ....
  .... 40 Acd-An
- **BBJ-Venue**...
  rue Marie- Therese/ Maria- Theresiastraat , 33 - 1000 B - 02/286.90.16 - www.bbj-venue.com..........
  .... 28 Da 93 Cc Fa-B
- **Brussels Event Brewery**
  rue Delaunoystraat, 58 B/1 - 1080 B - 02/410.78.78 - www.eventbrewery.com ....
  ....26 Cd, 27 Ac Da 92 Aa
- **Brussels Expo**
  place de Belgique/ Belgieplein,1 - 1020 B - 02/474.82.63 - www.brusselexpo.be .... 6 Dd, B
- **Brussels Kart Expo** ....
  avenue A.Gossetlaan, 11 - 1702 Groot- Bijgaarden - 02/467.28.00 - www.brusselskartexpo.be........
  .... 18 Bcd Ccd G-B
- **Buro & Design Center**
  rue du Heysel/ Heizelstraat - (Esplanade de Heysel/ Heizel Esplanade, Bus 1) - 1020 B - ....
  02/400.74.47 - www.bdc.trademarkt.be... 13 Ad Bc-B
- **Business Faculty**
  Font Saint-Landry/ Sint-Lendriksborre, 6 - 1120 B - 02/264.13.11 - www.bfacilty.be...........7 Bd, Cc-B

- **Cen/Cenelec Meeting Centre**
  rue de Stassartstraat, 35 - 1050 B - 02/519.68.71 - www.meetingcentre.org.........34 Cac 95 Ad Bc-B
- **Centre Correggio Centrum** - Rue le Corrège/Correggiostraat, 17 - 1000 B - 02/511.20.20
  ....28 Eac B
- **Concert Noble sa/nv**
  rue d'Arlon, 82/Aarlenstr. - 1040 B - 02/286.41.51 - Fax 02/286.41.72, www.concertnoble.com.........
  93 Fbd, 95 Cb, 28 Dc, 35 Aa,Ett
- **Diamant Brussels Conference & Business Centre**
  boulevard Auguste Reyerslaan, 80 - 1030 B - 02/706.88.00 - www.diamant.be ....28 Cc, Fa-B
- **Espaces Moselle**
  rue des Drapiers/ Lakenweversstraat , 40 - 1050 B - 02/504.97.00 - www.espace-moselle.be...........
  .... 34 Cac 95 Dabd-B
- **FEB-VBO**
  rue Ravensteinstraat, 4 - 1000 B - 02/515.08.11 - www.vbo-feb.be........................27 Fac, 93 D bd-B
- **Hof ten Hove/Ferme Rose**
  av. De Frélaan, 44 - 1180 B - 02/375.89.27.......................................41 Ecd, Fcd, 42 c, 48 Ab, Ba-Uc
- **International Associaten Centre**
  rue Washingtonstraat, 40 - 1050 B - 02/640.16.65 - www.mai.be .... 34 Fd
- **Iselp** ....
  boulevard de Waterloolaan, 31B - 1000 B - 02/504.80.70 - www.iselp.be ....95 Acd Da-B
- **Les pyramides Brussels** - pl. Rogier, 2/Rogierplein - 1210 B - 02/203.38.05........ 91 Db, 27 Ca-S-J

- **Magdalena-Zaal/Salle de la Madelaine**
  rue Duquesnoystraat, 14 - 1000 B - 02/511.20.20 .... 92 Fb, 93 Da, 27 Ed-B
- **Management Centre Europe MCE**
  rue de L' Aqueduc/ Aquaductstraat , 118 - 1050 B - 02/543.21.00 - www.mce.be .... 34 Fcd, IX
- **Marivaux, Hotel Congress & Seminar Centre**
  boulevard Adolphe Max Laan, 98 - 1000 B - 02/227.03.00 - www.marivaux.be ....
  .... 27 Bd, Cac 90 Fd 91 Dac-B
- **Metropole Executive Center** ....
  Place de Brouckère Plein , 31 - 1000 B - 02/217.23.00 - www.metropolehotel.be ....
  .... 90 Fd 92 Cb-B
- **Planetarium** ....
  avenue de Bouchoutlaan, 10 - 1020 B - 02/474.70.50 - www.planetarium.be ....
  .... 13 A bcd-B
- **Saint-Michel** ....
  rue Père Eudore Devroyestraat, 2 - 1040 B - 02/736.76.56 - www.theatrestmichel.be ....
  .... 35 Cd-ET
- **Shell Building** - Cantersteen, 47/Kantersteen - 1000 B - 02/508.97.03 .... 93 Dab, 27 Fac B
- **Sint-Pieters-Woluwe Kongrescentrum - Woluwe-Saint-Pierre**
  ch. Thielemanslaan, 93 - 1150 B - 02/773.05.91 .... 00 Da, W S P
- **Sodehotel La Woluwe (Best Western Premier)** ....
  avenue E.Mounierlaan, 5 - 1200 B - 02/775.21.11 www.sodehotel.eu ....
  .... 29 Cd 30 Ac W-L
- **Square, Brussels Meeting Centre**
  rue Du Musée/ Museumstraat, 8 - 1000 B - 02/515.13.00 - www.square-brussels.eu ....
  .... 27 Fc, 93 Dcd-B
- **The International Auditorium (International Trade Union House)**
  boulevard du Roi Albert II/ Koning Albert II- laan, 5/2 - 1210 B - 02/224.02.54 ....
  www.theinternationalauditorium.be .... 14 Aab 20 Fac 27 Bb 91Aac-B
- **Tour & Taxis**
  avenue Du Port/ Havenlaan, 86 C - 1000 B - 02/475.47.77 - www.tourtaxis.com .... 27 Ba, B
- **ULB - Université Libre De Bruxelles** ....
  avenue F.D. Rooseveltlaan, 50 - 1050 B - 02/650.33.33 - www.ulb.ac.be ....
  .... 42 Ad Db E ac 49 B abd-B
- **University Foundation**
  rue d' Egmont straat, 11 - 1000 B - 02/545.04.00 - www.fondationuniversitaire.be ....
  .... 34 Cb 35 Babd-B
- **Vorst Nationaal Auditorium** - av. du Globe, 36/Globelaan - 1190 B - 02/340.21.23,
  www.vorstnational.be .... 40 Fbd, F-Uc
- **Vrije Universiteit Brussel** - bd de la Plaine/Pleinlaan, 2 - 1050 B - 02/629.21.11
  www.vub.ac.be .... 35 Ed, 42 Bb-XL
- **VUB - Vrije Universiteit Brussel** ....
  boulevard de La Plaine/ Pleinlaan, 2 - 1050 B - 02/629.21.11 - www.vub.ac.be ....
  .... 35 Ed 42 Bb-IX
- **Wolubis**
  avenue Paul Hymanslaan, 251 - 1200 Woluwe- Saint- Lambert - 02/761.60.31 - www.wolubis.be
  .... 29 E abc WL

AMBASSADES - AMBASSADES - BOTSCHAFTE - EMBASSIES

- Afghanistan - av. de Wolvendaellaan, 61 - 1180 B 02/761.31.66
- Afrique du Sud/Zuid-Afrika - rue Montoyerstraat, 17 - 19 - 1000 B 02/285.44.00
- Albanië - rue Tenboschstraat, 30 - 1000 B 02/644.33.29
- Algérie/Algerije - av. Molièrelaan, 207 - 1050 B 02/343.50.78
- Allemagne/Duitsland - rue. Jacques de Lalaingstraat, 8 -14 - 1040 B 02/787.18.00
- Andorre/Andorra - rue Montagne/Bergstraat, 10 - 1000 B 02/513.28.06
- Angola - rue F. Merjaystraat, 182 - 1050 B 02/346.18.80
- Arabe Saoudite/Saudi-Arabië - av. Fr. Rooseveltlaan, 45 - 1050 B 02/649.20.44
- Argentine/Argentinië - av. Louise/Louizalaan, 225 - 1050 B 02/647.78.12
- Arménie/Armenië - rue F. Montoyerstraat, 28 - 1000 B 02/348.44.00
- Australie/Australië - rue Guimardstr., 6/8 - 1040 B 02/286.05.00
- Autriche/Oostenrijk - Pl. du Champ de Mars/Marsveldpl., 5(5b) - 1050 B 02/289.07.00
- Azerbaïdjan/Azerbaidzjan - av. Molièrelaan, 464 - 1050 B 02/345.26.60
- Bahrein - av. Louise/Louisalaan, 250 - 1050 B 0488/482221
- Bangladesh - rue J. Jordaensstr., 29-31 - 1000 B 02/640.55.00
  .... 02/640.56.06
- Barbade/Barbados - av. Fr. Rooseveltlaan, 100 - 1050 B 02/732.17.37
- Belarus - av. Molièrelaan, 192 - 1050 B 02/340.02.70
- Belize - bd. Brand Whitlocklaan, 136 - 1200 B 02/732.62.04
- Bénin/Benin - av. de l'Observatoire/Sterrewachtlaan, 5 - 1180 B 02/374.91.92
- Bolivie/Bolivia - av. Louise/Louizalaan, 176 - 1050 B 02/627.00.10
- Bosnie-Herzégovine/Bosnië-Herzegovina - rue Belliardstraat, 15 - 17 - 1040 B 02/644.33.23
- Botswana - av. de Tervueren/Tervurenlaan, 169 - 1150 B 02/735.20.70
- Brésil/Brazilië - av. Louise/Louizalaan, 350 - 1050 B 02/640.20.15
- Brunei Darussalem - av. F. Rooseveltlaan, 238 - 1050 B 02/675.08.78
- Bulgarie/Bulgarije - av. Hamoirlaan, 58 - 1180 B 02/374.59.63
- Burkina Faso - pl. G. d'Arezzoplaats, 16 - 1180 B 02/345.99.12
- Burundi - sq. Marie-Louise/Marie-Louizasq., 46 - 1000 B 02/230.45.35
- Cambodge/Cambodja - av. de Tervueren/Tervurenlaan, 264 - 1150 B 02/772.03.72
- Cameroun/Kameroen - av. Brugmannlaan, 131 - 1190 B 02/345.18.70
- Canada - av. Tervueren/Tervurenlaan, 2 - 1040 B 02/741.06.11
- Cap Vert/Kaapverdië - Av. Jeanne/Johannalaan 29 - 1050 B 02/643.62.70
- Centrafricaine/Centraal-Afrikaanse - bd. Lambermontlaan, 416 - 1030 B 02/242.28.80
- Chili - rue des Aduatiques/Aduatukersstraat, 106 - 1040 B 02/280.16.20
- Chine/China - av. de Tervueren/Tervurenlaan, 463-1160 B 02/663.30.10
- Chypre/Cyprus - av. de Cortenbergh/Kortenberglaan, 61 - 1000 B 02/650.06.10
- Colombie/Colombia - av. F. Rooseveltlaan, 96 a - 1050 B 02/649.56.79
- Comores-Comoren - rue Berthelotstraat, 63 - 1190 B 02/779.58.38
- Congo (Rép. Démocratique/Democratische Rep.) - rue Marie de Bourgogne, 30 - 1000 B ....
  .... 02/213.49.80
- Congo (Rép. Populaire du) - av. Fr. Rooseveltlaan, 16 - 1050 B 02/648.38.56
- Corée/Korea - ch. de la Hulpe/Terhulpsestwg.,175 - 1170 B 02/675.57.77
- Costa Rica - av. Louise/Louizalaan, 489 - 1050 B 02/640.55.41
- Côte d'Ivoire/Ivoorkust - av. Fr. Rooseveltlaan, 234 - 1050 B 02/672.23.57
- Croatie/Kroatië - av. Louise/Louizalaan, 425 - 1050 B 02/639.20.36
- Cuba - rue Rob Jonesstr., 77 - 1180 B 02/343.00.20

- Danemark/Denemarken - rue d'Arlon/Aarlenstraat, 73 - 1040 B.................................... 02/233.09.00
- Djibouti - av. Brugmannlaan 410 - 1180 B 02/347.69.67
- Dominique/Dominica - rue de Livournestr., 42 - 1000 B 02/534.26.11
- Dominicaine (République)/Dominicaanse Republiek - av. Louize/Louizalaan, 130A - 1050 B............ .... 02/346.49.35
- Egypte - av. de l'Uruguaylaan, 19 - 1000 B.. 02/663.58.00
- El Salvador - av. de Tervueren/Tervurenlaan, 171 - 1150 B 02/733.04.85
- Emirats Arabes Unis/Verenigde Arabische Emiraten - av. Fr. Rooseveltlaan, 73 - 1050 B.. 02/640.60.00
- Equateur/Ecuador - av. Louise/Louizalaan, 363 - 1050 B.. 02/644.30.50
- Erythrée/Eritrea - av. Wolvendaellaan, 15 - 17 - 1180 B.. 02/374.44.34
- Espagne/Spanje - rue. de la Science/Wetenschapslaan, 19 - 1040 B.............................. 02/230.03.40
- Estonie/Estland - av. I Gérardstraat, 1 - 1160 B 02/779.07.55
- Etats-Unis d'Amérique/Verenigde Staten van Amerika - bd. Regentlaan, 27 - 1000 B .. 02/508.21.11
- Ethiopië - av. de Tervueren/Tervurenlaan, 231- 1150 B... 02/771.32.94
- Fidji/Fiji - square Plaskysquare, 92-94 - 1030 B.. 02/736.90.50
- Finlande/Finland - av. des Arts/Kunstlaan, 58 - 1000 B.. 02/287.12.12
- France/Frankrijk - rue Ducale/Hertogsstr., 65 - 1000 B.. 02/548.87.11
- Gabon - av. W. Churchilllaan, 112 - 1180 B.. 02/340.62.10
- Gambie/Gambia - av. Fr. Rooseveltlaan, 126 - 1050 B.. 02/640.10.49
- Georgie - av. de Tervueren/Tervurenlaan, 62 - 1040 B... 02/761.11.91
- Ghana - bd. Gén. Wahislaan, 7 - 1030 B 02/705.82.20
- Grande Bretagne/Groot-Brittannië - rue d'Arlon/Aarlenstraat, 85 - 1040 B..................... 02/287.62.11
- Grèce/Griekenland - rue des Petits carmes/Karmelietenstraat, 10 - 1000 B.................. 02/545.55.00
- Grenade/Granada - rue de Laekenstraat, 123 - 1000 B 02/223.73.03
- Guatemala - av. W. Churchilllaan, 185 - 1180 B... 02/345.90.47
- Guinée/Guinee - bd. A. Reyerslaan, 108 - 1030 B.. 02/771.01.26
- Guinée Bissau/Guinée-Bissao - av. Fr. Rooseveltlaan, 70 - 1050 B............................. 02/647.08.90
- Guinée Equatoriale - Pl. G. d'Arezzoplaats, 6 - 1180 B 02/346.25.09
- Guyane/Guiana - av. Brésil/Braziliëlaan, 12 - 1000 B 02/675.62.16
- Haïti - ch. de Charleroisesteenweg, 139 - 1060 B... 02/649.73.81
- Honduras - av. des Gaulois/Galliërslaan, 3 - 1040 B.. 02/734.00.00
- Hongrie/Hongarije - av. vert chasseur/De Groene Jagerlaan, 44 - 1080 B...................... 02/348.18.00
- Ile Maurice/Eiland Mauritius - rue des Bollandistes/Bollandistenstraat, 68 - 1040 B....... 02/733.99.88
- Inde/India - ch. de Vleurgat/Vleurgatsesteenweg, 217 - 1050 B................................... 02/640.91.40
- Indonésie - bd. de la Woluwelaan, 38 - 1200 B... 02/775.01.20
- Iraq/Irak - av. F. Rooseveltlaan, 115 - 1050 B... 02/374.59.92
- Iran - av. F. Rooseveltlaan, 15 - 1050 B 02/627.03.50
- Irlande/Ierland - rue Wiertzstraat, 50 - 1050 B 02/235.66.76
- Islande/IJsland - Rond-Point R. Schumanpl., 11 - 1040 B 02/238.50.00
- Israël - av. de l'Observatoire/Sterrewachtlaan, 40 - 1180 B 02/373.55.00
- Italie/Italië - rue E. Clausstr., 28 - 1050 B.. 02/643.38.50
- Jamahiriya Arabe Libyenne/Libië - av. Victorialaan, 28 - 1000 B 02/649.37.37
- Jamaïque/Jamaica - av. Hansen- Soulielaan, 77 - 1040 B... 02/230.11.70
- Japon/Japan - av. des Arts/Kunstlaan, 58 - 1000 B.. 02/513.23.40
- Jordanie/Jordanië - av. Fr. Rooseveltlaan, 104 - 1050 B.. 02/640.77.55
- Kazakhstan/Kazachstan - av. Van Beverlaan, 30 - 1180 B... 02/374.95.62
- Kenya/Kenia - av. W. Churchilllaan, 208 - 1180 B 02/340.10.40

- Kirghizstan/Kirgizie - rue l'Abbaye/Abdijstraat, 47 - 1050 B 02/640.18.68
- Koweit/Koeweit - av. Fr. Rooseveltlaan, 43 - 1050 B........ 02/647.79.50
- Laos - av. de la Brabançonnelaan 19 - 21 - 1000 B 02/740.09.50
- Lesotho - bd. Gen. Wahislaan, 45 - 1030 B 02/705.39.76
- Lettonie/Letland - av. Molièrelaan, 158 - 1050 B 02/344.16.82
- Liban/Libanon - rue G. Stocqstr., 2 - 1050 B 02/645.77.65
- Liberia - av. du Château/Kasteellaan, 50 - 1080 B 02/411.01.12
- Libye/Libië - av. Victorialaan, 28 - 1000 B 02/649.37.37
- Liechtenstein - pl. du Congrèsplein, 1 - 1000 B........ 02/229.39.00
- Lituanië/Litouwen - rue M. Liétart/M. Liétartstraat, 48 - 1150 B........ 02/772.27.50
- Luxemb(o)urg (Grand-Duché / Groothertogdom)
  av. de Cortenbergh/Kortenberglaan, 75 - 1000 B........ 02/737.57.00
- Macédoine/Macodonië - av. Louise/Louizalaan, 209a - 1050 B........ 02/732.91.08
- Madagascar/Madagaskar - av. de Tervueren/Tervurenlaan, 276 - 1150 B........ 02/770.17.26
- Malaisie/Maleisië - av. de Tervueren/Tervurenlaan, 414a - 1150 B 02/776.03.40
- Malawi - av. H. Debrouxlaan, 46 - 1160 B 02/231.09.80
- Mali - av. Molièrelaan, 487 - 1050 B........ 02/345.74.32
- Malte/Malta - rue Archimède/Archimedeslaan, 25 - 1000 B 02/343.01.95
- Maroc/Marokko - bd St-Michel/Sint-Michielslaan 29 - 1040 B........ 02/736.11.00
- Mauritanie/Mauritanië - av. de la Colombie/Colombialaan, 6 - 1000 B........ 02/672.47.47
- Mexique/Mexico - av. F. Rooseveltlaan, 94 - 1050 B........ 02/629.07.77
- Moldavie/Moldavië - av. F. D. Rooseveltlaan, 57 - 1050 B 02/732.96.59
- Monaco - pl. G. d'Arezzoplaats, 17 Bte 7 - 1180 B........ 02/347.49.87
- Mongolie - av. Besmelaan, 18 - 1190 B........ 02/344.69.74
- Mozambique - bd. St.-Michel/Sint-Michielslaan, 97 - 1040 B........ 02/736.00.96
- Myamar - bd. Gen. Wahislaan, 9 - 1030 B 02/701.93.81
- Namibie - av. de Tervueren/Tervurenlaan, 454 - 1160 B........ 02/771.14.10
- Népal - av. Brugmannlaan, 210 - 1050 B 02/346.26.58
- Nicaragua - av. Wolvendaellaan, 55 - 1180 B........ 02/375.65.00
- Niger - av. Fr. Rooseveltlaan, 78 - 1050 B........ 02/648.61.40
- Nigéria - av. de Tervueren/Tervurenlaan, 288 - 1150 B 02/762.52.00
- Norvège/Noorwegen - rue Archimède/Archimedesstraat, 17 - 1000 B........ 02/646.07.80
- Nouvelle Zélande/Nieuw-Zeeland - sq. De Meeussquere 1 - 1000 B 02/512.10.40
- Oman av. Herrmann - Debrouxlaan, 40 - 42 - 1160 B........ 02/679.70.10
- Ouganda/Uganda - av. de Tervueren/Tervurenlaan, 317 - 1150 B 02/762.58.25
- Ouzbékistan/Oezbekistan - Av. F. Rooseveltlaan, 99 - 1050 B 02/672.88.44
- Pakistan - av. Delleurlaan, 57 - 1170 B 02/673.80.07
- Panama - bd. Generaal Jacqueslaan, 18 - 1050 B 02/649.07.29
- Papouasie Nouvelle-Guinée/Papouea Nieuw-Guinea
  av. de Tervueren/Tervurenlaan, 430 - 1150 B........ 02/779.06.09
- Paraguay - av. Louiselaan, 475/b21 - 1050 B 02/649.90.55
- Pays-Bas/Nederland - av. Hermann Debrouxlaan, 48 - 1060 B........ 02/679.17.11
- Pérou/Peru - av. de Tervueren/Tervurenlaan, 179 - 1150 B........ 02/733.33.19
- Philippines/Filipijnen - av. Molièrelaan, 297 - 1050 B........ 02/340.33.77
- Pologne/Polen - av. des Gaulois/Galliërslaan, 29 - 1040 B........ 02/739.01.51
- Portugal - av. Toison d'Or/Gulden Vlieslaan, 55 - 1060 B........ 02/553.07.00
- Qatar - rue de La Vallée/Dalstraat, 51 - 1050 B 02/223.11.55
- Roumanie/Roemenië - rue Gabriellestr., 105 - 1180 B........ 02/345.26.80

- Russie (Feder. de)/Rusland - av. De Fré/De Frélaan, 66 - 1180 B 02/374.68.86
- Rwanda/Ruanda - av. Des Fleurs/Bloemenlaan, 1 - 1150 B 02/763.07.21
- Saint-Kitts-et-Névis - rue de Livourne/Livornostraat, 42 - 1000 B 02/534.26.11
- Saint-Lucia - r. de Livourne/Livornostraat, 42 - 1000 B 02/534.26.11
- Saint-Marin/San Marino - av. F. Rooseveltlaan, 62 - 1050 B 02/644.22.24
- Saint-Siège/Heilige Stoel - av. Franciscains/Franciskanenlaan, 5 - 9 - 1150 B 02/762.20.05
- Salomon-Îles/Salomonseilanden - av. E. Lacomble, 17 - 1040 B 02/732.70.85
- Saint - Vincent- et- Grenadine - rue de Livourne/Livornestraat, 42 - 1000 B 02/534.26.11
- Samoa Occidentales/West-Somoa - av. de l'Orée/Zoomlaan, 20 - 1050 B 02/660.84.54
- Sao Tome et/en Principe - av. de Tervueren/Tervurenlaan, 175 - 1150 B 02/734.89.66
- Sénégal/Senegal - av. Fr. Rooseveltlaan, 196 - 1050 B 02/673.00.97
- Serbie - av. E. De Motlaan, 11 1000 B 02/647.26.52
- Seychelles - bd. Saint-Michel/St.-Michellaan, 28 - 1040 B 02/773.60.55
- Sierra Léone - av. de Tervueren/Tervurenlaan, 410 - 1150 B 02/771.00.53
- Singapour/Singapore - av. Fr. Rooseveltlaan, 198 - 1050 B 02/660.29.79
- Slovaquie Rep. Slowakje - av. A. Molièrelaan, 195 - 1050 B 02/346.43.42
- Slovénië/Slovanië - av. Louise/Louizalaan, 130 A - 1050 B 02/643.49.50
- Soudan/Soedan - av. Fr. Rooseveltlaan, 124 - 1050 B 02/647.51.59
- Sri-Lanka - rue J. Lejeunestr., 27 - 1050 B 02/344.55.85
- Suède/Zweden - rue de Luxembourgstraat 3 - 1000 B 02/289.57.60
- Suisse/Zwitserland - rue de la Loi/Wetstraat, 26 - 1040 B 02/285.43.50
- Suriname - av. Louise/Louizalaan, 379 - 1050 B 02/640.11.72
- Swaziland - av. W. Churchilllaan, 188 - 1180 B 02/347.47.71
- Syrie/Syrië - av. Fr. Rooseveltlaan, 3 - 1050 B 02/648.01.35
- Tanzanie/Tanzania - av. Fr. Rooseveltlaan, 72 - 1050 B 02/640.65.00
- Tazdjikistan - bd. Genera(a)l Jacqueslaan, 16 - 1050 B 02/640.69.33
- Tchad/Tsjaad - bd. Lambermontlaan, 52 - 1030 B 02/215.19.75
- Tchèque (Rép.)/Tsjechie - rue du Trône/Troonstraat, 60 - 1050 B 02/213.94.01
- Thailande/Thailand - sq du Val de la Cambre/Terkamerendalsquare, 2 - 1050 B 02/640.68.10
- Timor- Leste - av. de Cortenbergh/Kortenberglaan, 12 - 1040 B 02/280.00.96
- Togolaise/Togo - av. de Tervueren/Tervurenlaan, 264 - 1150 B 02/770.17.91
- Trinité-et-Tobago/Trinidad en Tobago - av. Faisanderie/Fasantenparklaan, 14 - 1150 B 02/762.94.00
- Tunisie/Tunesië - av. de Tervueren/Tervurenlaan, 278 - 1150 B 02/771.73.95
- Turkmenistan - bd. Reyerslaan, 106 - 1030 B 02/648.18.74
- Turquie/Turkije - rue Montoyerstraat, 4 - 1000 B 02/513.40.95
- Ukraine/Oekraïne - av. A. Lancasterstraat, 30 - 32 - 1180 B 02/379.21.00
- Uruguay - av. F. Rooseveltlaan, 22 - 1050 B 02/640.11.69
- Vanuatu - av. de Tervueren/Tervurenlaan, 380 - 1150 B 02/771.74.94
- Venezuela - av. F. Rooseveltlaan, 10 - 1050 B 02/639.03.40
- Vietnam - bd. Gén. Jacqueslaan, 1 - 1050 B 02/374.79.61
- Yemen/Jemen - av. F. Rooseveltlaan, 114 - 1050 B 02/646.52.90
- Zambie/Zambia - av. Molièrelaan, 469 - 1050 B 02/343.56.49
- Zimbabwe - sq. Josephine Charlotte, 11 - 1200 B 02/762.58.08

CONSULATS - CONSULATEN
KONSULATE - CONSULATES

ALGERIE / ALGERIJE - rue d' Edinbourgstraat, 28 - 1050 .... T.02 537 81 33
AUTRICHE - place du Champ de Mars, 5 b5 - 1050 .... T.02 289 07 00
BOSNIE-HERZEGOVINA / HERZEGOVINE - rue de Tenbosch - Tenbosstraat, 34 - 1000 .... T.02 644 20 08
COLOMBIA / COLOMBIE - rue Van Eyck-straat, 44 - 1000 .... T.02 649 07 68
COSTA RICA - av. Louise/Louizalaan, 489 - 1050 .... T.02 640 55 41
DJIBOUTI - av. F. Rooseveltlaan, 204 - 1050 .... T.02 347 69 67
FRANCE / FRANKRIJK - place de Louvain/Leuvenseplein, 12A - 1000 .... T.02 229 85 00
GRANDE-BRETAGNE /GROOT-BRITTANNIE - rue d'Arlon/Aarlenstraat, 85 - 1040 ......T.02 287 62 11
GRECE/GRIEKENLAND - rue des Petits Carmes/Karmelietenstraat, 6 - 1000 .... T.02 545 55 10
HONGARIJE / HONGRIE - rue E. Picard-straat, 45 - 1050 .... T.02 343 80 87
ITALIE - rue de Livourne/Livornostraat, 38 - 1050 .... T.02 543 15 50
KAAPVERDIE - Veldkapellaan, 49 - 1200 .... T.02 771 89 07
LUXEMBOURG - av. de Cortenbergh/Kortenberglaan, 75 - 1000 .... T.02 737 57 00
MAROC / MAROKKO - av. Van Volxem-laan, 20 - 1190 .... T.02 346 19 66
OEKRAINE - av. A. Lancasterlaan, 30 - 32 - 1180 .... T.02 379 21 00
PEROU / PERU - rue de Praetere-straat, 2 - 4 - 1000 .... T.02 641 87 60
POLEN / POLOGNE - rue des Francs, 26 - 28 - 1040 .... T.02 739 01 01
OOSTENRIJK / AUTRICHE - Marsveldplein, 5 bus 5 - 1050 .... T.02 345 26 80
ROEMENIE / ROUMANIE - rue Gabrielle/Gabriellestraat, 105 -1180 .... T.02 345 26 80
RUSSIE (FED. DE) / RUSSISCHE FED. - rue Roberts-Jones-straat, 78 - 1180 .... T.02 374 35 69
SEYCHELLES - avenue Louise/Louisalaan, 361 - 1050 .... T.02 627 57 88
TUNESIE / TUNISIE - bld. St.-Michel/Sint-Michielslaan, 103 - 1040 .... T.02 732 61 02
TURKIJE / TURQUIE - r. Montoyer-straat, 4 - 1000 .... T.02 548 93 40
UKRAINE - av. A. Lancaster, 30 - 1180 .... T.02 379 21 01

CLINIQUES - HOPITAUX - MATERNITES
ZIEKENHUIZEN - KLINIEKEN - KRAAMINRICHTINGEN
KRANKENHAUSER - SPITALE - ENTBINDUNGSSTATIONEN
HOSPITALS - CLINICS - MATERNITY

(*) AVEC SERVICE DE GARDE PERMANENT - (*) MET PERMANENTE WACHTDIENST
(*) MIT PERMANENTEN WACHTDIENST - (*) WITH PERMANENT GUARD DUTY

* **A.Z.-Academisch Ziekenhuis (V.U.B.)**
Jette Campus - av. Laarbeeklaan, 101 - 1090 B - 02/477.41.11 .... 12 Ea
Accidents du travail - voir DISCCA
* **Albert Ier** - Institut Albert Ier et Reine Elisabeth/Albert I en Koningin
Elisabethkliniek - rue Wayenberg/Waaienbergstr., 9 - 1040 B - 02/649.01.89 .... 35 Ad
Arbeidsongevallen - zie DISCCA
Basilique - Nouvelle Clinique de la Basilique (A.S.B.L.)
rue Pangaertstr., 37-47 - 1080 B - 02/422.42.42 .... 19 Cc
* **Belge** - Institut Neurologique Belge/Belgisch Neurologisch Instituut
rue de Linthoutstraat, 150 - 1040 B - 02/737.85.60 .... 28 Fc
* **Bordet** (institut/instituut)
Héger-Bordetstraat, 1 - 1000 B - 02/541.31.11 .... 94 Fac,34 Bc
Braine-l'Alleud-Waterloo, Hôpital de Braine-l'Alleud-Waterloo
rue Wayez, 35 - 1420 Braine-l'Alleud - 02/389.02.11 .... 88 Aac
CHU Brugmann
Site :
* **Brugmann**
uvc Brugmann (Site Koningin Astrid - Site Reine Astrid)
Rue Bruynstraat 1, 1120 B - 02/477.21.11 .... 7 Bc
Brugmann
Place Arthur Van Gehuchteplein, 4 - 1020 B - 02/477.21.11 .... 13 Ea
Jette ....
Chaussée de Wemmelsesteenweg, 229 - 1090 B - 02/422.47.11 .... 12 Fd
Bruxelles - Centre Neuro-Chirurgical de Bruxelles/Neuro-Chirurgisch Centrum
van Brussel - rue Froissartstraat, 38 - 1040 B - 02/287.51.11 .... 35 Ab
* **Cavell** - Institut Médical Edith Cavell - Marie Depage Instituut
rue E. Cavellstraat, 32 - 1180 B - 02/340.40.40 .... 41 Cc
* **CPAS** De Woluwé - St.- Lambert (Centre Geriatrique)
rue de La Charrette - Karrestraat, 27-29 - 1200 B - 02/777.75.11 .... 29 Ad
De Paepe - Centre Hospitalier - Verplegingscentrum
rue des Alexiens, Cellebroerstraat, 11 - 1000 B - 02/506.71.11 .... 92 Facd
* **Derscheid Dr. Clinique**
ch. de Tervuren - 1410 Waterloo (La Hulpe) (Waterloo) - 02/352.61.11 .... 73 Ecd
Deux-Alice - Institut des Deux Alice Instituut
rue Groeselenbergstraat, 57 - 1180 B - 02/373.45.11 .... 48 Bb
* **Discca** -Accidents de travail/Arbeidsongevallen
rue des Six Jetons, 70/Zespenningenstraat - 1000 B - 02/513.60.10 .... 92 Bd
Equipe -zie/voir **Centre de Réadaptation**
Erasme Hôpital Universitaire/Universitair Ziekenhuis Erasmus
route de Lenniksebaan, 808 - 1070 B - 02/555.31.11 .... 39 Bc
* **Europe St. Michel/Europa St. Michiels**
sq. Maria Louizaplein, 59 - 1000 B - 02/737.80.00 .... 28 Db
rue de Linthoutstraat, 150 - 1040 B - 02/737.80.00

* **Fond'Roy** - Institut
av. J. Pasturlaan, 43 - 1180 B - 02/375.44.93 .... 48 Fd
* **Français** - Hôpital Français - Reine Elisabeth
av. J. Goffinlaan, 180 - 1082 B - 02/482.40.00 .... 19 Ea
Heizel-G. Brugmann
Heizelstraat, 3 - 1020 B - 02/475.55.11 .... 13 Ad
Hôpitaux Iris Sud/Iris Ziekenhuizen Zuid
Site : Baron Lambert
rue Baron Lambertstraat, 38 - 1040 B - 02/739.84.11 .... 35 Bcd
* **Joseph Bracops**
rue Docteur Huetstraat, 79 - 1070 B - 02/556.12.12 .... 33 Ac
Etterbeek-Ixelles/Elsene
rue Jean Paquotstraat, 63 - 1050 B - 02/641.41.41 .... 35 Dd
Molière - Longchamp
rue Marconistraat, 142 - 1190 B - 02/348.51.11 .... 41 Abd
Hôpital Universitaire des Enfants Reine Fabiola/
Universitair Kinderziekenhuis Koningin Fabiola
avenue J.J. Crocqlaan, 15 - 1020 B - 02/477.33.11 .... 13 Ea
Instituts - voir sous le nom propre de l'institut
Instituut - zie onder de eigennaam van het instituut
Halle -Regionaal Ziekenhuis SInt-Maria
Ziekenhuislaan 100 - 1500 Halle - 02/363.12.10 .... 68 Ea
* **Koningin Fabiola** - Universitair Kinderziekenhuis/Hôpital Universitaire des enfants
Kortenberg - Universitair Psychiatrisch Centrum St. Jozef
Leuvensestwg., 517 - 3070 Kortenberg - 02/758.05.11 .... H.P./B.P.
Lambermont - Clinique et Maternité/Kliniek en Kraaminrichting
rue des Pensées, 1-5/Penseestraat - 1030 B - 02/240.60.60 .... 21 Ecd
Léopold - voir/zie **Parc** Léopold
L'équipe Centre/Centrum
rue de Veeweydestraat, 60 - 1070 B - 02/523.50.36 .... 33 Bc
Louise - Centre d'expertise médicale
rue J. Stallaertstr., 20 - 1050 B - 02/344.40.30 .... 41 Bd
Lucie Lambert - Roos der Koningin
Nachtegaalstr., 211 - 1501 Buizingen/Halle - 02/356.51.11 .... 69 Ea
Magnolia
Rue Léopold I Straat, 314 - 1090 B - 02/421.00.20 .... 20 Bb
Malibran -voir/zie Solbosch
Médicaire Medical Center
av. Louise, 249/Louizalaan - 1050 B - 02/643.60.60 .... 42 Ac
Médicis -Centre Médical/Medisch Centrum
av. de Tervurenlaan, 251 - 1150 B - 02/762.50.44 .... 36 Ac
* **Militair(e)** - Hôpital Militaire/Militair Hospitaal
Quartier Reine Astrid, rue Bruyn 1/Kwartier Koningin Astrid,
Bruynstraat 1 - 1120 B - 02/264.41.11 .... 7 Eab
* **Neurologique** - Institut Neurologique Belge - voir/zie **Belge**
New Paul Brien voir/zie CHU Brugmann
* **Pachéco Inst.**
rue du Grand Hospice /Groot Godshuisstraat, 7 - 1000 B - 02/226.42.11 .... 90 Facd
Parc Léopold -Clinique/Kliniek
rue Froissartstr., 38 - 1040 B - 02/287.51.11 .... 35 Ab
Parhélie (Centre Psychiatrique pour enfants et adolescents)
avenue Jacques Pasturlaan, 43 - 1180 B - 02/373.82.10 .... 35 Ab
Ramée - Clinique/Kliniek
av. de Boetendaellaan, 34 - 1180 B - 02/344.18.94 .... 41 Ec

* **Saint-Pierre/Sint-Pieter**
rue Haute/Hoogstraat, 322 - 1000 B - 02/535.31.11 .... 94 Eb,Fa

* **Sanatia** - Clinique Neuro-Psychiatrique/Neuro-Psychiatrische Kliniek
rue du Collège, 45/Collegestraat - 1050 B - 02/645.00.50 .... 95 Fc
rue du Moulin, 27-29/Molenstraat 1030 B - 02/211.00.40 .... 91 Fab

Sans Souci - Clinique/Kliniek
av. de l'Exposition, Tentoonstellinglaan, 218 - 1090 B - 02/478.04.33 .... 12 Fac

Ste. Anne et St. Remi/St. Anna en St. Remi Clinique/Kliniek
bd. Jules Graindorlaan,66 - 1070 B - 02/556.51.11 .... 26 Ed,Fc

* **Schaerbeek/Schaarbeek**
rue du Foyer Schaerbeekois, Schaarbeeksehaardstraat, 36 - 1030 B - 02/277.21.11 .... 21 Bc

De Greef -Centre Dr. E. De Greef/Centrum, (Controlecentrum voor Invaliditeit.)
av. Albertlaan, 167 - 1060 B - 02/343.16.26 .... 41 Bac

Depage - Clinique/Kliniek Antoine Depage
av. Henri Jasparlaan, 101 - 1060 B - 02/538.61.40 .... 94 Fc

Centre Médical du Solboch (Polyclinique)
Avenue Adolphe Buyl, 110 A - 1050 Ixelles - 02/649.81.15 .... 42 Ad

Polyclinique Malibran
rue Malibranstraat 51, 1050 Ixelles - 02/547.45.11 .... 35 Da

Ste/St. Elisabeth - Clinique/Kliniek
av. de Frélaan, 206 - 1180 B - 02/373.10.11 .... 41 Fd

* **St. Etienne** - Clinique/Kliniek
rue du Méridien, 100/Middaglijnstr. - 1210 B - 02/225.91.11 .... 91 Fac

* **St. Gilles/St.-Gillis Hôpital/Hospitaal**
Rue Marconistr., 142/Av. Molièrelaan, 34 - 1190 B - 02/348.51.11 .... 41 Ad

* **St-Jean/St. Jan** - Clinique Générale/Algemene Kliniek
Boulevard du Jardin Botanique/Kruidtuinlaan, 32 - 1000 B - 02/221.91.11 .... 91 Db

* **AZ. Jan Portaels**
Gendarmeriestraat, 65 - 1800 Vilvoorde - 02/254.64.00 .... 4 Acd

St. Jozef (Universitair Psychiatrisch Centrum)
Leuvensestwg., 517 - 3070 Kortenberg - 02/758.05.11 .... H.P./B.P.

* **St. Luc** - Clinique Universitaire Kliniek
av. Hippocrate, 10/Hippocrateslaan - 1200 B - 02/764.11.11 .... 29 Cd, 30 Ac

St-Maria - Ziekenhuis
Ziekenhuislaan, 100 - 1500 Halle - 02/363.12.11 .... 68 Eab

St-Michel/St.-Michiels - Clinique/Kliniek
rue de Linthoustraat, 150 - 1040 B - 02/737.80.00 .... 28 Fc

Tandheelkunde - zie **Dentaire**

* **Titeca** - Centre Hospitalier/Ziekenhuiscentrum
rue de la Luzerne, Luzernestraat 11- 1030 B - 02/735.01.60 .... 28 Bb

* **Traumatologie** - Centre de Traumatologie et de Réadaptation
Centrum voor Traumatologie en Revalidatie
place A. Van Gehuchtenpl., 4 - 1020 B - 02/475.12.11 .... 13 Da

* **Vilvoorde**
Van Helmont-Ziekenhuis
Vaartstraat, 42 - 1800 Vilvoorde - 02/254.62.11 .... 4 Ad

* **Waterloo** - Centre Médico-Chirurgical de Waterloo
rue du Gaz 1, 25c - 1410 Waterloo - 02/354.05.52 .... 76 Eab

Psycho - Sociaal centrum Sint-Alexius
rue de L'Arbre Benit/ Gewijde Boomstraat, 102 - 1050 B - 02/512.90.33 .... 34 Cd

Ziekenhuis Albert Laurent (Afdelingen SP en G)
av. De Selliers/ De Moranvillelaan, 91 - 1082 B - 02/482.13.00 .... 19 Da

Stichting voor de Psychogeriatrie
rue de la Vieille Heureuse/ Gelukkige Grijsheidstraat, 1 - 1080 B - 02/482.49.49 .... 26 Ad

PARKINGS - PARKPLATZE - PARKING PLACES

- **Aéroport Bruxelles National/Luchthaven Brussel Nationaal** 1930 Zaventem - 02/720 41 91 .... 16 Ca
- **Air** - Vilvoordelaan, 194 - 1930 Zaventem - 02/720.44 71 .... 16 Bc, Ea
- **Albertine** - Pl. de la Justice, 16/Gerechtsplein - 1000 B - 02/501.61.41 .... 93 Dc
- **Alhambra** - Boulevard Emile Jacqmainlaan 14 - 1000 B - 02/218.84.40 .... 90 Fbd
- **Bascue** - Chaussee de Waterloosesteenweg 715 - 1180 B - 02/344.52.12 .... 41 Cd
- **Botanique/Kruidtuin** - bd. du Jardin Botanique, 29-31/Kruidtuinlaan - 02/217.18.31 .... 91 Db
- **Brouckère** - bd. E. Jacqmain - rue du Cirque/E. Jacqmainln. - Circusstr. - 1000 B - 02/203 13 27 .... 90 Fd, 27 Bd-B
- **Car Hotel** - Brucargo, 122 - 1820 Melsbroek - 02/753.01.10 .... 9 Aa
- **C.C.N** - rue du Progres/Vooruitgangstraat 80 - 1030 B - 02/203.13.27 .... 20 Cd
- **Center Parkings** - Ch. de Waterloosteenweg, 699 - 1180 B - 02/344.02.50 .... 41 Cd,Fb
- **Centre/Parking du** rue du Vieux Marché-aux-Grains, 47-51/Oude Graanmarkt - 1000 B - 02/512.35.09 .... 92 Bb
- **Centre** - Reu du Damier/Dambordstraat 26 - 1000 B - 02/218.59.00 .... 91 Dca
- **Cirque/Circus** - rue de l'Enseignement, 90/Onderrichtstraat - 1000 B - 02/218.41.80 .... 93 Babc
- **City** - bd. Pachéco, 7/Pachecolaan - 1000 B - 02/218.12.82 .... 91 Ec
- **City 2** - rue des Cendres/Asstraat 8 - 1000 B - 02/217.28.76 .... 91 Dbd
- **Dansaert** - place du Nouveau Marché aux Grains/Nieuwe Graanmarkt 2 - 1000 B - 02/512.00.08 .... 92 Bab
- **De Brouckere** - Place de Brouckereplein 1 - 1000 B - 02/549.58.28 .... 20 Fc
- **Deux Portes** - bd. Waterloolaan, 2A - 1000 B - 02/549.51.60 .... 94 Fabc, 95 Acd
- **Dinant** - pl. de Dinant/Dinantplein, 10 - 1000 B - 02/513.21.37 .... 92 Fd
- **Ecuyer/Schildknaap** - rue de l'Ecuyer, 11-17/Schildknaapstr. - 1000 B - 02/219.07.18 .... 92 Cb
- **Flandre Parking Vlaanderen** pl. du Nouveau Marché aux Grains, 3/Nieuwe Graanmarkt - 1000 B - 02/512.40.10 .... 92 Bab
- **Galerie Louise/Louisagalerij** - rue Capitaine Crespel, 27/Kapitein Crespelstr. - 1050 XL - 02/514.15.10 .... 95 Db
- **Grand Place/Grote Markt** rue du Marché-aux-Herbes, 104/Grasmarkt - 1000 B - 02/289.67.71 .... 92 Cd
- **Guldenvlies** - rue de Toison D'or/Guldenvlieslaan 20,1000 B - .... 95 Acd
- **Industrie** - rue de l'Industrie, 26-38/Nijverheidsstr. - 1000 B - 02/230.18.76 .... 93 Fc
- **Inno** - rue Neuve-rue du Damier/Nieuwstr.-Dambordstr. - 1000 B - 02/218.45.00 .... 91 Dc
- **Loi/Wet** - rue de la Loi/Wetstraat - 1040 B - 02/230.91.02 .... 93 Fab
- **Louise Concorde** - rue de la Concorde, 66/Eendrachtstr. - 1050 B - 02/502.48.78 .... 95 Dd
- **Louiza** P. 2000/Louise - P. 2000 - rue de Livourne, 7-11/Livornostr. - 1050 B - 02/538.71.16 .... 34 Fa
- **Louiza Galerie/Galerij** - Reu Capitaine Crespel/Kapitein Crespelstraat 27 - 1050 B - 02/202.09.15 .... 95 Dab
- **Louiza-Stefania** - avenue Louiselaan 83 a - 1000 B - 02/539 25 79 .... 95 Dac
- **Magistrat/Wethouder** - rue du Magistrat, 5/Wethoudersstr. - 1000 B - 02/640.58.91 .... 34 Fd
- **Manhattan** - rue des Croisades, 19/Kruisvaartenstr. - 1000 B - 02/203.30.53 .... 91 Ac
- **Monnaie/Munt** - Pl. de la Monnaie/Munt, 25 - 1000 B - 02/217.04.67 .... 92 Cb
- **Noordstation/Gare du Nord** - rue du Progres/Vooruitgangstraat 76 - 02/230.20.74 .... 20 Fc
- **Pacheco** - Boulevard Pachécolaan 7 - 1000 B - .... 93 Ab
- **Parking 58** - rue de l'Evèque, 1/Bisschopsstr. - 1000 B - 02/549.58.28 .... 92 Ca

- **Parking Woluwe Shopping Center** - Sint - Lambrechts-Woluwelaan - 202B - 1200 B ....36 Aa
- **Passage 44** - rue de l'Ommegang, 16-20/Ommegangstr. - 1000 B - 02/217.15.44 ....91 Ec
- **Philips** - pl. de la Brouckère, 2/de Brouckèrepl. - 1000 B - 02/218.49.46...................................92 Cb
- **Poelaert Sablon/Zavel** - Place Poelaertplein - 1000 B - 02/289.12.79 ....94 Cd
- **Porte de Hal/Hallepoort** - bd. de Waterloosesteenweg, 103A - 1000 B - 02/537.80.04.....94 Fbcd-B
- **Rogier Parking** - Place Rogier/ Rogiersplein - 1000 B - 02/203.57.47 ....91 Db
- **Scailquin** - rue Alliance, 16 - 1000 B - 02/217.57.07....................... 93 Ca, 27 Cd, Fb, 28 Ac, Da-S-J
- **Simonis** - Place eug.Simonisplein 24 - 1081 B - ....20 Dc
- **Station 1 & 2** - Gare du Nord/Noordstation - 1030 B - 02/203.20.74 ....20 Fbcd-B
- **Tour de Midi/Zuidertoren** - bd. de l'Europe, 3/Europalaan...94 Ad
- **Tulipe/Tulp** - rue de la Tulipe, 41/Tulpstr. - 1050 B - 02/511.37.52...95 Eb
- **Wet** - rue de la Loi/Wetstraat 19, 1040 B - 02/230.91.02...32 Ac
- **Wiltcher's** - av. Louise, 7 - rue de la Bonté/Louizalaan, 7 - Goedheidsstraat - 1050 B - ....
  02/220.96.01 ....95 Db
- **Woluweparking** - av. Hippocrate, 11/Hyppocrateslaan - 1200 B - 02/772.65.38 ....32 Ac
- **W.T.C.-Parking** - av. Roi Albert II/Koning Albert II laan - 1000 B - 02/203.13.27 ....20 Fc
- **Zuidstation/Gare de Sud** - rue de France/Frankrijkstraat 23 - 1000 B - 02/514.35.14.............94 Da

PARKING DE TRANSIT - OVERSTAPPARKING

- av. Hermann Dobrouxlaan (metro 1A)...40 Ea
- bld. des Invalides - Invalidenlaan (metro 1A + lijn 26 NMBS)..42 Cb
- av. de Kraainemlaan (metro 1B)..31 Db
- bld. Auguste Reyerslaan...28 Cc
- ch. de Roodebeekstwg. (metro 1B) ....29 Eb
- rue de Stallestraat (tram 52, 91)...47 Cc
- rue de Lennikesebaan..39 Aab
- metro Delta...40 Cd
- metro Coovi ....40 Ac

CIMETIERES – BEGRAAFPLAATSEN
FRIEDHÖFE – CEMETERIES

Alsemberg	63Dd	1652
Anderlecht	39Ccd,Fa	1070
Auderghem (Ouderghem)	43Eb	1160
Beersel	62Bb	1650
Berchem-St-Agathe (Sint-Agatha-Berchem)	26Aa	1082
Bierges	81Ec	1301
Braine-l'Alleud	88Aa	1420
Brussel (Bruxelles)	22AC,Dab	1140
Bruxelles (Brussel)	22AC,Dab	1140
Buizingen	69Db	1501
Diegem	8Fc	1831
Dilbeek	25Db	1700
Drogenbos	47Ed	1620
Etterbeek	31Aa	1970
Elsene (Ixelles)	42Bd	1050
Evere (oud-ancien)	14Fd	1140
Evere (nieuw-nouveau)	22Ad	1140
Forest (nouveau) Vorst (nieuw)	63Ad-Db	1652
Ganshoren (oud-ancien)	19Bd	1083
Ganshoren (nieuw-nouveau)	12Dd,Ec	1083
Genval	78Cd	1332
Grimbergen	3Ab	1850
Groot-Bijgaarden	18Ea	1702
Halle	68Aa	1500
Haren	15Ad	1130
Hoeilaart	58Ea	1560
Huizingen	61Fac	1654
Itterbeek	32Aa	1701
Israelite	30Bb	1950
Ixelles (Elsene)	42Bd	1050
Jette	13Dc	1090
Koekelberg	25Cb,19Aa	1700
Koningsloo	7Aa	1800
Kraainem	23Ed, 30Bb	1950
Laeken	13Ed	1020
La Hulpe	74Fb	1310
Lasne	84Da	1380
Limal	85Fa	1300
Linkebeek (nieuw-nouveau)	63Ba	1630
Lot	62Ac	1651
Machelen	8Ca	1830
Meise	1Cc	1860
Molenbeek	19Ed	1080
Moorsel	24Fd	3080
Neder-Over-Heembeek	14Bab	1130
Nossegem	17Db	1930
Ouderghem (Auderghem)	43Eb	1160
Overijse (Jesus-Eik)	51Fb	3090
Overijse (Maleizen)	67Ed	3090
Rixensart	79Cd,Ed	1330
Rhode-Saint-Genèse	71Bac	1640
Ruisbroek	47Da	1601
Saint-Gilles (Sint-Gillis)	54Cb,55Aa	1180
Saint-Josse-ten-Noode (Sint-Joost-ten-Noode)	28Cab	1030
Schaerbeek (nouveau-nieuw)	22Ad,Bc,Ea	1140
Schaarbeek (nieuw-nouveau)	22Ad,Bc,Ea	1140
Sint-Agatha-Berchem (Berchem-St-Agathe)	26Aa	1080
Sint-Genesius-Rode	71Bac	1640
Sint-Gillis (Saint-Gilles)	54Cb,55Aa	1180
Sint-Joost-ten-Noode (Saint-Josse-ten-Noode)	28Cab	1030
Sint-Lambrechts-Woluwe (oud) (Woluwe-Saint-Lambert (ancien))	29Ec	1200
Sint-Lambrechts-Woluwe (nieuw) (Woluwe-Saint-Lambert (nouveau))	30Cb	1970
Sint-Pieters-Woluwe (Woluwe-Saint-Pierre)	29Fd,30Dc	1150
Sint-Stevens-Woluwe	22Ed	1932
Steenokkerzeel	10Ba	1820
Strombeek-Bever	6Ba	1853
Tervuren	45Ca	3080
Uccle (ancien) Ukkel (oud)	48Bc	1180
Uccle (nouveau) Ukkel (nieuw)	48Ecd	1180
Ukkel (oud) Uccle (ancien)	48Bc	1180
Ukkel (nieuw) Uccle (nouveau)	48Ecd	1180
Vorst (nieuw) Forest (nouveau)	63Ad,Db	1652
Watermaal-Bosvoorde (Watermael-Boitsfort)	51Ad,Db	1170
Watermael-Boitsfort (Watermaal-Bosvoorde)	51Ad,Db	1170
Waterloo (du Centre)	76Bd	1410
Wavre	82Db	1300
Wemmel	5Ba	1780
Wezembeek-Oppem	30Cb	1970
Woluwe-Saint-Lambert (ancien) (Sint-Lambrechts-Woluwe) (oud)	29Ec	1200
Woluwe-Saint-Lambert (nouveau) (Sint-Lambrechts-Woluwe) (nieuw)	30Cb,31Aa	1970
Woluwe-Saint-Pierre (Sint-Pieters-Woluwe)	29Fd,30Dc	1150
Zaventem	16Fab	1930
Zellik	11Ea	1731

AUTOROUTES EUROPEENNES ET NATIONALES MENANT A OU PARTANT DE BRUXELLES AVEC NUMEROTATION ET LOCALISATION
EUROPESE EN NATIONALE AUTOSNELWEGEN NAAR OF VERTREKKEND VAN BRUSSEL MET NUMMERING EN LOKALISATIE

Aalst - Gent	N9	27Ad,90Ec,26,19,18,11Aa
Anderlecht - Ruisbroek	N266	33Fa,40,47Db
Bertem - Leuven	N3	27Fa,93Bc,28,35,36,43,44,45,38
Bierges - Limal	N239	81Eb
Boom - Antwerpen	A12	2Aa, 6, 13Ca
Braine-l'Alleud - Leuven	N253	77Fb,78,74,75,67
Enghien - Tournai	N7	68 Cc
Gare du Midi/Zuidstation - Forest/Vorst	N265	34Ab,94Bc,33,40,47Ba
Genappe - Charleroi	N5	34BC,94Ed,41,42,49,56,64,72,76,83,88Fd
Gent - Oostende	E40/A10	18Cd, 11Dc
Grimbergen - Kapelle-Op-Den-Bos	N202	2Cb,6Fc
Haacht - Aarschot	N21	27Cb,91Eb,28,21,22,15,8,9,10Aa
Halle - A7/E19 Mons-Paris	N203	68Dc, 69Dd
Halle - Ninove	N28	68 Ac, 68Dd
Kortenberg - Leuven	N2	27Fb,93Ca,28,29,22,23,24,17Fb
La Hulpe - Genappe	N271	78Cb,79,78Fc
La Hulpe - Maubroux	N275	50Ac,57,65,66,74,70,74,70,81,79,84Fd
Leuven - Liège - Aachen	E40/A3	28Ca,29,22,23,24Cb
Mechelen - Antwerpen	E19/A1	8Eb,9Ab
Meise - Londerzeel	N276	13Bb,6,2Aa
Meise - Wolvertem	N277	27Cd,91Fb,20,13,6,2Aa
Mons - Maubeuge	N6	27Dd, 92Db,26,33,40,47,46,53,61,68Cc
Mons - Paris	E19/A7	47Ba,54,62,61,69Ed
Namur - Luxembourg	E411/A4	42Cd,43,44,51,58,59,67,80,81Ed
Neerpede (Anderlecht) - Lennik	N282	33Db,32,39Ac
Ninove	N8	27Db, 92Ab, 26,25Dc
Nivelles	N27	88Cc
Peutie (Vilvoorde) - Perk (Steenokkerzeel)	N278	4Fb
Pl. Stephanieplaats - Ruisbroek	N261	34Cc,95Dc,41,48,47Db
Pont van Praetbrug - Vilvoorde	N260	14Db,7,8,4,3Fa
Zaventem - Aéroport/Luchthaven	N262	23Bc,16Ba
Ring 0 - N266 (Anderlecht-Ruisbroek)	B202	40Bc
Ring 0 (uitrit 6) - Koningslo (Vilvoorde)	N216	7Ba,7Db
Schaerbeek/Schaarbeek - Zaventem	N22	28Ca,21,22, Ba
Steenokkerzeel - Mechelen	N227	10Ab,17,24,31,38,37,44Bb
Vilvoorde - Mechelen	N1	21Aa,14,7,8,4Bb
Vilvoorde - Mechelen	N211	2Cb,3,4,8,9Ad
Wavre - Louvain-La-Neuve	N238	81Fc
Wavre - N25 (Leuven)		
Wavre - Namur	N4	34Ca,95Bc,35,42,43,44,51,52,59,60Dd,81Ab,81Cacd
Wavre - Perwez	N243	87Ab,Cb
Wemmel - Grimbergen (A12)	N200	13Fa,5,6Ea
Zaventem	A201	22Ab,16,17Ca

LE GRAND BRUXELLES ET LA GRANDE BANLIEUE

Echelle: 1:15.000 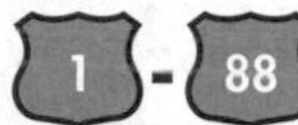

Centre: Echelle: 1:7.750 90 - 95

ATLAS

GROOT BRUSSEL EN GROTE OMGEVING

Schaal: 1:15.000 

Centrum: Schaal: 1:7.750 

- 

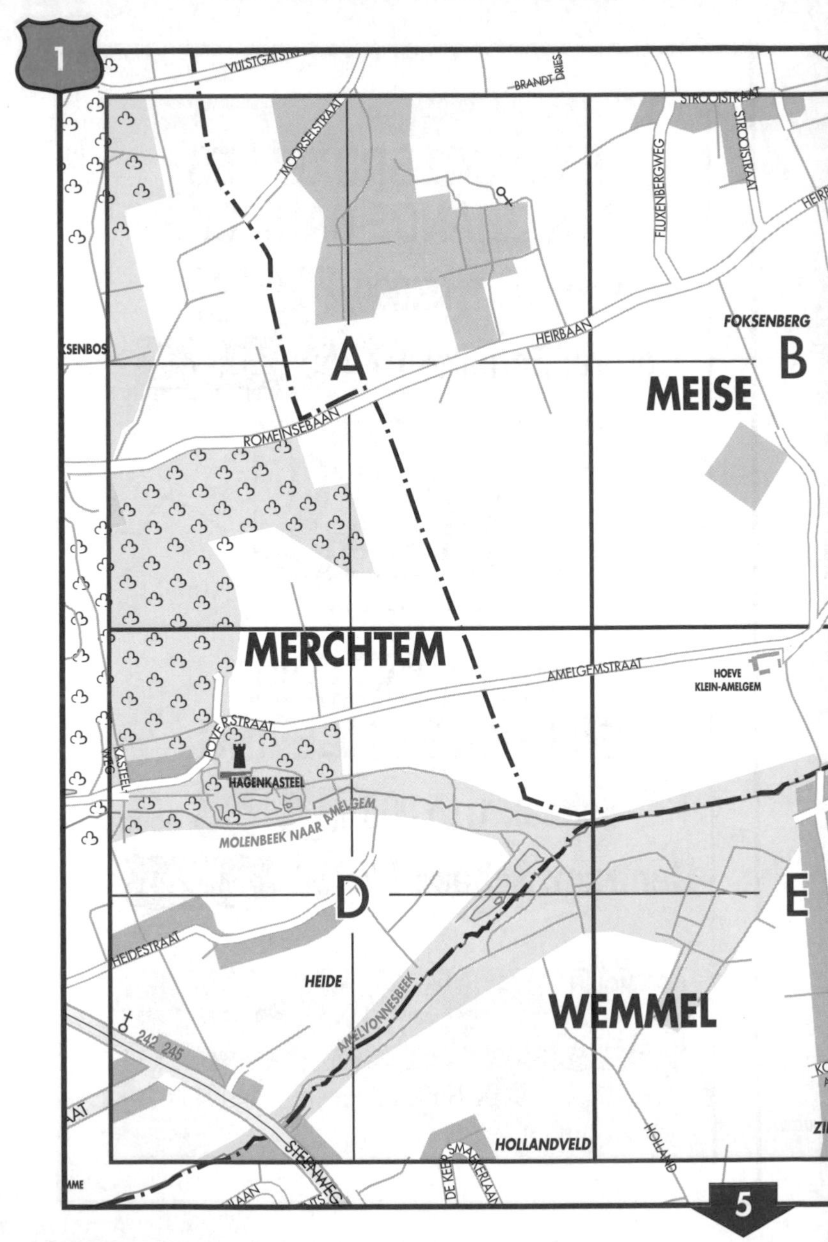
1
VIJLSTGATSTR
BRANDT DRIES
STROOISTRAAT
STROOISTRAAT
MOORSELSTRAAT
FLUXENBERGWEG
HEIRB
FOKSENBERG
HEIRBAAN
A
B
MEISE
ROMEINSEBAAN
MERCHTEM
AMELGEMSTRAAT
HOEVE
KLEIN-AMELGEM
POVERSTRAAT
KASTEEL-WEG
HAGENKASTEEL
MOLENBEEK NAAR AMELGEM
D
E
HEIDESTRAAT
HEIDE
AMELVONNESBEEK
WEMMEL
242 245
STEENWEG
HOLLANDVELD
DE KEER
SMAESKERLAAN
HOLLAND
5

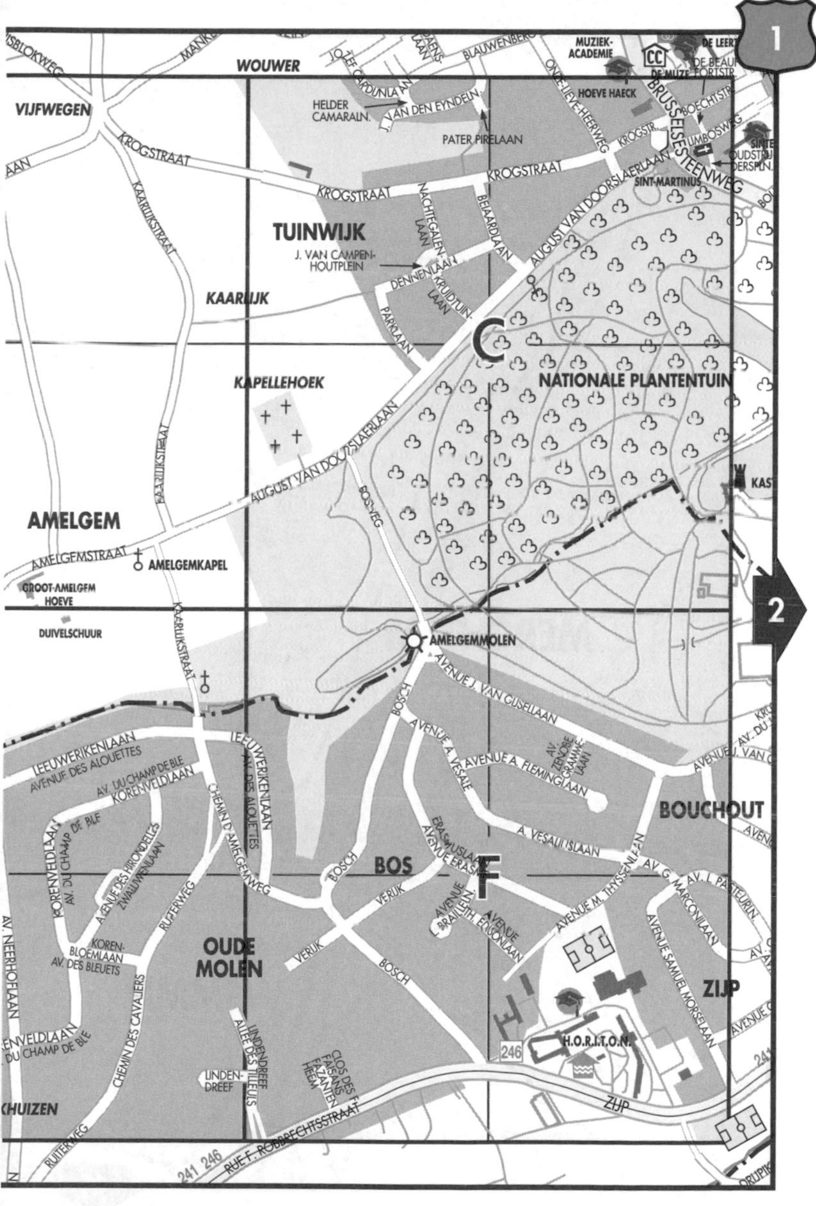
1
2
WOUWER
VIJFWEGEN
KROGSTRAAT
KAARLIJKSTRAAT
MUZIEK-ACADEMIE
HOEVE HAECK
DE MUZE
BRUSSELSESTEENWEG
ONZE-LIEVE-HEERWEG
BLAUWENBERG
HELDER CAMARALN.
J. VAN DEN EYNDELN.
PATER PIRELAAN
SINT-MARTINUS
TUINWIJK
NACHTEGALENLAAN
BEIAARDLAAN
J. VAN CAMPEN-HOUTPLEIN
DENNENLAAN
KRUIDTUINLAAN
PARKLAAN
KAARLIJK
AUGUST VAN DOORSLAERLAAN
NATIONALE PLANTENTUIN
KAPELLEHOEK
AMELGEM
AMELGEMSTRAAT
AMELGEMKAPEL
GROOT-AMELGEM HOEVE
DUIVELSCHUUR
BOSWEG
AMELGEMMOLEN
AVENUE J. VAN GIJSELLAAN
LEEUWERIKENLAAN
AVENUE DES ALOUETTES
AV. DU CHAMP DE BLE
KORENVELDLAAN
AVENUE A. VESALE
AVENUE A. FLEMINGLAAN
BOUCHOUT
A. VESALIUSLAAN
ERASMUSLAAN
AVENUE ERASME
BOS
BOSCH
CHEMIN D'AMELGEM
AMELGEMWEG
AVENUE DES HIRONDELLES
ZWALUWENLAAN
RUITERWEG
VERLIK
OUDE MOLEN
KOREN-BLOEMLAAN
AV. DES BLEUETS
AV. NEERHOFLAAN
CHEMIN DES CAVALIERS
AVENUE M. THYSSENLAAN
AV. G. MARCONILAAN
AV. L. PASTEURLN.
AVENUE SAMUEL MORSELAAN
ZIJP
H.O.R.I.T.O.N.
246
LINDENDREEF
ALLEE DES TILLEULS
CLOS DES FAISANS
FAZANTENHEEM
RUE F. ROBBRECHTSSTRAAT
241 246
ZIJP

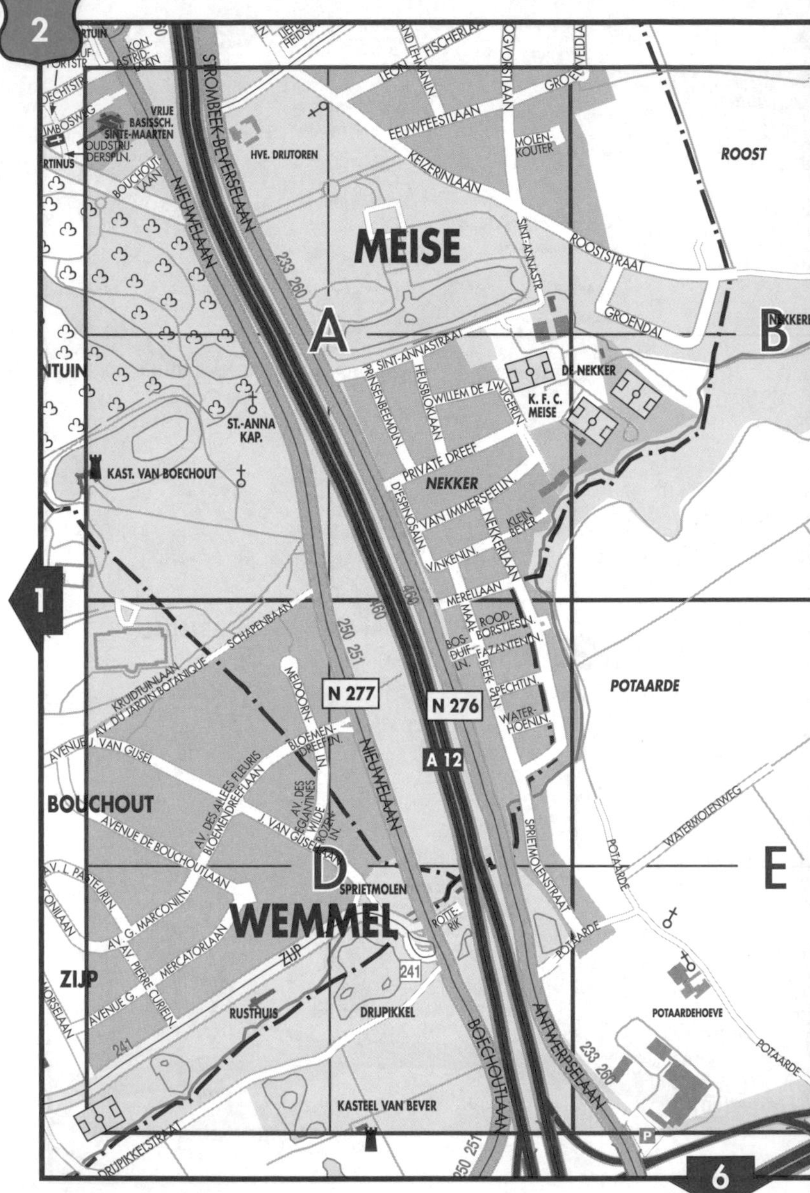

2
MEISE
ROOST
STROMBEEK-BEVERSELAAN
NIEUWELAAN
HVE. DRIJTOREN
VRIJE BASISSCH. SINTE-MAARTEN
OUDSTRIJDERSPLN.
BOUCHOUTLAAN
LEON FISCHERLAAN
EEUWFEESTLAAN
KEIZERINLAAN
MOLENKOUTER
ROOSTSTRAAT
SINT-ANNASTR.
GROENDAL
A
B
SINT-ANNASTRAAT
PRINSENBEEMDLN.
HEUSBLOKLAAN
WILLEM DE ZWIJGERLN.
DE NEKKER
K. F. C. MEISE
ST.-ANNA KAP.
KAST. VAN BOECHOUT
PRIVATE DREEF
NEKKER
D'ESPINOSALN.
VAN IMMERSEELLN.
KLEIN BEVER
NEKKERLAAN
VINKENLN.
MERELLAAN
ROODBORSTJESLN.
BOSDUIFLN.
FAZANTENLN.
SPECHTLN.
WATERHOENLN.
1
SCHAPENBAAN
KRUIDTUINLAAN
AV. DU JARDIN BOTANIQUE
MEIDOORNLN.
N 277
N 276
A 12
POTAARDE
AVENUE J. VAN GIJSEL
BLOEMENDREEFLN.
AV. DES ALLEES FLEURIS
BLOEMENDREEFLAAN
AV. DES EGLANTINES
WILDE ROZENLN.
J. VAN GIJSELLAAN
BOUCHOUT
AVENUE DE BOUCHOUTLAAN
AV. L. PASTEURLN.
D
E
SPRIETMOLEN
WEMMEL
ROTTERIK
SPRIETMOLENSTRAAT
WATERMOLENWEG
AV. G. MARCONILN.
AV. PIERRE CURIELN.
AVENUE G. MERCATORLAAN
ZIJP
241
RUSTHUIS
DRIJPIKKEL
POTAARDEHOEVE
BOECHOUTLAAN
ANTWERPSELAAN
KASTEEL VAN BEVER
DRIJPIKKELSTRAAT
6

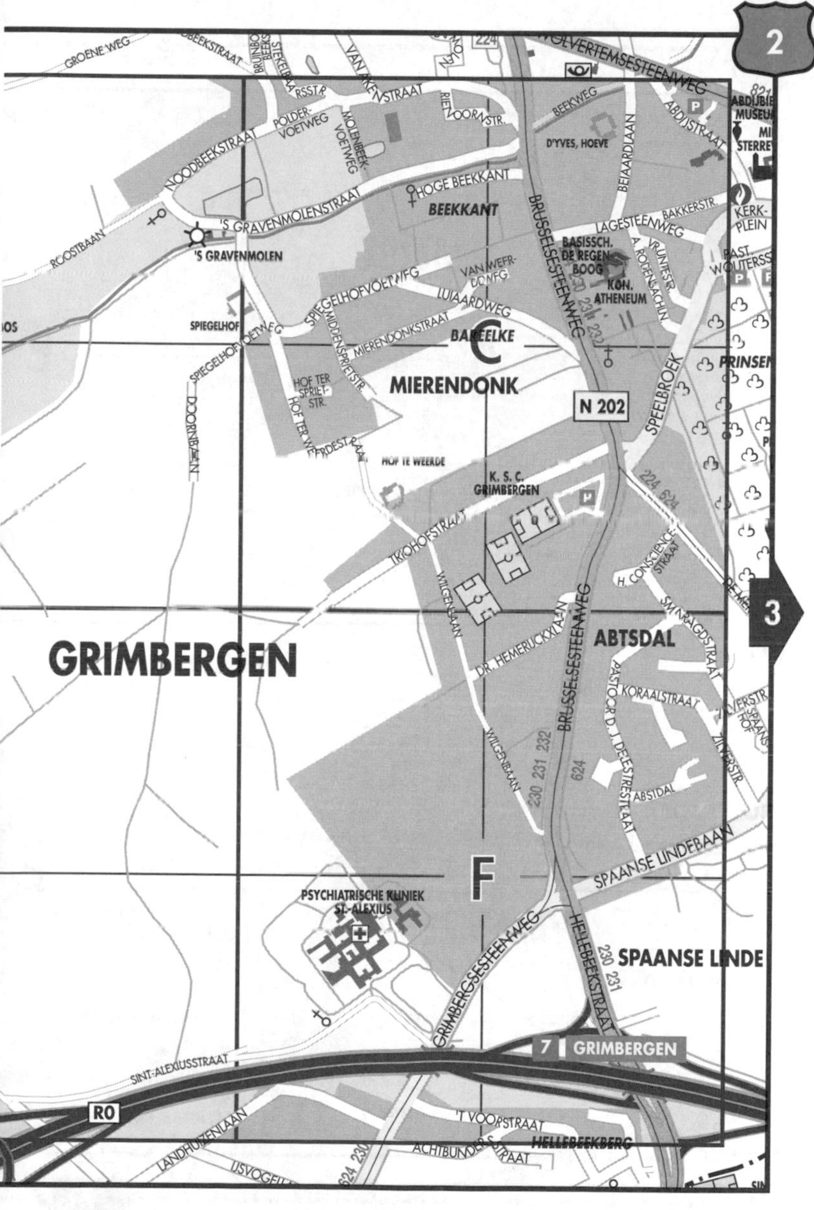

2
3
GROENE WEG
WOLVERTEMSESTEENWEG
VAN AKENSTRAAT
RIETVOORNSTR.
BEEKWEG
ABDIJSTRAAT
ABDIJBIER MUSEUM
POLDERVOETWEG
MOLENBEEKVOETWEG
NOODBEEKSTRAAT
D'YVES, HOEVE
HOGE BEEKKANT
BEEKKANT
BEIAARDLAAN
BRUSSELSESTEENWEG
KERKPLEIN
BAKKERSTR.
LAGESTEENWEG
ROOSTBAAN
'S GRAVENMOLENSTRAAT
'S GRAVENMOLEN
BASISSCH. DE REGENBOOG
KON. ATHENEUM
SPIEGELHOFVOETWEG
LUIAARDWEG
SPIEGELHOF
MIDDENSPRIETSTR.
MIERENDONKSTRAAT
BAREELKE
C
MIERENDONK
N 202
SPEELBROEK
PRINSEN
HOF TER SPRIETSTR.
DOORNBAAN
HOF TE WEERDE
K. S. C. GRIMBERGEN
H. CONSCIENCESTRAAT
WILGENBAAN
SMARAGDSTRAAT
ABTSDAL
DR. HEMERIJCKXLAAN
GRIMBERGEN
KORAALSTRAAT
PASTOOR D. J. DELESTRESTRAAT
ABSIDAL
SPAANSE LINDEBAAN
F
PSYCHIATRISCHE KLINIEK ST.-ALEXIUS
GRIMBERGSESTEENWEG
HELLEBEEKSTRAAT
SPAANSE LINDE
7 GRIMBERGEN
SINT-ALEXIUSSTRAAT
R0
'T VOORSTRAAT
HELLEBEEKBERG
ACHTBUNDERSSTRAAT
LANDHUIZENLAAN

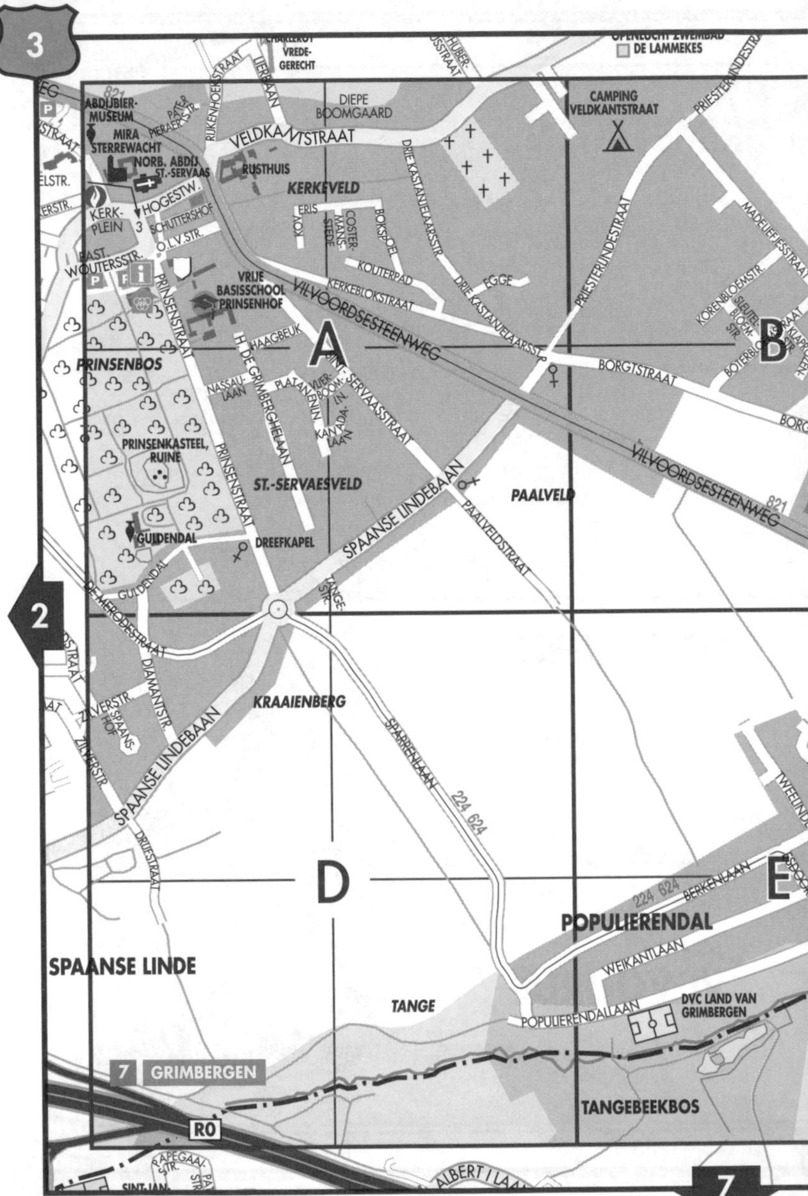

3
VREDE-
GERECHT
DE LAMMEKES
CAMPING
VELDKANTSTRAAT
DIEPE
BOOMGAARD
ABDIJBIER-
MUSEUM
MIRA
STERREWACHT
NORB. ABDIJ
ST.-SERVAAS
RUSTHUIS
KERKEVELD
VELDKANTSTRAAT
RIJKENHOEKSTRAAT
LIERBAAN
DRIE KASTANJELAARSSTR.
PRIESTERLINDESTRAAT
MADELIEFJESSTRAAT
KORENBLOEMSTR.
KERK-
PLEIN
HOGESTW.
SCHUTTERSHOF
O.L.V. STR.
WOUTERSSTR.
KOUTERPAD
KERKEBLOKSTRAAT
BOKSPOEL
EGGE
VRIJE
BASISSCHOOL
PRINSENHOF
VILVOORDSESTEENWEG
A
B
BORGTSTRAAT
HAAGBEUK
PRINSENBOS
PRINSENSTRAAT
NASSAU-
LAAN
H. DE GRIMBERGHELAAN
PLATANENLN
SINT-SERVAASSTRAAT
PRINSENKASTEEL,
RUINE
ST.-SERVAESVELD
SPAANSE LINDEBAAN
PAALVELD
PAALVELDSTRAAT
821
GULDENDAL
DREEFKAPEL
DE MERODESTRAAT
DIAMANTSTR.
KRAAIENBERG
ZILVERSTR.
SPAANS-
HOF
SPARRENLAAN
224 624
DRIESTRAAT
D
E
BERKENLAAN
POPULIERENDAL
WEIKANTLAAN
SPAANSE LINDE
TANGE
POPULIERENDALLAAN
DVC LAND VAN
GRIMBERGEN
7
GRIMBERGEN
TANGEBEEKBOS
R0
2
ALBERT I LAAN

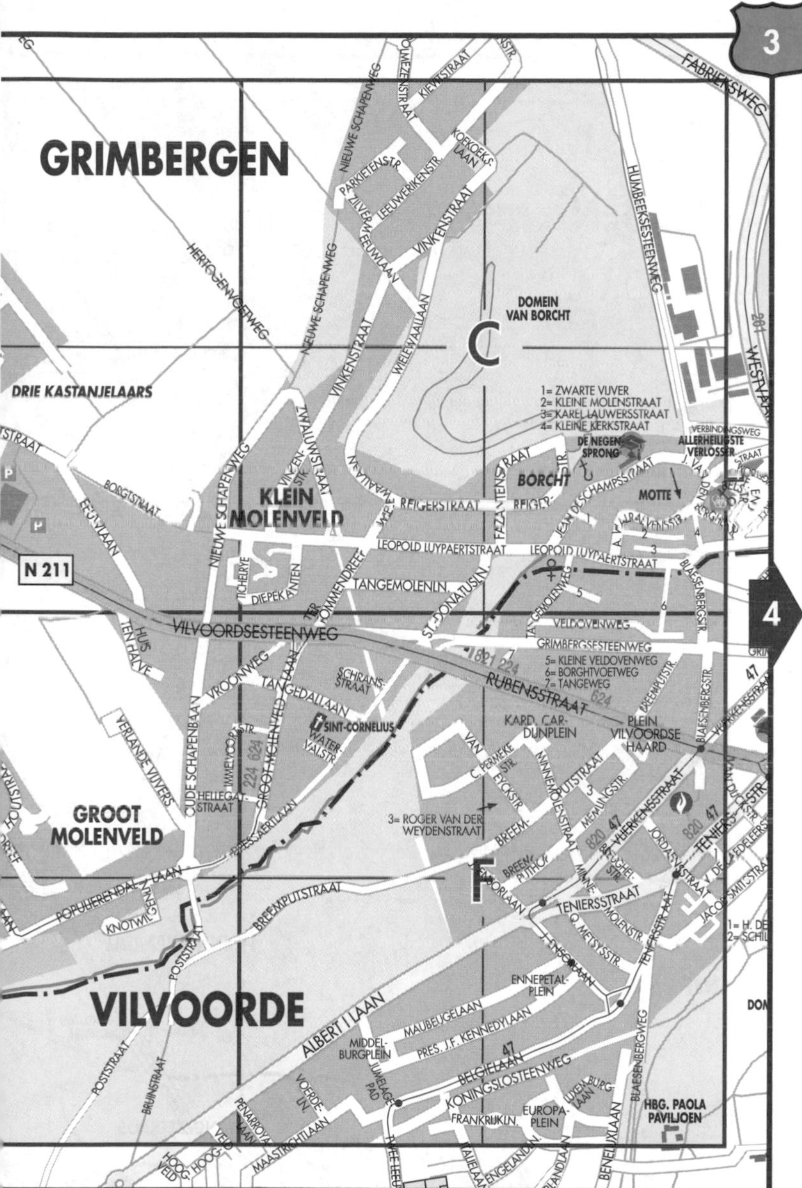
3
4
GRIMBERGEN
VILVOORDE
KLEIN MOLENVELD
GROOT MOLENVELD
DRIE KASTANJELAARS
DOMEIN VAN BORCHT
C
F
BORCHT
MOTTE
DE NEGENSPRONG
ALLERHEILIGSTE VERLOSSER
SINT-CORNELIUS
HBG. PAOLA PAVILJOEN
N 211
1= ZWARTE VIJVER
2= KLEINE MOLENSTRAAT
3= KAREL LAUWERSSTRAAT
4= KLEINE KERKSTRAAT
5= KLEINE VELDOVENWEG
6= BORGHTVOETWEG
7= TANGEWEG
3= ROGER VAN DER WEYDENSTRAAT
FABRIEKSWEG
HUMBEEKSESTEENWEG
VILVOORDSESTEENWEG
RUBENSSTRAAT
GRIMBERGSESTEENWEG
LEOPOLD LUYPAERTSTRAAT
REIGERSTRAAT
TANGEMOLENLN.
VELDOVENWEG
NIEUWE SCHAPENWEG
VINKENSTRAAT
ZWALUWSTRAAT
WIELEWAALLAAN
HERTOGENVOETWEG
PARKIETENSTR.
LEEUWERIKENSTR.
KOEKOEKSLAAN
KIEVITSTRAAT
ZILVERMEEUWLAAN
OUDE SCHAPENBAAN
VROONWEG
TANGEDALLAAN
POPULIERENDALLAAN
BREEMPUTSTRAAT
ALBERT I LAAN
MAUBEUGELAAN
PRES. J.F. KENNEDYLAAN
BELGIELAAN
KONINGSLOSTEENWEG
FRANKRIJKLN.
EUROPAPLEIN
ENNEPETALPLEIN
MIDDELBURGPLEIN
BLAESENBERGWEG
BENELUXLAAN
TENIERSSTRAAT
VIJFKENSSTRAAT
PLEIN VILVOORDSE HAARD
KARD. CARDIJNPLEIN
POSTSTRAAT
BRUINSTRAAT
KNOTWILGENLAAN
VERLANDE VIJVERS
HELLEGATSTRAAT
IMMELVOORTSTR.
DIEPEKANTEN
TICHELRYE
SCHRANSSTRAAT
WATERVALSTR.
ST.-DONATUSLN.
BORGTSTRAAT
EGYSLAAN
HUIS TEN HALVE
VERBINDINGSWEG
WESTVAART
JEAN DESCHAMPSSTRAAT
BLAESENBERGSTR.
JORDAENSSTRAAT
MEMLINGSTR.
MINNEMOLENSTRAAT
Q. METSYSSTR.
PENARROYALAAN
MAASTRICHTLAAN
VOERDELN.
ENGELANDLN.
ITALIELAAN
HOOGVELD
1= H. DE
2= SCHIL
DOM

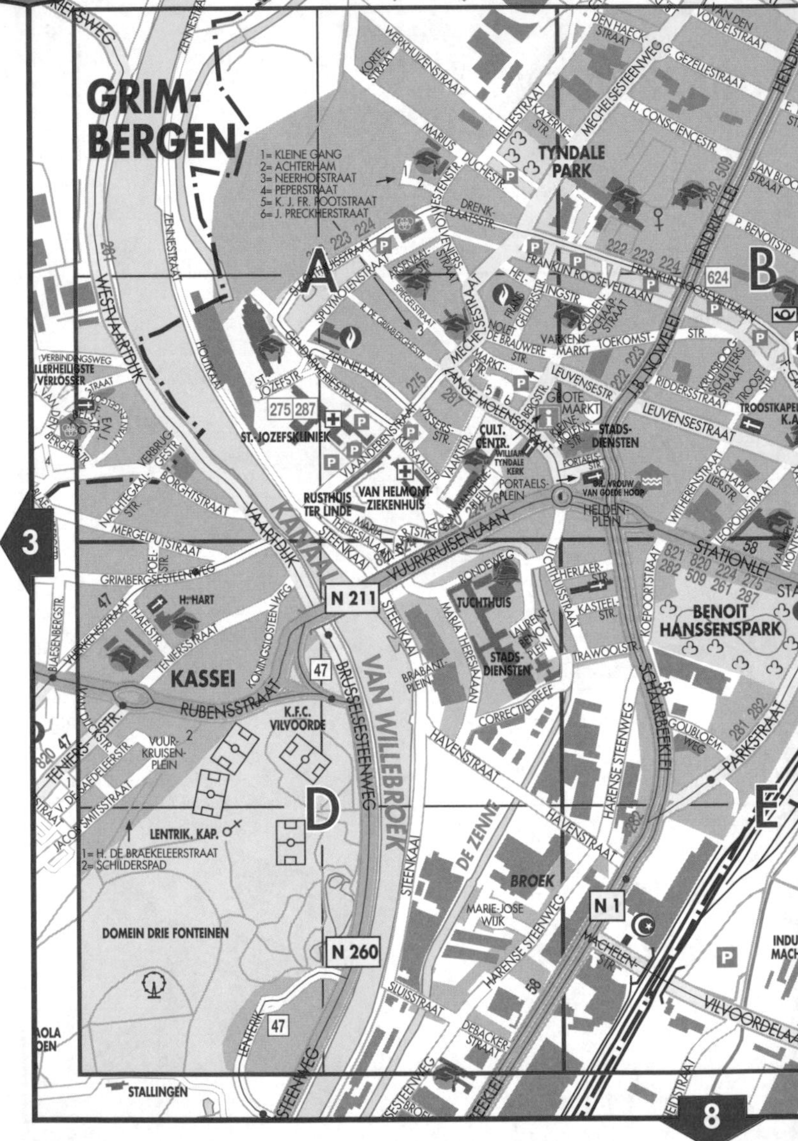
GRIM-
BERGEN
1= KLEINE GANG
2= ACHTERHAM
3= NEERHOFSTRAAT
4= PEPERSTRAAT
5= K. J. FR. POOTSTRAAT
6= J. PRECKHERSTRAAT
TYNDALE
PARK
A
B
D
E
ZENNESTRAAT
WESTVAARTDIJK
HOUTKAAI
WERKHUIZENSTRAAT
KORTE-
STRAAT
MARIUS DUCHESTR.
HELLESTRAAT
KAZERNE-
STR.
MECHELSESTEENWEG
DEN HAECK-
STRAAT
G. GEZELLESTRAAT
H. CONSCIENCESTR.
J. VAN DEN
VONDELSTRAAT
JAN BLOCKX-
STRAAT
P. BENOITSTR.
DRENK-
PLAATSSTR.
FRANKLIN ROOSEVELTLAAN
J.B. NOWELEI
HENDRIK I LEI
624
SPUYMOLENSTRAAT
ARSENAAL-
STR.
SPIEGELSTRAAT
R. DE GRIMBERGHESTR.
GENDARMERIESTRAAT
ZENNELAAN
ST.-
JOZEFSTR.
275 287
ST.-JOZEFSKLINIEK
VLAANDERENSTRAAT
KURSAALSTR.
VISSERS-
STR.
LANGE MOLENSSTRAAT
MECHELSESTRAAT
HEL-
LINGSTR.
GULDEN-
SCHAAP-
STRAAT
NOLET
DE BRAUWERE
STR.
VARKENS-
MARKT
TOEKOMST-
MARKT-
LEUVENSESTR.
GROTE
MARKT
KLEINE-
MOLENS-
STR.
BERGSTR.
CULT.
CENTR.
WILLIAM
TYNDALE
KERK
STADS-
DIENSTEN
PORTAELS-
STR.
PORTAELS-
PLEIN
O.L. VROUW
VAN GOEDE HOOP
HELDEN-
PLEIN
RIDDERSSTRAAT
LEUVENSESTRAAT
KRUISBOOG-
SCHUTTERS-
STRAAT
TROOST-
STR.
TROOSTKAPEL
K.A.
WITHERENSTRAAT
SCHAPU-
LIERSTR.
LEOPOLDSTRAAT
STATIONLEI
821 820 224 275
282 509 261 287
RUSTHUIS
TER LINDE
VAN HELMONT-
ZIEKENHUIS
KANAAL
VAARTDIJK
MARIA
THERESIALAAN
STEENKAAI
VUURKRUISENLAAN
N 211
VERBINDINGSWEG
ALLERHEILIGSTE
VERLOSSER
VERBRUG-
GESTR.
BORGHTSTRAAT
NACHTEGAAL-
STR.
MERGELPUTSTRAAT
POEL-
STR.
GRIMBERGSESTEENWEG
H. HART
VILVOORDSESTRAAT
THAELSTR.
TENIERSSTRAAT
KONINGSLOSTEENWEG
KASSEI
RUBENSSTRAAT
BLAESENBERGSTR.
VAN DIJCKSTR.
TENIERS-
STR.
VUUR-
KRUISEN-
PLEIN
V. DE SAEDELEERSTR.
JACOB SMITSSTRAAT
LENTRIK. KAP.
1= H. DE BRAEKELEERSTRAAT
2= SCHILDERSPAD
K.F.C.
VILVOORDE
BRUSSELSESTEENWEG
VAN WILLEBROEK
47
N 260
DOMEIN DRIE FONTEINEN
STALLINGEN
LENTERIK
RONDEWEG
TUCHTHUIS
TUCHTHUISSTRAAT
MARIA THERESIALAAN
LAURENT-
BENOIT-
PLEIN
STADS-
DIENSTEN
BRABANT-
PLEIN
HERLAER-
STR.
KASTEEL-
STR.
TRAWOOLSTR.
CORRECTIEDREEF
HAVENSTRAAT
KOEPOORTSTRAAT
BENOIT
HANSSENSPARK
SCHAARBEEKLEI
HARENSE STEENWEG
GOUBLOEM-
WEG
PARKSTRAAT
DE ZENNE
BROEK
MARIE-JOSE
WIJK
N 1
MACHELEN-
STR.
VILVOORDELAAN
SLUISSTRAAT
DEBACKER-
STRAAT
INDUS
MACHI
58
282

3
8

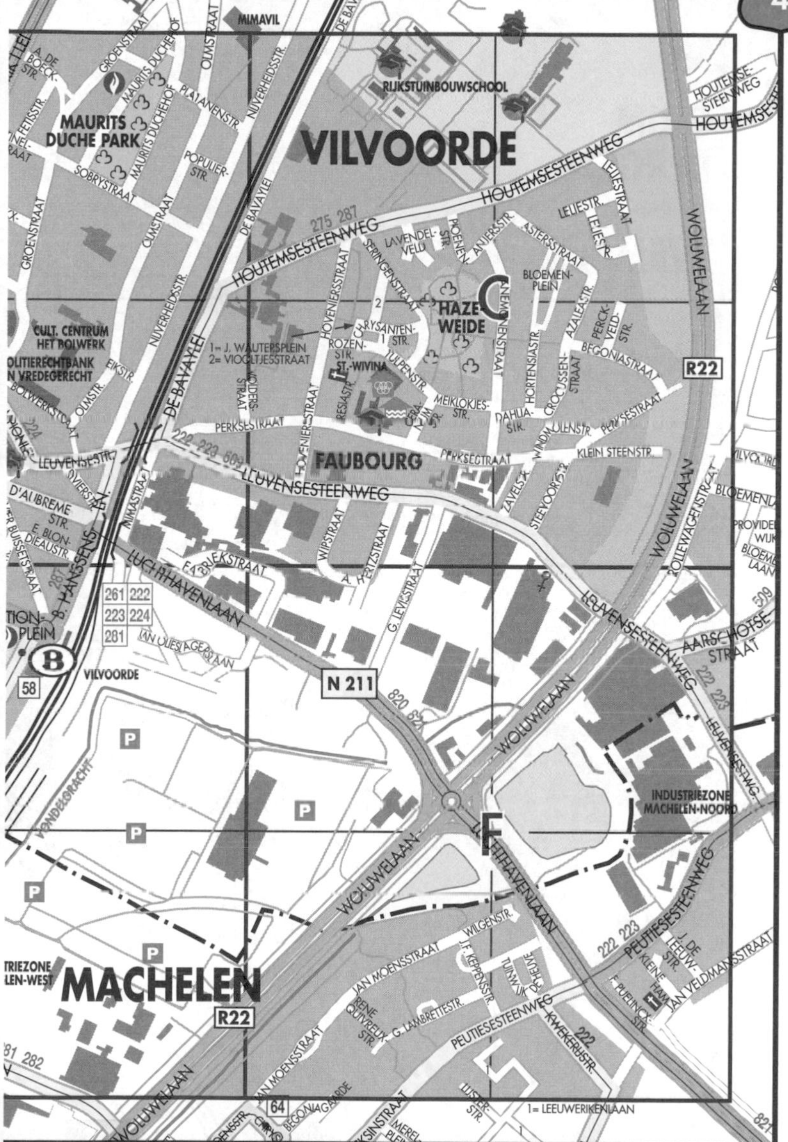
VILVOORDE
MACHELEN
FAUBOURG
RIJKSTUINBOUWSCHOOL
MIMAVIL
MAURITS DUCHE PARK
HAZE-WEIDE
CULT. CENTRUM HET BOLWERK
ST.-WIVINA
INDUSTRIEZONE MACHELEN-NOORD
HOUTEMSESTEENWEG
LEUVENSESTEENWEG
WOLUWELAAN
LUCHTHAVENLAAN
PEUTIESESTEENWEG
DE BAVAYLEI
N 211
R22
1= J. WAUTERSPLEIN
2= VIOOLTJESSTRAAT
1= LEEUWERIKENLAAN

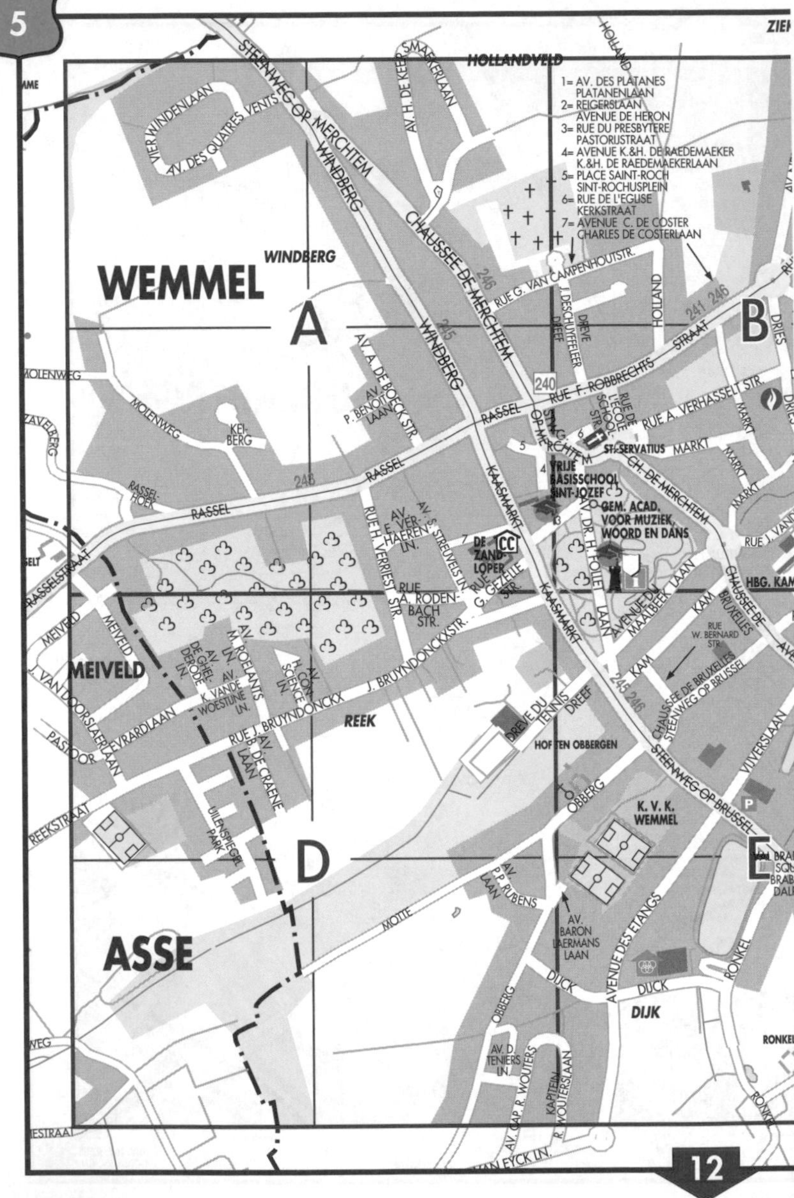

5
HOLLANDVELD
1= AV. DES PLATANES
PLATANENLAAN
2= REIGERSLAAN
AVENUE DE HERON
3= RUE DU PRESBYTERE
PASTORIJSTRAAT
4= AVENUE K.&H. DE RAEDEMAEKER
K.&H. DE RAEDEMAEKERLAAN
5= PLACE SAINT-ROCH
SINT-ROCHUSPLEIN
6= RUE DE L'EGLISE
KERKSTRAAT
7= AVENUE C. DE COSTER
CHARLES DE COSTERLAAN
WEMMEL
WINDBERG
A
B
D
E
STEENWEG OP MERCHTEM
CHAUSSEE DE MERCHTEM
WINDBERG
VIER WINDENLAAN
AV. DES QUATRES VENTS
AV. H. DE KEERSMAEKERLAAN
HOLLAND
RUE G. VAN CAMPENHOUTSTR.
J. DESCHUYFFELEER DREEF
DREVE
RUE F. ROBBRECHTS STRAAT
241 246
245
246
240
248
RASSEL
MOLENWEG
ZAVELBERG
KEI-BERG
RASSEL-HOEK
RASSELSTRAAT
AV. A. DE BOECK STR.
AV. P. BENOIT LAAN
RUE DE L'ECOLE SCHOOL STR.
RUE A. VERHASSELT STR.
MARKT
ST. SERVATIUS
VRIJE BASISSCHOOL SINT-JOZEF
GEM. ACAD. VOOR MUZIEK, WOORD EN DANS
CH. DE MERCHTEM
KAASMARKT
AV. DR. H. FOLLET LAAN
AVENUE DU MAALBEEK LAAN
DE ZANDLOPER
CC
AV. E. VERHAEREN LN.
AV. S. STREUVELS LN.
RUE H. VERRIEST STR.
RUE A. RODENBACH STR.
RUE G. GEZELLE STR.
HBG. KAM
KAM
RUE W. BERNARD STR.
CHAUSSEE DE BRUXELLES
STEENWEG OP BRUSSEL
MEIVELD
J. VAN DOORSLAERLAAN
PASTOOR EVRARDLAAN
AV. DE GHELDERODE LN.
AV. M. ROELANTS LN.
AV. K. VANDE WOESTIJNE LN.
AV. H. CONSCIENCE LN.
J. BRUYNDONCKXSTR.
RUE J. BRUYNDONCKX
REEK
AV. B. DE CRAENE LAAN
DREVE DU TENNIS DREEF
HOF TEN OBBERGEN
REEKSTRAAT
UILENSPIEGEL PARK
OBBERG
K. V. K. WEMMEL
VIJVERSLAAN
P
AV. P.P. RUBENS LAAN
AV. BARON LAERMANS LAAN
MOTTE
ASSE
AVENUE DES ETANGS
DIJCK
DIJK
RONKEL
AV. D. TENIERS LN.
AV. CAP. R. WOUTERS
KAPTEIN R. WOUTERSLAAN
VAN EYCK LN.
12

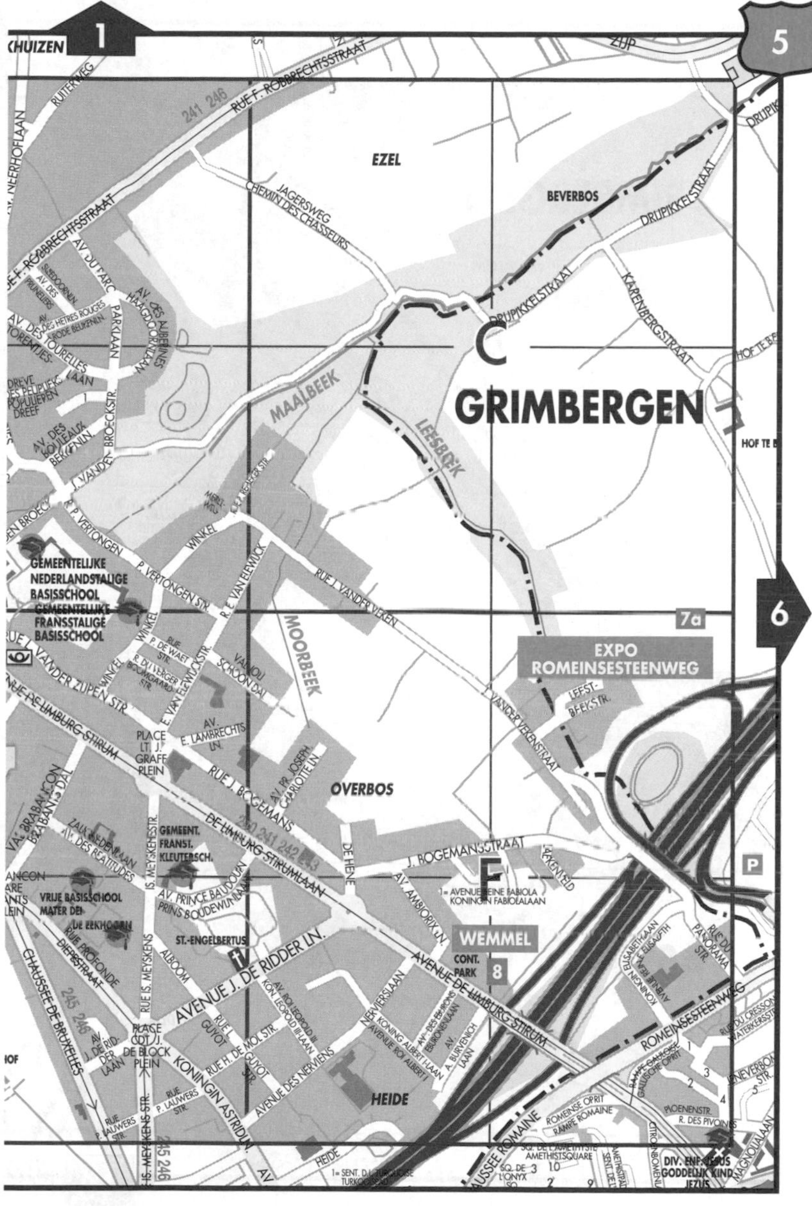
1
5
6
GRIMBERGEN
EZEL
BEVERBOS
OVERBOS
HEIDE
C
F
MAALBEEK
LEESBEEK
MOORBEEK
RUE F. ROBBRECHTSSTRAAT
DRUPIKKELSTRAAT
KARENBERGSTRAAT
JAGERSWEG
CHEMIN DES CHASSEURS
RUE J. VANDER VEKEN
J. VANDER VEKENSTRAAT
EXPO ROMEINSESTEENWEG
7a
GEMEENTELIJKE NEDERLANDSTALIGE BASISSCHOOL
GEMEENTELIJKE FRANSSTALIGE BASISSCHOOL
AVENUE DE LIMBURG STIRUM
DE LIMBURG STIRUMLAAN
J. BOGEMANSSTRAAT
RUE J. BOGEMANS
AVENUE J. DE RIDDER LN.
KONINGIN ASTRIDL.
ROMEINSESTEENWEG
CHAUSSEE DE BRUXELLES
WEMMEL
CONT. PARK
8
P
GEMEENT. FRANST. KLEUTERSCH.
VRIJE BASISSCHOOL MATER DEI
DE EEKHOORN
ST.-ENGELBERTUS
PLACE LT. J. GRAFF PLEIN
PLACE CDT J. DE BLOCK PLEIN
1= AVENUE REINE FABIOLA KONINGIN FABIOLALAAN
DIV. ENF. JESUS GODDELIJK KIND JEZUS
ZIJP
RUITERWEG

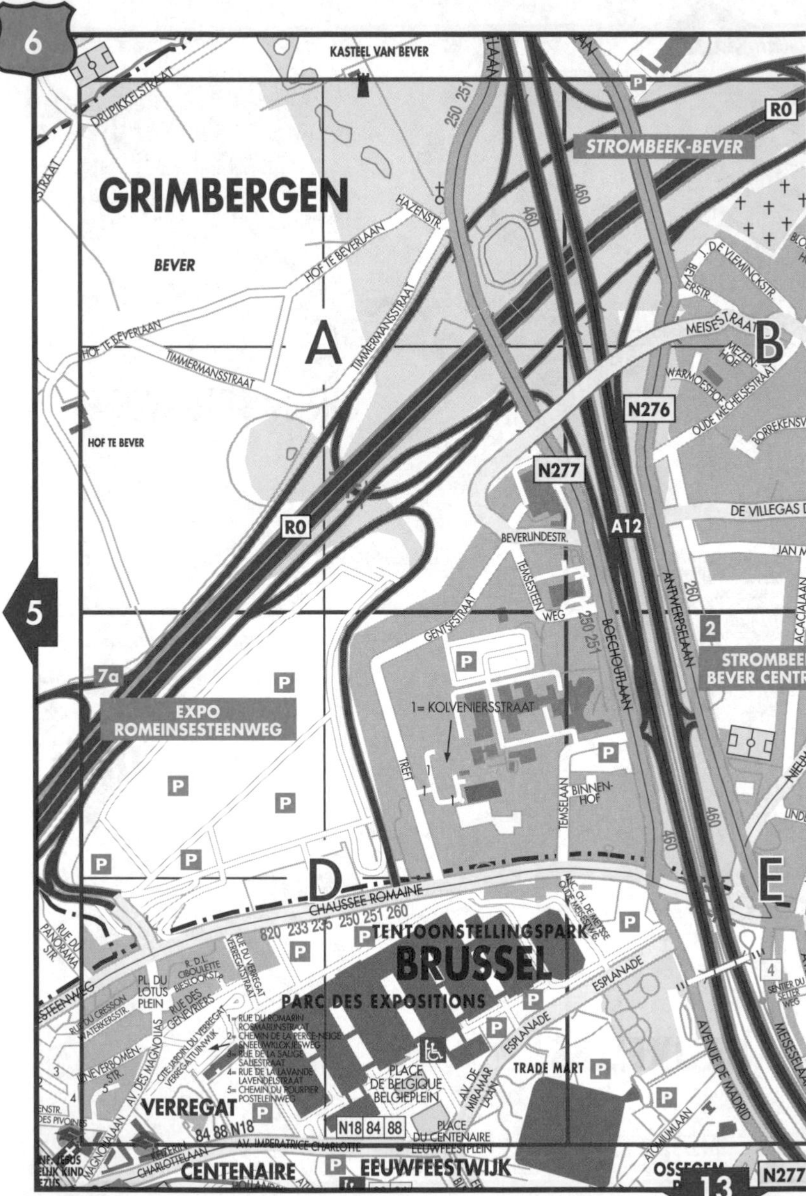

6
KASTEEL VAN BEVER
GRIMBERGEN
BEVER
STROMBEEK-BEVER
HOF TE BEVER
A
B
R0
N276
N277
A12
DE VILLEGAS
BEVERLINDESTR.
GENTSESTRAAT
EXPO ROMEINSESTEENWEG
1= KOLVENIERSSTRAAT
STROMBEEK-BEVER CENTR
D
E
CHAUSSEE ROMAINE
TENTOONSTELLINGSPARK
BRUSSEL
PARC DES EXPOSITIONS
PLACE DE BELGIQUE BELGIEPLEIN
TRADE MART
VERREGAT
CENTENAIRE
EEUWFEESTWIJK
AVENUE DE MADRID
ESPLANADE
5
13

2
6
7
STROMBEEK-BEVER
VILVOORDE
BRUXELLES
MUTSAARD
HANEVELD
HELLEBEEKBERG
INDUSTRIETERREIN STROMBEEK-BEVER-OOST
K. F. C. EENDRACHT BORGT-STROMBEEK
CONTAINER-PARK
BASISSCH. SINT-JOZEF
ST.-AMANDUS
SPORT-HAL SOENS
SPORT-HAL VERTOMMEN
GEMEENTE-PLEIN
ADM. STEUNPUNT
BIB.
ACAD.
SP. TANGE
VOOR
N202
N276
GRIMBERGSESTEENWEG
SINT-ANNALAAN
ROMEINSESTEENWEG
CHAUSSEE ROMAINE
STROMBEEKSESTEENWEG
KONINGSLOSTEENWEG
BERGMANSBEEKWEG
HANEVELDLAAN
RINGLAAN
MEISESTRAAT
POTAARDE
MUTSAARD-PLEIN
MUTSAERT-PLAATS
LYC. MARIA ASSUMPTA
CHRIST ROI KRISTUS KONING
JAN VAN RUUSBROECK-COLLEGE
AVENUE DU FORUM
FORUMLAAN
AV. WANNECOUTER
WANNEKOUTERLN.

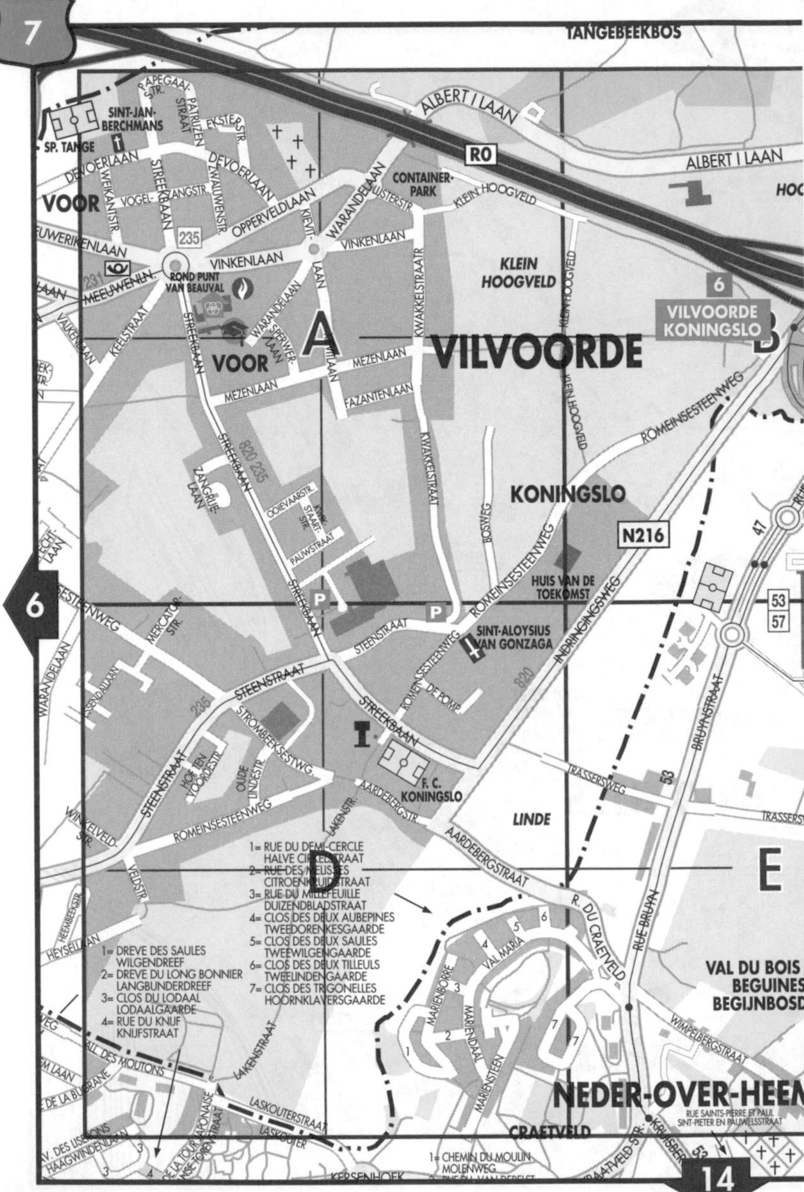

7
6
14
TANGEBEEKBOS
ALBERT I LAAN
R0
SINT-JAN-BERCHMANS
SP. TANGE
PAPEGAAISTR.
PATRIJZENSTRAAT
EKSTERSTR.
DEVOERLAAN
STREEKBAAN
ZWALUWENSTR.
WEIKANTSTR.
VOGELZANGSTR.
VOOR
OPPERVELDLAAN
KIEVITLAAN
WARANDELAAN
CONTAINER-PARK
KLEIN HOOGVELD
235
VINKENLAAN
NIEUWERIKENLAAN
MEEUWENLN.
ROND PUNT VAN BEAUVAL
KLEIN HOOGVELD
6
VILVOORDE KONINGSLO
A
B
VILVOORDE
KEELSTRAAT
VALKENLAAN
SPERWERLAAN
MEZENLAAN
FAZANTENLAAN
KWAKKELSTRAAT
ROMEINSESTEENWEG
820 235
ZANGRIJELAAN
OOIEVAARSTR.
KWIKSTAARTSTR.
PAUWSTRAAT
KONINGSLO
BOSWEG
N216
HUIS VAN DE TOEKOMST
SINT-ALOYSIUS VAN GONZAGA
INDRINGINGSWEG
47
53
57
MERCATORSTR.
STEENSTRAAT
DE POMP
820
WARANDELAAN
STROMBEEKSESTWG.
HOF TEN VOORDESTR.
OUDE LINDESTR.
F. C. KONINGSLO
TRASSERSWEG
BRUYNSTRAAT
53
LINDE
AARDEBERGSTR.
AARDEBERGSTRAAT
LAKENSTR.
ROMEINSESTEENWEG
WINKELVELDSTR.
VELDSTR.
D
E
1= RUE DU DEMI-CERCLE HALVE CIRKELSTRAAT
2= RUE DES MELISSES CITROENKRUIDSTRAAT
3= RUE DU MILLEFEUILLE DUIZENDBLADSTRAAT
4= CLOS DES DEUX AUBEPINES TWEEDORENKESGAARDE
5= CLOS DES DEUX SAULES TWEEWILGENGAARDE
6= CLOS DES DEUX TILLEULS TWEELINDENGAARDE
7= CLOS DES TRIGONELLES HOORNKLAVERSGAARDE
R. DU CRAETVELD
RUE BRUYN
VAL MARIA
MARIENBORRE
MARIENDAAL
MARIENSTEEN
VAL DU BOIS D BEGUINES BEGIJNBOSD
WIMPELBERGSTRAAT
HEEMBEEKSTR.
HEYSELLAAN
1= DREVE DES SAULES WILGENDREEF
2= DREVE DU LONG BONNIER LANGBUNDERDREEF
3= CLOS DU LODAAL LODAALGAARDE
4= RUE DU KNIJF KNIJFSTRAAT
ALL. DES MOUTONS
LAKENSTRAAT
LASKOUTERSTRAAT
LASKOUTER
NEDER-OVER-HEEM
RUE SAINTS-PIERRE ET PAUL SINT-PIETER EN PAUWELSSTRAAT
CRAETVELD
CRAETVELD STR.
1= CHEMIN DU MOULIN MOLENWEG
KERSENHOEK
AV. DES LISERONS HAAGWINDENLAAN

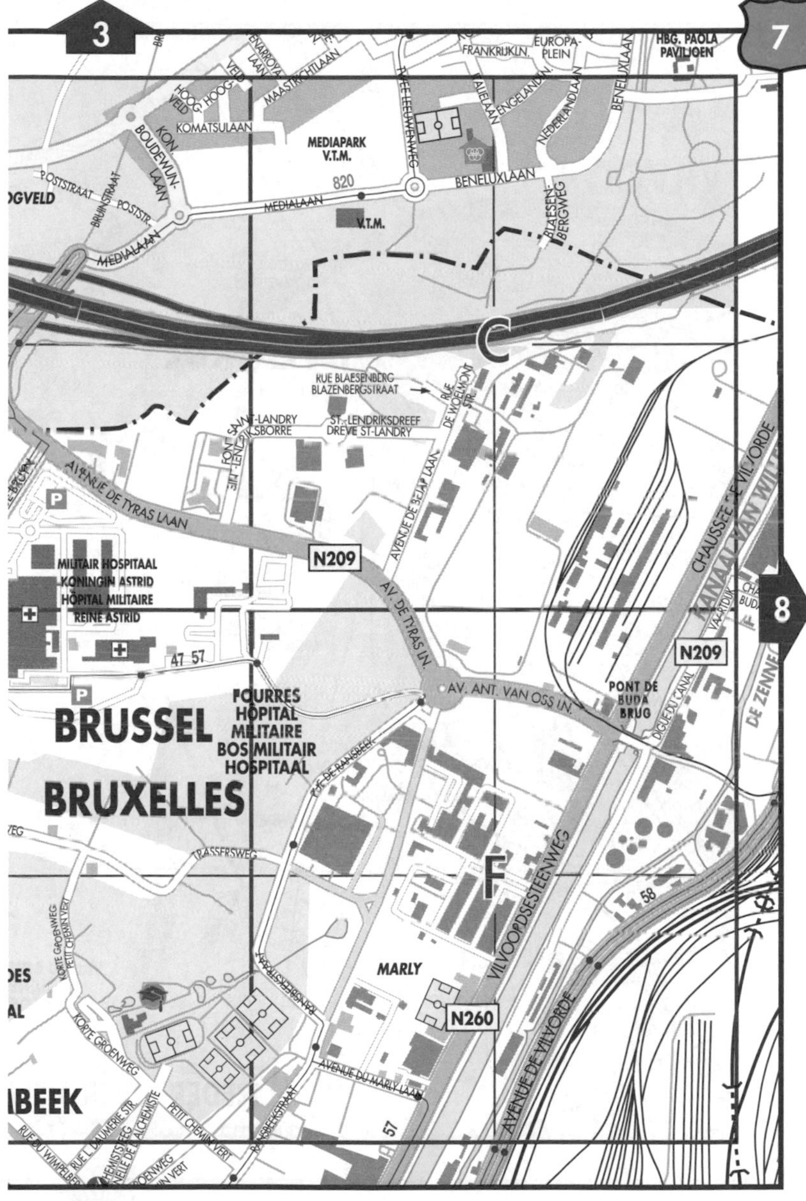

3
7
8
HBG. PAOLA
PAVILJOEN
EUROPA-
PLEIN
FRANKRIJKLN.
MEDIAPARK
V.T.M.
KOMATSULAAN
MAASTRICHTLAAN
KON.
BOUDEWIJN-
LAAN
HOOGVELD
POSTSTRAAT
BRUINSTRAAT
POSTSTR.
MEDIALAAN
820
BENELUXLAAN
BENELUXLAAN
NEDERLANDLAAN
ENGELANDLN.
ITALIELAAN
TWEE LEEUWENWEG
BLAESEN-
BERGWEG
V.T.M.
C
RUE BLAESENBERG
BLAZENBERGSTRAAT
RUE
DE WOELMONT
STR.
PONT SAINT-LANDRY
ST.-LENDRIKSDREEF
DREVE ST-LANDRY
AVENUE DE TYRAS LAAN
AVENUE DE BEJAR LAAN
N209
AV. DE TYRAS LN.
AV. ANT. VAN OSS LN.
MILITAIR HOSPITAAL
KONINGIN ASTRID
HÔPITAL MILITAIRE
REINE ASTRID
47 57
CHAUSSEE DE VILVORDE
N209
PONT DE
BUDA
BRUG
DIGUE DU CANAL
VAARTDIJK
DE ZENNE
BRUSSEL
BRUXELLES
FOURRES
HÔPITAL
MILITAIRE
BOS MILITAIR
HOSPITAAL
AV. DE RANSBEEK
TRASSERSWEG
F
VILVOORDSESTEENWEG
58
MARLY
N260
KORTE GROENWEG
PETIT CHEMIN VERT
RANSBEEKSTRAAT
AVENUE DU MARLY LAAN
AVENUE DE VILVORDE
57
RUE L. DAUMERIE STR.
PETIT CHEMIN VERT
RUE DU WIMPELBERG
BEEK

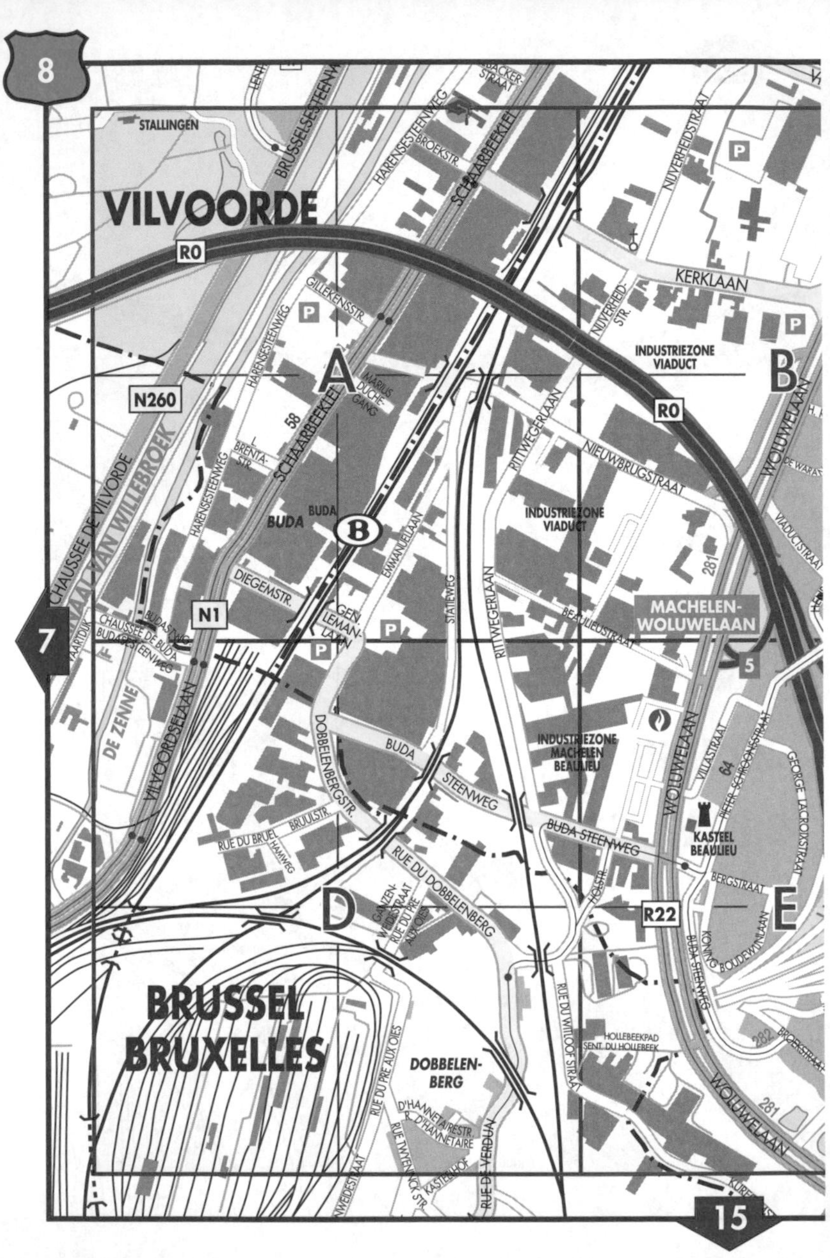

8

VILVOORDE

BRUSSEL
BRUXELLES

STALLINGEN
BRUSSELSESTEENWEG
HARENSESTEENWEG
BROEKSTR.
SCHAARBEEKLEI
NIJVERHEIDSTRAAT
KERKLAAN
NIJVERHEID-
STR.
R0
GILLEKENSSTR.
INDUSTRIEZONE
VIADUCT
A
B
MARIUS
DUCHE-
GANG
58
N260
L.
BRENTA-
STR.
RITTWEGERLAAN
NIEUWBRUGSTRAAT
WOLUWELAAN
H. H.
DE WARANDE
VIADUCTSTRAAT
CHAUSSEE DE VILVORDE
KANAAL VAN WILLEBROEK
BUDA
BUDA
INDUSTRIEZONE
VIADUCT
EMMANUELLAAN
DIEGEMSTR.
STATIEWEG
RITTWEGERLAAN
281
MACHELEN-
WOLUWELAAN
N1
BUDASTWG.
CHAUSSEE DE BUDA
BUDASESTEENWEG
GEN.
LEMAN-
LAAN
BEAULIEUSTRAAT
5
DE ZENNE
VILVOORDSELAAN
DOBBELENBERGSTR.
BUDA
STEENWEG
INDUSTRIEZONE
MACHELEN
BEAULIEU
VILLASTRAAT
PIETER SCHROONSSTRAAT
64
GEORGE LACROIXSTRAAT
BRUULSTR.
RUE DU BRUEL
HAMWEG
BUDA STEENWEG
KASTEEL
BEAULIEU
RUE DU DOBBELENBERG
BERGSTRAAT
GANZEN-
WEIDESTRAAT
RUE DU PRE
AUX OIES
D
HOLSTR.
R22
E
KONING BOUDEWIJNLAAN
BUDA STEENWEG
RUE DU WITLOOF STRAAT
282
BROEKSTRAAT
HOLLEBEEKPAD
SENT. DU HOLLEBEEK
DOBBELEN-
BERG
RUE DU PRE AUX OIES
D'HANNETAIRESTR.
R. D'HANNETAIRE
RUE TWYENINCK STR.
KASTEELHOF
RUE DE VERDUN
GANZENWEIDESTRAAT
WOLUWELAAN
281
KUREGEMS

7
15

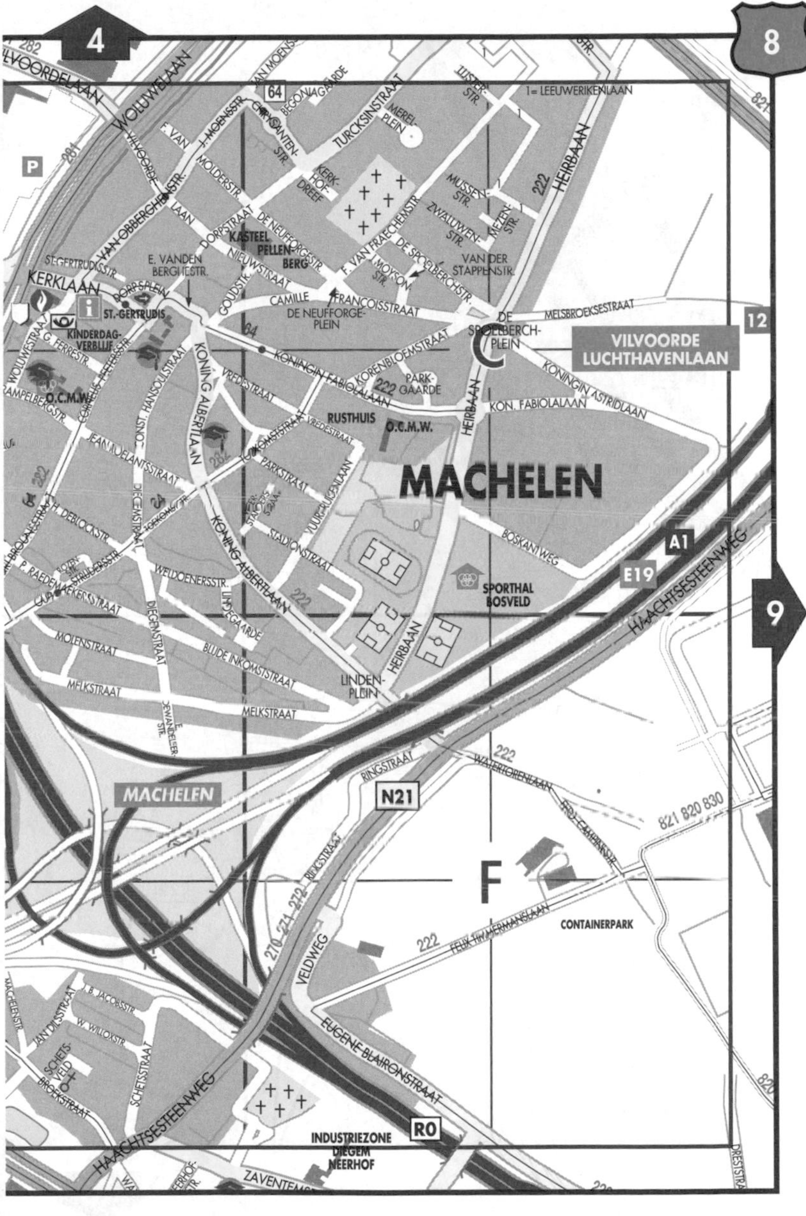
4
8
9
12
MACHELEN
VILVOORDE LUCHTHAVENLAAN
MACHELEN
F
1= LEEUWERIKENLAAN
KERKLAAN
ST.-GERTRUDIS
KINDERDAG-VERBLIJF
O.C.M.W.
KASTEEL PELLENBERG
RUSTHUIS
O.C.M.W.
SPORTHAL BOSVELD
CONTAINERPARK
INDUSTRIEZONE DIEGEM NEERHOF
A1
E19
N21
R0
64
222
VILVOORDELAAN
WOLUWELAAN
HEIRBAAN
TURCKSINSTRAAT
KONING ALBERTLAAN
KONINGIN FABIOLALAAN
KONINGIN ASTRIDLAAN
KON. FABIOLALAAN
MELSBROEKSESTRAAT
HAACHTSESTEENWEG
BOSKANTWEG
MELKSTRAAT
MOLENSTRAAT
RINGSTRAAT
WATERTORENLAAN
VELDWEG
EUGENE BLAIRONSTRAAT
FELIX TIMMERMANSLAAN
DE SPOELBERCH-PLEIN
DE NEUFFORGE-PLEIN
LINDEN-PLEIN
CAMILLE FRANCOISSTRAAT
STADIONSTRAAT
VREDESTRAAT
PARKSTRAAT
TOEKOMSTSTRAAT
JEAN MOELANTSSTRAAT
DIEGEMSTRAAT
WOLUWESTRAAT
RAMPELBERGSTR.
DORPSSTRAAT
NIEUWSTRAAT
MOLDERSTR.
MUSSEN-STR.
ZWALUWEN-STR.
MEZEN-STR.
VAN DER STAPPENSTR.
KERKHOF-DREEF
MEREL-PLEIN
PARK-GAARDE
KORENBLOEMSTRAAT
WELDOENERSSTR.
BLIJDE INKOMSTSTRAAT
SCHETSSTRAAT
BROEKSTRAAT
W. WILLOXSTR.
J.B. JACOBSSTR.
ZAVENTEMS

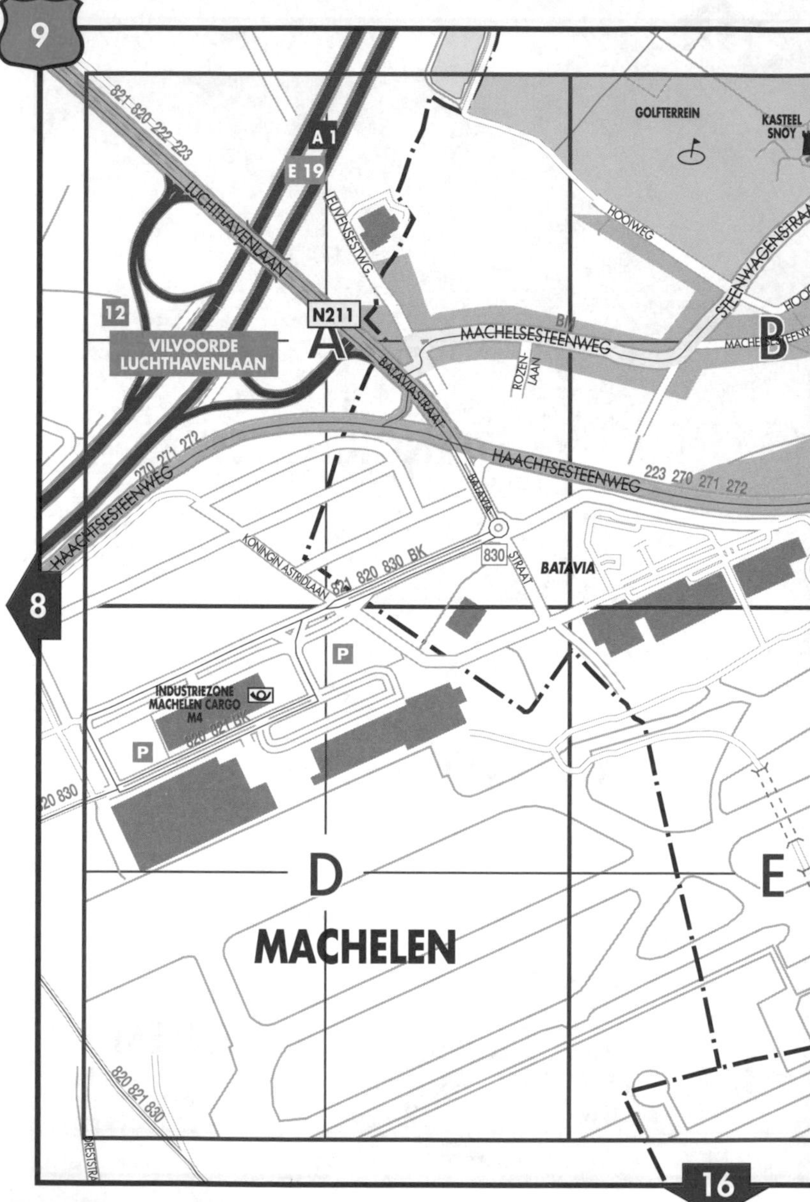

9
821 820 222 223
A1
E 19
LUCHTHAVENLAAN
LEUVENSESTWG
GOLFTERREIN
KASTEEL SNOY
HOOIWEG
STEENWAGENSTRAAT
12
N211
VILVOORDE LUCHTHAVENLAAN
A
BM
MACHELSESTEENWEG
B
ROZEN-LAAN
BATAVIASTRAAT
270 271 272
HAACHTSESTEENWEG
223 270 271 272
BATAVIA
KONINGIN ASTRIDLAAN
821 820 830 BK
830
STRAAT
8
P
INDUSTRIEZONE MACHELEN CARGO M4
820 821 BK
820 830
D
E
MACHELEN
820 821 830
16

9
10
ST.-MARTINUS
PASSIESTRAAT
BLOEMEN-OORD
VERBECKENS
KERKSTRAAT
GILLINSSTRAAT
KASTEEL BOETFORT
HOF VAN BOETSFORT
OUDSTRIJDERSLAAN
PERKSESTEENWEG
N 21
SELLAERSTRAAT
LAMBRECHTSSTRAAT
HAACHTSESTEENWEG
ROEKENSSTR.
HOOIANTSSTRAAT
NACHTEGAALSLAAN
GEERENSSTRAAT
VANDERBORGHTSTRAAT
THENAERTS-STR.
VAN ASSCHESTRAAT
STATIONSLAAN
HOOIANTS-STR.
C
ZUIVERINGSINST.
LUITENANT PHILIPSPARTSTRAAT
N21
STEENOKKERZEEL
BRUSSELS AIRPORT
F
ZAVENTEM
BRUSSEL-NATIONAAL-LUCHTHAVEN
BRUXELLES-NATIONAL-AEROPORT
281 282 359

10
9
17
A
B
D
E
STEENOKKERZEEL
BRUSSELS AIRPORT
VAN FRACHENLAAN
STERCKXSTRAAT
NIEUWSTRAAT
E. DE PROOSTSTR.
BRANDEN-BURGLN.
CONTAINER-PARK
HINCKAERT-PLEIN
J.B. COENENSTRAAT
ST.-RUMOLDUS
BOEKWEY
KOEKSTRAAT
MANSSTR.
LO-MOLEN
BEHETS-STR.
KASTE VAN HA
223
223 270 271 272

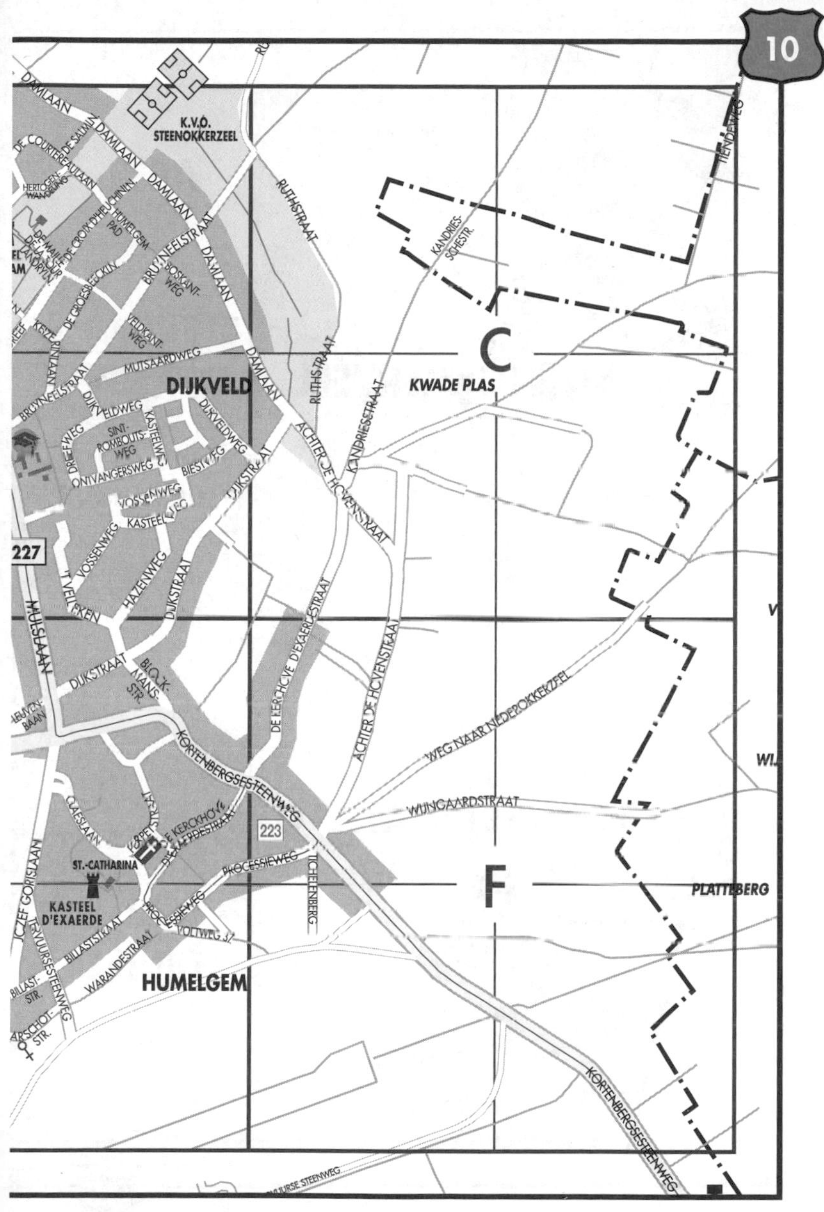

K.V.O. STEENOKKERZEEL
DAMLAAN
RUTHSTRAAT
KANDRIESSTRAAT
TIENDEWEG
BRUYNEELSTRAAT
MUTSAARDWEG
C
DIJKVELD
KWADE PLAS
DIJKVELDWEG
SINT-ROMBOUTSWEG
ONTVANGERSWEG
BIESTWEG
VOSSENWEG
KASTEELWEG
DIJKSTRAAT
ACHTER DE HOVENSTRAAT
227
HAZENWEG
'T VELDEKEN
M. MULSLAAN
DE KERCKHOVE D'EXAERDESTRAAT
WEG NAAR NEDEROKKERZEEL
KORTENBERGSESTEENWEG
WIJNGAARDSTRAAT
223
CLAESLAAN
ST.-CATHARINA
KASTEEL D'EXAERDE
PROCESSIEWEG
TICHELENBERG
F
PLATTEBERG
VOLTWEG
JOZEF GORISLAAN
BILLASTSTRAAT
WARANDESTRAAT
TERVUURSESTEENWEG
HUMELGEM
BILLAST-STR.
ARSCHOT-STR.

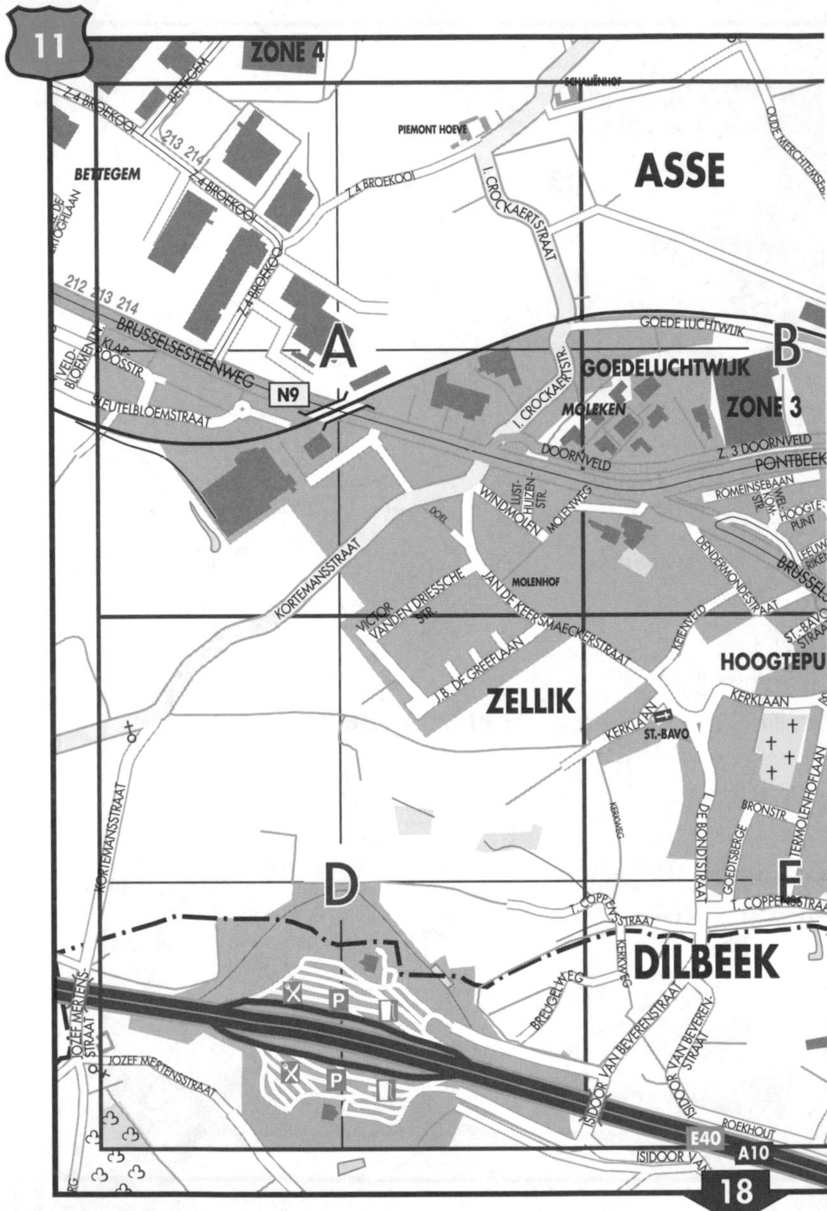

11
ZONE 4
SCHALIËNHOF
PIEMONT HOEVE
ASSE
BETTEGEM
Z.4 BROEKOOI
213 214
212 213 214
BRUSSELSESTEENWEG
N9
A
B
GOEDE LUCHTWIJK
GOEDELUCHTWIJK
MOLEKEN
ZONE 3
I. CROCKAERTSTRAAT
I. CROCKAERTSTR.
OUDE MERCHTEMSEB.
SLEUTELBLOEMSTRAAT
KLAP-ROOSSTR.
DOORNVELD
Z. 3 DOORNVELD
PONTBEEK
ROMEINSEBAAN
WINDMOLEN
MOLENWEG
LUST-HUIZEN-STR.
DOEL
MOLENHOF
KORTEMANSSTRAAT
VICTOR VANDEN DRIESSCHE STR.
JAN DE KEERSMAECKERSTRAAT
J.B. DE GREEFLAAN
DENDERMONDESTRAAT
KEIENVELD
HOOGTEPU
ZELLIK
KERKLAAN
ST.-BAVO
BRONSTR.
TERMOLENHOFLAAN
I. DE BONDTSTRAAT
GOEDTSBERGE
D
E
T. COPPENSSTRAAT
DILBEEK
BREUGELWEG
KERKWEG
JOZEF MERTENSSTRAAT
ISIDOOR VAN BEVERENSTRAAT
ROEKHOUT
E40
A10
18

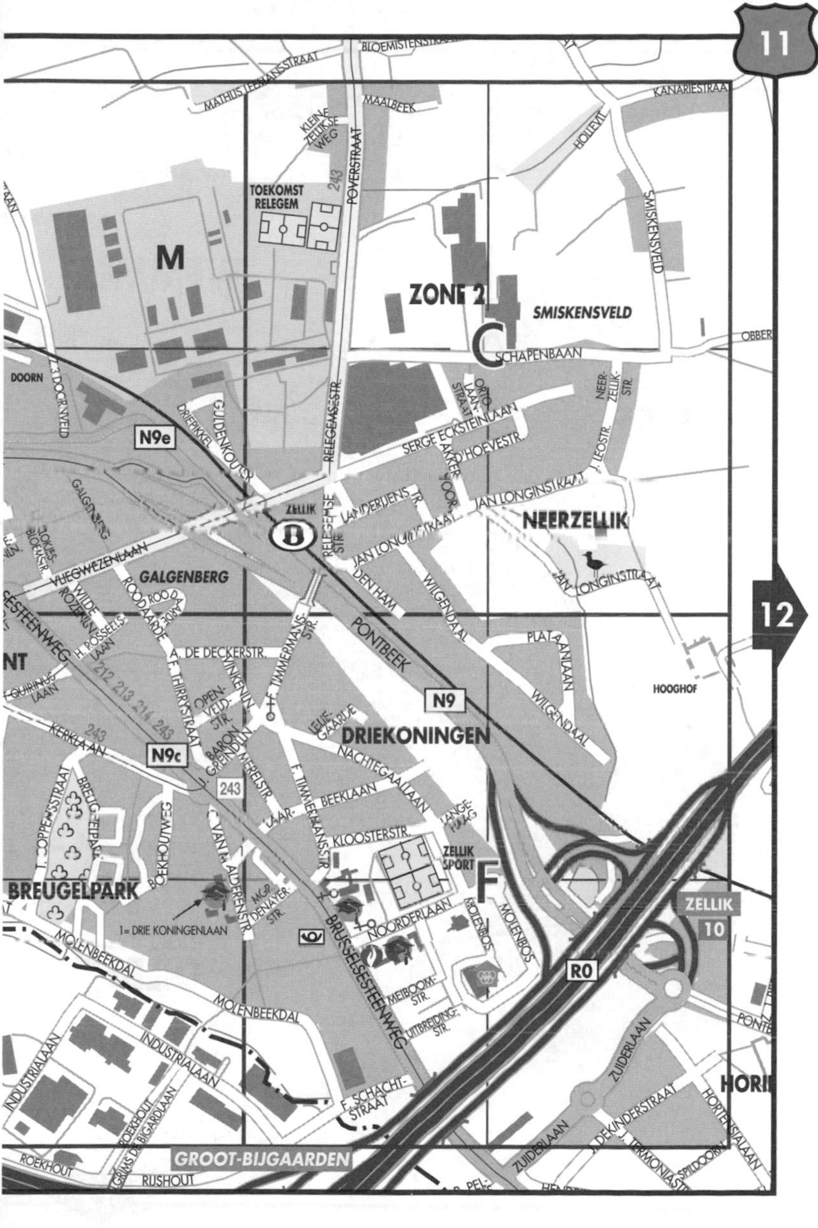
TOEKOMST RELEGEM
M
ZONE 2
SMISKENSVELD
C
SCHAPENBAAN
POVERSTRAAT
MAALBEEK
KANARIESTRAAT
SMISKENSVELD
SERGE ECKSTEINLAAN
RELEGEMSESTR.
N9e
ZELLIK
NEERZELLIK
JAN LONGINSTRAAT
GALGENBERG
VLIEGWEZENLAAN
PONTBEEK
WILGENDAAL
PLATANENLAAN
HOOGHOF
N9
DRIEKONINGEN
NACHTEGAALLAAN
BEEKLAAN
KLOOSTERSTR.
N9c
243
ZELLIK SPORT
F
BREUGELPARK
1= DRIE KONINGENLAAN
NOORDERLAAN
MOLENBOS
R0
ZELLIK
10
MOLENBEEKDAL
INDUSTRIALAAN
BRUSSELSESTEENWEG
ZUIDERLAAN
GROOT-BIJGAARDEN
RIJSHOUT
ROEKHOUT

12

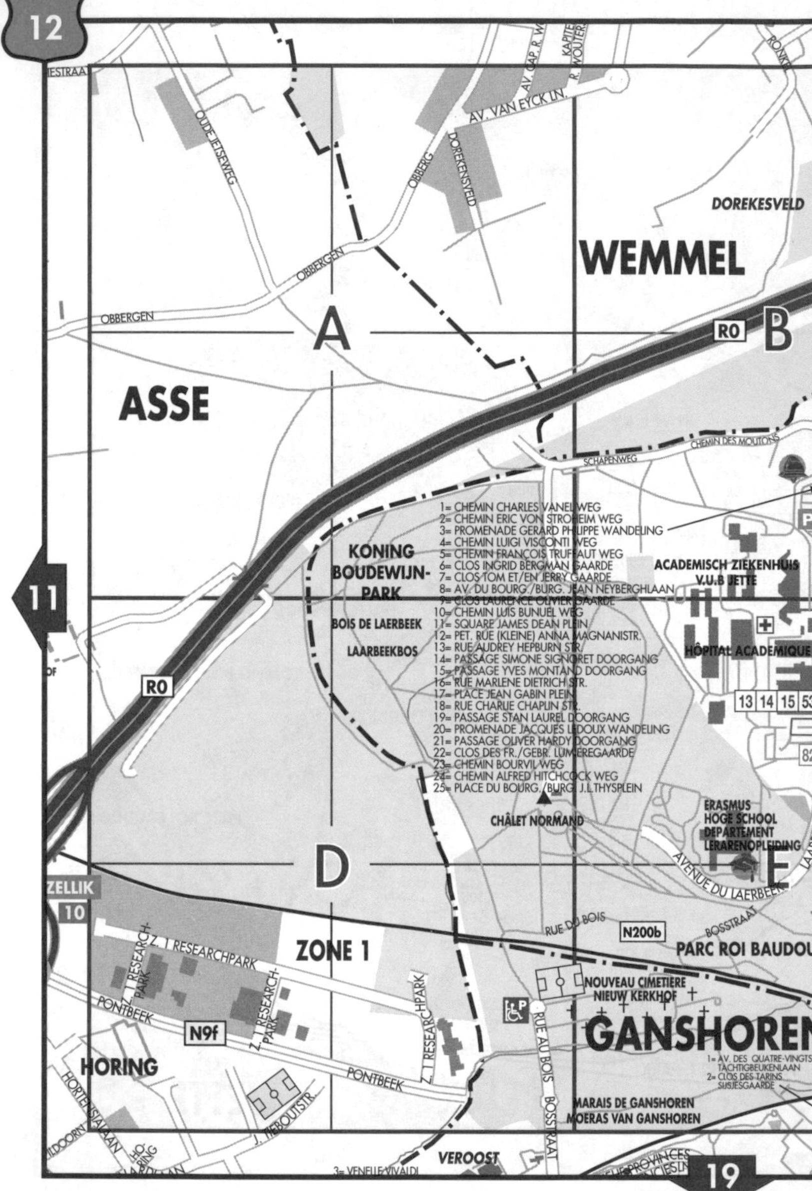
12
11
19
A
B
D
E
ASSE
WEMMEL
DOREKESVELD
GANSHOREN
HORING
ZONE 1
OUDE IJETSEWEG
OBBERG
OBBERGEN
DOREKENSVELD
AV. VAN EYCK LN.
R0
CHEMIN DES MOUTONS
SCHAPENWEG
KONING
BOUDEWIJN-
PARK
BOIS DE LAERBEEK
LAARBEEKBOS
1= CHEMIN CHARLES VANEL WEG
2= CHEMIN ERIC VON STROHEIM WEG
3= PROMENADE GERARD PHILIPPE WANDELING
4= CHEMIN LUIGI VISCONTI WEG
5= CHEMIN FRANCOIS TRUFFAUT WEG
6= CLOS INGRID BERGMAN GAARDE
7= CLOS TOM ET/EN JERRY GAARDE
8= AV. DU BOURG./BURG. JEAN NEYBERGHLAAN
9= CLOS LAURENCE OLIVIER GAARDE
10= CHEMIN LUIS BUNUEL WEG
11= SQUARE JAMES DEAN PLEIN
12= PET. RUE (KLEINE) ANNA MAGNANISTR.
13= RUE AUDREY HEPBURN STR.
14= PASSAGE SIMONE SIGNORET DOORGANG
15= PASSAGE YVES MONTAND DOORGANG
16= RUE MARLENE DIETRICH STR.
17= PLACE JEAN GABIN PLEIN
18= RUE CHARLIE CHAPLIN STR.
19= PASSAGE STAN LAUREL DOORGANG
20= PROMENADE JACQUES LEDOUX WANDELING
21= PASSAGE OLIVER HARDY DOORGANG
22= CLOS DES FR./GEBR. LUMIEREGAARDE
23= CHEMIN BOURVIL WEG
24= CHEMIN ALFRED HITCHCOCK WEG
25= PLACE DU BOURG./BURG. J.L.THYSPLEIN
ACADEMISCH ZIEKENHUIS
V.U.B JETTE
HÔPITAL ACADEMIQUE
13 14 15 53
82
CHÂLET NORMAND
ERASMUS
HOGE SCHOOL
DEPARTEMENT
LERARENOPLEIDING
AVENUE DU LAERBEEK
ZELLIK
10
Z. I RESEARCHPARK
PONTBEEK
N9f
RUE DU BOIS
N200b
BOSSTRAAT
PARC ROI BAUDOU
NOUVEAU CIMETIERE
NIEUW KERKHOF
RUE AU BOIS
1= AV. DES QUATRE-VINGTS
TACHTIGBEUKENLAAN
2= CLOS DES TARINS
SIJSJESGAARDE
MARAIS DE GANSHOREN
MOERAS VAN GANSHOREN
HORTENSIALAAN
J. TIEBOUTSTR.
VEROOST
3= VENELLE VIVALDI

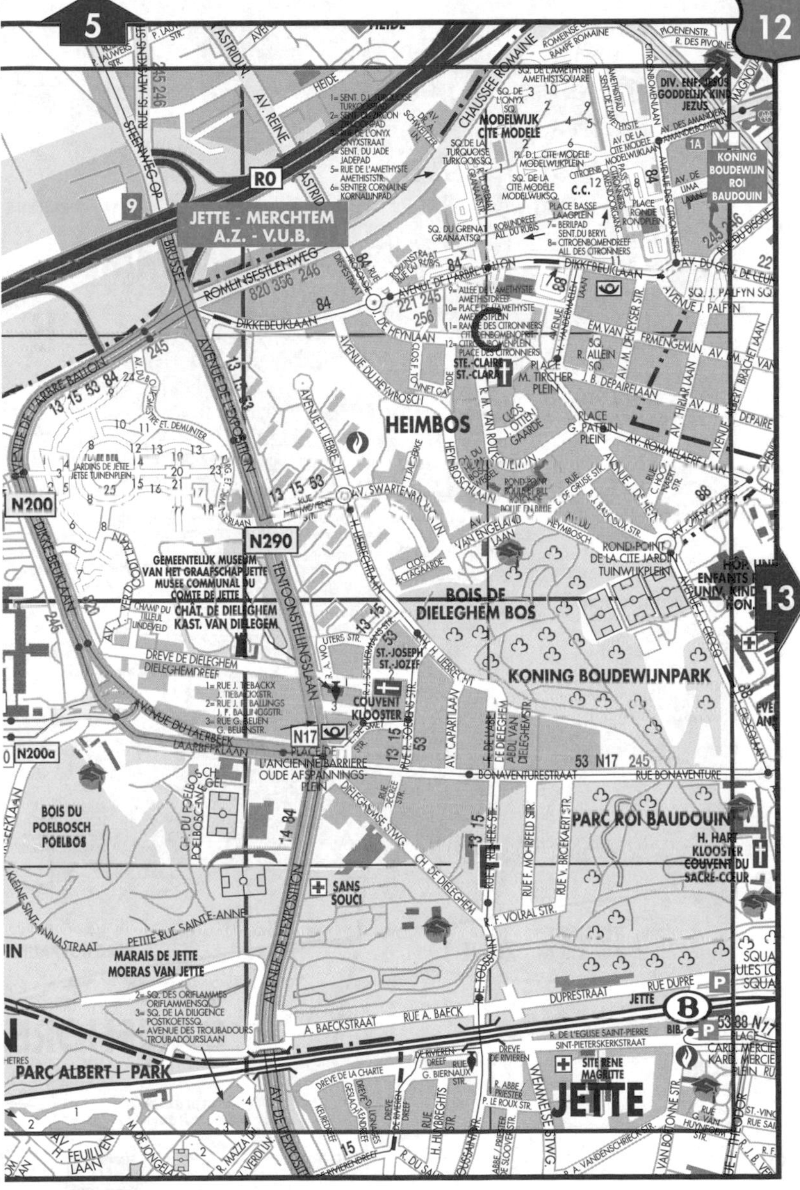

5
12
13
HEIMBOS
BOIS DE
DIELEGHEM BOS
KONING BOUDEWIJNPARK
PARC ROI BAUDOUIN
BOIS DU
POELBOSCH
POELBOS
MARAIS DE JETTE
MOERAS VAN JETTE
PARC ALBERT I PARK
JETTE
JETTE - MERCHTEM
A.Z. - V.U.B.
KONING
BOUDEWIJN
ROI
BAUDOUIN
MODELWIJK
CITE MODELE
STE.-CLAIRE
ST.-CLARA
ST.-JOSEPH
ST.-JOZEF
COUVENT
KLOOSTER
GEMEENTELIJK MUSEUM
VAN HET GRAAFSCHAP JETTE
MUSEE COMMUNAL DU
COMTE DE JETTE &
CHÂT. DE DIELEGHEM
KAST. VAN DIELEGEM
SANS
SOUCI
H. HART
KLOOSTER
COUVENT DU
SACRE-COEUR
SITE RENE
MAGRITTE
DIV. ENF. JESUS
GODDELIJK KIND
JEZUS
R0
N200
N290
N17
N200a
CHAUSSEE ROMAINE
AVENUE DE L'EXPOSITION
TENTOONSTELLINGSLAAN
AVENUE DE L'ARBRE BALLON
DIKKEBEUKLAAN
DREVE DE DIELEGHEM
DIELEGHEMDREEF
AVENUE DU LAERBEEK
LAARBEEKLAAN
BONAVENTURESTRAAT
RUE BONAVENTURE
PLACE DE
L'ANCIENNE BARRIERE
OUDE AFSPANNINGS-
PLEIN
ROND-POINT
DE LA CITE JARDIN
TUINWIJKPLEIN
PLACE
M. TIRCHER
PLEIN
PLACE
G. PATTIN
PLEIN
DUPRESTRAAT
RUE DUPRE
A. BAECKSTRAAT
RUE A. BAECK
R. DE L'EGLISE SAINT-PIERRE
SINT-PIETERSKERKSTRAAT
PETITE RUE SAINTE-ANNE
KLEINE SINT-ANNASTRAAT
WEMMELSE STWG.
CH. DE DIELEGHEM
AV. SWARTENBROUCK
AVENUE DU HEYMBOSCH
JARDINS DE JETTE
JETSE TUINENPLEIN

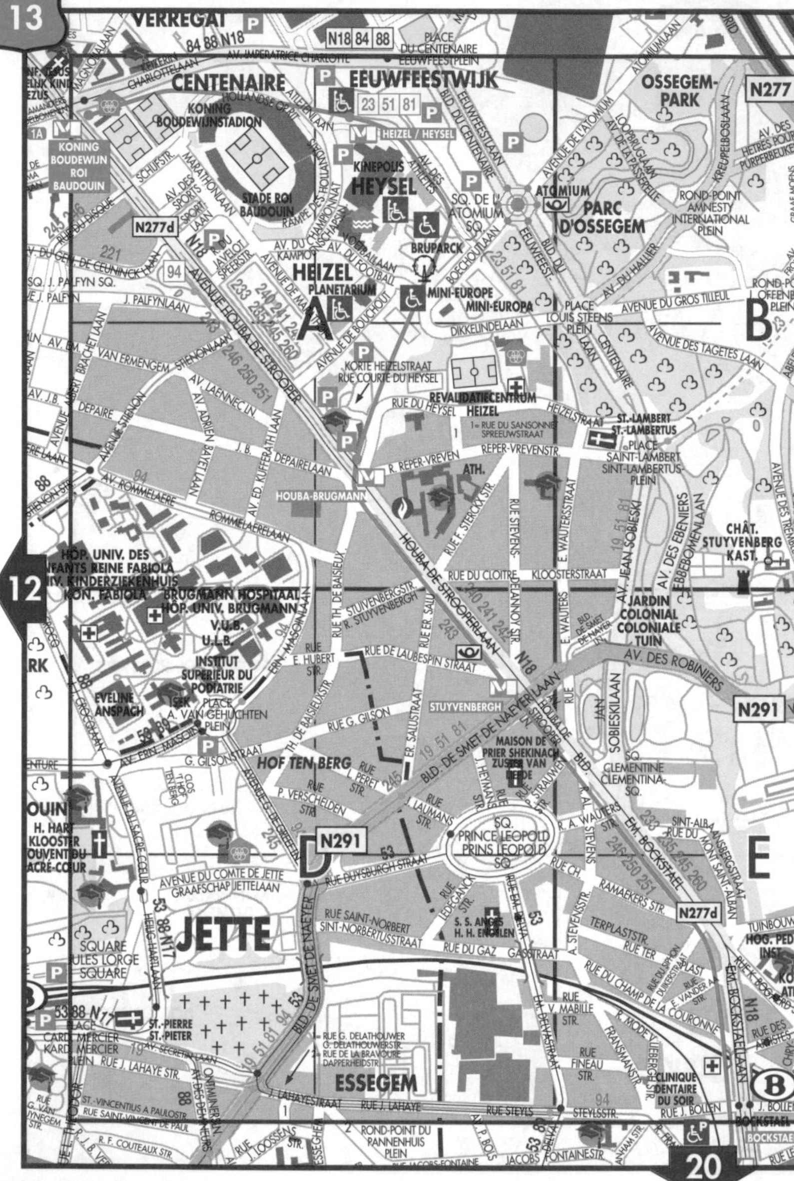

13
12
20
VERREGAT
N18 84 88
PLACE DU CENTENAIRE
EEUWFEESTPLEIN
AV. IMPERATRICE CHARLOTTE
CHARLOTTELAAN
CENTENAIRE
EEUWFEESTWIJK
KONING BOUDEWIJNSTADION
HOLLANDSE OPRIT
23 51 81
HEIZEL / HEYSEL
KONING BOUDEWIJN ROI BAUDOUIN
KINEPOLIS
HEYSEL
STADE ROI BAUDOUIN
OSSEGEM-PARK
N277
ATOMIUM
PARC D'OSSEGEM
SQ. DE L'ATOMIUM SQ.
BRUPARCK
HEIZEL
PLANETARIUM
MINI-EUROPE
MINI-EUROPA
ROND-POINT AMNESTY INTERNATIONAL PLEIN
N277d
A
B
PLACE LOUIS STEENS PLEIN
AVENUE DU GROS TILLEUL
DIKKELINDELAAN
AVENUE DES TAGETES LAAN
AVENUE HOUBA DE STROOPER
J. PALFYNLAAN
KORTE HEIZELSTRAAT
RUE COURTE DU HEYSEL
RUE DU HEYSEL
REVALIDATIECENTRUM HEIZEL
1 = RUE DU SANSONNET SPREEUWSTRAAT
HEIZELSTRAAT
ST.-LAMBERT ST.-LAMBERTUS
PLACE SAINT-LAMBERT SINT-LAMBERTUS-PLEIN
J. B. DEPAIRELAAN
R. REPER-VREVEN
REPER-VREVENSTR.
ATH.
HOUBA-BRUGMANN
AV. ROMMELAERE
ROMMELAERELAAN
HOUBA DE STROOPERLAAN
CHÂT. STUYVENBERG KAST.
HÔP. UNIV. DES ENFANTS REINE FABIOLA
UNIV. KINDERZIEKENHUIS KON. FABIOLA
BRUGMANN HOSPITAAL
HÔP. UNIV. BRUGMANN
V.U.B.
U.L.B.
INSTITUT SUPERIEUR DU PODIATRIE
RUE DU CLOITRE
KLOOSTERSTRAAT
AV. JEAN SOBIESKI
AV. DES EBENIERS
EBBEBOMENLAAN
JARDIN COLONIAL
COLONIALE TUIN
STUYVENBERGSTR.
R. STUYVENBERGH
RUE DE LAUBESPIN STRAAT
AV. DES ROBINIERS
N291
EVELINE ANSPACH
PLACE A. VAN GEHUCHTEN PLEIN
STUYVENBERGH
RUE G. GILSON
G. GILSONSTRAAT
AV. ERN. MASOIN
HOF TEN BERG
BLD. DE SMET DE NAEYERLAAN
MAISON DE PRIER SHEKINACH
ZUSTER VAN LIEFDE
SQ. CLEMENTINE CLEMENTINA-SQ.
H. HART KLOOSTER
COUVENT DU SACRÉ-COEUR
SQ. PRINCE LEOPOLD PRINS LEOPOLD SQ.
EM. BOCKSTAEL
D
E
AVENUE DU COMTE DE JETTE
GRAAFSCHAP JETTELAAN
RUE DUYSBURGH STRAAT
RUE SAINT-NORBERT
SINT-NORBERTUSSTRAAT
S. S. ANGES H. H. ENGELEN
RAMAEKERS STR.
TERPLASTSTR.
JETTE
SQUARE JULES LORGE SQUARE
RUE DU GAZ
GASSTRAAT
RUE DU CHAMP DE LA COURONNE
EM. BOCKSTAELLAAN
PLACE CARD. MERCIER
KARD. MERCIER PLEIN
ST.-PIERRE ST.-PIETER
1= RUE G. DELATHOUWER G. DELATHOUWERSTR.
2= RUE DE LA BRAVOURE DAPPERHEIDSTR.
RUE J. LAHAYE STR.
ESSEGEM
CLINIQUE DENTAIRE DU SOIR
RUE STEYLS
STEYLSSTR.
RUE J. BOLLEN
BOCKSTAEL
ROND-POINT DU PANNENHUIS PLEIN
RUE SAINT-VINCENT DE PAUL
R. F. COUTEAUX STR.

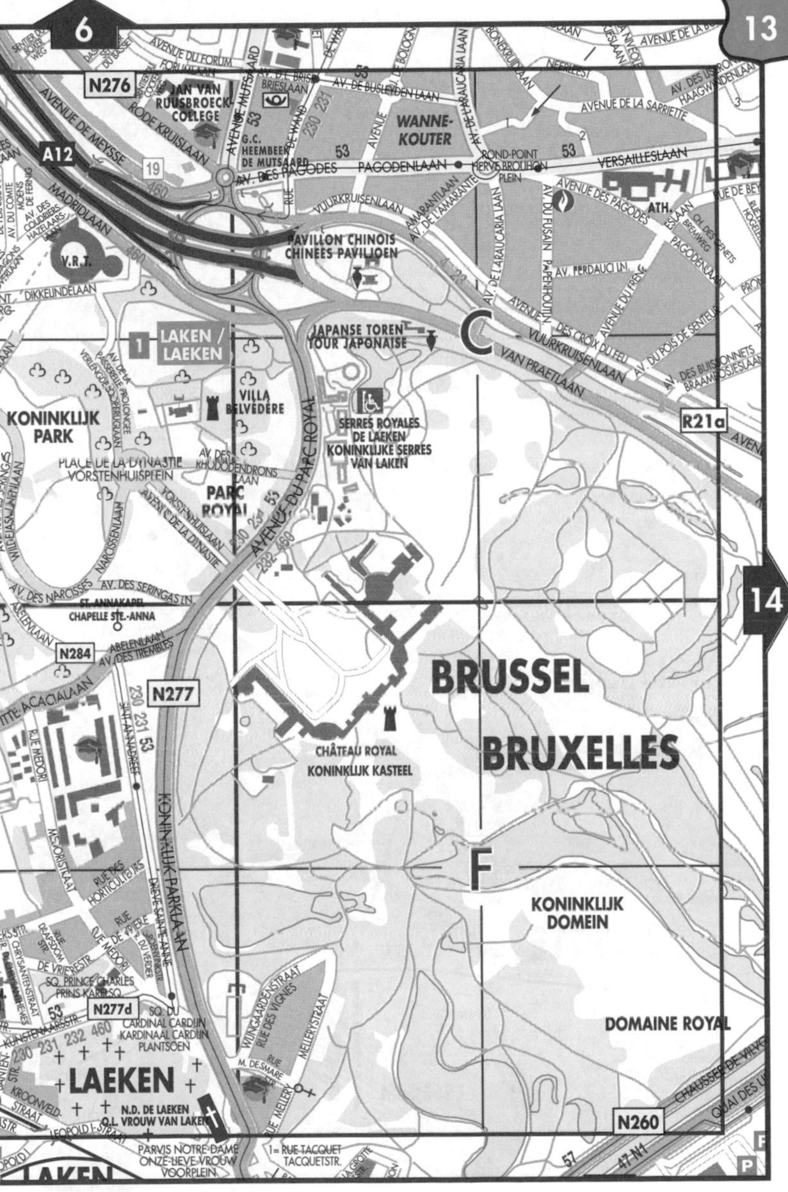
6
13
14
N276
JAN VAN RUUSBROECK-COLLEGE
AVENUE DU FORUM
AVENUE MUTSAARD
AV. DE BUSLEYDEN LAAN
WANNE-KOUTER
AVENUE DE LA SARRIETTE
AVENUE DE MEYSSE
RODE KRUISLAAN
A12
G.C. HEEMBEEK DE MUTSAARD
AV. DES PAGODES
PAGODENLAAN
ROND-POINT HERVÉ BROUHON PLEIN
VERSAILLESLAAN
AVENUE DES PAGODES
ATH.
MADRIDLAAN
V.R.T.
PAVILLON CHINOIS
CHINEES PAVILJOEN
VUURKRUISENLAAN
DIKKELINDELAAN
LAKEN / LAEKEN
JAPANSE TOREN
TOUR JAPONAISE
VAN PRAETLAAN
R21a
KONINKLIJK PARK
VILLA BELVÉDÈRE
SERRES ROYALES DE LAEKEN
KONINKLIJKE SERRES VAN LAKEN
PLACE DE LA DYNASTIE
VORSTENHUISPLEIN
PARC ROYAL
AVENUE DU PARC ROYAL
AV. DES NARCISSES
AV. DES SERINGAS
ST. ANNAKAPEL
CHAPELLE STE.-ANNA
N284
ABELENLAAN
AV. DES TREMBLES
N277
BRUSSEL
BRUXELLES
CHÂTEAU ROYAL
KONINKLIJK KASTEEL
KONINKLIJK PARKLAAN
C
F
KONINKLIJK DOMEIN
DOMAINE ROYAL
SQ. PRINCE CHARLES
PRINS KARELSQ.
N277d
SQ. DU CARDINAL CARDIJN
KARDINAAL CARDIJN PLANTSOEN
WIJNGAARDENSTRAAT
RUE DES VIGNES
MELLERYSTRAAT
LAEKEN
N.D. DE LAEKEN
O.L. VROUW VAN LAKEN
PARVIS NOTRE-DAME
ONZE-LIEVE-VROUW VOORPLEIN
1= RUE TACQUET
TACQUETSTR.
N260
CHAUSSÉE DE VILVORDE
QUAI DES USINES

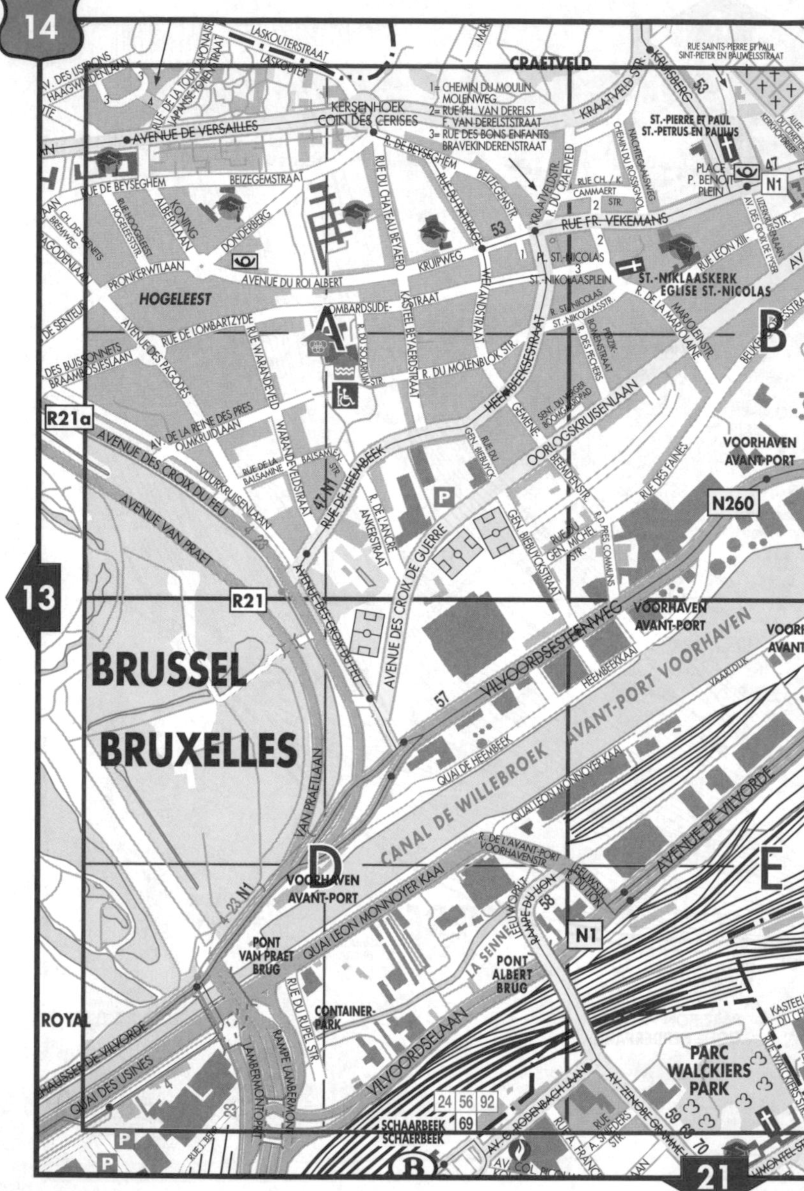

14
13
21
CRAETVELD
KERSENHOEK
COIN DES CERISES
1= CHEMIN DU MOULIN
MOLENWEG
2= RUE PH. VAN DERELST
F. VAN DERELSTSTRAAT
3= RUE DES BONS ENFANTS
BRAVEKINDERENSTRAAT
RUE SAINTS-PIERRE ET PAUL
SINT-PIETER EN PAUWELSSTRAAT
ST.-PIERRE ET PAUL
ST.-PETRUS EN PAULUS
PLACE
P. BENOIT
PLEIN
N1
47
LASKOUTERSTRAAT
LASKOUTER
AVENUE DE VERSAILLES
KRAATVELD STR.
KRUISBERG
53
RUE DE BEYSEGHEM
BEIZEGEMSTRAAT
R. DE BEYSEGHEM
RUE DU CHATEAU BEYAERD
RUE DU PATURAGE
KRAATVELDSTR.
R. DU CRAETVELD
RUE CH. / K.
CAMMAERT
STR.
RUE FR. VEKEMANS
KONING
ALBERTLAAN
DONDERBERG
PRONKERWTLAAN
AVENUE DU ROI ALBERT
KRUIPWEG
WEILANDSTRAAT
PL. ST.-NICOLAS
ST.-NIKOLAASPLEIN
ST.-NIKLAASKERK
EGLISE ST.-NICOLAS
RUE LEON XIII
HOGELEEST
RUE DE LOMBARTZYDE
LOMBARDSIJDE-
KASTEEL BEYAERDSTRAAT
R. ST.-NICOLAS
ST.-NIKOLAASSTR.
R. DE LA MARJOLAINE
MARJOLEINSTR.
A
B
AVENUE DES PAGODES
RUE WARANDEVELD
R. DU SOLARIUM
R. DU MOLENBLOK STR.
HEEMBEEKSESTRAAT
R. DES PECHERS
BOMENSTRAAT
DES BUISSONNETS
BRAAMBOSJESLAAN
R21a
AV. DE LA REINE DES PRES
OLMKRUIDLAAN
WARANDEVELDSTRAAT
RUE DE LA BALSAMINE
BALSAMIEN STR.
RUE DE HEEMBEEK
47 N1
R. DE L'ANCRE
ANKERSTRAAT
OORLOGSKRUISENLAAN
BEEMDENSTR.
RUE DES FAINES
VOORHAVEN
AVANT-PORT
N260
AVENUE DES CROIX DU FEU
VUURKRUISENLAAN
AVENUE VAN PRAET
AVENUE DES CROIX DE GUERRE
GEN. BIEBUYCKSTRAAT
R21
BRUSSEL
BRUXELLES
VILVOORDSESTEENWEG
57
HEEMBEEKKAAI
AVANT-PORT VOORHAVEN
VAARTDIJK
QUAI DE HEEMBEEK
CANAL DE WILLEBROEK
QUAI LEON MONNOYER KAAI
VAN PRAETLAAN
AVENUE DE VILVORDE
D
E
R. DE L'AVANT-PORT
VOORHAVENSTR.
LEEUWSTR.
R. DU LION
RAMPE DU LION
58
N1
PONT
VAN PRAET
BRUG
LA SENNE
PONT
ALBERT
BRUG
ROYAL
CONTAINER-
PARK
RUE DU RUPEL STR.
QUAI DES USINES
LAMBERMONTOPRIT
RAMPE LAMBERMONT
VILVOORDSELAAN
PARC
WALCKIERS
PARK
24 56 92
69
SCHAARBEEK
SCHAERBEEK
AV. ZENOBE GRAMME
59 69 70

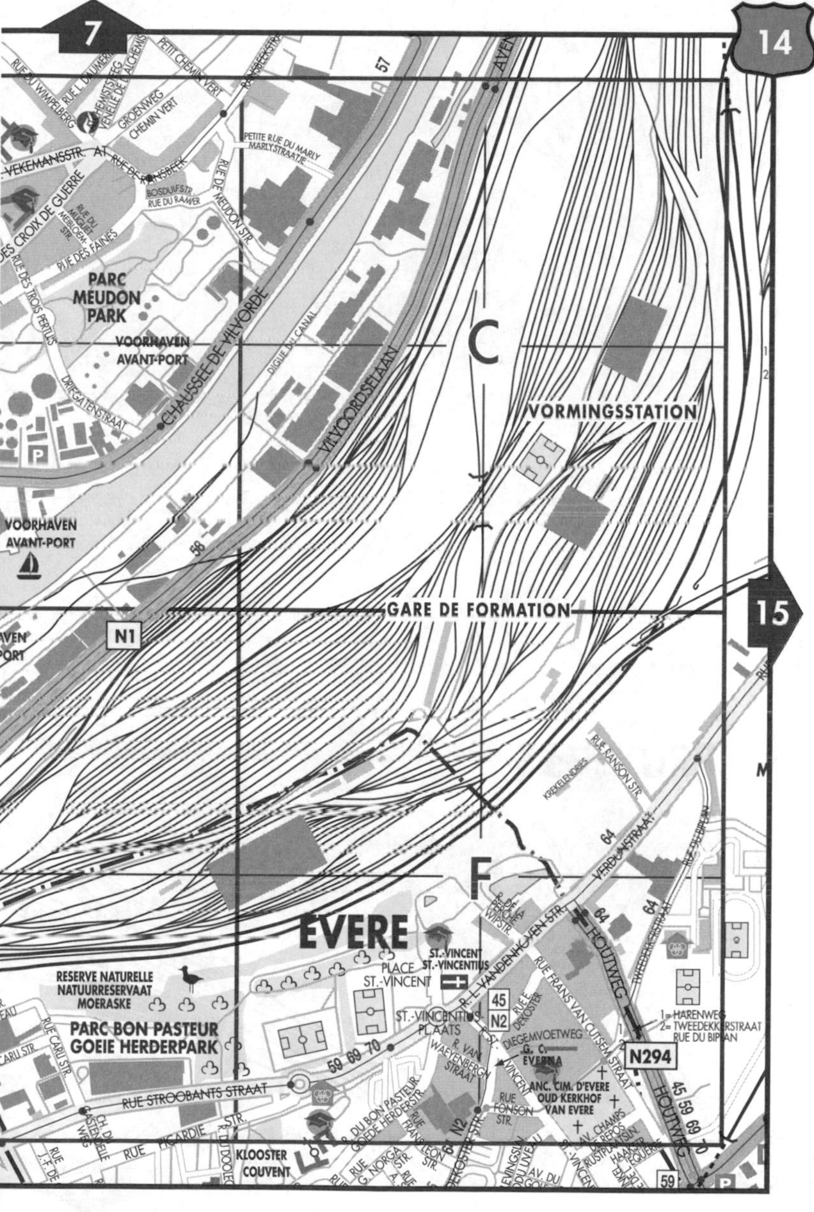

7
14
15
PARC MEUDON PARK
VOORHAVEN AVANT-PORT
CHAUSSEE DE VILVORDE
VILVOORDSELAAN
DIGUE DU CANAL
C
VORMINGSSTATION
GARE DE FORMATION
N1
F
EVERE
VERDUNSTRAAT
HOUTWEG
N294
N2
RESERVE NATURELLE NATUURRESERVAAT MOERASKE
PARC BON PASTEUR GOEIE HERDERPARK
PLACE ST.-VINCENT
ST.-VINCENTIUS PLAATS
ST.-VINCENT ST.-VINCENTIUS
RUE STROOBANTS STRAAT
ANC. CIM. D'EVERE OUD KERKHOF VAN EVERE
KLOOSTER COUVENT
1= HARENWEG
2= TWEEDEKKERSTRAAT RUE DU BIPLAN

HAREN
BRUSSEL
BRUXELLES
A
B
D
E
STE.-ELISABETH
ST.-ELISABETH
HAREN-ZUID/SUD
HAREN
S.T.I.B.
M.I.V.B.
ASBL
CERCLE SPORT
FORCE AERIEN
EVERE O.T.A.N.
EVERE N.A.V.O.
N21
80
1= AV. DE LA METROLOGIE
METROLOGIELAAN
2= PETITE AV. DE LA PETITE METROLOGIE
KORTE METROLOGIELAAN
7= CH. DE TRAVERSE
BINNENWEG
8= SENT. DE LA GLAISIERE
KLEEMPUTPAD
1= SENT. DU CORTENBACH
CORTENBACHPAD
2= SENT. DU SOIR
AVONDPAD
1= RUE DU PRE AUX OISEAUX
VOGELWEIDESTRAAT
3= CH. DE LA COUR D'ESPAGNE
HOF VAN SPANJEWEG
4= CH. DU BAAKVELD
BAAKVELDWEG
5= ANCIEN MIDDELWEG
OUDE MIDDELWEG
6= RUE DU HALL DU SPORT
SPORTHALSTRAAT
1= KORTE SPAARBEKKENSTRAAT
PET. RUE DU BASSIN COLLECTEUR
1= RUE DE L'AERONEF
LUCHTSCHIPSTRAAT
RUE DE VERDUN
VERDUNSTRAAT
RUE DE LA SEIGNEURIE
RUE DE LA PAROISSE
PAROCHIESTRAAT
HAACHTSESTEENWEG
CHAUSSEE DE HAECHT
RUE SERVANDONI STR.
WACHTTORENSTRAAT
RUE DU DONJON
GANZENWEIDESTRAAT
RUE DU PRE AUX OIES
HARENBERG
KAMPSTR.
RUE DU CAMP
RUE DU CHATEAU D'ASSE
KASTEEL VAN ASSESTR.
RUE HARENHEYDE
HARENHEIDESTRAAT
RUE DE L'ESPACE VERT
GROENEZONESTRAAT
WITLOOFSTATIONSTRAAT
RUE DE LA GARE DU WITLOOF
MIDDELWEG
RUE DE L'AERODROME
VLIEGVELDSTR.
WEG NAAR SINT-STEVENS-WOLUWE
SINT-STEVENS-WOLUWESTRAAT
RUE DE WOLUWE-ST-ETIENNE
ARTHUR MAESSTRAAT
RUE ARTHUR MAES
CHEMIN DU PUITS D'EAU
WATERPUTWEG
RUE DE LA GRENOUILLETTE
WATERRANONKELSTRAAT
SPAARBEKKENSTRAAT
RUE DU BASSIN COLLECTEUR
RUE DE STRASBOURG
STRAATSBURGSTRAAT
RUE DU BIPLAN
RUE DU KEELBEEK
KEELBEEKSTRAAT
KUREGEMSTRAAT
HEERLIJKHEIDSSTR.
CHEMIN DU KEELBEEK WEG
R. DE L'OSIER FLEURI
WILGEROOSJESTR.
RUE DU BEEMDGRACHT STR.
RUE TER ELST STR.
TWYENINCK STR.
KASTEELHOF
RUE KLESPER STR.
SENTIER DU CASTRUM PAD
RUE STE-ELISABETH STR.
R. DE CORTENBACH
KORTENBACHSTR.
RUE DE FLODORP STR.
NOENDELLE
KORTE KAMPSTR.
PET. RUE DU CAMP
RUE DE LA FUSEE
RAKETSTRAAT
270 271
64
45 59 69 70

14
22

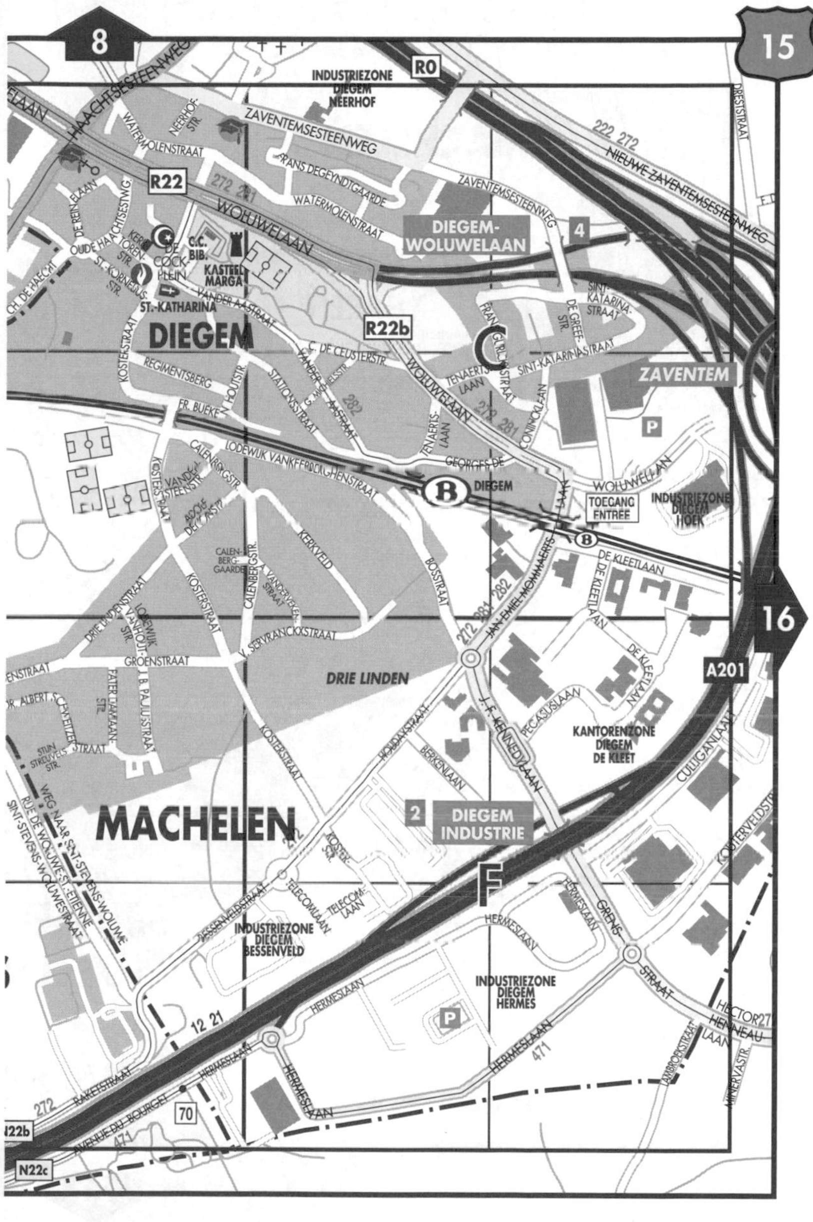
8
15
16
R0
R22
R22b
A201
N22b
N22c
70
INDUSTRIEZONE DIEGEM NEERHOF
ZAVENTEMSESTEENWEG
NIEUWE ZAVENTEMSESTEENWEG
HAACHTSESTEENWEG
WOLUWELAAN
DIEGEM-WOLUWELAAN
4
DIEGEM
ZAVENTEM
C
C.C. BIB.
KASTEEL MARGA
ST.-KATHARINA
DE COCK PLEIN
KOSTERSTRAAT
REGIMENTSBERG
STATIONSSTRAAT
LODEWIJK VANKEERBERGHENSTRAAT
TOEGANG ENTREE
INDUSTRIEZONE DIEGEM HOEK
DE KLEETLAAN
JAN EMIEL MOMMAERTSLAAN
KERKVELD
BOSSTRAAT
V. SERVRANCKXSTRAAT
GROENSTRAAT
DRIE LINDEN
KANTORENZONE DIEGEM DE KLEET
PEGASUSLAAN
J.F. KENNEDYLAAN
BERKENLAAN
HOLIDAYSTRAAT
2
DIEGEM INDUSTRIE
MACHELEN
F
CULLIGANLAAN
HERMESLAAN
GRENSSTRAAT
INDUSTRIEZONE DIEGEM BESSENVELD
INDUSTRIEZONE DIEGEM HERMES
TELECOMLAAN
BESSENVELDSTRAAT
RAKETSTRAAT
AVENUE DU BOURGET
HECTOR HENNEAULAAN
LAMBROEKSTRAAT
MINERVASTR.
KOSTERVELDSTR.
DRESSTRAAT
WEG NAAR SINT-STEVENS-WOLUWE
RUE DE WOLUWE-ST-ETIENNE
SINT-STEVENS-WOLUWESTRAAT
P

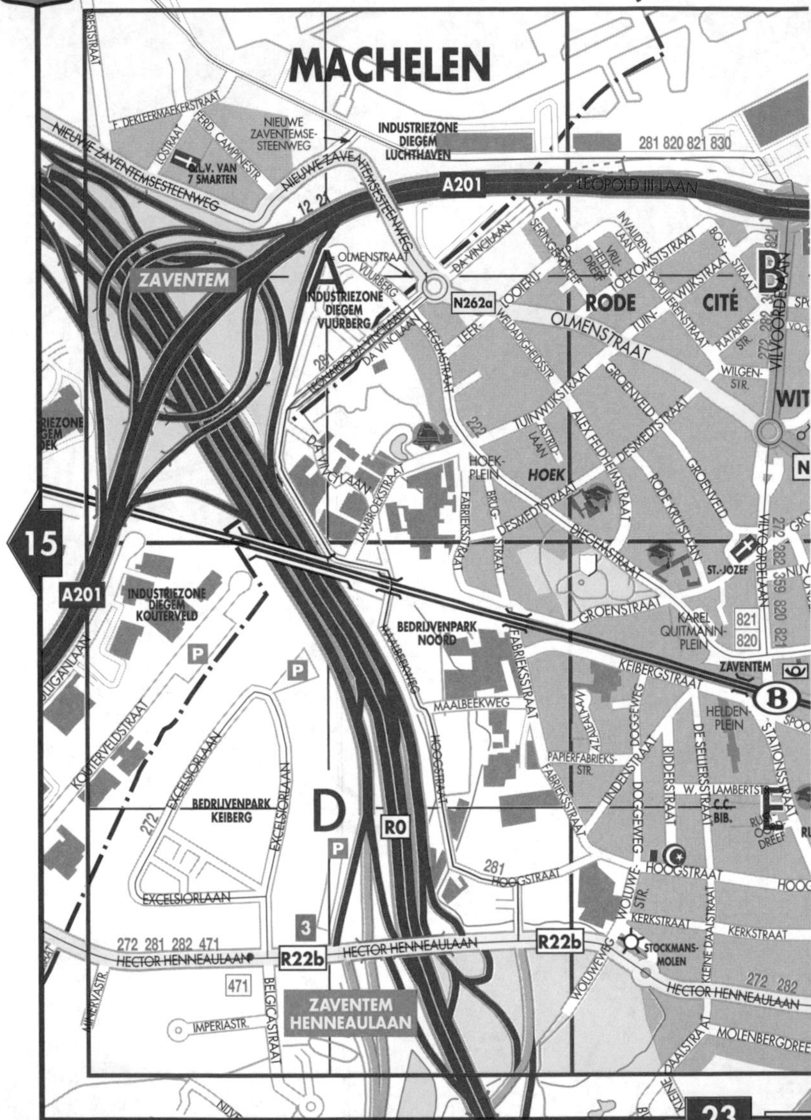
MACHELEN
ZAVENTEM
INDUSTRIEZONE DIEGEM LUCHTHAVEN
INDUSTRIEZONE DIEGEM VUURBERG
INDUSTRIEZONE DIEGEM KOUTERVELD
BEDRIJVENPARK NOORD
BEDRIJVENPARK KEIBERG
RODE CITÉ
HOEK
O.L.V. VAN 7 SMARTEN
ST.-JOZEF
STOCKMANS-MOLEN
ZAVENTEM HENNEAULAAN
A201
N262a
R0
R22b
LEOPOLD III-LAAN
NIEUWE ZAVENTEMSESTEENWEG
OLMENSTRAAT
HECTOR HENNEAULAAN
HOOGSTRAAT
KERKSTRAAT
MOLENBERGDREEF
DA VINCILAAN
DIEGEMSTRAAT
DESMEDTSTRAAT
GROENSTRAAT
KEIBERGSTRAAT
FABRIEKSSTRAAT
MAALBEEKWEG
EXCELSIORLAAN
KOUTERVELDSTRAAT
VILVOORDELAAN
STATIONSSTRAAT
DOGGEWEG
LINDENSTRAAT
RIDDERSTRAAT
DE SELLIERSSTRAAT
WOLUWEWEG
KLEINE DAALSTRAAT
BELGICASTRAAT
IMPERIASTR.
MINERVASTR.
LAMBROEKSTRAAT
TUINWIJKSTRAAT
ALEX FELDHEIMSTRAAT
RODE KRUISLAAN
GROENVELD
HOEKPLEIN
KAREL QUITMANNPLEIN
HELDENPLEIN
A
B
D
E
281 820 821 830
272 281 282 471

15

23

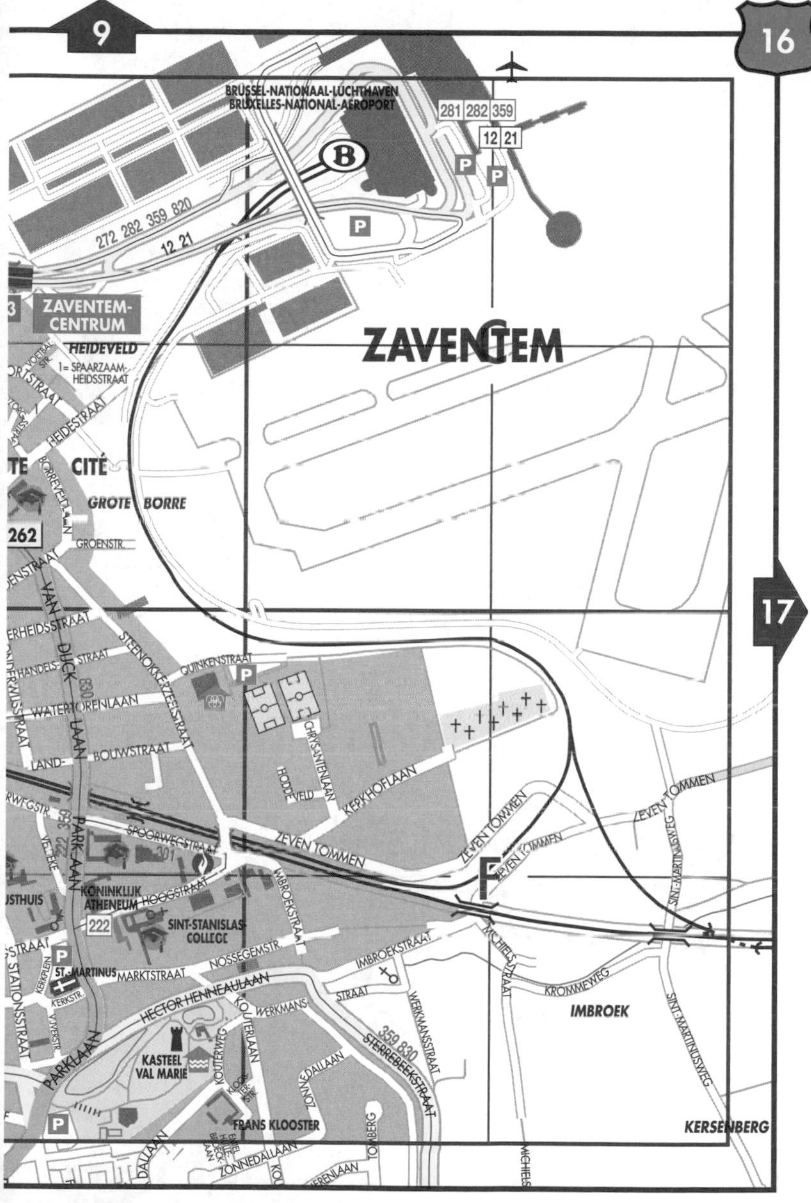

9
16
17
BRUSSEL-NATIONAAL-LUCHTHAVEN
BRUXELLES-NATIONAL-AEROPORT
281 282 359
12 21
272 282 359 820
12 21
ZAVENTEM-CENTRUM
ZAVENTEM
HEIDEVELD
1= SPAARZAAM-HEIDSSTRAAT
HEIDESTRAAT
CITÉ
GROTE BORRE
BORREVELDLAAN
262
GROENSTR.
VAN DIJCKLAAN
STEENOKKERZEELSTRAAT
QUINKENSTRAAT
WATERTORENLAAN
BOUWSTRAAT
CHRYSANTENLAAN
HODDEVELD
KERKHOFLAAN
ZEVEN TOMMEN
SPOORWEGSTRAAT
PARKLAAN
KONINKLIJK ATHENEUM
HOOGSTRAAT
222
SINT-STANISLAS-COLLEGE
IMBROEKSTRAAT
NOSSEGEMSTR.
ST.-MARTINUS
MARKTSTRAAT
HECTOR HENNEAULAAN
KERKPLEIN
KERKSTR.
STATIONSSTRAAT
WERKMANSSTRAAT
MICHIELSSTRAAT
KROMMEWEG
IMBROEK
SINT-MARTINUSWEG
KASTEEL VAL MARIE
KOUTERWEG
KOUTERLAAN
359 830
STERREBEEKSTRAAT
ZONNEDALLAAN
FRANS KLOOSTER
TOMBERG
KERSENBERG

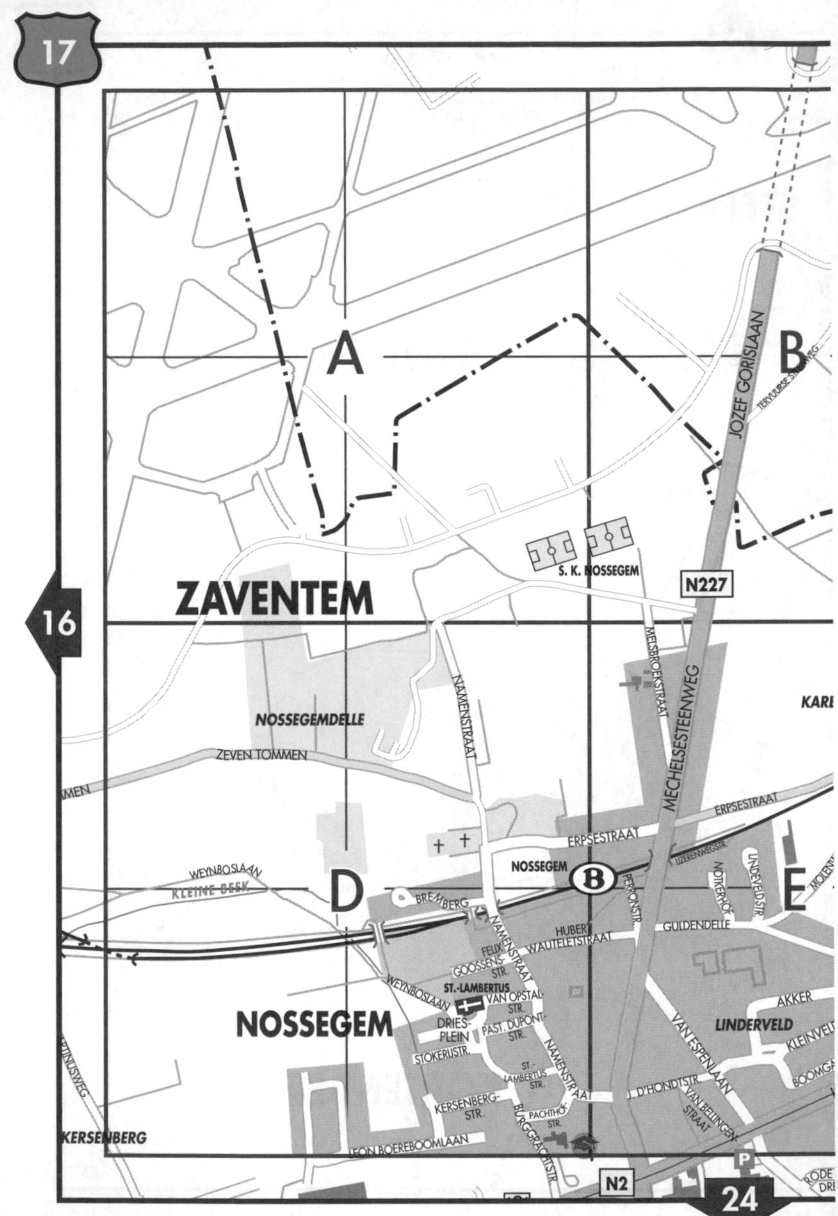
17
16
24
A
B
D
E
ZAVENTEM
NOSSEGEM
S. K. NOSSEGEM
N227
N2
JOZEF GORISLAAN
TERVUURSE STEENWEG
MECHELSESTEENWEG
MELSBROEKSTRAAT
NAMENSTRAAT
NOSSEGEMDELLE
ZEVEN TOMMEN
ERPSESTRAAT
IJZERENWEGSTR.
NOTKERHOF
LINDEVELD STR.
WEYNBOSLAAN
KLEINE BEEK
BREMBERG
PERRONSTR.
HUBERT WAUTELETSTRAAT
GULDENDELLE
FELIX GOOSSENS-STR.
ST.-LAMBERTUS
VAN OPSTAL-STR.
DRIES-PLEIN
PAST. DUPONT-STR.
STOKERIJSTR.
ST.-LAMBERTUS STR.
KERSENBERG-STR.
BURGGRACHTSTR.
PACHTHOF STR.
LEON BOEREBOOMLAAN
J. D'HONDTSTR.
VAN BELLINGEN-STRAAT
VAN ESPENLAAN
LINDERVELD
AKKER
KERSENBERG
P

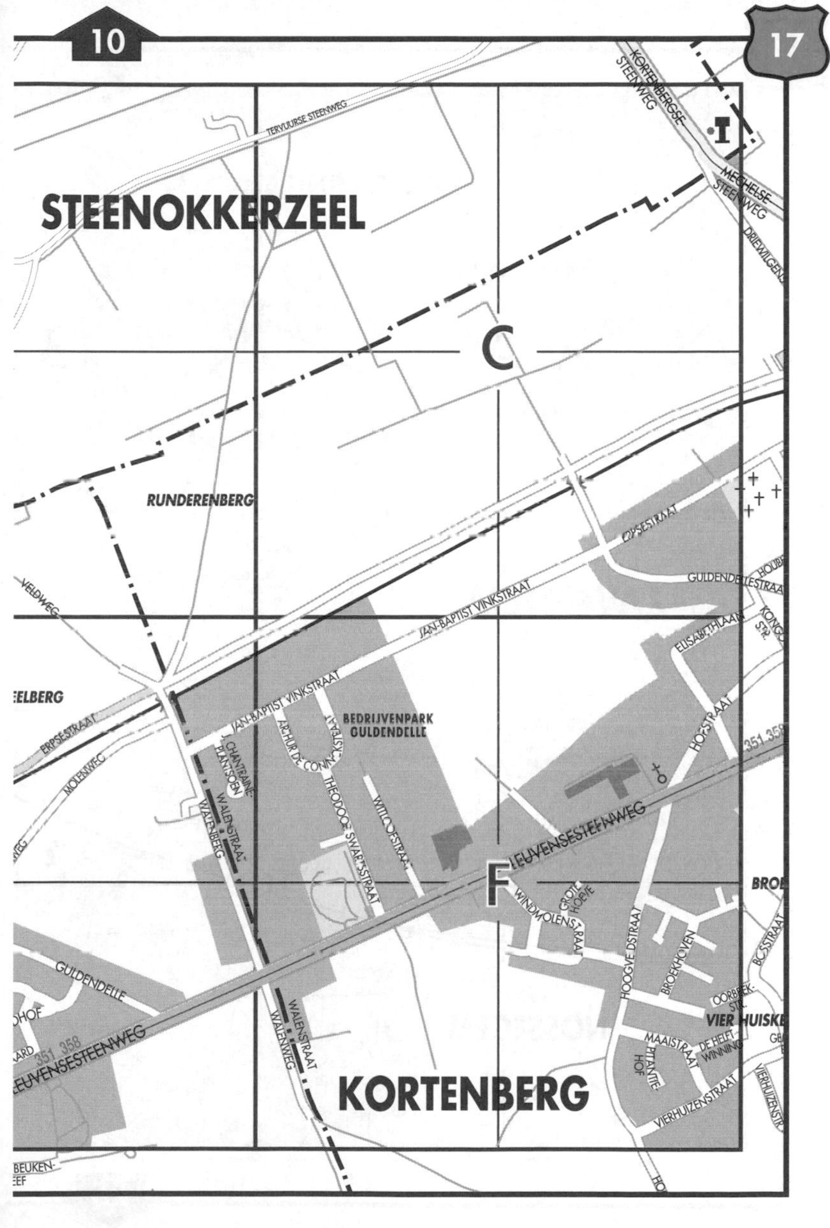
STEENOKKERZEEL
KORTENBERG
TERVUURSE STEENWEG
KORTENBERGSE STEENWEG
MECHELSE STEENWEG
DRIEWILGENS
C
F
RUNDERENBERG
ERPSESTRAAT
GULDENDELLESTRAAT
VELDWEG
JAN-BAPTIST VINKSTRAAT
ELISABETHLAAN
HOESTRAAT
BEDRIJVENPARK GULDENDELLE
ARTHUR DE CONINCKSTRAAT
J. CHANTRAINE-PLANTSOEN
THEODOOR SWARTSSTRAAT
WILGOSTRAAT
MOLENWEG
WALENSTRAAT
WALENWEG
LEUVENSESTEENWEG
351.358
WINDMOLENSTRAAT
GROTE HOEVE
HOOGVELDSTRAAT
BROEKHOVEN
OORBEEK-STR.
VIER HUISKE
MAAISTRAAT
PITANTIE-HOF
DE HELFT-WINNING
VIERHUIZENSTRAAT
GULDENDELLE
BEUKEN-

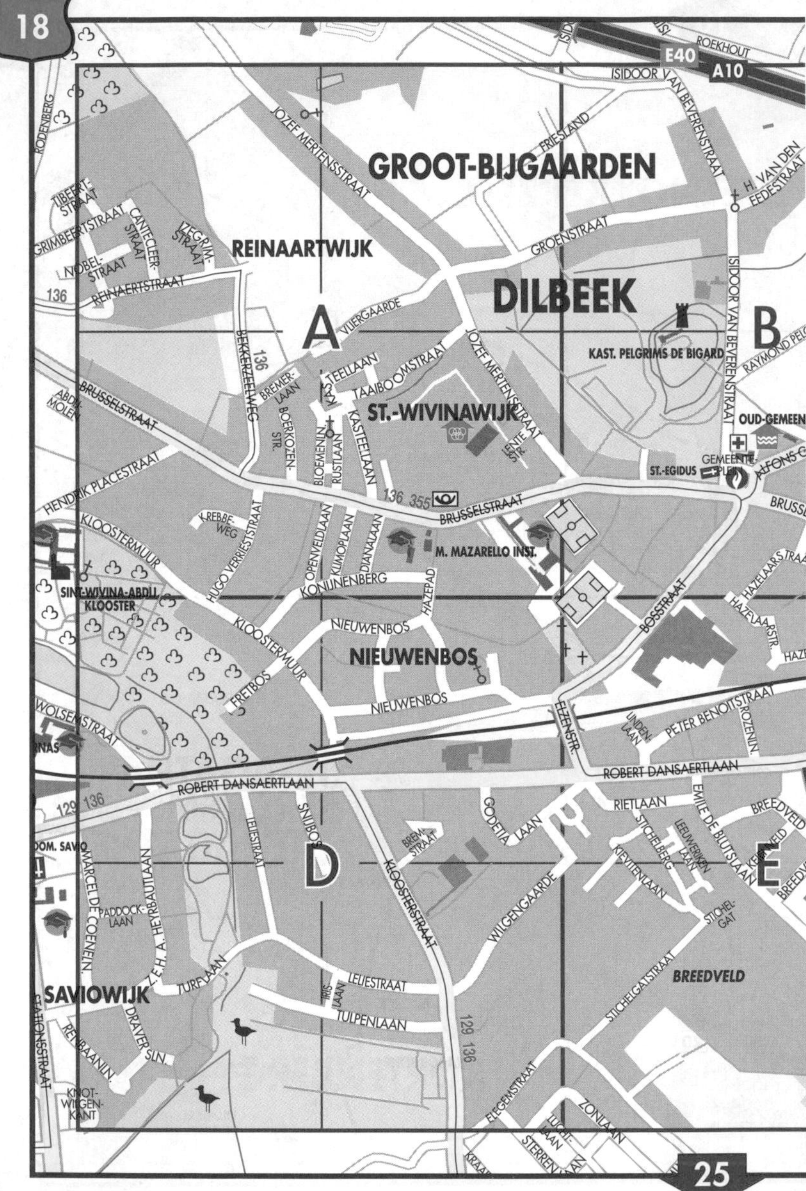

18
E40
A10
ROEKHOUT
ISIDOOR VAN BEVERENSTRAAT
RODENBERG
JOZEF MERTENSSTRAAT
FRIESLAND
GROOT-BIJGAARDEN
H. VAN DEN EEDESTRAAT
TIBEERT-STRAAT
GRIMBEERTSTRAAT
CANTECLEER-STRAAT
IZEGRIM-STRAAT
NOBEL-STRAAT
REINAARTWIJK
GROENSTRAAT
REINAERTSTRAAT
136
DILBEEK
VIJERGAARDE
A
B
KAST. PELGRIMS DE BIGARD
BEKKERZEELWEG
BREMER-LAAN
KASTEELLAAN
TAAIBOOMSTRAAT
BRUSSELSTRAAT
ABDIJ-MOLEN
BOERKOZEN-STR.
ST.-WIVINAWIJK
LENTE-STR.
OUD-GEMEEN
ST.-EGIDUS
GEMEENTE-PLEIN
HENDRIK PLACESTRAAT
BLOEMENLN.
RUSTLAAN
136 355
KREBBE-WEG
HUGO VERRIESTSTRAAT
OPENVELDLAAN
KLIMOPLAAN
DIANALAAN
M. MAZARELLO INST.
KLOOSTERMUUR
KONIJNENBERG
HAZEPAD
HAZELAARSTRAAT
SINT-WIVINA-ABDIJ KLOOSTER
NIEUWENBOS
BOSSTRAAT
FRETBOS
WOLSEMSTRAAT
ELZENSTR.
LINDEN-LAAN
PETER BENOITSTRAAT
ROZENLN.
ROBERT DANSAERTLAAN
129 136
RIETLAAN
EMILE DE BLUTSLAAN
BREEDVELD
DOM. SAVIO
GODETIALAAN
SNIJBOS
LELIESTRAAT
BREM-STRAAT
STICHELBERG
LEEUWERIKENLAAN
KIEVITENLAAN
D
E
KLOOSTERSTRAAT
MARCEL DE COENELN.
PADDOCK-LAAN
Z.E.H.A. HEYRBAUTLAAN
WILGENGAARDE
STICHEL-GAT
STICHELGATSTRAAT
TURFLAAN
IRIS-LAAN
SAVIOWIJK
TULPENLAAN
STATIONSSTRAAT
DRAVERSLN.
RENBAANLN.
KNOT-WILGEN-KANT
ELEGEMSTRAAT
ZONLAAN
LUCHT-LAAN
STERRENLAAN
25

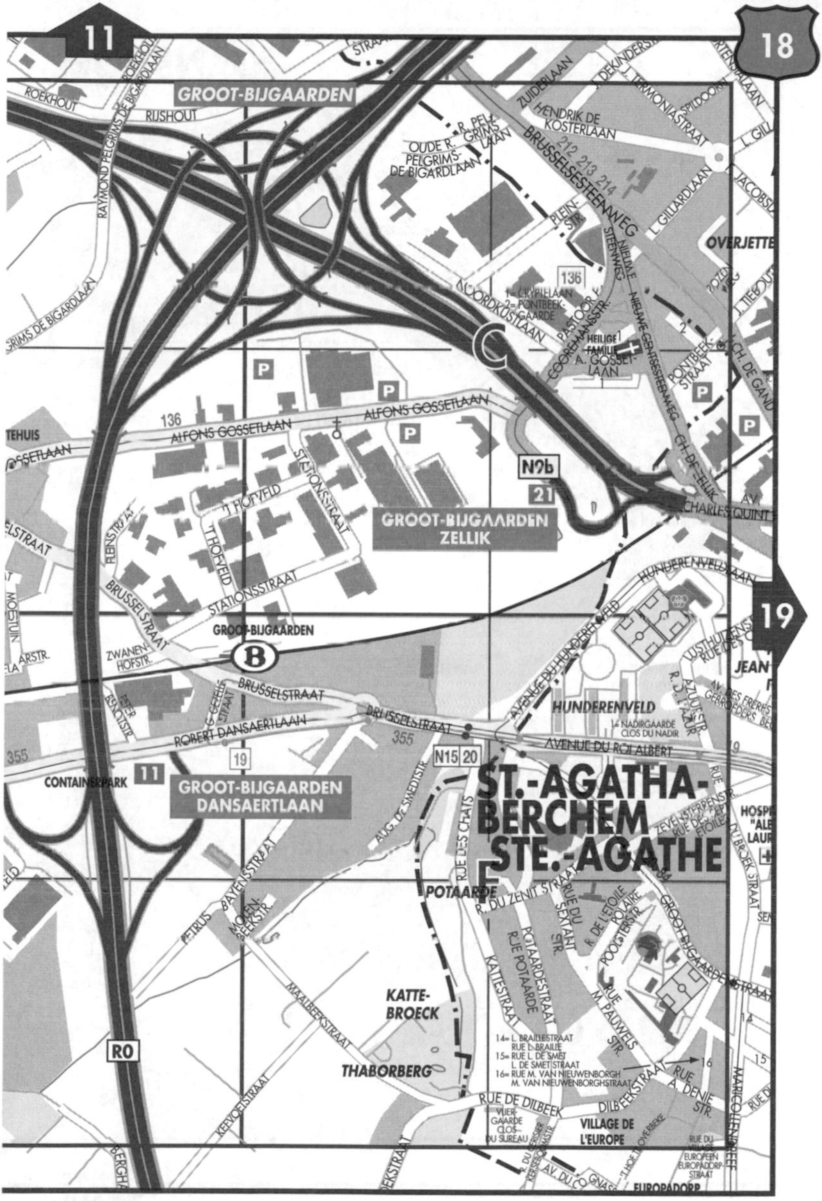

11
18
19

GROOT-BIJGAARDEN
ROEKHOUT
RIJSHOUT
RAYMOND PELGRIMS DE BIGARDLAAN
OUDE R. PELGRIMS-DE BIGARDLAAN
R. PELGRIMS LAAN
ZUIDERLAAN
J. DEKINDERSTR.
J. TERMONIASTRAAT
SPILDOORN
HENDRIK DE KOSTERLAAN
BRUSSELSESTEENWEG
212 213 214
L. GILLARDLAAN
JACOBSD
OVERJETTE
PLEINSTR.
NIEUWE STEENWEG
136
1= CRYPIELAAN
2= PONTBEEKGAARDE
PASTOOR COOREMANSSTR.
NOORDKUSTLAAN
HEILIGE FAMILIE
A. GOSSETLAAN
NIEUWE GENTSESTEENWEG
PONTBEEKSTRAAT
CH. DE GAND
GRIMS DE BIGARDLAAN
P
136
ALFONS GOSSETLAAN
TEHUIS
GOSSETLAAN
STATIONSSTRAAT
'T HOFVELD
PLEINSTRAAT
N9b
21
CH. DE ZELLIK
CHARLES QUINT
GROOT-BIJGAARDEN ZELLIK
ELSTRAAT
BRUSSELSTRAAT
STATIONSSTRAAT
MOESTUIN
HUNDERENVELDLAAN
AVENUE DU HUNDERENVELD
GROOT-BIJGAARDEN
ZWANENHOFSTR.
ARSTR.
B
BRUSSELSTRAAT
ESTER ENSOSTR.
G. GEZELLESTRAAT
ROBERT DANSAERTLAAN
BRUSSELSTRAAT
355
355
HUNDERENVELD
1= NADIRGAARDE CLOS DU NADIR
AVENUE DU ROI ALBERT
AZUURSTR.
R. D'AZUR
JEAN
AV. DES FRERES GERRODERS
19
N15 20
19
11
CONTAINERPARK
GROOT-BIJGAARDEN DANSAERTLAAN
ST.-AGATHA-BERCHEM
STE.-AGATHE
AUG. DE SMEDTSTR.
RUE DES CHATS
ZEVENSTERRENSTR.
RUE DES SEPT ETOILES
HOSP "ALB LAUR"
D. BROEKSTRAAT
POTAARDE
R. DU ZENIT
RUE DU SEXTANT STR.
R. DE L'ETOILE POLAIRE
POOLSTERSTR.
GROOT-BIJGAARDENSTRAAT
PETRUS
BAYENSSTRAAT
MOLENBEEKSTR.
POTAARDESTRAAT
RUE POTAARDE
KATTESTRAAT
MAALBEEKSTRAAT
KATTEBROECK
RUE M. PAUWELS STR.
14= L. BRAILLESTRAAT RUE L. BRAILLE
15= RUE L. DE SMET L. DE SMET STRAAT
16= RUE M. VAN NIEUWENBORGH M. VAN NIEUWENBORGHSTRAAT
14
15
16
RUE A. DENIE STR.
THABORBERG
R0
KEIVOETSTRAAT
RUE DE DILBEEK
DILBEEKSTRAAT
VLIERGAARDE CLOS DU SUREAU
VILLAGE DE L'EUROPE
R. DU CERISIER KERSEBOOMSTR.
'T HOF TE OVERBEKE
RUE DU VILLAGE EUROPEEN EUROPADORPSTRAAT
AV. DU CO GNASS
EUROPADORP
MARCOLLENDREEF
BERGHA

19

GANSHOREN

1= AV. DES QUATRE-VINGTS HE...
TACHTIGBEUKENLAAN
2= CLOS DES TARINS
SIJSJESGAARDE

ASSE

OVERJETTE

VEROOST

3= VENELLE VIVALDI
VIVALDISTEEG
4= CLOS DES MUSICIENS
MUZIKANTENGAARDE
5= CLOS J. HENDRICKX
J. HENDRICKXGAARDE
6= CLOS L. BANKEN
L. BANKENGAARDE
7= CLOS W. CHAMBON
W. CHAMBONGAARDE
8= RUE OSCAR MAESSCHALCK
OSCAR MAESSCHALKSTRAAT
9= RUE L.HEIRBAUT
L. HEIRBAUTSTRAAT
10= VENELLE MOZART STEEG
11= VENELLE CHOPIN STEEG
12= VENELLE SCHUBERT STEEG

PL. DE LA REINE PAOLA
KON. PAOLAPL.

PARVIS STE.-CECILE
STE.-CECILE
STE.-CECILIA
ST.-CECILIA-VOORPLEIN

A

B

PARC NESTOR MARTIN PARK

PLACE DE LA GARE
STATIONSPLEIN

ST.-AGATHA-BERCHEM
STE-AGATHE

PLACE M. D'AUTRICHE
M. VAN OOSTENRIJK-PLEIN

BASILIX SHOPPING CENTER

1= RUE DES C...
CLEMATIS...
2= AMARYLL...
RUE DES A...
3= ALB. DE B...
RUE ALB. ...
4= RUE ALF. ...
ALF. DOU...

ZAVELENBERG

1= BLOEMENOORD
CLOS FLEURI
2= RUE DES FLEURISTES
BLOEMKWEKERSSTRAAT
3= RUE DE L' EGLISE
KERKSTRAAT
4= J. MERTENSSTRAAT
RUE J. MERTENS
5= CLOS DES PEUPLIERS
POPULIERENOORD
6= CLOS DES HORTENSIAS
HORTENSIASGAARDE
7= RUE DE GRAND-HALLEUX
GRAND HALLEUXSTRAAT
8= KONING BOUDEWIJNPLEIN
PLACE DU ROI BAUDOUIN
9= SOLDATENSTRAAT
RUE DES SOLDATS
10= RUE DR. CH. LEEMANS
DR. CH. LEEMANSSTRAAT
11= P. PRESER STRAAT
RUE P. PRESER

1= RUE DE LA GERANCE
BEHEERSTRAAT
2= INITIATIEFPLEIN
PLACE DE L'INITIATIVE
3= ONTWIKKELINGSTRAAT
RUE DE L'EVOLUTION
4= LINDEGAARDE
CLOS DU TILLEUL
5= SAMENWERKERSPLEIN
PLACE DES COOPERATEURS
6= RUE DES EBATS
RAVOTTERSTRAAT
7= AV. DE L'ENTR'AIDE
ONDERLINGE HULPLAAN
8= RUE DE LA FONDATION
STICHTINGSSTRAAT
9= RUE DE BON ACCUEIL
GOEDE BEJEGENINGSTR.

18

PARC JEAN MONNET PARK

PARC J. MONNET PARK

CITÉ MODERNE

HOP. FRANÇAIS
FRANS HOSP.

PLACE O. RUELENS PLEIN

ENSEMBLE J. CHRISTOPHE

HOSPITALIER "ALBERT-LAURENT"

BROEK

D

PLACE DR. SCHWEITZERPLEIN

ST.-AGATHE

E

ST.-AGATHA-BERCHEM

C.C.

BIB.

BERCHEM-STE.-AGATHE

G. C. DE KROON

PLACE DE L'EGLISE
KERKPLEIN

VAN ZANDE

STICHTING PSYCHOGERIATRIE

12= ROZENGAARDSTRAAT
RUE DE LA ROSERAIE
13= RUE E. VAN OVERSTRAETEN
E. VAN OVERSTRAETENSTRAAT
14= L. BRAILLESTRAAT
RUE L. BRAILLE
15= RUE L. DE SMET
L. DE SMETSTRAAT
16= RUE M. VAN NIEUWENBORGH
M. VAN NIEUWENBORGHSTRAAT
17= RUE J.B. VANDENDRIESCH
J.B. VANDENDRIESCHSTRAAT

KROON

BOIS DU WILDER BOS

RUE DU VILLAGE EUROPEEN
EUROPADORPSTRAAT

1= KASTERLINDENSTRAATJE
PETITE RUE KASTERLINDEN
2= GULDEN KOORNSTRAAT RUE DU BLE D'OR

26

12
19
20
JETTE
KOEKELBERG
PLATEAU
LE MIROIR
SPIEGEL
NEEP
HEIDEKEN
PARC ELISABETH
ELISABETHPARK
BASILIQUE DU SACRÉ-CŒUR
HEILIG-HART-BASILIEK
PARVIS DE LA BASILIQUE
BASILIEKVOORPLEIN
CHÂT. RIVIEREN, KAST.
CHÂTEAU KARREVELD KASTEEL
CONTAINER PARK
ST.-MARTIN
ST.-MARTINUS
G. C. DE ZEYP
C. SCOL. N.D. DE LA SAGESSE
CHIREC (NOUVELLE CLIN. DE LA BASELIQUE)
COLL. ST.-PIERRE
ST.-PIETERSCOLL.
G.C. DE PLATOO
HONIM K.U.B.
SIMONIS
PARC SIPPELBERG PARK
AAFPLAATS VAN MOLENBEEK
CIMETIÈRE DE MOLENBEEK
PLACE DU HOME PLEIN
PL. DES SORBIERS SORBEBOOMPLEIN
SQ. DU CENTENAIRE EEUWFEEST SQ.
SQUARE DES BRUXELLOIS BRUSSELAARSPLEIN
KONINGIN ASTRID PLEIN
PLACE REINE ASTRID
PLACE LANEAU PLEIN
PL. REINE FABIOLA
KON. FABIOLA PLEIN
PLACE DE BASTOGNE BASTENAKENPLEIN
PLACE EUG. SIMONPLEIN
N290
N291
N256a
N289
N256
N256b
N17
N66 N99
AV. DE L'EXPOSITION UNIVERSELLE
WERELDTENTOONSTELLINGSLN.
CHAUSSÉE DE WEMMEL
AVENUE DE JETTE
JETSELAAN
AV. DES GLOIRES NATIONALES
AVENUE DU PANTHÉON
PANTHEONLAAN
AV. DE LA BASILIQUE
BASILIEKLAAN
AV. DE L'HÔPITAL FRANÇAIS
FRANS GASTHUISLAAN
BD. DE SMET DE NAEYER
AV. DE L'INDÉPENDANCE BELGE
BELGISCHE ONAFHANKELIJKHEIDSLAAN
AV. DE BERCHEM-SAINTE-AGATHE
SINT-AGATHA-BERCHEMSELAAN
AVENUE DU KARREVELD LAAN
BOULEVARD LOUIS METTEWIE
LOUIS METTEWIELAAN
AV. DE LA LIBERTÉ
VRIJHEIDSLAAN
AV. DE LA RÉFORME
HERVORMINGSLAAN
AV. DU CHÂTEAU
KASTEELLAAN
RUE DE NORMANDIE STR.
RUE FÉLIX VANDE SANDE STR.
RUE JULES BESME STR.
RUE DES FUCHSIAS
FUCHSIASSTRAAT
AVENUE J. DE LA HOESE LAAN
STEENWEG OP GENT
AV. CARTON DE WIART
1= SQ. DES PRIVILEGES PRIVILEGIENSQ.
2= SQ. DES ORIFLAMMES ORIFLAMMENSQ.
3= SQ. DE LA DILIGENCE POSTKOETSSQ.
4= AVENUE DES TROUBADOURS TROUBADOURSLAAN
1= CLOS ED. NEUBERGER ED. NEUBERGERGAARDE
2= CLOS J. WAGNER J. WAGNERGAARDE
3= RUE E. DE DAPPER E. DE DAPPERSTRAAT
1= R. DE L'EDUCATION OPVOEDINGSSTR.
2= AV. P. GOEDEFROY P.GOEDEFROYLAAN
10. AVENUE NOTRE DAME DE FATIMA O. L. VROUW VAN FATIMALAAN
11. HERDERINLAAN AVENUE DE LA BERGERE
1= RUE DES CAMPANULES KLOKBLOEMENSTRAAT
2= RUE MARCEL BETBEZE MARCEL BETBEZESTR.
RUE M. L. UYTROEVER
M. L. UYTROEVERSTRAAT
RUE DU COMPTOIR
HANDELSKANTOORSTRAAT

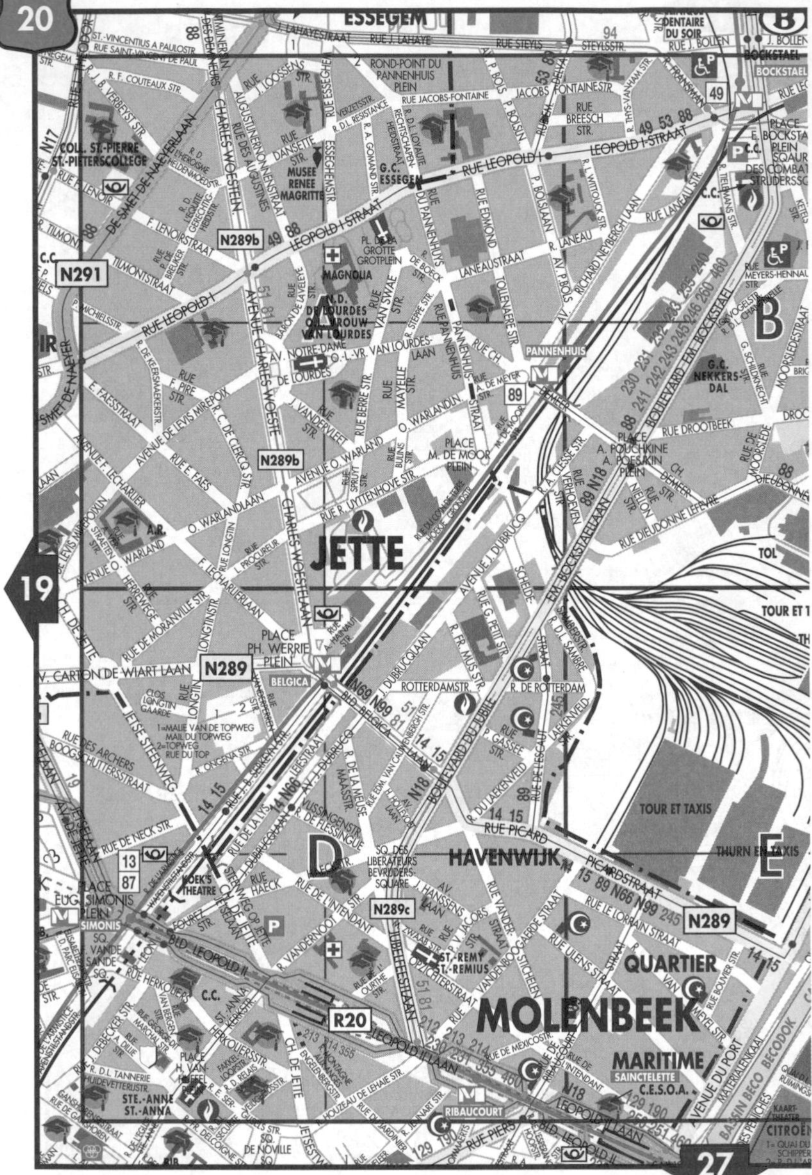

20
ESSEGEM
JETTE
MOLENBEEK
HAVENWIJK
QUARTIER MARITIME
19
27
B
D
E
TOUR ET TAXIS
THURN EN TAXIS
N289b
N291
N289
N289c
R20
BELGICA
PANNENHUIS
SIMONIS
RIBAUCOURT
SAINCTELETTE
BOCKSTAEL
MUSEE RENEE MAGRITTE
MAGNOLIA
KOEK'S THEATRE
COLL. ST.-PIERRE ST.-PIETERSCOLLEGE
LEOPOLD I STRAAT
RUE LEOPOLD I
AVENUE CHARLES WOESTE
CHARLES WOESTELAAN
BOULEVARD DU JUBILE
BOULEVARD EM. BOCKSTAEL
EM. BOCKSTAELLAAN
RUE PICARD
PICARDSTRAAT
BLD. LEOPOLD II
LEOPOLD II LAAN
AVENUE DU PORT
BASSIN BECO BECODOK

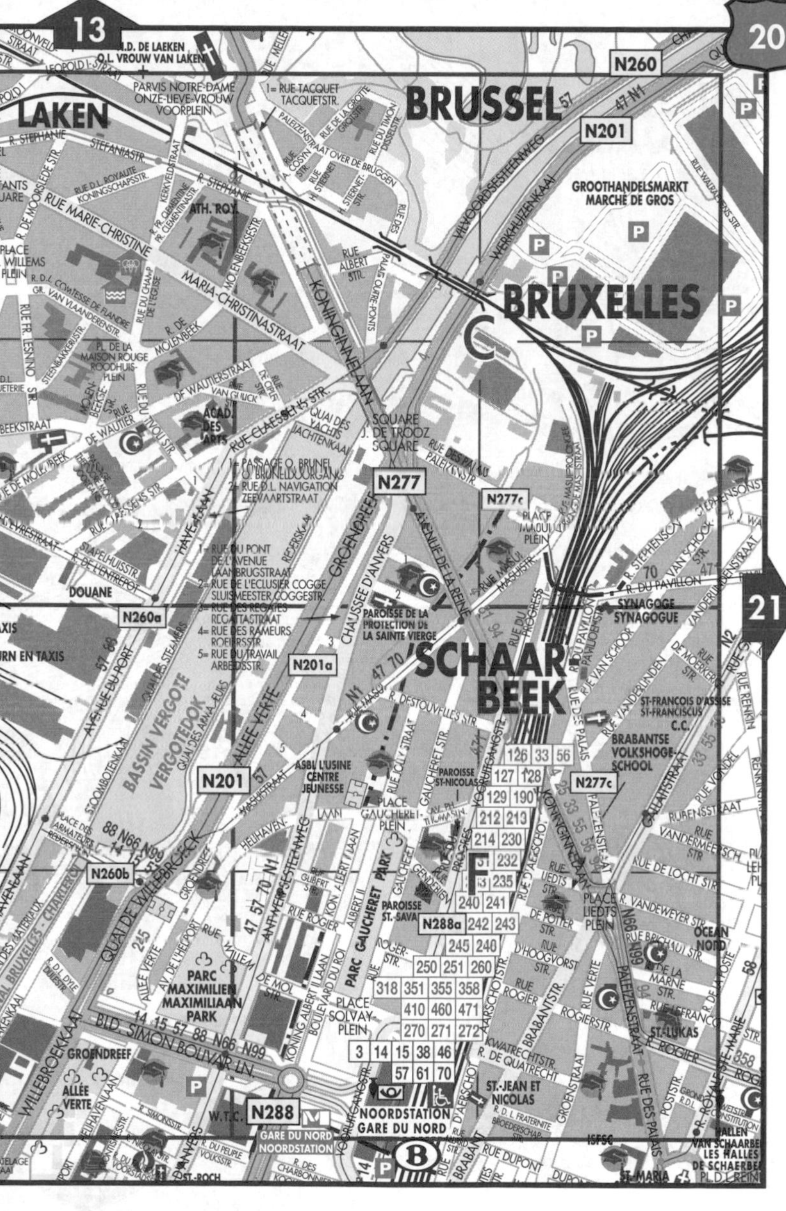

13
20
21
LAKEN
BRUSSEL
BRUXELLES
SCHAAR
BEEK
N260
N201
N277
N277c
N260a
N201a
N260b
N288a
N288
O.L. VROUW VAN LAKEN
PARVIS NOTRE-DAME
ONZE-LIEVE-VROUW
VOORPLEIN
1= RUE TACQUET
TACQUETSTR.
R. STEPHANIE
STEFANIASTR.
RUE MARIE-CHRISTINE
MARIA-CHRISTINASTRAAT
ATH. ROY.
PLACE
B. WILLEMS
PLEIN
PL. DE LA
MAISON ROUGE
ROODHUIS-
PLEIN
KONINGINNELAAN
VILVOORDSESTEENWEG
WERKHUIZENKAAI
GROOTHANDELSMARKT
MARCHE DE GROS
RUE
ALBERT
STR.
ACAD.
DES
ARTS
RUE CLAESSENS STR.
QUAI DES
YACHTS
JACHTENKAAI
SQUARE
J. DE TROOZ
SQUARE
1= PASSAGE O. BRUNEL
O. BRUNELDOORGANG
2= RUE D.L. NAVIGATION
ZEEVAARTSTRAAT
1= RUE DU PONT
DE L'AVENUE
LAANBRUGSTRAAT
2= RUE DE L'ECLUSIER COGGE
SLUISMEESTER COGGESTR.
3= RUE DES REGATES
REGATTASTRAAT
4= RUE DES RAMEURS
ROEIERSSTR.
5= RUE DU TRAVAIL
ARBEIDSSTR.
GROENDREEF
CHAUSSEE D'ANVERS
AVENUE DE LA REINE
PAROISSE DE LA
PROTECTION DE
LA SAINTE VIERGE
DOUANE
TAXIS
AVENUE DU PORT
BASSIN VERGOTE
VERGOTEDOK
ALLEE VERTE
STOOMBOTENKAAI
R. DESTOUVELLES STR.
ASBL L'USINE
CENTRE
JEUNESSE
PLACE
GAUCHERET-
PLEIN
PAROISSE
ST-NICOLAS
SYNAGOGE
SYNAGOGUE
R. DU PAVILLON
ST-FRANCOIS D'ASSISE
ST-FRANCISCUS
C.C.
BRABANTSE
VOLKSHOGE-
SCHOOL
QUAI DE WILLEBROECK
PARC GAUCHERET PARK
PAROISSE
ST.-SAVA
PARC
MAXIMILIEN
MAXIMILIAAN
PARK
PLACE
SOLVAY-
PLEIN
PLACE
LIEDTS
PLEIN
RUE ROGIER
RUE VANDERMEERSCH
RUE DE LOCHT STR.
OCEAN
NORD
ST.-LUKAS
BLD. SIMON BOLIVAR LN.
WILLEBROEKKAAI
GROENDREEF
ALLÉE
VERTE
W.T.C.
GARE DU NORD
NOORDSTATION
NOORDSTATION
GARE DU NORD
ST.-JEAN ET
NICOLAS
KWATRECHTSTR.
R. DE QUATRECHT
RUE DUPONT
ISFSC
HALLEN
VAN SCHAARBE
LES HALLES
DE SCHAERBE
ST.-MARIA
PL. D.L. REINE
ST-ROCH
RUE DES PALAIS
PALEIZENSTRAAT
126 33 56
127 128
129 190
212 213
214 230
232
235
240 241
242 243
245 240
250 251 260
318 351 355 358
410 460 471
270 271 272
3 14 15 38 46
57 61 70

21
20
28
BRUSSEL
BRUXELLES
SCHAARBEEK
SCHAERBEEK
SCHAARBEEK SCHAERBEEK
PLACE PRINCESSE ELISABETH
PRINSES ELISABETHPLEIN
AV. COL. PICQUART
KOL. PICQUARTLAAN
PONT TEICHMANN BRUG
MUSST MUSIC FOUNDATION
MON PLAISIR
R21
ISAT EPHEC
KARD. MERCIER INSTITUUT
STE.-ELISABETH
ST.-ELISABETH
HOGER INST. VOOR GEZINS - WETENSCHAPPEN
FRANCOIS RIGA SQ.
SQ. FRANCOIS RIGA
STE.-FAMILLE
HEILIGE FAMILIE
PLACE DE HELMET
HELMETSEPLEIN
BOULEVARD LAMBERMONT
CAGE AUX OURS
BEREPUT
PLACE EUGENE VERBOEKHOVEN-PLEIN
CENTRE HOSPITALIER UNIVERSITAIRE BERGMANN
SITE PAUL BRIEN
INST. SUP. F. FISCHER
CHAUSSEE DE HAECHT
R.C. SCHAERBEEK
R.C. SCHAARBEEK
NEPTUNUIM
BRUSILIA
PLACE POGGE PLEIN
PLACE LEHON PLEIN
ST.-SERVAIS
ST.-SERVATIUS
STE.-SUZANNE
STE.-SUZANNA
PARC JOSAPHAT
JOSAPHATPARK
MINNEBORRE
FONTAINE D'AMOUR
AVENUE LOUIS BERTRAND
LOUIS BERTRANDLAAN
HAACHTSESTEENWEG
HALLEN VAN SCHAARBEEK
LES HALLES DE SCHAERBEEK
MUS. VOOR SPONTANE KUNST
MUS. D'ART SPONTANE
AVENUE ROGIER
GEN. EISENHOWERLAAN
AV. GEN. EISENHOWER
AVENUE PAUL DESCHANEL
LAMBERMONTLAAN
AVENUE DES GLYCINES
BLAUWEREGENLAAN
AV. DES CAPUCINES
KAPUCIJNBLOEMENLAAN
AVENUE VOLTAIRE
A
B
D
E

14
21
22
EVERE
KLOOSTER
COUVENT
PL. DE LA PAIX
VREDEPLEIN
RUE PLAINE D'AVIATION
VLIEGPLEINSTRAAT
HAACHTSESTEENWEG
CHAUSSEE DE HAECHT
N21
N2
N3
N22
N22a
BORDET
RUE DU TILLEUL
LINDESTRAAT
R. H. VAN HAMME STR.
R. ED. STUCKENS STR.
RUE PICARDIE
RUE DE LA MARNE STR.
RUE DE PARIS
RUE G. NORGA
SQ. P. HAUWAERTS SQ.
C.C.
RUE P. MATTHEUSSENS STR.
RUE J. BALLINGS STRAAT
RUE H. VAN NEROM STRAAT
R. P. VAN OBBERGHEN STR.
R. FR. PEPERMANS STR.
AV. L. PIERARD
BAUWENS STR.
AV. J. BRUSSELMANS LN.
AV. H. MATISSE LN.
ALLEES DU LANGUEDOC
LANGUEDOCWANDELWEGEN
AVENUE VINCENT VAN GOGHLAAN
AVENUE CONSTANT PERMEKE LAAN
LEOPOLD III LAAN
SQ. S. HOEDEMAEKERS
R. AL VANDEN BOSSCHE
R. B. DESMETH STR.
H. CONSCIENCELN.
EVANGELISCHE BAPTISTENKERK
DE L'ACCUEIL ONTHAALSQ.
SQ. APOLLO
SQ. W. AUTHOM
A. MARBOTINSTR.
N.D. IMMACULEE O.L.V. ONBEVLEKT
RUE PERE DAMIEN PATER DAMIAANSTRAAT
RUE JAN VAN RUUSBROECK STR.
ALLEES DE PROVENCE
PROVENCEWANDELWEGEN
AV. DES OLYMPIADES OLYMPIADENLAAN
OUD STRIJDERSLAAN
RUE G. KURTH STRAAT
RUE J. WAUTERS STRAAT
RUE N3
A. DE BOECK STR.
RUE A. DE BOECK STR.
EVERE
AV. H. CONSCIENCE
AV. DES LOISIRS
VRIJETIJDSLAAN
AV. DES ANCIENS COMBATTANTS
TERDELT
RUE J. B. BREMS STR.
AV. R. FOUCART LN.
H. RICHIR STR.
PLACE BICHON PLAATS
CHEMIN DU FORGERON
CHEMIN CREUX HOLLEWEGGAARDE
CH. GILISQUET LAAN
RUE A. ROLAND STR.
KON.ATH.
CENTRE MEDICAL EUROPE-LAMBERMONT
AV. CH. GILISQUET
BLD. GENERAL WAHIS
SQ. PREVOST-DELAUNAY
AVENUE LEOPOLD III
AVENUE DU PENTATHLON LAAN
CLOS DE L'OASE
OASEBINNENHOF
TUINBOUW
RUE DE GENEVE
GENEVESTRAAT
AV. DU FRIOUL
FRIULLAAN
PLACE DE LA FORET NOIRE ZWARTE WOUDPLEIN
R. P. DUPONT
1= AV. DE LA LANCE LANSLAAN
2= AV. DU TORNOOI VELD TORNOOIVELDLAAN
3= AV. DE LA CHEVAUCHEE RITLAAN
4= CLOS DE LA PASTOURELLE HERDERLIEDGAARDE
5= AV. DU HARNOIS WAPENRUSTINGLN.
1= CLOS DES MOUETTES MEEUWENGAARDE
2= CLOS DES POETES DICHTERSGAARDE
3= CLOS DES FLEURS BLOEMENGAARDE
4= CLOS DES ARTISTES KUNSTENAARSGAARDE
1= CLOS DE LA PETITE SUISSE KLEIN ZWITSERLANDGAARDE
2= RUE FRANS COURTENS FRANS COURTENSSTRAAT
BLOEMENWIJK
SITE FLEURI
DRIEKONINGEN EPIPHANIE
AVENUE HENRY DUNANT
AVENUE DE L'OPTIMISM ELAAN
HOME FAMILIAL DU BRABANT
RUE DE GENEVE
GERM
INST. TECHN. DE LA COMM.
RUE E. DEGAS
RUE DE L'ARBRE UNIQUE
1= KONIJNENWEG
AV. DU HERLEVINGSLN.
AV. DU RENOUVEAU
AV. DU GOLF LN.
VAN LEEUWLN.
AV. CHAMPS DU REPOS RUSTPLAATSLN.
FONSON STR.
VAN EVERE
RUE L. VAN BOECKEL
PARIJSSTRAAT
R. ED. DEKOSTER STR.
R. DU MOULIN A VENT WINDMOLENSTR.
RUE S. STREUVELS STR.
R. VANDEVELDESTRAAT
RUE G. GUFFENS
TERDELT
WEERSTAND RESISTANCE
R. DE LA BRANDT STR.
RUE J. HOUTMEYERS STRAAT

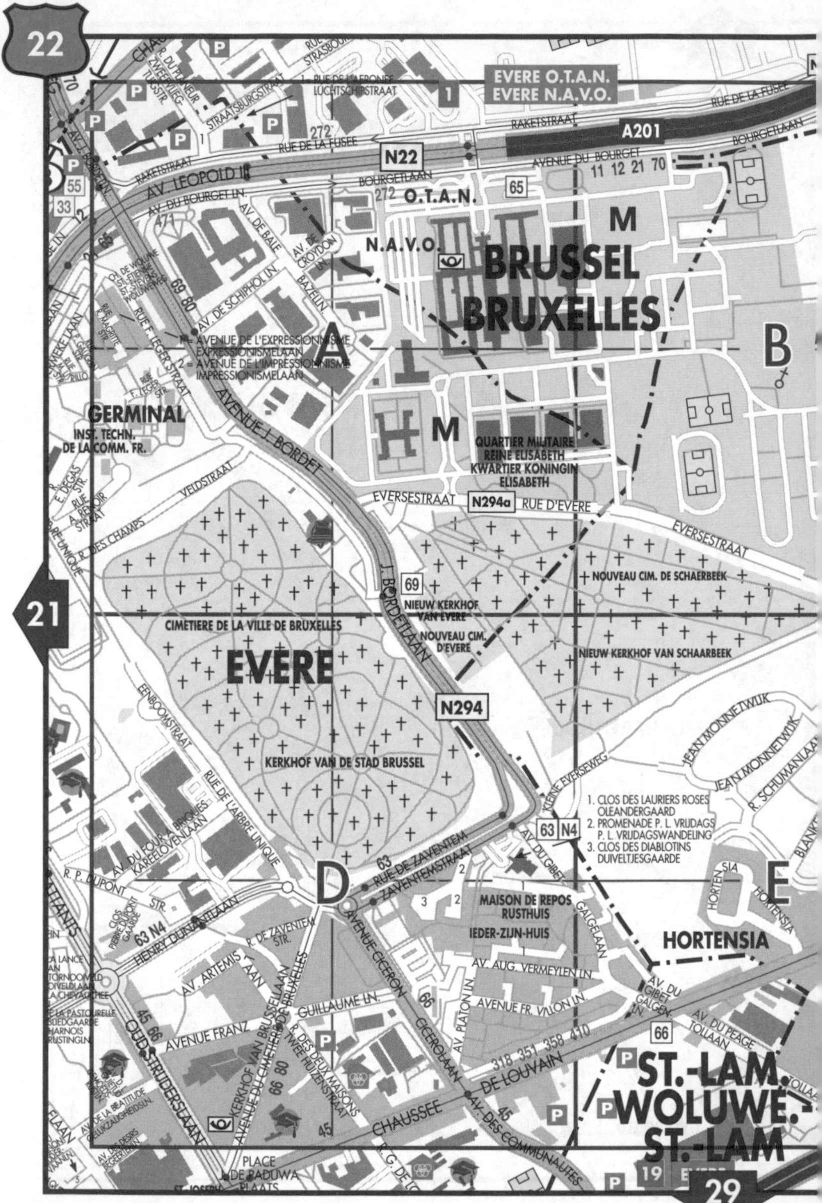

22

EVERE O.T.A.N.
EVERE N.A.V.O.

RUE DE LA FUSEE
RAKETSTRAAT
A201
BOURGETLAAN
AVENUE DU BOURGET
11 12 21 70
N22
AV. LEOPOLD III
AV. DU BOURGET LN.
BOURGETLAAN
272 O.T.A.N.
N.A.V.O.
65
1 = RUE DE L'AERONEF LUCHTSCHIPSTRAAT
STRAATSBURGSTRAAT
RUE DE STRASBOURG
R. DU PLANEUR ZWEEFVLIEGTUIGSTR.
AV. J. BORDET LN.
AV. DE BALE
AV. DE CROYDON LN.
BAZELLN.
AV. DE SCHIPHOL LN.
CH. DE WOLUWE ST.-ETIENNE ST.-STEVENS-WOLUWEWEG
RUE F. LEGER STRAAT
1 = AVENUE DE L'EXPRESSIONNISME EXPRESSIONISMELAAN
2 = AVENUE DE L'IMPRESSIONNISME IMPRESSIONISMELAAN
69 80
AVENUE J. BORDET

BRUSSEL
BRUXELLES

M
A
B
GERMINAL
INST. TECHN. DE LA COMM. FR.
M
QUARTIER MILITAIRE REINE ELISABETH
KWARTIER KONINGIN ELISABETH
EVERSESTRAAT
N294a
RUE D'EVERE
EVERSESTRAAT
VELDSTRAAT
R. DES CHAMPS
R. E. DEGAS STR.
RUE A. RENOIR STRAAT
NOUVEAU CIM. DE SCHAERBEEK
NIEUW KERKHOF VAN EVERE
NOUVEAU CIM. D'EVERE
NIEUW KERKHOF VAN SCHAARBEEK
69
J. BORDETLAAN
CIMETIERE DE LA VILLE DE BRUXELLES

EVERE

N294
KERKHOF VAN DE STAD BRUSSEL
EENBOOMSTRAAT
RUE DE L'ARBRE UNIQUE
AV. DU FOUR A BRIQUES KAREELOVENLAAN
JEAN MONNETWIJK
R. SCHUMANLAAN
KLEINE EVERSEWEG
1. CLOS DES LAURIERS ROSES OLEANDERGAARD
2. PROMENADE P. L. VRIJDAGS P. L. VRIJDAGSWANDELING
3. CLOS DES DIABLOTINS DUIVELTJESGAARDE
63 N4
AV. DU GIBET
63
RUE DE ZAVENTEM
ZAVENTEMSTRAAT
D
E
HORTENSIA
MAISON DE REPOS RUSTHUIS
IEDER-ZIJN-HUIS
GALGELAAN
HORTENSIA
R. P. DUPONT STR.
CLOS PIERRE DUPONT GAARDE
63 N4
HENRY DUNANTLAAN
AVENUE CICERON
R. DE ZAVENTEM STR.
AV. ARTEMIS LAAN
AV. AUG. VERMEYLEN LN.
AVENUE FR. VILLON LN.
AV. PLATON LN.
AV. DU GIBET GALGENLN.
66
AV. DU PEAGE TOLLAAN
GUILLAUME LN.
AVENUE FRANZ
KERKHOF VAN BRUSSELLAAN
AVENUE DU CIMETIERE DE BRUXELLES
R. DES DEUX MAISONS TWEE HUIZENSTRAAT
66 80
CICEROLAAN
66
318 351 358 410
DE LOUVAIN
CHAUSSEE
AV. DES COMMUNAUTES
45
OUDSTRIJDERSLAAN
45 66
LA LANCE
TORNOOIVELD
LA CHEVAUCHEE
LA PASTOURELLE
HARNOIS
RUSTINGLN.
AV. DE LA BEATITUDE GELUKZALIGHEIDSLN.
AV. DES DESIRS BEGEERTEN
PLACE DE PADUWA PLAATS
45

ST.-LAM. WOLUWE ST.-LAM

19

21

29

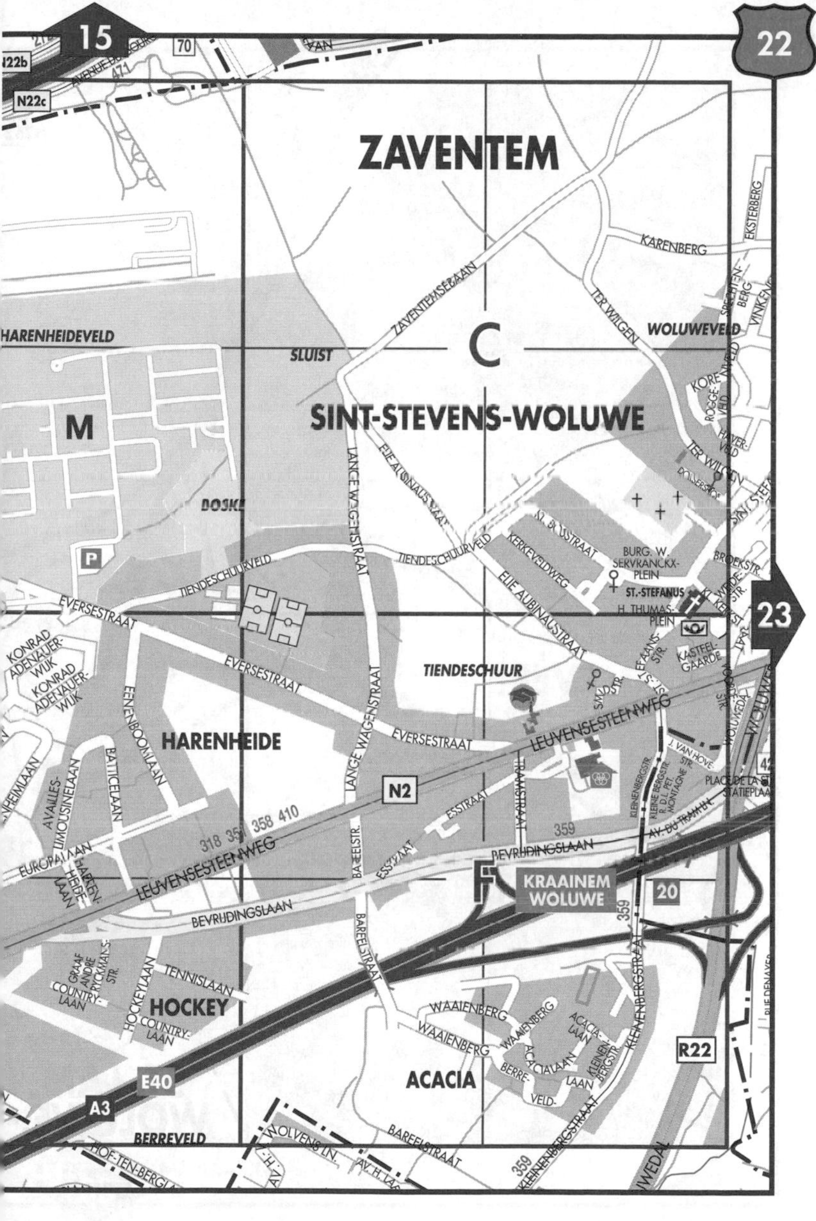
15
22
23
ZAVENTEM
SINT-STEVENS-WOLUWE
HARENHEIDE
HOCKEY
ACACIA
KRAAINEM
WOLUWE
HARENHEIDEVELD
SLUIST
WOLUWEVELD
BOSKE
TIENDESCHUUR
BERREVELD
EVERSESTRAAT
LEUVENSESTEENWEG
BEVRIJDINGSLAAN
LANGE WAGENSTRAAT
ELIE AUBINAUSTRAAT
TIENDESCHUURVELD
ZAVENTEMSEBAAN
TER WILGEN
KARENBERG
EKSTERBERG
KERKEVELDWEG
KLEINENBERGSTRAAT
BAREELSTRAAT
WAAIENBERG
ACACIALAAN
TENNISLAAN
HOCKEYLAAN
EENENBOOMLAAN
BATTICELAAN
EUROPALAAN
TRAMSTRAAT
ESSTRAAT
N2
N22b
N22c
R22
E40
A3
20
70
359
318 351 358 410

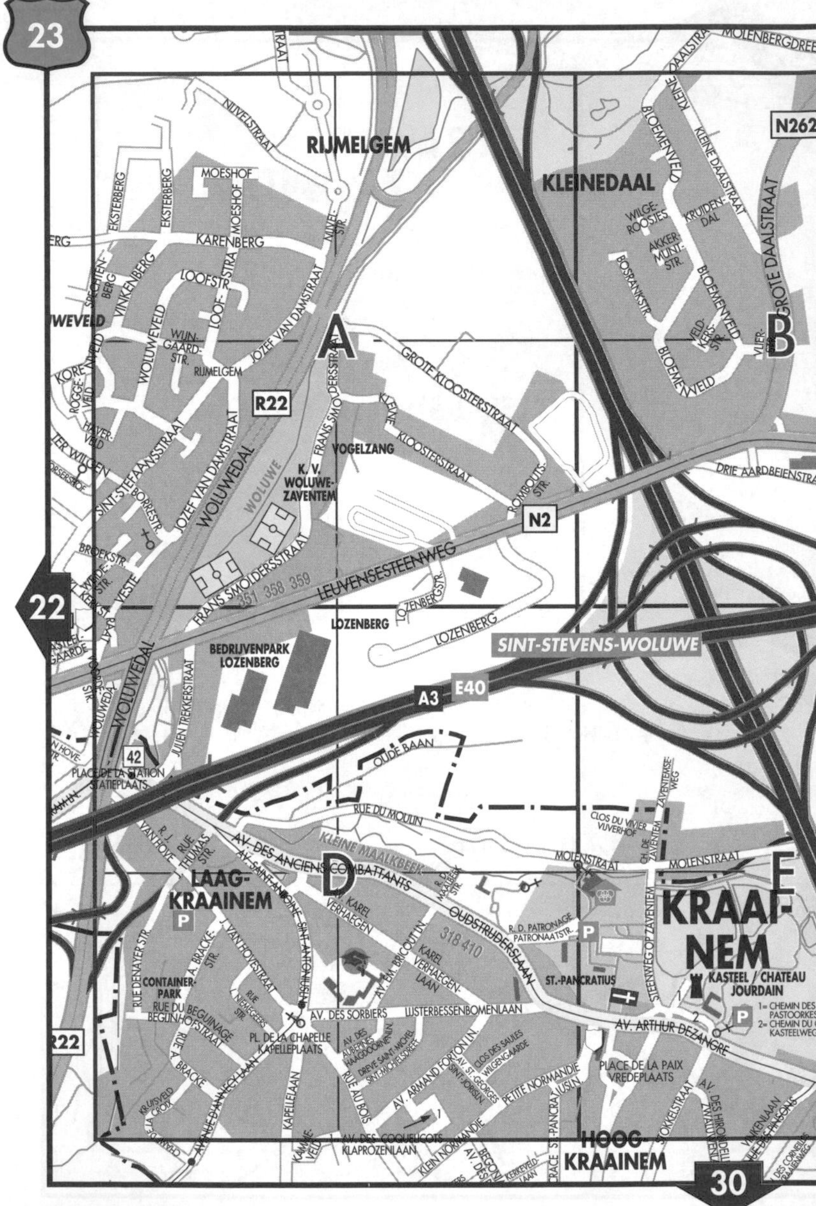

23
22
30
RIJMELGEM
KLEINEDAAL
N262
R22
N2
A3
E40
LEUVENSESTEENWEG
SINT-STEVENS-WOLUWE
LOZENBERG
BEDRIJVENPARK LOZENBERG
VOGELZANG
K. V. WOLUWE-ZAVENTEM
WOLUWE
WOLUWEDAL
GROTE KLOOSTERSTRAAT
KLEINE KLOOSTERSTRAAT
FRANS SMOLDERSSTRAAT
JOZEF VAN DAMSTRAAT
KARENBERG
MOESHOF
LOOFSTR.
WOLUWEVELD
SINT-STEFAANSSTRAAT
GROTE DAALSTRAAT
KLEINE DAALSTRAAT
BLOEMENVELD
DRIE AARDBEIENSTRAAT
OUDE BAAN
RUE DU MOULIN
KLEINE MAALKBEEK
LAAG-KRAAINEM
KRAAINEM
HOOG-KRAAINEM
AV. DES ANCIENS COMBATTANTS
OUDSTRIJDERSLAAN
MOLENSTRAAT
ST.-PANCRATIUS
AV. ARTHUR DEZANGRE
PLACE DE LA PAIX VREDEPLAATS
PL. DE LA CHAPELLE KAPELLEPLAATS
AV. DES SORBIERS
LIJSTERBESSENBOMENLAAN
CONTAINER-PARK
KASTEEL / CHATEAU JOURDAIN
1= CHEMIN DES C PASTOORKESW
2= CHEMIN DU C KASTEELWEG
PLACE DE LA STATION STATIEPLAATS
JULIEN TREKKERSTRAAT
AV. DES COQUELICOTS KLAPROZENLAAN
STEENWEG OP ZAVENTEM

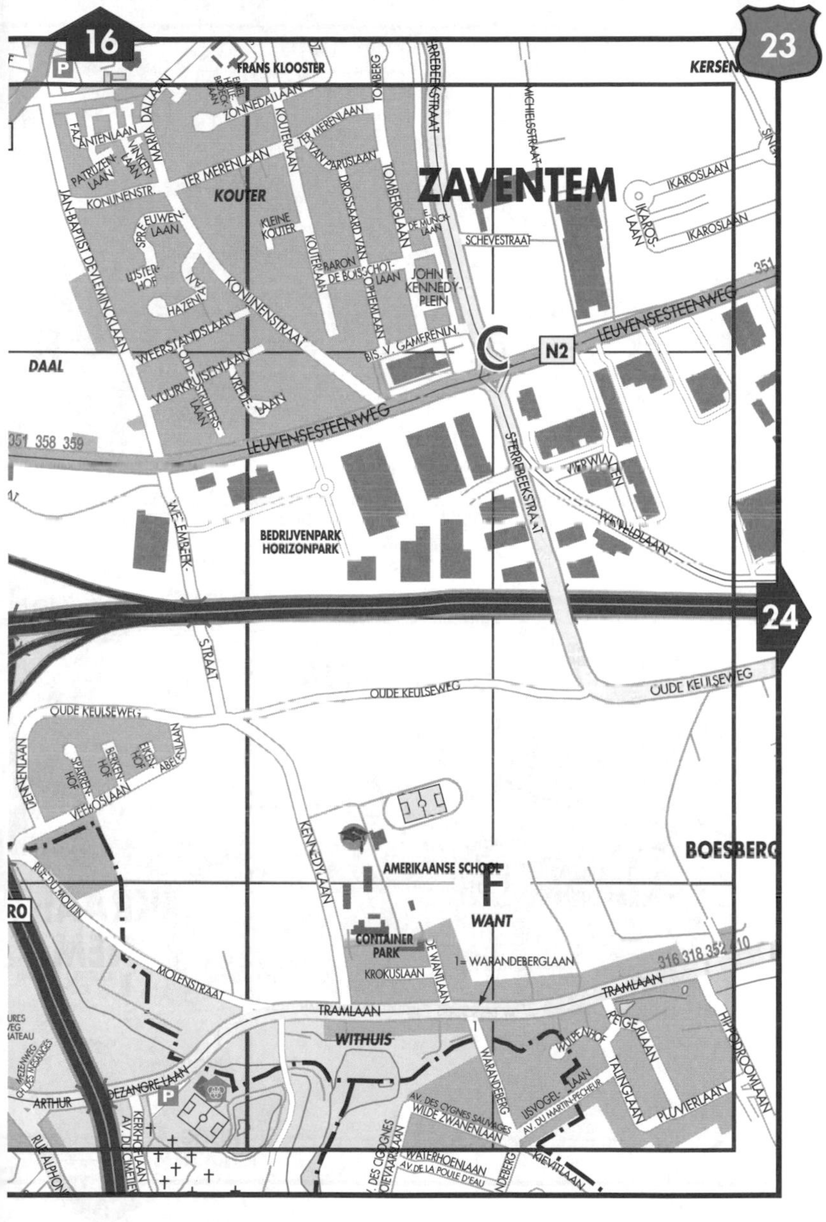

16
23
24
ZAVENTEM
KOUTER
DAAL
BOESBERG
WANT
WITHUIS
FRANS KLOOSTER
KERSEN
N2
LEUVENSESTEENWEG
BEDRIJVENPARK HORIZONPARK
AMERIKAANSE SCHOOL
CONTAINER PARK
OUDE KEULSEWEG
TRAMLAAN
MOLENSTRAAT
STERREBEEKSTRAAT
KONINENSTRAAT
TER MERENLAAN
ZONNEDALLAAN
KOUTERLAAN
TOMBERGLAAN
DROSSAARD VAN PARIJSLAAN
JAN-BAPTIST DEVLEMINCKLAAN
WEERSTANDSLAAN
VUURKRUISENLAAN
SCHEVESTRAAT
MICHIELSSTRAAT
IKAROSLAAN
JOHN F. KENNEDYPLEIN
BIS. V. GAMERENLN.
KENNEDYLAAN
WEMBEEKSTRAAT
VEEKOSLAAN
ABELENLAAN
DENNENLAAN
RUE DU MOULIN
KROKUSLAAN
DE WANTLAAN
1= WARANDEBERGLAAN
WARANDEBERG
REIGERLAAN
TALINGLAAN
PLUVIERLAAN
HIPPODROOMLAAN
IJSVOGELLAAN
WILDE ZWANENLAAN
WATERHOENLAAN
KIEVITLAAN
DEZANGRE-LAAN
KERKHOFLAAN
AV. DU CIMETIERE
ARTHUR
316 318 352 410
351 358 359

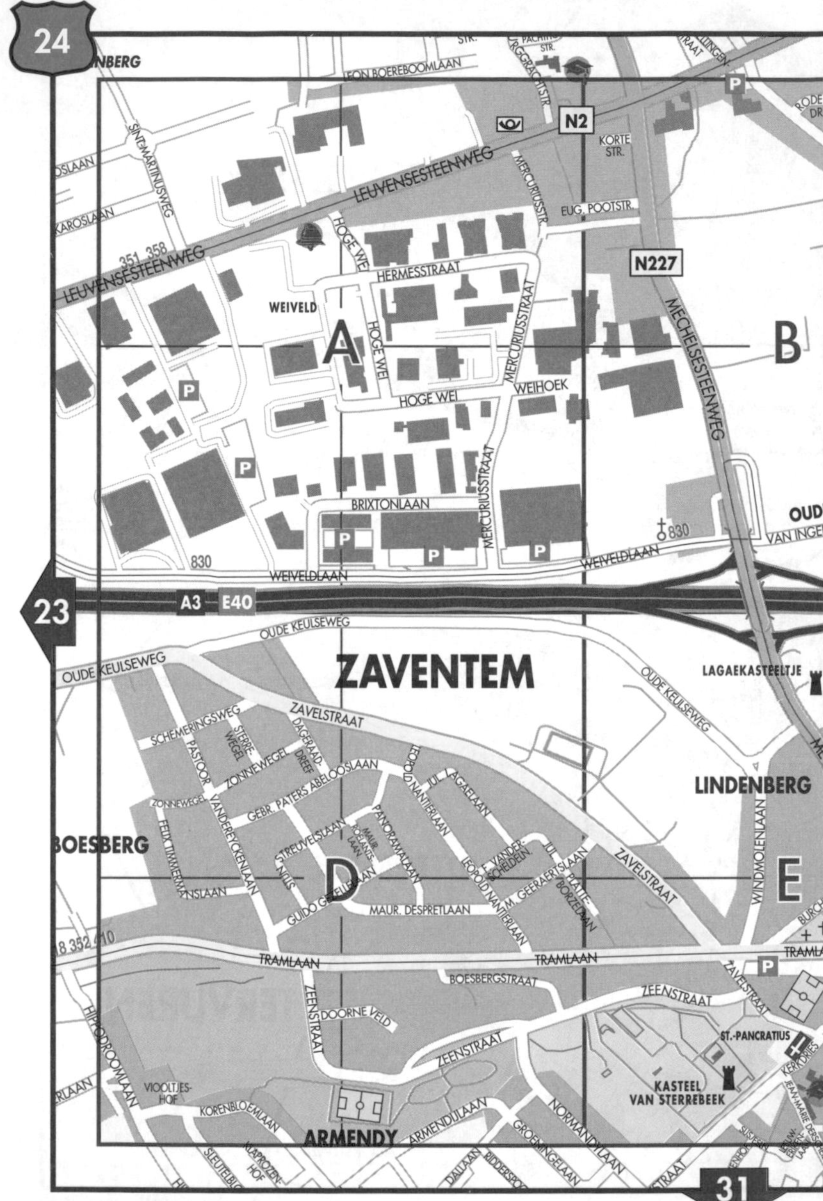

24
23
31
ZAVENTEM
LEUVENSESTEENWEG
HOGE WEI
HERMESSTRAAT
WEIVELD
MERCURIUSSTRAAT
WEIHOEK
BRIXTONLAAN
WEIVELDLAAN
MECHELSESTEENWEG
N2
N227
A3
E40
OUDE KEULSEWEG
ZAVELSTRAAT
LAGAEKASTEELTJE
LINDENBERG
BOESBERG
TRAMLAAN
ZEENSTRAAT
BOESBERGSTRAAT
HIPPODROOMLAAN
KORENBLOEMLAAN
ARMENDY
ARMENDIJLAAN
NORMANDYLAAN
GROENINGELAAN
KASTEEL VAN STERREBEEK
ST.-PANCRATIUS
WINDMOLENLAAN
SCHEMERINGSWEG
ZONNEWEGEL
GEBR. PATERS ABELOOSLAAN
PANORAMALAAN
LEOPOLD NANTIERLAAN
JUL. LAGAELAAN
MAUR. DESPRETLAAN
GUIDO GEZELLELAAN
STREUVELSLAAN
FELIX TIMMERMANSLAAN
PASTOOR VANDEREYCKENLAAN
M. GEERAERTSLAAN
DOORNE VELD
VIOOLTJES-HOF
EUG. POOTSTR.
KORTE STR.
MERCURIUSSTR.
LEON BOEREBOOMLAAN
SINT-MARTINUSWEG
KAROSLAAN
A
B
D
E

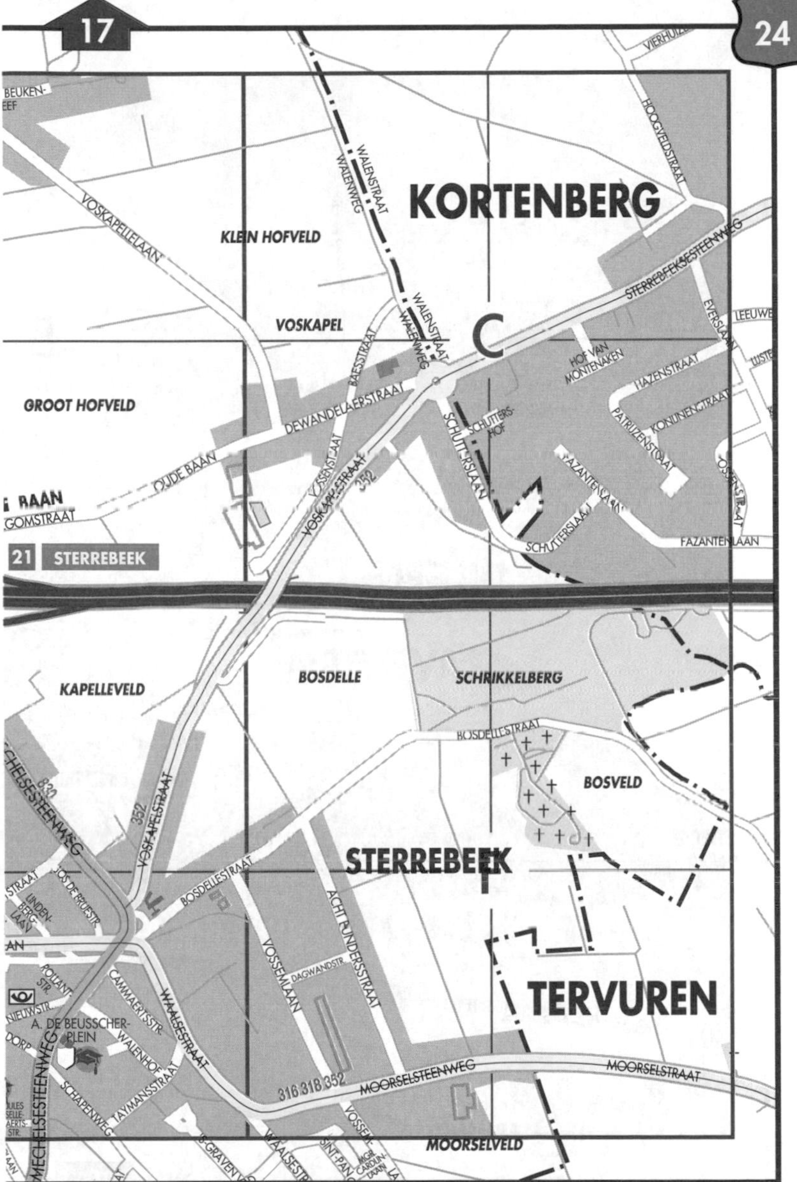

17
24
KORTENBERG
KLEIN HOFVELD
VOSKAPEL
GROOT HOFVELD
WALENSTRAAT
WALENWEG
HOOGVELDSTRAAT
STERREBEEKSESTEENWEG
VOSKAPELLELAAN
BAESSTRAAT
DEWANDELAERSTRAAT
OUDE BAAN
VOSSENSTRAAT
VOSKAPELSTRAAT
352
SCHUTTERSLAAN
SCHUTTERSHOF
HOF VAN MONTENAKEN
HAZENSTRAAT
KONIJNENSTRAAT
PATRIJZENSTRAAT
FAZANTENLAAN
EVERSLAAN
LEEUWE
VOSSENSTRAAT
VIERHUIZE
21 STERREBEEK
KAPELLEVELD
BOSDELLE
SCHRIKKELBERG
BOSDELLESTRAAT
BOSVELD
MECHELSESTEENWEG
830
STERREBEEK
TERVUREN
JOS DE BRUESTR.
LINDENBERGLAAN
ACHT RUNDERSSTRAAT
VOSSEMLAAN
DAGWANDSTR.
POLLANTSTR.
CAMMAERTSSTR.
WAALSESTRAAT
A. DE BEUSSCHERPLEIN
WALENHOF
TAYMANSSTRAAT
SCHAPENWEG
MOORSELSTEENWEG
MOORSELSTRAAT
316 318 352
MOORSELVELD
S-GRAVENSTR.
SINT-PAN
MGR. CARDIJNLAAN

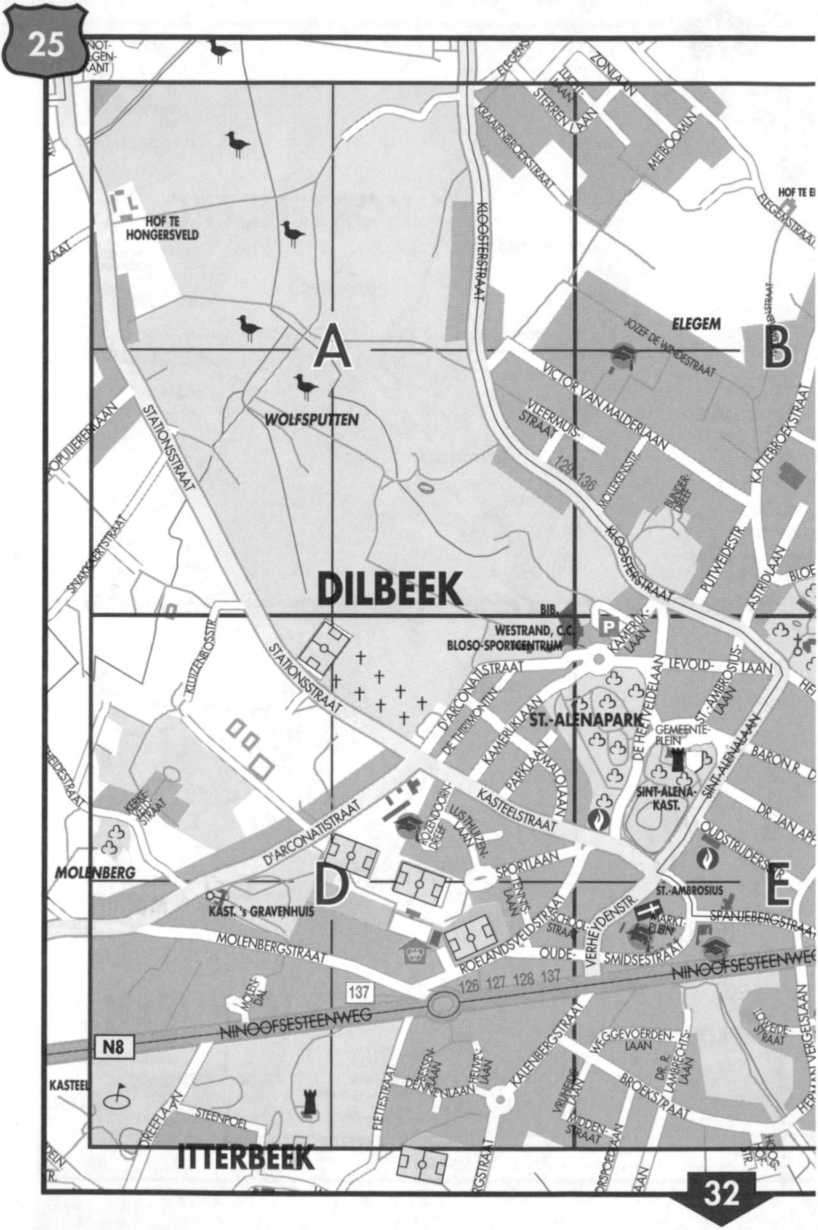

25

DILBEEK

ELEGEM

WOLFSPUTTEN

ITTERBEEK

MOLENBERG

A

B

D

E

HOF TE HONGERSVELD

HOF TE EL

ST.-ALENAPARK

SINT-ALENA-KAST.

GEMEENTE-PLEIN

MARKT-PLEIN

ST.-AMBROSIUS

BIB. WESTRAND, C.C.

BLOSO-SPORTCENTRUM

KAST. 's GRAVENHUIS

KASTEEL

STATIONSSTRAAT

KLOOSTERSTRAAT

KRAAIENBROEKSTRAAT

STERRENLAAN

LUCHTLAAN

ZONLAAN

MEIBOOMLN.

ELEGEMSTRAAT

JOZEF DE WINDESTRAAT

VICTOR VAN MALDERLAAN

VLEERMUISSTRAAT

MOLLEKENSSTR.

BUNDERDREEF

PUTWEIDESTR.

KATTEBROEKSTRAAT

ASTRIDLAAN

POPULIERENLAAN

SNAKKAERTSTRAAT

KLUIZENBOSSTR.

KERKEVELDSTRAAT

D'ARCONATISTRAAT

DE THIRIMONTLN.

KAMERIJKLAAN

PARKLAAN

MALOLAAN

DE HEYVELDELAAN

LEVOLDLAAN

ST.-AMBROSIUSLAAN

SINT-ALENALAAN

BARON R. D

DR. JAN APP

OUDSTRIJDERS

KASTEELSTRAAT

ROZENDOORNDREEF

LUSTHUIZENLAAN

SPORTLAAN

TENNISLAAN

ROELANDSVELDSTRAAT

SCHOOLSTRAAT

VERHEYDENSTR.

OUDE-SMIDSESTRAAT

SPANJEBERGSTRAAT

MOLENBERGSTRAAT

MOLENDAL

NINOOFSESTEENWEG

N8

137

126 127 128 137

129 136

LOWEIDESTRAAT

HERMAN VERGELSLAAN

WEGGEVOERDENLAAN

DR. R. LAMBRECHTSLAAN

BROEKSTRAAT

KALENBERGSTRAAT

VRIJHEIDSLAAN

MIDDENSTRAAT

DENNENLAAN

BESSENLAAN

HEUVELAAN

FLETTESTRAAT

DREEFLAAN

STEENPOEL

HOOGHOFSTR.

32

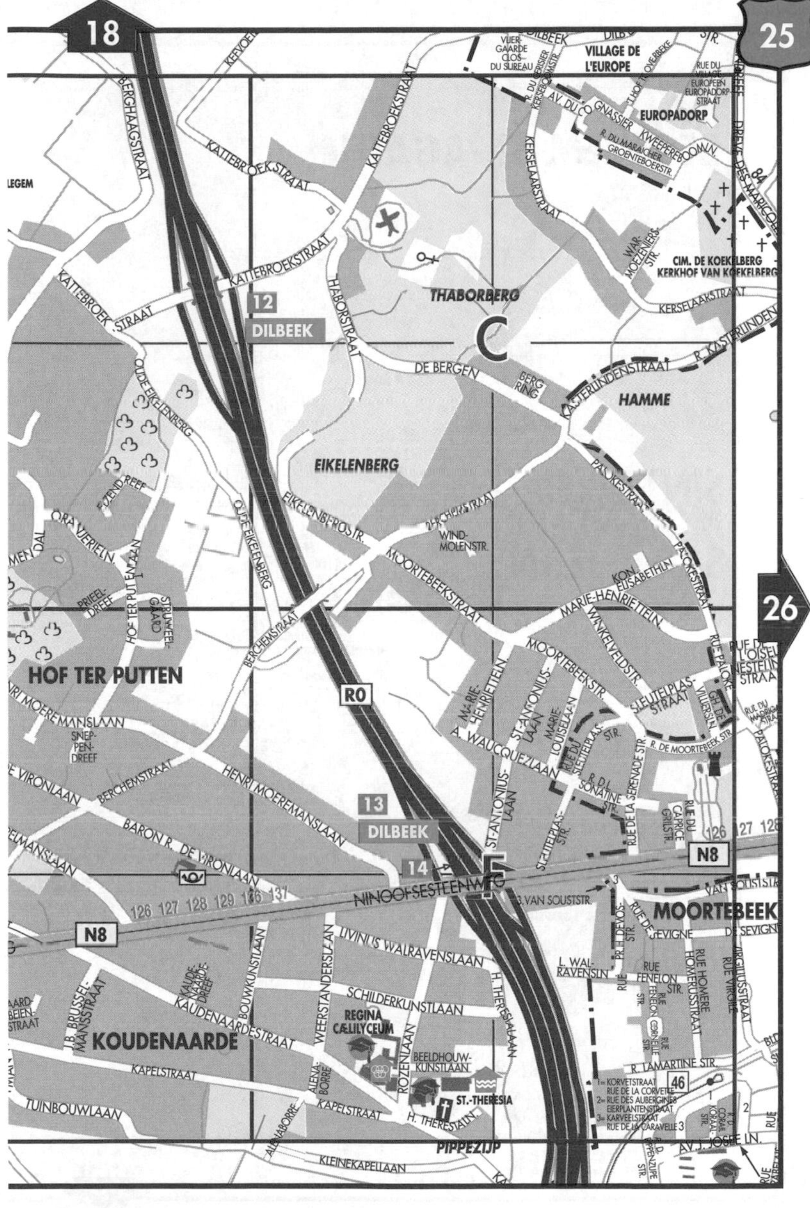

18
25
26
DILBEEK
VILLAGE DE L'EUROPE
EUROPADORP
CIM. DE KOEKELBERG
KERKHOF VAN KOEKELBERG
THABORBERG
C
12
DILBEEK
HAMME
EIKELENBERG
HOF TER PUTTEN
R0
13
DILBEEK
14
F
N8
MOORTEBEEK
KOUDENAARDE
REGINA CÆLILYCEUM
ST.-THERESIA
PIPPEZIJP
KATTEBROEKSTRAAT
BERGHAAGSTRAAT
HABORSTRAAT
DE BERGEN
KERSELAARSTRAAT
KASTERLINDENSTRAAT
PALOKESTRAAT
MOORTEBEEKSTRAAT
BERCHEMSTRAAT
HENRI MOEREMANSLAAN
BARON R. DE VIRONLAAN
NINOOFSESTEENWEG
KAUDENAARDESTRAAT
KAPELSTRAAT
TUINBOUWLAAN
KLEINEKAPELLAAN
LIVINUS WALRAVENSLAAN
SCHILDERKUNSTLAAN
A. WAUCQUEZLAAN
MARIE-HENRIETTELN
1= KORVETSTRAAT RUE DE LA CORVETTE
2= RUE DES AUBERGINES EIERPLANTENSTRAAT
3= KARVEELSTRAAT RUE DE LA CARAVELLE
46

26
25
33
SINT-AGATHA-BERCHEM-ST.-AGATHE
SINT-JANS-MOLENBEEK-SAINT-JEAN
ANDERLECHT
OSSEGEM
SCHEUT
SCHEUTBOS
MÉNESTREL
LINDE
SCHEUTVELD
ORTEBEEK
A
B
D
E
BOIS DU WILDERBOS
CIM. DE BERCHEM
KERKHOF VAN BERCHEM
C. C.
1= KASTERLINDENSTRAATJE
PETITE RUE KASTERLINDEN
2= GULDEN KOORNSTRAAT
RUE DU BLE D'OR
HOOGVELDIN
AV. D. HAUT-CHAMP
WEILANDSTRAAT
R. D. GRAND-PRE
RUE DE GRAND-BIGARD
GROOT-BIJGAARDENSTR.
FIK GUIDON STR.
RUE POTAERDEGAT
RUE L. CORHAY STRAAT
RUE J. VERBIEST STRAAT
RUE DES BEGUINES
R. DU KORENBLOEM
AV. J. LEMAIRE LN.
AV. DES MYRTES
AV. DU THYM
AVENUE EMOND GANDRIES LAAN
AVENUE C. REQUETTE LAAN
RUE KASTERLINDENSTRAAT
RUE E. HEYLENS STR.
RUE HOGENBOS HOGENBOSSTR.
R. DE LA SERRE STR.
TUINBOUWSTR.
R. DU JARDINAGE
HOOGBOSCH STRAAT
R. DU BON PASTEUR
GOEDE HERDERSTR.
BON PASTEUR
GOEDE HERDER
PARC HOUWAERT PARK
F. ELBERSSTRAAT
RUE F. ELBERS
R. KASTERLINDEN
DE KOEKELBERG
F VAN KOEKELBERG
DREVE DES HARICOTTES
SCHEUTBOSCH
LA CITÉ JOYEUSE
1= GELUKKIGE GRIJSHEIDSTRAAT
RUE DE LA VIEILLESSE HEUREUSE
2= RUE DE LA CITE JOYEUSE
KINDVRIENDELIJK HUISSTR.
3= AVENUE DES AMANDIERS
AMANDELBOMENLAAN
4= CLOS DES ROSACEES
ROZENGAARDE
5= RUE CHARLES DE GRONCKEL
CHARLES DE GRONCKELSTRAAT
6= RUE DE LA BARCAROLLE
GONDELLIEDSTRAAT
PARC DU SCHEUTBOS PARK
R. D.L. MANDOLINE STR.
RUE SCHEUTBOSCH STRAAT
M. VANHEMELRIJCK LAAN
BLD. L. METTEWIE
L. METTEWIELAAN
N290
SQ. DR. DECROLY
SQ. ARC-EN-CIEL
AVENUE DU CONDOR LAAN
À LA QUEUE DE VACHE
WILDE TIJMSTRAAT
RUE DU SERPOLET
RUE DES BOUGAINVILLEES
BOUGAINVILLEA'S STRAAT
AV. DU SCHEUTBOSCH LAAN
AV. DES TAMARIS
N14
88
BOULEVARD EMOND MACHTENS
K.A.
RUE DE LA FLUTE ENCHANTEE
TOVERFLUITSTRAAT
RUE DE LA BELLE AU BOIS DORMANT
SCHOONSLAAPSTERSTR.
RUE DE L'IDYLLE STRAAT
RUE MENUET STR.
RUE DE L'AUBADE STRAAT
R. D.L. CAVATINE STR.
RUE VAN WAMBEKE STR.
RUE DE LA PASTORALE
HERDERSLIEDSTR.
DU SCHEUTBOSCH LN.
RUE DE LEVALLOIS-PERRET STR.
MINNEZANGERSLN.
AV. DES MENESTRELS
MENESTRELENLAAN
MISSIONARISSENLN.
AV. DES MISSIONNAIRES
126 127 128 129 136 137
N8
RUE DE L'OISELET
NESTELINGSTRAAT
RESSURECTION VERRIJZENIS
RUE DU MADRIGAL STRAAT
RUE DE LA GAVOTTE STRAAT
PALOKESTRAAT
RUE DE LA CANTILENE STR.
R. D.L. TARANTELLE TARANTELLASTR.
RUE DU ZAZOUILLIS GEKWEELSTRAAT
N14
NINOOFSE STEENWEG
CHAUSSEE DE NINOVE
CHINAMUSEUM
MUSEE DE CHINE
4. ZONNEBLOEMENSTR.
R. DES TOURNESOLS
5. R. DE LA COURTOISIE
HOFFELIJKHEIDSSTR.
VAN SOUSTSTRAAT
RUE VAN SOUST
RUE VAN SOUST STRAAT
OBUSSTRAAT
PUCCINISTRAAT
RUE PUCCINI
WEESHUISKAAI
RUE POTAERDENBERG STR.
AV. D. POESIE
DICHTKUNSTLN.
GROTE RINGLAAN
BLD. DE LA GRANDE CEINTURE
BOULEVARD PRINCE DE LIEGE
RUE J. VAN LIERDE STR.
RUE KEIGHTERMANS STR.
RUE ROMANE VAN DYCK STR.
R. BEECKMAN DE CRAYLOO STRAAT
DE SEVIGNESTRAAT
RUE HORACE HORATIUSSTR.
RUE VIRGILE
VIRGILIUSSTRAAT
RUE HOMERE
AGRONOOMSTR.
R. D. L'AGRONOME
PARC DU PETERBOS PARK
AV. COM. VANDER MEEREN LAAN
SCHEUTVELD
BLD. F. PAULSEN LAAN
SQUARE H. REY SQUARE
89
AV. RENE BERREWAERTS LN.
BLD. SHAKESPEARE
SHAKESPEARELAAN
RUE RONSARD
RONSARDSTR.
RUE THIERNESSE STRAAT
RUE J. MANINE STRAAT
RUE COM. CHARCOT STR.
CITE DU PETERBOS
1= KORVETSTRAAT
RUE DE LA CORVETTE
2= RUE DES AUBERGINES
EIERPLANTENSTRAAT
AVENUE DES CROCUS
KROKUSSENLAAN
RUE DU POTAERDENBERG
H. CARONSTRAAT
RUE H. CARON
PRINS VAN LUIKLAAN
49
RUE J. SMITS
R. DE L'OBUS
RUE M. RASKIN
M. RASKINSTR.
AV. TOLSTOI LN.
RUE RABELAIS STRAAT
DE MAY LN.
RUE HELLEBAUT
DEMOSTHENES
84

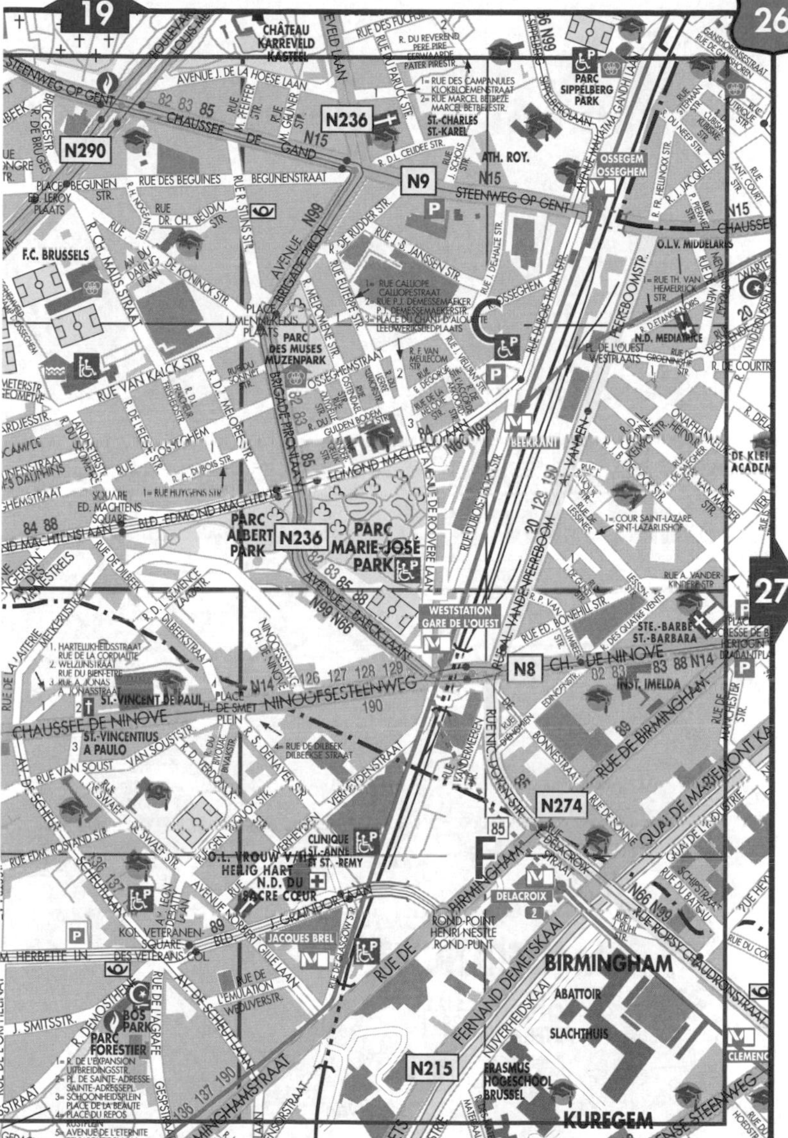
19
26
27
CHÂTEAU KARREVELD KASTEEL
STEENWEG OP GENT
CHAUSSEE DE GAND
AVENUE J. DE LA HOESE LAAN
RUE DES FUCHSIAS
R. DU REVEREND PERE PIRE EERWAARDE PATER PIRESTR.
1= RUE DES CAMPANULES KLOKBLOEMENSTRAAT
2= RUE MARCEL BETBEZE MARCEL BETBEZESTR.
PARC SIPPELBERG PARK
SIPPELBERGLAAN
AVENUE MAHATMA GANDHI LAAN
N236
N290
N15
N9
ST.-CHARLES ST.-KAREL
ATH. ROY.
OSSEGEM OSSEGHEM
PLACE BEGIJNEN ED. LEROY PLAATS
RUE DES BEGUINES
BEGIJNENSTRAAT
RUE DR. CH. BEUDIN STR.
AVENUE BRIGADE PIRON
N99
F.C. BRUSSELS
R. CH. MALIS STRAAT
DE KONINCK STR.
RUE J. S. JANSSEN STR.
RUE DE RUDDER STR.
1= RUE CALLIOPE CALLIOPESTRAAT
2= RUE P.J. DEMESSEMAEKER P.J. DEMESSEMAEKERSTR.
3= PLACE DU CHANT D'ALOUETTE LEEUWERIKSLIEDPLAATS
PLACE J. MENNEKENS PLAATS
PARC DES MUSES MUZENPARK
OSSEGHEM
RUE DUBOIS-THORN STR.
PEEREBOOMSTR.
O.L.V. MIDDELARES
1= RUE TH. VAN HEMELRIJCK STR.
N.D. MEDIATRICE
PL. DE L'OUEST WESTPLAATS
R. DE COURTRAI
RUE VAN KALCK STR.
OSSEGHEMSTRAAT
GULDEN BODEM
BEEKKANT
EDMOND MACHTENSLAAN
BLD. EDMOND MACHTENS
SQUARE ED. MACHTENS SQUARE
1= RUE HUYGENS STR
PARC ALBERT PARK
PARC MARIE-JOSÉ PARK
AVENUE DE ROOVERE LAAN
RUE DUBOIS-THORN STR.
RUE AL. VANDENPEEREBOOM
1= COUR SAINT-LAZARE SINT-LAZARUSHOF
RUE A. VANDERKINDERE STR.
DE KLEINE ACADEMIE
AVENUE J. BAECK LAAN
N99 N66
WESTSTATION GARE DE L'OUEST
RUE ED. BONEHILL STR.
STE.-BARBE ST.-BARBARA
N8
CH. DE NINOVE
N14
INST. IMELDA
RUE DE BIRMINGHAM
QUAI DE MARIEMONT KAAI
1. HARTELIJKHEIDSSTRAAT RUE DE LA CORDIALITE
2. WELZIJNSTRAAT RUE DU BIEN-ETRE
3. RUE A. JONAS A. JONASSTRAAT
ST.-VINCENT DE PAUL
ST.-VINCENTIUS A PAULO
PLACE H. DE SMET PLEIN
NINOOFSESTEENWEG
CHAUSSEE DE NINOVE
4= RUE DE DILBEEK DILBEEKSE STRAAT
RUE VAN SOUST
N274
CLINIQUE ST.-ANNE ST. ST.-REMY
O.L. VROUW V/H HEILIG HART
N.D. DU SACRE CŒUR
DELACROIX
ROND-POINT HENRI-NESTLE ROND-PUNT
KOL. VETERANEN-SQUARE
SQUARE DES VETERANS COL.
JACQUES BREL
BIRMINGHAM
ABATTOIR
SLACHTHUIS
FERNAND DEMETSKAAI
NIJVERHEIDSKAAI
BOS PARK
PARC FORESTIER
1= R. DE L'EXPANSION UITBREIDINGSSTR.
2= PL. DE SAINTE-ADRESSE SAINTE-ADRESSEPL.
3= SCHOONHEIDSPLEIN PLACE DE LA BEAUTE
4= PLACE DU REPOS RUSTPLEIN
5= AVENUE DE L'ETERNITE EEUWIGHEIDSLAAN
N215
ERASMUS HOGESCHOOL BRUSSEL
KUREGEM
BIRMINGHAMSTRAAT
BERGENSE STEENWEG
RUE ROPSY CHAUDRON
CLEMENCEAU

27

STE.-ANNE
ST.-ANNA

RIBAUCOURT

C.E.S.O.A.

CITROËN

SERVICES DES PRETS

PLACE DE L'YSER
IJZERPLEIN

YSER
IJZER

ZWARTE VIJVERS
ETANGS NOIRS

CHAUSSEE DE GAND

PLACE VAN HOEGAERDE PLEIN

PLACE VOLTAIRE PLEIN

ST.-JEAN-BAPTISTE
ST.-JAN-BAPTIST

PARVIS ST.-JEAN-BAPTISTE
ST.-JAN-BAPTIST-VOORPLEIN

PARC BONNEVIE

EGLISE ORTHODOXE GRECQUE

ATH. ROY.

GRAAF V.VLAANDEREN
COMTE DE FLANDRE

KLEIN KASTEELTJE
PETIT CHATEAU

A

B

PL. COMMUNALE
GEMEENTEPLAATS

ST.-J.-MOLENBEEK-ST.-J.

CH. DE GAND

INST. ST.-HENRI

VLAAMSE POORT
PORTE DE FLANDRE

DE KLEINE ACADEMIE

PARC D.L. FONDERIE

EGLISE DU PLEIN EVANGILE

ST.-CATHERINE
ST.-KATHELIJNE

VOIR/ZIE 90

R20

N215

MAISON DU SPECTACLE DE LA BELLONE

PL. DU NOUVEAU MARCHE AUX GRAINS
NIEUWE GRAANMARKT

26

ESPACE PIERRON

QUAI DE HAINAUT

NINOOFSESTWG.

PLACE DE LA DUCHESSE DE BRABANT
HERTOGIN VAN BRABANTPLAATS

EM. DEMOT

RITS

PORTE DE NINOVE
NINOOFSE-POORT

PL. DU TRIANGLE
DRIEHOEKPLAATS

NINOOFSEPLEIN
PL. DE NINOVE

N215a

PL. DU JARDIN AUX FLEURS
BLOEMENHOF-PL.

BEURS
BOURSE

ST.-GORIKS
ST.-GERY

INST. DES ARTS ET METIERS
INSTITUUT VAN KUNSTEN EN AMBACHTEN

MARIEMONT KAAI

N.-D. DES RICHES CLAIRES

RIJKE KLAREN
RICHES CLAIRES

DAUWWIJK
CITÉ DE LA ROSÉE

ERASMUS HOGE-SCHOOL

ENSEIGNEMENT DE PROMOTION SOCIALE COURS INDUSTRIELS

ATH. L.LEPAGE

GOEDE HULP

BON SECOURS

D

E

ANDERLECHTSEPOORT
PORTE D'ANDERLECHT

FONTAINAS PL.

ANNEESSENS

ACADEMIE DES BEAUX-ARTS

ANDERLECHT

H.E. F. FERRER

ST.-ANTOINE
ST.-ANTONIUS

PL. ANNEESSENS

PL. ROUPPE

SCHONE KUNSTEN ACADEMIE

IMM. CONCEPTION O.L.V.
O.L.V. ONBEVLEKT ONTVANGENIS

BROGNIEZ

CLEMENCEAU

CH. DE MONS

VOIR/ZIE 92

VOIR/ZIE 94

ILYA PRIGOGINE

CATHEDRALE ORTHODOXE GREC

GARE CHAPELLE

PALAIS MIDI
ZUIDPALEIS

HAUTE ECOLE H. FERRER

PL. DES WALLONS
WALENPLEIN

LUCHTVAARTSQ.
SQ. DE L'AVIATION

AV. CLEMENCEAULAAN

116	117	118	140
141	142	170	171

34

20
27
28
N288
NOORDSTATION
GARE DU NORD
GARE DU NORD
NOORDSTATION
SCHAARBEEK
SINT-JOOST-TEN-NODE
BRUSSEL
BRUXELLES
PORTE D'ANVERS
ANTWERPSE POORT
ST.-ROCH
ST.-ROCHUS
MANHATTAN CENTER
ROGIER
JARDIN BOTANIQUE
KRUIDTUIN
CINEMA
CITY 2
CLINIQUE ST.-JEAN
ST.-JANS-KLINIEK
AUDITORIUM44
PASSAGE 44
CONGRES
N2 N3 N4 N5 N6 N7 N8 N9
N12 N13 N14 N15 N16 N17 N18
N1
N10 N11
VOIR/ZIE 91
29 38 46 47 63 66 71
CENTRE BELGE D.L. BANDE DESSINEE
BELG. CENTRUM V/H BEELDVERHAAL
DE BROUCKERE
MUNT-CENTRUM
POSTE CENTR. POST
CENTRE MONNAIE
ERASMUS HOGESCH.
COLONNE DU CONGRÈS
CONGRESZUIL
SOLDAT INCONNU
ONBEKENDE SOLDAAT
NATIONALE BANK
BANQUE NATIONALE
CIRQUE ROYAL
KONINKLIJK CIRCUS
MADOU
ST.-MICHIELS-EN ST.-GOEDELEKATH.
CATH. S.S. MICHEL ET GUDULE
THEATRE ROYAL DES GALERIES
GAL. ROY. ST.-HUBERT
BEURS BOURSE
GROTE MARKT
GRAND-PLACE
HOTEL DE VILLE
STADHUIS
MAGDALENA MADELEINE
CENTR. STATION
GARE CENTRALE
CENTRAAL STATION
PALEIS DER NATIES
PARLEMENT
PALAIS DE LA NATION
VLAAMS PARLEMENT FLAMAND
PARC/PARK
ARTS-LOI
KUNST-WET
THÉATRE DU PARC
PARKTHEATER
PARC DE BRUXELLES
WARANDE
R20
N21
MANNEKEN-PIS
PALAIS DES CONGRES
CONGRESPALEIS
PALEIS VOOR SCHONE KUNSTEN
PALAIS DES BEAUX-ARTS
MUSEE D'ART ANCIEN ET MODERNE
OLD ENGLAND
PL. ROYALE
KONINGSPL.
PALAIS ROYAL
KONINKLIJK PALEIS
PALAIS DES ACADEMIES
PALEIS DER AKADEMIËN
BELLIARD
MONTOYER
TRONE/TROON
QUARTIER LEOPOLD
LEOPOLDSWIJK
ANNEESSENS
TOUR D'ANGLE
STATION KAPELLE
VOIR/ZIE 93
VOIR/ZIE 95
REKENHOF
COUR DES COMPTES
ST.-JACOB OP DE KOUDENBERG
RUE ROYALE
RUE DE LA LOI
RUE BELLIARD

28
27
35
ST.-JOOST-TEN-NODE
VOIR/ZIE 91
BRUXELLES
BRUSSEL
VOIR/ZIE 93
VOIR/ZIE 95
A
B
D
HALLEN VAN SCHAARBEEK
LES HALLES DE SCHAERBEEK
MUS. VOOR SPONTANE KUNST
MUS. D'ART SPONTANÉ
AVENUE ROGIER
ROGIERLAAN
SQ. E. DUPLOYE SQ.
WELDOENERSPLEIN
PLACE DES BIENFAITEURS
PARC ARMAND STEURS PARK
PLACE COL. BREMER
KOL. BREMERPLEIN
HAUTE ECOLE LUCIA DE BROUCKERE CEPES
STE.-ALICE ST.-ALICE
ST-ETIENNE
SANATIA
PAUL DESCHANELLAAN
AV. P. DESCHANELLAAN
AVENUE CLAYS LAAN
RUE THOMAS VINCOTTE STR.
DAILLY
PLACE DAILLY PLEIN
THEATRE BALSAMINE
LE PUBLIC
LEUVENSESTEENWEG
CH. DE LOUVAIN
ATH. A. MAX
RUE DE PAVIE
PAVIASTRAAT
GUTENBERG SQ.
HOTEL VAN EETVELDE
JARDIN DU MAELBEEK
MAALBEEK TUIN
SQ. AMBIORIX
SQ. MARGUERITE
HEILIG HART
SACRÉ-COEUR
MUS. CHARLIER MUS.
RUE DE LA LOI
WETSTRAAT
MAELBEEK MAALBEEK
CARREFOUR J. MONNET KRUISPUNT
BERLAYMONT
U.E. E.U. BERLAIMONT
INFO POINT
SCHUMAN
ROND-POINT R. SCHUMAN-PLEIN
CONSEIL D'ETAT RAAD VAN STATE
ST.-JOZEF ST.-JOSEPH
CONCERT NOBLE
ERASMUS-HOGESCHOOL
THEATRE DU RES. PALACE
GARE SCHUMAN STATION
CONSEIL EUROPEEN EUROPESE RAAD
EUROPESE WIJK QUARTIER EUROPEEN
MOSKEE GRANDE MOSQU
TEMPEL VAN HORTA PAVILLON HORTA
PARC DU CINQUANT
JUBELPARK
QUARTIER LEOPOLD LEOPOLDSWIJK
ISMAPP
N21
N2
N297
N2a
R20
N228
N3
N23
N295
N298

21
28
29
SCHAARBEEK
EVERE
ST.-LAM.-WOLUWE-ST.-LAM
ETTER-BEEK
PLACE GEN. MEISER PLEIN
ENCLOS DES FUSILLES OORD VAN GEFUSILLEERDEN
R.T.B.F. V.R.T.
REYERS
DIAMANT
GEORGES-HENRI
CITE OUVRIERE DE LINTHOUT LINTHOUTSE WERKMANS-WOONWIJK
ECOLE ROYALE MILITAIRE KON. MILITAIRE SCHOOL
MUSEUM VAN HET LEGER EN DE KRIJGSKUNDE MUSÉE DE L'ARMÉE ET D'HISTOIRE MILITAIRE
CHAUSSEE DE LOUVAIN
LEUVENSESTEENWEG
AUGUSTE REYERS LAAN
BLD. AUGUSTE REYERS
N2
N3
N5
N23
N211
N213
N296
N297
R21
A3

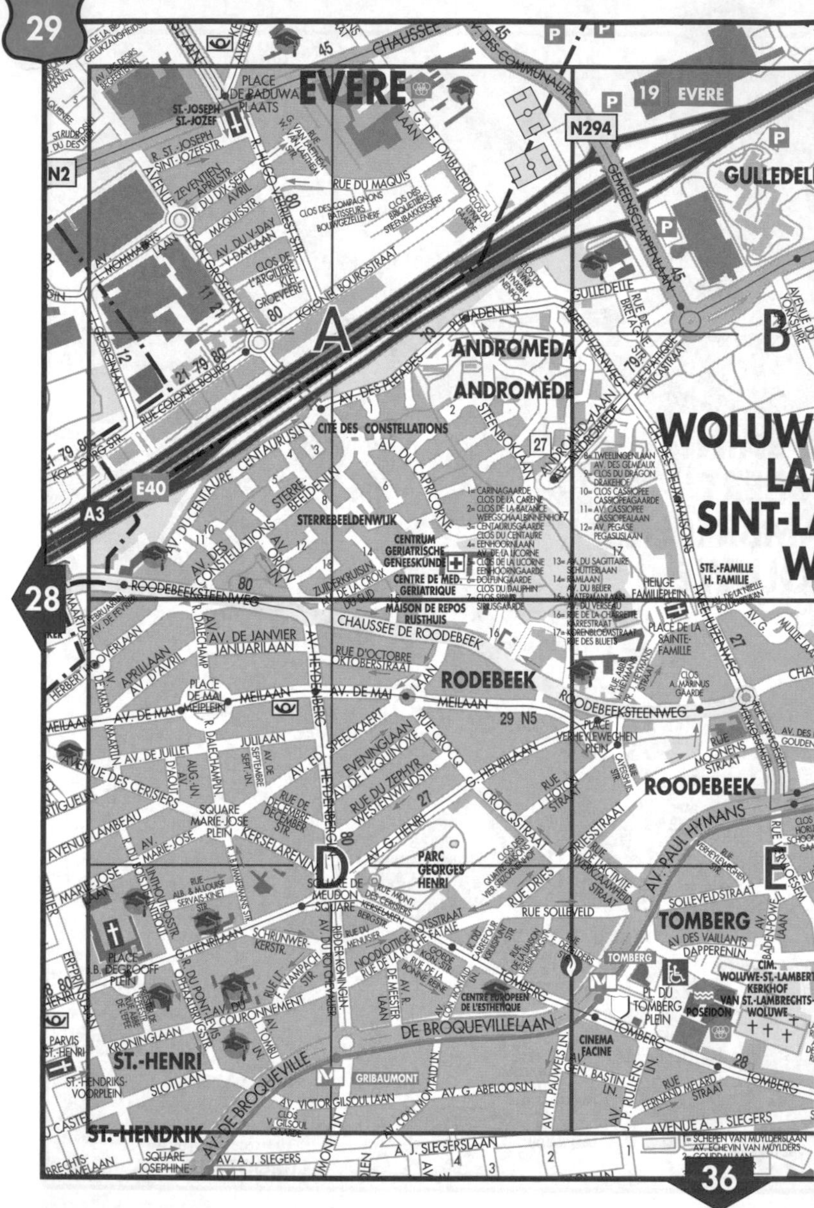
EVERE
19 EVERE
N294
N2
GULLEDELLE
A
B
D
E
ANDROMEDA
ANDROMÈDE
CITÉ DES CONSTELLATIONS
STERREBEELDENWIJK
WOLUWE
SINT-LA
CENTRUM GERIATRISCHE GENEESKUNDE
CENTRE DE MED. GERIATRIQUE
MAISON DE REPOS RUSTHUIS
RODEBEEK
ROODEBEEK
PARC GEORGES HENRI
TOMBERG
CENTRE EUROPEEN DE L'ESTHETIQUE
CINEMA FACINE
GRIBAUMONT
POSEIDON
CIM. WOLUWE-ST.-LAMBERT KERKHOF VAN ST.-LAMBRECHTS-WOLUWE
ST.-HENRI
ST.-HENDRIK
ROODEBEEKSTEENWEG
CHAUSSEE DE ROODEBEEK
AV. DE BROQUEVILLE
DE BROQUEVILLELAAN
AV. PAUL HYMANS
E40
A3

28

36

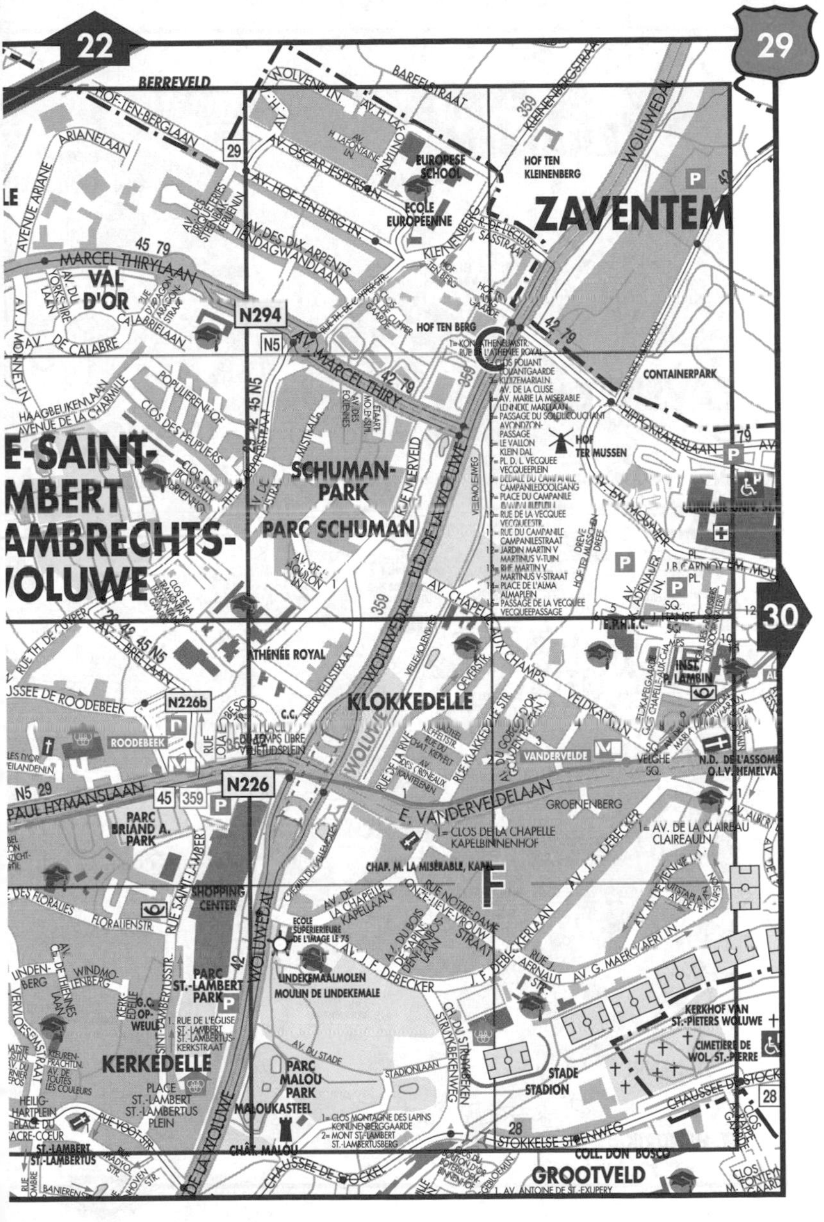

22
29
30
ZAVENTEM
SINT-LAMBRECHTS-WOLUWE
VAL D'OR
SCHUMAN-PARK
PARC SCHUMAN
KLOKKEDELLE
KERKEDELLE
GROOTVELD
EUROPESE SCHOOL
ECOLE EUROPÉENNE
HOF TEN KLEINENBERG
HOF TEN BERG
CONTAINERPARK
HOF TER MUSSEN
ATHÉNÉE ROYAL
ROODEBEEK
VANDERVELDE
PARC BRIAND A. PARK
SHOPPING CENTER
PARC ST.-LAMBERT PARK
LINDEKEMAALMOLEN
MOULIN DE LINDEKEMALE
PARC MALOU PARK
MALOUKASTEEL
CHÂT. MALOU
STADE STADION
KERKHOF VAN ST.-PIETERS WOLUWE
CIMETIÈRE DE WOL. ST.-PIERRE
COLL. DON BOSCO
INST. P. LAMBIN
E.P.H.E.C.
GROENENBERG
CHAP. M. LA MISÉRABLE, KAPEL
ECOLE SUPÉRIEURE DE L'IMAGE LE 75
G.C. OP-WEULE
N294
N5
N226
N226b
MARCEL THIRYLAAN
AV. MARCEL THIRY
WOLUWEDAL
BD. DE LA WOLUWE
E. VANDERVELDELAAN
PAUL HYMANSLAAN
HIPPODROOMLAAN
KLEINENBERGSTRAAT
BARFELSTRAAT
BERREVELD
HOF-TEN-BERGLAAN
ARIANELAAN
AVENUE ARIANE
AV. OSCAR JESPERSEN
AV. HOF TEN BERG LN.
AV. DES DIX ARPENTS
TIENDAGWANDLAAN
AV. DE CALABRE
CALABRIELAAN
HAAGBEUKENLAAN
AVENUE DE LA CHARMILLE
POPULIERENHOF
CLOS DES PEUPLIERS
AV. CHAPELLE-AUX-CHAMPS
VELDKAPELLN.
RUE NOTRE-DAME
ONZE-LIEVE-VROUWSTRAAT
AV. J.F. DEBECKER
AV. G. MAERCKAERT LN.
AV. DU STADE
STADIONLAAN
CHAUSSEE DE STOCKEL
STOKKELSE STEENWEG
RUE SAINT-LAMBERT
SINT-LAMBERTUSSTR.
FLORALIENSTR.
PLACE ST.-LAMBERT
ST.-LAMBERTUS PLEIN
HEILIG-HARTPLEIN
PLACE DU SACRÉ-CŒUR
ST.-LAMBERT ST.-LAMBERTUS
N.D. DE L'ASSOMPTION
CLINIQUE UNIV. ST.
1= RUE DE L'EGLISE ST.-LAMBERT ST.-LAMBERTUS-KERKSTRAAT
1= CLOS MONTAGNE DES LAPINS KONIJNENBERGGAARDE
2= MONT ST.-LAMBERT ST.-LAMBERTUSBERG
1= CLOS DE LA CHAPELLE KAPELBINNENHOF
1= AV. DE LA CLAIRBAU CLAIREAULN.

30

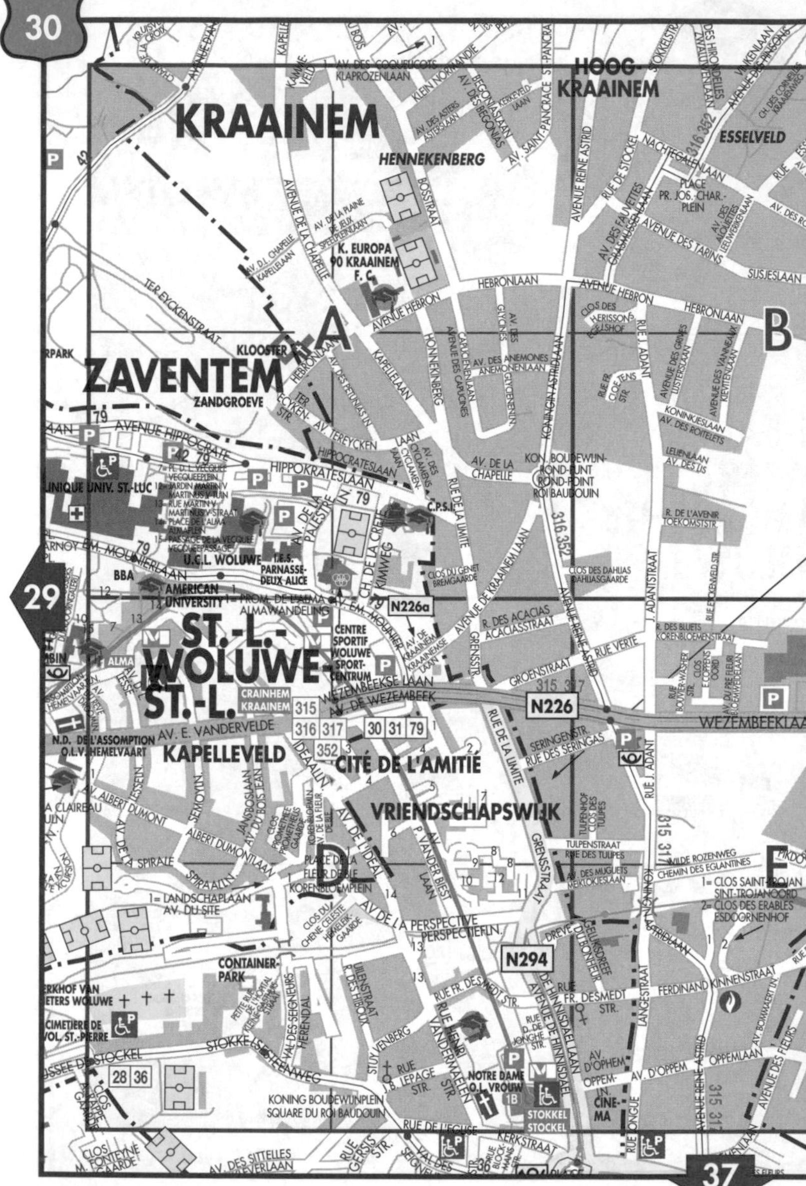
KRAAINEM
HOOG-KRAAINEM
ESSELVELD
HENNEKENBERG
K. EUROPA 90 KRAAINEM F.C.
ZAVENTEM
ZANDGROEVE
KLOOSTER
A
B
D
E
CLINIQUE UNIV. ST.-LUC
U.C.L. WOLUWE
I.E.S. PARNASSE-DEUX ALICE
AMERICAN UNIVERSITY
BBA
C.P.S.I.
CENTRE SPORTIF WOLUWE SPORTCENTRUM
ST.-L.-WOLUWE-ST.-L.
CRAINHEM KRAAINEM
ALMA
N.D. DE L'ASSOMPTION O.L.V. HEMELVAART
KAPELLEVELD
CITÉ DE L'AMITIÉ
VRIENDSCHAPSWIJK
CONTAINER-PARK
CIMETIÈRE DE WOL. ST.-PIERRE
NOTRE DAME O.L. VROUW
STOKKEL STOCKEL
CINE-MA
N226a
N226
N294
AVENUE HIPPOCRATE
HIPPOKRATESLAAN
AVENUE HEBRON
HEBRONLAAN
AV. DES COQUELICOTS
KLAPROZENLAAN
AVENUE DE LA CHAPELLE
KAPELLELAAN
BOSSTRAAT
TER EYCKENSTRAAT
AV. TEREYCKEN
AV. DE LA CHAPELLE
RUE DE LA LIMITE
GRENSSTR.
GRENSSTRAAT
AVENUE DE KRAAINEM
KRAAINEMLAAN
AVENUE REINE ASTRID
KONINGIN ASTRIDLAAN
KON. BOUDEWIJN-ROND-PUNT
ROND-POINT ROI BAUDOUIN
RUE DE STOCKEL
AVENUE DES TARINS
SIJSJESLAAN
RUE J. ADANT
J. ADANTSTRAAT
KONINKJESLAAN
AV. DES ROITELETS
R. DES ACACIAS
ACACIASSTRAAT
GROENSTRAAT
RUE VERTE
WEZEMBEEKSE LAAN
AV. DE WEZEMBEEK
WEZEMBEEKLAAN
AV. E. VANDERVELDE
EM. MOUNIERLAAN
AV. EM. MOUNIER
1= PROM. DE L'ALMA
ALMAWANDELING
SERINGENSTR.
RUE DES SERINGAS
TULPENSTRAAT
RUE DES TULIPES
AV. ALBERT DUMONT
ALBERT DUMONTLAAN
AV. DE LA SPIRALE
SPIRAALLN.
1= LANDSCHAPLAAN
AV. DU SITE
AV. DE L'IDEAL
AV. P. VANDER BIEST LAAN
PLACE DE LA FLEUR DE BLE
KORENBLOEMPLEIN
AV. DE LA PERSPECTIVE
PERSPECTIEFLN.
CHEMIN DES EGLANTINES
WILDE ROZENWEG
1= CLOS SAINT-TROJAN
SINT-TROJANOORD
2= CLOS DES ERABLES
ESDOORNENHOF
FERDINAND KINNENSTRAAT
RUE FR. DESMEDT STR.
AVENUE DE HINNISDAEL
LANGESTRAAT
AV. D'OPPEM
OPPEMLAAN
AVENUE DES FLEURS
STOKKELSESTEENWEG
KONING BOUDEWIJNPLEIN
SQUARE DU ROI BAUDOUIN
RUE DE L'EGLISE
KERKSTRAAT
AV. DES SITTELLES
CLOS FONTEYNE
315 316 317 352
30 31 79
28 36

29
37

23
30
31
ZAVEN-
TEM
WEZEMBEEK-
OPPEM
KASTEEL / CHATEAU
DE BURBURE
KERKHOF VAN
WEZEMBEEK-OPPEM
CIM. DE
WEZEMBEEK-OPPEM
CIM. DE
WOLUWE ST.-LAMBERT
KERKHOF VAN
ST.-LAMBRECHTS-WO
CONTAINER-
PARK
ST-PIETER
SINT-PIETERSPLEIN
PARVIS SAINT-PIERRE
VELDEKE
GROENEVELD
WEZEMBEEK- OPPEM
SINT-ROCHUSKAPEL
CHAPELLE SAINT-ROCH
SCHONE LUCHT
ST.-JOZEF
RESIDENTIEPARK
SCHONE LUCHT
PARC RESIDENCE
BEL-AIR
KASTEEL / CHATEAU
DE GRUNNE
CULTUREEL
CENTRUM
DE KAM
BIB.
R0
C
F
1. PRINS-REGENTLAAN
AV. DU PRINCE-REGENT
2. CLOS DE LA LIBERATION
BEVRIJDINGSGAARDE
3. DE BORNIVALLAAN
AV. DE BORNIVAL
4. AV. DE WITTHEM
DE WITTHEMLAAN
5. VANDER BIESTGAARDE
CLOS VANDER BIEST
6. LANDSCHAPSGAARDE
CLOS DU SITE
7. RUE DE L'ANGLE JAUNE
GELE HOEKSTRAAT
8. WILDEHOEK
CARRE DES HERBES SAUVAGES
9. BLAUWE HEMELSTRAAT
RUE DU CIEL BLEU
10. HALVEMAANPLEIN
PLACE DE LA DEMI-LUNE
11. RUE DU TEMPS DES CERISES
KERSENTIJDSTRAAT
12. RUE DE LA FLEUR D'ORANGER
ORANJEBLOESEMSTRAAT
13. J. B. VERHEYDENSTR.
RUE J. B. VERHEYDEN
14. RUE ARTHUR ANDRE
ARTHUR ANDRESTR.
1= RUE DE LA VALLE
VALLEISTRAAT
2= RUE DE LA PETITE MONTAGNE
KLEINE BERGSTRAAT
1= CLOS MARIE-THERESE
MARIA-THERESIAOORD
1= DREVE DES THUYAS
THUYASDREEF
2= DREVE DES TAXUS
TAXUSDREEF
WILDE ZWANENLAAN
AV. DES CIGOGNES
OOIEVAARSLAAN
WATERHOENLAAN
AV. DE LA POULE D'EAU
AV. DE LA BECASSE
HOUTSNIPLAAN
WARANDEBERG
KIEVITLAAN
AV. DU VANNEAU
AV. DES MOUETTES
MEEUWENLAAN
RUE ALPHONSE LENAERTS
KERKHOFLAAN
AV. DU CIMETIERE
ALFONS LENAERTSSTRAAT
BOOMGAARDOORD
CLOS DU VERGER
BAUWENBERG
KERKHOFSTR.
RUE DU CIMETIERE
KERKEBERGSTRAAT
BERGENBLOKSTRAAT
RUE BERGENBLOK
RUE DE LA MONTAGNE
BERGSTRAAT
RUE JAN BAPTIST DE KEYZER STRAAT
RUE DU VAL RUE DU ROND-POINT
RUE DU RUISSEAU
IN DE POORT
RUE LOUIS MARCELIS STR.
RUE H. SMETS STR.
VIER BUNDERSTRAAT
RUE DES QUATRE BONNIERS
AV. OSCAR DE BURBURE
WEZEMBEEKSTRAAT
AV. DE WEZEMBEEK
RUE GEIGEL STR.
DREVE DE LA FERME
PACHTHOFDREEF
BERKENHOF
CLOS DES BOULEAUX
RUE DU FER A CHEVAL
HOEFIJZERSTRAAT
RUE JAN-BAPTIST DE KEYZER STRAAT
BEEKSTRAAT
RUE FRANS LANDRAIN
FRANS LANDRAINSTRAAT
CLOS ST.-GEORGES
SINT-JORISOORD
MAURICE CESARLAAN
AVENUE MAURICE CESAR
AVENUE DES VIGNES
WIJNGAARDLAAN
AVENUE BEL AIR
KOLLEBLOEMENLAAN
AV. DES COQUELICOTS
OPPEMLAAN
AVENUE D'OPPEM
AVENUE DES HETRES ROUGES
AVENUE DE L'ESPLANADE
AHORNBOMENLN.
AV. DES ERABLES
AVENUE DES MARGUERITES
AVENUE DES EGLANTINES
WILDE ROZENLAAN
AV. DES BOUTONS D'OR
BOTERBLOEMLAAN
RODE BEUKENLAAN
AVENUE DES VIOLETTES
VIOOLTJESLAAN
R. PLAINE DES SPORTS
JOZEF DE KEYZER STR.
R. DU RUISSEAU
RUE RAYMOND HERNALSTEEN STR.
RUE J. B. OVERLOOP STR.
AVENUE VAN S
MAALDERSGAARDE
CLOS DU MEUNIER
EUROPALAAN
AV. DE L'EUROPE
'T VELDEKE
CLOS DES CHAMPS
RUE DU RUISSEAU
BEEKSTR.
DE GRUNNE

31
ARMENDY
NORMANDY
HUISKES
NOUVEAU CIM. D' ETTERBEEK
NIEUW KERKHOF VAN ETTERBEEK
CIM. DE WOLUWE ST-LAMBERT
KERKHOF VAN ST.-LAMBRECHTS-WOLUWE
KAPEL O.L.V. VAN KARMELBERG
KASTEEL TER MEEREN
INTERNATIONAL BAPTIST CHURCH
M
A
B
N227
MUSSENHOEK
LANGE EIKSTRAAT
GROTE GEESTSTRAAT
DEUTSCHE SCHULE
STEENBERG
WEZEMBEEK-OPPEM
30
HONDSPERREVELD
PERK-BOS
1= CHAMP DE L'EPEAUTRE SPELTVELD
2= CHAMP DU SARRASIN BOEKWEITVELD
3= CHAMP DES ETOILES STERRENVELD
4= CHAMP DES HIRONDELLES ZWALUWENVELD
5= CHAMP DES FLEURS BLOEMENVELD
6= CHAMP DU SOLEIL ZONNEVELD
7= CHAMP DES ALOUETTES LEEUWERIKENVELD
8= CHAMP DES PAPILLONS VLINDERSVELD
BANEIK
CHAUSSEE DE MALINES
D
E
VOSBERG
1= CLOS DES PINSONS VINKENOORD
2= AV. DES CEDRES CEDERSLAAN
BARON BRUGMANN DE WALZINPLEIN
KLOOSTER ST.-MICHAEL EN JOZEF
MECHELSESTEENWEG
39
38

24
31
MOORSELVELD
TERVUREN
HULST
MOORSEL
C
TUSSEN WAAL
EN LOZENWEG
GROOTVELD
SCHAPENSTRAAT
TERWENBERG
ZAVENTEM
HULSTPOELLAAN
TIENBUNDERS
OUDERGEMSEWEG
BLEUKE-
VELD
KOOLHOF
OUDERGEMSEWEG
FOKKERSDREEF
F
MICHIELS-
LAAN
RENBAAN
ROT
SCHAPENWEG
WAALSESTRAAT
'S-GRAVENVELD
JAGERSSTRAAT
FRANS
PEETERSSTRAAT
SINT-PANCRATIUSLAAN
MGR.
CARDIJN-
LAAN
VOSSEM-
LAAN

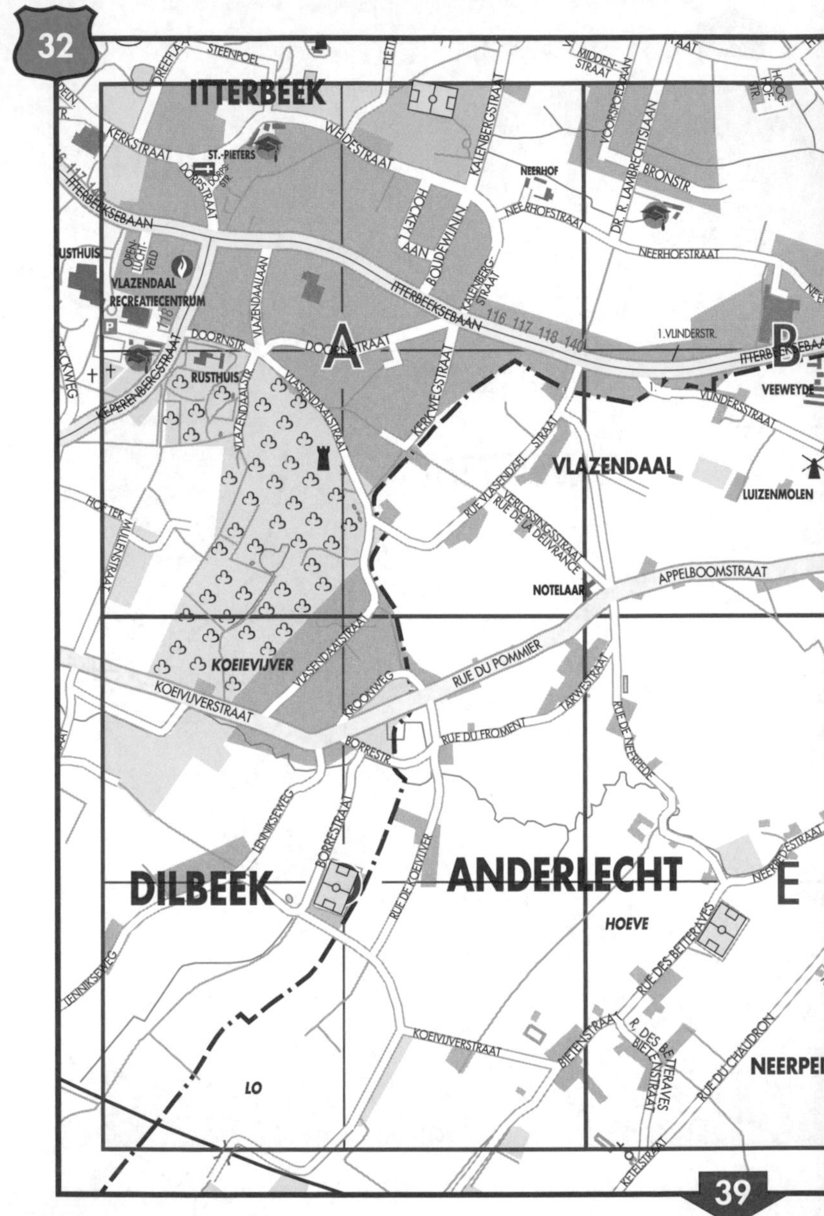
ITTERBEEK
KERKSTRAAT
ST.-PIETERS
DORPSTRAAT
WEIDESTRAAT
KALENBERGSTRAAT
NEERHOF
NEERHOFSTRAAT
BRONSTR.
DR. R. LAMBRECHTSLAAN
VOORSPOEDLAAN
MIDDENSTRAAT
STEENPOEL
ITTERBEEKSEBAAN
RUSTHUIS
OPENLUCHTVELD
VLAZENDAAL
RECREATIECENTRUM
VLAZENDAALLAAN
HOCKEYLAAN
BOUDEWIJNLN
KALENBERGSTRAAT
DOORNSTR.
DOORNSTRAAT
A
B
1.VIJNDERSTR.
VIJNDERSSTRAAT
VEEWEYDE
KEPERENBERGSTRAAT
RUSTHUIS
VLAZENDAALSTR.
VLASENDAALSTRAAT
KERKWEGSTRAAT
VLAZENDAAL
LUIZENMOLEN
RUE VLASENDAEL
VERLOSSINGSSTRAAT
RUE DE LA DELIVRANCE
NOTELAAR
APPELBOOMSTRAAT
HOF TER MUILENSTRAAT
KOEIEVIJVER
KOEIVIJVERSTRAAT
VLASENDAALSTRAAT
KROONWEG
RUE DU POMMIER
TARWESTRAAT
RUE DU FROMENT
BORRESTR.
RUE DE NEERPEDE
LENNIKSEWEG
BORRESTRAAT
RUE DE KOEIVIJVER
DILBEEK
ANDERLECHT
NEERPEDESTRAAT
E
HOEVE
RUE DES BETTERAVES
LENNIKSEWEG
KOEIVIJVERSTRAAT
BIETENSTRAAT
R. DES BETTERAVES
BIETENSTRAAT
RUE DU CHAUDRON
NEERPED
LO
KETELSTRAAT
116 117 118 140

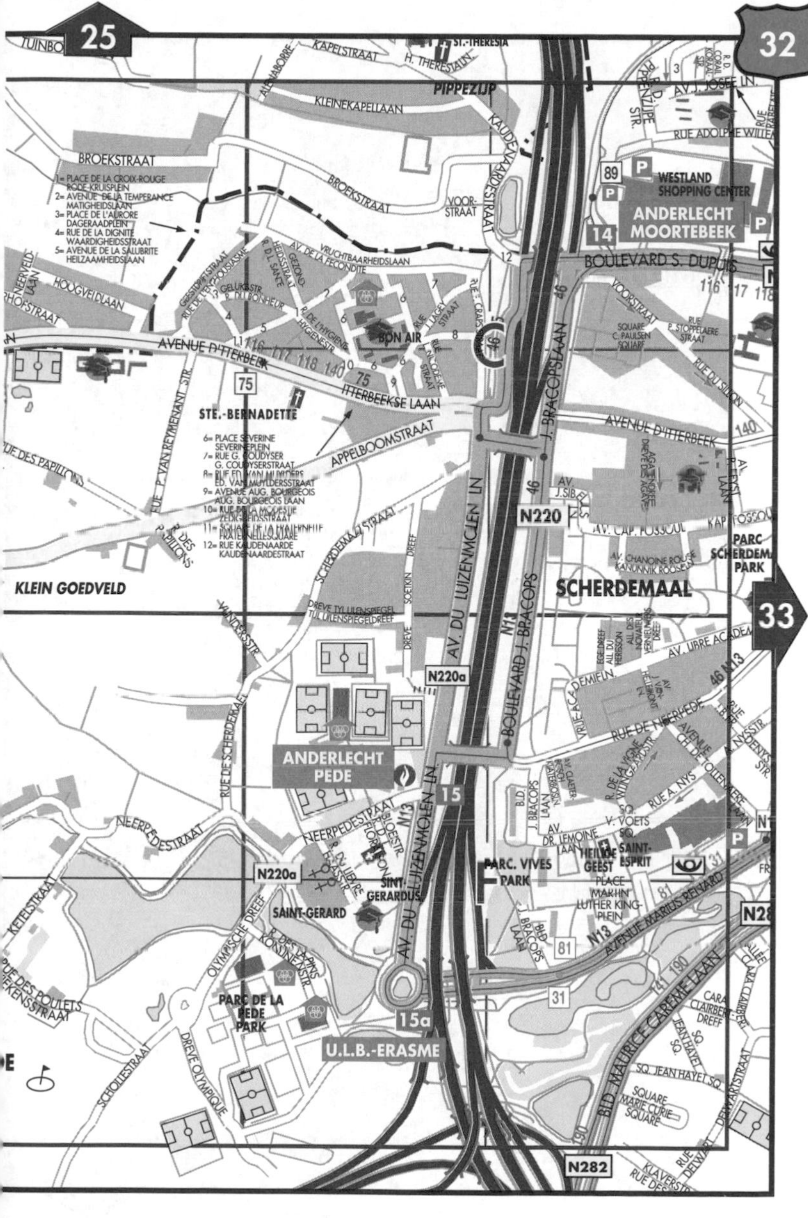

25
32
33
ST.-THERESIA
KAPELSTRAAT
H. THERESIALN.
PIPPEZIJP
KLEINEKAPELLAAN
KAUDENAARDESTRAAT
BROEKSTRAAT
VOOR-STRAAT
1= PLACE DE LA CROIX-ROUGE RODE-KRUISPLEIN
2= AVENUE DE LA TEMPERANCE MATIGHEIDSLAAN
3= PLACE DE L'AURORE DAGERAADPLEIN
4= RUE DE LA DIGNITE WAARDIGHEIDSSTRAAT
5= AVENUE DE LA SALUBRITE HEILZAAMHEIDSLAAN
AV. DE LA FECONDITE
VRUCHTBAARHEIDSLAAN
HOOGVELDLAAN
BON AIR
AVENUE D'ITTERBEEK
ITTERBEEKSE LAAN
STE.-BERNADETTE
6= PLACE SEVERINE SEVERINEPLEIN
7= RUE G. COUDYSER G. COUDYSERSTRAAT
8= RUE ED. VAN MUYLDERS ED. VAN MUYLDERSSTRAAT
9= AVENUE AUG. BOURGEOIS AUG. BOURGEOIS LAAN
12= RUE KAUDENAARDE KAUDENAARDESTRAAT
APPELBOOMSTRAAT
RUE DES PAPILLONS
RUE P. VAN REYMENANT STR.
KLEIN GOEDVELD
SCHERDEMAALSTRAAT
DREVE TYL ULENSPIEGEL
TIJL ULENSPIEGELDREEF
AV. DU LUIZENMOLEN LN
BOULEVARD J. BRACOPS
J. BRACOPSLAAN
N220
N220a
N13
WESTLAND SHOPPING CENTER
ANDERLECHT MOORTEBEEK
BOULEVARD S. DUPUIS
VOORSTRAAT
SQUARE C. PAULSEN SQUARE
RUE P. STOPPELAERE STRAAT
RUE DU SILLON
AVENUE D'ITTERBEEK
AV. CAP. FOSSOUL
AV. CHANOINE ROUSE KANUNNIK ROOSELAAN
SCHERDEMAAL
PARC SCHERDEMAAL PARK
RUE ADOLPHE WILLEMYNS
AV. J. JOSEE LN.
AV. LIBRE ACADEMIE
RUE DE NEERPEDE
RUE A. NYS
ANDERLECHT PEDE
NEERPEDESTRAAT
RUE DE SCHERDEMAEL
SINT-GERARDUS
SAINT-GERARD
PARC. VIVES PARK
HEILIGE GEEST
SAINT-ESPRIT
PLACE MARTIN LUTHER KING-PLEIN
SQ. V. VOETS SQ.
AV. DR. LEMOINE LAAN
AVENUE MARIUS RENARD
KETELSTRAAT
RUE DES POULETS
KIEKENSSTRAAT
OLYMPISCHE DREEF
DREVE OLYMPIQUE
PARC DE LA PEDE PARK
SCHOLLESTRAAT
U.L.B.-ERASME
15
15a
14
BLD. MAURICE CAREME LAAN
SQ. JEAN HAYET SQ.
SQUARE MARIE CURIE SQUARE
RUE DELWART
DELWARTSTRAAT
N282
N28

33
32
40
SCHEUTVELD
1= RUE J. VAN BOTERDAEL J. VAN BOTERDAELSTR.
2= BOERKOZENSTRAAT RUE DES MARAICHERS
3= RUE M. VAN LIER M. VAN LIERSTRAAT
2= RUE DES AUBERGINES EIERPLANTENSTRAAT
4= CLOS HOF TE OPHEM HOF TE OPHEMHOEK
ADOLPHE WILLEMYNSSTRAAT
AV. TOLSTOI LN.
BLD. M. GROENINCKX - DE MAY LN.
N.D. DE L'ASSEMPTION
O.L.V. HEMELVAART
RUE M. RASKIN M. RASKINSTR.
POTAARDENBERGSTRAAT
R. DEMOSTHENE
EVANG. VRIJE PENIEL KERK
EGLISE EVANGELISTE LIBRE PENIEL
RUE DU SERMENT
BROEKSTRAAT
RUE DU BROECK
SQ. J. ALGOET SQ.
N219
S. DUPUISLAAN
BOULEVARD SYLVAIN DUPUIS
SYLVAIN DUPUISLAAN
ERASMUSSTR.
CINE-CLUB
ST.-PIERRE ST.-PIETER
ST. GUIDO
PLACE DE LINDE PLEIN
RUE SAINT-GUIDON
R. K. VANDE WOESTIJNE STR.
AV. D'ITTERBEEK
ITTERBEEKSE LAAN
R. D. L. PROCESSION
PROCESSIESTRAAT
CENTRE HOSP. J. BRACOPS, VERPLEGINGS CENTRUM
R.S.C.A.
STADE CONSTANT VANDENSTOCK STADION
ST.-GUIDON
ST.-GUIDO
MEIR
ROND-POINT PIERRE DE TOLLENAERE PLEIN
SQ. EG. ROMBAUX SQ.
RUE R. HENRY STR.
AV. TH. VERBEECK LN.
ASTRIDPARK
PARC ASTRID
ROND POINT DU MEIR MEIRPLEIN
AV. LIMBOURG LN.
PARC SCHERDEMAEL PARK
HÔP. PSYCH. FOYER DE L'EQUIPE
NEERPEDESTRAAT
VEEWEIDE
AV. N. MELBA LN.
AVENUE E. YSAYE
KONING SOLDAATLAAN
AVENUE DU ROI SOLDAT
TUINBOUWSCHOOL
N290
PARC DE BUSSELENBERG, PARK
R. D. BUSSELENBERG STR.
VEEWEIDESTRAAT
RUE V. RAUTER STR.
CHAUSSEE DE MONS
BLD. AR. BRIAND LN.
PLACE VERDI PLEIN
N6
MARIUS RENARDLAAN
N13
PARC JOSEPH LEMAIRE PARK
VEEWEIDE VEEWEYDE
QUARTIER DES AURORES
SQUARE FRANS HALS SQUARE
BLD. THEO LAMBERT LN.
SQ. DE PEDE SQ.
BERGENSE STEENWEG
WALCOURTSTRAAT
N282
RUE J. NOTE STR.
RUE FL. DEPAUW STR.
BIZET
PLACE BIZET PLEIN
R. R. BUYCK STR.
RUE H. DELEERS STRAAT
AV. FR. VAN KALKEN LN.
1= R. DE LA MECANIQUE WERKTUIGKUNDESTR.
2= R. D. L'ARCHITECTURE BOUWKUNSTSTR.
PAAPSEMLAAN
BETHLEEM-KERK
RUE DES RESEDAS STRAAT
RUE DE WALCOURT
RUE FRANS HALS FRANS HALSSTRAAT
AV. VENIZELOS LN.
CHAUSSEE DE MONS
RUE DE LA SYMPATHIE STRAAT
ST.-JOZEF ST.-JOSEPH
PLACE DE LA ROUE RADPLEIN
BIESTEBROEKKAAI QUAI DE BIESTEBROECK
QUAI D'AA
AAKAAI
N215a
N215
DEWARTSTRAAT

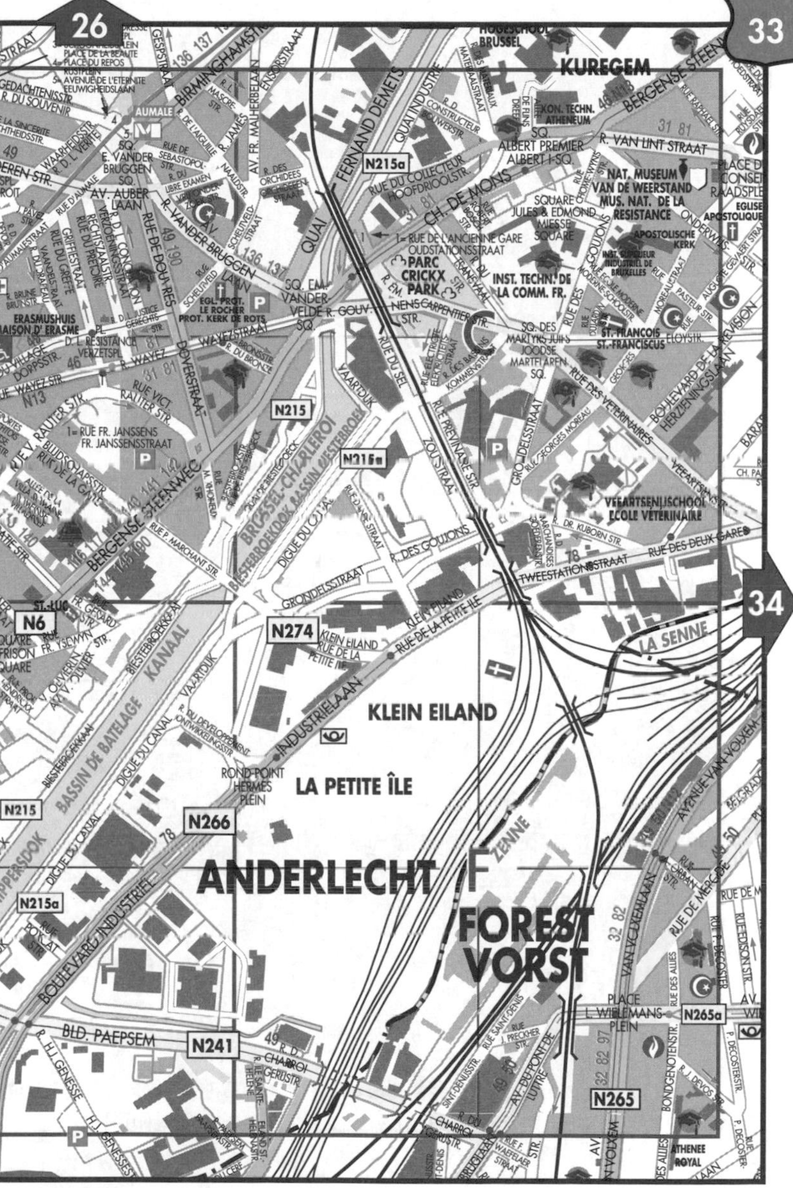
KUREGEM
ANDERLECHT
FOREST
VORST
KLEIN EILAND
LA PETITE ÎLE
HOGESCHOOL BRUSSEL
KON. TECHN. ATHENEUM
NAT. MUSEUM VAN DE WEERSTAND
MUS. NAT. DE LA RESISTANCE
PARC CRICKX PARK
INST. TECHN. DE LA COMM. FR.
ERASMUSHUIS
MAISON D'ERASME
VEEARTSENIJSCHOOL
ECOLE VETERINAIRE
ATHENEE ROYAL
BASSIN DE BATELAGE
BRUSSEL-CHARLEROI
BIESTEBROEKDOK BASSIN BIESTEBROECK
LA SENNE
ZENNE
N215a
N215
N274
N266
N6
N241
N265
N265a
BOULEVARD INDUSTRIEL
INDUSTRIELAAN
BLD. PAEPSEM
BERGENSE STEENWEG
CH. DE MONS
QUAI FERNAND DEMETS
AVENUE VAN VOLXEM

34

34

ANDER-
LECHT
ST.-
GILLIS
BRUSSEL
MAROLLES
FOREST
VORST
ST.-ANTOINE
ST.-ANTONIUS
PARK VAN VORST
PARC DE FOREST
ZUIDSTATION
GARE DU MIDI
EUROSTAR-
THALYS
PLACE DE
V. HORTA
V. HORTA-
PLEIN
TOUR
DU MIDI
ZUIDER-
TOREN
PALAIS MIDI
ZUIDPALEIS
HAUTE ECOLE
H. FERRER
PL. DE LA
CONSTITUTION
GRONDWET-
PLEIN
HALLEPOORT
PORTE DE HAL
PARVIS DE ST.GILLES
ST.-GILLES-VOORPLEIN
BARRIERE DE
ST.-GILLES
BAREEL VAN
ST.-GILLIS
CITÉ FONTAINAS
FONTAINAS-
WIJK
PLACE
DES HEROS
HELDENPLEIN
COMM.
ISRAELITE
ORTHODOXE
DE BRUXELLES
INST. N.-DAME
EGLISE
APOSTOLIQUE
MUS. V.D./D.L.
GUEUZE
CINEMA
LEMONNIER
INST. DES
CARRIERES
COMMECIALES
E.H.S.A.L.
CAMPUS
NIEUWLAND
IMM. CONCEPTION
O.L.V. ONBEVLEKT
ONTVANGEN
PL. DU JEU
DE BALLE
VOSSEN-
PL.
ATH.
FUNCK-
ANDRE
MUS. VOOR FOLKLORE
MUS. DU FOLKLORE
INST. J. BORDET
CLINIQUE
A. DEPAGE
OPSPORINGS-
KLINIEK
CLIN. DE
DEPISTAGE
ST.-PIETERS HOS
TWEE-HARTENKAPEL
CH. DES DEUX CŒURS
EGLISE
EVANG.
INDEP.
EGLISE
ORTHODOXE
KERK
JESUS
TRAVAILLEUR
JEZUS
ARBEIDER
EGLISE
PROT.
KERK
STE.-ALENE
STE.-ALENA
PLACE DE
ROCHEFORT
PLEIN
PLACE
ALBERT
PLEIN
PLACE
A. DELPORTE-
PLEIN
PLACE
M. VAN MEENEN
PLEIN
PARC
PIERRE-PAUL
PAULUS
DU CHATELET
ATHENEE
ROYAL
PRISONS
DALCROZE
HORTA
ALBERT
VOIR/ZIE 94
AVENUE FONSNY
FONSNYLAAN
RUE DE FIENNESSTRAAT
RUE BARA
RUE BROGNIEZ
BOULEVARD DU MIDI
ZUIDLAAN
HALLEPOORTLAAN
RUE TH. VERHAEGEN STR.
CH. DE FOREST
VORSTSE STWG.
CH. DE WATERLOO
AV. DU PARC
PARKLAAN
AV. DES VILLAS VILLALAAN
AV. VAN VOLXEM
AV. DU ROI
KONINGSLAAN
BLD. G. VAN HAELEN
WATERLOSE STEENW.
R20
N266g
N265
N265a
N274
N274a
N5
N5n
N242
N12

33
41

27
34
35
BRUXELLES
IXELLES
SAINT-GILLES
ELSENE
TEN-BOS
VOIR/ZIE 95
EGLISE N.D. DU SABLON
ST.-JACOB OP DE KOUDENBERG
REKENHOF COUR DES COMPTES
JOODS MUS. VAN BELGIE MUS. JUIF DE BELG.
EGLISE ADVENTISE ADVENTS-KERK
O.L.V. V/D ZAVEL
KAZERNE PR. ALBERT
CASERNE PR. ALBERT
PALAIS D'EGMONT EGMONTPALEIS
MINIMES MINIEMEN
MUSEE INSTRUMENTAL INSTRUMENTEN MUSEUM
KONINKLIJK CONSERVATORIUM BRUSSEL
PORTE DE NAMUR NAAMSE POORT
SYNAGOGUE
JARDINS D'EGMONT
EGMONTTUINEN
BREUGHEL DE OUDESQ. SQ. BREUGHEL L'ANCIEN
POELAERT PL.
PALAIS DE JUSTICE JUSTITIEPALEIS
LOUISE LOUIZA
PL. LOUISE LOUIZA PL.
PL. J.JACOBS PL.
ST.-PIERRE
MUNTHOF
PL. DU TRONE TROONPLEIN
TRONE/TROON
UNITED BUSINESS INSTITUTES
EGLISE PROTESTANTE
PL. DU CHAMP DE MARS MARSVELDPL.
SQ. DU BASTION BOLWERKSQ.
CINEMA
PL. DE LONDRES LONDENPL.
HAUTE ECOLE LEONARD DE VINCI
QUARTIER LEOPOLD LEOPOLDSWIJK
SQ. DE MEEUS SQ.
WAVERSE STEENWEG
MUS. CAMILLE LEMONNIER
ORATOIRE ST.-JEAN EVANGELISTE
ST.-BONIFAAS
ST.-BONIFACE
EGLISE ORTHODOXE RUSSE
EGLISE ORTH. GRECQUE
PETITS-CARMES KLEINE KARMELIETEN
VLAAMSE VERENIGING VOOR STUDENTEN
CINEMA UGC TOISON D'OR
THEATRE
STEFANIAPL. PL. STEPHANIE
CHATELAIN PLACE SQUARE
ECOLE DE THEATRE LASSAAD
THEATRE POEME
MUSEE BELGE DE L'ASCENCEUR
PLACE LOIX PLEIN
ST.-BERNARD
INST. EUROPEEN DE COMUNICATION
ISEC
ST.-ALIX ST.-ALEXIS
GEM. INFO DIENST
CLINIQUE
IESA
A.R.
SQ. BARON A. BOUVIER SQ.
PLACE H. DUMONT PLEIN
EFAP-ECS
ECOLE DE LIL
RUE DEFACQZ
DEFACQZSTRAAT
RUE TASSON-SNEL STR.
CHARLEROISE STEENWEG
LOUIZALAAN
AV. LOUISE
RUE LESBROUSSART
ISURU
ISA
PLACE P. JANSON PLEIN
INST. ST.-LUC
PARVIS DE LA TRINITE DRIEVULDIGHEIDS-VOORPLEIN
PLACE DU CHATELAIN KASTELEINS-PLEIN
NOTRE DAME DES SERVITES
H. DRIE-VULDIGHEID STE.-TRINITE
MUS. HORTA MUS.
MA CAMPAGNE
RUE FOURMOIS STR.
WATERLEIDINGSSTRAAT
WASHINGTONSTRAAT
EGLISE ARMENIENNE
CHAUSSEE DE VLEURGAT
CHRISTIAN SCIENCE
RUE VILAIN XIV
ST-ANDREWS PRESBYTERIAN CHURCH OF SCOTLAND
A. LEEMANS PL.
N4
N5
N24
N242
N247
N248
N248a
N261
N293

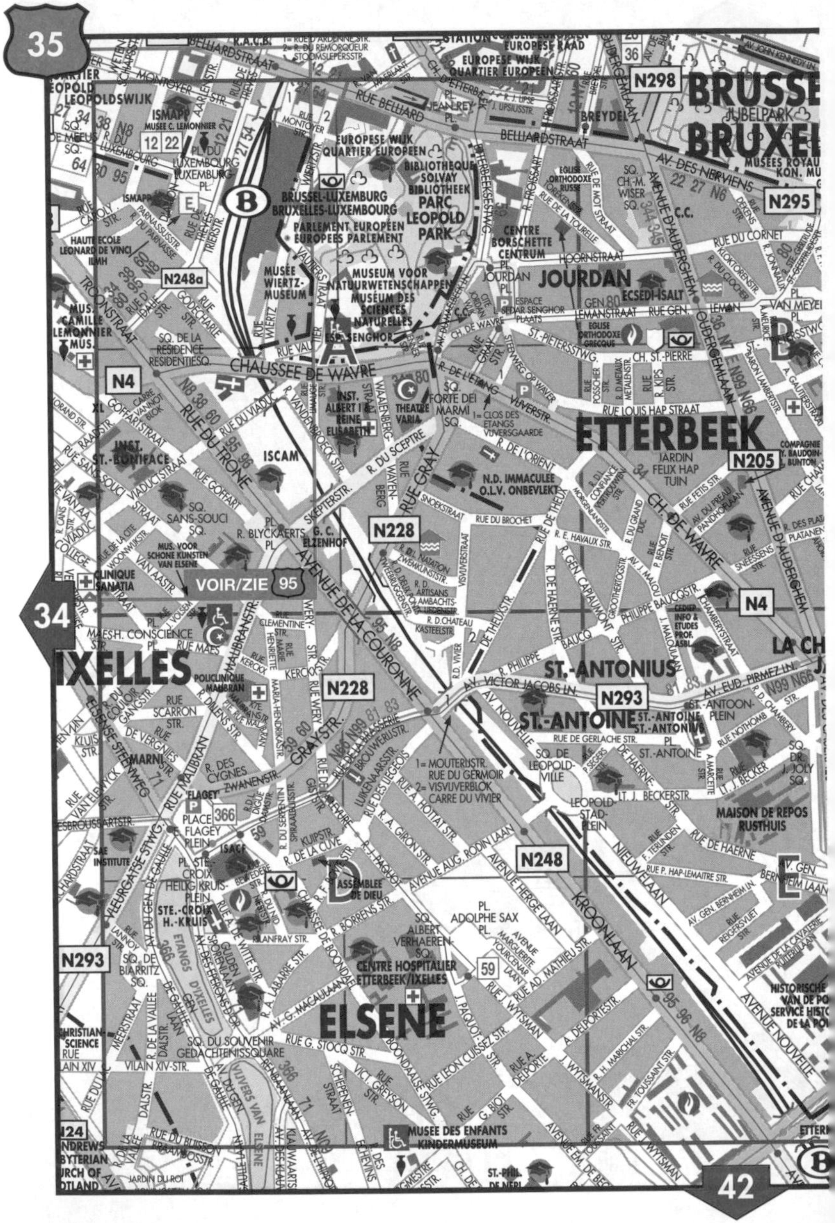

35

BRUSSEL
BRUXELLES

ETTERBEEK

IXELLES

ELSENE

JOURDAN

ST.-ANTONIUS
ST.-ANTOINE

QUARTIER LEOPOLD
LEOPOLDSWIJK

EUROPESE WIJK
QUARTIER EUROPEEN

BRUSSEL-LUXEMBURG
BRUXELLES-LUXEMBOURG

PARLEMENT EUROPEEN
EUROPEES PARLEMENT

BIBLIOTHEQUE SOLVAY
BIBLIOTHEEK

PARC LEOPOLD PARK

MUSEUM VOOR NATUURWETENSCHAPPEN
MUSEUM DES SCIENCES NATURELLES

MUSEE WIERTZ-MUSEUM

CENTRE BORSCHETTE CENTRUM

JUBELPARK

MUSEES ROYAUX
KON. MU

CHAUSSEE DE WAVRE

AVENUE DE LA COURONNE

CH. DE WAVRE

AVENUE D'AUDERGHEM
OUDERGEMLAAN

RUE BELLIARD
BELLIARDSTRAAT

AV. DES NERVIENS

RUE DU TRONE

ELSENSE STEENWEG

CHAUSSEE DE BOONDAEL
BOONDAALSE STWG.

KROONLAAN

AVENUE NOUVELLE
NIEUWELAAN

INST. ALBERT I & REINE ELISABETH

THEATRE VARIA

FORTE DEI MARMI SQ.

N.D. IMMACULEE
O.L.V. ONBEVLEKT

ISCAM

INST. ST.-BONIFACE

SQ. SANS-SOUCI SQ.

MUS. VOOR SCHONE KUNSTEN VAN ELSENE

CLINIQUE SANATIA

POLICLINIQUE MALIBRAN

G. C. ELZENHOF

JARDIN FELIX HAP TUIN

CEDIEP INFO & ETUDES PROF. ASBL

MAISON DE REPOS RUSTHUIS

PLACE FLAGEY PLEIN

SAE INSTITUTE

ISACF

STE.-CROIX H.-KRUIS

ASSEMBLEE DE DIEU

SQ. ALBERT VERHAEREN SQ.

PL. ADOLPHE SAX PL.

CENTRE HOSPITALIER ETTERBEEK/IXELLES

ETANGS D'IXELLES

VIJVERS VAN ELSENE

MUSEE DES ENFANTS
KINDERMUSEUM

SQ. DU SOUVENIR
GEDACHTENISSQUARE

LEOPOLD-STAD-PLEIN

SQ. DE LEOPOLD-VILLE

HISTORISCHE VAN DE PO SERVICE HISTO DE LA PO

1= MOUTERIJSTR. RUE DU GERMOIR
2= VISVIJVERBLOK CARRE DU VIVIER

VOIR/ZIE 95

34

42

28
35
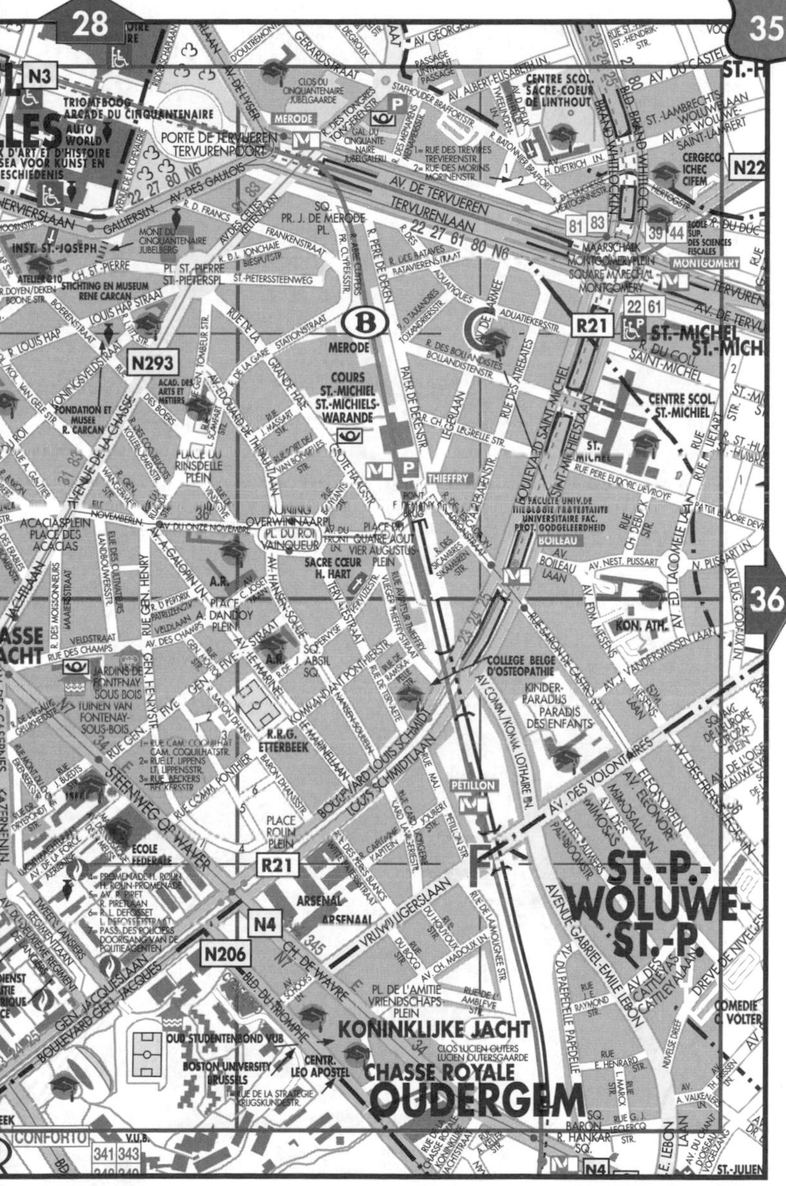

TRIOMFBOOG
ARCADE DU CINQUANTENAIRE
AUTO WORLD
PORTE DE TERVUEREN
TERVURENPOORT
MERODE
CENTRE SCOL. SACRE-COEUR DE LINTHOUT
AV. DE TERVUEREN
TERVURENLAAN
INST. ST.-JOSEPH
STICHTING EN MUSEUM RENE CARCAN
MONTGOMERY
ST.-MICHEL
CENTRE SCOL. ST.-MICHEL
FONDATION ET MUSEE R. CARCAN
COURS ST.-MICHEL ST.-MICHIELS-WARANDE
THIEFFRY
FACULTE UNIV. DE THEOLOGIE PROTESTANTE
UNIVERSITAIRE FAC. PROT. GODGELEERDHEID
BOILEAU
ACACIASPLEIN
PLACE DES ACACIAS
SACRE COEUR H. HART
KON. ATH.
COLLEGE BELGE D'OSTEOPATHIE
KINDER-PARADIJS
PARADIS DES ENFANTS
JARDINS DE FONTENAY SOUS BOIS
TUINEN VAN FONTENAY-SOUS-BOIS
R.R.G. ETTERBEEK
BOULEVARD LOUIS SCHMIDT
PETILLON
ECOLE FEDERALE
ARSENAL
ARSENAAL
AV. DES VOLONTAIRES
ST.-P.-WOLUWE-ST.-P.
KONINKLIJKE JACHT
CHASSE ROYALE
OUDERGEM
OUD STUDENTENBOND VUB
BOSTON UNIVERSITY BRUSSELS
CENTR. LEO APOSTEL
R21
N4
N206
N293
N3
N22

36

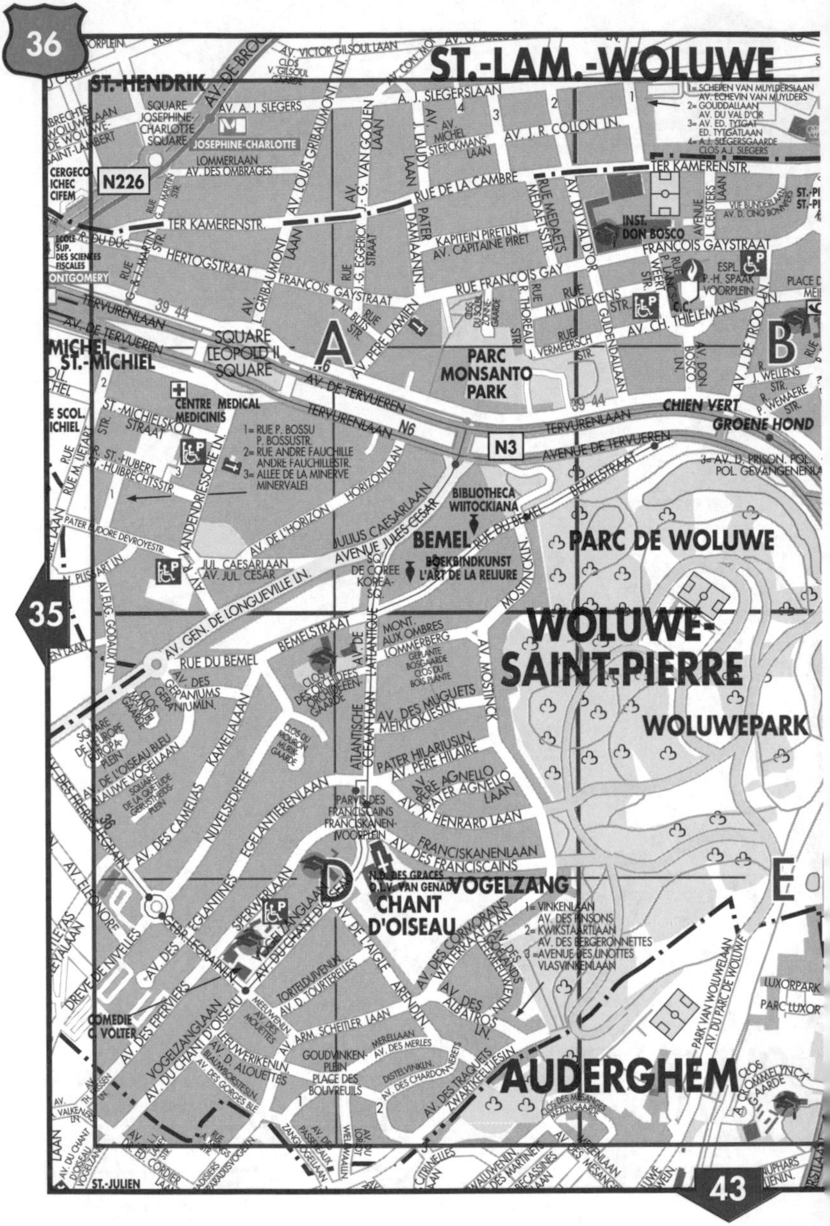

36

ST.-LAM.-WOLUWE

ST.-HENDRIK

AV. VICTOR GILSOUL LAAN
CLOS V. GILSOUL GAARDE
AV. A. J. SLEGERS
A. J. SLEGERSLAAN
SQUARE JOSEPHINE-CHARLOTTE SQUARE
JOSEPHINE-CHARLOTTE
AV. LOUIS GRIBAUMONT LN.
AV. G. VAN GOOLEN LAAN
AV. J. LAUDY LAAN
AV. MICHEL STERCKMANS LAAN
AV. J. R. COLLON LN.
LOMMERLAAN
AV. DES OMBRAGES
N226
CERGECO ICHEC CIFEM
RUE DE LA CAMBRE
TER KAMERENSTR.
RUE MEDAETS MEDAETSSTR.
AV. DU VAL D'OR
INST. DON BOSCO
AVENUE J. CEUSTERS LAAN
VUE BUNDERLAAN
AV. D. CINQ BONNIERS
ECOLE SUP. DES SCIENCES FISCALES
R. DU DUC
HERTOGSTRAAT
RUE G. & J. MARTIN STR.
PATER DAMIAANLN.
KAPITEIN PIRETLN.
AV. CAPITAINE PIRET
FRANÇOIS GAYSTRAAT
RUE FRANÇOIS GAY
RUE J.-G. EGGERICX STRAAT
AV. L. GRIBAUMONT LAAN
RUE M. LINDEKENS STR.
RUE P. LANGS WEERT STR.
ESPL. P.-H. SPAAK VOORPLEIN
C.C.
PLACE D... MEI...
ONTGOMERY
TERVURENLAAN
AV. DE TERVUEREN
RUE M. BUTS STR.
AV. PERE DAMIEN
CLOS DU SOLEIL ZONNEGAARDE
R. THOREAU STR.
GUIDENDALLAAN
AV. CH. THIELEMANS
RUE J. VERMEERSCH STR.
AV. DON BOSCO LN.
AV. J. DE TROOZ LN.
R. J. WELLENS STR.
R. P. WEMAERE STR.
MICHEL ST.-MICHIEL
SQUARE LEOPOLD II SQUARE
A
B
PARC MONSANTO PARK
N6
N3
CHIEN VERT
GROENE HOND
CENTRE MEDICAL MEDICINIS
ST.-MICHIELSKOLL STRAAT
E SCOL. ICHIEL
1= RUE P. BOSSU P. BOSSUSTR.
2= RUE ANDRE FAUCHILLE ANDRE FAUCHILLESTR.
3= ALLEE DE LA MINERVE MINERVALEI
R. ST.-HUBERT ST.-HUIBRECHTSSTR.
AV. VANDENDRIESSCHE LN.
RUE M. LIETART
HORIZONLAAN
AV. DE L'HORIZON
JULIUS CAESARLAAN
AVENUE JULES CESAR
TERVURENLAAN
AVENUE DE TERVUEREN
3= AV. D. PRISON. POL. POL. GEVANGENENLA...
BEMELSTRAAT
RUE DU BEMEL
BIBLIOTHECA WITTOCKIANA
BEMEL
BOEKBINDKUNST L'ART DE LA RELIURE
PARC DE WOLUWE
MOSTINCKLN.
PATER EUDORE DEVROYESTR.
JUL. CAESARLAAN
AV. JUL. CESAR
SQ. DE COREE KOREA-SQ.
AV. GEN. DE LONGUEVILLE LN.
AV. EUG. GODAUX LN.
PLISNART LN.

35

WOLUWE-SAINT-PIERRE
WOLUWEPARK
BEMELSTRAAT
RUE DU BEMEL
AV. DES GERANIUMS GERANIUMLN.
CLOS MANUEL GAARDE
MONT. AUX OMBRES LOMMERBERG
GEPLANTE BOSGAARDE CLOS DU BOIS PLANTE
CLOS DES ORCHIDEES ORCHIDEEËNGAARDE
AV. DE L'ATLANTIQUE
ATLANTISCHE OCEAANLAAN
AV. MOSTINCK
AV. DES MUGUETS MEIKLOKJESLN.
CLOS DU MOURON MURIKGAARDE
KAMELIALAAN
SQUARE DE L'EUROPE EUROPAPLEIN
AV. DE L'OISEAU BLEU
BLAUWE VOGELLAAN
SQUARE DE LA QUIETUDE GERUSTHEIDSPLEIN
PATER HILARIUSLN.
AV. PERE HILAIRE
AV. PERE AGNELLO
PATER AGNELLO LAAN
AV. X. HENRARD LAAN
AV. DES CAMELIAS
NIJVELSEDREEF
EGLANTIERENLAAN
PARVIS DES FRANCISCAINS FRANCISKANENVOORPLEIN
FRANCISKANENLAAN
AV. DES FRANCISCAINS
AV. DES FRERES LEGRAIN
AV. ELEONORE
D
N.D. DES GRACES O.L.V. VAN GENADE
VOGELZANG
CHANT D'OISEAU
E
SPERWERLAAN
VOGELZANGLAAN
AV. DU CHANT D'OISEAU
AV. DE L'AIGLE
AV. DES CORMORANS
WATERRAAFLAAN
AV. DES GOELANDS
1= VINKENLAAN AV. DES PINSONS
2= KWIKSTAARTLAAN AV. DES BERGERONNETTES
3 =AVENUE DES LINOTTES VLASVINKENLAAN
DREVE DE NIVELLES
AV. DES EGLANTINES
GEBR. LEGRAINLN.
AV. DES EPERVIERS
TORTELDUIVENLN.
AV. D. TOURTERELLES
AREND LN.
AV. DES ALBATROS LN.
LUXORPARK
PARC LUXOR
PARK VAN WOLUWELAAN
AV. DU PARC DE WOLUWE
COMEDIE C. VOLTER
VOGELZANGLAAN
AV. DU CHANT D'OISEAU
MEEUWENLN. AV. DES MOUETTES
AV. ARM. SCHEITLER LAAN
LEEUWERIKENLN.
AV. D. ALOUETTES
MERELLAAN AV. DES MERLES
GOUDVINKENPLEIN
PLACE DES BOUVREUILS
DISTELVINKLN.
AV. DES CHARDONNERETS
AV. DES TRAQUETS
ZWARTKEELTJESLN.
AUDERGHEM
CLOS DES MESANGES MEZENGAARDE
CLOS A. CROMMELYNCK GAARDE
BLAUWBORSTESLN.
AV. DES GORGES BLEUES
AV. VALKENIERS LN.
TH. BALSEN LN.
AV. DU CHANT D'OISEAU VOGELZ...
AV. ED. CORDIER LAAN
ST.-JULIEN
PARADISIERS PARADIJSVOGELN.
AV. DES PASSEREAUX ZANGVOGELLAAN
WELDAALLN.
AV. LORIOT
CITRINELLES LAAN
WALUWEN. DES MARTINETS
BECASSINES LAAN
AV. DES MESANGES
MEZENLAAN
NUPHARS PLENLN.

43

29
36
37
28
1= CLOS MONTAGNE DES LAPINS KONIJNENBERGGAARDE
2= MONT ST.-LAMBERT ST.-LAMBERTUSBERG
STOKKELSE STEENWEG
COLL. DON BOSCO
CHÂT. MALOU
CHAUSSEE DE STOCKEL
ST.-LAMBERT
ST.-LAMBERTUS
GROOTVELD
WOLUWE-
ST.-LAM.
KONKELSTRAAT
RUE KONKEL
KONKEL
AV. DU JEU DE PAUME
MONTAGNE DES LAPINS KONIJNENBERG
RUE LOUIS JASMIN STR.
R22
R. DE LA STATION DE WOLUWE
STATIONSSTRAAT VAN WOLUWE
1. PLACE DE LA GARE STATIONSPLEIN
2. MONTAGNE DE LA GARE STATIONSBERG
AV. MONTGOLFIER
MONTGOLFIERLN.
AV. LOUIS JASMIN LN.
KELLE
CLOS DES ACACIAS ACACIAGAARDE
RUE AU BOIS
BOSSTRAAT
1= PARVIS ST.-PIERRE ST.-PIETERSVOORPL.
2= PETITE RUE DE L'EGLISE KLEINE KERKSTR.
3= R. DE LA STATION STATIONSTRAAT
ST.-JOZEFCOLLEGE COLL. JEAN XXIII
PARC DES SOURCES
PL. DU WHITE STAR PLEIN
1. AV. ANTOINE DE ST.-EXUPERY ANTOINE DE ST.-EXUPERYLAAN
2. CLOS COMTE DE FERRARIS GRAAF DE FERRARISGAARDE
3. CLOS DES TROIS COULEURS DRIE KLEURENGAARDE
4. AV. DU COSMONAUTE KOSMONAUTLAAN
AVENUE GRANDCHAMP
TERBRONNENPARK
LES VENELLES DREVEKES
SINT-PIETERS-WOLUWE
TRAMMUSEUM MUS. DU TRAM
RUE KELLE
PARMENTIERLAAN
AV. EDM. PARMENTIER
1= RUE R. FRAEYMAN R. FRAEYMANSTR.
2= RUE E. MERTENS E. MERTENSSTR.
3= VEN. EN BOUQUET LUSSTEEG
4= VEN. AUX COINS DE TERRE MOESTUINSTEEG
5= VEN. AU PALIO PALIOSTEEG
6= VEN. AUX QUATRE NOEUDS VIER KNOPENSTEEG
7= COURSIVE PLEIN CIEL OPENLUCHTWANDELGANG
8= CLOS DES CHATS KATTENGAARDE
9= CLOS DES CHARMES HAAGBEUKENGAARDE
RUE MAREYDE MAREYDESTRAAT
SQUARE LOUISE LOUIZAPLANTSOEN
1= LA VENELLE HET DREVEKEN
AV. DU HOCKEY HOCKEYLN.
ST.-PAUL ST.-PAULUS
AV. DES CHATAIGNIERS
AV. DES ORANGERS ORANJELAAN
AV. DES AJONCS
AV. DES CACTUS
AVENUE DES FOUGERES
AV. ALFR. MADOUX
2= CHEMIN ST.-PAUL ST.-PAULUSWEG
AV. DU MANOIR D'ANJOU
N6
AVENUE DE TERVUEREN
TERVURENLAAN
PARC PARMENTIER PARK
ETANGS MELLAERTS
MELLAERTS VIJVERS
N3
N294
PUTDAEL
PUTDAAL
BARON EMPAIN LN.
SQUARE ALEXANDRE ALEXANDER-PLEIN
2= ST.-GEORGIUS-GAARDE CLOS ST.-GEORGES
CLOS DES SALANGANES SALANGANENGAARDE
SNIPPENDAL VAL DES BECASSES
AVENUE PRINCE BAUDOUIN
AUX TROIS COULEURS
DRIEKLEUREN
AV. COL. DAUMERIE
KOL. DAUMERIELN.
AV. DE LA FAISANDERIE
AV. ISIDORE GERARD LAAN
BOULEVARD DU SOUVERAIN
OUDER-
GEM
1= WITTEVROUWENDREEF DREVE DES DAMES BLANCHES
LOTHARINGENLAAN
AV. DE LOTHIER

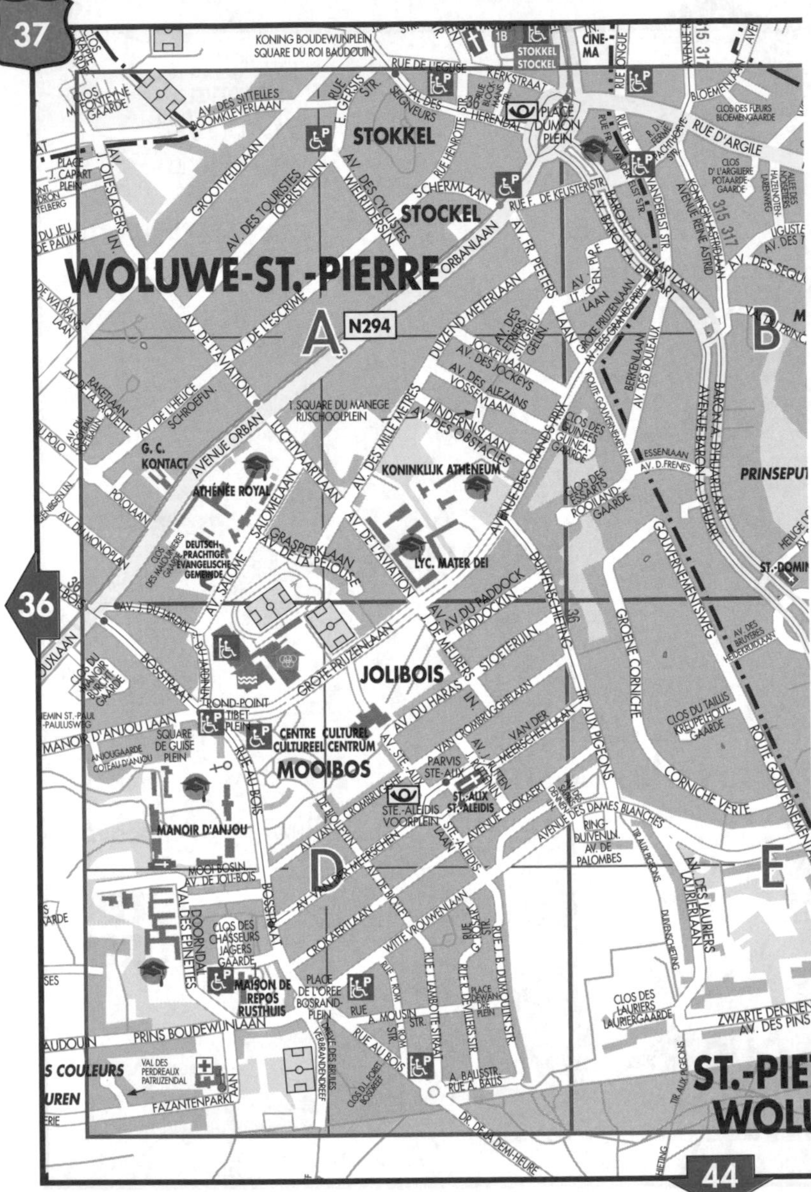
37
36
44
WOLUWE-ST.-PIERRE
STOKKEL
STOCKEL
JOLIBOIS
MOOIBOS
A
B
D
E
N294
KONING BOUDEWIJNPLEIN
SQUARE DU ROI BAUDOUIN
RUE DE L'EGLISE
KERKSTRAAT
STOKKEL
STOCKEL
CINE-MA
RUE LONGUE
PLACE DUMON PLEIN
VAL DES SEIGNEURS
HERENDAL
AV. DES SITTELLES
BOOMKLEVERLAAN
CLOS M. FONTEYNE GAARDE
RUE E. GERSIS STR.
RUE HENRIOTTE
SCHERMLAAN
RUE F. DE KEUSTER STR.
ORBANLAAN
AV. DES TOURISTES
TOERISTENLN.
AV. DES CYCLISTES
WIELRIDERSLN.
GROOTVELDLAAN
AV. OLIESLAGERS LN.
PLACE J. CAPART PLEIN
DU JEU DE PAUME
AV. DE L'ESCRIME
AV. DE L'AVIATION
AVENUE ORBAN
AV. DE L'HELICE
SCHROEFLN.
RAKETLAAN
AV. DE LA RAQUETTE
T. SQUARE DU MANEGE
RIJSCHOOLPLEIN
LUCHTVAARTLAAN
AV. DES MILLE METRES
DUIZEND METERLAAN
JOCKEYLAAN
AV. DES JOCKEYS
AV. DES ALEZANS
VOSSEVLAAN
HINDERNISLAAN
AV. DES OBSTACLES
AV. DES ETRIERS
STIJGBEUGELLN.
AV. FR. PEETERS LAAN
AV. LT. GEN. PIRE LAAN
GROTE PRIJZENLAAN
AV. DES GRANDS PRIX
AVENUE DES GRANDS PRIX
BARON A. D'HUARTLAAN
AV. BARON A. D'HUART
VANDERELST STR.
RUE FR. VANDERELST
AV. DES BOULEAUX
BERKENLAAN
ROUTE GOUVERNEMENTALE
GOUVERNEMENTSWEG
CLOS DES GUINEES GUINEA-GAARDE
CLOS DES ESSARTS ROOILAND-GAARDE
ESSENLAAN
AV. D. FRENES
BLOEMENLAAN
CLOS DES FLEURS BLOEMENGAARDE
RUE D'ARGILE
CLOS D'L'ARGILIERE POTAARDE-GAARDE
KONINGIN ASTRIDLAAN
AVENUE REINE ASTRID
AVENUE BARON A. D'HUART
PRINSEPUT
ST.-DOMIN
AV. DES BRUYERES HEIDEKRUIDLAAN
G. C. KONTACT
ATHÉNÉE ROYAL
KONINKLIJK ATHENEUM
LYC. MATER DEI
DEUTSCH-SPRACHIGE EVANGELISCHE GEMEINDE
CLOS DES MAILQUIERES GAARDE
SALOMELAAN
AV. SALOME
GRASPERKLAAN
AV. DE LA PELOUSE
POLOLAAN
AV. DU MONOPLAN
AV. J. DU JARDIN
BOSSTRAAT
CLOS DU MANOIR BURCHT-GAARDE
AV. DU PADDOCK
PADDOCKLN.
AV. J. DE MEURERS LN.
DUIVENSCHIETING
GROENE CORNICHE
STOETERIJLN.
AV. DU HARAS
VAN CROMBRUGGHELAAN
VAN DER MEERSCHENLAAN
TIR AUX PIGEONS
CLOS DU TAILLIS KREUPELHOUT-GAARDE
CORNICHE VERTE
ROUTE GOUVERNEMENTALE
ROND-POINT TIBET PLEIN
CENTRE CULTUREL
CULTUREEL CENTRUM
MANOIR D'ANJOU LAAN
SQUARE DE GUISE PLEIN
ANJOUGAARDE
COTEAU D'ANJOU
RUE AU BOIS
MANOIR D'ANJOU
PARVIS STE-AUX
STE.-ALEIDIS VOORPLEIN
ST.-ALIX ST.-ALEIDIS
AVENUE CROKAERT
AVENUE DES DAMES BLANCHES
RING-DUIVENLN.
AV. DE PALOMBES
MOOI BOSLN.
AV. DE JOLI-BOIS
AV. VAN DER MEERSCHEN
AV. DE BICKLEY
CROKAERTLAAN
WITTE VROUWENLAAN
AV. DES LAURIERS
LAURIERLAAN
CLOS DES LAURIERS LAURIERGAARDE
ZWARTE DENNEN
AV. DES PINS
VAL DES EPINETTES
DOORNDAL
CLOS DES CHASSEURS JAGERS GAARDE
MAISON DE REPOS
RUSTHUIS
PLACE DE L'OREE BOSRAND-PLEIN
RUE A. MOUSIN STR.
RUE J. LAMBOTTE STRAAT
RUE R. DEVILLERS STR.
RUE J. B. DUMOULIN STR.
A. BALISSTR.
RUE A. BALIS
RUE AU BOIS
PRINS BOUDEWIJNLAAN
VAL DES PERDREAUX PATRIJZENDAL
FAZANTENPARKLAAN
DREVE DES BRULES
VERBRANDENDREEF
DR. DE LA DEMI-HEURE
S COULEURS
ST.-PIET
WOLU

30
37
38
WEZENBEEK-OPPEM
KRAAINEM
ZIKKELENBERG
TER-
VUREN
HOOGVORST
STOKKELBOS
FUJIDOMEIN
DOMAINE FUJI
KASTEEL / CHATEAU
VAL AU BOIS
KASTEEL / CHATEAU
DENNENHUIS
KASTEEL / CHATEAU
LES DOULEAUX
TERVUREN
4 ARMEN
R0
N227
1
C
F
DE GRUNNELAAN
AVENUE DE GRUNNE
POTAARDESTRAAT
CHAUSSEE DE MALINES
MECHELSESTEENWEG
CHAUSSEE DE BRUXELLES
315
317
1= DREVE DES THUYAS
THUYASDREEF
2= DREVE DES TAXUS
TAXUSDREEF
1= CHEMIN DU BOIS D'OPPEM
BOS VAN OPPEMWEG
1= DREVE DES MAGNOLIAS
MAGNOLIASDREEF
AV. DES PERDRIX
PATRUZENLN.
HERTOGENSTR.
HERTOGENLAAN
AV. DES DUCS
RUE DES DUCS
RUE HARD
HARDSTRAAT
BOSWEG
RUE PROFONDE
AV. CHARLES
DE LORRAINE
KAREL VAN LORREINENLAAN
HOOGVORSTWEG
AVENUE ALBERT BECHET
ALBERT BECHETLAAN
AV. DES MYRTILLES
BLAUWE BOSBESSENLAAN
AVENUE DES CHASSEURS
AVENUE CENTRALE
MIDDENLAAN
AV. DES PINS
DENNENLAAN
AV. DES CHATAIGNES
KASTANJESLAAN
AV. DES DOMINICAINES
DOMINICANESSENLAAN
AVENUE BARON A. D'HUART
AV. BARON A. D'HUARTLAAN
GOUVERNEMENTSWEG
AVENUE DES FAISANS
AVENUE DU VAL AU BOIS
AV. DES BECASSES
SNIPPENLAAN
AVENUE DES RAMIERS
AVENUE DES TOURTERELLES
AV. DES DAIMS
HINDENLAAN
AVENUE DU BOIS
AV. DES CROCUS
CROCUSSENLAAN
AV. DES HORTENSIAS
HORTENSIASLAAN
ZONNEBOSLAAN
PRINSEDAL
AV. DES MIMOSAS
AVENUE ARTHUR BLAIVIE LAAN
RODE BEUKENLAAN
PLEINLAAN
SCHONE LUCHTLAAN
AV. DES BOUTONS D'OR
BOTERBLOEMENLAAN
AVENUE DES MARGUERITES
AV. DES EGLANTINES
WILDE ROZENLAAN
AV. DES TOURELLES
AV. DES LIEVRES
HAZENLAAN
CLOS DES ORMES
OLMENOORD
TORENKENS LAAN
AV. NOUVELLE
NIEUWELAAN
VARENSLAAN
AV. DES FOUGERES
DOMAINE FUJI
DOMEINLAAN
RUE DE LA FAUCILLE
R. D.L FAUCILLE
ZIKKELSTR.
STIJN STREUVELSLAAN
FELIX TIMMERMANSLN.
CHEMIN D'HOOGVORST
HOOGVORSTWEG
JAGERSLAAN
DREVE DES BRUYERES
HEIDEKRUIDDREEF
AV. DES PING NOIRS
ZWARTE PIJNBOMENLAAN
ERNEST CLAESLAAN
KAREL VAN LORREINENLAAN
CLOS DES SAPINS
DENNENOORD
MONT FLEURI
KONINGSTRAAT
1= CLOS DU
HAMSTER
2= CLOS DU
BEVERGA
3= GROEBBE
4= CLOS DU
MARTERGA

38
WEZENBEEK-
OPPEM
OPPEM
VURENVELD
GALGENBERG
H. HARTCOLLEGE
CONTAINERPARK
TERMUNT
A
B
D
E
37
45
1= CLOS DU HAMSTER
HAMSTERGAARDE
2= CLOS DU CASTOR
BEVERGAARDE
3= GROEBBE
4= CLOS DU MARTRE
MARTERGAARDE
1 = JULES MONTIGNYLAAN
2 = JEF COOSEMANSSTRAAT
RUE HUBERT VERBOMEN STRAAT
AVENUE ASTRID
ASTRIDLAAN
GRAND CHEMIN D'OPPEM
GROTE OPPEMWEG
RUE DU MOULIN A VENT
WINDMOLENSTRAAT
CHEMIN D'AUDERGHEM
VOSBERG
DIEWEG
ALBERTLAAN
AVENUE ALBERT
RUE DE LA LIMITE
PERKSTRAAT
PADDEPOEL
ELISABETHLAAN
AVENUE ELISABETH
OPPEMSTRAAT
TERVURENLAAN
BROEKSTRAAT
BRUSSELSESTEENWEG
PEPERSTRAAT
HOOGVORSTWEG
JAN VAN BOENDALELAAN
WEZEMBEEKSTRAAT
HERTOGENWEG
CHEMIN DUCAL
HOFKENSSTRAAT
DIEPESTRAAT
DIEPSTRAAT
RUE PROFONDE
LANGE DELLE
MARMOTLAAN
AVENUE DE LA MARMOTTE
AVENUE DES GENETS
RUE PIERRE MARCHAND STR.
JOZEF BAUSSTRAAT
KONINGSTRAATJE
ZAVELSTRAAT
RUE DES SABLES
ERNEST CLAESLAAN
KAREL VAN LORREINENLAAN
JAN VAN RUUSBROECLAAN
HENRI VANDE VELDELAAN
HOFKENSSTR.
CINEMA
N3
30
44
410 830

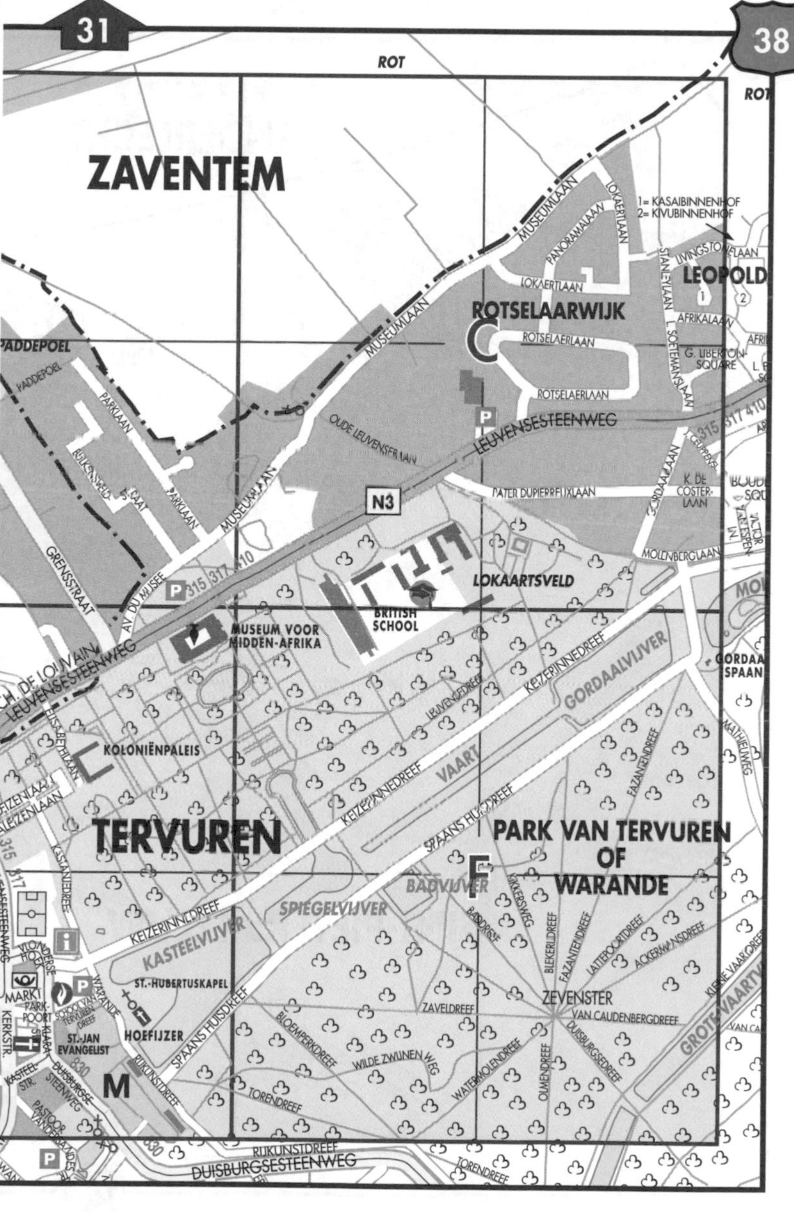
31
38
ROT
ZAVENTEM
1= KASAIBINNENHOF
2= KIVUBINNENHOF
MUSEUMLAAN
LOKAERTLAAN
PANORAMALAAN
STANLEYLAAN
LIVINGSTONELAAN
LEOPOLD
ROTSELAARWIJK
AFRIKALAAN
ROTSELAERLAAN
L. SOETEMANSLAAN
G. LIBERTON-SQUARE
PADDEPOEL
PARKLAAN
OUDE LEUVENSEBAAN
LEUVENSESTEENWEG
N3
PATER DUPIERREUXLAAN
K. DE COSTERLAAN
GORDAALLAAN
MOLENBERGLAAN
GRENSSTRAAT
AV. DU MUSEE
315 317 410
LOKAARTSVELD
BRITISH SCHOOL
MUSEUM VOOR MIDDEN-AFRIKA
CH. DE LOUVAIN
KEIZERINNEDREEF
GORDAALVIJVER
LEUVENSEDREEF
KOLONIËNPALEIS
VAART
SPAANS HUISDREEF
TERVUREN
PARK VAN TERVUREN OF WARANDE
F
BADVIJVER
SPIEGELVIJVER
KASTEELVIJVER
ST.-HUBERTUSKAPEL
HOEFIJZER
BLEKERIJDREEF
FAZANTENDREEF
LATTEPOORTDREEF
ACKERMANSDREEF
ZEVENSTER
VAN CAUDENBERGDREEF
ZAVELDREEF
BLOEMPERKDREEF
WILDE ZWIJNEN WEG
DUISBURGSEDREEF
OUMENDREEF
WATERMOLENDREEF
TORENDREEF
RIJKUNSTDREEF
ST.-JAN EVANGELIST
M
DUISBURGSESTEENWEG
PASTOOR VANDERBANDESTR.
KASTEELSTR.
KERKSTR.
MARKT
PARKPOORT
VLONDERSE HOEK
GROTE VAARTWEG
KLEINE VAARTDREEF

39

ANDERLECHT
MEERVELD
LENNIKSEBAAN
141
A
ROUTE DE LENNIK
RUE DU CHAUDRON
KETELSTRAAT
BLD. HENRI SIMON
B
B201
RESEARCHDREEF
P
1B
ERASME
ERASMUS
ROND-POINT
HENRI SIMONET
ROND-PUNT
AV. J. WYBRAN LAAN
190
N282a
HÔPITAL ERAS
ERASMUSZIEKEN
ACHTEGAAL
PAUL VELDEKENSSTRAAT
POSTWEG
142
ROENSTRAAT
RUE MEYLEM
RUE MIJLENMEERSSTRAAT
VOGELZANGBEEK
GROENSTRAAT
STEENBERGSTRAAT
LEEGHOF
VOORSTRAAT
PLANKVOETWEG
DOMSTRAAT
ZOBBROEK
HERDEWEG
D
E
PARIJSSTRAAT
SINT-PIETERS-LEEUW
CALLENBERG
RATTENDAAL
BREEMPUT

46

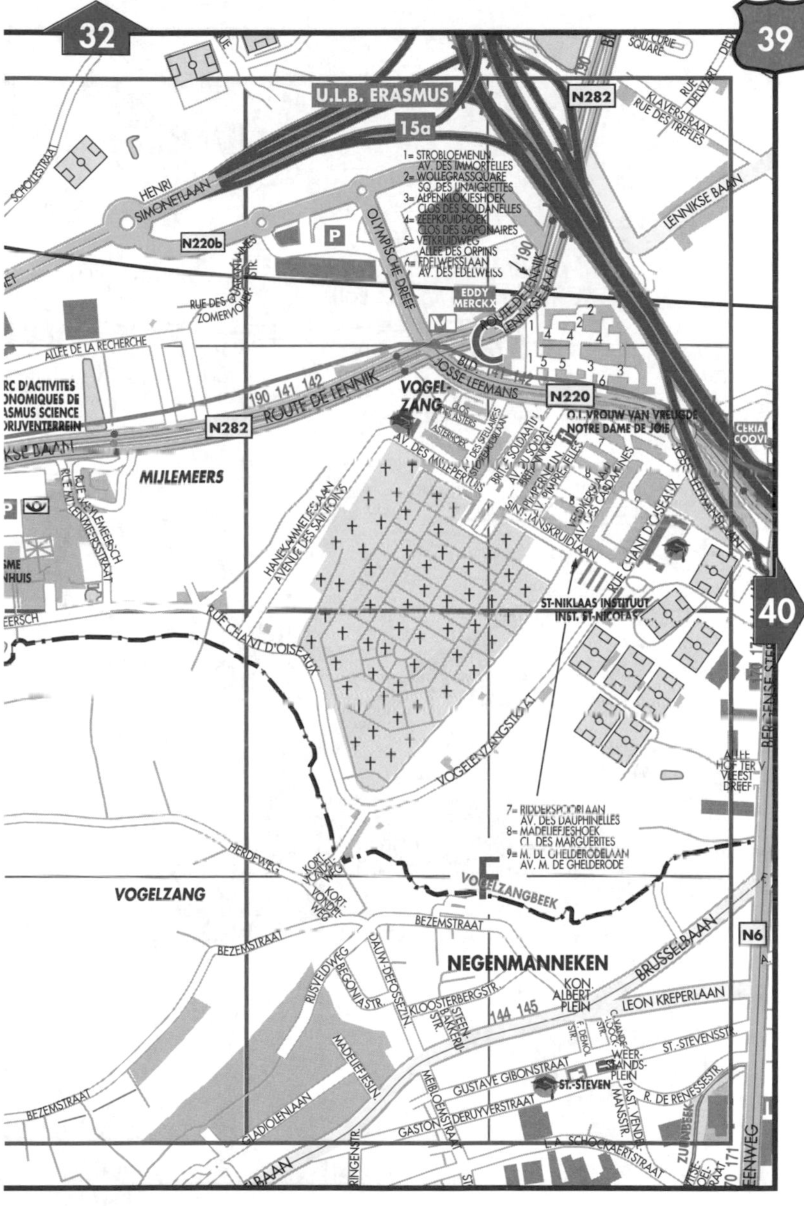

32
39
40
U.L.B. ERASMUS
15a
N282
N220b
N220
N6
1= STROBLOEMENLN.
AV. DES IMMORTELLES
2= WOLLEGRASSQUARE
SQ. DES LINAIGRETTES
3= ALPENKLOKJESHOEK
CLOS DES SOLDANELLES
4= ZEEPKRUIDHOEK
CLOS DES SAPONAIRES
5= VETKRUIDWEG
ALLEE DES ORPINS
6= EDELWEISSLAAN
AV. DES EDELWEISS
7= RIDDERSPOORLAAN
AV. DES DAUPHINELLES
8= MADELIEFJESHOEK
CL. DES MARGUERITES
9= M. DE GHELDERODELAAN
AV. M. DE GHELDERODE
HENRI SIMONETLAAN
OLYMPISCHE DREEF
EDDY MERCKX
ROUTE DE LENNIK
LENNIKSE BAAN
KLAVERSTRAAT
RUE DES TREFLES
RUE DELWART
ALLEE DE LA RECHERCHE
ZOMERVOGELSTR.
VOGELZANG
BLD. JOSSE LEEMANS
ROUTE DE LENNIK
O.L.VROUW VAN VREUGDE
NOTRE DAME DE JOIE
MIJLEMEERS
RUE MEYLEMEERSCH
HANEKAMMETJESLAAN
AVENUE DES SAINTFOINS
RUE CHANT D'OISEAUX
ST-NIKLAAS INSTITUUT
INST. ST-NICOLAS
VOGELENZANGSTRAAT
HERDEWEG
KORT-VONDELWEG
VOGELZANGBEEK
BEZEMSTRAAT
NEGENMANNEKEN
BRUSSELBAAN
KON. ALBERT PLEIN
LEON KREPERLAAN
KLOOSTERBERGSTR.
BEGONIASTR.
DAUW-DEFOSSEZLN.
RUSVELDWEG
ST.-STEVENSSTR.
WEERSTANDSPLEIN
GUSTAVE GIBONSTRAAT
ST.-STEVEN
GASTON DERUYVERSTRAAT
MEIBLOEMSTRAAT
R. DE RENESSESTR.
L.A. SCHOCKAERTSTRAAT
MADELIEFJESLN.
GLADIOLENLAAN
CERIA COOVI

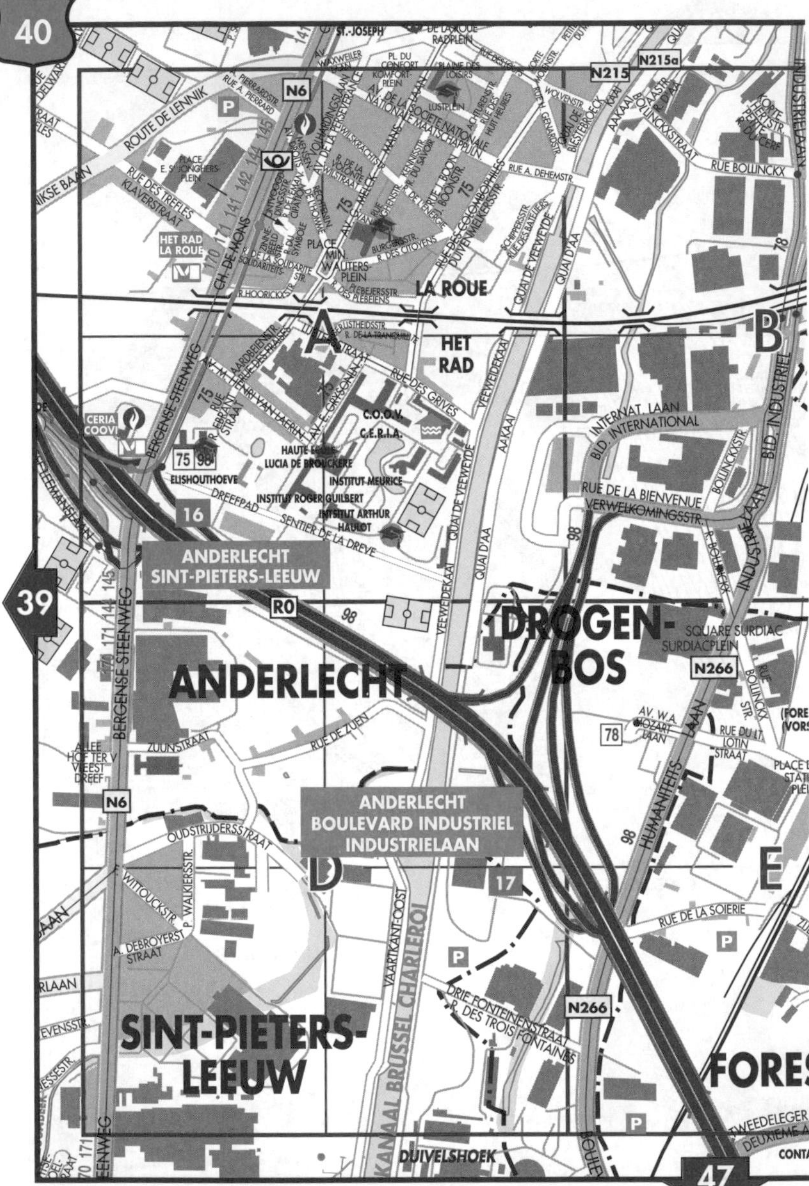

40
39
47
ST.-JOSEPH
N6
N215
N215a
ROUTE DE LENNIK
RUE DES TREFLES
KLAVERSTRAAT
HET RAD
LA ROUE
CH. DE MONS
BERGENSE STEENWEG
PLACE MIN. WAUTERS-PLEIN
LA ROUE
A
B
HET RAD
RUE DES GRIVES
AV. E. GRYSON
AV. M. HENRI VAN LAERLIN
CERIA
COOVI
C.O.O.V.
C.E.R.I.A.
HAUTE ECOLE
LUCIA DE BROUCKERE
INSTITUT MEURICE
INSTITUT ROGER GUILBERT
INTSTITUT ARTHUR HAULOT
ELISHOUTHOEVE
DREEFPAD
SENTIER DE LA DREVE
16
ANDERLECHT
SINT-PIETERS-LEEUW
QUAI DE VEEWEYDE
VEEWEIDEKAAI
QUAI D'AA
AAKAAI
RUE BOLLINCKX
BOLLINCKSTRAAT
INDUSTRIELAAN
BLD. INDUSTRIEL
INTERNAT. LAAN
BLD. INTERNATIONAL
RUE DE LA BIENVENUE
VERWELKOMINGSSTR.
R0
DROGEN-
BOS
SQUARE SURDIAC
SURDIACPLEIN
N266
ANDERLECHT
RUE DE ZUEN
ZUUNSTRAAT
AV. W.A. MOZART LAAN
RUE DU LT. LOTIN STRAAT
HUMANITEITSLAAN
ANDERLECHT
BOULEVARD INDUSTRIEL
INDUSTRIELAAN
OUDSTRIJDERSSTRAAT
D
E
17
RUE DE LA SOIERIE
WITTOUCKSTR.
P. WALKIERSSTR.
A. DEBROYERSTRAAT
VAARTKANT-OOST
KANAAL BRUSSEL CHARLEROI
DRIE FONTEINENSTRAAT
R. DES TROIS FONTAINES
N266
SINT-PIETERS-
LEEUW
FORES
DUIVELSHOEK

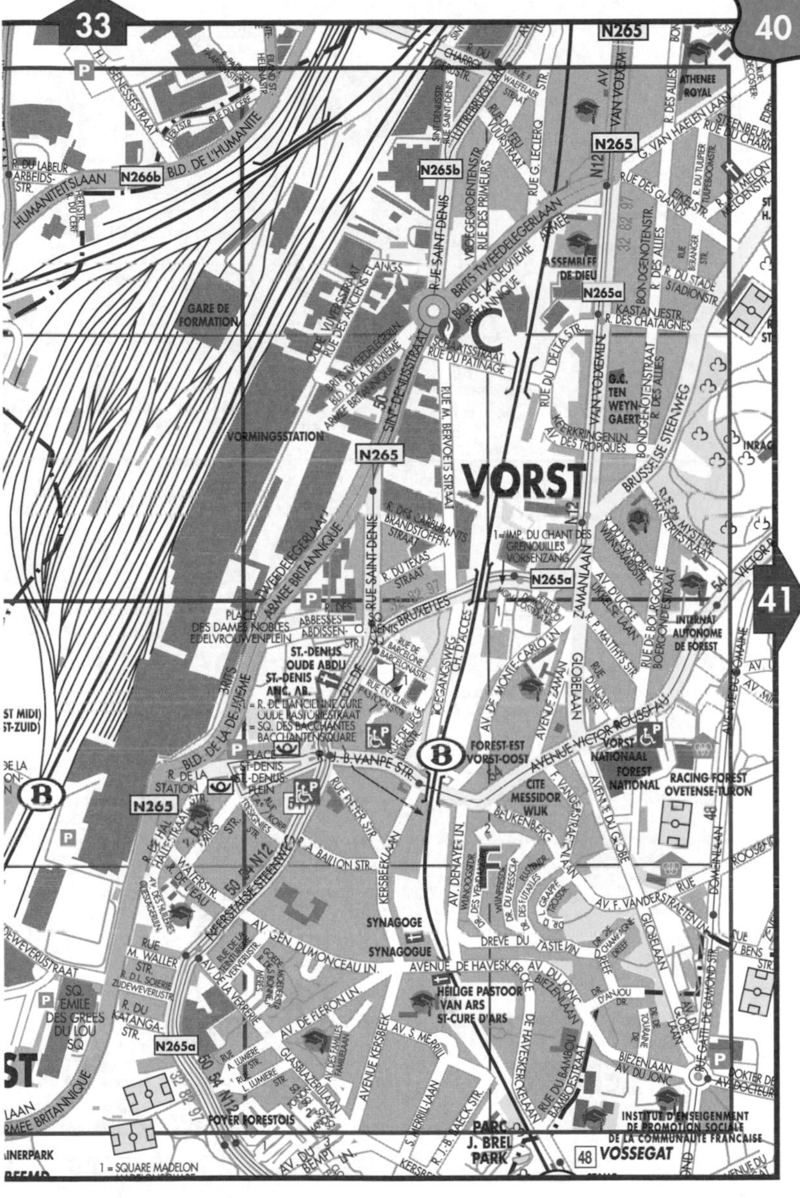
33
40
41
N265
N265b
N266b
N265a
N12
BLD. DE L'HUMANITE
HUMANITEITSLAAN
R. DU LABEUR
ARBEIDS-STR.
H.J. GENESSESTRAAT
RUE DU CERF
HERTSTR.
R. DU CHARROI
RUE DU FEU
VUURSTRAAT
RUE G. LECLERQ
RUE DES PRIMEURS
VROEGEGROENTENSTR.
LUTTREBRUGLAAN
RUE SAINT-DENIS
SINT-DENIJSSTR.
AV. VAN VOLXEM
ATHENEE ROYAL
R. DES ALLIES
G. VAN HAELEN LAAN
STEENBEUKSTR.
RUE DU CHARME
RUE DES GLANDS
EIKELSTR.
RUE DU TULIPIER
TULPEBOOMSTR.
R. DU MELON
MELOENSTR.
BRITS TWEEDELEGERLAAN
BLD. DE LA DEUXIEME ARMEE BRITANNIQUE
ASSEMBLEE DE DIEU
BONDGENOTENSTR.
RUE BERANGER STR.
R. DU STADE
STADIONSTR.
KASTANJESTR.
R. DES CHATAIGNES
GARE DE FORMATION
OUDE VIJVERSSTRAAT
RUE DES ANCIENS ETANGS
SCHAATSSTRAAT
RUE DU PATINAGE
RUE DU DELTA STR.
SINT-DENIJSSTRAAT
RUE M. BERVOETS STRAAT
G.C. TEN WEYNGAERT
KEERKRINGENLN.
AV. DES TROPIQUES
BRUSSELSE STEENWEG
VORMINGSSTATION
VORST
R. DES CARBURANTS
BRANDSTOFFENSTRAAT
R. DU TEXAS STRAAT
1 = IMP. DU CHANT DES GRENOUILLES VORSENZANG
RUE DU MYSTERE
MYSTERIESTRAAT
AV. DU VIGNOBLE
WIJNGAARDSTR.
AV. D'UCCLE
UKKELSE LAAN
R. P. MATTHYS STR.
RUE DE BOURGOGNE
BOERGONDIESTRAAT
INTERNAT AUTONOME DE FOREST
ZAMANLAAN
VICTOR ROUSSEAU
PLACE DES DAMES NOBLES
EDELVROUWENPLEIN
R. DES ABBESSES
ABDISSENSTR.
SQ. O. DENIS
RUE DE BRUXELLES
RUE DE BARCELONE
BARCELONASTR.
ST.-DENIJS OUDE ABDIJ
ST.-DENIS ANC. AB.
1 = R. DE L'ANCIENNE CURE OUDE PASTORIESTRAAT
2 = SQ. DES BACCHANTES BACCHANTENSQUARE
RUE DU CURE PASTOORSSTR.
CH. D'ACCES
TOEGANGSWEG
AV. DE MONTE-CARLO LN.
AVENUE ZAMAN
GLOBELAAN
RUE D'HUMANITE STR.
AVENUE DU DOMAINE
BLD. DE LA DEUXIEME
(ST MIDI)
(ST-ZUID)
R. DE LA STATION
PLACE ST.-DENIS
ST.-DENIJSPLEIN
R. J. B. VANPE STR.
RUE DE LIEGE LUIKSTR.
FOREST-EST
VORST-OOST
AVENUE VICTOR ROUSSEAU
VORST NATIONAAL
FOREST NATIONAL
RACING FOREST OVETENSE-TURON
CITE MESSIDOR WIJK
F. VANDERSTRAETENLAAN
AVENUE DU GLOBE
BEUKENBERG
RUE FIERS STR
R. DE HAL
HALLESTRAAT
RUE DU PRIES
KERSBEEKLAAN
R. A. BAILLON STR.
AV. DENAYER LN.
WATERSTR.
R. DE L'EAU
VORSTSE STEENWEG
DR. DES VENDANGES
DR. DES FUTAILLES
DR. D. L. GRAPPE
AV. F. VANDERSTRAETENLN.
RUE M. WALLER STR.
AV. GEN. DUMONCEAU LN.
SYNAGOGE
SYNAGOGUE
DREVE DU TASTEVIN
DR. DE CHAMPAGNE DREEF
AVENUE DE HAVESKERCKE
AV. DU JONC
BIEZENLAAN
ZIJDEWEVERSTRAAT
R. D.L. SOIERIE
ZIJDEWEVERIJSTR.
AV. DE LA VERRERIE
SQ. EMILE DES GREES DU LOU SQ.
R. DU KATANGA STR.
HEILIGE PASTOOR VAN ARS
ST-CURE D'ARS
DR. D'ANJOU DR.
DE HAVESKERCKELAAN
DR. DE TOURAINE DR.
AV. DE FLERON LN.
AV. S. MERRILL
AVENUE KERSBEEK
AV. DES FAMILLES FAMILIELAAN
GLASBLAZERIJLAAN
RUE A. LUMIERE STR.
RUE DU BAMBOU
BAMBOESTRAAT
BIEZENLAAN
AV. DU JONC
RUE GATTI DE GAMOND STR.
DOKTER DE
AV. DOCTEUR
N265a
S. MERRILL-LAAN
R. J. B. BAECK STR.
PARC J. BREL PARK
INSTITUT D'ENSEIGNEMENT DE PROMOTION SOCIALE DE LA COMMUNAUTE FRANCAISE
48
VOSSEGAT
FOYER FORESTOIS
AV. DU BEMPT LN.
1 = SQUARE MADELON
ARMEE BRITANNIQUE

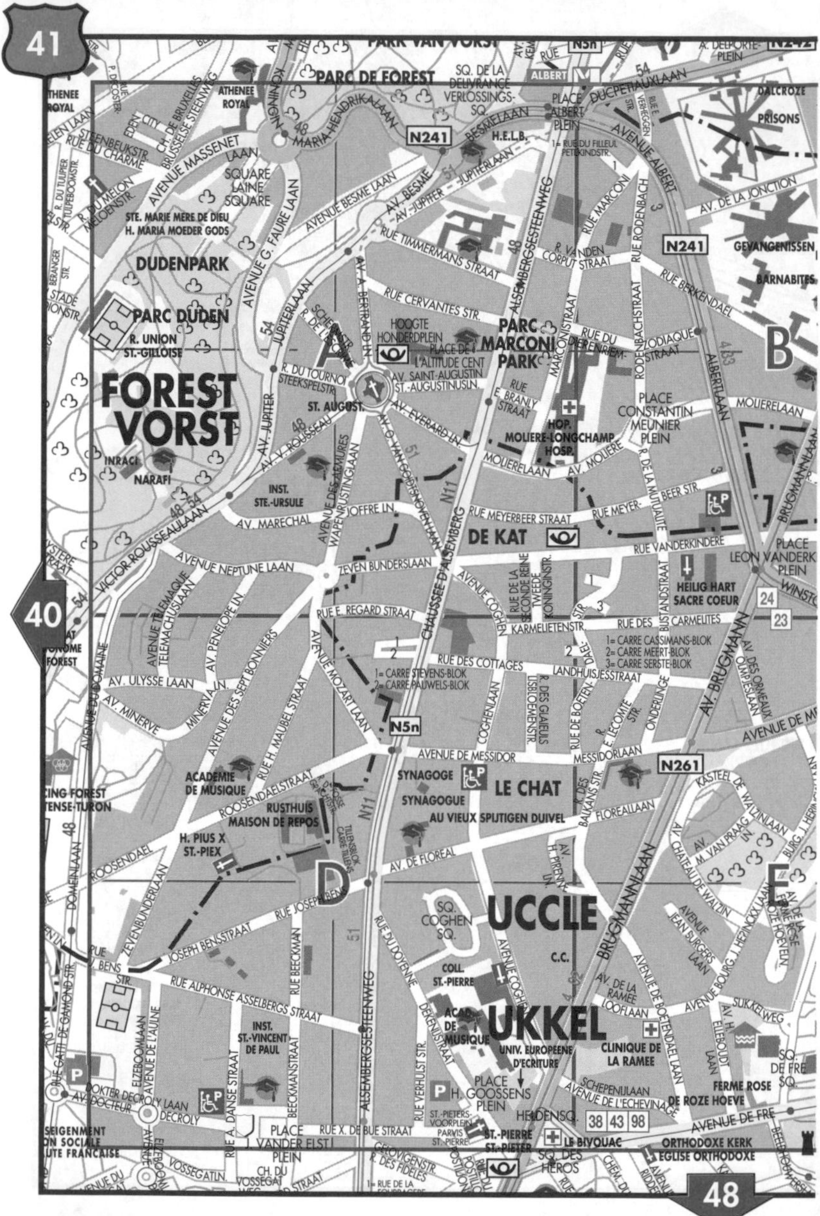

41

PARK VAN VORST
PARC DE FOREST
SQ. DE LA DELIVRANCE
VERLOSSINGS-SQ.
ALBERT
PLACE ALBERT
PLEIN
DUCPETIAUXLAAN
DALCROZE
PRISONS
A. DELPORTE-PLEIN
N5h
N242
ATHENEE ROYAL
ATHENEE ROYAL
P. DECOSTER
EDEN CITY
CH. DE BRUXELLES
BRUSSELSE STEENWEG
KONINGIN
MARIA HENDRIKALAAN
N241
BESMELAAN
H.E.L.B.
1= RUE DU FILLEUL
PETEKINDSTR.
AVENUE ALBERT
STR. VERHEGGEN
STEENBEUKSTR.
RUE DU CHARME
AVENUE MASSENET LAAN
R. DU TULPIER
TULPEBOOMSTR.
R. DU MELON
MELOENSTR.
SQUARE LAINE SQUARE
AVENUE BESME LAAN
AV. BESME
AV. JUPITER
JUPITERLAAN
RUE MARCONI
RUE RODENBACH
AV. DE LA JONCTION
STE. MARIE MERE DE DIEU
H. MARIA MOEDER GODS
AVENUE G. FAURE LAAN
RUE TIMMERMANS STRAAT
R. VANDEN CORPUT STRAAT
ALSEMBERGSESTEENWEG
N241
GEVANGENISSEN
BARNABITES
DUDENPARK
BERANGER STR.
STADE
AV. A. BERTRAND LN.
RUE CERVANTES STR.
RUE BERKENDAEL
PARC DUDEN
R. UNION
ST.-GILLOISE
JUPITERLAAN
SCHERMSTR.
R. DE L'ESCRIME
HOOGTE HONDERDPLEIN
PLACE DE L'ALTITUDE CENT
PARC MARCONI PARK
MARCONISTRAAT
RUE DU ZODIAQUE
DIERENRIEM-STRAAT
RODENBACHSTRAAT
ALBERTLAAN
A
B
FOREST
VORST
AV. JUPITER
R. DU TOURNOI
STEEKSPELSTR.
AV. SAINT-AUGUSTIN
ST.-AUGUSTINUSLN.
ST. AUGUST.
RUE E. BRANLY STRAAT
HOP. MOLIERE-LONGCHAMP HOSP.
PLACE CONSTANTIN MEUNIER PLEIN
MOLIERELAAN
AV. V. ROUSSEAU
AV. EVERARD LN.
AV. G. VAN GOIDSNOVENLAAN
AVENUE DES ARMURES
WAPENRUSTINGLAAN
MOLIERELAAN
AV. MOLIERE
R. DE LA MUTUALITE
INRACI
NARAFI
INST. STE.-URSULE
N11
RUE MEYERBEER STRAAT
RUE MEYER-BEER STR.
AV. MARECHAL JOFFRE LN.
BRUGMANNLAAN
VICTOR ROUSSEAULAAN
DE KAT
RUE VANDERKINDERE
PLACE LEON VANDERK PLEIN
AVENUE NEPTUNE LAAN
ZEVEN BUNDERSLAAN
AVENUE COGHEN
RUE DE LA SECONDE REINE
TWEEDE KONINGINSTR.
HEILIG HART
SACRE COEUR
WINSTO
24
23
AVENUE TELEMAQUE
TELEMACHUSLAAN
AV. PENELOPE LN.
RUE E. REGARD STRAAT
CHAUSSEE D'ALSEMBERG
KARMELIETENSTR.
RUE DES CARMELITES
BUSTANDSTRAAT
AVENUE DES SEPT BONNIERS
AVENUE MOZART LAAN
1= CARRE CASSIMANS-BLOK
2= CARRE MEERT-BLOK
3= CARRE SERSTE-BLOK
FOREST
RUE DES COTTAGES
LANDHUISJESSTRAAT
DAEL
AV. DES ORMEAUX
OLMPJESLAAN
AV. ULYSSE LAAN
1= CARRE STEVENS-BLOK
2= CARRE PAUWELS-BLOK
COGHENLAAN
R. DES GLAIEULS
USBLOEMENSTR.
RUE DE BOETEN
R. E. LECOMTE STR.
ONDERLINGE
AV. BRUGMANN
AVENUE DE MI
AV. MINERVE
MINERVA LN.
RUE H. MAUBEL STRAAT
N5n
AVENUE DU DOMAINE
AVENUE DE MESSIDOR
MESSIDORLAAN
N261
ACADEMIE DE MUSIQUE
SYNAGOGE
SYNAGOGUE
LE CHAT
R. DES BALKANS STR.
KASTEEL DE WATERLOO
CING FOREST
TENSE-TURON
ROOSENDAELSTRAAT
RUSTHUIS
MAISON DE REPOS
AU VIEUX SPIJTIGEN DUIVEL
FLOREALLAAN
H. PIUS X
ST.-PIEX
TILLENSBLOK
CARRE TILLENS
AV. M. VAN PRAAG LN.
AV. CHATEAU DE WALZIN
BURG. J. HERIN
ROOSENDAEL
AV. DE FLOREAL
AV. H. PIRENNE LN.
D
E
DOMEINLAAN
ZEVENBUNDERLAAN
RUE JOSEPH BENS
SQ. COGHEN SQ.
UCCLE
AVENUE JEAN BURGERS LAAN
AV. DE LA FERME ROSE
ROZE HOEVEN
RUE J. BENS
JOSEPH BENSSTRAAT
RUE BECKMAN
RUE DU DOYENNE
C.C.
BRUGMANNLAAN
AVENUE COGHEN
COLL. ST.-PIERRE
RUE ALPHONSE ASSELBERGS STRAAT
AV. DE LA RAMEE
LOOFLAAN
AVENUE DE BOETENDAEL LAAN
AVENUE BOURG. J. HEZINCKX LAAN
SUIKELWEG
INST. ST.-VINCENT DE PAUL
ACAD. DE MUSIQUE
UKKEL
DEKENIJSTRAAT
AV. H. ELLEBOUDT LAAN
RUE GATTI DE GAMOND STR.
ELZEBOOMLAAN
AVENUE DE L'AUNE
UNIV. EUROPEENE D'ECRITURE
CLINIQUE DE LA RAMEE
SQ. DE FRE SQ.
RUE A. DANSE STRAAT
BECKMANSTRAAT
RUE VERHULST STR.
DOKTER DECROLY LAAN
AV. DOCTEUR DECROLY
PLACE H. GOOSSENS PLEIN
SCHEPENIJLAAN
AVENUE DE L'ECHEVINAGE
FERME ROSE
DE ROZE HOEVE
ST.-PIETERS-VOORPLEIN
PARVIS ST.-PIERRE
HELDENSQ.
38 43 98
AVENUE DE FRE
SEIGNEMENT
ON SOCIALE
UTE FRANCAISE
PLACE J. VANDER ELST PLEIN
RUE X. DE BUE STRAAT
ST.-PIERRE
ST.-PIETER
LE BIVOUAC
ORTHODOXE KERK
EGLISE ORTHODOXE
VOSSEGATLN.
CH. DU VOSSEGAT
GELOVIGENSTR.
R. DES FIDELES
SQ. DES HEROS
1= RUE DE LA FOURRAGERE

40
48

34

41

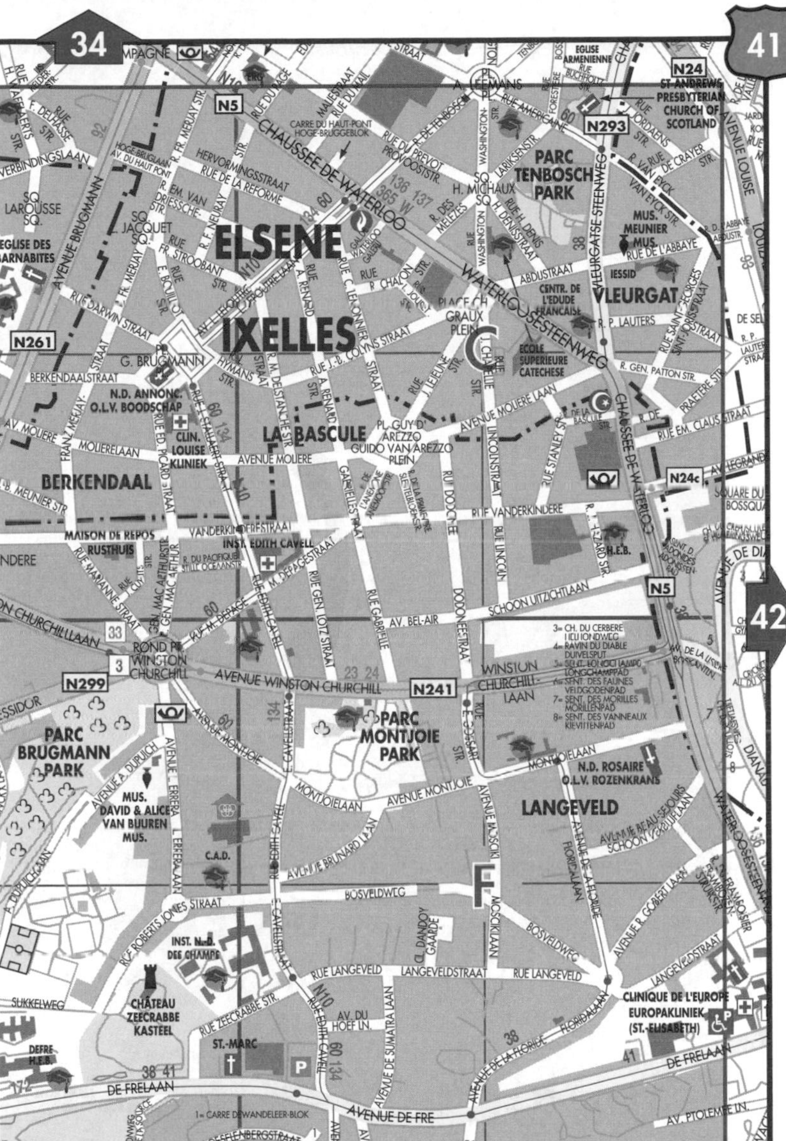
ELSENE
IXELLES
LA BASCULE
BERKENDAAL
VLEURGAT
LANGEVELD
PARC TENBOSCH PARK
PARC MONTJOIE PARK
PARC BRUGMANN PARK
CHAUSSEE DE WATERLOO
WATERLOOSESTEENWEG
AVENUE WINSTON CHURCHILL
AVENUE MOLIERE
AVENUE BRUGMANN
AVENUE MONTJOIE
MONTJOIELAAN
BOSVELDWEG
RUE LANGEVELD
LANGEVELDSTRAAT
AVENUE DE FRE
DE FRELAAN
RUE VANDERKINDERE
VANDERKINDERESTRAAT
AV. BEL-AIR
SCHOON UITZICHTLAAN
ST-ANDREWS PRESBYTERIAN CHURCH OF SCOTLAND
MUS. MEUNIER MUS.
N.D. ANNONC. O.L.V. BOODSCHAP
CLIN. LOUISE KLINIEK
INST. EDITH CAVELL
MAISON DE REPOS RUSTHUIS
N.D. ROSAIRE O.L.V. ROZENKRANS
MUS. DAVID & ALICE VAN BUUREN MUS.
CHÂTEAU ZEECRABBE KASTEEL
CLINIQUE DE L'EUROPE EUROPAKLINIEK (ST.-ELISABETH)
ECOLE SUPERIEURE CATECHESE
CENTR. DE L'EDUDE FRANCAISE
EGLISE DES BARNABITES
ST.-MARC
C.A.D.
3= CH. DU CERBERE
4= RAVIN DU DIABLE DUIVELSPUT
6= SENT. DES FAUNES VELDGODENPAD
7= SENT. DES MORILLES MORILLENPAD
8= SENT. DES VANNEAUX KIEVITTENPAD
1= CARRE DEWANDELEER-BLOK

42

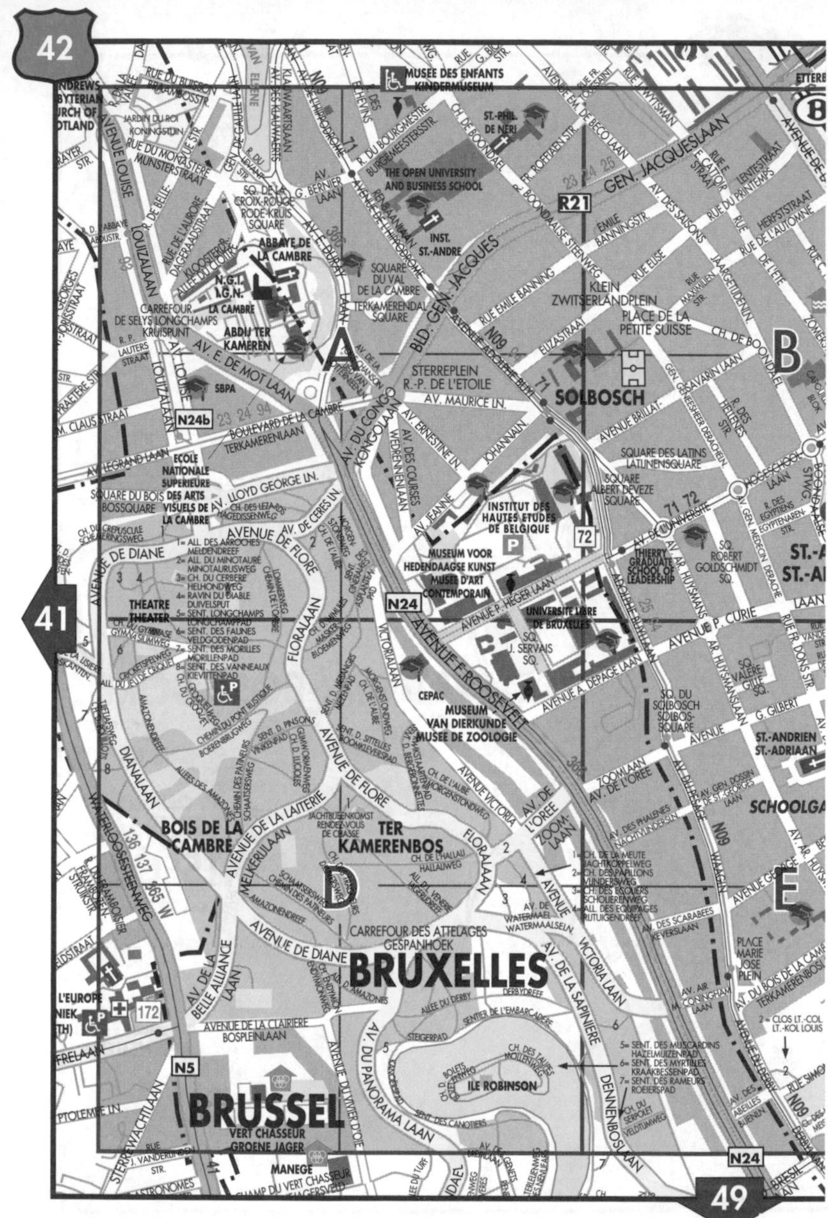

42

41

49

A

B

D

E

BRUXELLES

BRUSSEL

BOIS DE LA CAMBRE

TER KAMERENBOS

SOLBOSCH

MUSEE DES ENFANTS
KINDERMUSEUM

ST.-PHIL. DE NERI

THE OPEN UNIVERSITY AND BUSINESS SCHOOL

INST. ST.-ANDRE

ABBAYE DE LA CAMBRE

N.G.I.
I.G.N.
LA CAMBRE

ABDIJ TER KAMEREN

SBPA

ECOLE NATIONALE SUPERIEURE DES ARTS VISUELS DE LA CAMBRE

INSTITUT DES HAUTES ETUDES DE BELGIQUE

MUSEUM VOOR HEDENDAAGSE KUNST
MUSEE D'ART CONTEMPORAIN

UNIVERSITE LIBRE DE BRUXELLES

THIERRY GRADUATE SCHOOL OF LEADERSHIP

CEPAC

MUSEUM VAN DIERKUNDE
MUSEE DE ZOOLOGIE

THEATRE
THEATER

ST.-ANDRIEN
ST.-ADRIAAN

SCHOOLGA

ILE ROBINSON

MANEGE

VERT CHASSEUR
GROENE JAGER

L'EUROPE

CARREFOUR DES ATTELAGES
GESPANHOEK

JACHTBIJEENKOMST
RENDEZ-VOUS DE CHASSE

CARREFOUR DE SELYS LONGCHAMPS
KRUISPUNT

SQUARE DU VAL DE LA CAMBRE
TERKAMERENDAL SQUARE

STERREPLEIN
R.-P. DE L'ETOILE

KLEIN ZWITSERLANDPLEIN
PLACE DE LA PETITE SUISSE

SQUARE DES LATINS
LATIJNENSQUARE

SQUARE ALBERT DEVEZE SQUARE

SQ. ROBERT GOLDSCHMIDT SQ.

SQ. J. SERVAIS SQ.

SQ. DU SOLBOSCH SOLBOS-SQUARE

SQ. VALERE-GILLE SQ.

PLACE MARIE JOSE PLEIN

SQUARE DU BOIS DE BOSSQUARE

SQ. DE LA CROIX-ROUGE
RODE-KRUIS SQUARE

JARDIN DU ROI
KONINGSTUIN

R21

N24b

N24

N09

N5

72

172

1= ALL. DES ARROCHES MELDENDREEF
2= ALL. DU MINOTAURE MINOTAURUSWEG
3= CH. DU CERBERE HELHONDWEG
4= RAVIN DU DIABLE DUIVELSPUT
5= SENT. LONGCHAMPS LONGCHAMPPAD
6= SENT. DES FAUNES VELDGODENPAD
7= SENT. DES MORILLES MORILLENPAD
8= SENT. DES VANNEAUX KIEVITTENPAD

1= CH. DE LA MEUTE JACHTKOPPELWEG
2= CH. DES PAPILLONS VLINDERSWEG
3= CH. DES ECOLIERS SCHOLIERENWEG
4= ALL. DES EQUIPAGES RIJTUIGENDREEF

5= SENT. DES MUSCARDINS HAZELMUIZENPAD
6= SENT. DES MYRTILLES KRAAKBESSENPAD
7= SENT. DES RAMEURS ROEIERSPAD

2 = CLOS LT.-COL LT.-KOL LOUIS

AVENUE LOUISE
LOUIZALAAN

AV. E. DE MOT LAAN

BOULEVARD DE LA CAMBRE
TERKAMERENLAAN

AV. LEGRAND LAAN

AV. LLOYD GEORGE LN.

AVENUE DE DIANE
DIANALAAN

AVENUE DE FLORE
FLORALAAN

AV. DE CERES LN.

AV. DU CONGO
KONGOLAAN

AVENUE F. ROOSEVELT

VICTORIALAAN
AVENUE VICTORIA

BLD. GEN. JACQUES
GEN. JACQUESLAAN

AVENUE ADOLPHE BUYL
ADOLPHE BUYLLAAN

AV. DE L'UNIVERSITE

AVENUE P. HEGER LAAN

AVENUE P. CURIE

AVENUE A. DEPAGE LAAN

AV. AR. HUYSMANS
AR. HUYSMANSLAAN

AV. DU DEPAGE

ZOOMLAAN
AV. DE L'OREE

AV. DE LA SAPINIERE
DENNENBOSLAAN

AVENUE DE LA LAITERIE
MELKERIJLAAN

AV. DE LA BELLE ALLIANCE LAAN

AVENUE DE LA CLAIRIERE
BOSPLEINLAAN

AV. DU PANORAMA LAAN

AVENUE DU VIVIER D'OIE

WATERLOOSESTEENWEG

CH. DE BOONDAEL
BOONDAALSE STEENWEG

AV. DES SAISONS
JAARGETIJDENLN.

AVENUE EML. DE BECO LAAN

RUE EMILE BANNING
EMILE BANNINGSTR.

AV. MAURICE LN.

AV. ERNESTINE LN.

AV. DES COURSES
WEDRENNENLAAN

AV. JEANNE
JOHANNALN.

AV. DE L'HIPPODROME
RENBAANLAAN

AV. G. BERNIER LAAN

R. DU BOURGMESTRE
BURGEMEESTERSSTR.

AV. DES KLAUWAERTS
KLAUWAERTSLAAN

RUE DU MONASTERE
MUNSTERSTRAAT

RUE DE L'AURORE
DAGERAADSTRAAT

KLOOSTERDR.
ALLEE DU CLOITRE

AV. LEGRAND LAAN

AV. DE WATERMAEL
WATERMAALSELN.

AV. DES SCARABEES
KEVERSLAAN

AV. AIR CONINGHAM LAAN

AV. DU BOIS DE LA CAMBRE
TERKAMERENBOSLAAN

AVENUE DU DERBY

AV. DES ABEILLES
BIJENLN.

ALLEE DU DERBY
DERBYDREEF

SENTIER DE L'EMBARCADERE
STEIGERPAD

SENT. DES CANOTIERS

CH. DES TAUPES
MOLLENWEG

CH. D. BOLETS
BOLETENWEG

CH. DU SERPOLET
VELDTIJMWEG

AV. GEN. DOSSIN DE ST.-GEORGES LAAN

AV. DES PHALENES
NACHTVLINDERSLN.

AV. GEN. MEDECIN DERACHE

R. DES EGYPTIENS
EGYPTENAREN-STR.

HOGESCHOOLLAAN

RUE E. CATTOIR STRAAT

RUE DU PRINTEMPS
LENTESTRAAT

RUE DE L'AUTOMNE
HERFSTSTRAAT

RUE DE L'ETE

RUE ELISE
ELIZASTRAAT

RUE MAXIMILIEN STR.

AV. GEN. GENESSIEUX DERACHEIN

AVENUE BRILLAT-SAVARIN LAAN

RUE DES HELENES STR.

RUE FR. ROFFIAEN STR.

RUE FR. DONS STR.

G. GILBERT

AVENUE JEAN

ST.-A
ST.-A

STERREWACHTLAAN

J. VANDERLINDEN STR.

PTOLEMEE LN.

CHAMP DU VERT CHASSEUR
GROENEJAGERSVELD

M. CLAUS STRAAT

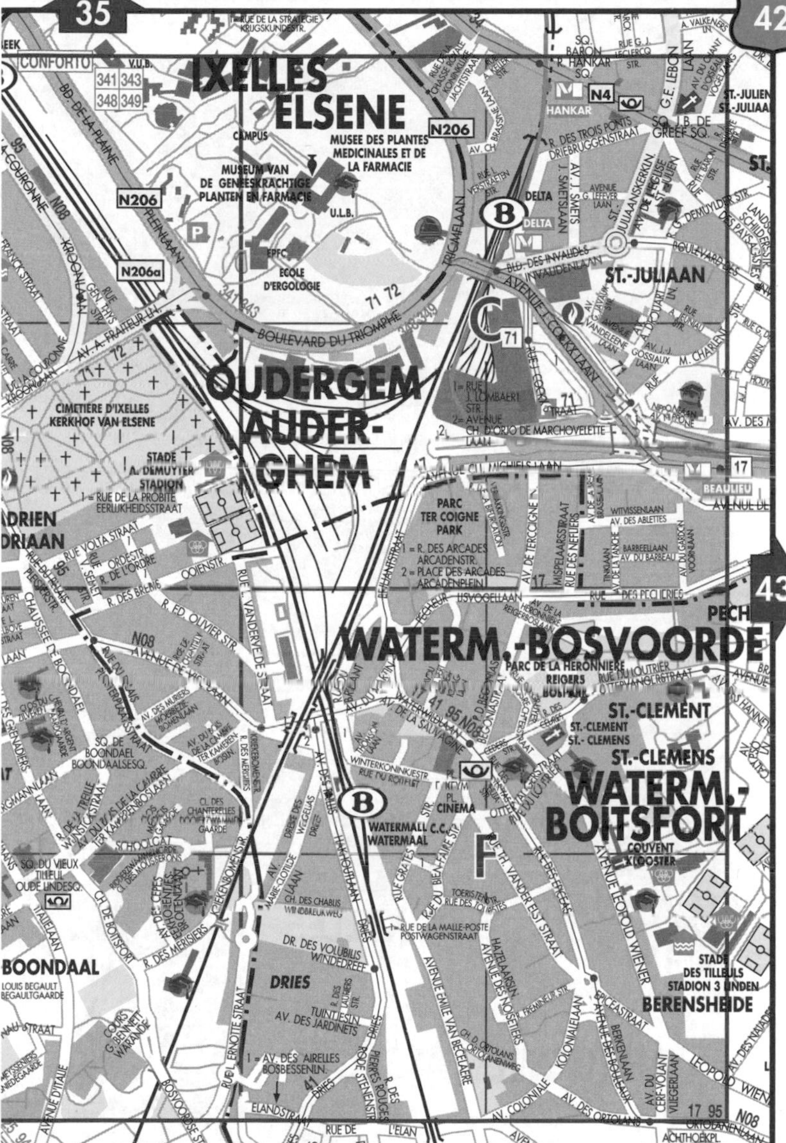

35
42
43
IXELLES
ELSENE
OUDERGEM
AUDER-
GHEM
WATERM.-BOSVOORDE
WATERM.-
BOITSFORT
ST.-CLEMENT
ST.-CLEMENS
ST.-JULIAAN
BOONDAAL
BERENSHEIDE
DRIES
MUSEE DES PLANTES
MEDICINALES ET DE
LA FARMACIE
MUSEUM VAN
DE GENEESKRACHTIGE
PLANTEN EN FARMACIE
CIMETIERE D'IXELLES
KERKHOF VAN ELSENE
STADE
A. DEMUYTER
STADION
PARC
TER COIGNE
PARK
PARC DE LA HERONNIERE
REIGERS
BOSPARK
STADE
DES TILLEULS
STADION 3 LINDEN
COUVENT
KLOOSTER
HANKAR
DELTA
BEAULIEU
BOULEVARD DU TRIOMPHE
TRIOMFLAAN
BD. DE LA PLAINE
PLEINLAAN
WATERMAEL
C.C.
CINEMA

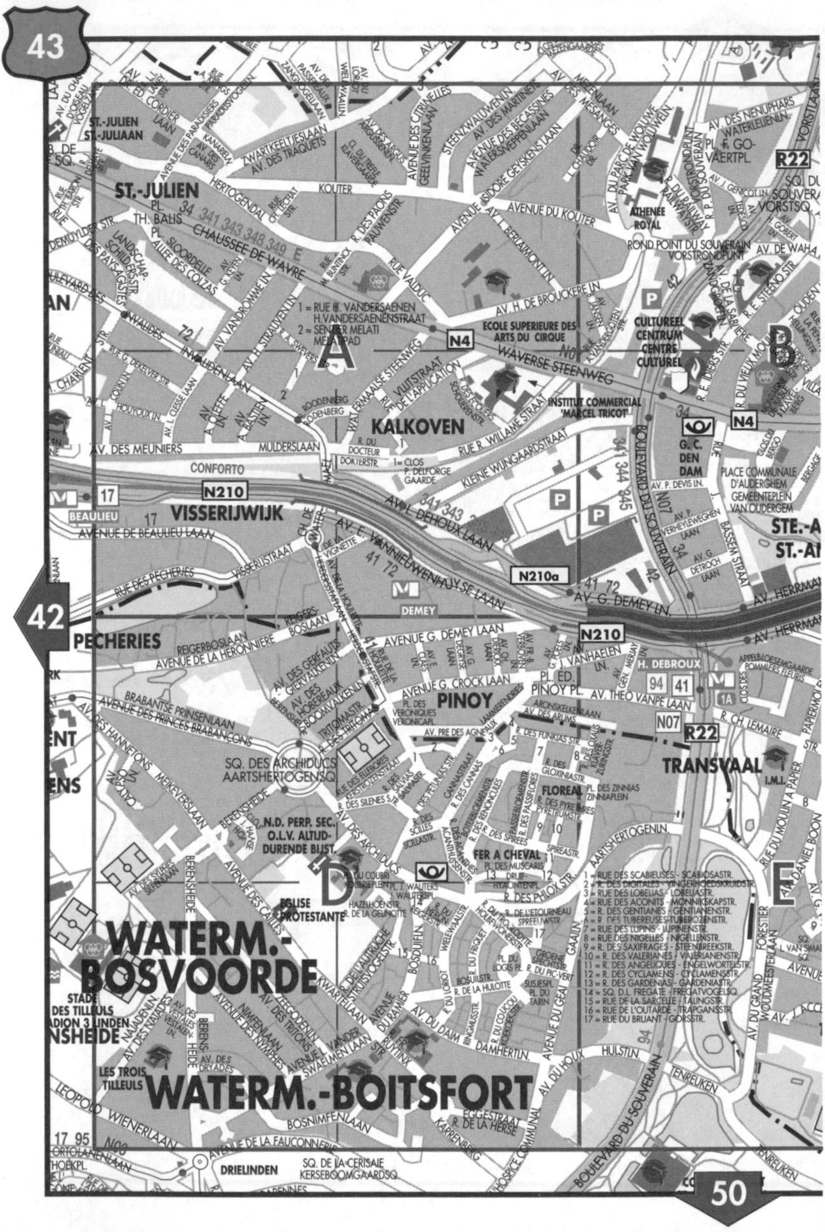

43

ST.-JULIEN
ST.-JULIAAN

ST.-JULIEN

PL. TH. BALIS

CHAUSSEE DE WAVRE

WAVERSE STEENWEG

AVENUE DU KOUTER

KOUTER

HERTOGENDAL

AV. DES TRAQUETS

ZWARTKEELTJESLAAN

AVENUE DES PARADISIERS

AV. H. DE BROUCKERE LN.

ECOLE SUPERIEURE DES ARTS DU CIRQUE

CULTUREEL CENTRUM
CENTRE CULTUREL

ATHENEE ROYAL

ROND POINT DU SOUVERAIN
VORSTRONDPUNT

AV. DES NENUPHARS
WATERLELIENLN.

PL. F. GOVAERTPL.

R22

SQ. DU SOUVERAIN
VORSTSQ.

AV. DE WAHA

1 = RUE H. VANDERSAENEN
H.VANDERSAENENSTRAAT
2 = SENTIER MELATI
MELATIPAD

A

B

N4

INSTITUT COMMERCIAL 'MARCEL TRICOT'

KALKOVEN

RUE R. WILLAME STRAAT

KLEINE WIJNGAARDSTRAAT

AV. DES MEUNIERS

MULDERSLAAN

1 = CLOS P. DELFORGE GAARDE

CONFORTO

N210

VISSERIJWIJK

BEAULIEU

AVENUE DE BEAULIEU LAAN

AV. L. DEHOUX LAAN

AV. E. VANNIEUWENHUYSE LAAN

G. C. DEN DAM

PLACE COMMUNALE D'AUDERGHEM
GEMEENTEPLEIN VAN OUDERGEM

STE.-A
ST.-A

BOULEVARD DU SOUVERAIN

N210a

DEMEY

AV. G. DEMEY LN.

RUE DES PECHERIES

PECHERIES

42

REIGERBOSLAAN
AVENUE DE LA HERONNIERE

AVENUE G. DEMEY LAAN

AVENUE G. CROCK LAAN

PINOY

PL. ED. PINOY PL.

AV. THEO VANPE LAAN

H. DEBROUX

N07

R22

R. CH. LEMAIRE

TRANSVAAL

I.M.I.

BRABANTSE PRINSENLAAN
AVENUE DES PRINCES BRABANCONS

SQ. DES ARCHIDUCS
AARTSHERTOGENSQ.

FLOREAL

FER A CHEVAL

N.D. PERP. SEC.
O.L.V. ALTIJDDURENDE BIJST.

EGLISE PROTESTANTE

D

E

R. DES PHLOX STR.

AARTSHERTOGENLN.

1 = RUE DES SCABIEUSES - SCABIOSASTR.
2 = R. DES DIGITALES - VINGERHOEDSKRUIDSTR.
3 = RUE DES LOBELIAS - LOBELIASTR.
4 = RUE DES ACONITS - MONNIKSKAPSTR.
5 = R. DES GENTIANES - GENTIANENSTR.
6 = R. DES TUBEREUSES-TUBEROZENSTR.
7 = RUE DES LUPINS - LUPINENSTR.
8 = RUE DES NIGELLES - NIGELLENSTR.
9 = R. DES SAXIFRAGES - STEENBREEKSTR.
10 = R. DES VALERIANES - VALERIANENSTR.
11 = R. DES ANGELIQUES - ENGELWORTELSTR.
12 = R. DES CYCLAMENS - CYCLAMENSSTR.
13 = R. DES GARDENIAS - GARDENIASTR.
14 = SQ. D.L. FREGATE - FREGATVOGELSQ.
15 = RUE DE LA SARCELLE - TALINGSTR.
16 = RUE DE L'OUTARDE - TRAPGANSSTR.
17 = RUE DU BRUANT - GORSSTR.

WATERM.-BOSVOORDE

STADE DES TILLEULS
STADION 3 LINDEN

LES TROIS TILLEULS

WATERM.-BOITSFORT

AVENUE DES NYMPHES
NIMFENLAAN

AV. DES TRITONS

AV. DU DAIM
DAMHERTLN.

AVENUE DU GEAI

AV. DU HOUX

HULSTLN.

TENREUKEN

AV. DU GRAND FORESTIER
WOUDMEESTERLAAN

RUE DU MOULIN A PAPIER

AV. DANIEL BOON

BOSNIMFENLAAN

EGGESTRAAT
R. DE LA HERSE

LEOPOLD WIENERLAAN

AVENUE DE LA FAUCONNERIE

DRIELINDEN

SQ. DE LA CERISAIE
KERSEBOOMGAARDSQ.

HOSPICE COMMUNAL

BOULEVARD DU SOUVERAIN

50

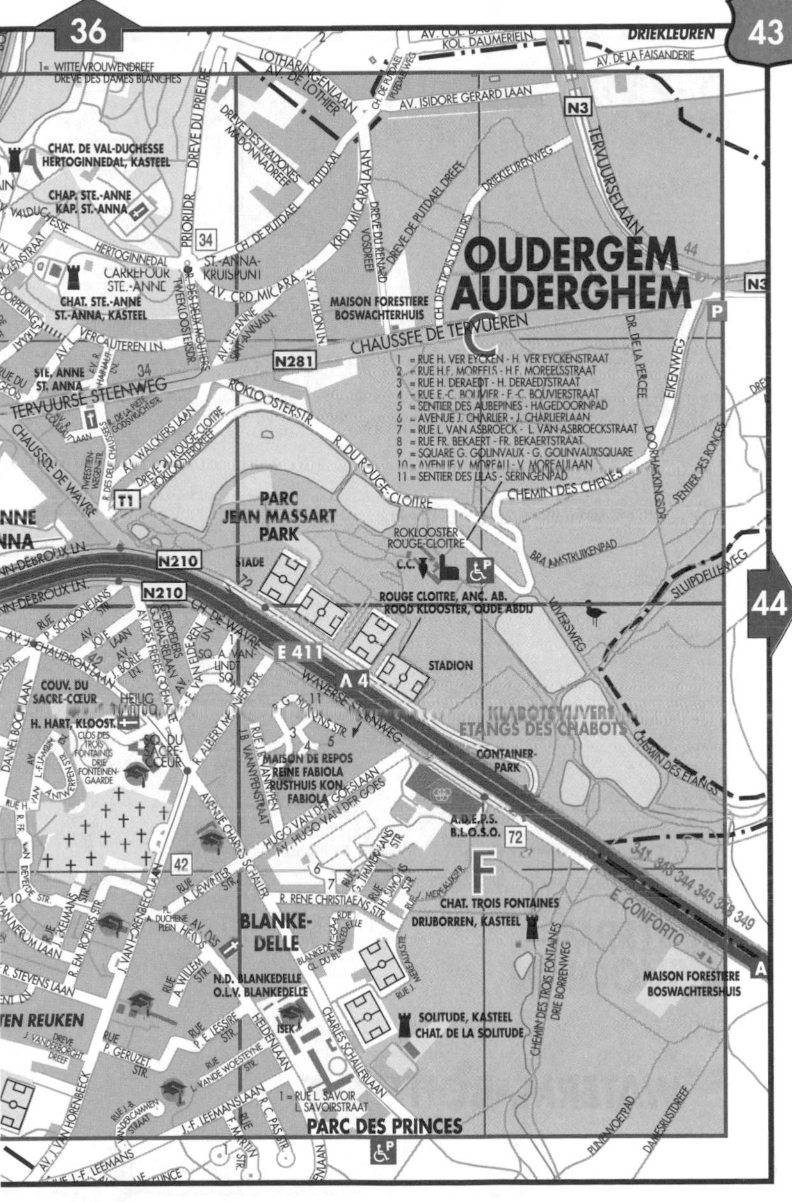
36
43
44
DRIEKLEUREN
AV. DE LA FAISANDERIE
KOL. DAUMERIELN.
1= WITTE VROUWENDREEF
DREVE DES DAMES BLANCHES
LOTHARINGENLAAN
AV. DE LOTHIER
AV. ISIDORE GERARD LAAN
N3
TERVUURSELAAN
CHAT. DE VAL-DUCHESSE
HERTOGINNEDAL, KASTEEL
CHAP. STE.-ANNE
KAP. ST.-ANNA
DREVE DU PRIEURE
PRIORIJDR.
DREVE DES MADONES
MADONNADREEF
KRD. MICARALAAN
AV. CRD. MICARA
CH. DE PUTDAEL
DREVE DE PUTDAEL DREEF
DREVE DU RENARD
VOSDREEF
DRIEKLEURENWEG
CH. DES TROIS COULEURS
HERTOGINNEDAL
CARREFOUR STE.-ANNE
ST.-ANNA-KRUISPUNT
CHAT. STE.-ANNE
ST.-ANNA, KASTEEL
MAISON FORESTIERE
BOSWACHTERHUIS
OUDERGEM
AUDERGHEM
CHAUSSEE DE TERVUEREN
N281
TERVUURSE STEENWEG
STE. ANNE
ST. ANNA
AV. L. VERCAUTEREN LN.
DR. DE LA PERCEE
EIKENWEG
1 = RUE H. VER EYCKEN - H. VER EYCKENSTRAAT
2 = RUE H.F. MOREELS - H.F. MOREELSSTRAAT
3 = RUE H. DERAEDT - H. DERAEDTSTRAAT
4 = RUE E.-C. BOUVIER - E.-C. BOUVIERSTRAAT
5 = SENTIER DES AUBEPINES - HAGEDOORNPAD
6 = AVENUE J. CHARLIER - J. CHARLIERLAAN
7 = RUE L. VAN ASBROECK - L. VAN ASBROECKSTRAAT
8 = RUE FR. BEKAERT - FR. BEKAERTSTRAAT
9 = SQUARE G. GOLINVAUX - G. GOLINVAUXSQUARE
10 = AVENUE V. MOREAU - V. MOREAULAAN
11 = SENTIER DES LILAS - SERINGENPAD
ROKLOOSTERSTR.
R. DU ROUGE-CLOITRE
CHEMIN DES CHENES
SENTIER DES RONCES
CHAUSSEE DE WAVRE
AV. WALCKIERS LAAN
DREVE DU ROUGE-CLOITRE
ROKLOOSTERDREEF
T1
PARC
JEAN MASSART
PARK
ROKLOOSTER
ROUGE-CLOITRE
C.C.
SLUIPDELLEWEG
N210
STADE
ROUGE CLOITRE, ANC. AB.
ROOD KLOOSTER, OUDE ABDIJ
VIJVERSWEG
E 411
A 4
STADION
CH. DE WAVRE
WAVERSE STEENWEG
COUV. DU SACRE-CŒUR
H. HART. KLOOST.
SQ. DU SACRE-CŒUR
KLABOTSVIJVERS
ETANGS DES CHABOTS
CHEMIN DES ETANGS
CONTAINER-PARK
MAISON DE REPOS
REINE FABIOLA
RUSTHUIS KON.
FABIOLA
AVENUE CHARLES SCHALLER
AV. HUGO VAN DER GOES
A.D.E.P.S.
B.L.O.S.O.
72
42
E. CONFORTO
CHAT. TROIS FONTAINES
DRIJBORREN, KASTEEL
R. RENE CHRISTIAENS STR.
BLANKE-
DELLE
N.D. BLANKEDELLE
O.L.V. BLANKEDELLE
MAISON FORESTIERE
BOSWACHTERSHUIS
TEN REUKEN
SOLITUDE, KASTEEL
CHAT. DE LA SOLITUDE
CHEMIN DES TROIS FONTAINES
DRIE BORRENWEG
CHARLES SCHALLERLAAN
HEIDENLAAN
1 = RUE L. SAVOIR
L. SAVOIRSTRAAT
PARC DES PRINCES
J.-F. LEEMANSLAAN
AV. J. VAN HORENBEECK
R. STEVENS LAAN
R. EM. ROTIERS STR.
DAMESRUSTDREEF

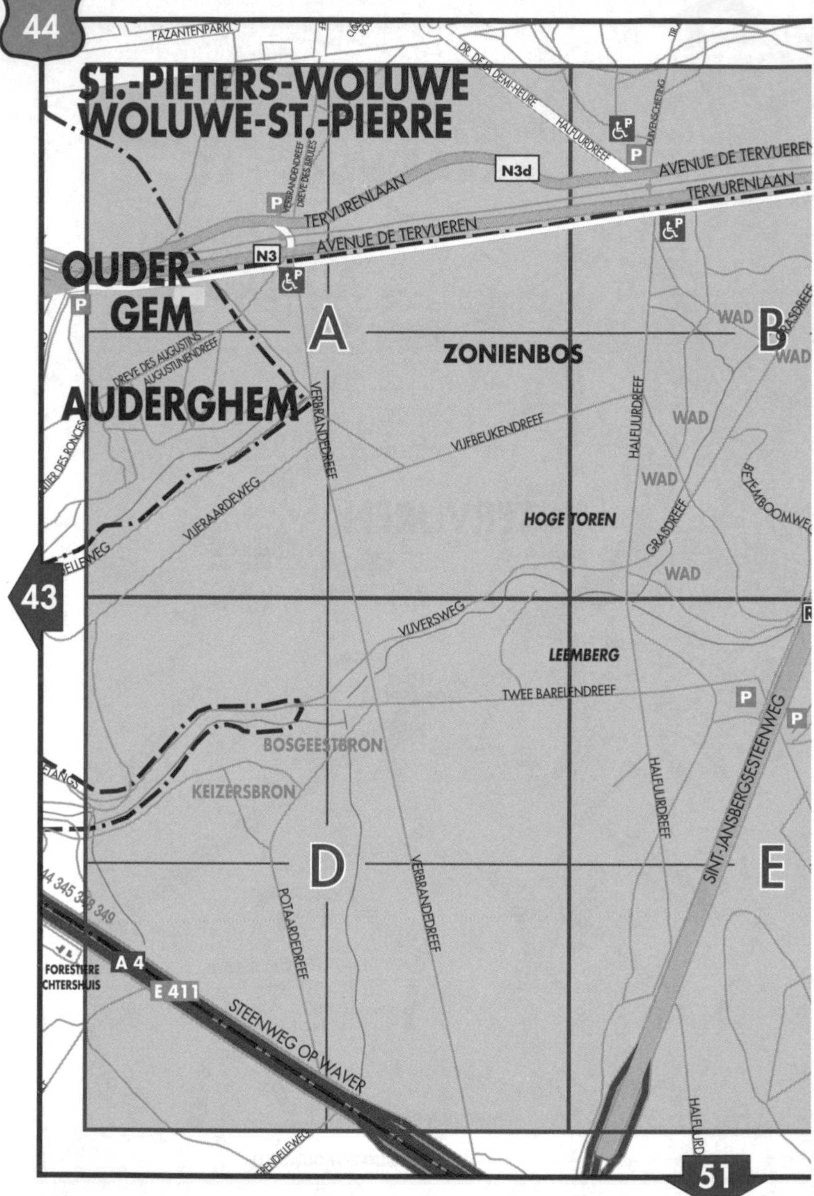

ST.-PIETERS-WOLUWE
WOLUWE-ST.-PIERRE
OUDER-
GEM
AUDERGHEM
ZONIENBOS
HOGE TOREN
LEEMBERG
BOSGEESTBRON
KEIZERSBRON
FORESTIERE
CHTERSHUIS
FAZANTENPARK
DR. DE LA DEMI-HEURE
HALFUURDREEF
DUIVENSCHETING
AVENUE DE TERVUEREN
TERVURENLAAN
N3d
N3
VERBRANDENDREEF
DREVE DES BRULES
DREVE DES AUGUSTINS
AUGUSTIJNENDREEF
VERBRANDEDREEF
VIJFBEUKENDREEF
VIJERAARDEWEG
HALFUURDREEF
GRASDREEF
BEZEMBOOMWEG
WAD
VIJVERSWEG
TWEE BARELENDREEF
SINT-JANSBERGSESTEENWEG
POTAARDEDREEF
STEENWEG OP WAVER
A 4
E 411
A
B
D
E

43

51

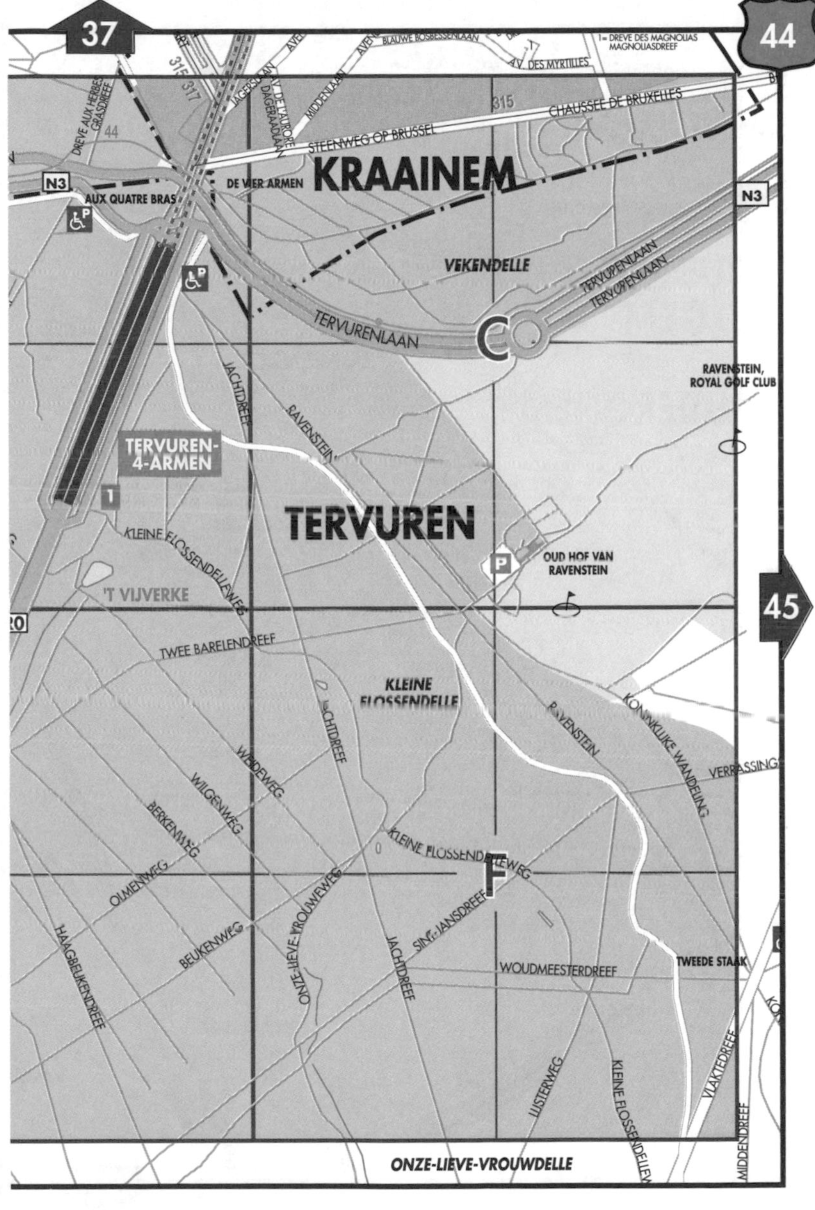

37
44
45
1= DREVE DES MAGNOLIAS
MAGNOLIASDREEF
BLAUWE BOSBESSENLAAN
AV. DES MYRTILLES
CHAUSSEE DE BRUXELLES
STEENWEG OP BRUSSEL
315
317
JAGERSLAAN
AV. DE L'AURORE
DAGERAADLAAN
MIDDENLAAN
DREVE AUX HERBES
GRASDREEF
KRAAINEM
DE VIER ARMEN
N3
AUX QUATRE BRAS
VEKENDELLE
TERVURENLAAN
TERVURENLAAN
TERVURENLAAN
C
RAVENSTEIN,
ROYAL GOLF CLUB
JACHTDREEF
RAVENSTEIN
TERVUREN-
4-ARMEN
1
TERVUREN
KLEINE FLOSSENDELLEWEG
'T VIJVERKE
P
OUD HOF VAN
RAVENSTEIN
TWEE BARELENDREEF
KLEINE
FLOSSENDELLE
JACHTDREEF
RAVENSTEIN
KONINKLIJKE WANDELING
VERRASSING
WEIDEWEG
WILGENWEG
BERKENWEG
KLEINE FLOSSENDELLEWEG
F
OLMENWEG
ONZE-LIEVE-VROUWEWEG
SINT-JANSDREEF
BEUKENWEG
HAAGBEUKENDREEF
JACHTDREEF
WOUDMEESTERDREEF
TWEEDE STAAK
LUSTERWEG
KLEINE FLOSSENDELLEWEG
VLAKTEDREEF
MIDDENDREEF
ONZE-LIEVE-VROUWDELLE

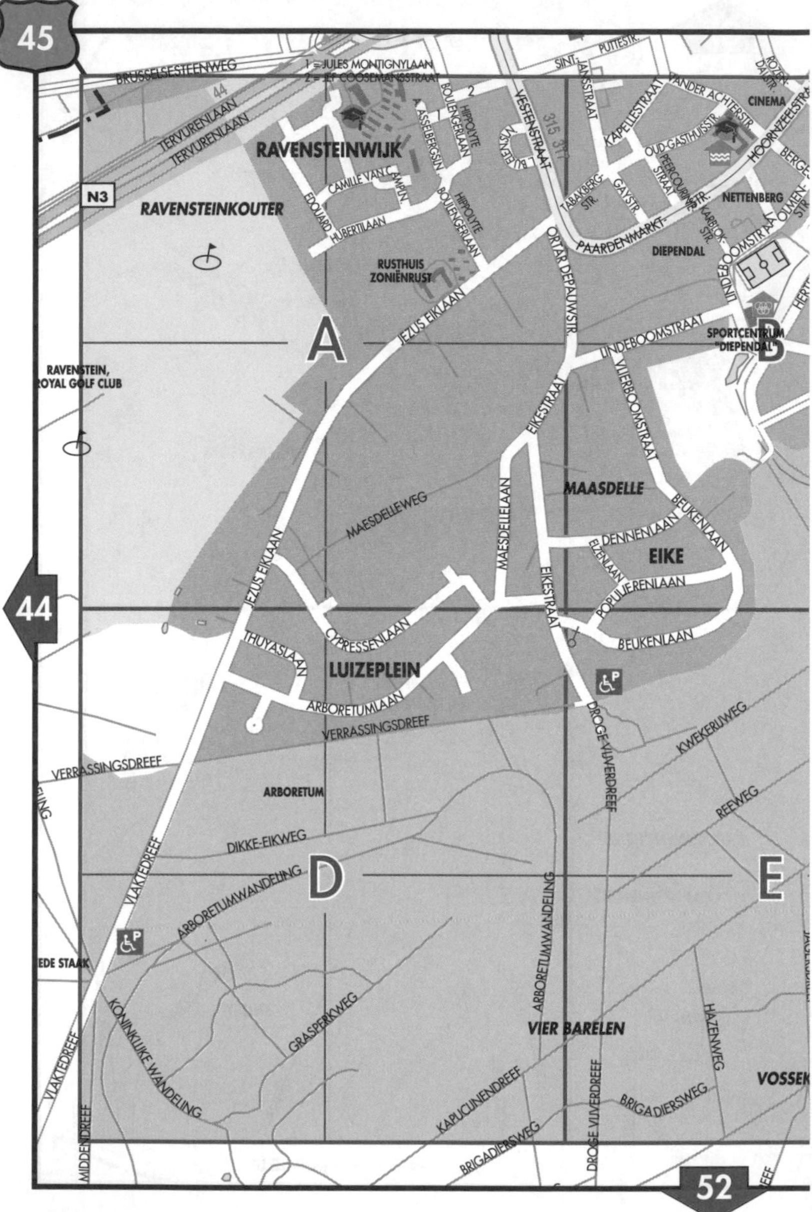
45
44
52
1 = JULES MONTIGNYLAAN
2 = JEF COOSEMANSSTRAAT
BRUSSELSESTEENWEG
TERVURENLAAN
N3
RAVENSTEINWIJK
RAVENSTEINKOUTER
HIPPOLYTE BOULENGERLAAN
EDOUARD HUBERTLAAN
CAMILLE VAN CAMPEN
VESTENSTRAAT
SINT-JANSSTRAAT
PUTTESTR.
VANDER ACHTERSTR.
KAPELLESTRAAT
OUD-GASTHUISSTR.
HOORNZEELSTRAAT
CINEMA
TABAKBERG-STR.
GAYSTR.
PEERCOURNESTRAAT
NETTENBERG
PAARDENMARKT
DIEPENDAL
KARBIOKSTR.
LINDEBOOMSTRAAT
ORTAR DEPAUWSTR.
RUSTHUIS ZONIËNRUST
JEZUS EIKLAAN
A
B
SPORTCENTRUM "DIEPENDAL"
RAVENSTEIN, ROYAL GOLF CLUB
EIKESTRAAT
VLIERBOOMSTRAAT
MAASDELLE
MAESDELLEWEG
MAESDELLELAAN
BEUKENLAAN
DENNENLAAN
ELZENLAAN
EIKE
POPULIERENLAAN
CYPRESSENLAAN
THUYASLAAN
LUIZEPLEIN
ARBORETUMLAAN
VERRASSINGSDREEF
DROGE VIJVERDREEF
KWEKERIJWEG
REEWEG
ARBORETUM
DIKKE-EIKWEG
D
E
VLAKTEDREEF
ARBORETUMWANDELING
EDE STAAK
GRASPERKWEG
KONINKLIJKE WANDELING
VIER BARELEN
HAZENWEG
VOSSEK
KAPUCIJNENDREEF
BRIGADIERSWEG
MIDDENDREEF

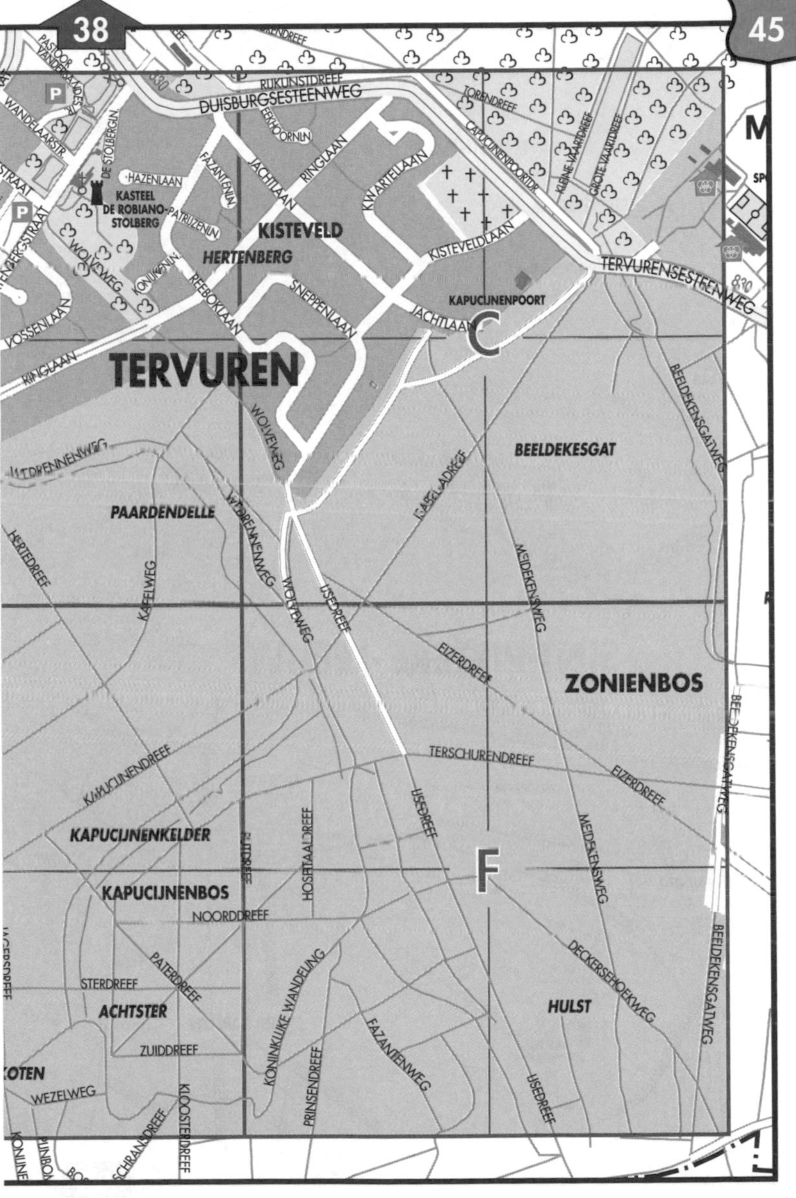
38
45
TERVUREN
KISTEVELD
HERTENBERG
KASTEEL
DE ROBIANO-
STOLBERG
DUISBURGSESTEENWEG
RIJKUNSTDREEF
TORENDREEF
CAPUCIJNENPOORTDR.
KLEINE VAARTDREEF
GROTE VAARTDREEF
TERVURENSESTEENWEG
830
EEKHOORNLN.
RINGLAAN
JACHTLAAN
KWARTELAAN
KISTEVELDLAAN
KAPUCIJNENPOORT
SNEPPENLAAN
REEBOKLAAN
HAZENLAAN
FAZANTENLN.
PATRIJZENLN.
KONIJNENLN.
DE STOLBERGLN.
WANDELAARSTR.
WOLVEWEG
VOSSENLAAN
C
BEELDEKESGAT
BEELDEKENSGATWEG
PAARDENDELLE
HERTEDREEF
KAFELWEG
IJSEDREEF
MEIDEKENSWEG
EIZERDREEF
ZONIENBOS
TERSCHURENDREEF
KAPUCIJNENDREEF
KAPUCIJNENKELDER
KAPUCIJNENBOS
HOSPITAALDREEF
NOORDDREEF
F
DECKERSEHOEKWEG
PATERDREEF
STERDREEF
ACHTSTER
HULST
KONINKLIJKE WANDELING
FAZANTENWEG
ZUIDDREEF
PRINSENDREEF
KLOOSTERDREEF
SCHRANSDREEF
WEZELWEG

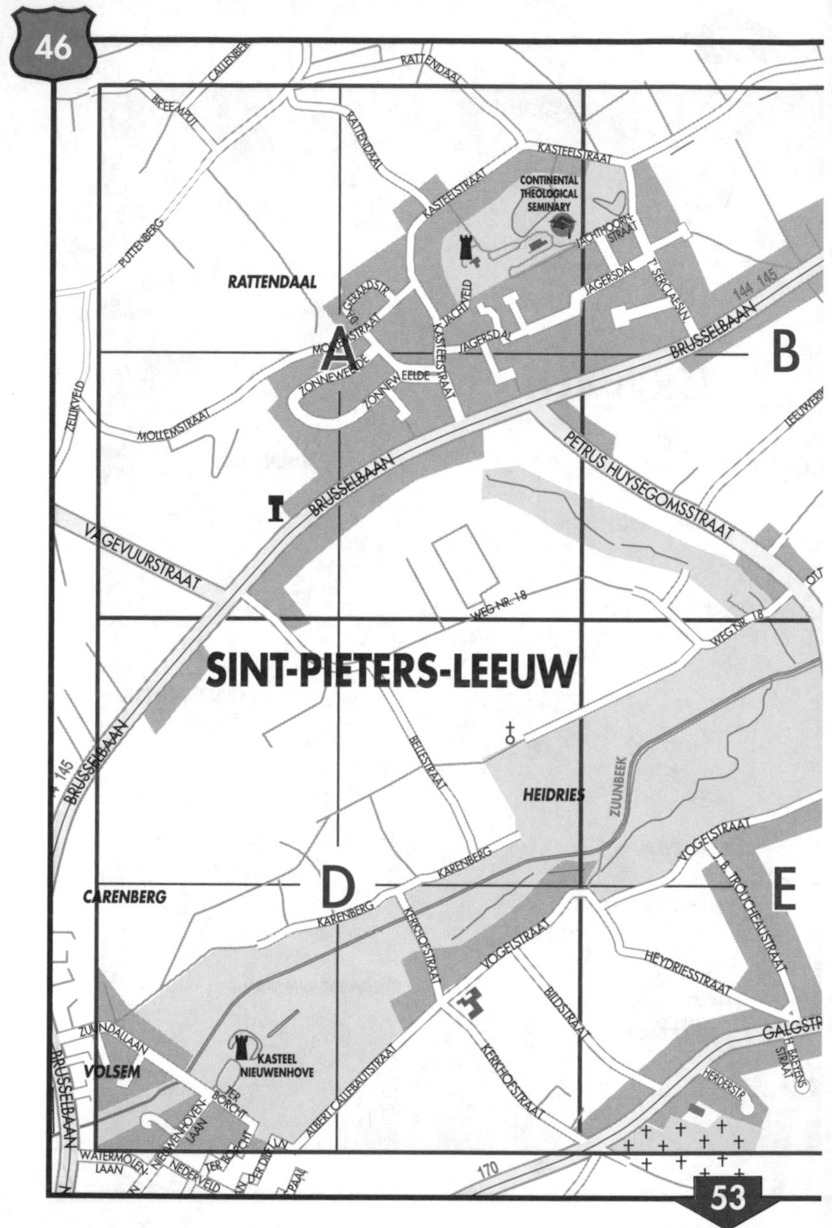
SINT-PIETERS-LEEUW
RATTENDAAL
CONTINENTAL THEOLOGICAL SEMINARY
HEIDRIES
CARENBERG
VOLSEM
KASTEEL NIEUWENHOVE
A
B
D
E
RATTENDAAL
BREEMPUT
CALLENBERG
PUTTENBERG
KASTEELSTRAAT
JACHTHOORNSTRAAT
JAGERSDAL
T'SERCLAESLN
JACHTVELD
DAGERAADSTR
MOLENSTRAAT
ZONNEWEELDE
MOLLEMSTRAAT
ZELIKVELD
BRUSSELBAAN
144 145
PETRUS HUYSEGOMSSTRAAT
VAGEVUURSTRAAT
WEG NR. 18
BELLESTRAAT
ZUUNBEEK
KARENBERG
KERKHOFSTRAAT
VOGELSTRAAT
J. B. TROUCHEAUSTRAAT
HEYDRIESSTRAAT
BILDSTRAAT
GALGSTR
H. BAETENS STRAAT
HERDERSTR.
ALBERT CALLEBAUTSTRAAT
ZUUNDALLAAN
TER BORCHT
NIEUWENHOVENLAAN
WATERMOLENLAAN
NEDERVELD
170
LEEUWERIK

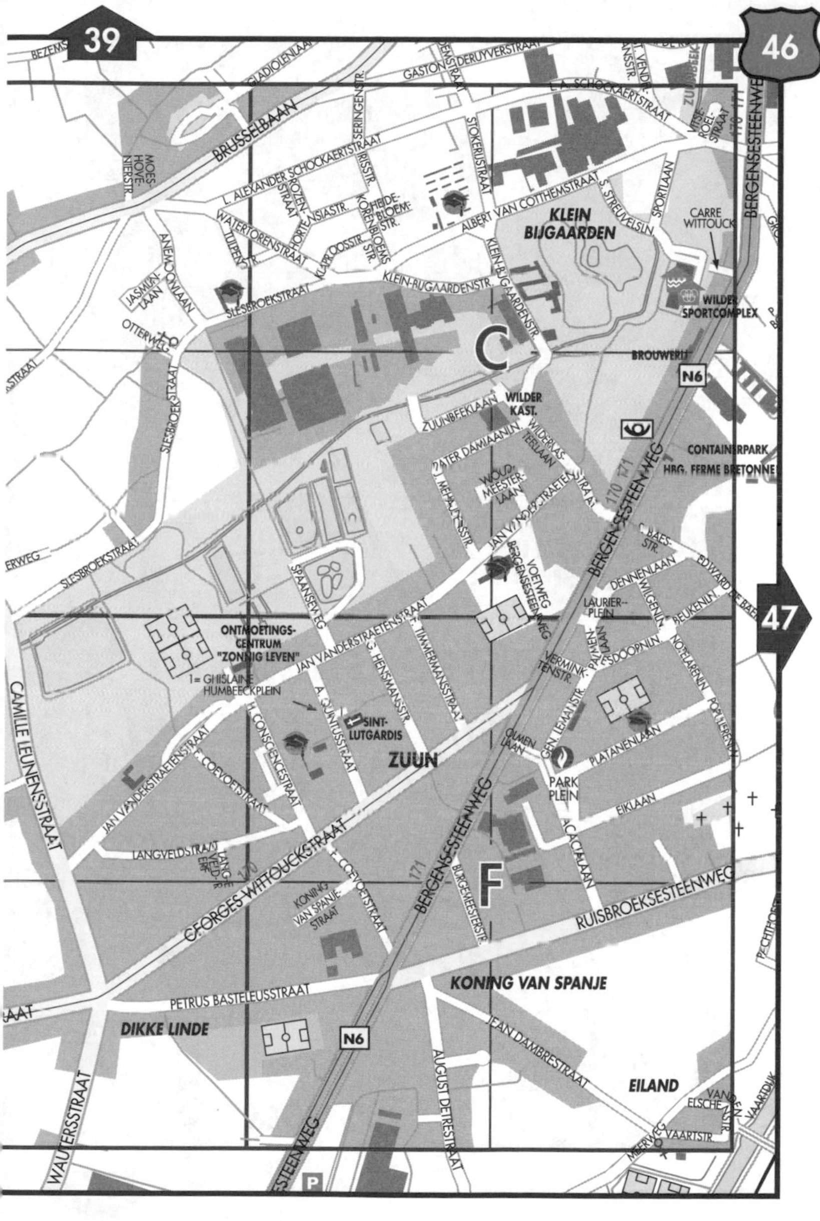
39
46
47
BRUSSELBAAN
GLADIOLENLAAN
GASTON DERUYVERSTRAAT
L. A. SCHOCKAERTSTRAAT
SERINGENSTR.
L. ALEXANDER SCHOCKAERTSTRAAT
IRISSTR.
ROZENSTRAAT
HEIDEBLOEMSTR.
HORTENSIASTR.
KORENBLOEMSTR.
WATERTORENSTRAAT
TULPENSTR.
KLAPROOSSTR.
MOESHOVENIERSTR.
ANEMONENLAAN
JASMIJNLAAN
SLESBROEKSTRAAT
OTTERWEG
STOKERIJSTRAAT
ALBERT VAN COTTHEMSTRAAT
KLEIN-BIJGAARDENSTR.
KLEIN BIJGAARDEN
S. STREUVELSLN.
SPORTLAAN
VITSEROELSTRAAT
CARRE WITTOUCK
WILDER SPORTCOMPLEX
BERGENSESTEENWEG
BROUWERIJ
N6
C
WILDER KAST.
ZUUNBEEKLAAN
PATER DAMIAANLN.
WILDERVASTERLAAN
WOUDMEESTERLAAN
JAN VINDEVOGELSTRAAT
CONTAINERPARK
HRG. FERME BRETONNE
SPAANSEWEG
VOETWEG BERGENSESTEENWEG
C. BAESSTR.
EDWARD DE BAERE
DENNENLAAN
WILGENLN.
LAURIERPLEIN
BEUKENLN.
ONTMOETINGSCENTRUM "ZONNIG LEVEN"
JAN VANDERSTRAETENSTRAAT
G. HENSMANSSTR.
TIMMERMANSSTRAAT
VERMINKTENSTR.
PALMENLAAN
ESDOORNLN.
NOTELARENLN.
POPULIERENLN.
1= GHISLAINE HUMBEECKPLEIN
H. CONSCIENCESTRAAT
A. QUINTUSSTRAAT
SINT-LUTGARDIS
ZUUN
GEN. LEMANSTR.
OLMENLAAN
PLATANENLAAN
PARK PLEIN
EIKLAAN
ACACIALAAN
JAN VANDERSTRAETENSTRAAT
E. COEVOETSSTRAAT
CAMILLE LEUNENSSTRAAT
LANGVELDSTRAAT
LANGEVELDERF
G. GEORGES WITTOUCKSTRAAT
KONING VAN SPANJESTRAAT
E. COEVOETSSTRAAT
BURGEMEESTERSTR.
F
RUISBROEKSESTEENWEG
PETRUS BASTELEUSSTRAAT
KONING VAN SPANJE
DIKKE LINDE
JEAN DAMBRESTRAAT
AUGUST DETRESTRAAT
EILAND
VANDEN ELSCHESTR.
VAARTDIJK
MEERWEG
VAARTSTR.
WAUTERSSTRAAT
P

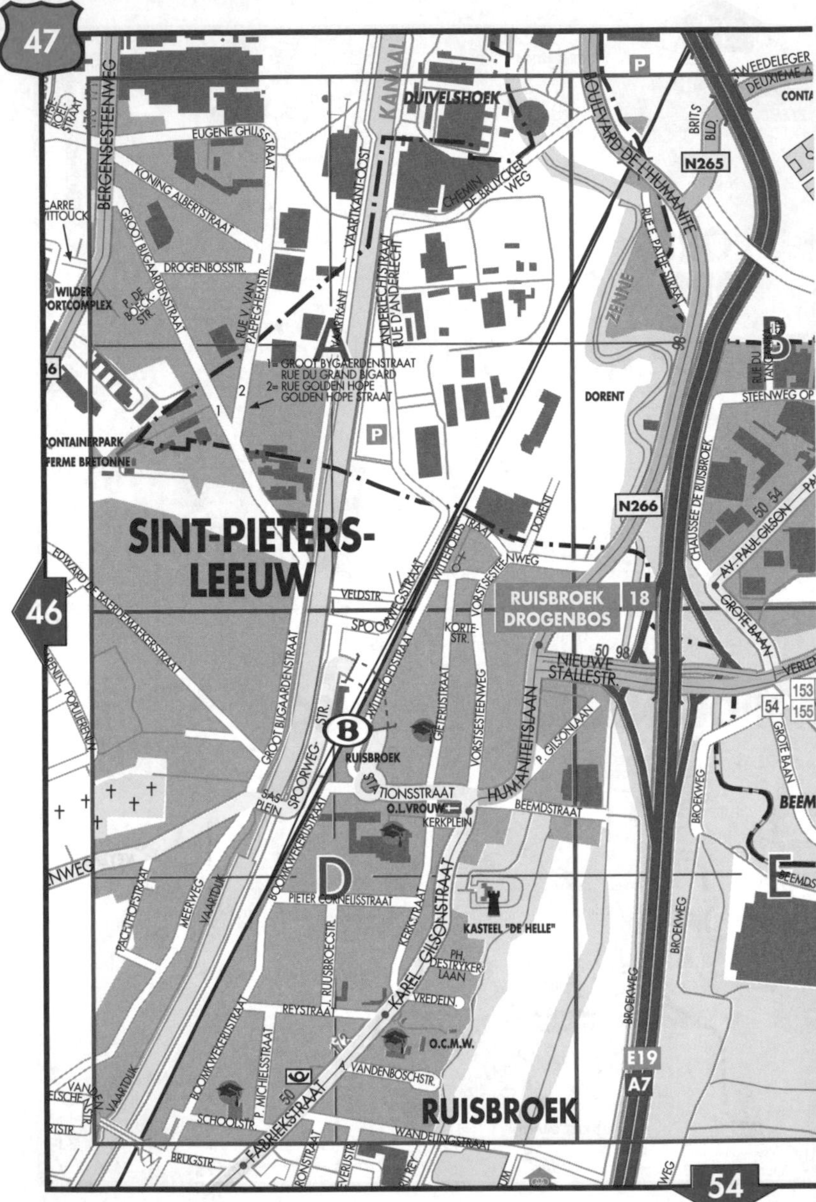
SINT-PIETERS-
LEEUW
RUISBROEK
DUIVELSHOEK
DORENT
RUISBROEK
DROGENBOS
18
N265
N266
E19
A7
KANAAL
ZENNE
BERGENSESTEENWEG
EUGENE GHIJSSTRAAT
KONING ALBERTSTRAAT
GROOT BIJGAARDENSTRAAT
DROGENBOSSTR.
RUE V. VAN PAEPEGHEMSTR.
VAARTKANT-OOST
VAARTKANT
ANDERLECHTSTRAAT
RUE D'ANDERLECHT
CHEMIN DE BRUYCKER WEG
BOULEVARD DE L'HUMANITE
RUE E. PATHE STRAAT
BRITS BLD.
TWEEDELEGER
DEUXIEME A
1= GROOT BYGAERDENSTRAAT
RUE DU GRAND BIGARD
2= RUE GOLDEN HOPE
GOLDEN HOPE STRAAT
CARRE WITTOUCK
WILDER SPORTCOMPLEX
CONTAINERPARK
FERME BRETONNE
EDWARD DE BAERDEMAEKERSTRAAT
VELDSTR.
SPOORWEGSTRAAT
WITTEHOEDSTRAAT
KORTE-STR.
VORSTSESTEENWEG
NIEUWE STALLESTR.
HUMANITEITSLAAN
P. GILSONLAAN
GIETERIJSTRAAT
STATIONSSTRAAT
O.L.VROUW
KERKPLEIN
BEEMDSTRAAT
SAS PLEIN
SPOORWEG-STR.
BOOMKWEKERIJSTRAAT
PIETER CORNELISSTRAAT
KERKSTRAAT
KAREL GILSONSTRAAT
KASTEEL "DE HELLE"
PH. DESTRYKER-LAAN
VREDELN.
REYSTRAAT
J. RUISBROECSTR.
P. MICHIELSSTRAAT
A. VANDENBOSCHSTR.
O.C.M.W.
SCHOOLSTR.
FABRIEKSTRAAT
WANDELINGSTRAAT
BRUGSTR.
MEERWEG
VAARTDIJK
PACHTHOFSTRAAT
POPULIERENLN.
BROEKWEG
CHAUSSEE DE RUISBROEK
AV. PAUL GILSON
GROTE BAAN
STEENWEG OP
RUE DU TANGANIKA
BEEMDSTR.
VERLEN
153
155
54
50
98
A
B
D
E

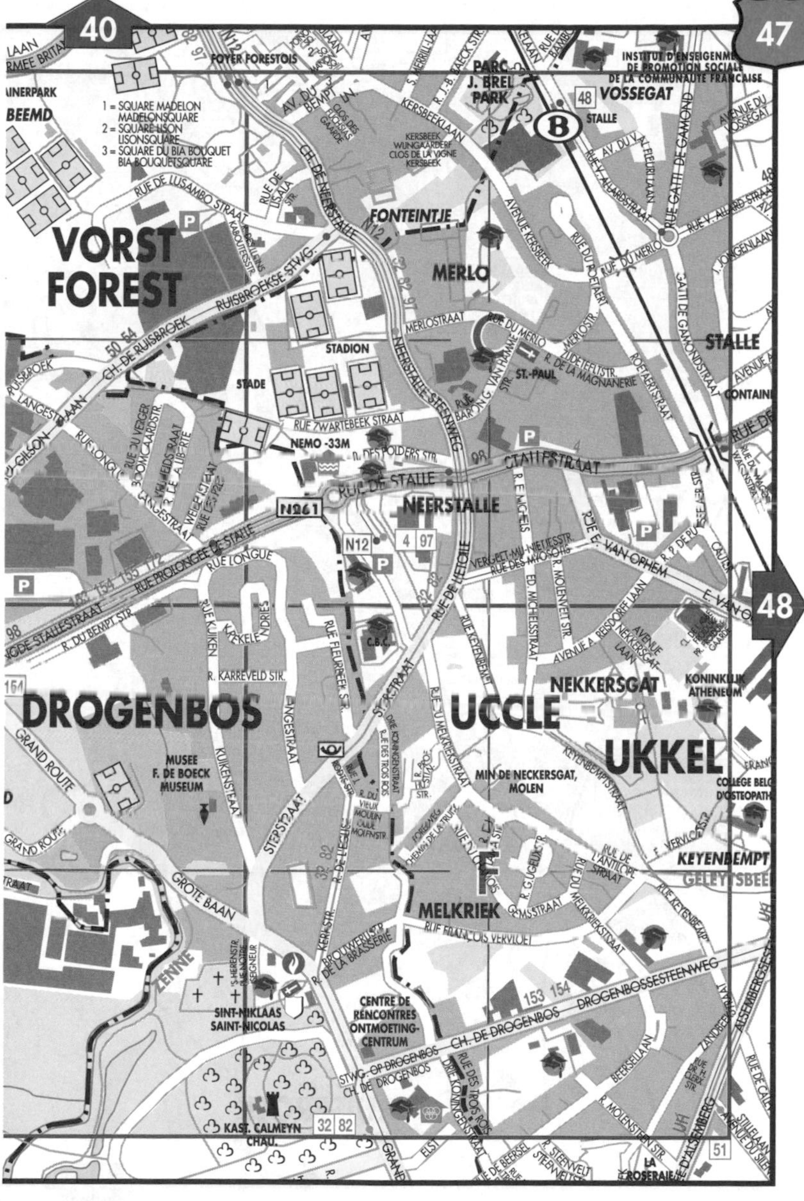
VORST
FOREST
DROGENBOS
UCCLE
UKKEL
MERLO
STALLE
NEERSTALLE
NEKKERSGAT
MELKRIEK
VOSSEGAT
KEYENBEMPT
1 = SQUARE MADELON MADELONSQUARE
2 = SQUARE LISON LISONSQUARE
3 = SQUARE DU BIA BOUQUET BIA BOUQUETSQUARE
FOYER FORESTOIS
PARC J. BREL PARK
INSTITUT D'ENSEIGNEMENT DE PROMOTION SOCIALE DE LA COMMUNAUTE FRANCAISE
KERSBEEK WIJNGAARDERF CLOS DE LA VIGNE KERSBEEK
FONTEINTJE
STADION
STADE
ST.-PAUL
NEMO -33M
C.B.C.
MUSEE F. DE BOECK MUSEUM
MIN DE NECKERSGAT, MOLEN
KONINKLIJK ATHENEUM
SINT-NIKLAAS SAINT-NICOLAS
CENTRE DE RENCONTRES ONTMOETING-CENTRUM
KAST. CALMEYN CHAU.
LA ROSERAIE
CH. DE NEERSTALLE
NEERSTALLE STEENWEG
RUISBROEKSE STWG.
CH. DE RUISBROEK
RUE DE STALLE
STALLESTRAAT
RUE DE LINKEBEEK
KERSBEEKLAAN
AVENUE KERSBEEK
RUE DU MERLO
MERLOSTRAAT
RUE ZWARTEBEEK STRAAT
RUE PROLONGEE DE STALLE
RUE LONGUE
GROTE BAAN
GRAND ROUTE
DROGENBOSSESTEENWEG
CH. DE DROGENBOS
STWG. OP DROGENBOS
RUE DE LUSAMBO STRAAT
RUE GATTI DE GAMOND
RUE V. ALLARD STRAAT
AVENUE A. REISDORFF LAAN
AVENUE NEKKERSGAT LAAN
RUE E. VAN OPHEM
KEYENBEMPTSTRAAT
RUE DU MELKRIEKSTRAAT
RUE FRANCOIS VERVLOET
BEERSELLAAN
R. MOLENSTEEN STR.
ZENNE

48

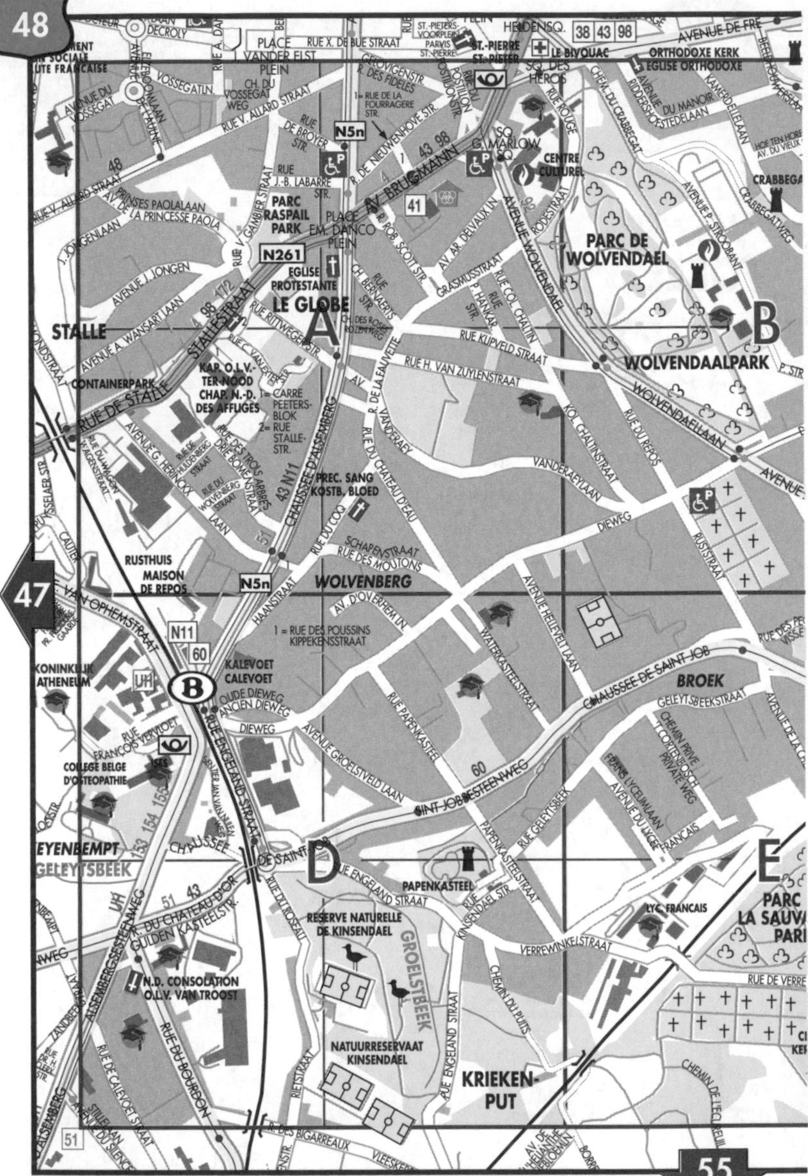
48
47
55
DECROLY
PLACE J. VANDER ELST PLEIN
RUE X. DE BUE STRAAT
ST.-PIETERS-VOORPLEIN PARVIS ST.-PIERRE
ST.-PIERRE ST.-PIETER
HELDENSQ.
38 43 98
LE BIVOUAC
SQ. DES HEROS
AVENUE DE FRE
ORTHODOXE KERK
EGLISE ORTHODOXE
GELOVIGENSTR. R. DES FIDELES
1= RUE DE LA FOURRAGERE STR.
CH. DU VOSSEGAT VOSSEGAT WEG
VOSSEGATLN.
AVENUE DU VOSSEGAT
RUE V. ALLARD STRAAT
RUE DE BROYER STR.
N5n
R. DE NIEUWENHOVE STR.
43 98
G. MARLOW SQ.
CENTRE CULTUREL
RUE ROUGE
CHEM. DU CRABBEGAT
AVENUE DU MANOIR
RIDDERSHOFSTEDELAAN
KAMERDELLELAAN
CRABBEGA
RUE J.-B. LABARRE STR.
AV. BRUGMANN
PRINSES PAOLALAAN
AV. DE LA PRINCESSE PAOLA
PARC RASPAIL PARK
PLACE EM. DANCO PLEIN
41
RODESTRAAT
AVENUE WOLVENDAEL
AVENUE P. STROOBANT
J. JONGENLAAN
RUE V. GAMBIER STRAAT
N261
EGLISE PROTESTANTE
LE GLOBE
R. ROB. SCOTT STR.
CH. BERNAERTS STR.
AV. AR. DELVAUX LN.
GRASMUSSTRAAT
PARC DE WOLVENDAEL
AVENUE J. JONGEN
STALLE
STALLESTRAAT
4 98 172
RUE RITTWEGER STR.
CH. DES ROSES ROZENWEG
RUE COL. CHALTIN
P. HANKAR STR.
A
B
AVENUE A. WANSART LAAN
RUE KLIPVELD STRAAT
WOLVENDAALPARK
CONTAINERPARK
KAP. O.L.V.-TER-NOOD
CHAP. N.-D. DES AFFLIGES
1= CARRE PEETERS-BLOK
2= RUE STALLE-STR.
RUE H. VAN ZUYLENSTRAAT
R. DE LA FAUVETTE
RUE DE STALLE
CHAUSSEE D'ALSEMBERG
KOL. CHALTINSTRAAT
RUE DU REPOS
WOLVENDAELLAAN
AVENUE G. HERINCKX
RUE DU WAGON WAGENSTRAAT
RUE DES TROIS ARBRES DRIE BOMENSTRAAT
RUE DU CHATEAU D'EAU
VANDERAEY
VANDERAEYLAAN
43 N11
PREC. SANG KOSTB. BLOED
RUE DU WOLVENBERG STRAAT
DIEWEG
RUSTSTRAAT
RUE DU COQ
SCHAPENSTRAAT
RUE DES MOUTONS
RUSTHUIS MAISON DE REPOS
N5n
WOLVENBERG
AV. D'OVERHEM LN.
AVENUE HELLEVELT LAAN
VAN OPHEMSTRAAT
HAANSTRAAT
1 = RUE DES POUSSINS KIPPEKENSSTRAAT
N11
60
KALEVOET CALEVOET
WATERKASTEELSTRAAT
CHAUSSEE DE SAINT JOB
BROEK
KONINKLIJK ATHENEUM
OUDE DIEWEG ANCIEN DIEWEG
RUE PAPENKASTEEL
GELEYTSBEEKSTRAAT
CHEMIN PRIVE T CORTENBOSCH PRIVATE WEG
RUE FRANÇOIS VERVLOET
DIEWEG
AVENUE GROELSTVELD LAAN
RUE ENGELAND STRAAT
COLLEGE BELGE D'OSTEOPATHIE
ISES
60
SINT JOBSESTEENWEG
FRANS LYCEUMLAAN
AVENUE DU LYCEE FRANÇAIS
RUE GELEYTSBEEK
PAPENKASTEELSTRAAT
153 154 155
EYENBEMPT
GELEYTSBEEK
CHAUSSEE DE SAINT JOB
D
E
PAPENKASTEEL
RUE ENGELAND STRAAT
RUE KINSENDAEL STR.
LYC. FRANÇAIS
PARC LA SAUVA PARI
51 43
R. DU CHATEAU D'OR GULDEN KASTEELSTR.
RUE DU ROSEAU
RESERVE NATURELLE DE KINSENDAEL
GROELSTBEEK
VERREWINKELSTRAAT
RUE DE VERRE
ALSEMBERGSESTEENWEG
N.D. CONSOLATION O.L.V. VAN TROOST
CHEMIN DU PUITS
RUE DU BOURDON
RUE DE CALEVOET STRAAT
RIETSTRAAT
NATUURRESERVAAT KINSENDAEL
RUE ENGELAND STRAAT
KRIEKEN-PUT
CHEMIN DE L'ECUREUIL
51
AVENUE DU SILENCE
STILLELAAN
R. DES BIGARREAUX
VLEESKERS
AV. DE L'HELIANTHE
BORRE

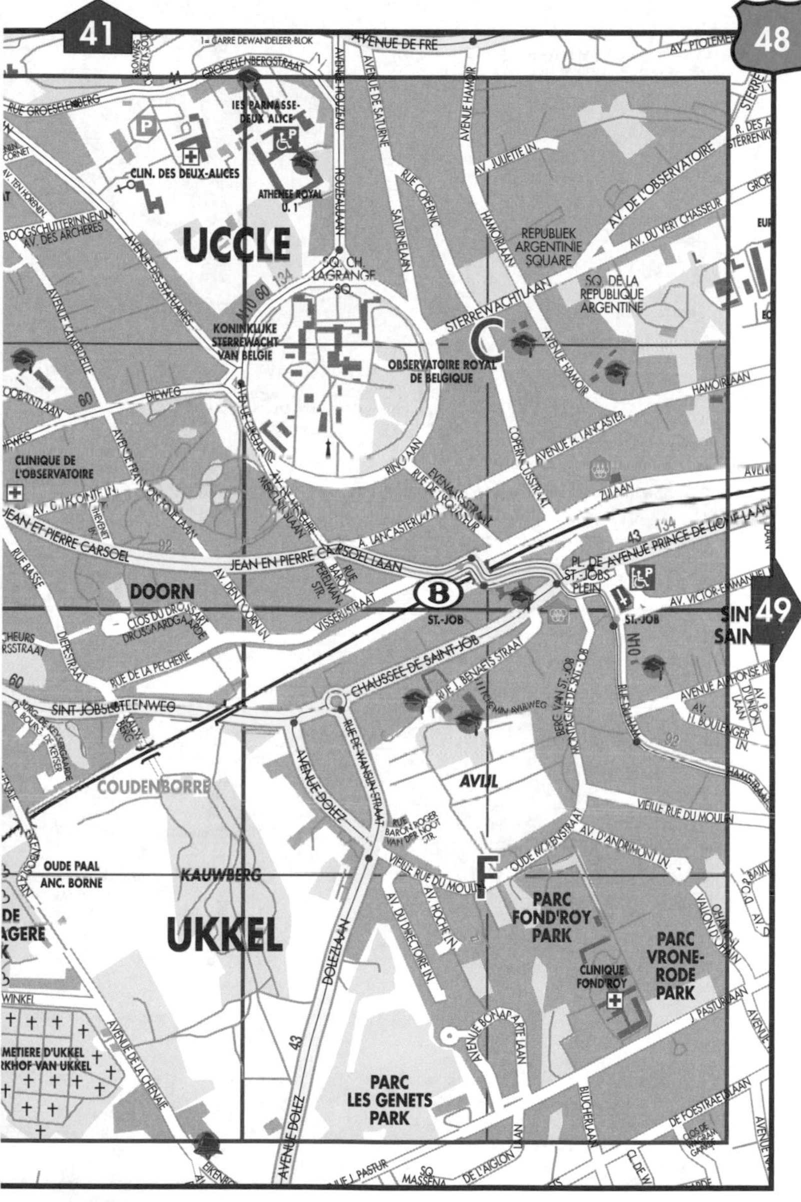
41
48
49
1= CARRE DEWANDELEER-BLOK
AVENUE DE FRE
AV. PTOLEMEE
GROESELENBERGSTRAAT
RUE GROESELENBERG
IES PARNASSE-DEUX ALICE
CLIN. DES DEUX-ALICES
ATHENEE ROYAL U. 1
AV. TEN HORENLN.
BOOGSCHUTTERINNENLN. AV. DES ARCHERES
UCCLE
AVENUE DES STATUAIRES
AVENUE HOUZEAU
HOUZEAULAAN
AVENUE DE SATURNE
SATURNUSLAAN
RUE COPERNIC
AVENUE HAMOIR
HAMOIRLAAN
AV. JULIETTE LN.
AV. DE L'OBSERVATOIRE
AV. DU VERT CHASSEUR
REPUBLIEK ARGENTINIE SQUARE
SQ. DE LA REPUBLIQUE ARGENTINE
SQ. CH. LAGRANGE SQ.
STERREWACHTLAAN
KONINKLIJKE STERREWACHT VAN BELGIE
OBSERVATOIRE ROYAL DE BELGIQUE
C
AVENUE LAMBERT
DIEWEG
CLINIQUE DE L'OBSERVATOIRE
AVENUE LANCASTER
AVENUE FRANÇOIS FOLIE
AV. C. LECOINTE LN.
JEAN ET PIERRE CARSOEL
JEAN EN PIERRE CARSOELLAAN
A. LANCASTERLAAN
ZIJLAAN
AVENUE PRINCE DE LIGNE LAAN
PL. DE ST.-JOBS PLEIN
AV. VICTOR-EMMANUEL
ST.-JOB
DOORN
CLOS DU DROSSART DROSSAARDGAARDE
AV. DE DOORN LN.
RUE BARON PERELMAN STR.
VISSERIJSTRAAT
RUE DE LA PECHERIE
DIEPESTRAAT
RUE BASSE
CHAUSSEE DE SAINT-JOB
SINT-JOBSESTEENWEG
RUE J. BENAETS STRAAT
CHEMIN AVIJLWEG
BERG VAN ST.-JOB
MONTAGNE DE ST.-JOB
AVENUE ALPHONSE XIII
AV. H. BOULENGER LN.
RUE DU HAM
AVIJL
COUDENBORRE
AVENUE DOLEZ
RUE DE WANSIJN STRAAT
RUE BARON ROGER VAN DER NOOT STR.
VIEILLE RUE DU MOULIN
AV. D'ANDRIMONT LN.
OUDE MOLENSTRAAT
F
OUDE PAAL ANC. BORNE
KAUWBERG
UKKEL
DOLEZLAAN
AV. DU DIRECTOIRE LN.
AV. HOCHE LN.
PARC FOND'ROY PARK
CLINIQUE FOND'ROY
PARC VRONERODE PARK
VALLON D'OHAIN
J. PASTURLAAN
AVENUE BONAPARTE LAAN
AVENUE DE LA CHENAIE
CIMETIERE D'UKKEL
KERKHOF VAN UKKEL
PARC LES GENETS PARK
BLUCHERLAAN
DE FOESTRAETSLAAN
CLOS DE WAGRAM GAARDE
AV. J. PASTUR
SQ. MASSENA
DE L'AIGLON LAAN
ST.-JOB
SINT SAIN

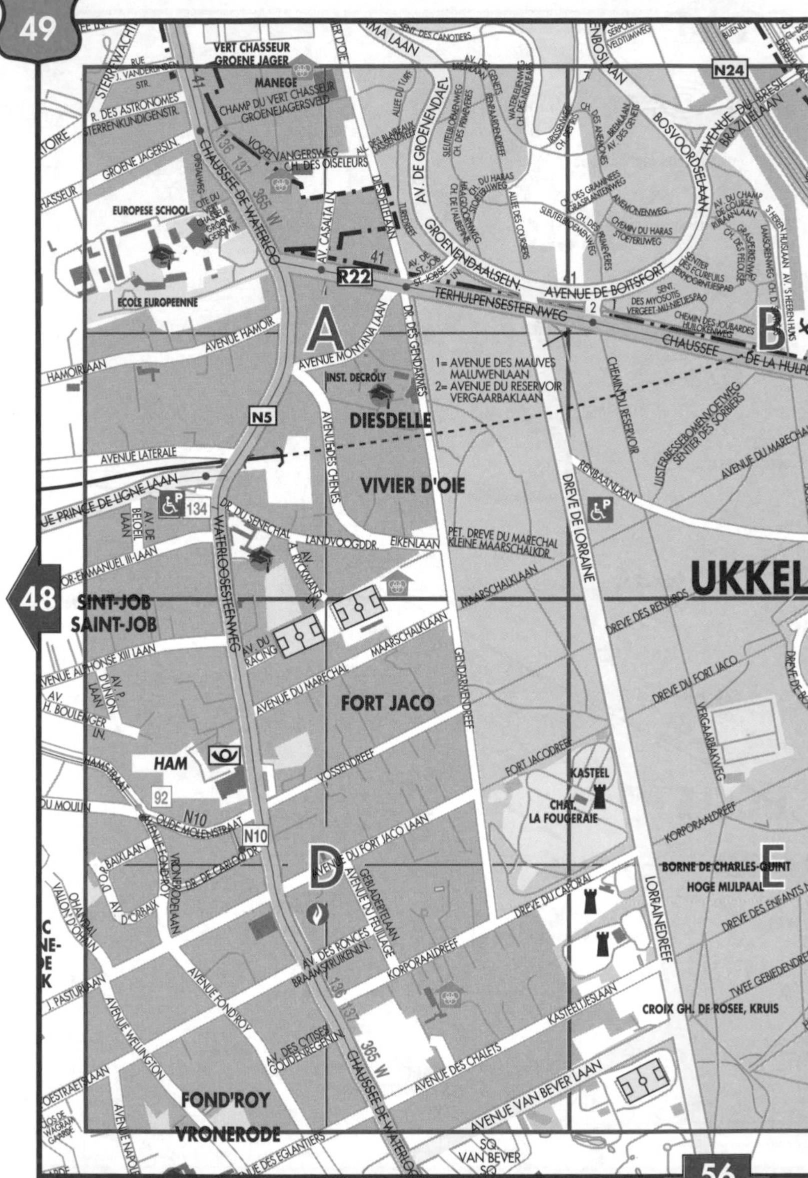

UKKEL
A
B
D
E
DIESDELLE
VIVIER D'OIE
FORT JACO
SINT-JOB
SAINT-JOB
HAM
FOND'ROY
VRONERODE
VERT CHASSEUR
GROENE JAGER
MANEGE
CHAMP DU VERT CHASSEUR
GROENEJAGERSVELD
EUROPESE SCHOOL
ECOLE EUROPEENNE
INST. DECROLY
KASTEEL
CHAT. LA FOUGERAIE
BORNE DE CHARLES-QUINT
HOGE MIJLPAAL
CROIX GH. DE ROSEE, KRUIS
1= AVENUE DES MAUVES
MALUWENLAAN
2= AVENUE DU RESERVOIR
VERGAARBAKLAAN
CHAUSSEE DE WATERLOO
WATERLOOSESTEENWEG
TERHULPENSESTEENWEG
CHAUSSEE DE LA HULPE
AVENUE DE BOITSFORT
AV. DE GROENENDAEL
GROENENDAALSELN.
BOSVOORDSELAAN
AVENUE DU BRESIL
BRAZILIELAAN
DREVE DE LORRAINE
LORRAINEDREEF
DR. DES GENDARMES
GENDARMENDREEF
CHEMIN DU RESERVOIR
VERGAARBAKWEG
RENBAANLAAN
AVENUE DU MARECHAL
MAARSCHALKLAAN
DREVE DES RENARDS
VOSSENDREEF
DREVE DU FORT JACO
FORT JACODREEF
AVENUE DU FORT JACO LAAN
KORPORAALDREEF
DREVE DU CAPORAL
DREVE DES ENFANTS
TWEE GEBIEDENDREEF
KASTEELTJESLAAN
AVENUE DES CHALETS
AVENUE VAN BEVER LAAN
SQ VAN BEVER SQ
AVENUE FOND'ROY
VRONERODELAAN
AVENUE WELLINGTON
AVENUE HAMOIR
HAMOIRLAAN
AVENUE MONTANA LAAN
AVENUE DES CHENES
AVENUE LATERALE
AVENUE PRINCE DE LIGNE LAAN
DR. DU SENECHAL
LANDVOOGDDR.
EIKENLAAN
PET. DREVE DU MARECHAL
KLEINE MAARSCHALKDR.
AV. DU RACING
AVENUE ALPHONSE XIII LAAN
AV. H. BOULENGER LN.
HAMSTRAAT
OUDE MOLENSTRAAT
DR. DE CARLOO DR.
AV. D'ORRAIX
AV. DES RONCES
BRAAMSTRUIKENLN.
AVENUE DU FEUILLAGE
GEBLADERTELAAN
AV. DES CYTISES
GOUDENREGENLN.
AV. CASALTA LN.
DIESDELLELAAN
VOGELVANGERSWEG
CH. DES OISELEURS
R. DES ASTRONOMES
STERRENKUNDIGENSTR.
GROENE JAGERSLN.
AV. DE ST. JOB
ST. JOBSE LN.
CH. DU HARAS
STOETERIJWEG
CHEMIN DES JOUBARDES
HUILOKENWEG
SENT. DES MYOSOTIS
VERGEET-MIJ-NIETJESPAD
UISTERBESSEBOMENVOETWEG
SENTIER DES SORBIERS
N5
N10
N24
R22
134
92
365 W
56
48

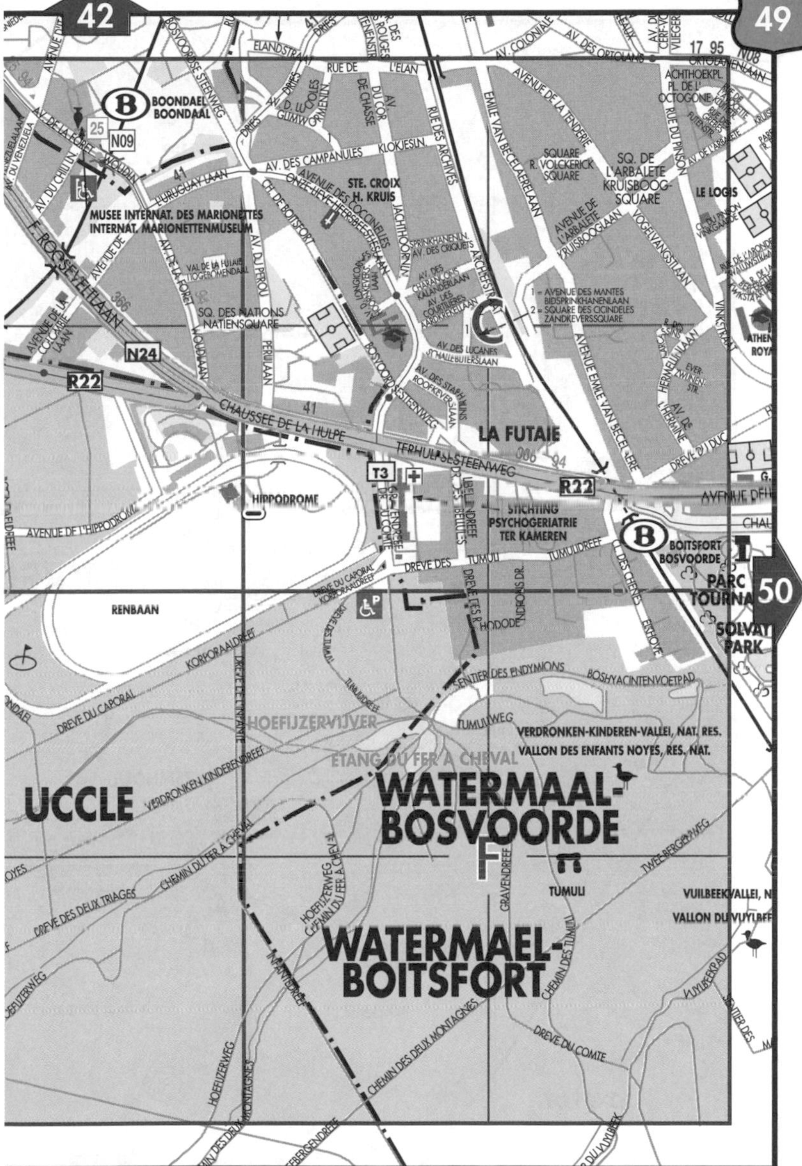

42
49
50
BOONDAEL
BOONDAAL
N09
MUSEE INTERNAT. DES MARIONETTES
INTERNAT. MARIONETTENMUSEUM
F. ROOSEVELTLAAN
AV. DE LA FORET
AV. DU CHILI LN.
AV. DES CAMPANULES
KLOKJESLN.
L'URUGUAY LAAN
CH. DE BOITSFORT
STE. CROIX
H. KRUIS
RUE DES ARCHIVES
EMILE VAN BECELAERELAAN
AVENUE DE LA TENDERIE
AV. COLONIALE
AV. DES ORTOLANS
ACHTHOEKPL.
PL. DE L'OCTOGONE
RUE DU PINSON
SQUARE
R. VOLCKERICK
SQUARE
SQ. DE L'ARBALETE
KRUISBOOG-
SQUARE
AVENUE DE L'ARBALETE
KRUISBOOGLAAN
VOGELVANGSTLAAN
LE LOGIS
1 = AVENUE DES MANTES
BIDSPRINKHANENLAAN
2 = SQUARE DES CICINDELES
ZANDKEVERSSQUARE
SQ. DES NATIONS
NATIENSQUARE
AV. DU PROU
PERULAAN
WOUDLAAN
N24
R22
AV. DES LUCANES
ST HALLEBUTERSLAAN
AVENUE EMILE VAN BECELAERE
VINKSTRAAT
HERMELIJNLAAN
AV. DE L'HERMINE
DREVE DU DUC
CHAUSSEE DE LA HULPE
TERHULPSESTEENWEG
BOSVOORDESTEENWEG
LA FUTAIE
T3
HIPPODROME
STICHTING
PSYCHOGERIATRIE
TER KAMEREN
AVENUE DE L'HIPPODROME
BOITSFORT
BOSVOORDE
PARC
TOURNA
SOLVAY
PARK
DREVE DES TUMULI
TUMULIDREEF
RENBAAN
DREVE DU CAPORAL
KORPORAALDREEF
SENTIER DES ENDYMIONS
BOSHYACINTENVOETPAD
TUMULIWEG
HOEFIJZERVIJVER
ETANG DU FER A CHEVAL
VERDRONKEN-KINDEREN-VALLEI, NAT. RES.
VALLON DES ENFANTS NOYES, RES. NAT.
UCCLE
VERDRONKEN KINDERENDREEF
WATERMAAL-
BOSVOORDE
F
TUMULI
GRAVENDREEF
CHEMIN DU FER A CHEVAL
DREVE DES DEUX TRIAGES
TWEE-BERGENWEG
VUILBEEKVALLEI, N
VALLON DU VIJVLBE
WATERMAEL-
BOITSFORT
CHEMIN DES TUMULI
DREVE DU COMTE
CHEMIN DES DEUX MONTAGNES
HOEFIJZERWEG
INFANTEDREEF
DREVE DE L'INFANTE

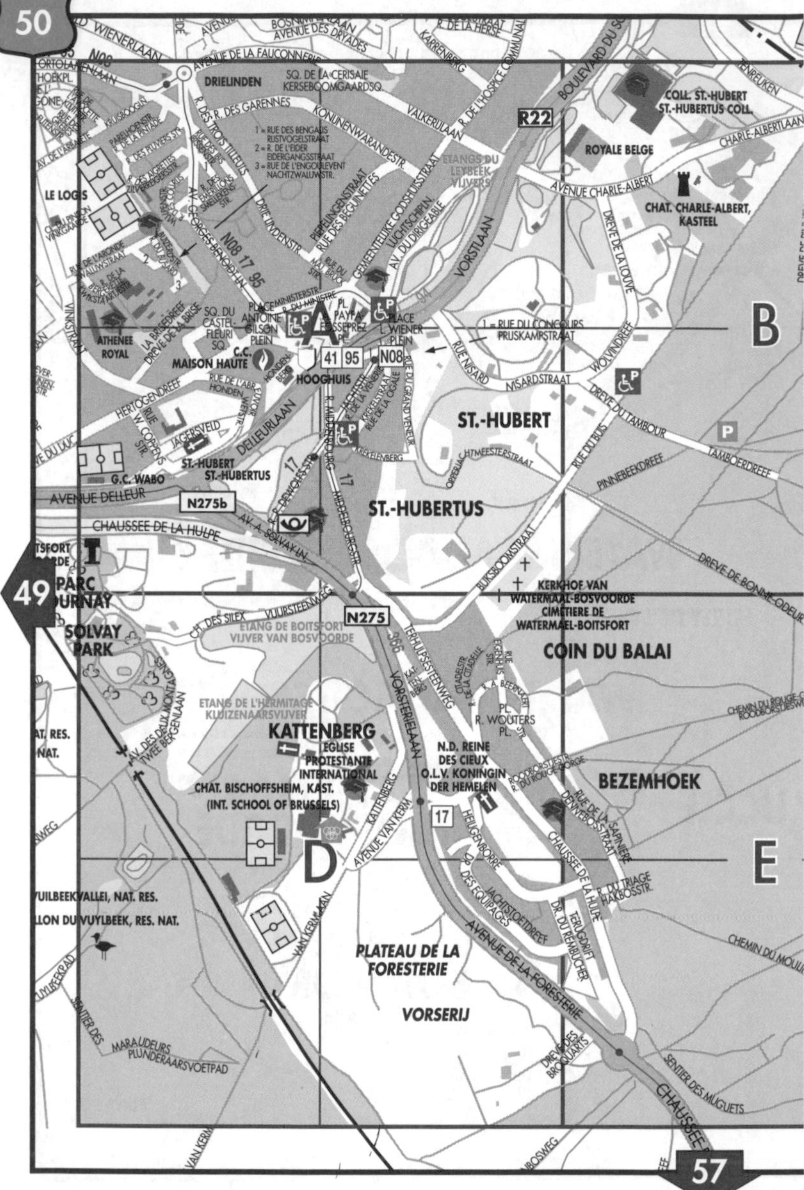
50
49
57
A
B
D
E
DRIELINDEN
SQ. DE LA CERISAIE
KERSEBOOMGAARDSQ.
1 = RUE DES BENGALIS
RUSTVOGELSTRAAT
2 = R. DE L'EIDER
EIDERGANGSSTRAAT
3 = RUE DE L'ENGOULEVENT
NACHTZWALUWSTR.
COLL. ST.-HUBERT
ST.-HUBERTUS COLL.
ROYALE BELGE
ETANGS DU
LEYBEEK
VIJVERS
CHAT. CHARLE-ALBERT,
KASTEEL
LE LOGIS
ATHENEE
ROYAL
C.C.
MAISON HAUTE
HOOGHUIS
1 = RUE DU CONCOURS
PRIJSKAMPSTRAAT
ST.-HUBERT
ST.-HUBERTUS
ST.-HUBERT
ST.-HUBERTUS
G.C. WABO
AVENUE DELLEUR
N275b
CHAUSSEE DE LA HULPE
N275
KERKHOF VAN
WATERMAAL-BOSVOORDE
CIMETIERE DE
WATERMAEL-BOITSFORT
COIN DU BALAI
SOLVAY
PARK
ETANG DE BOITSFORT
VIJVER VAN BOSVOORDE
ETANG DE L'HERMITAGE
KLUIZENAARSVIJVER
KATTENBERG
EGLISE
PROTESTANTE
INTERNATIONAL
CHAT. BISCHOFFSHEIM, KAST.
(INT. SCHOOL OF BRUSSELS)
N.D. REINE
DES CIEUX
O.L.V. KONINGIN
DER HEMELEN
BEZEMHOEK
R22
N08
41
95
17
PLATEAU DE LA
FORESTERIE
VORSERIJ
AVENUE DE LA FORESTERIE
VORSTLAAN
BOULEVARD DU SOUVERAIN
AVENUE CHARLE-ALBERT
CHARLE-ALBERTLAAN
WOLVINDREEF
DREVE DU TAMBOUR
TAMBOERDREEF
PINNEBEEKDREEF
DREVE DE BONNE-ODEUR
CHEMIN DU ROUGE-CLOITRE
ROODBORSTJESWEG
CHEMIN DU MOULIN
SENTIER DES MUGUETS
SENTIER DES MARAUDEURS
PLUNDERAARSVOETPAD
VORSTERIELAAN
TERHULPSESTEENWEG
AV. A. SOLVAYLN.
CH. DES SILEX
VUURSTEENWEG
AVENUE VAN KERM
KATTENBERG
DELLEURLAAN
HERTOGENDREEF
AV. GEORGES BENOIDT LN.
R. DES TROIS TILLEULS
DRIELINDENSTR.
KONINENWARANDESTR.
VALKERIJLAAN
R. DE L'HOSPICE COMMUNAL
GEMEENTELIJKE GODSHUISSTRAAT
AV. DU DIRIGEABLE
LUCHTSCHIPLN.
RUE NISARD
NISARDSTRAAT
RUE DU BUIS
BUKSBOOMSTRAAT
CHAUSSEE DE LA HULPE
DENNEBOSSTRAAT
RUE DE LA SAPINIERE
R. DU TRIAGE
HAKBOSSTR.
JACHTSTOETDREEF
DR. DES EQUIPAGES
HEILIGENBORRE
TERUGDRIFT
DR. DU REMBUCHER
DREVE DES BROQUARTS
R. WOUTERS
PL.
AVENUE DE LA FAUCONNERIE
R. DES GARENNES
KARRENBERG
R. DE LA HERSE
AVENUE DES DRYADES
WIENERLAAN
PLACE
L. WIENER
PLEIN
PLACE ANTOINE GILSON PLEIN
SQ. DU CASTEL FLEURI SQ.
LA BRISEDREEF
DREVE DE LA BRISE
VINKSTRAAT
JAGERSVELD
R. MIDDELBOURG
MIDDELBURGSTR.
DREVE DE LA LOUVE
VUILBEEKVALLEI, NAT. RES.
AV. DES DEUX MONTAGNES
TWEE BERGENLAAN
OPPERJACHTMEESTERSTRAAT
366

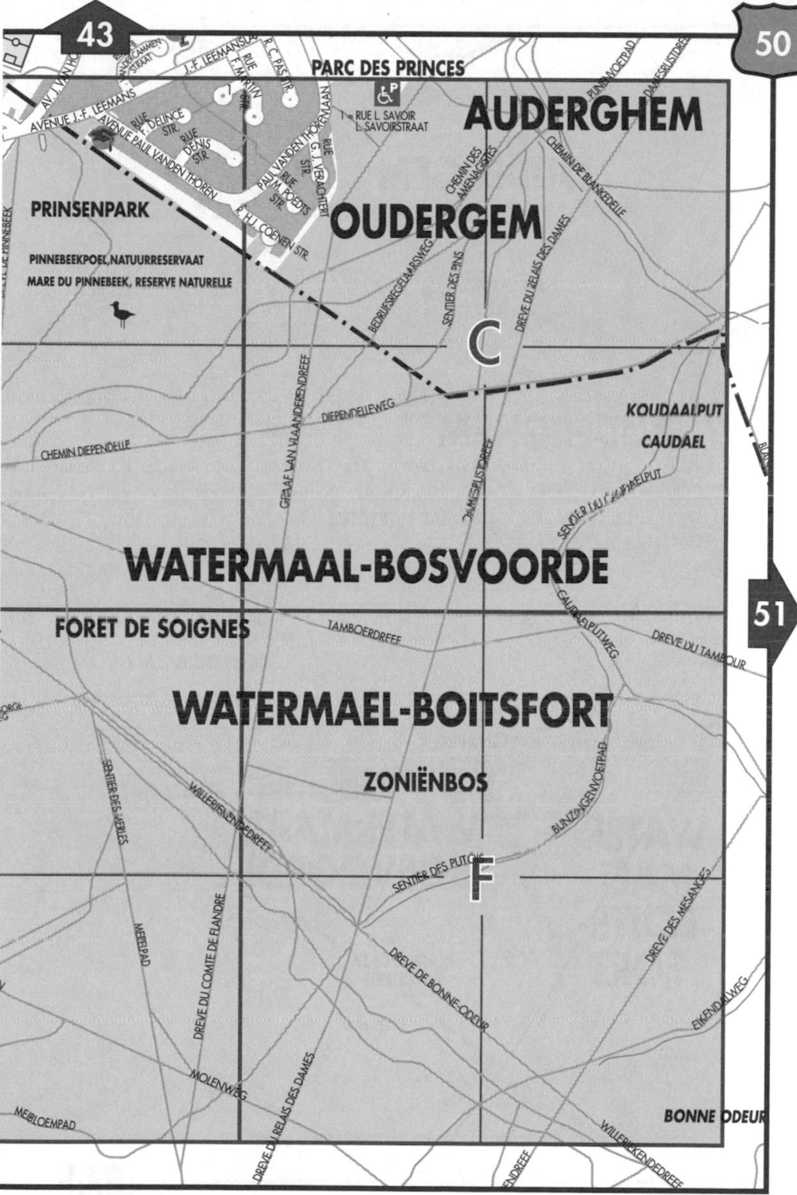
43
50
51
PARC DES PRINCES
1 = RUE L. SAVOIR
L. SAVOIRSTRAAT
AUDERGHEM
OUDERGEM
PRINSENPARK
PINNEBEEKPOEL, NATUURRESERVAAT
MARE DU PINNEBEEK, RESERVE NATURELLE
AVENUE J.-F. LEEMANS
AVENUE PAUL VANDEN THOREN
PAUL VANDEN THORENLAAN
RUE F. DELINCE STR.
RUE DENIS STR.
RUE M. POEDTS STR.
RUE G. J. VERACHTERT STR.
R. H.J. COENEN STR.
R. C. PAS STR.
J.-F. LEEMANSLAAN
CHEMIN DES AMENAGISTES
CHEMIN DE BLANKEDELLE
PIJNBNVOETPAD
DAMESRUSTDREEF
BEDRIJFSREGELAARSWEG
SENTIER DES PINS
DREVE DU RELAIS DES DAMES
C
GRAAF VAN VLAANDERENDREEF
DIEPENDELLEWEG
CHEMIN DIEPENDELLE
DAMESRUSTDREEF
KOUDAALPUT
CAUDAEL
WATERMAAL-BOSVOORDE
FORET DE SOIGNES
TAMBOERDREEF
DREVE DU TAMBOUR
WATERMAEL-BOITSFORT
ZONIËNBOS
SENTIER DES MERLES
WILLERIEKENDEDREEF
BUNZINGENVOETPAD
SENTIER DES PUTOIS
F
MEELPAD
DREVE DU COMTE DE FLANDRE
DREVE DE BONNE-ODEUR
DREVE DES MESANGES
EIKENDALWEG
MOLENWEG
MEIBLOEMPAD
DREVE DU RELAIS DES DAMES
BONNE ODEUR
WILLERIEKENDEDREEF

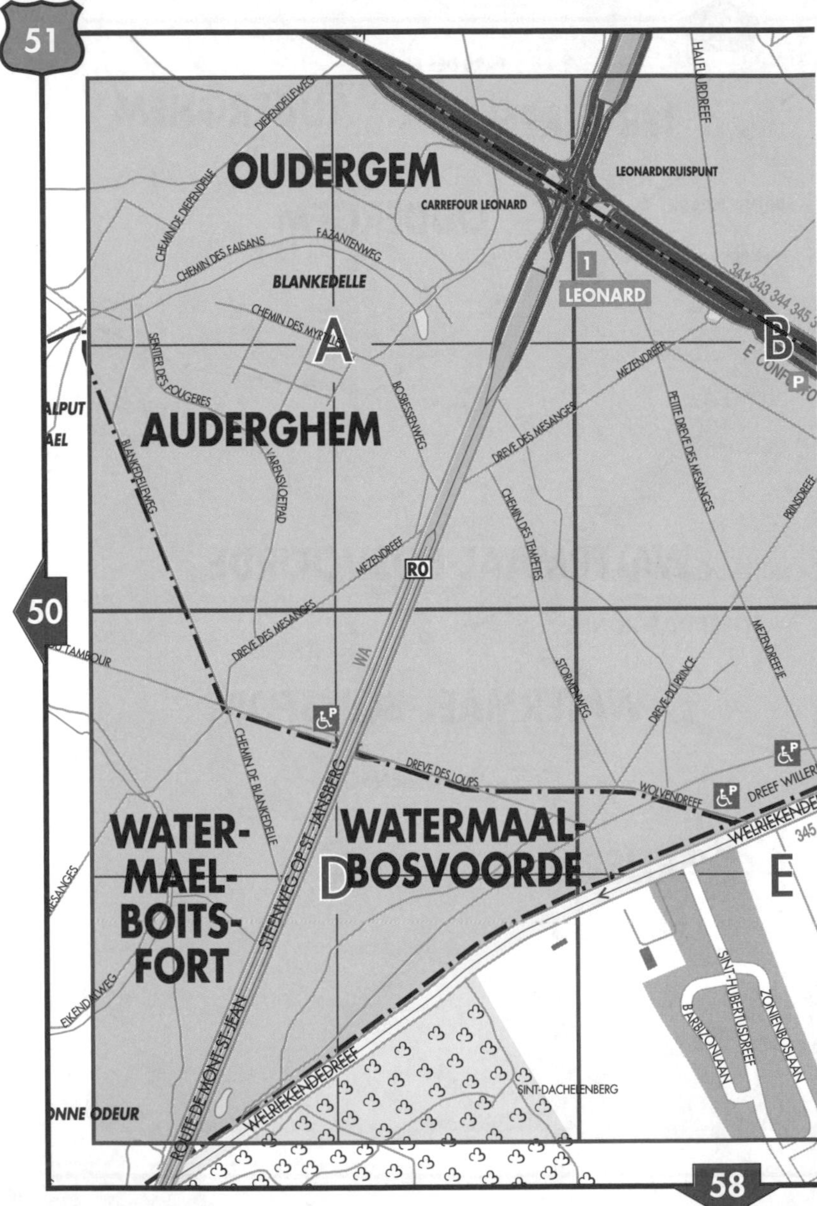

OUDERGEM
CARREFOUR LEONARD
LEONARDKRUISPUNT
HALFUURDREEF
DIEPENDELLEWEG
CHEMIN DE DIEPENDELLE
CHEMIN DES FAISANS
FAZANTENWEG
BLANKEDELLE
CHEMIN DES MYRTILLES
1
LEONARD
A
B
SENTIER DES FOUGERES
BOSBESSENWEG
MEZENDREEF
AUDERGHEM
DREVE DES MESANGES
PETITE DREVE DES MESANGES
VARENSVOETPAD
BLANKEDELLEWEG
CHEMIN DES TEMPETES
PRINSDREEF
R0
MEZENDREEF
DREVE DES MESANGES
MEZENDREEFJE
STORMENWEG
DREVE DU PRINCE
CHEMIN DE BLANKEDELLE
DREVE DES LOUPS
WOLVENDREEF
DREEF WILLERI
STEENWEG OP ST.-JANSBERG
WATER-
MAEL-
BOITS-
FORT
WATERMAAL-
BOSVOORDE
WELRIEKENDEDREEF
D
E
345
SINT-HUBERTUSDREEF
ZONIENBOSLAAN
BARBIZONLAAN
EIKENDALWEG
WELRIEKENDEDREEF
SINT-DACHELENBERG
ROUTE DE MONT-ST-JEAN
ONNE ODEUR

50

58

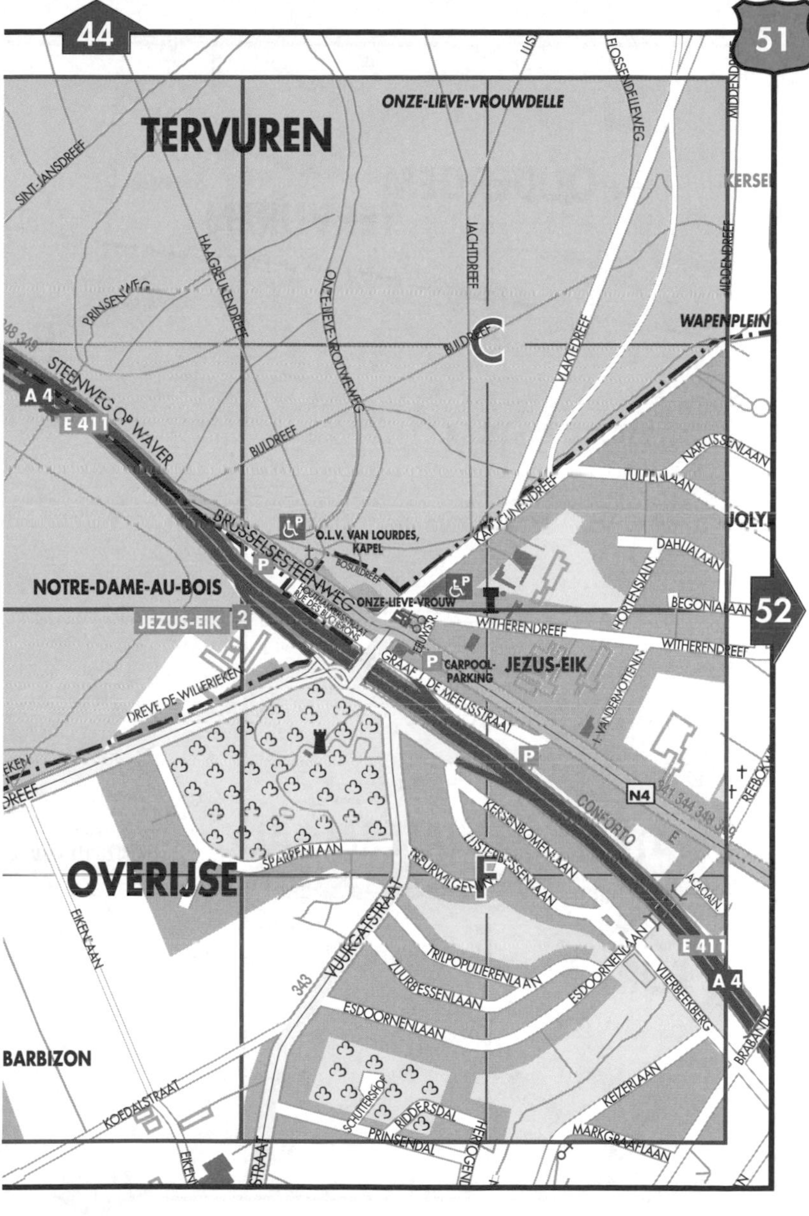
44
51
52
TERVUREN
ONZE-LIEVE-VROUWDELLE
SINT-JANSDREEF
HAAGBEUKENDREEF
PRINSENWEG
ONZE-LIEVE-VROUWWEG
JACHTDREEF
FLOSSENDELLEWEG
MIDDENDREEF
WAPENPLEIN
VLAKTEDREEF
BUILDREEF
C
348 349
STEENWEG OP WAVER
A 4
E 411
BRUSSELSESTEENWEG
O.L.V. VAN LOURDES, KAPEL
BOSUILDREEF
KAPUCIJNENDREEF
NOTRE-DAME-AU-BOIS
JEZUS-EIK
2
HOUTHAKKERSSTRAAT
RUE DES BUCHERONS
ONZE-LIEVE-VROUW
WITHERENDREEF
NARCISSENLAAN
TULPENLAAN
DAHLIALAAN
HORTENSIALN
BEGONIALAAN
CARPOOL-PARKING
JEZUS-EIK
GRAAF J. DE MEEUSSTRAAT
DREVE DE WILLERIEKEN
I. VANDERMOTTENLN
N4
341 344 348 349
CONFORTO
KERSENBOMENLAAN
LIJSTERBESSENLAAN
TREURWILGENLAAN
SPARRENLAAN
OVERIJSE
F
ACACIALN.
EIKENLAAN
VUURGATSTRAAT
343
TRILPOPULIERENLAAN
ZUURBESSENLAAN
ESDOORNENLAAN
VLIERBEEKBERG
BARBIZON
KOEDALSTRAAT
SCHUTTERSHOF
RIDDERSDAL
PRINSENDAL
KEIZERLAAN
MARKGRAAFLAAN

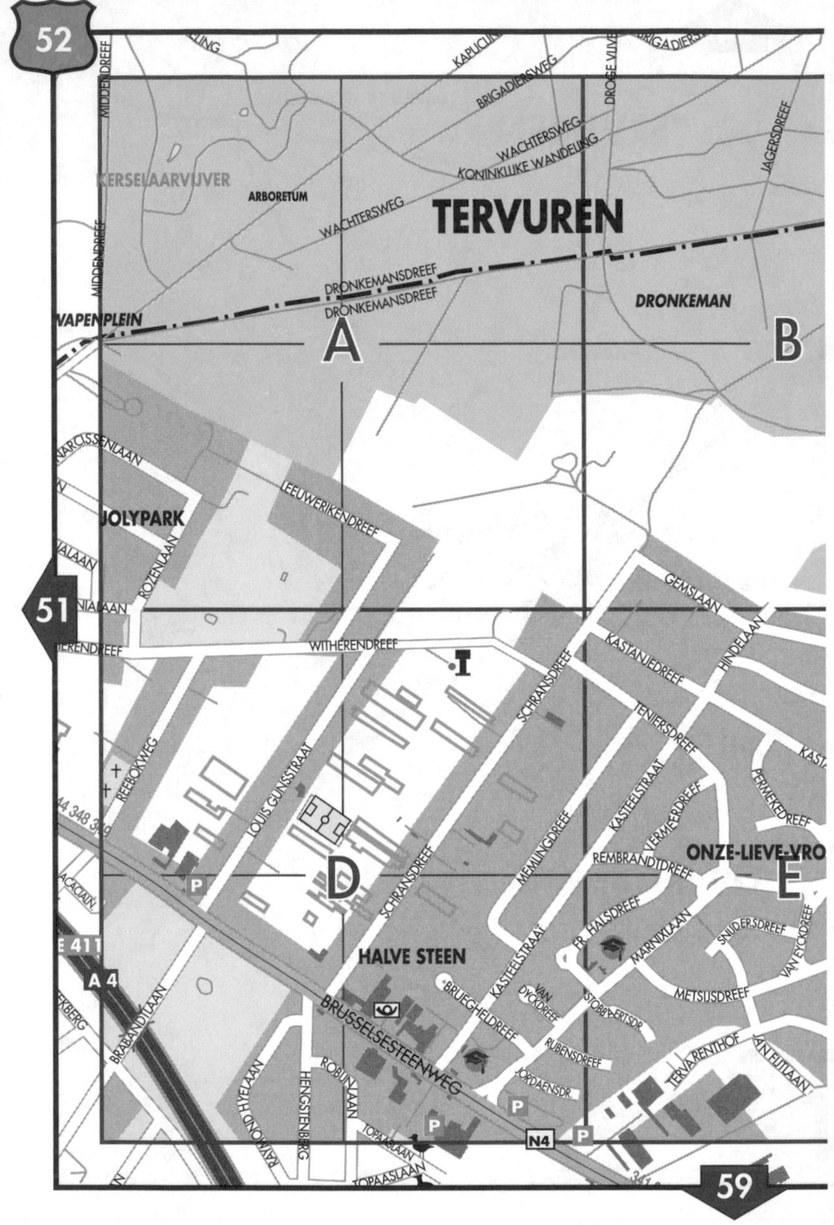
TERVUREN
KERSELAARVIJVER
ARBORETUM
WAPENPLEIN
DRONKEMAN
JOLYPARK
HALVE STEEN
ONZE-LIEVE-VRO
A
B
D
E
51
MIDDENDREEF
BRIGADIERSWEG
DROGE VIJVER
KAPUCIJ
WACHTERSWEG
KONINKLIJKE WANDELING
JAGERSDREEF
DRONKEMANSDREEF
NARCISSENLAAN
LEEUWERIKENDREEF
ROZENLAAN
WITHERENDREEF
GEMSLAAN
KASTANJEDREEF
HINDELAAN
SCHRANSDREEF
TENIERSDREEF
KASTEELSTRAAT
PERMEKEDREEF
REEBOKWEG
LOUIS GUNSSTRAAT
MEMLINGDREEF
VERMEERDREEF
REMBRANDTDREEF
FR. HALSDREEF
MARNIXLAAN
SNIJDERSDREEF
VAN EYCKDREEF
METSIJSDREEF
BRUEGHELDREEF
VAN DYCKDREEF
STOBBAERTSDR.
RUBENSDREEF
JORDAENSDR.
TERVARENTHOF
JAN EGTLAAN
BRUSSELSESTEENWEG
BRABANDTLAAN
ROBIJNLAAN
HENGSTENBERG
RAYMOND HYELAAN
TOPAASLAAN
E 411
A 4
N4
P

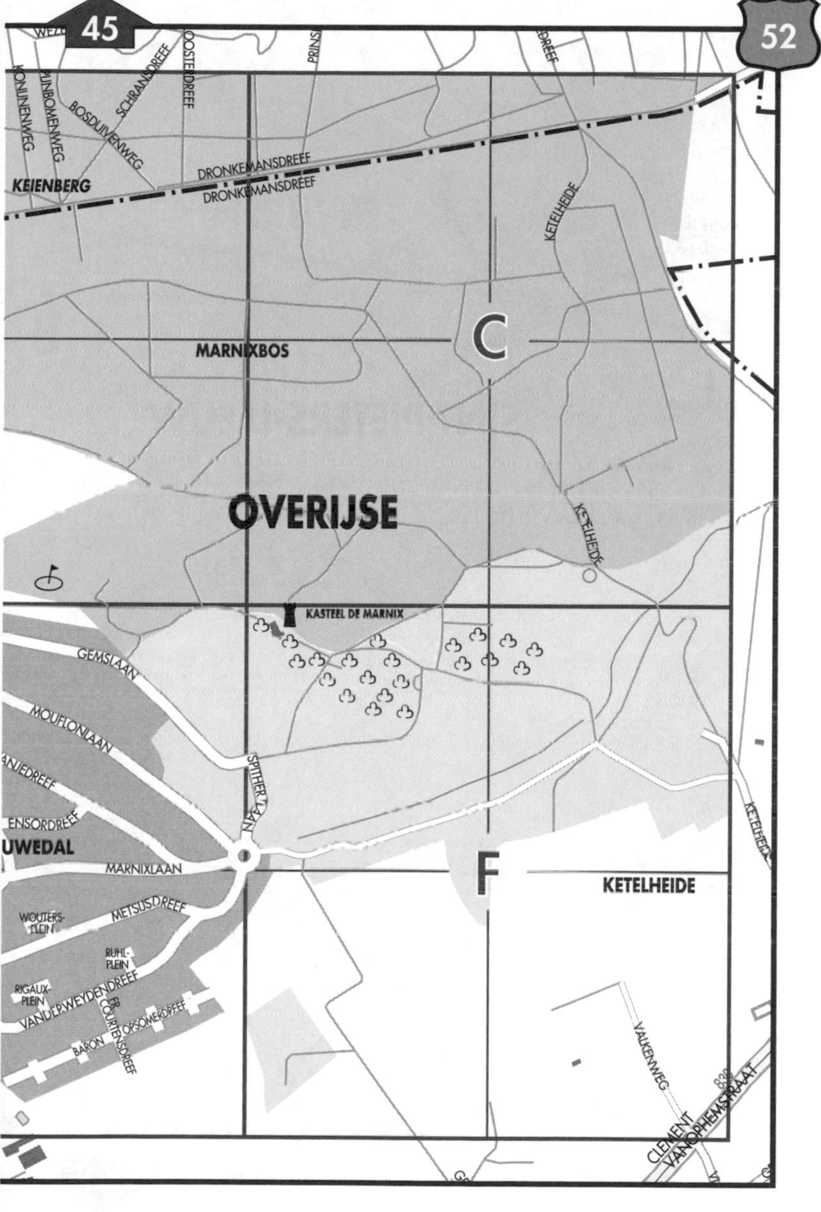
45
52
KONIJNENWEG
PIJNBOMENWEG
BOSDUIVENWEG
SCHRANSDREEF
OOSTERDREEF
PRINS
DREEF
KEIENBERG
DRONKEMANSDREEF
DRONKEMANSDREEF
KETELHEIDE
C
MARNIXBOS
OVERIJSE
KETELHEIDE
KASTEEL DE MARNIX
GEMSLAAN
MOUFLONLAAN
ENSORDREEF
UWEDAL
SPITHIER LAAN
MARNIXLAAN
F
KETELHEIDE
WOUTERS-PLEIN
METSIJSDREEF
RUHL-PLEIN
RIGAUX-PLEIN
VANDERWEYDENDREEF
FR. COURTENSDREEF
OPSOMERDREEF
BARON
VALKENWEG
CLEMENT VANOPHEMSTRAAT

53

SINT-PIETERS-LEEUW

A
B
D
E

HOGE PAAL
KAST. COLOMA
S. K. LEEUW
HOF TEN BRUKOM

BRUSSELBAAN
WATERMOLENLAAN
NIEUWENHOVENLAAN
NEDERVELD
TER BORCHT
VAN DER DILFT LN
ALBERT
HOGE PAAL
DE LIMBURG STIRUMLN.
COLOMALAAN
KAREELOVEN
DEN HUYSMAN
EDOUARD ROOSELAERSSTRAAT
DREEF
GALGSTRAAT
HOGEKOUTER
OUDE BRUSSELBAAN
WEG NR. 8
LOTSTRAAT
SINT-SEBASTIAANSSTRAAT
JOZEPH DEPAUWSTRAAT
MEERSTEEN
EUROPALAAN
HENISDAL
IMPELEER
BERGENSESTEENWEG
NEREM
HELLESTRAAT
LOTBEEK
HOOGELST
IR MILLARSTRAAT
170
171
172

61

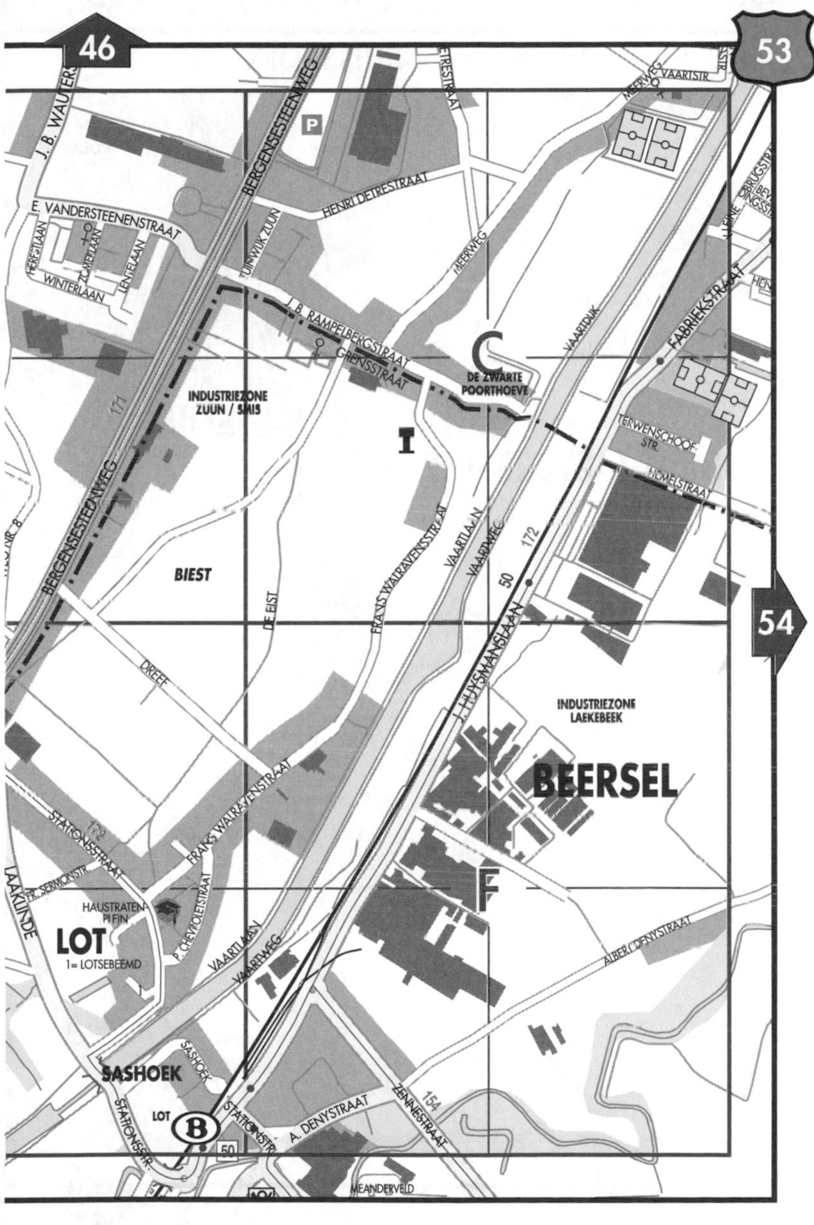
46
53
54
J. B. WAUTERS
BERGENSESTEENWEG
P
E. VANDERSTEENENSTRAAT
HENRI DETRESTRAAT
WINTERLAAN
LENTELAAN
J. B. RAMPELBERGSTRAAT
GRENSSTRAAT
MEERWEG
VAARTSTR.
VAARTDIJK
FABRIEKSTRAAT
C
DE ZWARTE POORTHOEVE
INDUSTRIEZONE ZUUN / SMIS
I
TERWENSCHOOF-STR.
HEMELSTRAAT
BIEST
DE EIST
FRANS WALRAVENSSTRAAT
VAARTLAAN
VAARTWEG
J. HUYSMANSLAAN
DREEF
INDUSTRIEZONE LAEKEBEEK
BEERSEL
STATIONSSTRAAT
F
HAUSTRATEN-PLEIN
LOT
1= LOTSEBEEMD
P. CHEVROLETSTRAAT
SASHOEK
LOT
B
STATIONSSTR.
A. DENYSTRAAT
ZENNESTRAAT
154
50
172
171
MEANDERVELD

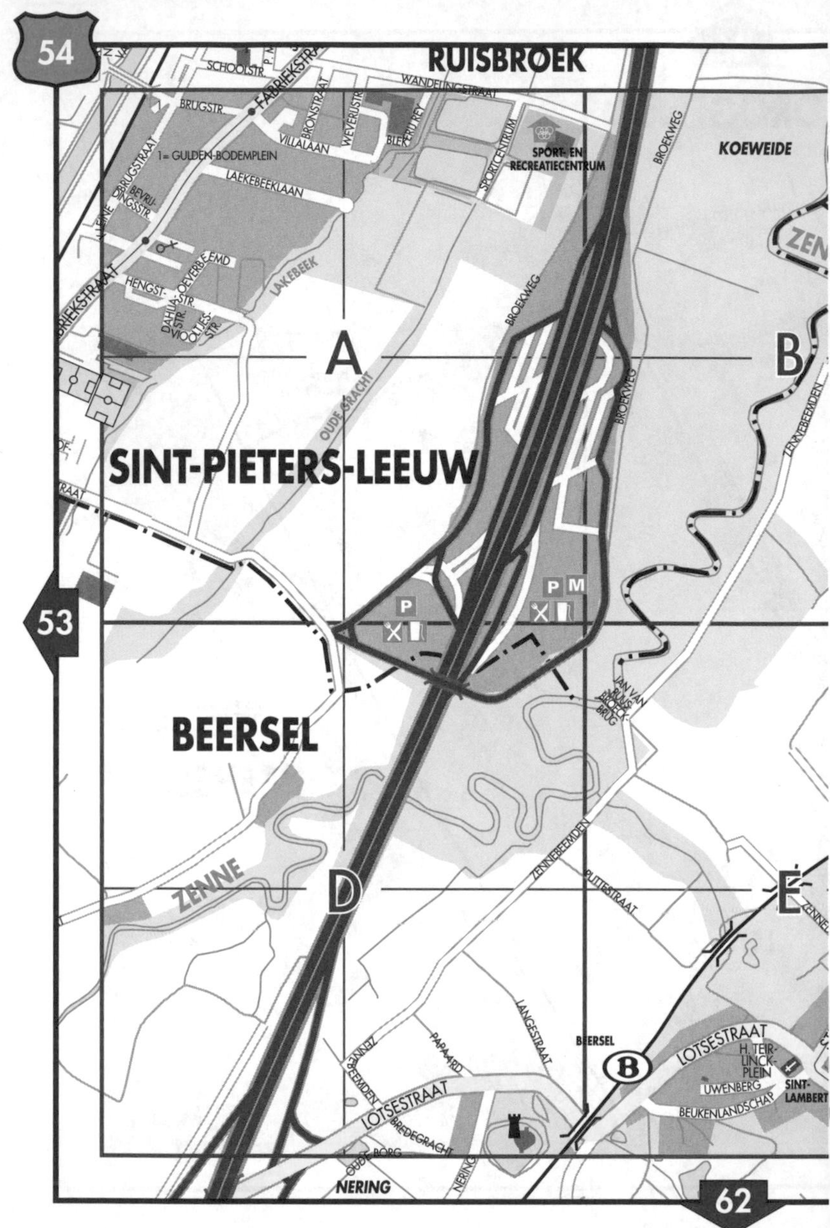
54
RUISBROEK
SCHOOLSTR.
FABRIEKSTRAAT
WANDELINGSTRAAT
BRUGSTR.
BRONSTRAAT
WEVERIJSTR.
BLEKERIJ
VILLALAAN
SPORTCENTRUM
SPORT- EN RECREATIECENTRUM
BROEKWEG
KOEWEIDE
1= GULDEN-BODEMPLEIN
BRUGSTRAAT
BEVRIJDINGSSTR.
LAEKEBEEKLAAN
KLEINE
EMD
OEVERBEEMD
HENGST-STR.
DAHLIASTR.
VIOOLTJESSTR.
LAKEBEEK
ZENNE
A
B
OUDE GRACHT
SINT-PIETERS-LEEUW
ZENNEBEEMDEN
P
P M
53
JAN VAN RUUSBROECKBRUG
BEERSEL
ZENNE
D
E
PUTTESTRAAT
LANGESTRAAT
PAPAARD
BEERSEL
LOTSESTRAAT
H. TEIRLINCKPLEIN
UWENBERG
SINT-LAMBERT
BEUKENLANDSCHAP
BREDEGRACHT
OUDE BORG
NERING
62

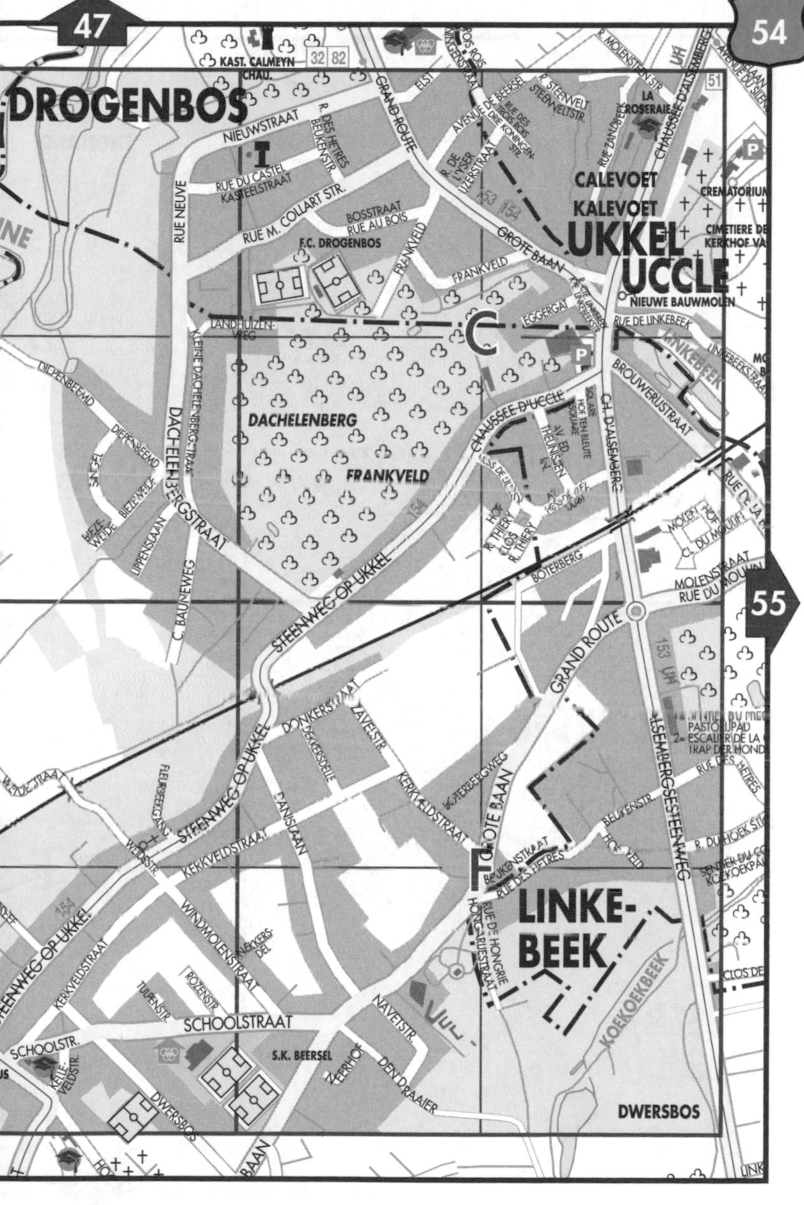
47
54
55
DROGENBOS
KAST. CALMEYN
CHAU.
NIEUWSTRAAT
R. DES HETRES
BEUKENSTR.
RUE DU CASTEL
KASTEELSTRAAT
RUE M. COLLART STR.
BOSSTRAAT
RUE AU BOIS
F.C. DROGENBOS
RUE NEUVE
GRAND ROUTE
GROTE BAAN
FRANKVELD
LANDHUIZENWEG
DACHELENBERG
DACHELENBERGSTRAAT
KLEINE DACHELENBERGSTRAAT
DIEPENBEEMD
SINGEL
BIEZEWEIDE
LIPPENSLAAN
C. BAUNEWEG
CHAUSSEE D'UCCLE
STEENWEG OP UKKEL
AVENUE DE BEERSEL
RUE DES TROIS ROIS
DRIE KONINGENSTR.
R. DE L'YSER
IJZERSTRAAT
R. STEENVELT
STEENVELTSTR.
R. MOLENSTEEN STR.
LA ROSERAIE
RUE ZANDBEEK
CHAUSSEE D'ALSEMBERG
CALEVOET
KALEVOET
UKKEL
UCCLE
CREMATORIUM
CIMETIERE DE
KERKHOF VA
NIEUWE BAUWMOLEN
EGGERGAT
RUE DE LINKEBEEK
LINKEBEEK
LINKEBEEKSTRAAT
BROUWERIJSTRAAT
CH. D'ALSEMBERG
AV. ED. THEUNISSEN
R. THIERY
CLOS
BOTERBERG
MOLENSTRAAT
RUE DU MOULIN
C. DU MOULIN
GRAND ROUTE
GROTE BAAN
ALSEMBERGSESTEENWEG
PASTOORPAD
2= ESCALIER DE LA
TRAP DER HOND
RUE DES HETRES
BEUKENSTR.
R. DU HOEK
DONKERSTRAAT
ZAVELSTR.
DEKKERSDELLE
KERKVELDSTRAAT
BOTERBERGWEG
FLEUROSEGANG
STEENWEG OP UKKEL
D'ANISLAAN
WEIDSSTR.
BEUKENSTRAAT
RUE DES HETRES
RUE DE HONGRIE
HONGARIJESTRAAT
LINKE-
BEEK
KOEKOEKBEEK
CLOS DE
WINDMOLENSTRAAT
KERKVELDSTRAAT
ROZENSTR.
TULPENSTR.
SCHOOLSTRAAT
SCHOOLSTR.
KELLEVELDSTR.
NAVETSTR.
S.K. BEERSEL
ZEERHOF
DEN DRAAIER
DWERSBOS
DWERSBOS
BAAN

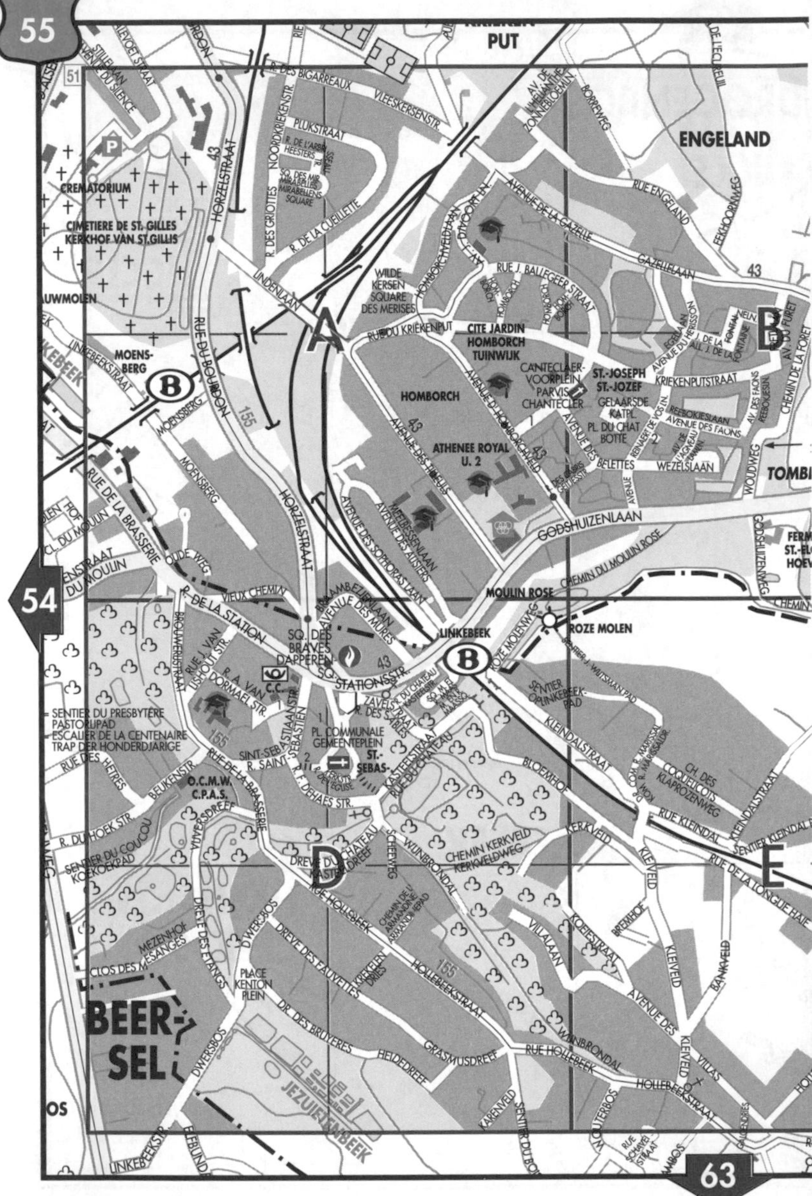
55
54
63
A
B
D
E
PUT
ENGELAND
CREMATORIUM
CIMETIERE DE ST. GILLES
KERKHOF VAN ST.GILLIS
HORZELSTRAAT
RUE DU BOURDON
R. DES BIGARREAUX
VLEESKERSENSTR.
PLUKSTRAAT
NOORDKRIEKENSTR.
R. DES GRIOTTES
R. DE LA CUEILLETTE
LINDENLAAN
WILDE KERSEN SQUARE
SQUARE DES MERISES
RUE DU KRIEKENPUT
CITE JARDIN HOMBORCH TUINWIJK
HOMBORCH
ATHENEE ROYAL U. 2
AVENUE DE LA GAZELLE
GAZELLELAAN
RUE ENGELAND
RUE J. BALLEGEER STRAAT
KRIEKENPUTSTRAAT
ST.-JOSEPH ST.-JOZEF
GODSHUIZENLAAN
CHEMIN DU MOULIN ROSE
MOULIN ROSE
ROZE MOLEN
LINKEBEEK
MOENS-BERG
MOENSBERG
RUE DE LA BRASSERIE
R. DE LA STATION
VIEUX CHEMIN
OUDE WEG
SQ. DES BRAVES DAPPEREN-SQ.
STATIONSSTR.
C.C.
PL. COMMUNALE GEMEENTEPLEIN
ST.-SEBAS-
O.C.M.W. C.P.A.S.
SENTIER DU PRESBYTERE PASTORIJPAD
ESCALIER DE LA CENTENAIRE TRAP DER HONDERDJARIGE
RUE DES HETRES
BEUKENSTR.
R. DU HOEK STR.
SENTIER DU COUCOU KOEKOEKPAD
KLEINDALSTRAAT
RUE KLEINDAL
RUE DE LA LONGUE HAIE
BLOEMHOF
KERKVELD
KLEIVELD
CHEMIN KERKVELD KERKVELDWEG
WIJNBRONDAL
HOLLEBEEKSTRAAT
RUE HOLLEBEEK
DREVE DES FAUVETTES
DR. DES BRUYERES
HEIDEDREEF
GRASMUSDREEF
PLACE KENTON PLEIN
DREVE DES ETANGS
CLOS DES MESANGES
BEER-SEL
JEZUIETENBEEK
TOMBI
43
155

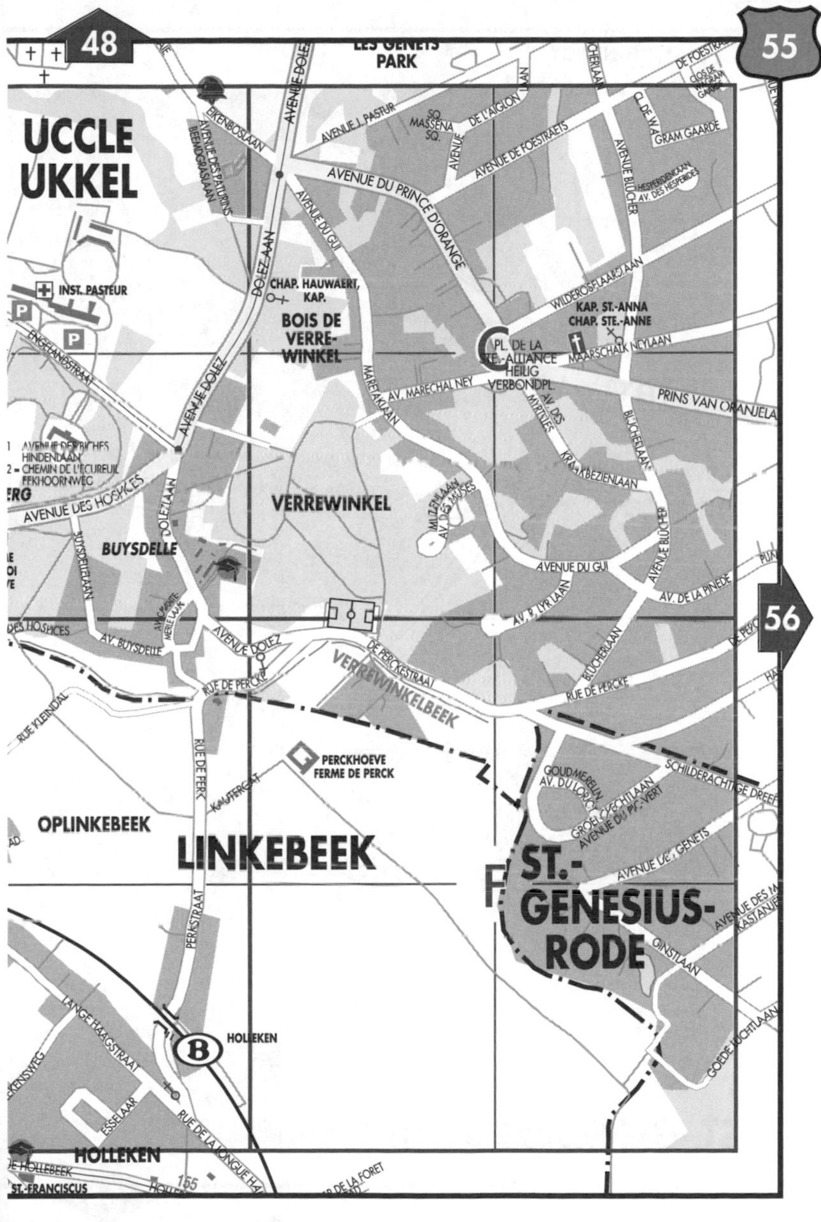

48
55
56
LES GENETS PARK
UCCLE
UKKEL
INST. PASTEUR
CHAP. HAUWAERT, KAP.
BOIS DE VERRE-WINKEL
KAP. ST.-ANNA
CHAP. STE.-ANNE
PL. DE LA STE.-ALLIANCE
HEILIG VERBONDPL.
VERREWINKEL
BUYSDELLE
PERCKHOEVE
FERME DE PERCK
OPLINKEBEEK
LINKEBEEK
ST.-GENESIUS-RODE
HOLLEKEN
AVENUE DOLEZ
AVENUE DU PRINCE D'ORANGE
AVENUE DE FOESTRAETS
AVENUE BLÜCHER
AV. MARECHAL NEY
MAARSCHALK NEYLAAN
PRINS VAN ORANJELAAN
AVENUE DES HOSPICES
AVENUE DU GUI
AV. DE LA PINEDE
RUE DE PERCKE
VERREWINKELBEEK
SCHILDERACHTIGE DREEF
AVENUE DES GENETS
GINSTLAAN
GOEDE LUCHTLAAN
RUE DE PERK
PERKSTRAAT
LANGE HAAGSTRAAT
RUE DE LA LONGUE HAIE
ESSELAAR
RUE YLEINDAL
KAUTERGAT
ENGELANDSTRAAT
BUYSDELLELAAN
AV. BUYSDELLE
DOLEZLAAN
MAREТAKLAAN
WILDEROSELAARSLAAN
HESPERIDENLAAN
AV. DES HESPERIDES
EIKENBOSLAAN
AVENUE DES PATURINS
BEEMDGRASLAAN
AVENUE J. PASTUR
SQ. MASSENA SQ.
DE L'AIGLON
AVENUE DU GUI
AV. DES MYRTILLES
KRAKBEZIENLAAN
MUZENLAAN
AV. DES MUSES
AV. P. LYR LAAN
BLÜCHERLAAN
DE PERCKESTRAAT
GOUDMERELN
AV. DU LORIOT
GROENSPECHTLAAN
AVENUE DU PIC VERT
AVENUE DES M
KASTANJE
1 AVENUE DES BICHES
HINDENLAAN
2 CHEMIN DE L'ECUREUIL
EEKHOORNWEG
CL. DE WAGRAM GAARDE
CLOS DE WAGRAM GAARDE
DE FOESTRA
ST.-FRANCISCUS
HOLLEBEEK
155

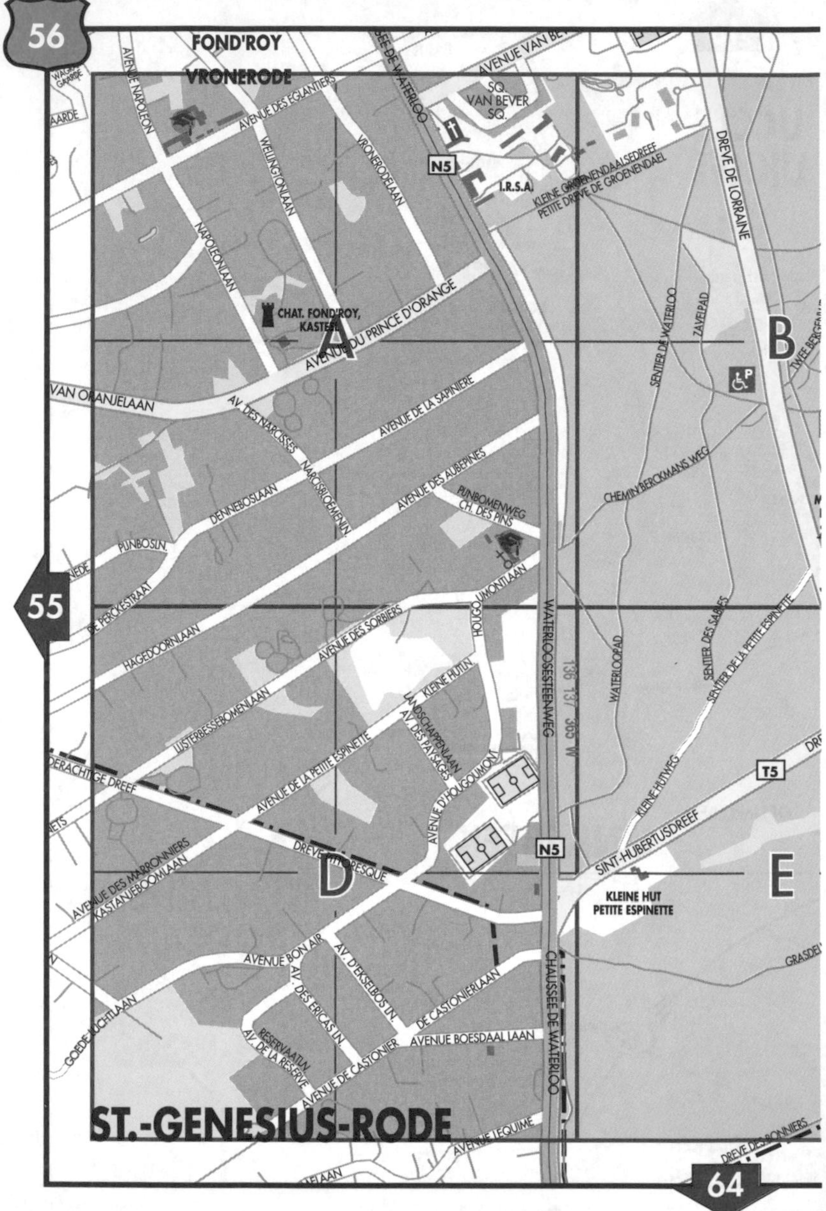
56
55
64
FOND'ROY
VRONERODE
AVENUE NAPOLEON
AVENUE DES EGLANTIERS
WELLINGTONLAAN
VRONERODELAAN
NAPOLEONLAAN
CHAT. FOND'ROY, KASTEEL
AVENUE DU PRINCE D'ORANGE
VAN ORANJELAAN
AV. DES NARCISSES
NARCISBLOEMENLN.
AVENUE DE LA SAPINIERE
DENNEBOSLAAN
PIJNBOSLN.
AVENUE DES AUBEPINES
PIJNBOMENWEG
CH. DES PINS
DE PERCKESTRAAT
HAGEDOORNLAAN
AVENUE DES SORBIERS
HOUGOUMONTLAAN
LIJSTERBESSEBOMENLAAN
KLEINE HUTLN.
LANDSCHAPPENLAAN
AV. DES PAYSAGES
AVENUE DE LA PETITE ESPINETTE
AVENUE D'HOUGOUMONT
DERACHTIGE DREEF
DREVE PITTORESQUE
AVENUE DES MARRONNIERS
KASTANJEBOOMLAAN
AVENUE BON AIR
AV. D'EKSELBOS LN.
AV. DES ERICAS LN.
DE CASTONIERLAAN
AVENUE BOESDAAL LAAN
RESERVAATLN
AV. DE LA RESERVE
AVENUE DE CASTONIER
GOEDE LUCHTLAAN
ST.-GENESIUS-RODE
AVENUE LEQUIME
CHAUSSEE DE WATERLOO
WATERLOOSESTEENWEG
136 137 365 W
N5
T5
AVENUE VAN BEVER
SQ. VAN BEVER SQ.
I.R.S.A.
KLEINE GROENENDAALSEDREEF
PETITE DREVE DE GROENENDAEL
DREVE DE LORRAINE
SENTIER DE WATERLOO
ZAVELPAD
TWEE BERGENW
CHEMIN BERCKMANS WEG
WATERLOOPAD
SENTIER DES SABLES
SENTIER DE LA PETITE ESPINETTE
KLEINE HUTWEG
SINT-HUBERTUSDREEF
KLEINE HUT
PETITE ESPINETTE
GRASDEL
DREVE DES BONNIERS
A
B
D
E

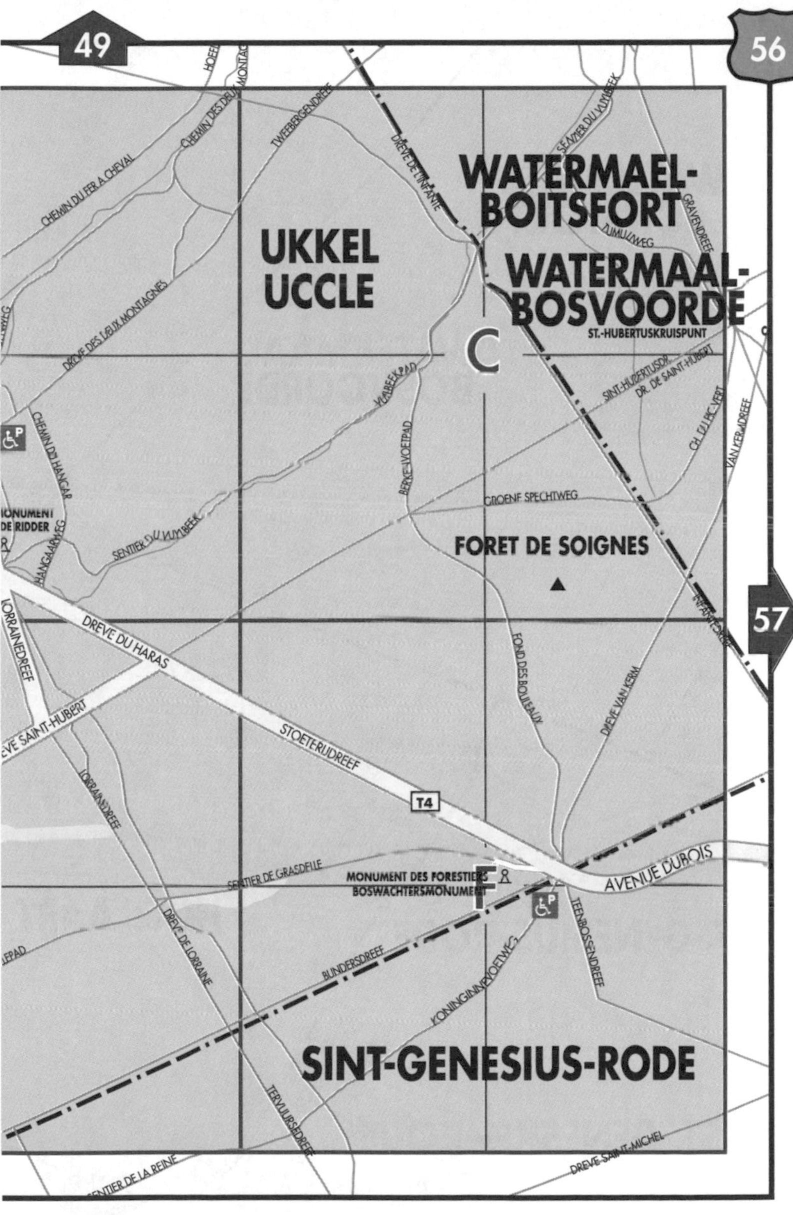

49
56
57
WATERMAEL-BOITSFORT
WATERMAAL-BOSVOORDE
UKKEL UCCLE
ST.-HUBERTUSKRUISPUNT
FORET DE SOIGNES
SINT-GENESIUS-RODE
MONUMENT DE RIDDER
MONUMENT DES FORESTIERS
BOSWACHTERSMONUMENT
CHEMIN DU FER A CHEVAL
CHEMIN DES DEUX MONTAGNES
DREVE DES DEUX MONTAGNES
TWEEBERGENDREEF
DREVE DE L'INFANTE
GRAVENDREEF
SINT-HUBERTUSDR.
DR. DE SAINT-HUBERT
VIJVERBEEKPAD
BERKENVOETPAD
GROENE SPECHTWEG
CHEMIN DU HANGAR
HANGAARWEG
SENTIER DU VIJVERBEEK
DREVE DU HARAS
STOETERIJDREEF
T4
LORRAINEDREEF
DREVE SAINT-HUBERT
FOND DES BOULEAUX
DREVE VAN KERM
VAN KERMDREEF
AVENUE DUBOIS
SENTIER DE GRASDELLE
TEENBOSSENDREEF
BUNDERSDREEF
KONINGINNEVOETWEG
DREVE DE LORRAINE
TERVUURSEDREEF
SENTIER DE LA REINE
DREVE SAINT-MICHEL

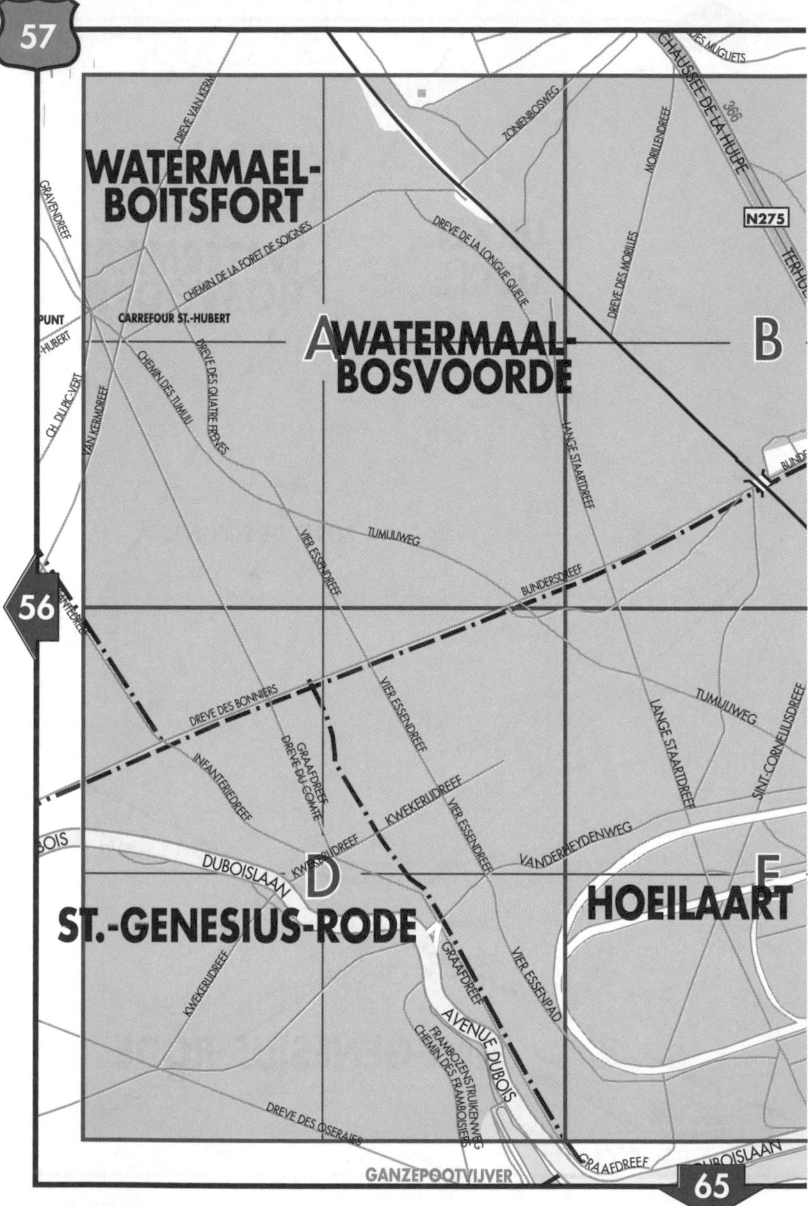
57
WATERMAEL-
BOITSFORT
WATERMAAL-
BOSVOORDE
ST.-GENESIUS-RODE
HOEILAART
A
B
D
E
DES MUGUETS
CHAUSSEE DE LA HULPE
366
N275
TERHU
ZONIENBOSWEG
MORILLENDREEF
DREVE DES MORILLES
DREVE VAN KERM
GRAVENDREEF
DREVE DE LA LONGUE QUEUE
CHEMIN DE LA FORET DE SOIGNES
PUNT
CARREFOUR ST.-HUBERT
-HUBERT
CH. DU PIC-VERT
VAN KERMDREEF
CHEMIN DES TUMULI
DREVE DES QUATRE FRENES
LANGE STAARTDREEF
BUNDE
TUMULIWEG
VIER ESSENDREEF
BUNDERSDREEF
56
DREVE DES BONNIERS
INFANTERIEDREEF
GRAAFDREEF
DREVE DU COMTE
VIER ESSENDREEF
TUMULIWEG
SINT-CORNELIUSDREEF
LANGE STAARTDREEF
KWEKERIJDREEF
VIER ESSENDREEF
VANDERHEYDENWEG
BOIS
DUBOISLAAN
KWEKERIJDREEF
GRAAFDREEF
VIER ESSENPAD
KWEKERIJDREEF
AVENUE DUBOIS
FRAMBOZENSTRUIKENWEG
CHEMIN DES FRAMBOISIERS
DREVE DES OSERAIES
GRAAFDREEF
DUBOISLAAN
GANZEPOOTVIJVER
65

50
57
58

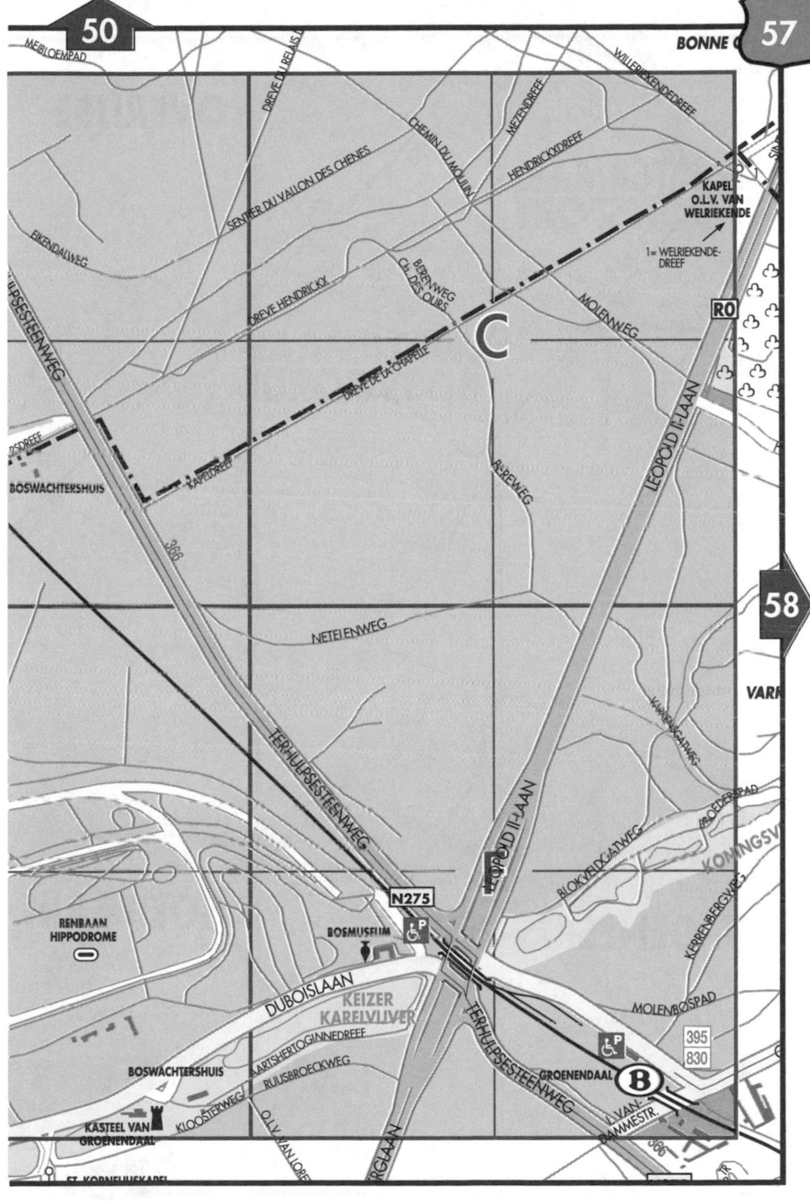
BONNE
MEIBLOEMPAD
DREVE DU RELAIS
WILLERIEKENDEDREEF
MEZENDREEF
CHEMIN DU MOULIN
HENDRICKXDREEF
SENTIER DU VALLON DES CHENES
KAPEL O.L.V. VAN WELRIEKENDE
1= WELRIEKENDE-DREEF
EIKENDALWEG
BERENWEG
CH. DES OURS
DREVE HENDRICKX
MOLENWEG
R0
C
DREVE DE LA CHAPELLE
LEOPOLD II-LAAN
BOSWACHTERSHUIS
KAPELDREEF
BEREWEG
366
NETELENWEG
VARK
TERHULPSESTEENWEG
BOEDERSPAD
BLOKVELDGATWEG
KONINGSV
KERRENBERGWEG
N275
RENBAAN HIPPODROME
BOSMUSEUM
DUBOISLAAN
KEIZER KARELVIJVER
MOLENBOSPAD
ARTSHERTOGINNEDREEF
RUUSBROECKWEG
395
830
BOSWACHTERSHUIS
GROENENDAAL
B
KLOOSTERWEG
KASTEEL VAN GROENENDAAL
L. VANDAMMESTR.
O.L.V. VAN LORE
ST. KORNELIUSKAPEL

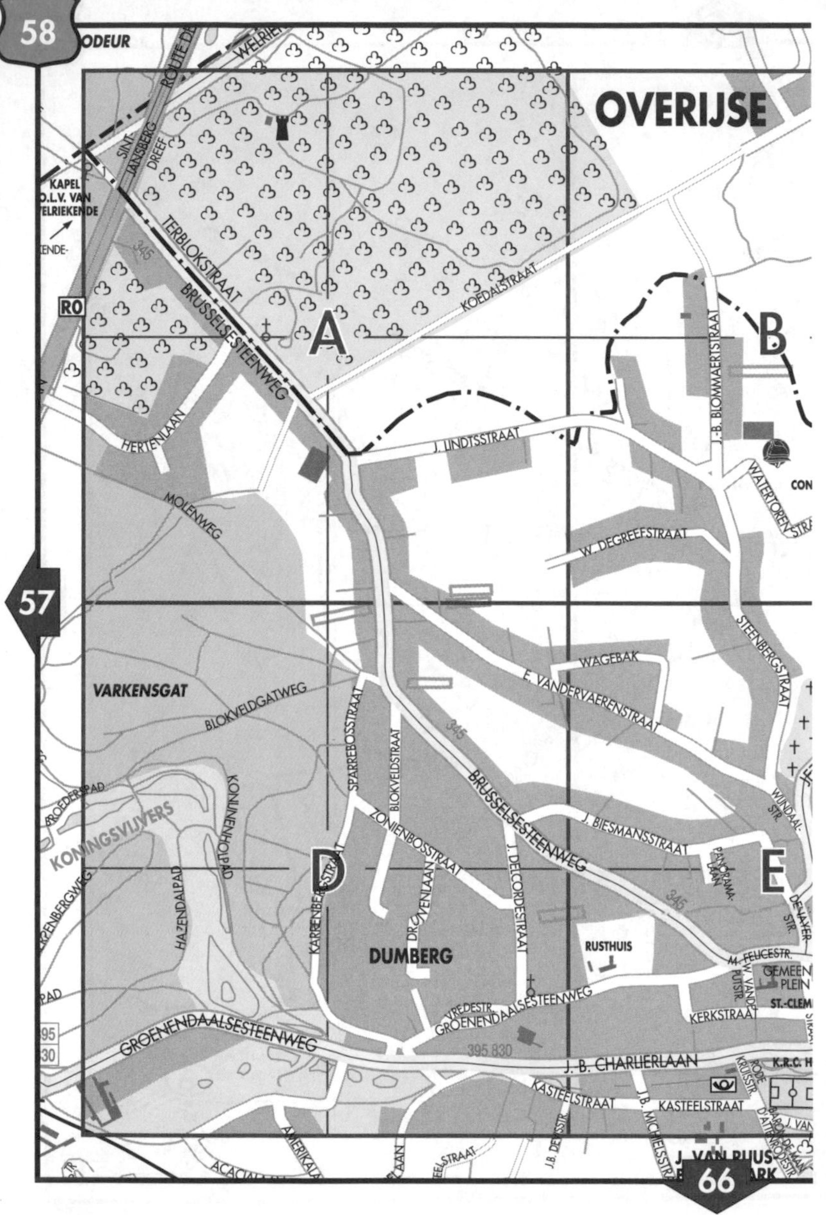
58
57
66
OVERIJSE
A
B
D
E
KAPEL O.L.V. VAN ...ELRIEKENDE
RO
345
395.830
SINT-JANSBERG DREEF
ROUTE DE...
TERBLOKSTRAAT
BRUSSELSESTEENWEG
KOEDALSTRAAT
HERTENLAAN
MOLENWEG
J. LINDTSSTRAAT
J.-B. BLOMMAERTSTRAAT
WATERTORENSTRA...
W. DEGREEFSTRAAT
STEENBERGSTRAAT
WAGEBAK
E. VANDERVAERENSTRAAT
VARKENSGAT
BLOKVELDGATWEG
SPARREBOSSTRAAT
BLOKVELDSTRAAT
KONIJNENHOLPAD
KONINGSVIJVERS
BROEDERSPAD
ZONIENBOSSTRAAT
J. DELCORDESTRAAT
J. BIESMANSSTRAAT
PANORAMALAAN
WIJNDAALSTR.
KARRENBERGSTRAAT
DRUIVENLAAN
HAZENDALPAD
DUMBERG
RUSTHUIS
VREDESTR.
GROENENDAALSESTEENWEG
GROENENDAALSESTEENWEG
J. B. CHARLIERLAAN
KASTEELSTRAAT
KASTEELSTRAAT
J.B. MICHIELSSTR.
J.B. DEVSSTR.
KRUISSTR.
DENAYERSTR.
M. FELICESTR.
W. VANDE PUTSTR.
GEMEENTEPLEIN
ST.-CLEM...
KERKSTRAAT
K.R.C. H...
AMERIKALAAN
ACACIALAAN
J. VAN RIJSWIJCK PARK
BARON DE MAN D'ATTENRODESTR.
RODE

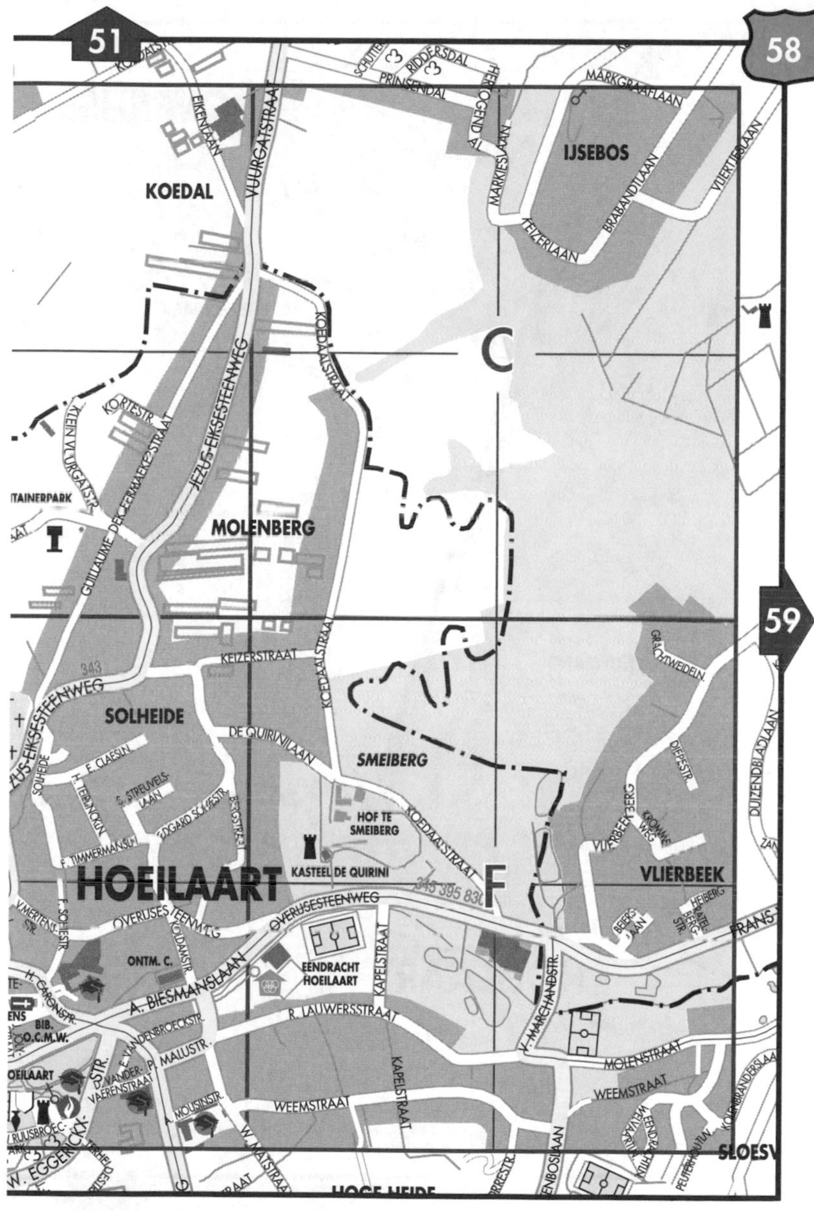
51
58
59
KOEDAL
IJSEBOS
MOLENBERG
SOLHEIDE
SMEIBERG
HOEILAART
VLIERBEEK
HOF TE SMEIBERG
KASTEEL DE QUIRINI
EENDRACHT HOEILAART
ONTM. C.
BIB. O.C.M.W.
C
F
VUURGATSTRAAT
EIKENLAAN
PRINSENDAL
RIDDERSDAL
SCHUTTERS
HERTOGENDAL
MARKIESLAAN
MARKGRAAFLAAN
BRABANDTLAAN
KEIZERLAAN
VLIERTJESLAAN
KOEDAALSTRAAT
JEZUS-EIKSESTEENWEG
GUILLAUME DEKEERMAEKERSTRAAT
KORTESTR.
KLEIN VLURGATSTR.
KEIZERSTRAAT
DE QUIRINILAAN
E. CLAESLN.
H. TEIRLINCKLN.
S. STREUVELS-LAAN
EDGARD SOMESTR.
BERGSTRAAT
F. TIMMERMANSLN.
SOLHEIDE
OVERIJSESTEENWEG
V. MERTENSSTR.
F. SOHESTR.
KOIDANSSTR.
A. BIESMANSLAAN
H. CARONSTR.
KAPELSTRAAT
R. LAUWERSSTRAAT
E. VANDENBROECKSTR.
P. MALUSTR.
D. VANDERVAERENSTRAAT
A. MOUSINSTR.
WEEMSTRAAT
W. MATSTRAAT
W. EGGERICKX-STR.
V. MARCHANDSTR.
MOLENSTRAAT
GRACHTWEIDELN.
DIEPESTR.
VLIERBEEKBERG
KROMME WEG
BEIERG-LAAN
HEIBERG
RATELBERG-STR.
DUIZENDBLADLAAN
KOLENBRANDERSLAAN
PEUTERHOUTLN.
EENDRACHTLN.
WELVAARTLN.
HOGE HEIDE
SLOESV
343
345 395 830

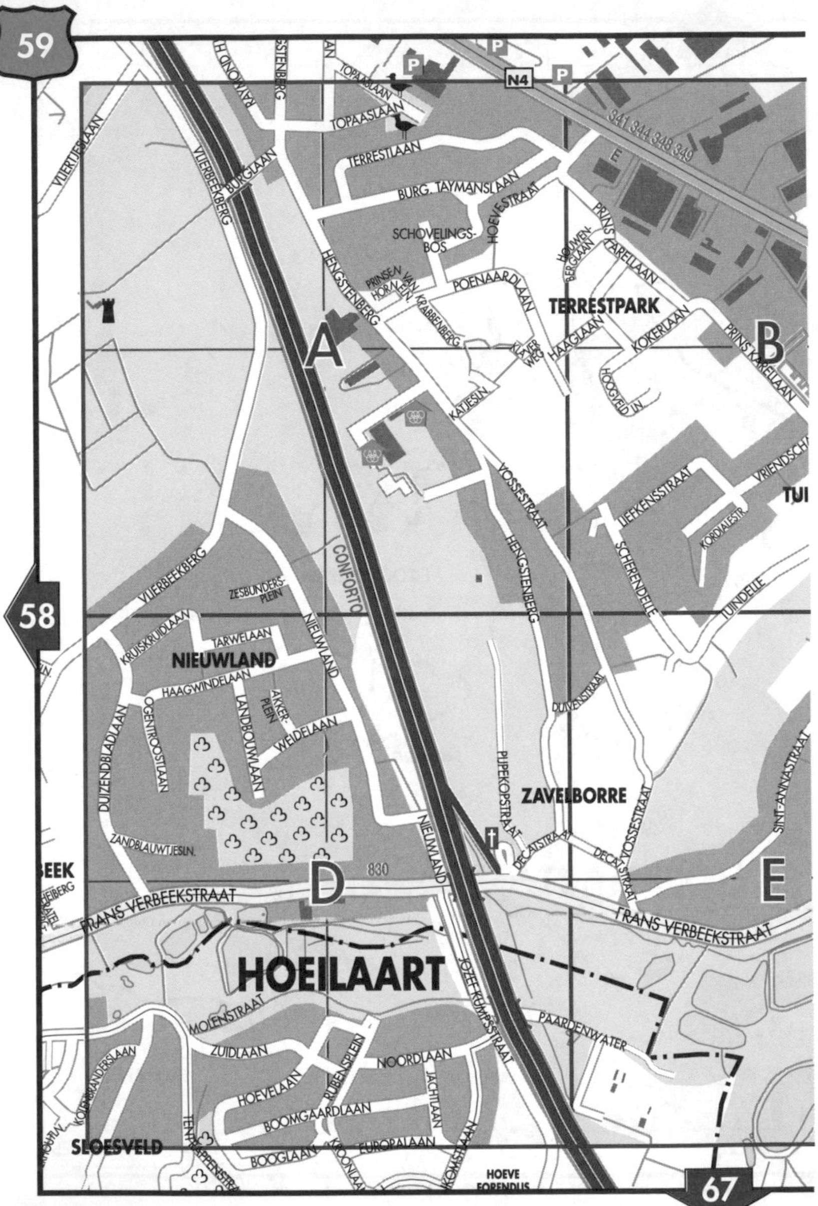
59
58
67
A
B
D
E
N4
P
341 344 348 349
TOPAASLAAN
TERRESTLAAN
BURG. TAYMANSLAAN
HOEVESTRAAT
SCHOVELINGS-BOS
HENGSTENBERG
POENAARDLAAN
KRABBENBERG
PRINS KARELLAAN
TERRESTPARK
HAAGLAAN
KOKERLAAN
KLAVERWEG
KATJESLN.
HOOGVELDLN.
VOSSESTRAAT
LIEFKENSSTRAAT
KORDIALESTR.
SCHERENDELLE
TUINDELLE
CONFORTO
VLIERBEEKBERG
VLIERTJESLAAN
BURGLAAN
ZESBUNDERSPLEIN
NIEUWLAND
KRUISKRUIDLAAN
TARWELAAN
HAAGWINDELAAN
OGENTROOSTLAAN
LANDBOUWLAAN
AKKERPLEIN
WEIDELAAN
DUIZENDBLADLAAN
ZANDBLAUWTJESLN.
DUIVENSTRAAT
PIJPEKOPSTRAAT
ZAVELBORRE
DECATSTRAAT
SINT-ANNASTRAAT
830
FRANS VERBEEKSTRAAT
HOEILAART
JOZEF KUMPSSTRAAT
PAARDENWATER
MOLENSTRAAT
ZUIDLAAN
NOORDLAAN
RUBENSPLEIN
JACHTLAAN
HOEVELAAN
BOOMGAARDLAAN
EUROPALAAN
BOOGLAAN
SLOESVELD
HOEVE

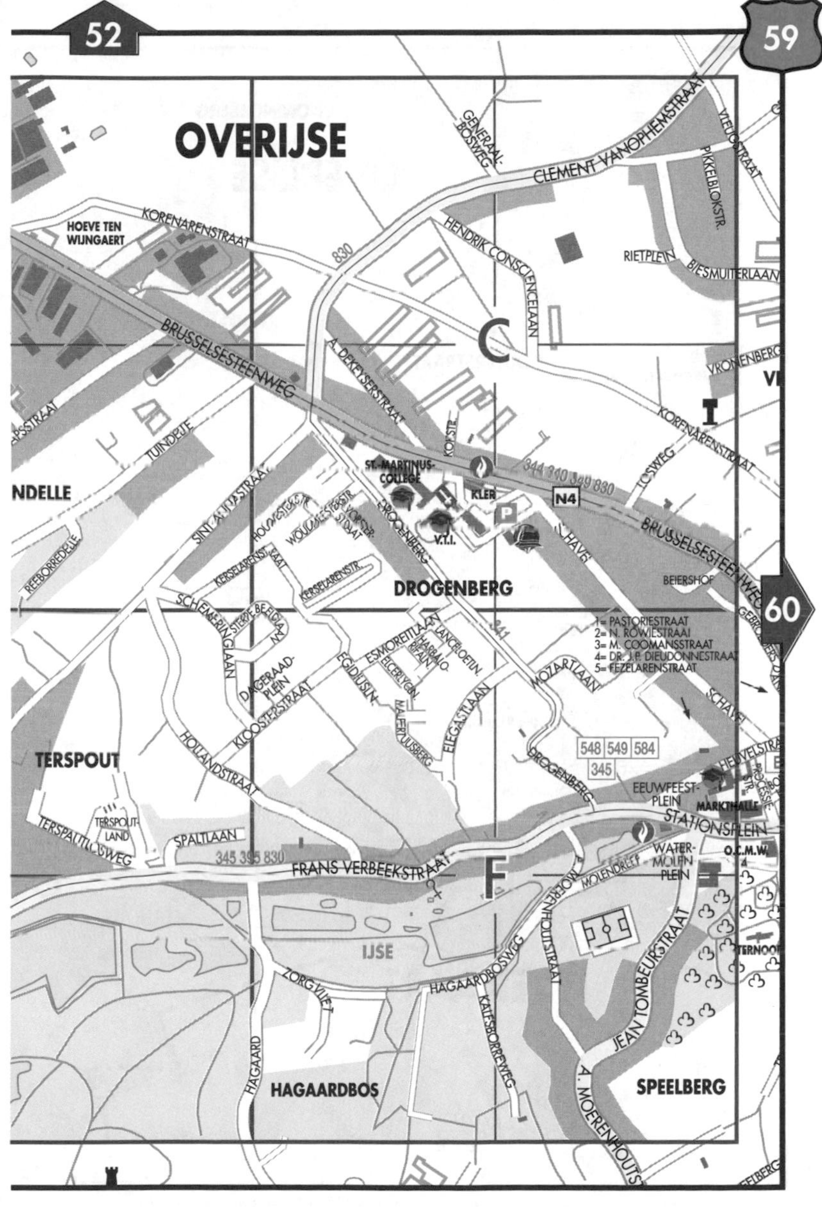

52
59
60
OVERIJSE
HOEVE TEN WIJNGAERT
KORENARENSTRAAT
BRUSSELSESTEENWEG
GENERAAL-BOSWEG
CLEMENT VANOPHEMSTRAAT
VLEUGSTRAAT
PIKKELBLOKSTR.
RIETPLEIN
BIESMUITERLAAN
HENDRIK CONSCIENCELAAN
830
C
A. DEKEYSERSTRAAT
VRONENBERG
KOPSTR.
ST.-MARTINUS-COLLEGE
KLER
344 340 349 830
N4
V.T.I.
LOSWEG
DROGENBERG
BEIERSHOF
NDELLE
REEBORREDELLE
KERSELARENSTRAAT
KERSELARENSTR.
SCHEMERINGLAAN
DAGERAAD-PLEIN
KLOOSTERSTRAAT
EGIDIUSLN.
ESMOREITLAAN
LANCELOETLN.
MOZARTLAAN
1= PASTORIESTRAAT
2= N. ROWIESTRAAT
3= M. COOMANSSTRAAT
4= DR. J.P. DIEUDONNESTRAAT
5= FEZELARENSTRAAT
548 549 584
345
HOLLANDSTRAAT
TERSPOUT
TERSPOUT-LAND
SPALTLAAN
345 395 830
FRANS VERBEEKSTRAAT
F
EEUWFEEST-PLEIN
MARKTHALLE
STATIONSPLEIN
WATER-MOLEN PLEIN
MOLENDREEF
O.C.M.W.
HEUVELSTRAAT
MOERENHOUTSTRAAT
IJSE
ZORGVLIET
HAGAARDBOSWEG
KALFSBORREWEG
JEAN TOMBEURSTRAAT
HAGAARD
HAGAARDBOS
A. MOERENHOUTS
SPEELBERG

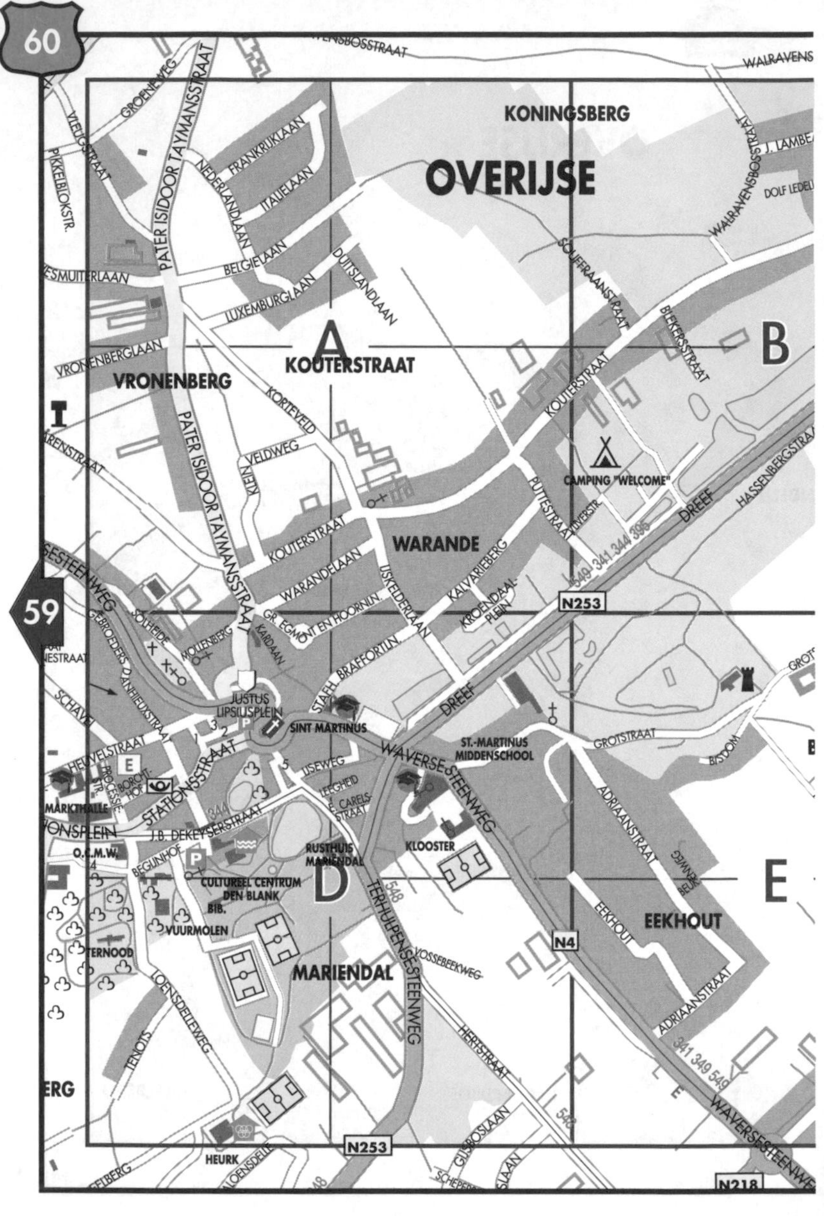

WALRAVENSBOSSTRAAT
WALRAVENS
KONINGSBERG
OVERIJSE
GROENEWEG
PATER ISIDOOR TAYMANSSTRAAT
VLIEGSTRAAT
PIKKELBLOKSTR.
FRANKRIJKLAAN
NEDERLANDLAAN
ITALIELAAN
BELGIELAAN
DUITSLANDLAAN
LUXEMBURGLAAN
J. LAMBE
DOLF LEDEL
WALRAVENSBOSSTRAAT
SOUFFRAANSTRAAT
BLEKERSSTRAAT
A
B
KOUTERSTRAAT
VRONENBERGLAAN
VRONENBERG
KORTEVELD
VELDWEG
KLEIN
CAMPING "WELCOME"
PUTTESTRAAT
VIVERSTR.
DREEF
HASSENBERGSTRAAT
WARANDE
KOUTERSTRAAT
WARANDELAAN
IJSKELDERLAAN
KALVARIEBERG
KROENDAAL-PLEIN
549 341 344 395
N253
SOLHEIDE
GEBROEDERS DANHIEUXSTRAAT
MOLENBERG
GR. EGMONT EN HOORNLN.
KARDAAN
BRAFFORTLN.
STAFH.
JUSTUS LIPSIUSPLEIN
SINT MARTINUS
SCHAVEI
HEUVELSTRAAT
STATIONSSTRAAT
PROCESSIE-STR.
BORCHT-HOF
IJSEWEG
LEEGHEID
E. CARELS-STRAAT
WAVERSESTEENWEG
ST.-MARTINUS MIDDENSCHOOL
GROTSTRAAT
BISDOM
ADRIAANSTRAAT
MARKTHALLE
J.B. DEKEYSERSTRAAT
344
O.C.M.W.
BEGIJNHOF
RUSTHUIS MARIENDAL
KLOOSTER
CULTUREEL CENTRUM DEN BLANK
BIB.
VUURMOLEN
D
E
TERHULPENSESTEENWEG
548
BEUKENWEG
EEKHOUT
EEKHOUT
N4
VOSSEBEEKWEG
MARIENDAL
ADRIAANSTRAAT
LOENSDELLEWEG
HERTSTRAAT
341 349 549
WAVERSESTEENWEG
GIJSBOSLAAN
HEURK
N253
N218
SCHEPERS
ERG

59

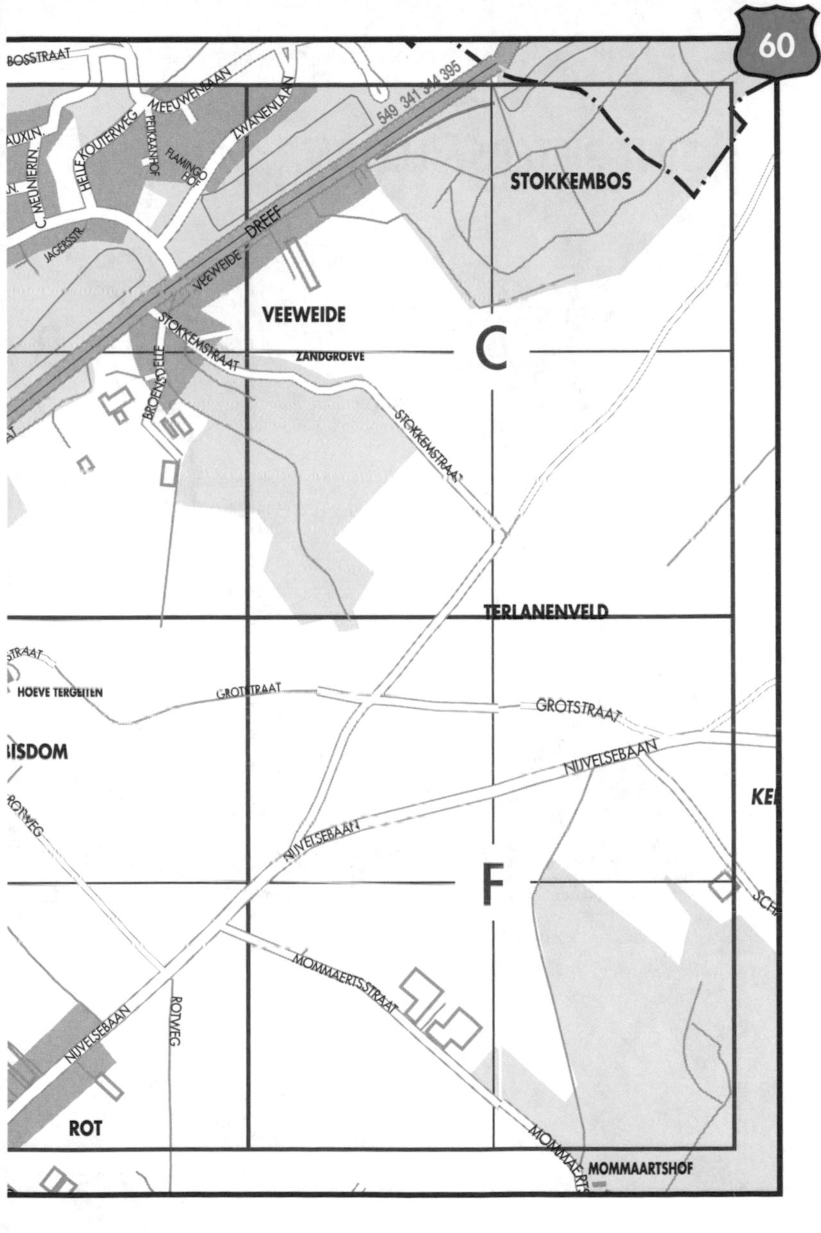
BOSSTRAAT
MEEUWENBAAN
ZWANENLAAN
HELLEKOUTERWEG
PELIKAANHOF
FLAMINGO HOF
C. MEUNIERLN.
JAGERSSTR.
549 341 344 395
VEEWEIDE
DREEF
STOKKEMBOS
VEEWEIDE
STOKKEMSTRAAT
BROEKSDELLE
ZANDGROEVE
C
STOKKEMSTRAAT
TERLANENVELD
HOEVE TERGEITEN
GROTSTRAAT
GROTSTRAAT
BISDOM
NIJVELSEBAAN
ROTWEG
NIJVELSEBAAN
F
MOMMAERTSSTRAAT
NIJVELSEBAAN
ROTWEG
ROT
MOMMAERTS
MOMMAARTSHOF

61

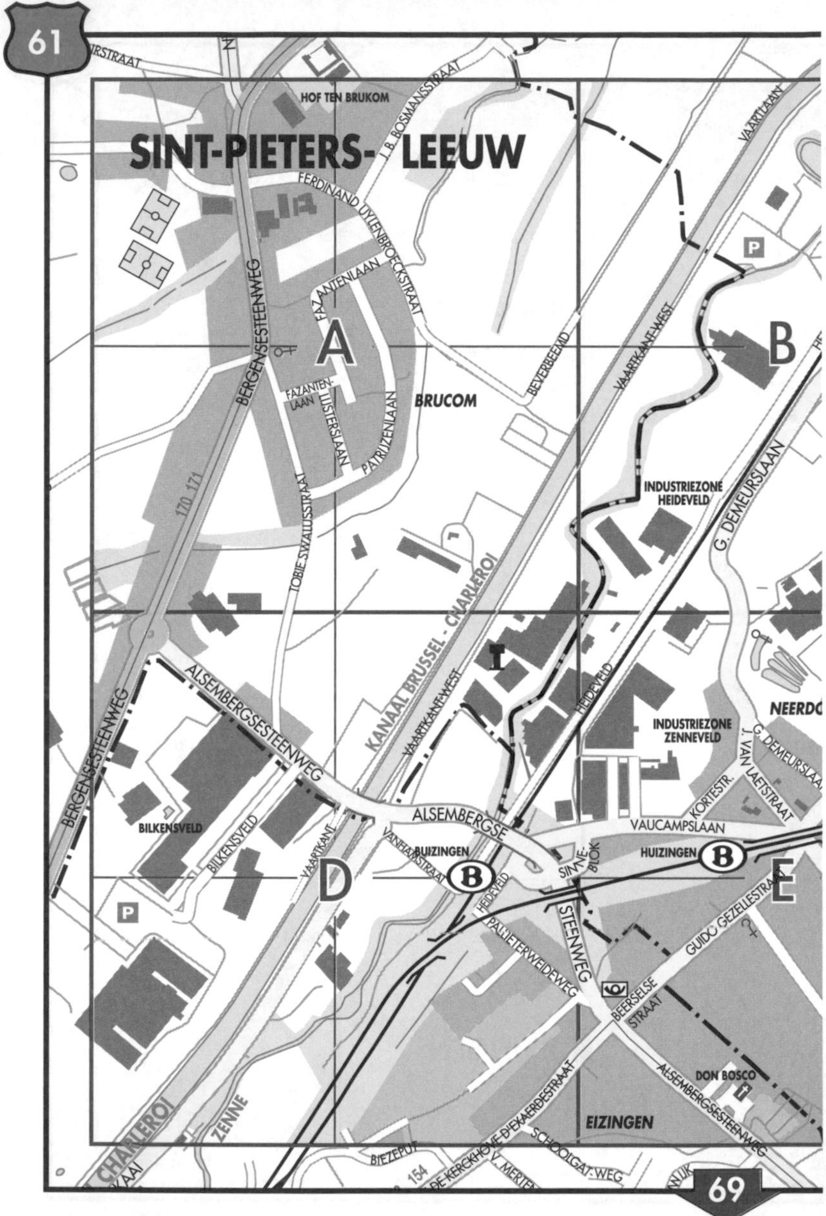
SINT-PIETERS- LEEUW
HOF TEN BRUKOM
J. B. BOSMANSSTRAAT
FERDINAND UYLENBROECKSTRAAT
FAZANTENLAAN
FAZANTEN-LAAN
MEESTERSLAAN
PATRIJZENLAAN
BRUCOM
BERGENSESTEENWEG
TOBIE SWALUSSTRAAT
BEVERBEEMD
VAARTKANT-WEST
VAARTLAAN
INDUSTRIEZONE HEIDEVELD
G. DEMEURSLAAN
KANAAL BRUSSEL - CHARLEROI
ALSEMBERGSESTEENWEG
HEIDEVELD
INDUSTRIEZONE ZENNEVELD
NEERDO
J. VAN LAETSTRAAT
KORTESTR.
VAUCAMPSLAAN
ALSEMBERGSE
BILKENSVELD
VAARTKANT
VANHAMSTRAAT
BUIZINGEN
HUIZINGEN
SINNE-BLOK
STEENWEG
PALLIETERWEIDEWEG
GUIDO GEZELLESTRAAT
BEERSELSE STRAAT
DON BOSCO
EIZINGEN
DE KERCKHOVE D'EXAERDESTRAAT
SCHOOLGAT-WEG
BIEZEPUT
V. MERTE
CHARLEROI
ZENNE
KAAI
154
170 171
A
B
D
E
P

69

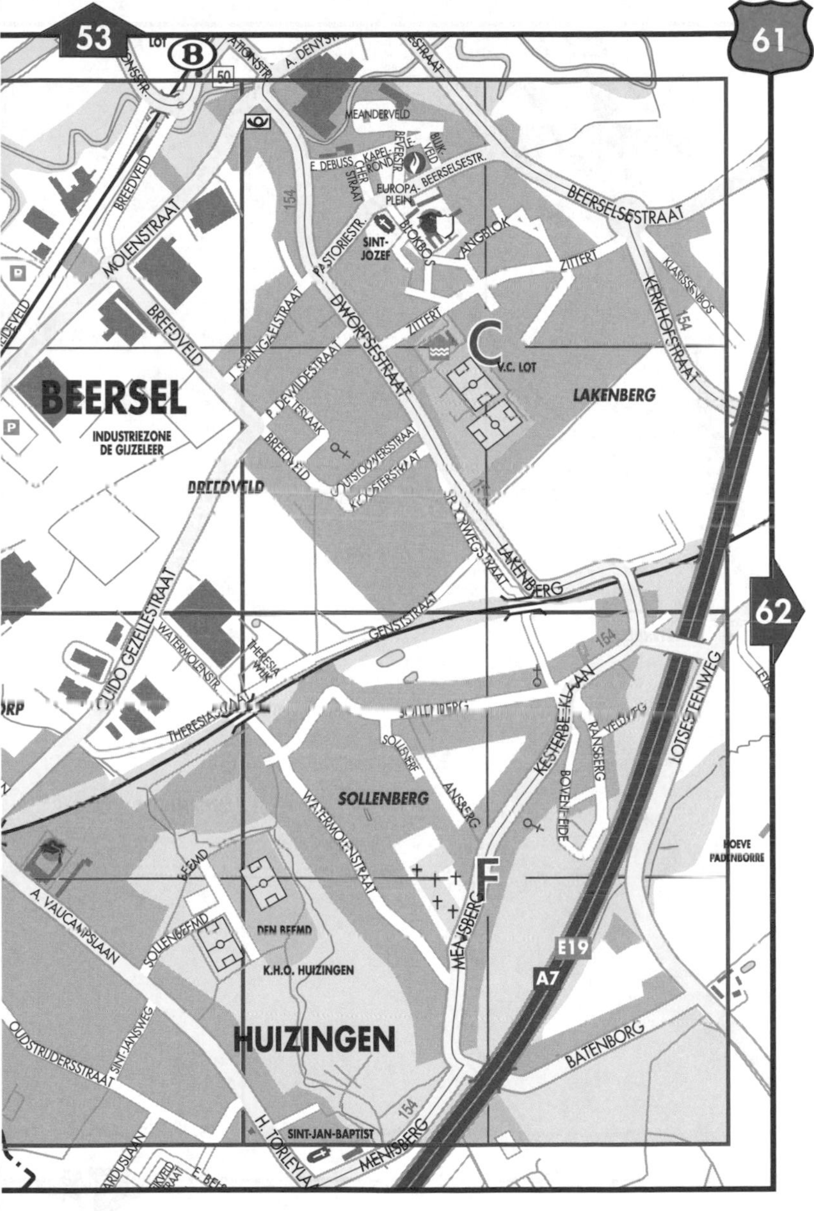
53
61
62
BEERSEL
INDUSTRIEZONE
DE GIJZELEER
BREEDVELD
LAKENBERG
V.C. LOT
SOLLENBERG
HUIZINGEN
DEN BEEMD
K.H.O. HUIZINGEN
SINT-JAN-BAPTIST
SINT-JOZEF
HOEVE
PADENBORRE
MEANDERVELD
MOLENSTRAAT
BEERSELSESTRAAT
DWORPSESTRAAT
KERKHOFSTRAAT
GENSTSTRAAT
LOTSESTEENWEG
WATERMOLENSTRAAT
A. VAUCAMPSLAAN
OUDSTRIJDERSSTRAAT
SINT-JANSWEG
H. TORLEYLAAN
MENISBERG
BATENBORG
KESTERBEEKLAAN
THERESIASTRAAT
THERESIAWIJK
WATERMOLENSTR.
GUIDO GEZELLESTRAAT
J. SPRINGAELSTRAAT
P. DEVILDESTRAAT
PASTORIESTR.
EUROPA-PLEIN
ZITTERT
LANGBLOK
BLOKBOS
E19
A7
154
50

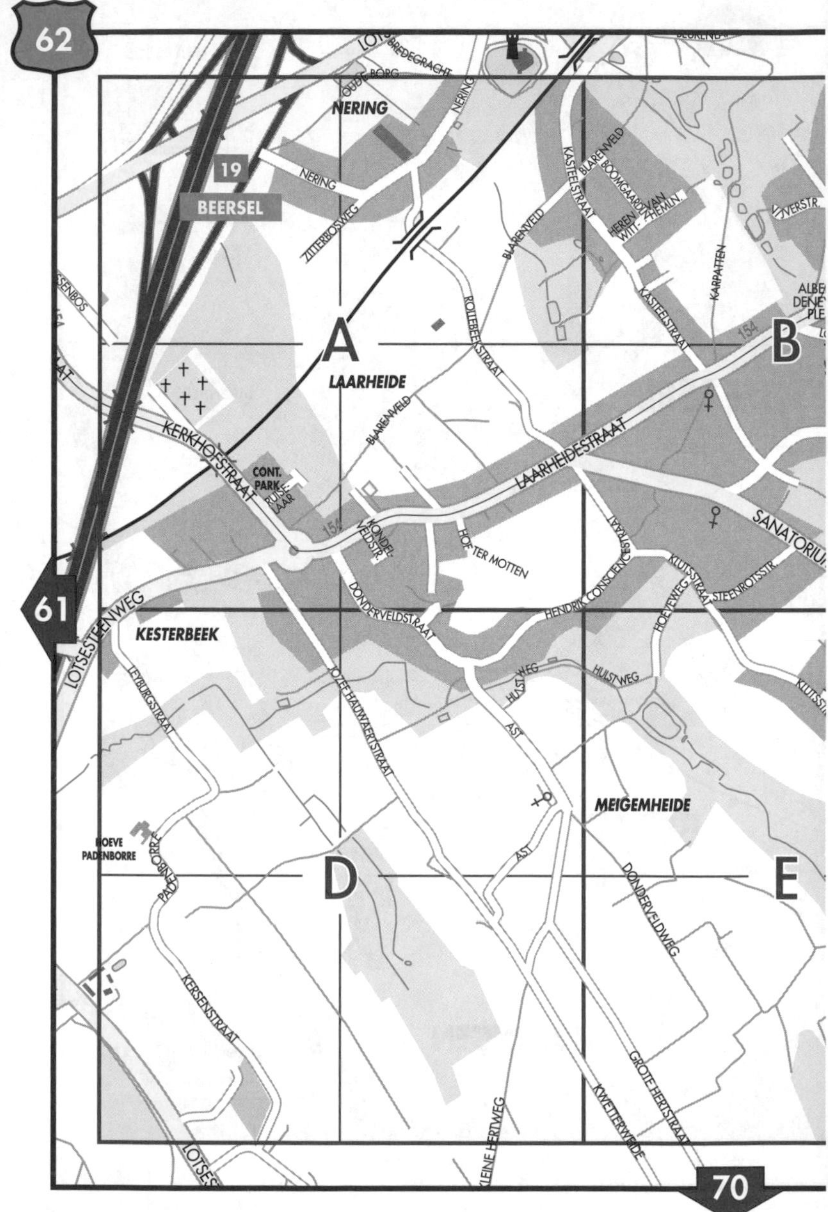

62
61
70
NERING
LAARHEIDE
KESTERBEEK
MEIGEMHEIDE
A
B
D
E
19
BEERSEL
BREDEGRACHT
OUDE BORG
NERING
ZITTERBOSWEG
KASTEELSTRAAT
BLARENVELD
BOOMGAARD
VAN HEMLN.
HEREN WITT.
KARPATTEN
VIJVERSTR.
ROLLEBEEKSTRAAT
LAARHEIDESTRAAT
KERKHOFSTRAAT
CONT. PARK
RUISELAAR
KONDELVELDSTR.
HOF TER MOTTEN
SANATORIU
HENDRIK CONSCIENCESTRAAT
KLUTSSTRAAT
STEENROTSSTR.
HOEVEWEG
DONDERVELDSTRAAT
HULSTWEG
LOTSESTEENWEG
LEYBURGSTRAAT
JOZEF HAUWAERTSTRAAT
AST
HOEVE PADENBORRE
PADENBORRE
DONDERVELDWEG
KERSENSTRAAT
GROTE HERTSTRAAT
KWETTERWEIDE
KLEINE HERTWEG
154

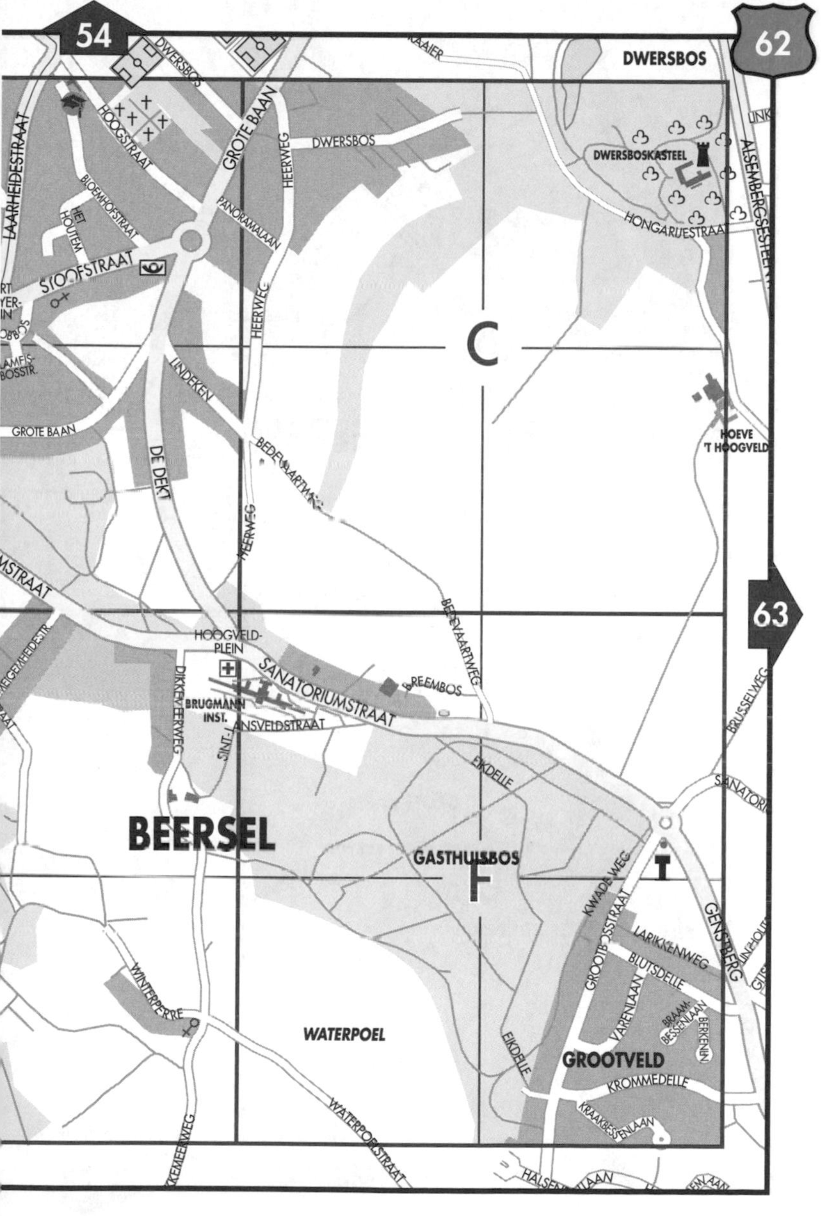

54
62
63
DWERSBOS
DWERSBOSKASTEEL
HONGARIJESTRAAT
ALSEMBERGSESTEENW.
HOEVE 'T HOOGVELD
C
F
GROTE BAAN
HOOGSTRAAT
BLOEMHOFSTRAAT
HET HOUTEM
LAARHEIDESTRAAT
STOOFSTRAAT
PANORAMALAAN
HEERWEG
LINDEKEN
DE DEKT
BEDEVAARTWEG
HOOGVELD-PLEIN
SANATORIUMSTRAAT
BRUGMANN INST.
SINT-LANSVELDSTRAAT
DIKKE EERWEG
BREEMBOS
EIKDELLE
BEERSEL
GASTHUISBOS
KWADE WEG
GROOTBOSSTRAAT
LARIKSENWEG
BLUTSDELLE
VARENLAAN
BRAAM-BESSENLAAN
BERKENLN
GROOTVELD
KROMMEDELLE
KRAAKBESSENLAAN
GENSTBERG
BRUSSELWEG
WATERPOEL
WATERPOELSTRAAT
WINTERPERRE

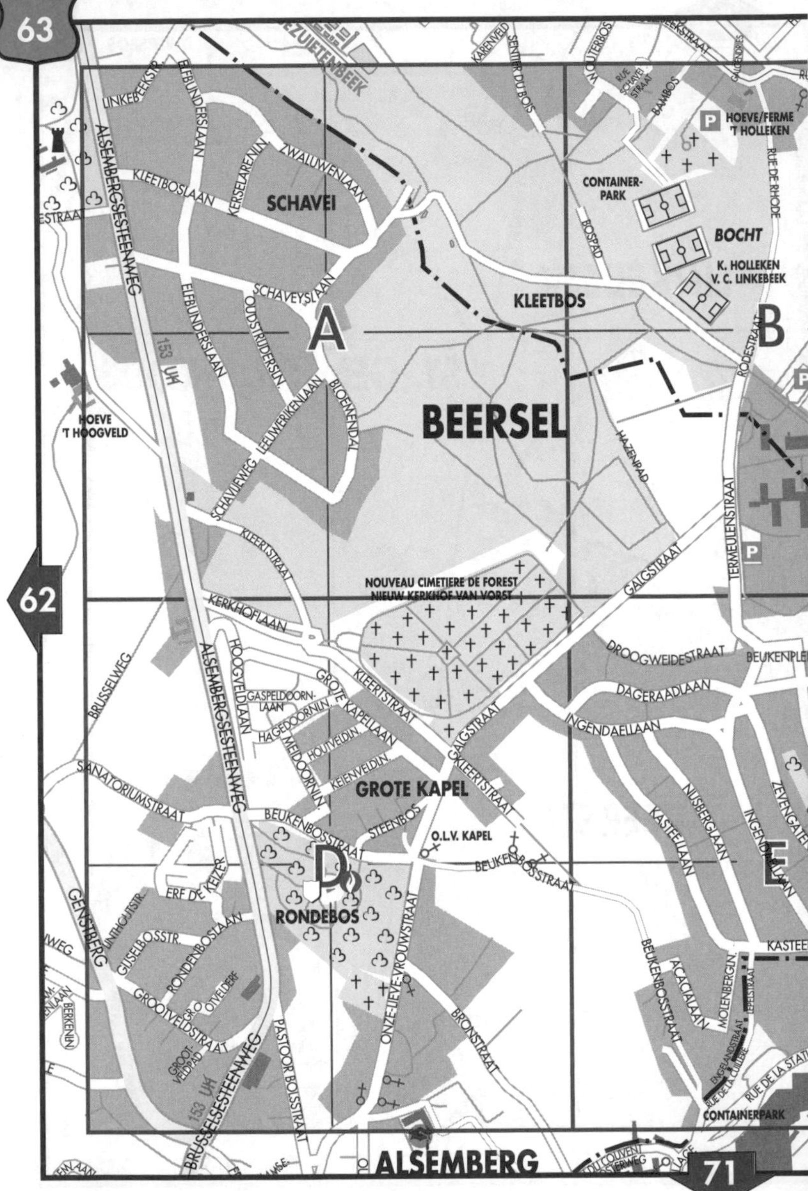

63
62
71
BEERSEL
SCHAVEI
KLEETBOS
BOCHT
GROTE KAPEL
RONDEBOS
ALSEMBERG
A
B
D
E
HOEVE/FERME 'T HOLLEKEN
CONTAINER-PARK
K. HOLLEKEN V. C. LINKEBEEK
HOEVE 'T HOOGVELD
NOUVEAU CIMETIERE DE FOREST
NIEUW KERKHOF VAN VORST
O.L.V. KAPEL
CONTAINERPARK
LINKEBEEKSTR.
ELFBUNDERSLAAN
ZWALUWENLAAN
KERSELARENLN.
KLEETBOSLAAN
SCHAVEYSLAAN
OUDSTRIJDERSLN.
LEEUWERIKENLAAN
BLOEMENDAL
SCHAVIJEWEG
KLEERTSTRAAT
KERKHOFLAAN
ALSEMBERGSESTEENWEG
HOOGVELDLAAN
GASPELDOORN-LAAN
HAGEDOORNLN.
MEIDOORNLN.
HOUTVELDLN.
KEIENVELDLN.
GROTE KAPELLAAN
GALGSTRAAT
BRUSSELWEG
SANATORIUMSTRAAT
BEUKENBOSSTRAAT
STEENBOS
ERF DE KEIZER
GENSTBERG
LINTHOUTSTR.
GIJSELBOSSTR.
RONDENBOSLAAN
GROOTVELDSTRAAT
OLVELDERF
GROOT-VELDPAD
BRUSSELSESTEENWEG
PASTOOR BOLSSTRAAT
ONZE-LIEVE-VROUWSTRAAT
BRONSTRAAT
SENTIER DU BOIS
KARENVELD
WOUTERBOS
RUE SCHAVEI STRAAT
BAMBOS
BOSPAD
RUE DE RHODE
RODESTRAAT
HAZENPAD
TERMEULENSTRAAT
DROOGWEIDESTRAAT
BEUKENPLEIN
DAGERAADLAAN
INGENDAELLAAN
NUSBERGLAAN
KASTEELLAAN
ZEVENGATENLAAN
ACACIALAAN
MOLENBERGLN.
LEPELSTRAAT
ENGELANDSTRAAT
RUE DE LA CUILIERE
RUE DE LA STATION
DU COUVENT

55
63
64
HOLLEKEN
ST.-FRANCISCUS XAVERIUS, KAP.
RUE HOLLEBEEK
HOLLEBEEKSTRAAT
RUE DE LA LONGUE HAIE
HALDORP
BOESDAAL
SCHOUWENDAAL
SENTIER DE LA FORET WOUDPAD
SQUARE AMNESTY SQUARE
ELSGATVELD
RUE HOLLEBEEK STR.
155
LINKEBEEK
C
ST.-GENESIUS-RODE
DREVE DE LINKEBEEK
LEEUWERIKENLAAN
AVENUE DES ALOUETTES
DREVE DE REEBOK
LABORELEC
HOF-TEN-BOESDAALLN
LINDE-STR.
KERKEKIETLAAN
AV. DES MARTINS-
1 AV. DES ROUGES-GORGES ROODBORSTJESLAAN
HOEVE BOESDAAL
BOESDAALVELDWEG
LINDEKENSWEG
ZONNELAAN
GROENLAAN
INGENDAAL
AVENUE DES ROUSSEROLLES
AVENUE DE L'AVENIR
AV. DES PETRELS STORMVOGELLN
TOEKOMSTLAAN
AV. DE L'ECUREUIL
EEKHOORNLAAN
KRECHTENBROEKLAAN
AVENUE DES LILAS SERINGENLAAN
AV. KRECHTENBROEK
TEELTLAAN
AVENUE DE LA CULTURE
RUE DE LA FERME
HOEVESTRAAT
BOESDAAL
OOGSTLAAN AV. DE LA MOISSON
AV. DE LA CHASSE
AV. DE LA PEPINIERE
BOOMKWEKERIJLN.
RUE DE LA STATION
AV. VERTE GROENLN.
TERMEULENWEG
RUE TERMEULEN
SPANIENHOF
RUE DES IRIS IRISSTRAAT
TERMEULEN
RUE DES LUPINS LUPINENSTR.
ZONIENWOUDLAAN
PL. D. L. STATION
STATIONS-PL.
B
ST. GENESIUS-RODE RHODE-ST. GENESE
RUE DU CULOT HOEKSTRAAT
OPEN LUCHTLAAN
AV. DES PETITS BOIS BOSJESLAAN
AV. FRANCINE LN.
AVENUE DE LA LIBERATION
BEVRIJDINGSLAAN
STRUIKENLAAN
AV. SYLVIANE LN.
AVENUE GRAND'AIR
GUSTAAFLAAN
AVENUE GUSTAVE
AV. SIMONNE
HOEVE KRECHTENBROEK
AVENUE DU VALLON
DALLAAN
AVENUE O. MICHOTLAAN
AV. DES NARCISSES NARCISSENLN
AVENUE DES TOURISTES TOERISTENLN.
HOF TE RODE
AVENUE DE LA FORET DE SOIGNES
AV. DU NOUVEAU RHODE NIEUW-RODELN.
DRIESBOSSTR.
RUE DRIESBOS
KLUISLAAN
AV. DE L'ERMITAGE
VIJVERSWEG
CHEMIN DES MOINES
MONNIKSWEG
CH. DES ETANGS
VISSERSPAD
136 137

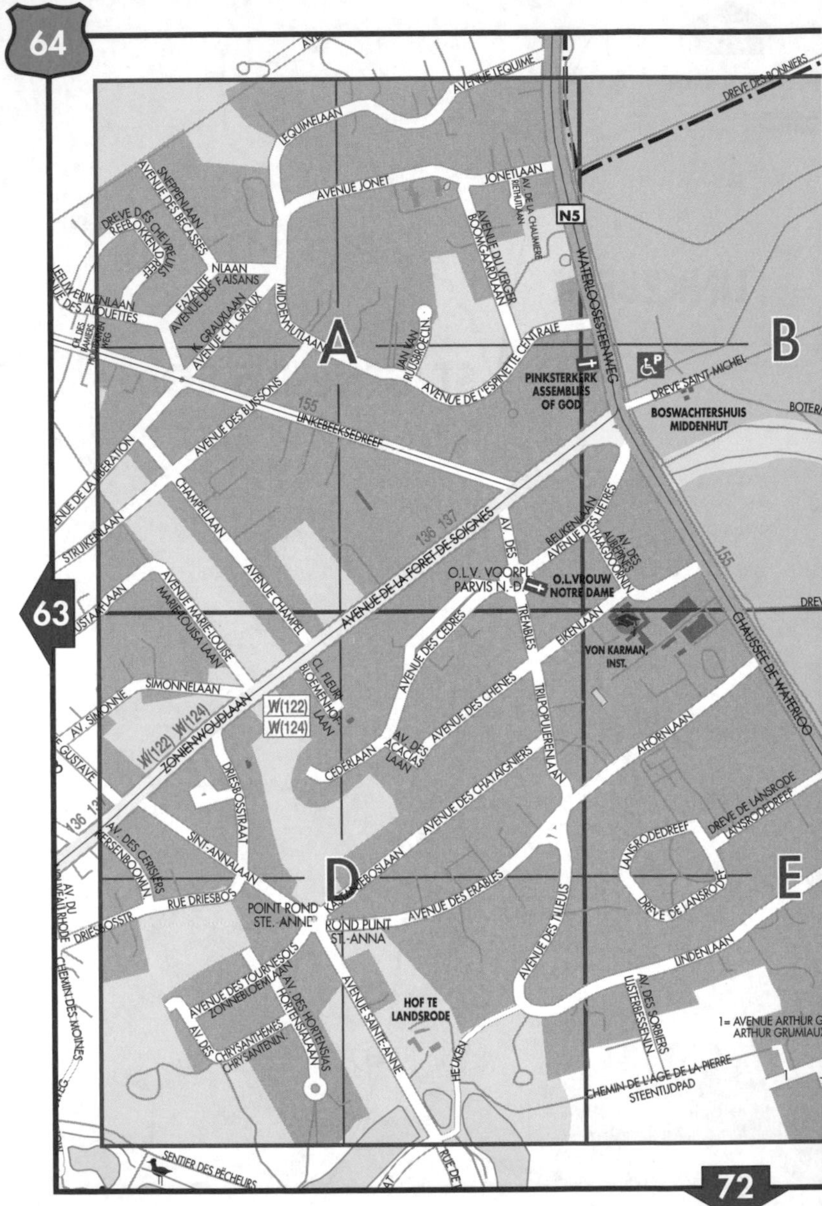
64
63
72
A
B
D
E
AVENUE LEQUIME
LEQUIMELAAN
DREVE DES BONNIERS
AVENUE JONET
JONETLAAN
AV. DE LA CHAUMIERE
RIETHUTLAAN
N5
WATERLOOSESTEENWEG
AVENUE DU VERGER
BOOMGAARDLAAN
SNEPPENLAAN
AVENUE DES BECASSES
DREVE DES CHEVREUILS
REEBOKKENDREEF
LEEUWERIKENLAAN
AVENUE DES ALOUETTES
FAZANTENLAAN
AVENUE DES FAISANS
K. GRAUXLAAN
AVENUE CH. GRAUX
MIDDENHUTLAAN
JAN VAN RUUSBROECLN.
AVENUE DE L'ESPINETTE CENTRALE
PINKSTERKERK
ASSEMBLIES
OF GOD
DREVE SAINT-MICHEL
BOSWACHTERSHUIS
MIDDENHUT
AVENUE DES BUISSONS
155
LINKEBEEKSEDREEF
AVENUE DE LA LIBERATION
CHAMPELLAAN
STRUIKENLAAN
AVENUE DE LA FORET DE SOIGNES
136 137
AV. DES TREMBLES
BEUKENLAAN
AVENUE DES HETRES
AV. DES AUBEPINES
HAAGDOORNLN.
O.L.V. VOORPL.
PARVIS N.-D.
O.L.VROUW
NOTRE DAME
AVENUE CHAMPEL
AVENUE MARIE-LOUISE
MARIE-LOUISA LAAN
CHAUSSEE DE WATERLOO
AVENUE DES CEDRES
EIKENLAAN
VON KARMAN,
INST.
CL. FLEUR
BLOEMENHOF-
LAAN
SIMONNELAAN
AV. SIMONNE
ZONIENWOUDLAAN
W(122)
W(124)
AVENUE DES CHENES
TRILPOPULIERENLAAN
CEDERLAAN
AV. DES ACACIAS
ACACIASLAAN
AHORNLAAN
AVENUE DES CHATAIGNIERS
DRIESBOSSTRAAT
DREVE DE LANSRODE
LANSRODEDREEF
SINT-ANNALAAN
AV. DES CERISIERS
KERSENBOOMLN.
RUE DRIESBOS
DRIESBOSSTR.
POINT ROND
STE. ANNE
ROND PUNT
ST.-ANNA
AVENUE DES ERABLES
AVENUE DES TILLEULS
LINDENLAAN
AVENUE DES TOURNESOLS
ZONNEBLOEMLAAN
AV. DES HORTENSIAS
HORTENSIALAAN
AVENUE SAINTE-ANNE
HOF TE
LANDSRODE
AV. DES SORBIERS
LIJSTERBESSENLN.
AV. DES CHRYSANTHEMES
CHRYSANTENLN.
HEUKEN
CHEMIN DES MOINES
CHEMIN DE L'AGE DE LA PIERRE
STEENTIJDPAD
SENTIER DES PECHEURS
RUE DE

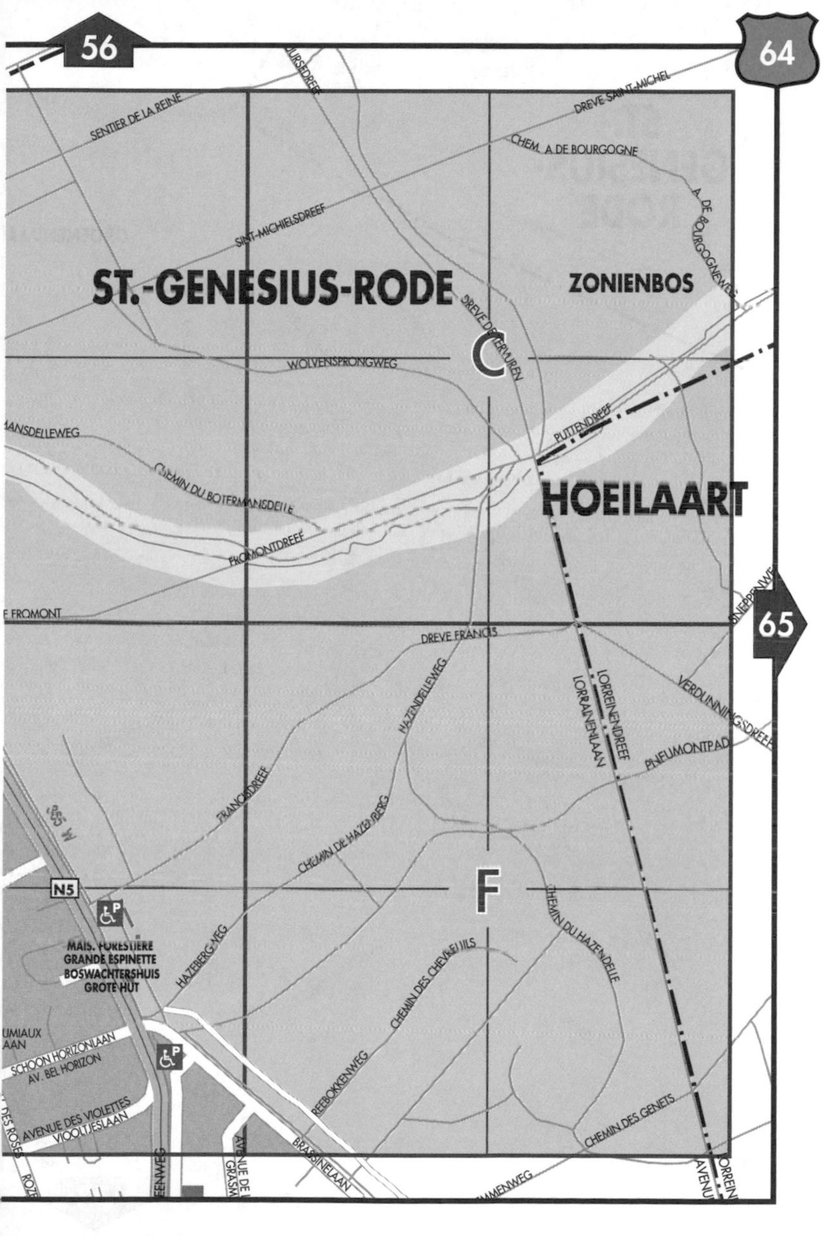

56
64
65
SENTIER DE LA REINE
DREVE SAINT-MICHEL
CHEM. A DE BOURGOGNE
A. DE BOURGOGNEWEG
SINT-MICHIELSDREEF
ST.-GENESIUS-RODE
ZONIENBOS
C
WOLVENSPRONGWEG
PUTTENDREEF
HOEILAART
MANSDELLEWEG
CHEMIN DU BOTERMANSDELLE
FROMONTDREEF
E FROMONT
DREVE FRANCIS
HAZENDELLEWEG
LORRAINENLAAN
LORREINENDREEF
VERDUNNINGSDREEF
PNEUMONTPAD
FRANCISDREEF
CHEMIN DE HAZEBERG
F
N5
MAIS. FORESTIÈRE
GRANDE ESPINETTE
BOSWACHTERSHUIS
GROTE HUT
HAZEBERG-WEG
CHEMIN DES CHEVREUILS
CHEMIN DU HAZENDELLE
SCHOON HORIZONLAAN
AV. BEL HORIZON
AVENUE DES VIOLETTES
VIOOLTJESLAAN
REEBOKKENWEG
BRASSINELAAN
CHEMIN DES GENETS

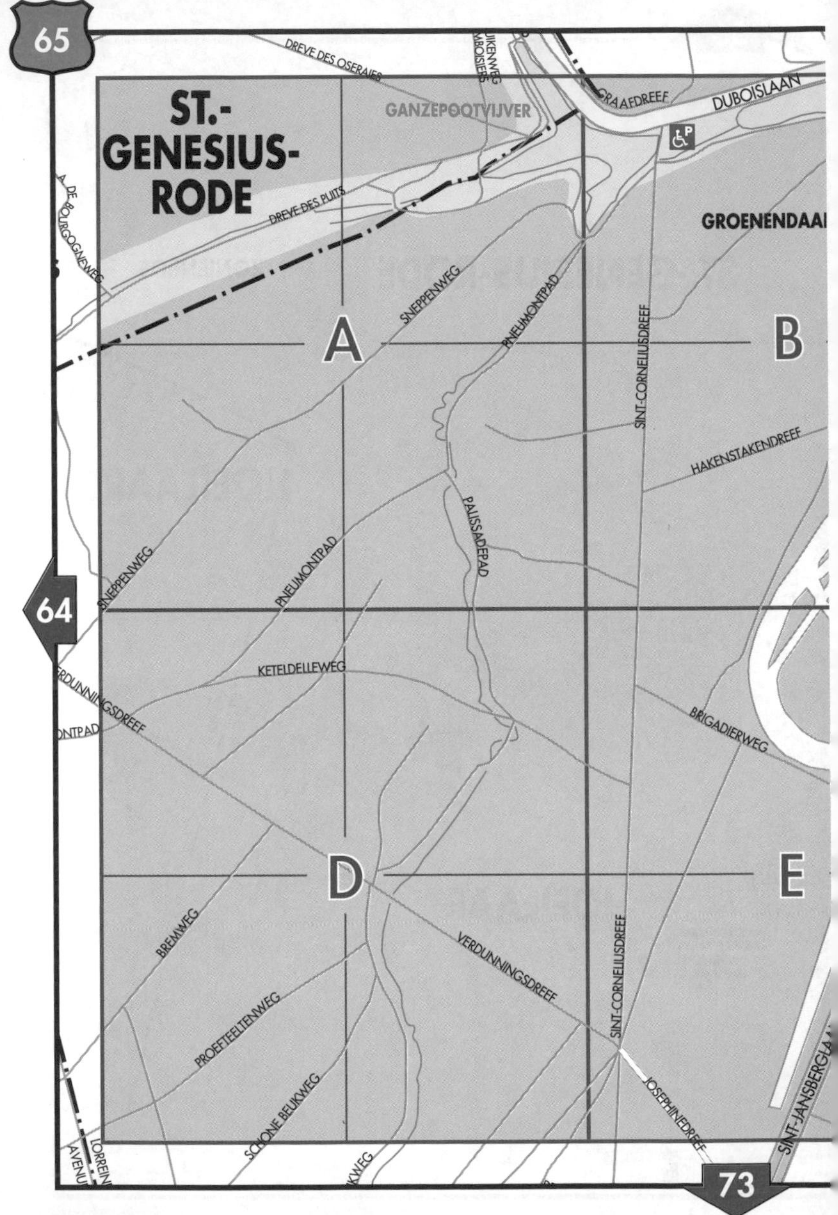
65
ST.-
GENESIUS-
RODE
DREVE DES OSERAIES
GANZEPOOTVIJVER
GRAAFDREEF
DUBOISLAAN
DREVE DES PUITS
A. DE BOURGOGNEWEG
GROENENDAAL
SNEPPENWEG
PNEUMONTPAD
SINT-CORNELIUSDREEF
A
B
HAKENSTAKENDREEF
PALISSADEPAD
PNEUMONTPAD
SNEPPENWEG
64
KETELDELLEWEG
VERDUNNINGSDREEF
BRIGADIERWEG
D
E
BREMWEG
VERDUNNINGSDREEF
SINT-CORNELIUSDREEF
PROEFTEELTENWEG
SCHONE BEUKWEG
JOSEPHINEDREEF
SINT-JANSBERGLAAN
73

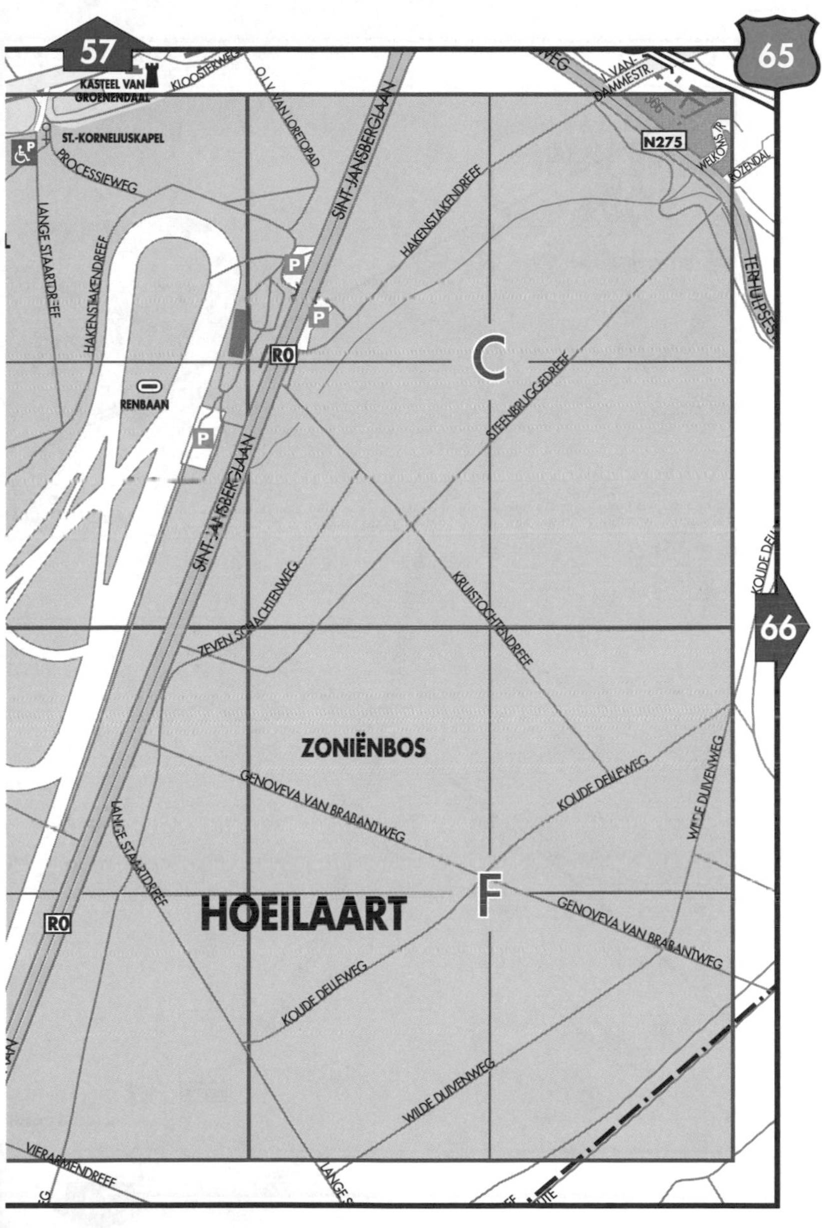

57
65
66
KASTEEL VAN GROENENDAAL
KLOOSTERWEG
O.L.V. VAN LORETOPAD
SINT-JANSBERGLAAN
DAMMESTR.
N275
WELKOMSTR.
ROZENDAL
ST.-KORNELIUSKAPEL
PROCESSIEWEG
LANGE STAARTDREEF
HAKENSTAKENDREEF
TERHULPSES
R0
C
RENBAAN
STEENBRUGGEDREEF
KRUISTOCHTENDREEF
ZEVEN SCHACHTENWEG
KOUDE DELLEWEG
ZONIËNBOS
GENOVEVA VAN BRABANTWEG
WILDE DUIVENWEG
F
HOEILAART
VIERARMENDREEF

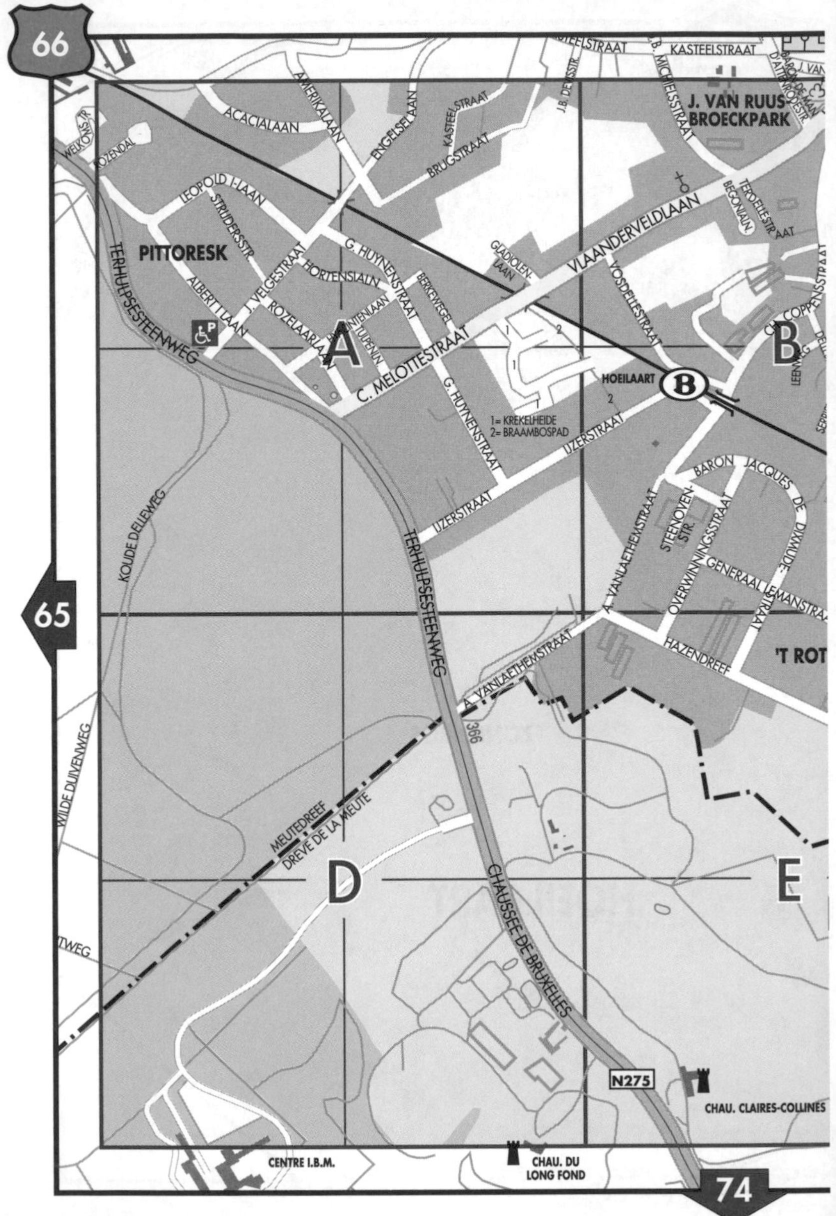
66
65
74
KASTEELSTRAAT
J.B. MICHIELSSTRAAT
BARON DE MAN D'ATTENRODESTR.
J. VAN RUUS BROECKPARK
J.B. DE VOSSTR.
AMERIKALAAN
ACACIALAAN
ENGELSELAAN
KASTEELSTRAAT
BRUGSTRAAT
WELKOMSTR.
ROZENDAL
LEOPOLD I-LAAN
STRIJDERSSTR.
PITTORESK
TERHULPSESTEENWEG
ALBERT I-LAAN
J. VELGESTRAAT
HORTENSIALN
G. HUYNENSTRAAT
BERKEWEGEL
ROZELAARLAAN
TULPENLN
GLADIOLENLAAN
VLAANDERVELDLAAN
VOSDELLESTRAAT
BEGONIALN.
C. MELOTTESTRAAT
A
B
HOEILAART
1= KREKELHEIDE
2= BRAAMBOSPAD
G. HUYNENSTRAAT
IJZERSTRAAT
IJZERSTRAAT
BARON JACQUES DE DIXMUDE-
STEENOVEN-STR.
OVERWINNINGSSTRAAT
GENERAAL LEMANSTRA
A. VANLAETHEMSTRAAT
HAZENDREEF
'T ROT
KOUDE DELLEWEG
TERHULPSESTEENWEG
A. VANLAETHEMSTRAAT
366
WILDE DUIVENWEG
MEUTEDREEF
DREVE DE LA MEUTE
D
E
CHAUSSEE DE BRUXELLES
N275
CHAU. CLAIRES-COLLINES
CENTRE I.B.M.
CHAU. DU LONG FOND

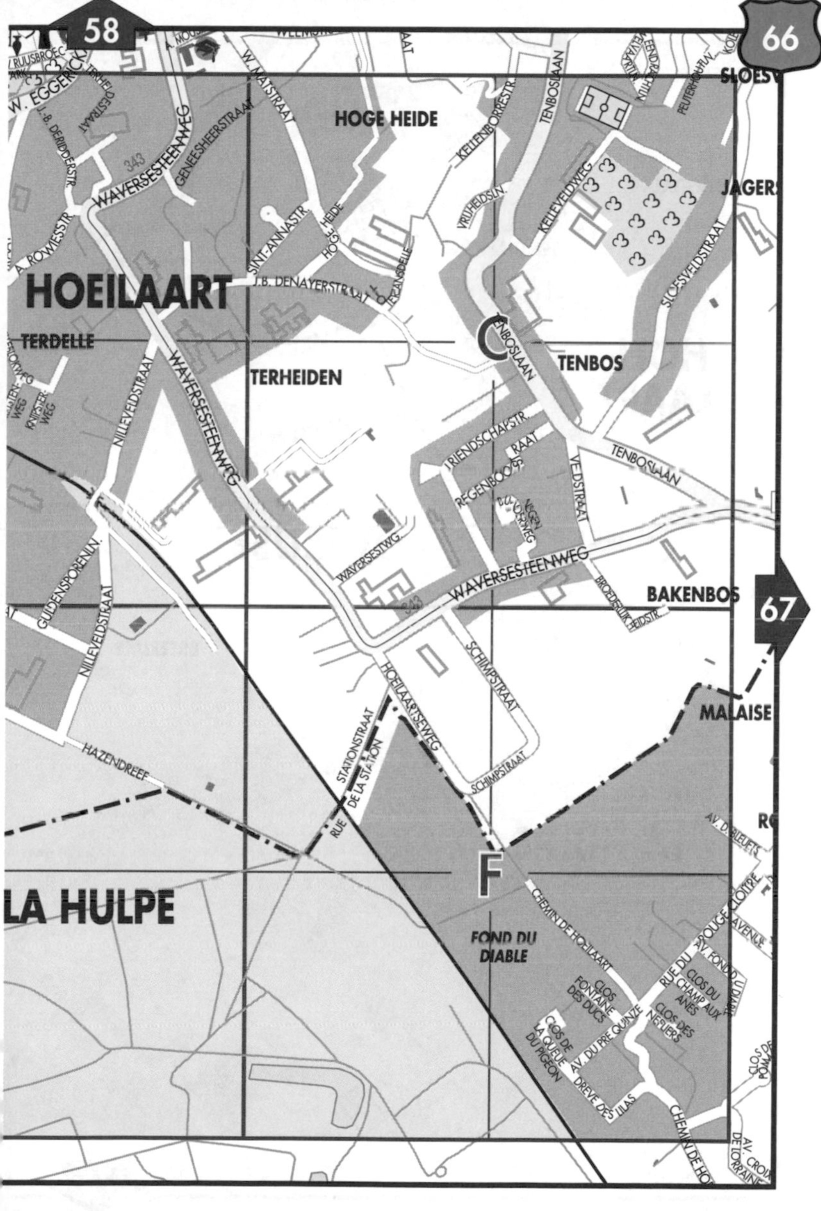

58
66
67
HOGE HEIDE
HOEILAART
TERDELLE
TERHEIDEN
TENBOS
BAKENBOS
MALAISE
LA HULPE
FOND DU DIABLE
C
F
WAVERSESTEENWEG
GENEESHEERSTRAAT
W. MATSTRAAT
SINT-ANNASTR.
HOGE HEIDE
J.B. DENAYERSTRAAT
KELLENBORRESTR.
TENBOSLAAN
KELLEVELDWEG
SLOESVELDSTRAAT
PEUTERHOUTLN.
VRIJHEIDSLN.
VRIENDSCHAPSTR.
REGENBOOGSTRAAT
VEDSTRAAT
BROEDERLIJKHEIDSTR.
SCHIMPSTRAAT
HOEILAARTSEWEG
STATIONSTRAAT
RUE DE LA STATION
NILLEVELDSTRAAT
GUIDENSPORENLN.
HAZENDREEF
A. ROWIESSTR.
J. B. DERIDDERSTR.
W. EGGERICKX
CHEMIN DE HOEILAART
CLOS FONTAINE DES DUCS
CLOS DE LA QUEUE DU PIGEON
AV. DU PRÉ QUINZE
DRÈVE DES LILAS
CLOS DES NEFLIERS
CLOS DU CHAMP AUX ÂNES
RUE DU ROUGE CLOITRE
AV. DES BLEUETS
AV. CROIX DE LORRAINE
343

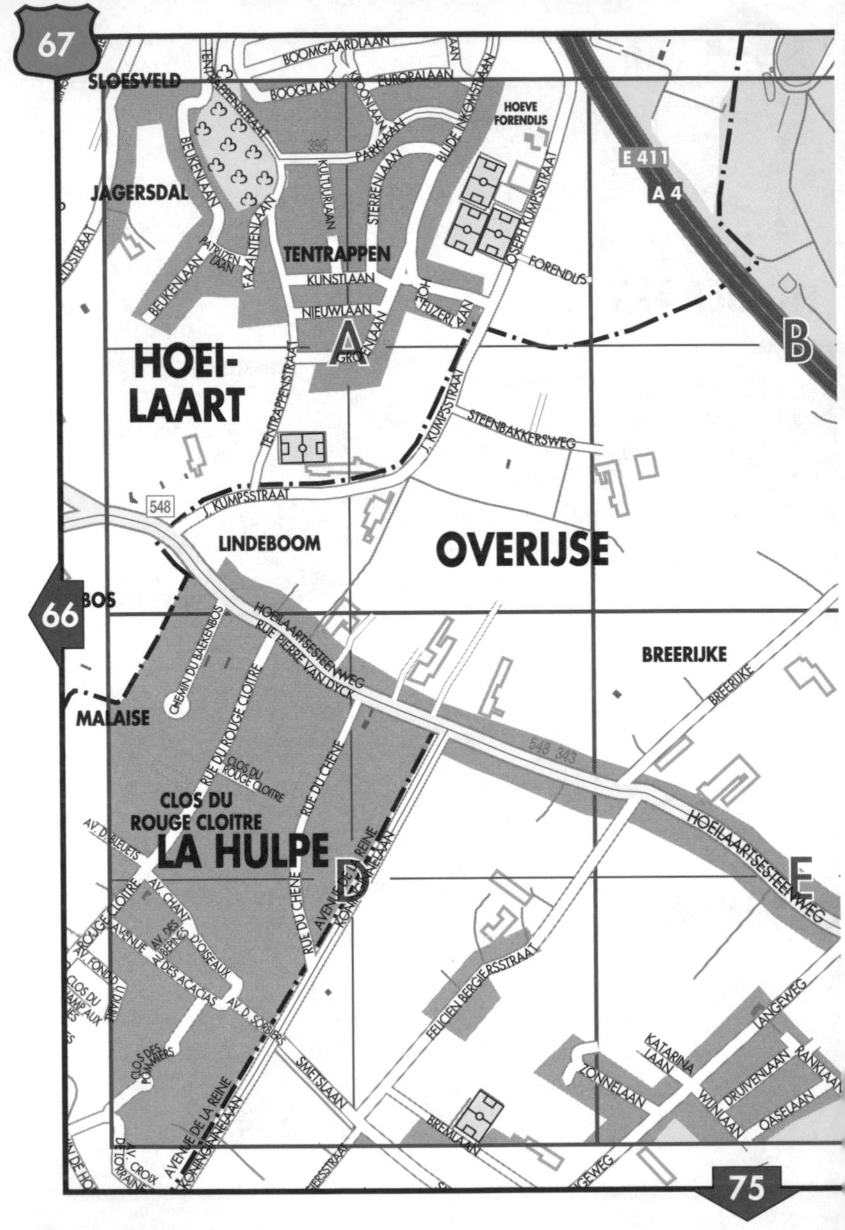

67
SLOESVELD
BOOMGAARDLAAN
TENTRAPPENSTRAAT
BOOGLAAN
KROONLAAN
EUROPALAAN
HOEVE FORENDIJS
BLIJDE INKOMSTLAAN
395
PARKLAAN
KULTUURLAAN
STERRENLAAN
BEUKENLAAN
JAGERSDAL
FAZANTENLAAN
PATRIJZEN LAAN
TENTRAPPEN
KUNSTLAAN
NIEUWLAAN
JOSEPH KUMPSSTRAAT
FORENDIJS
E 411
A 4
A
B
HOEI-LAART
TENTRAPPENSTRAAT
J. KUMPSSTRAAT
STEENBAKKERSWEG
548
LINDEBOOM
OVERIJSE
66
BOS
HOEILAARTSESTEENWEG
RUE PIERRE VAN DYCK
CHEMIN DU BAEKENBOS
RUE DU ROUGE CLOITRE
BREERIJKE
MALAISE
548 343
CLOS DU ROUGE CLOITRE
RUE DU CHENE
CLOS DU ROUGE CLOITRE
LA HULPE
AVENUE DE LA REINE
KONINGINNELAAN
D
E
HOEILAARTSESTEENWEG
AV. CHANT D'OISEAUX
AV. DES AUBEPINES
AVENUE DES ACACIAS
AV. D. SORBIERS
FELICIEN BERGIERSSTRAAT
SMETSLAAN
CLOS DES POMMIERS
LANGEWEG
KATARINA LAAN
ZONNELAAN
DRUIVENLAAN
RANKLAAN
WIJNLAAN
OASELAAN
BREMLAAN
AV. CROIX DE LORRAINE
75

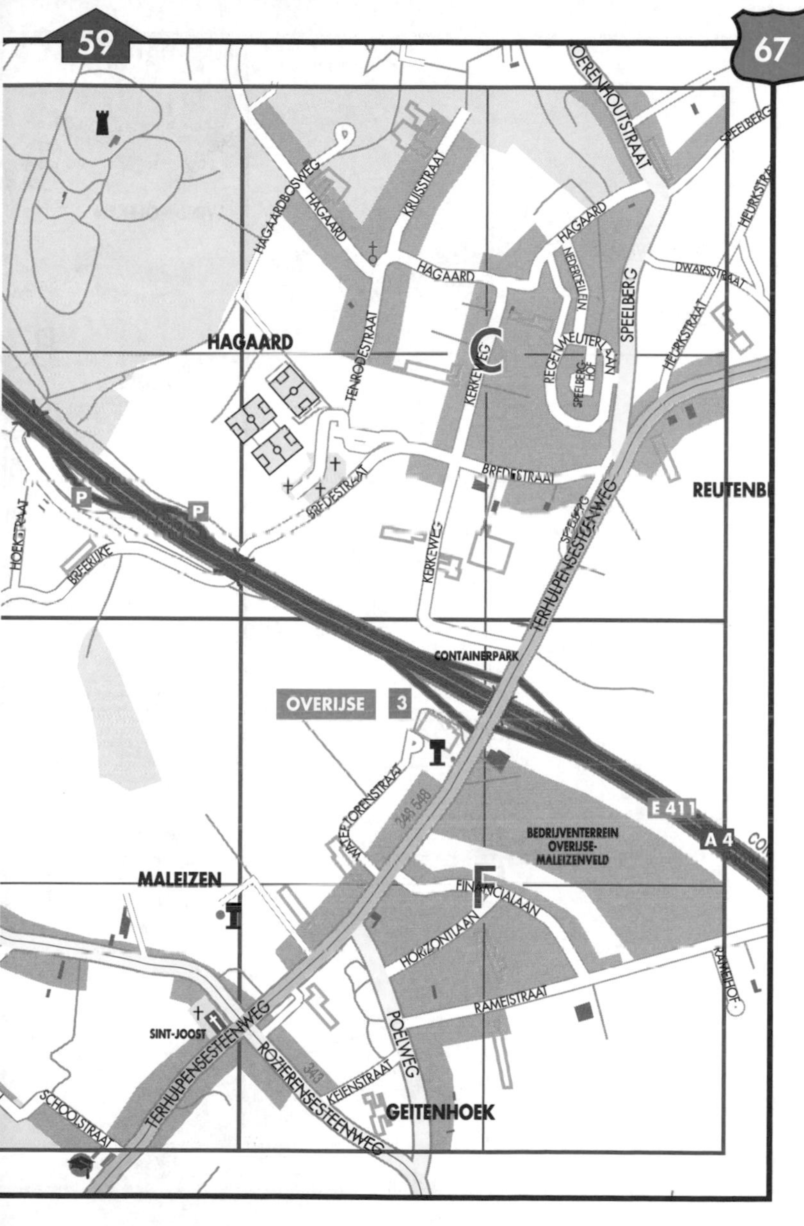
59
67
HAGAARD
HAGAARDBOSWEG
HAGAARD
KRUISSTRAAT
SPEELBERG
HEURKSTRAAT
DWARSSTRAAT
TENRODESTRAAT
KERKEWEG
SPEELBERG HOF
BREDESTRAAT
REUTENB
HOEKSTRAAT
CONTAINERPARK
OVERIJSE
3
TERHULPENSESTEENWEG
WATERTORENSTRAAT
348 548
E 411
A 4
BEDRIJVENTERREIN
OVERIJSE-
MALEIZENVELD
MALEIZEN
FINANCIALAAN
HORIZONTLAAN
RAMEISTRAAT
RAMEIHOF
POELWEG
SINT-JOOST
ROZIERENSESTEENWEG
343
KEIENSTRAAT
GEITENHOEK
SCHOOLSTRAAT

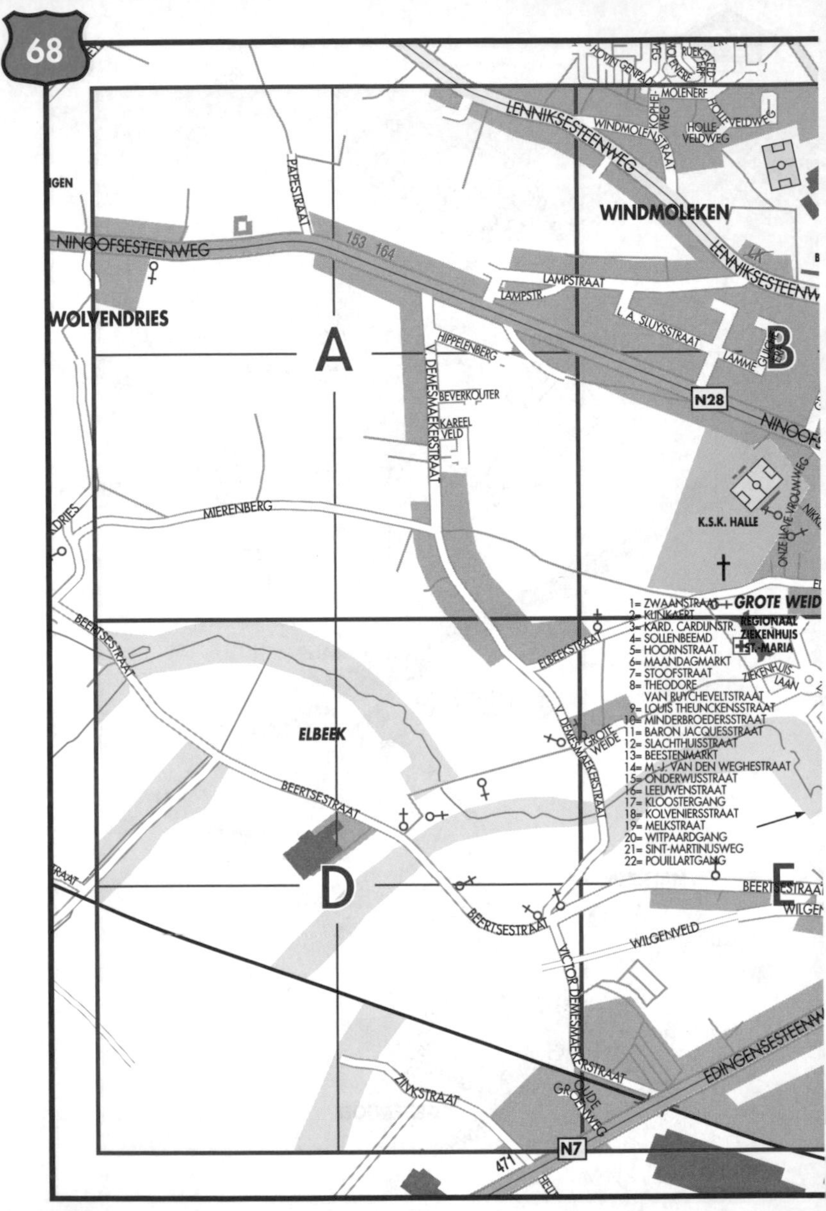

WINDMOLEKEN
LENNIKSESTEENWEG
WINDMOLENSTRAAT
HOLLE-VELDWEG
MOLENERF
PAPESTRAAT
NINOOFSESTEENWEG
WOLVENDRIES
LAMPSTRAAT
L.A. SLUYSSTRAAT
HIPPELENBERG
BEVERKOUTER
KAREEL VELD
V. DEMESMAEKERSTRAAT
N28
MIERENBERG
K.S.K. HALLE
ONZE LIEVE-VROUWWEG
GROTE WEID
REGIONAAL ZIEKENHUIS ST.-MARIA
ZIEKENHUIS-LAAN
ELBEEKSTRAAT
BEERTSESTRAAT
ELBEEK
GROTE WEIDE
1= ZWAANSTRAAT
2= KLINKAERT
3= KARD. CARDIJNSTR.
4= SOLLENBEEMD
5= HOORNSTRAAT
6= MAANDAGMARKT
7= STOOFSTRAAT
8= THEODORE VAN RUYCHEVELTSTRAAT
9= LOUIS THEUNCKENSSTRAAT
10= MINDERBROEDERSSTRAAT
11= BARON JACQUESSTRAAT
12= SLACHTHUISSTRAAT
13= BEESTENMARKT
14= M.-J. VAN DEN WEGHESTRAAT
15= ONDERWIJSSTRAAT
16= LEEUWENSTRAAT
17= KLOOSTERGANG
18= KOLVENIERSSTRAAT
19= MELKSTRAAT
20= WITPAARDGANG
21= SINT-MARTINUSWEG
22= POUILLARTGANG
A
B
D
E
WILGENVELD
VICTOR DEMESMAEKERSTRAAT
EDINGENSESTEENWEG
ZIJVKSTRAAT
OUDE GROENWEG
N7
471

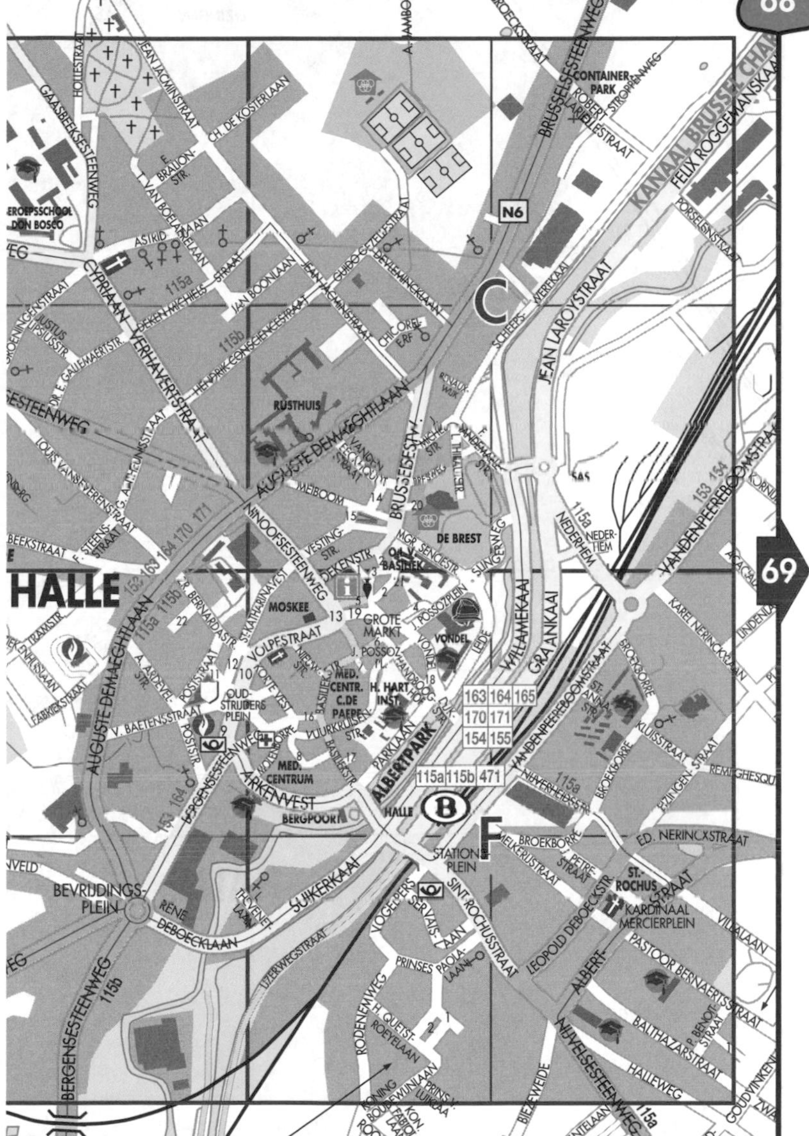
68
69
HALLE
C
F
N6
CONTAINER-PARK
BROECKSTRAAT
BRUSSELSESTEENWEG
KANAAL BRUSSEL-CHARLEROI
FELIX ROGGEMANSKAAI
PORSELEINSTRAAT
ROBERT LARIDESTRAAT
STROPPENWEG
HOLLESTRAAT
GAASBEEKSESTEENWEG
JEAN JACMINSTRAAT
CH. DE KOSTERLAAN
E. BRAUON-STR.
T. VAN BOELAERLAAN
BEROEPSSCHOOL DON BOSCO
ASTRID
CYRIEL VERHAVERTSTRAAT
JAN BOONLAAN
GUIDO GEZELLESTRAAT
DEVELEMINCKLAAN
DEKEN MICHIELS-STRAAT
JUSTUS LIPSIUSSTR.
DR. E. GALLEMAERTSTR.
HENDRIK CONSCIENCESTRAAT
CHICOREI-ERF
SCHEEPS-WERFKAAI
JEAN LAROYSTRAAT
RUSTHUIS
AUGUSTE DEMAEGHTLAAN
BRUSSELSESTW.
MEIBOOM
NINOOFSESTEENWEG
VESTING-STR.
DEKENSTR.
O.L.V. BASILIEK
MGR. SENCIESTR.
DE BREST
SLINGERWEG
NEDERHEM
NEDER-HEM
VANDENPEEREBOOMSTRAAT
KAREL NERINCKXLAAN
MOSKEE
ST.-KATHARINAVEST
GROTE MARKT
VOLPESTRAAT
J. POSSOZPLEIN
VONDEL
LEIDE
WILLAMEKAAI
GRAANKAAI
R. BERNARDASTR.
A. ARDEVEL-STR.
POSTSTRAAT
OUD-STRIJDERSPLEIN
MED. CENTR. C.DE PAEPE
H. HART INST.
V. BAETENSSTRAAT
BERGENSESTEENWEG
VUURKRUISENSTR.
BASILIEKSTR.
PARKLAAN
ALBERTPARK
MED. CENTRUM
ARKENVEST
BERGPOORT
HALLE
163 164 165
170 171
154 155
115a 115b 471
NIJVERHEIDSSTR.
BROEKBORRE
KLUISSTRAAT
ST. ANNA-STR.
REMIGHESQUI
ED. NERINCXSTRAAT
STATION-PLEIN
MELKERIJSTRAAT
PETRE-STRAAT
ST.-ROCHUSSTRAAT
KARDINAAL MERCIERPLEIN
LEOPOLD DEBOECKSTR.
BEVRIJDINGS-PLEIN
RENE DEBOECKLAAN
SUIKERKAAI
SINT-ROCHUSSTRAAT
VOGELPERS
SERVAIS-LAAN
PRINSES PAOLA-LAAN
IJZERWEGSTRAAT
ALBERT-LAAN
PASTOOR BERNAERTSSTRAAT
BALTHAZARSTRAAT
P. BENOIT-STRAAT
HALLEWEG
VILLALAAN
RODENEMWEG
H. QUETSTROEYELAAN
KONING BOUDEWIJNLAAN
PRINS V. LUIKLAAN
KON. FABIOLA-LAAN
BIEZEWEIDE
NIJVELSESTEENWEG
GOUDVINKENSTRAAT
115a
115b
153 163 164 170 171

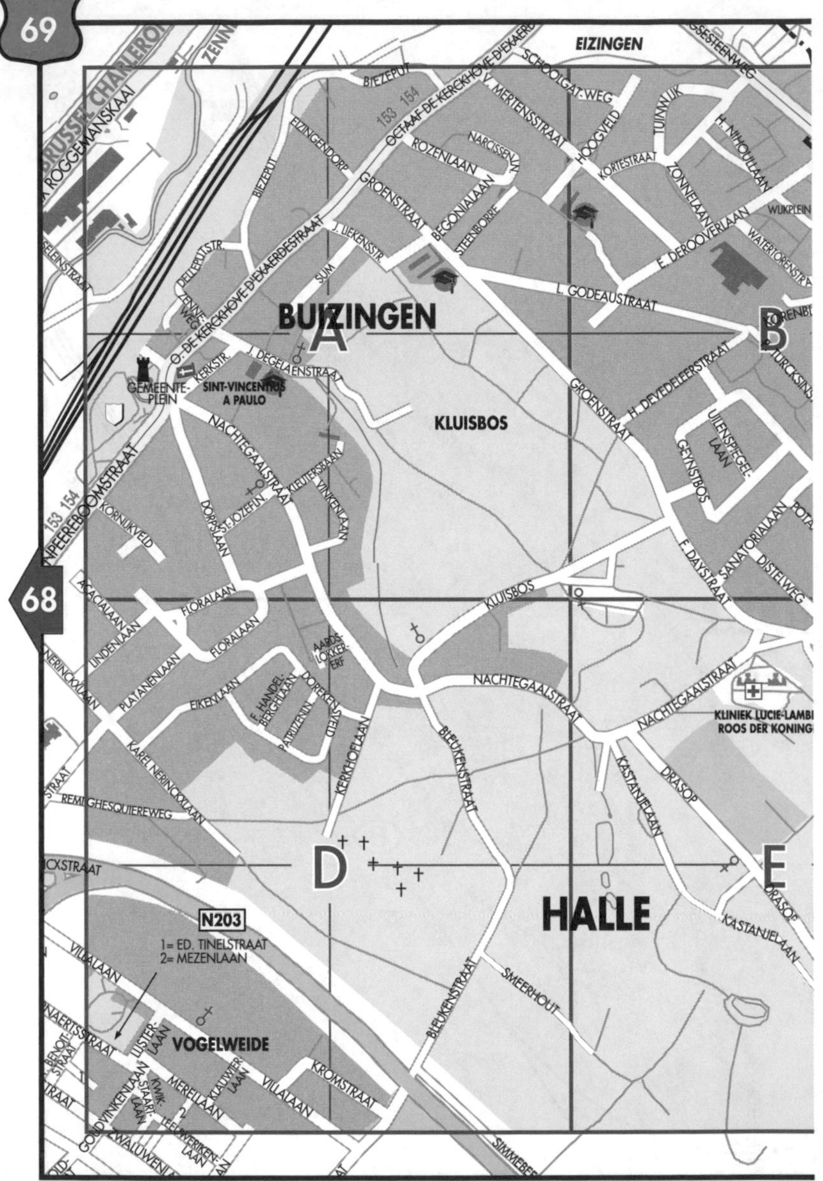
EIZINGEN
BUIZINGEN
KLUISBOS
HALLE
VOGELWEIDE
A
B
D
E
GEMEENTE-PLEIN
SINT-VINCENTIUS A PAULO
KLINIEK LUCIE-LAMB
ROOS DER KONING
N203
1= ED. TINELSTRAAT
2= MEZENLAAN
OCTAAF DE KERCKHOVE D'EXAERDESTRAAT
O. DE KERCKHOVE D'EXAERDESTRAAT
SCHOOLGAT-WEG
V. MERTENSSTRAAT
HOOGVELD
TUINWIJK
H. NIHOULLAAN
ROZENLAAN
NARCISSENLN
KORTESTRAAT
ZONNELAAN
GROENSTRAAT
BEGONIALAAN
STEENBORRE
E. DEROOVERLAAN
WATERTORENSTRAAT
WIJKPLEIN
L. GODEAUSTRAAT
J. LIEKENSSTR.
SUM
BIEZEPUT
EIZINGENDORP
DELLEPUTSTR.
ZENNEWEG
KERKSTR.
J. DEGELAENSTRAAT
H. DEVEDELEERSTRAAT
UILENSPIEGELLAAN
GEYNSTBOS
NACHTEGAALSTRAAT
KLEUTERSBAAN
VINKENLAAN
DORPSLAAN
ST.-JOZEFLN.
KORNIJKVELD
ACACIALAAN
FLORALAAN
LINDENLAAN
PLATANENLAAN
EIKENLAAN
F. HANDELBERGHLAAN
PATRIJZENLN.
DOREKENSVELD
AARDSLOKKERERF
KERKHOFLAAN
BLEUKENSTRAAT
KLUISBOS
KASTANJELAAN
DRASOP
F. DAYSTRAAT
SANATORIALAAN
DISTELWEG
KAREL NERINCKXLAAN
REMI GHESQUIEREWEG
VILLALAAN
KROMSTRAAT
LISTERLAAN
MERELLAAN
KLAUWIERLAAN
KWIKSTAARTLAAN
GOUDVINKENLAAN
ZWALUWENLAAN
TEELWERIKENLAAN
SMEERHOUT
A. ROGGEMANSKAAI
BRUSSEL-CHARLEROI
ZENNE
153 154

68

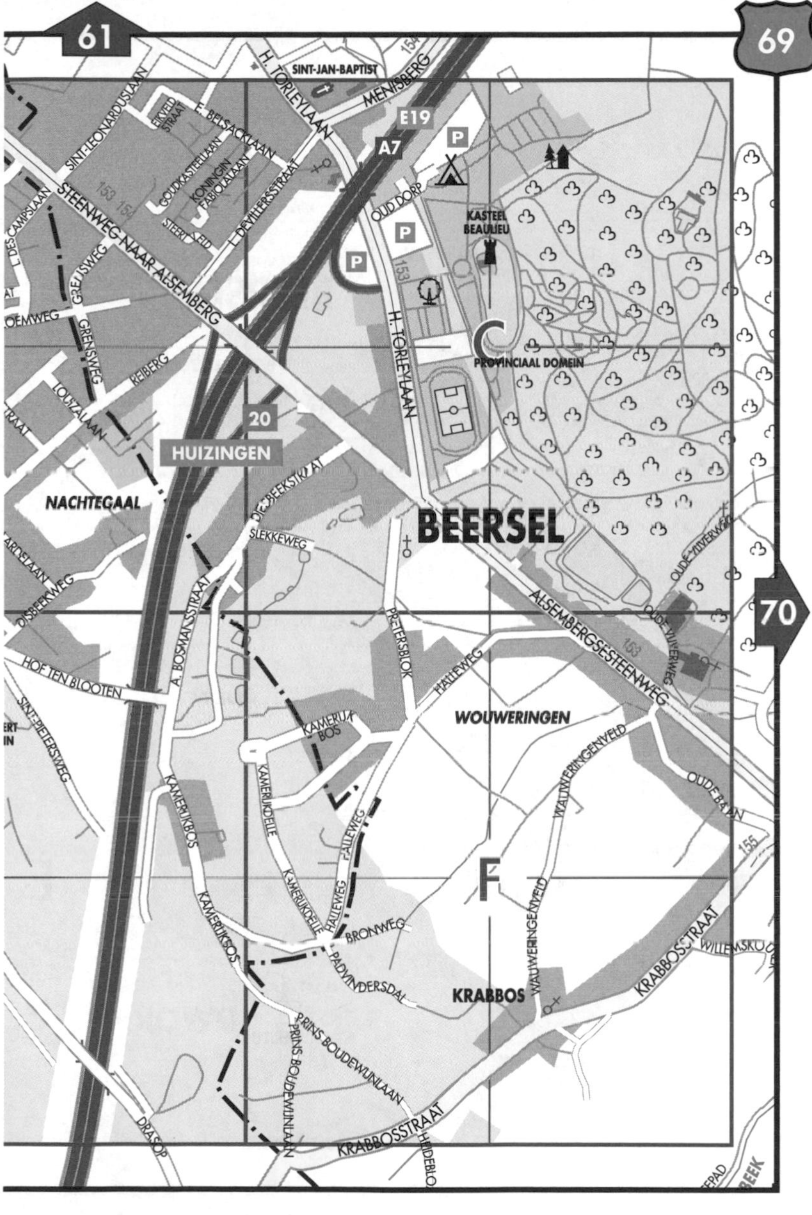

61
69
70
SINT-JAN-BAPTIST
H. TORLEYLAAN
MENISBERG
E19
A7
P
SINT-LEONARDUSLAAN
E. BELSACKLAAN
GOUDKASTEELLAAN
KONINGIN FABIOLALAAN
L. DEVILLERSSTRAAT
STEENWEG NAAR ALSEMBERG
OUD DORP
KASTEEL BEAULIEU
PROVINCIAAL DOMEIN
GRENSWEG
REIBERG
LOUIZALAAN
20
HUIZINGEN
NACHTEGAAL
DIEBEEKSTRAAT
SLEKKEWEG
BEERSEL
ALSEMBERGSESTEENWEG
OUDE VIJVERWEG
PETERSBLOK
HALLEWEG
HOF TEN BLOOTEN
A. BOSMANSSTRAAT
SINT-PIETERSWEG
KAMERIJKBOS
WOUWERINGEN
WOUWERINGENVELD
OUDE BAAN
KAMERIJKDELLE
F
BRONWEG
PADVINDERSDAL
KRABBOS
KRABBOSSTRAAT
WILLEMSKOUTER
PRINS BOUDEWIJNLAAN
DRASOP
HEIDEBLOK

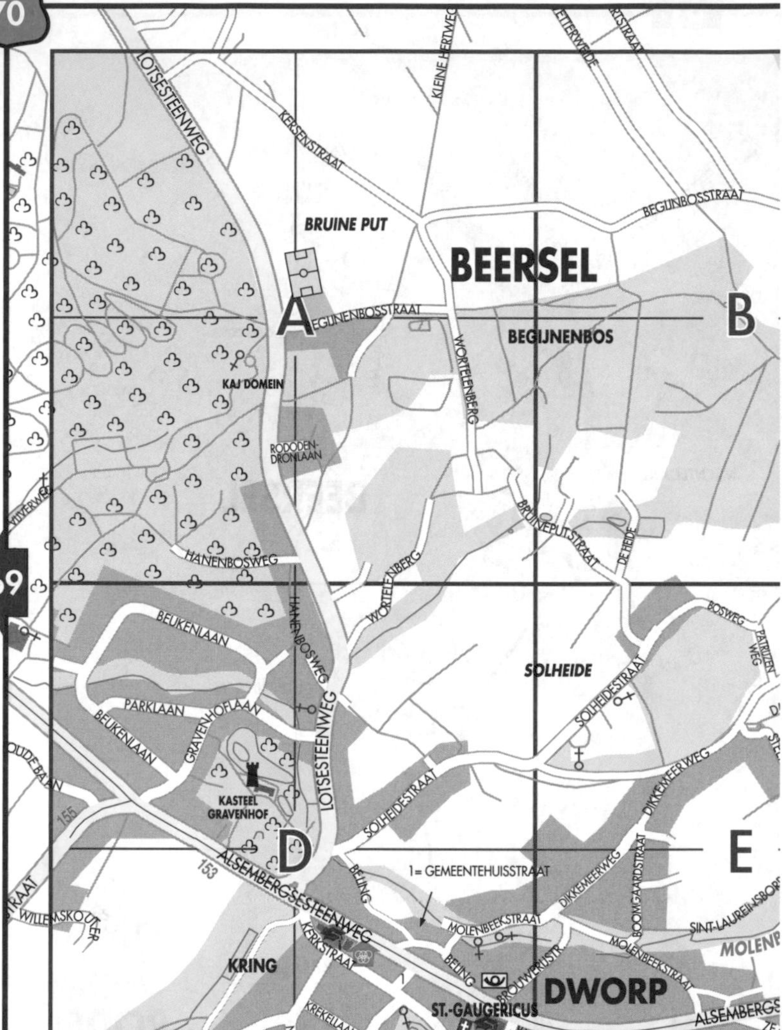

70

BEERSEL
BRUINE PUT
BEGIJNENBOS
KAJ DOMEIN
SOLHEIDE
KASTEEL GRAVENHOF
KRING
DWORP
ST.-GAUGERICUS
MOLENVELD
MOLENBEEK
HET OEFF

A
B
D
E

LOTSESTEENWEG
KERSENSTRAAT
KLEINE HERTWEG
BEGIJNBOSSTRAAT
BEGIJNENBOSSTRAAT
WORTELENBERG
RODODENDRONLAAN
VIJVERWEG
HANENBOSWEG
BRUINEPUTSTRAAT
DE HEIDE
BOSWEG
PATRIJZENWEG
BEUKENLAAN
PARKLAAN
GRAVENHOFLAAN
SOLHEIDESTRAAT
DIKKEMEERWEG
OUDE BAAN
ALSEMBERGSESTEENWEG
WILLEMSKOUTER
BEUING
1= GEMEENTEHUISSTRAAT
MOLENBEEKSTRAAT
BOOMGAARDSTRAAT
SINT-LAUREINSBORRE
KERKSTRAAT
BROUWERIJSTR.
KREKELLAAN
NACHTEGAALLAAN
ALVERDRIES
LOKAARD
WINKEGAAR
EIKENHOUW
EPELAAR
NEPE
SNELBORRE
KRAUWENBERG
WIJMENHOFSTR.
KAREELVELDLAAN
ASTELBOS

155
153

69

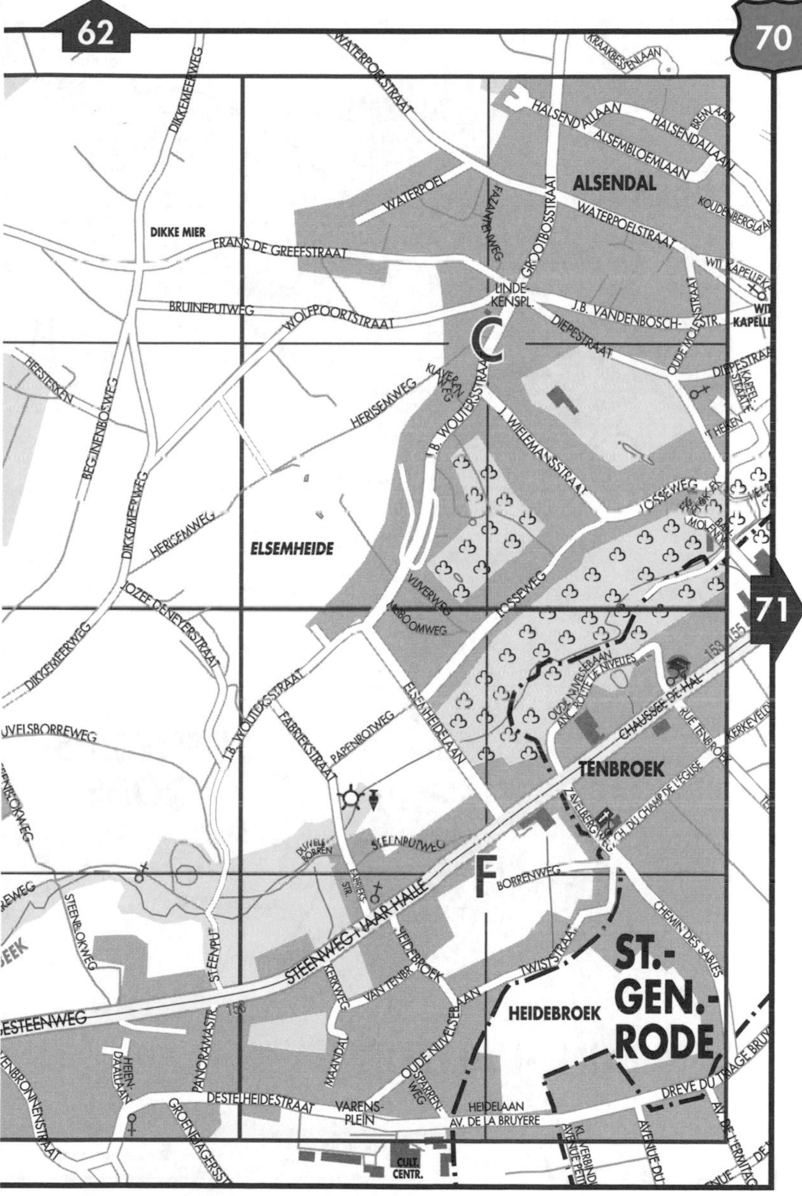

62
70
71
ALSENDAL
DIKKE MIER
ELSEMHEIDE
TENBROEK
HEIDEBROEK
ST.-
GEN.-
RODE
WATERPOELSTRAAT
HALSENDALLAAN
ALSEMBLOEMLAAN
WATERPOEL
FRANS DE GREEFSTRAAT
BRUINEPUTWEG
WOLFPOORTSTRAAT
GROOTBOSSTRAAT
FAZANTENWEG
LINDE-
KENSPL.
J.B. VANDENBOSCH-STR.
DIEPESTRAAT
OUDE MOLENSTRAAT
DIKKEMEERWEG
HERISEMWEG
J.B. WOUTERSSTRAAT
J. WIELEMANSSTRAAT
JOSSEWEG
VIJVERWEG
JOZEF DENEYERSTRAAT
FABRIEKSTRAAT
PAPENROTWEG
ELSEMHEIDELAAN
CHAUSSEE DE HAL
RUE TENBROEK
STEENWEG NAAR HALLE
STEENPUTWEG
BORRENWEG
TWISTSTRAAT
HEIDEBROEK
KERKWEG
MAANDAL
OUDE NIJVELSEBAAN
DESTELHEIDESTRAAT
VARENS-
PLEIN
HEIDELAAN
AV. DE LA BRUYERE
CHEMIN DES SABLES
DREVE DU TRIAGE BRU
CULT.
CENTR.

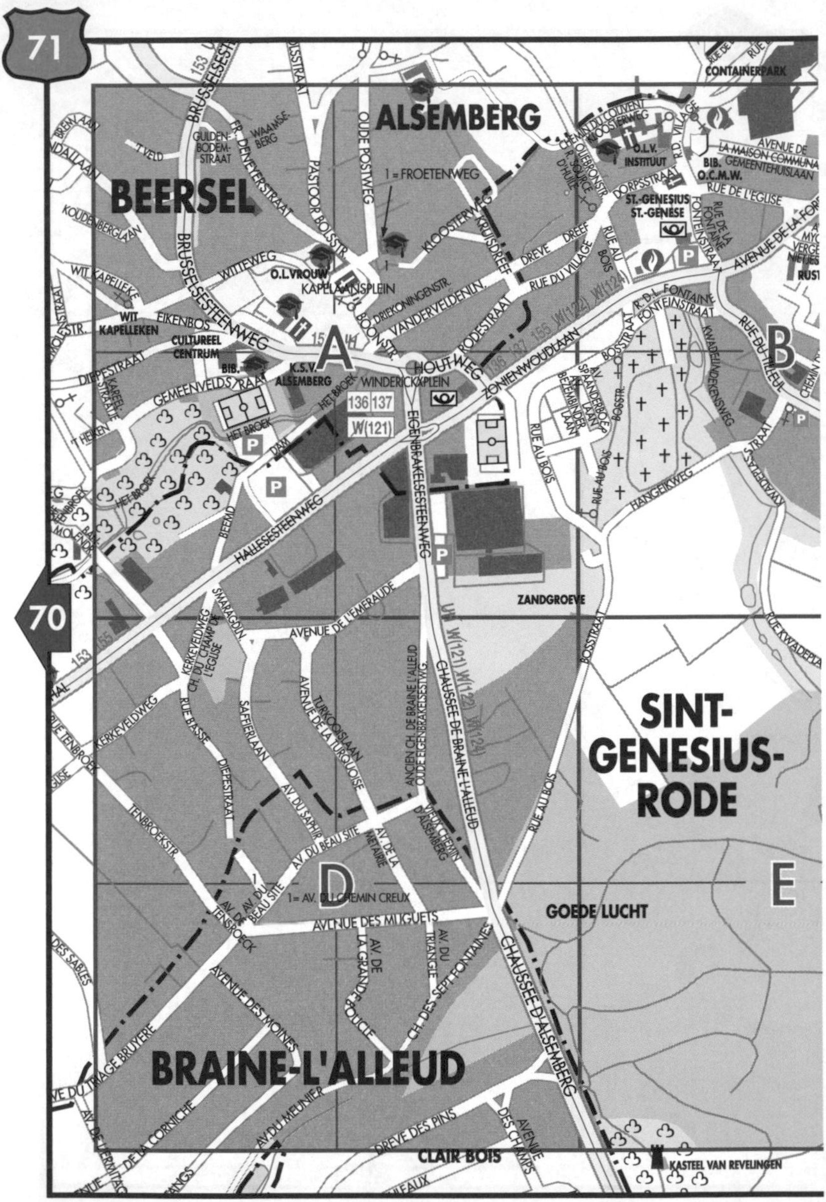

ALSEMBERG
BEERSEL
SINT-GENESIUS-RODE
BRAINE-L'ALLEUD

A
B
D
E

CONTAINERPARK
RUE DE
GULDENBODEMSTRAAT
WAAMSEBERG
FR. DEVEYERSTRAAT
OUDE POSTWEG
PASTOOR BOLSSTR.
BRUSSELSESTEENWEG
'T VELD
1 = FROETENWEG
KLOOSTERWEG
KRUISDREEF
DREEF
DREVE
CHEMIN DU COUVENT
KLOOSTERWEG
O.L.V. INSTITUUT
R. SOURCE D'HUILE
OLIEBRONSTR.
R.D. VILLAGE
AVENUE DE LA MAISON COMMUNALE
GEMEENTEHUISLAAN
BIB. O.C.M.W.
DORPSSTRAAT
RUE DE L'EGLISE
ST.-GENESIUS ST.-GENESE
FONTEINSTRAAT
RUE DE LA FONTAINE
AVENUE DE LA FORÊT
KOUDENBERGLAAN
WITTEWEG
O.L.VROUW
KAPELAANSPLEIN
DRIEKONINGENSTR.
VANDERVELDENLN.
RUE DU VILLAGE
RUE AU BOIS
WIT KAPELLEKE
WIT KAPELLEKEN
EIKENBOS
CULTUREEL CENTRUM
BOONSTR.
RODESTRAAT
R. D. L. FONTAINE
FONTEINSTRAAT
KWADEPLAS
RUE DU TILLEUL
CHEMIN
DIEPESTRAAT
KAPELSTRAATJE
GEMEENVELDSTRAAT
BIB.
K.S.V. ALSEMBERG
HOUTWEG
ZONIENWOUDLAAN
WINDERICKXPLEIN
HET BROEK
136 137
W(121)
W(122) W(124)
AV. SPAANDERBOE
SPAANDERBOELAAN
AV. BEZEMBINDER
BEZEMBINDERLAAN
BOSSTR.
KWADEJANDEKENSWEG
'T HEIKEN
DAM
EIGENBRAKELSESTEENWEG
HALLESESTEENWEG
BEEMD
HANGEIKWEG
RUE KWADEPLAS
ZANDGROEVE
BOSSTRAAT
SMARAGDLN.
AVENUE DE L'EMERAUDE
KERKEVELDWEG
CH. DU CHAMP DE L'EGLISE
RUE BASSE
SAFFIERLAAN
AVENUE DE LA TURQUOISE
TURKOOISLAAN
ANCIEN CH. DE BRAINE L'ALLEUD
OUDE EIGENBRAKELSESTWG.
CHAUSSÉE DE BRAINE-L'ALLEUD
RUE AU BOIS
RUE TENBROEK
KERKEVELDWEG
DIEPESTRAAT
AV. DU SAPHIR
VIEUX CHEMIN D'ALSEMBERG
TENBROEKSTR.
AV. DU BEAU SITE
AV. DE LA METAIRIE
1= AV. DU CHEMIN CREUX
AV. DU BEAU SITE
AV. DE TENSROECK
AVENUE DES MUGUETS
GOEDE LUCHT
DES SABLES
AV. DE LA GRANDE BOUCLE
AV. DU TRIANGLE
CH. DES SEPT FONTAINES
CHAUSSÉE D'ALSEMBERG
AVENUE DES MOINES
AVE DU TRIAGE BRUYERE
AV. DU MEUNIER
DE LA CORNICHE
AV. DE L'ERMITAGE
DREVE DES PINS
AVENUE DES CHAMPS
CLAIR BOIS
KASTEEL VAN REVELINGEN

70

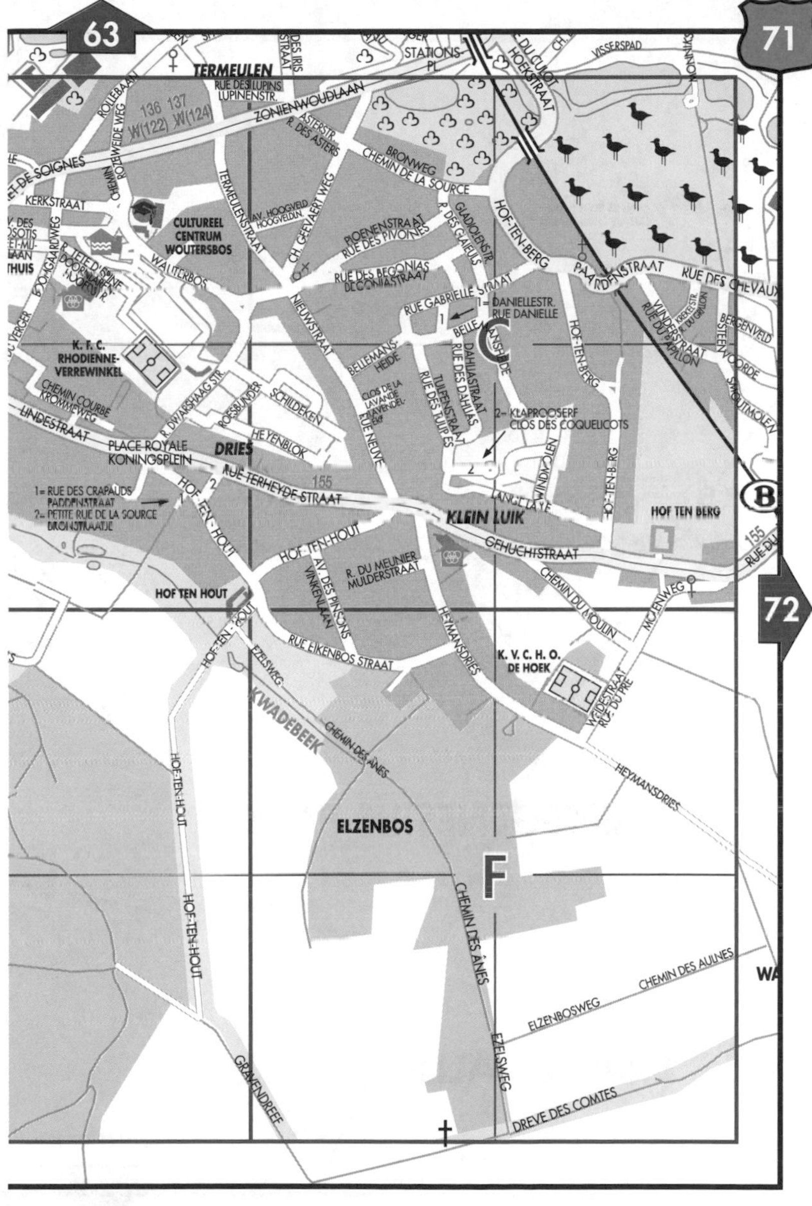
63
71
72
TERMEULEN
STATIONS-PL
RUE DES LUPINS
LUPINENSTR.
ZONIENWOUDLAAN
ROLLEBAAN
ROZEWEIDE WEG
136 137
W(122) W(124)
ASTERSTR.
R. DES ASTERS
BRONWEG
CHEMIN DE LA SOURCE
HOEKSTRAAT
VISSERSPAD
KERKSTRAAT
CULTUREEL
CENTRUM
WOUTERSBOS
TERMEULENSTRAAT
AV. HOOGVELD
HOOGVELDLN.
CH. GEEVAERT WEG
PIOENENSTRAAT
RUE DES PIVOINES
R. DES GLAIEULS
GLADIOLENSTR.
HOF-TEN-BERG
PAARDENSTRAAT
RUE DES CHEVAUX
WALTERBOS
RUE DES BEGONIAS
BEGONIASTRAAT
RUE GABRIELLE STRAAT
1= DANIELLESTR.
RUE DANIELLE
NIEUWSTRAAT
BELLEMANSHEIDE
DAHLIASTRAAT
RUE DES DAHLIAS
VIJVERSTRAAT
RUE DU PAPILLON
KREKELSTR.
R. DU GRILLON
BERGENVELD
STEENVOORDE
SMOUTMOLEN
C
K. F. C.
RHODIENNE-
VERREWINKEL
CHEMIN COURBE
KROMMEWEG
LINDESTRAAT
R. DWARSHAAG STR.
ROESBUNDER
SCHILDEKEN
HEYENBLOK
CLOS DE LA LAVANDE
RUE NEUVE
TULPENSTRAAT
RUE DES TULIPES
2= KLAPROOSERF
CLOS DES COQUELICOTS
WINDMOLEN
PLACE ROYALE
KONINGSPLEIN
DRIES
RUE TERHEYDE STRAAT
155
1= RUE DES CRAPAUDS
PADDENSTRAAT
2= PETITE RUE DE LA SOURCE
BRONSTRAATJE
HOF-TEN-HOUT
KLEIN LUIK
LANGE LAYE
HOF TEN BERG
GEHUCHTSTRAAT
R. DU MEUNIER
MULDERSTRAAT
AV. DES PINSONS
VINKENLAAN
HOF TEN HOUT
CHEMIN DU MOULIN
MOLENWEG
RUE EIKENBOS STRAAT
HEYMANSDRIES
K. V. C. H. O.
DE HOEK
WEIDESTRAAT
RUE DU PRE
EZELSWEG
KWADEBEEK
CHEMIN DES ÂNES
HEYMANSDRIES
ELZENBOS
F
CHEMIN DES ÂNES
CHEMIN DES AULNES
ELZENBOSWEG
WA
GRAVENDREEF
DREVE DES COMTES
EZELSWEG

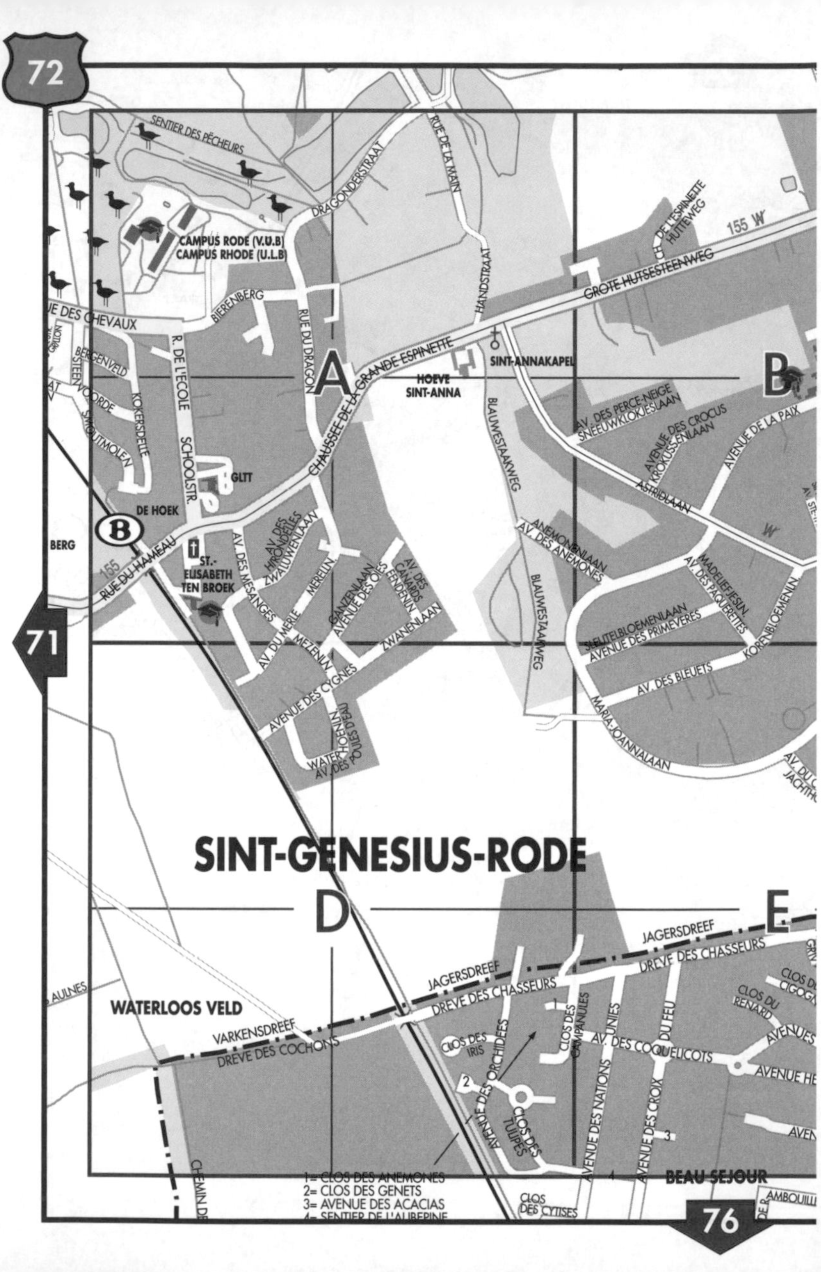

72

SINT-GENESIUS-RODE

A
B
D
E

SENTIER DES PÊCHEURS
CAMPUS RODE (V.U.B)
CAMPUS RHODE (U.L.B)
DRAGONDERSTRAAT
RUE DE LA MAIN
CH. DE L'ESPINETTE
HUTTEWEG
155
GROTE HUTSESTEENWEG
HANDSTRAAT
BIERENBERG
RUE DU DRAGON
AVENUE DES CHEVAUX
BERGENVELD
STEENVOORDE
R. DE L'ECOLE
KOKERSDELLE
SMOUTMOLEN
SCHOOLSTR.
CHAUSSEE DE LA GRANDE ESPINETTE
HOEVE SINT-ANNA
SINT-ANNAKAPEL
BLAUWESTAAKWEG
AV. DES PERCE-NEIGE
SNEEUWKLOKJESLAAN
AVENUE DES CROCUS
KROKUSSENLAAN
AVENUE DE LA PAIX
ASTRIDLAAN
GLTT
DE HOEK
BERG
RUE DU HAMEAU
ST.-ELISABETH TEN BROEK
AV. DES HIRONDELLES
ZWALUWENLAAN
AV. DES MESANGES
MERELLN.
AV. DU MERLE
MEZENLN.
GANZENLAAN
AVENUE DES OIES
AV. DES CANARDS
EENDENLN.
ZWANENLAAN
AVENUE DES CYGNES
WATERHOENLN.
AV. DES POULES D'EAU
ANEMONENLAAN
AV. DES ANEMONES
MADELIEFJESLN.
AV. DES PAQUERETTES
KORENBLOEMENLN.
SLEUTELBLOEMENLAAN
AVENUE DES PRIMEVERES
AV. DES BLEUETS
MARIA-JOANNALAAN
AV. DU C...
JACHTH...
JAGERSDREEF
DREVE DES CHASSEURS
AULNES
WATERLOOS VELD
VARKENSDREEF
DREVE DES COCHONS
CLOS DES IRIS
AVENUE DES ORCHIDEES
CLOS DES TULIPES
CLOS DES CAMPANULES
AVENUE DES NATIONS UNIES
AV. DES COQUELICOTS
AVENUE DES CROIX DU FEU
CLOS DU RENARD
CLOS DES CIGOGNES
AVENUE DES ...
AVENUE HE...
BEAU SEJOUR
CLOS DES CYTISES
CHEMIN DE...
AMBOUILL...

1= CLOS DES ANEMONES
2= CLOS DES GENETS
3= AVENUE DES ACACIAS
4= SENTIER DE L'AUBEPINE

71
76

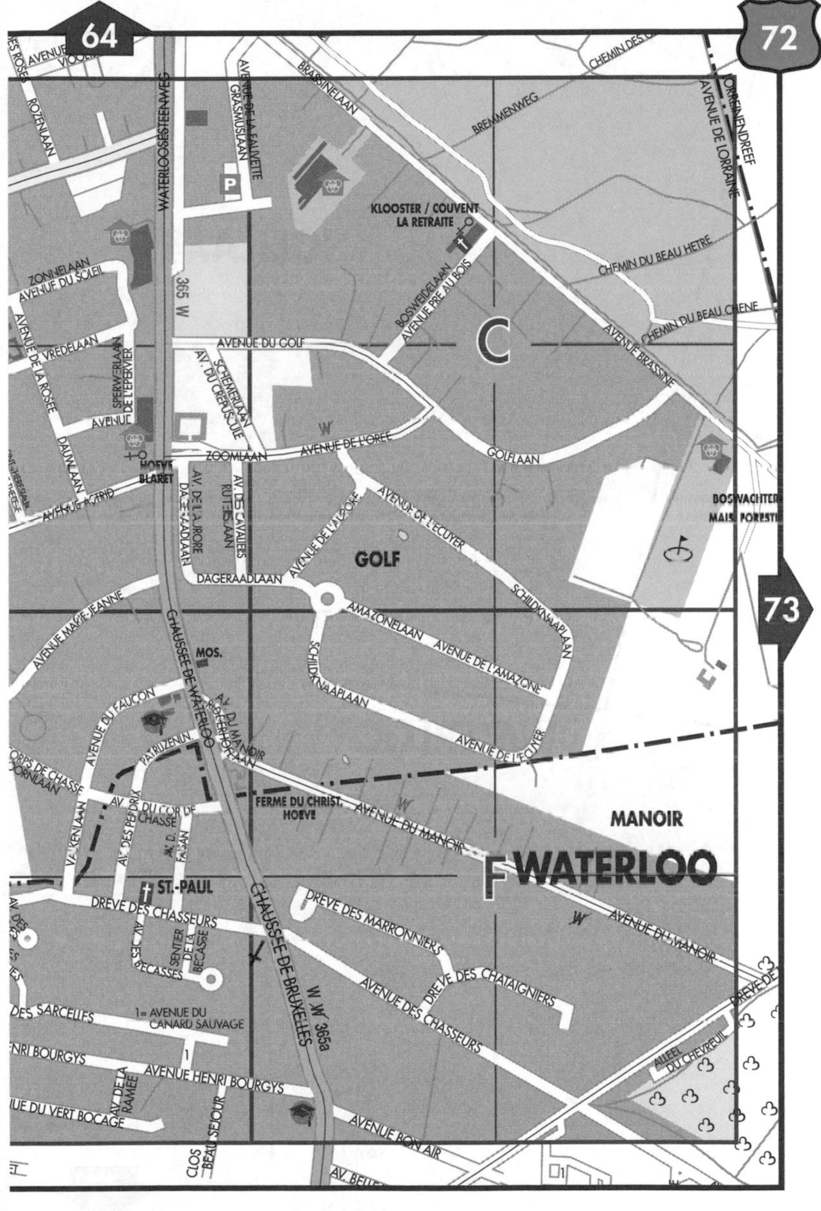

64
72
73
WATERLOOSESTEENWEG
365 W
BRASSINELAAN
CHEMIN DES
BREMMENWEG
AVENUE DE LORRAINE
KLOOSTER / COUVENT
LA RETRAITE
CHEMIN DU BEAU HETRE
CHEMIN DU BEAU CHENE
AVENUE BRASSINE
BOSWEIDELAAN
AVENUE PRE AU BOIS
C
ZONNELAAN
AVENUE DU SOLEIL
AVENUE DE LA ROSEE
VREDELAAN
SPERWERLAAN
AVENUE DU GOLF
SCHEMERLAAN
AV. DU CREPUSCULE
AVENUE DE L'OREE
ZOOMLAAN
GOLFLAAN
HOEVE
BLARET
DAUWLAAN
AVENUE ASTRID
AVENUE DE L'ECUYER
GOLF
BOSWACHTER
DAGERAADLAAN
SCHILDKNAAPLAAN
AMAZONELAAN
AVENUE DE L'AMAZONE
AVENUE MARIE-JEANNE
CHAUSSEE DE WATERLOO
MOS.
AVENUE DU FAUCON
AV. DU MANOIR
PATRIZENLN.
AVENUE DE L'ECUYER
FERME DU CHRIST.
HOEVE
AVENUE DU MANOIR
AV. DU COR DE CHASSE
AV. DES PERDRIX
FAISAN
MANOIR
F WATERLOO
ST.-PAUL
DREVE DES CHASSEURS
DREVE DES MARRONNIERS
AVENUE DU MANOIR
CHAUSSEE DE BRUXELLES
DREVE DES CHATAIGNIERS
AVENUE DES CHASSEURS
SENTIER DE LA BECASSE
AV. DES BECASSES
DES SARCELLES
1= AVENUE DU
CANARD SAUVAGE
365a
ALLEE DU CHEVREUIL
AVENUE HENRI BOURGYS
AV. DE LA RAMEE
AVENUE DU VERT BOCAGE
BEAU SEJOUR
CLOS
AVENUE BON AIR
AV. BELLE

73

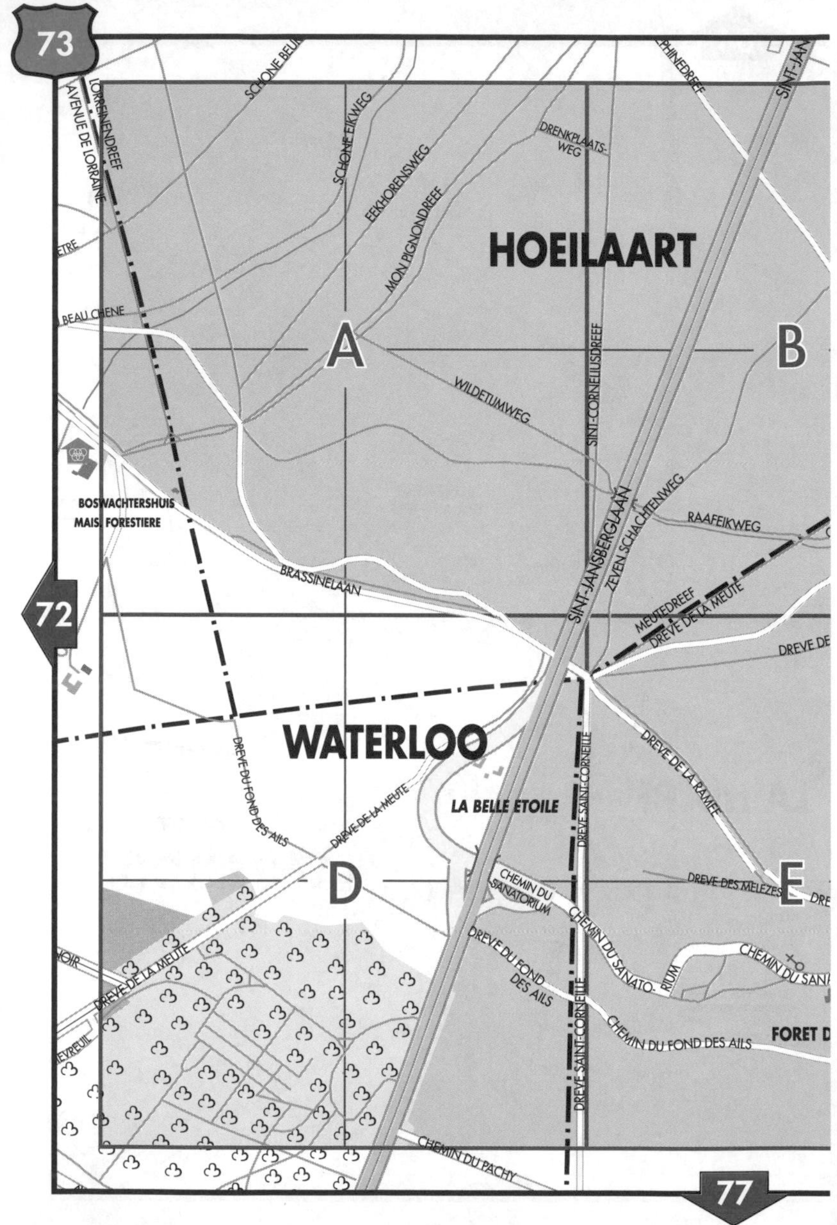
HOEILAART
WATERLOO
A
B
D
E
LORREINENDREEF
AVENUE DE LORRAINE
SCHONE EIKWEG
EEKHORENSWEG
MON PIGNONDREEF
DRENKPLAATS-WEG
WILDETUMWEG
SINT-CORNELIUSDREEF
SINT-JANSBERGLAAN
ZEVEN SCHACHTENWEG
RAAFEIKWEG
BRASSINELAAN
MEUTEDREEF
DREVE DE LA MEUTE
BOSWACHTERSHUIS
MAIS. FORESTIERE
DREVE DU FOND DES AILS
LA BELLE ETOILE
DREVE SAINT-CORNEILLE
DREVE DE LA RAMEE
DREVE DES MELEZES
CHEMIN DU SANATORIUM
CHEMIN DU SANATO-RIUM
DREVE DU FOND DES AILS
CHEMIN DU FOND DES AILS
CHEMIN DU PACHY
FORET D
BEAU CHENE

72

77

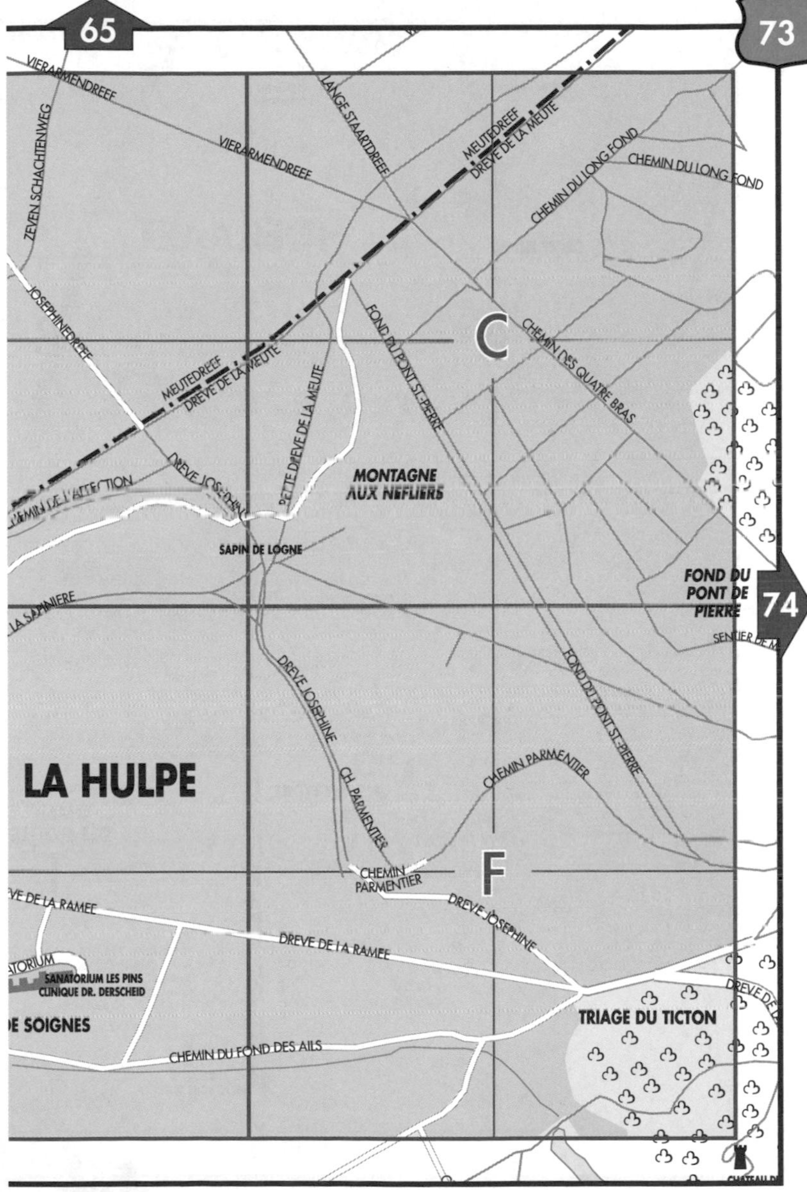

65
73
74
VIERARMENDREEF
ZEVEN SCHACHTENWEG
LANGE STAARTDREEF
MEUTEDREEF
DREVE DE LA MEUTE
CHEMIN DU LONG FOND
CHEMIN DU LONG FOND
JOSEPHINEDREEF
FOND DU PONT ST.-PIERRE
C
CHEMIN DES QUATRE BRAS
PETTE DREVE DE LA MEUTE
DREVE JOSEPHINE
MONTAGNE AUX NEFLIERS
SAPIN DE LOGNE
LA SAPINIERE
FOND DU PONT DE PIERRE
SENTIER DE M
DREVE JOSEPHINE
LA HULPE
CH. PARMENTIER
CHEMIN PARMENTIER
CHEMIN PARMENTIER
F
DREVE DE LA RAMEE
DREVE DE LA RAMEE
DREVE JOSEPHINE
SANATORIUM LES PINS
CLINIQUE DR. DERSCHEID
DE SOIGNES
TRIAGE DU TICTON
CHEMIN DU FOND DES AILS

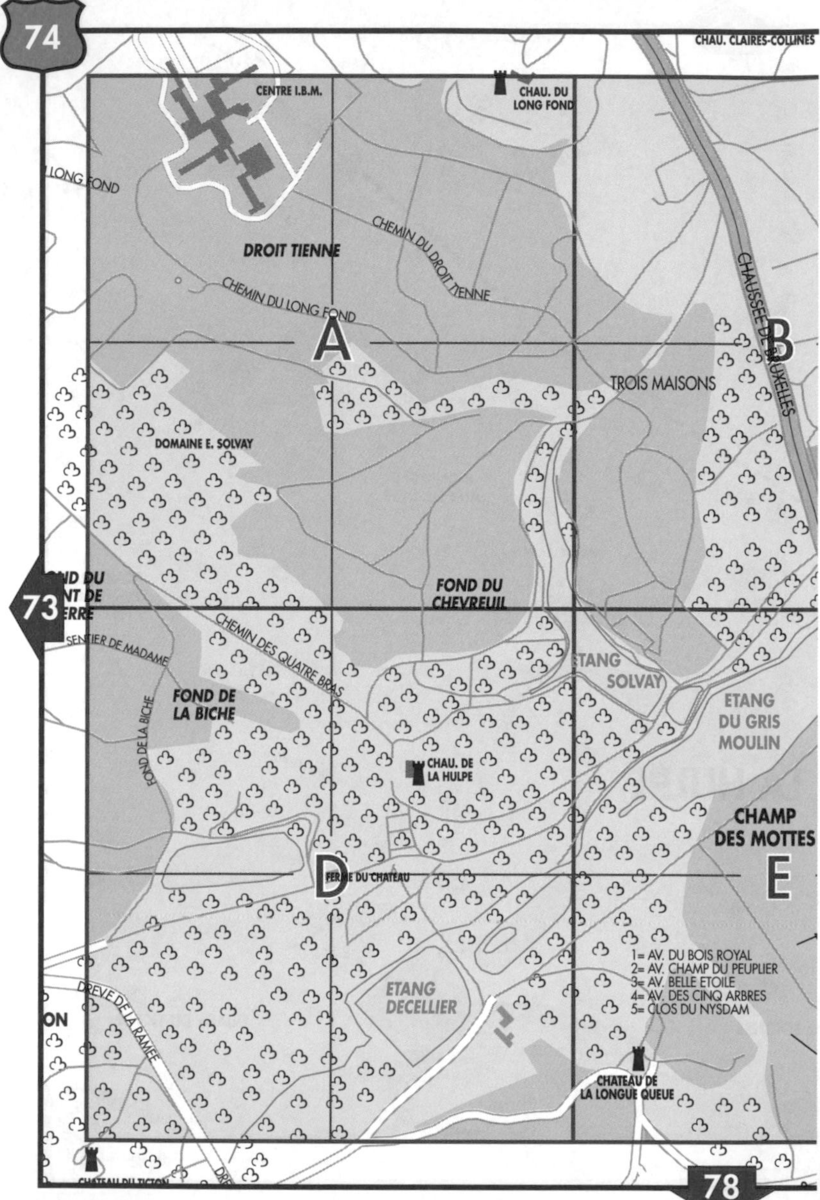
74
CHAU. CLAIRES-COLLINES
CENTRE I.B.M.
CHAU. DU
LONG FOND
LONG FOND
CHEMIN DU DROIT TIENNE
DROIT TIENNE
CHAUSSEE DE BRUXELLES
CHEMIN DU LONG FOND
A
B
TROIS MAISONS
DOMAINE E. SOLVAY
FOND DU
CHEVREUIL
73
SENTIER DE MADAME
CHEMIN DES QUATRE BRAS
ETANG
SOLVAY
ETANG
DU GRIS
MOULIN
FOND DE
LA BICHE
FOND DE LA BICHE
CHAU. DE
LA HULPE
CHAMP
DES MOTTES
D
FERME DU CHATEAU
E
1= AV. DU BOIS ROYAL
2= AV. CHAMP DU PEUPLIER
3= AV. BELLE ETOILE
4= AV. DES CINQ ARBRES
5= CLOS DU NYSDAM
ETANG
DECELLIER
DREVE DE LA RAMEE
CHATEAU DE
LA LONGUE QUEUE
78

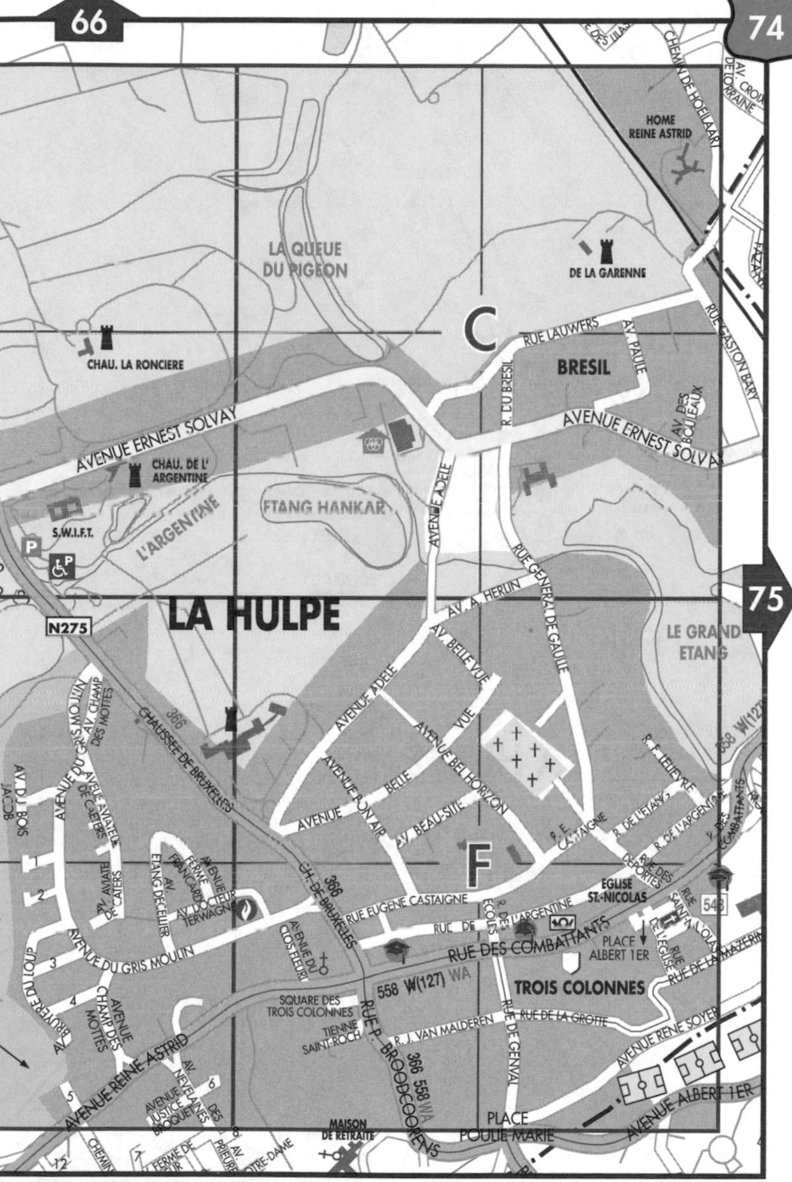
66
74
75
LA HULPE
LA QUEUE DU PIGEON
DE LA GARENNE
HOME REINE ASTRID
CHAU. LA RONCIERE
BRESIL
AVENUE ERNEST SOLVAY
CHAU. DE L' ARGENTINE
S.W.I.F.T.
ETANG HANKAR
L'ARGENTINE
N275
LE GRAND ETANG
RUE LAUWERS
AV. PAULE
R. DU BRESIL
RUE GASTON BARY
AV. DES BOULEAUX
CHEMIN DE HOEILAART
AVENUE ADELE
RUE GENERAL DE GAULLE
AV. A. HERLIN
AV. BELLE VUE
AVENUE BELLE VUE
AVENUE BEL HORIZON
AVENUE BELLE
AVENUE BON AIR
AV. BEAU-SITE
CHAUSSEE DE BRUXELLES
CH. DE BRUXELLES
RUE EUGENE CASTAIGNE
R. E. CASTAIGNE
R. DE L'ETANG
R. DE L'ARGENTINE
RUE DES DEPORTES
EGLISE ST.-NICOLAS
RUE DE L'ARGENTINE
R. DES ECOLES
RUE DES COMBATTANTS
PLACE ALBERT 1ER
RUE DE L'EGLISE
RUE SAINT-NICOLAS
RUE DE LA MAZERINE
TROIS COLONNES
SQUARE DES TROIS COLONNES
TIENNE SAINT-ROCH
R. J. VAN MALDEREN
RUE DE LA GROTTE
RUE DE GENVAL
AVENUE RENE SOYER
AVENUE ALBERT 1ER
PLACE POULIE MARIE
RUE P. BROODCOORENS
MAISON DE RETRAITE
AVENUE REINE ASTRID
AV. BRUYERE DU LOUP
AVENUE DU GRIS MOULIN
AV. DU BOIS JACOB
AV. DU GRIS MOULIN
AV. CHAMP DES MOTTES
AVENUE AVIATEUR DE CATERS
AV. AVIATEUR DE CATERS
AV. ETANG DECELLIER
AVENUE FERME FRANCARD
AV. DOCTEUR TERWAGNE
AVENUE DU CLOS FLEURI
AVENUE CHAMP DES MOTTES
AV. NEVELANES
AVENUE JUSTICE DES BROQUETS
AV. PRIEURE
FERME DE ...
558 W(127) WA
366
548

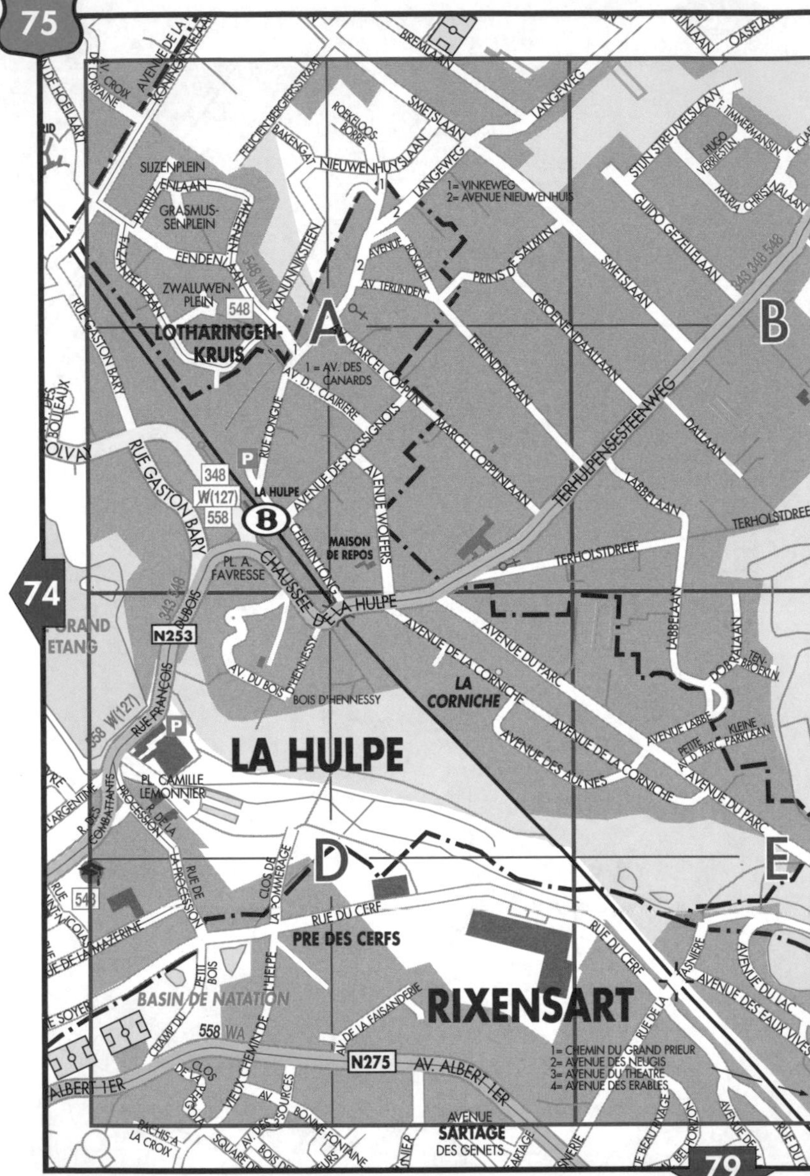

75
74
79
A
B
D
E
LA HULPE
RIXENSART
LOTHARINGEN-KRUIS
LA CORNICHE
PRE DES CERFS
MAISON DE REPOS
BOIS D'HENNESSY
BASIN DE NATATION
GRAND ETANG
1= VINKEWEG
2= AVENUE NIEUWENHUIS
1 = AV. DES CANARDS
1= CHEMIN DU GRAND PRIEUR
2= AVENUE DES NEUGIS
3= AVENUE DU THEATRE
4= AVENUE DES ERABLES
N253
N275
548
348
W(127)
558
TERHULPENSESTEENWEG
CHAUSSEE DE LA HULPE
RUE GASTON BARY
AVENUE DES ROSSIGNOLS
AVENUE WOLFERS
AVENUE DE LA CORNICHE
AVENUE DU PARC
AVENUE DES AULNES
RUE DU CERF
AV. ALBERT 1ER
SMETSLAAN
LANGEWEG
GROENENDAALLAAN
TERLINDENLAAN
MARCEL COPPIJNLAAN
DALLAAN
LABBELAAN
TERHOLSTDREEF
GUIDO GEZELLELAAN
STIJN STREUVELSLAAN
BREMLAAN
FELICIEN BERGIERSSTRAAT
BAKENGAT
NIEUWENHUYSLAAN
SIJZENPLEIN
GRASMUS-SENPLEIN
ZWALUWEN-PLEIN
KANUNNIKSTEEN
PL. A. FAVRESSE
PL. CAMILLE LEMONNIER
RUE FRANCOIS DUBOIS
RUE DE LA PROCESSION
RUE DE LA MAZERINE
CLOS DE LA POMMERAGE
AVENUE SARTAGE
DES GENETS
AVENUE DU LAC
AVENUE DES EAUX VIVES

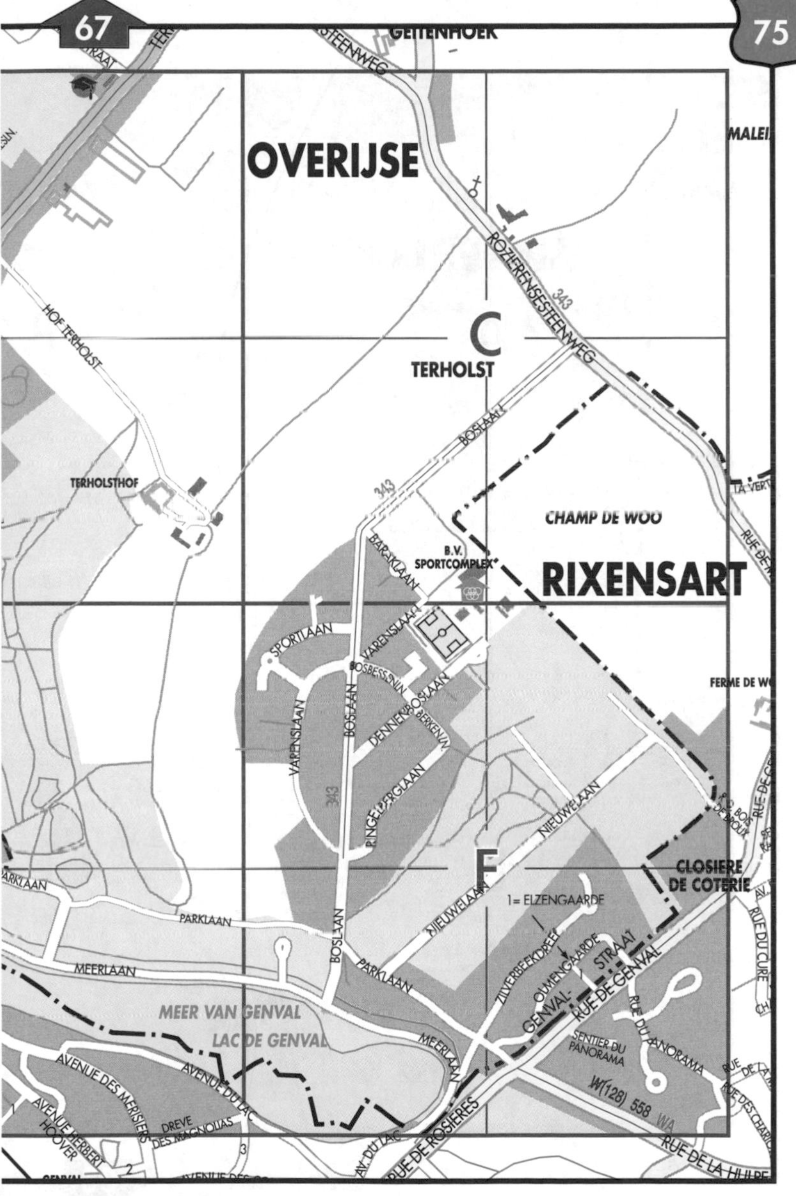
GEITENHOEK
OVERIJSE
ROZIERENSESTEENWEG
343
HOF TERHOLST
C
TERHOLST
TERHOLSTHOF
BOSLAAN
CHAMP DE WOO
B.V. SPORTCOMPLEX
RIXENSART
BARGKLAAN
SPORTLAAN
VARENSLAAN
BOSBESSENLN
DENNENLN
BERKENLN
BOSLAAN
RINGELPERGLAAN
NIEUWELAAN
FERME DE WO
MALEI
F
CLOSIERE DE COTERIE
1= ELZENGAARDE
PARKLAAN
MEERLAAN
ZILVERBEEKDREEF
OLMENGAARDE
GENVAL-STRAAT
RUE DE GENVAL
MEER VAN GENVAL
LAC DE GENVAL
SENTIER DU PANORAMA
RUE DU PANORAMA
W(128) 558 WA
AVENUE DES MERISIERS
AVENUE DU LAC
AVENUE HERBERT HOOVER
DREVE DES MAGNOLIAS
AV. DU LAC
RUE DE ROSIERES
RUE DE LA HULPE
RUE DES CHARDONS
RUE DU CURE

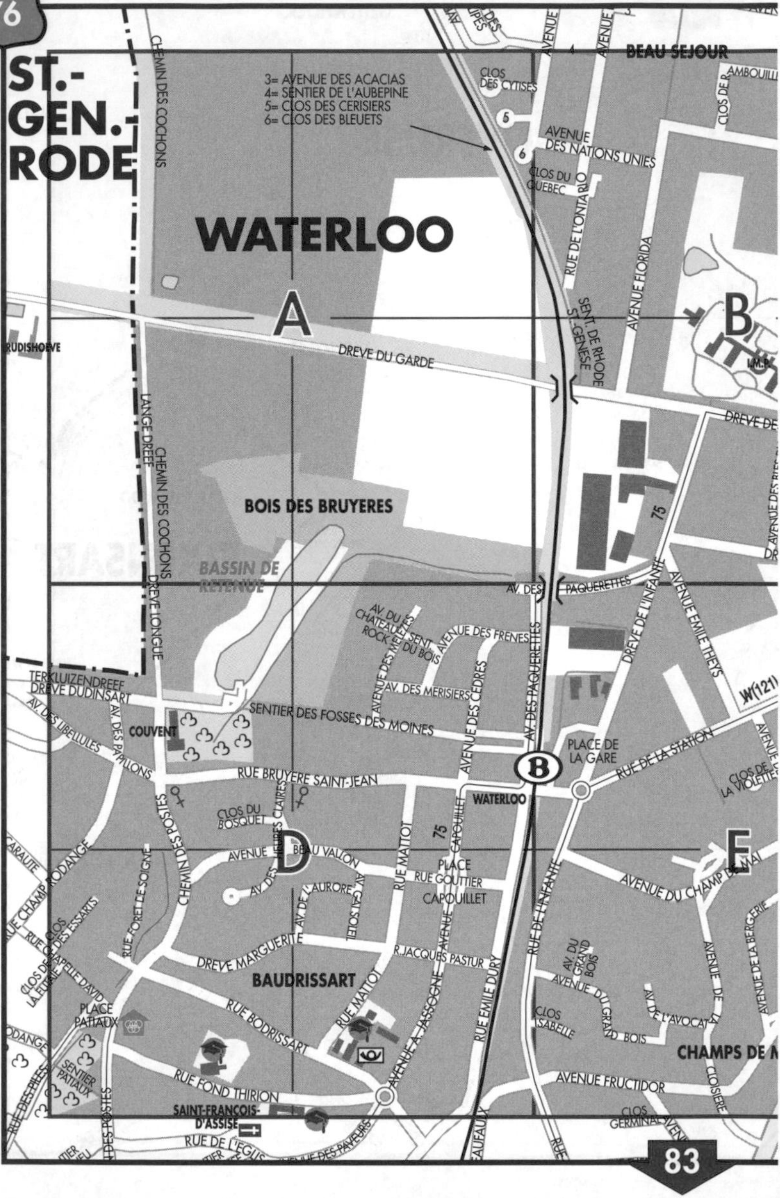

ST.-GEN.-RODE

WATERLOO

3= AVENUE DES ACACIAS
4= SENTIER DE L'AUBEPINE
5= CLOS DES CERISIERS
6= CLOS DES BLEUETS

BEAU SEJOUR
CLOS DES CYTISES
AVENUE DES NATIONS UNIES
CLOS DU QUEBEC
RUE DE L'ONTARIO
AVENUE FLORIDA
SENT. DE RHODE ST.-GENESE
CHEMIN DES COCHONS
DREVE DU GARDE
RUDISHOEVE
LANGE DREEF
I.M.P.
DREVE DE
BOIS DES BRUYERES
BASSIN DE RETENUE
DREVE LONGUE
AV. DES PAQUERETTES
DREVE DE L'INFANTE
AVENUE EMILE THEYS
AV. DU CHATEAU ROCK
SENT. DU BOIS
AVENUE DES FRENES
AVENUE DES MELEZES
AV. DES MERISIERS
AVENUE DES CEDRES
TERKLUIZENDREEF
DREVE DUDINSART
AV. DES LIBELLULES
AV. DES PAPILLONS
COUVENT
SENTIER DES FOSSES DES MOINES
PLACE DE LA GARE
RUE DE LA STATION
CLOS DE LA VIOLETTE
RUE BRUYERE SAINT-JEAN
WATERLOO
CLOS DU BOSQUET
AV. DES HEURES CLAIRES
CHEMIN DES POSTES
AVENUE BEAU VALLON
RUE MATTOT
RUE CAPOUILLET
PLACE CAPOUILLET
RUE GOUTTIER
AV. DE L'AURORE
AV. GAI SOLEIL
RUE FORET DE SOIGNE
RUE CHAMP RODANGE
CARAUTE
CLOS DES ESSARTS
RUE DE LA CHAPELLE DAVID
CLOS DE LA FUTAIE
DREVE MARGUERITE
R. JACQUES PASTUR
AVENUE A. JASSOGNE
RUE EMILE DURY
RUE DE L'INFANTE
AVENUE DU CHAMP DE MAI
AVENUE DE LA BERGERIE
AV. DU GRAND BOIS
AVENUE DU GRAND BOIS
AV. DE L'AVOCAT
AVENUE DE LA CLOISERE
BAUDRISSART
RUE BODRISSART
PLACE PATIAUX
SENTIER PATIAUX
ODANGE
RUE DES PILES
CLOS ISABELLE
CHAMPS DE M
AVENUE FRUCTIDOR
CLOS GERMINAL
RUE FOND THIRION
SAINT-FRANCOIS-D'ASSISE
RUE DE L'EGLISE
AVENUE DES PAVEURS
DES POSTES
FAUFAUX
W(121)
75
A
B
D
E

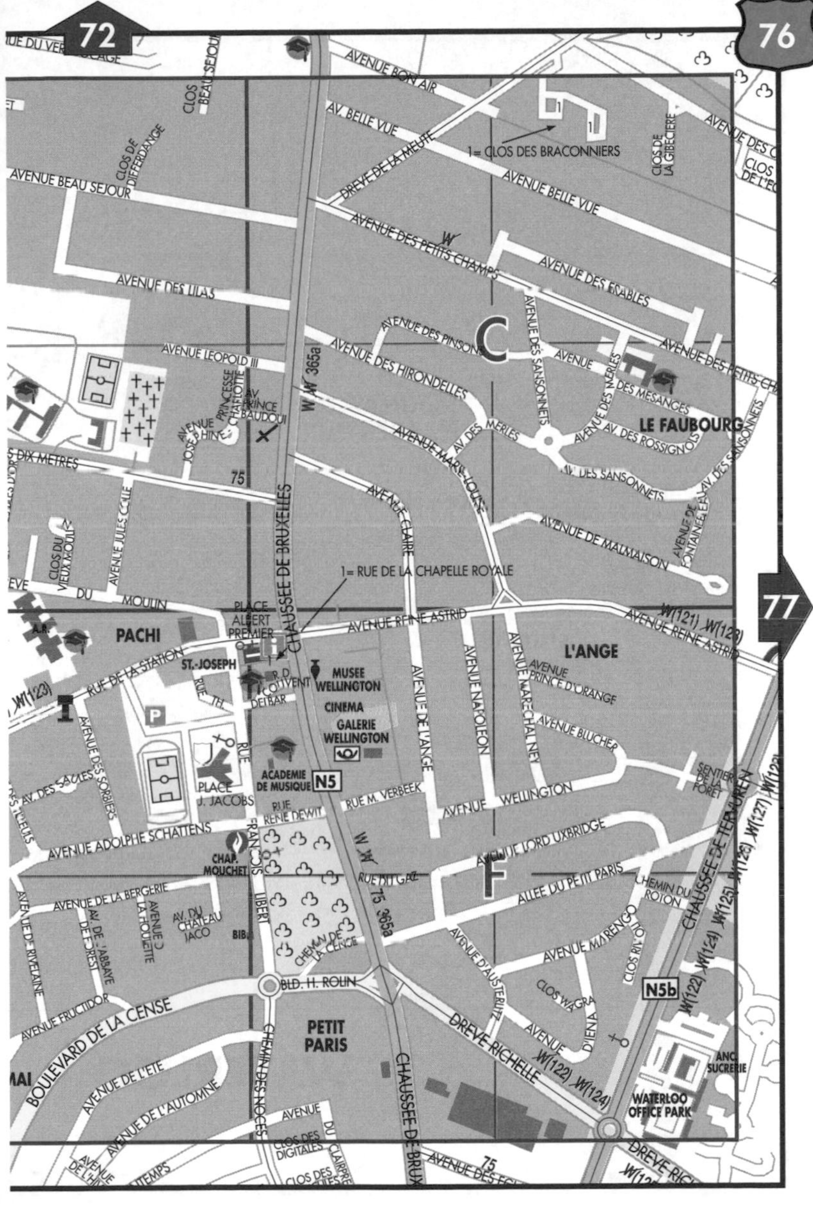
72
76
77
AVENUE BON AIR
AV. BELLE VUE
1= CLOS DES BRACONNIERS
CLOS DE LA GIBECIERE
CLOS BEAU SEJOUR
CLOS DE DIFFERDANGE
AVENUE BEAU SEJOUR
DREVE DE LA MEUTE
AVENUE BELLE VUE
AVENUE DES PETITS CHAMPS
AVENUE DES ERABLES
AVENUE DES LILAS
AVENUE DES PINSONS
AVENUE DES HIRONDELLES
AVENUE LEOPOLD III
AVENUE DES SANSONNETS
AVENUE DES MESANGES
AVENUE DES MERLES
LE FAUBOURG
AV. DES ROSSIGNOLS
AV. DES MERLES
AVENUE MARIE-LOUISE
AV. DES SANSONNETS
AVENUE JOSEPHINE
PRINCESSE CHARLOTTE
AV. PRINCE BAUDOUIN
AVENUE CLAIRE
AVENUE DE MALMAISON
AVENUE DE FONTAINEBLEAU
AVENUE JULES COLLE
CLOS DU VIEUX MOULIN
CHAUSSEE DE BRUXELLES
1= RUE DE LA CHAPELLE ROYALE
PLACE ALBERT PREMIER
AVENUE REINE ASTRID
PACHI
L'ANGE
ST.-JOSEPH
RUE DE LA STATION
MUSEE WELLINGTON
CINEMA
GALERIE WELLINGTON
AVENUE PRINCE D'ORANGE
AVENUE BLUCHER
AVENUE NAPOLEON
AVENUE MARECHAL NEY
AVENUE DE L'ANGE
ACADEMIE DE MUSIQUE
N5
PLACE J. JACOBS
AV. DES SAULES
AVENUE DES SORBIERS
RUE M. VERBEEK
RUE REINE DEWIT
AVENUE WELLINGTON
SENTIER DE LA FORET
AVENUE ADOLPHE SCHATTENS
CHAP. MOUCHET
AVENUE LORD UXBRIDGE
RUE FRANCOIS LIBERT
ALLEE DU PETIT PARIS
CHEMIN DU ROTON
CHAUSSEE DE TERVUREN
AVENUE DE LA BERGERIE
AV. DE L'ABBAYE DE FOREST
AV. DU CHATEAU JACO
CHEMIN DE LA CENSE
AVENUE MARENGO
AVENUE D'AUSTERLITZ
CLOS RIVOLI
CLOS WAGRAM
N5b
BLD. H. ROLIN
AVENUE FRUCTIDOR
BOULEVARD DE LA CENSE
PETIT PARIS
AVENUE D'IENA
DREVE RICHELLE
ANC. SUCRERIE
WATERLOO OFFICE PARK
AVENUE DE L'ETE
AVENUE DE L'AUTOMNE
CHEMIN DES NOCES
CLOS DES DIGITALES
CLOS DES
AVENUE DES

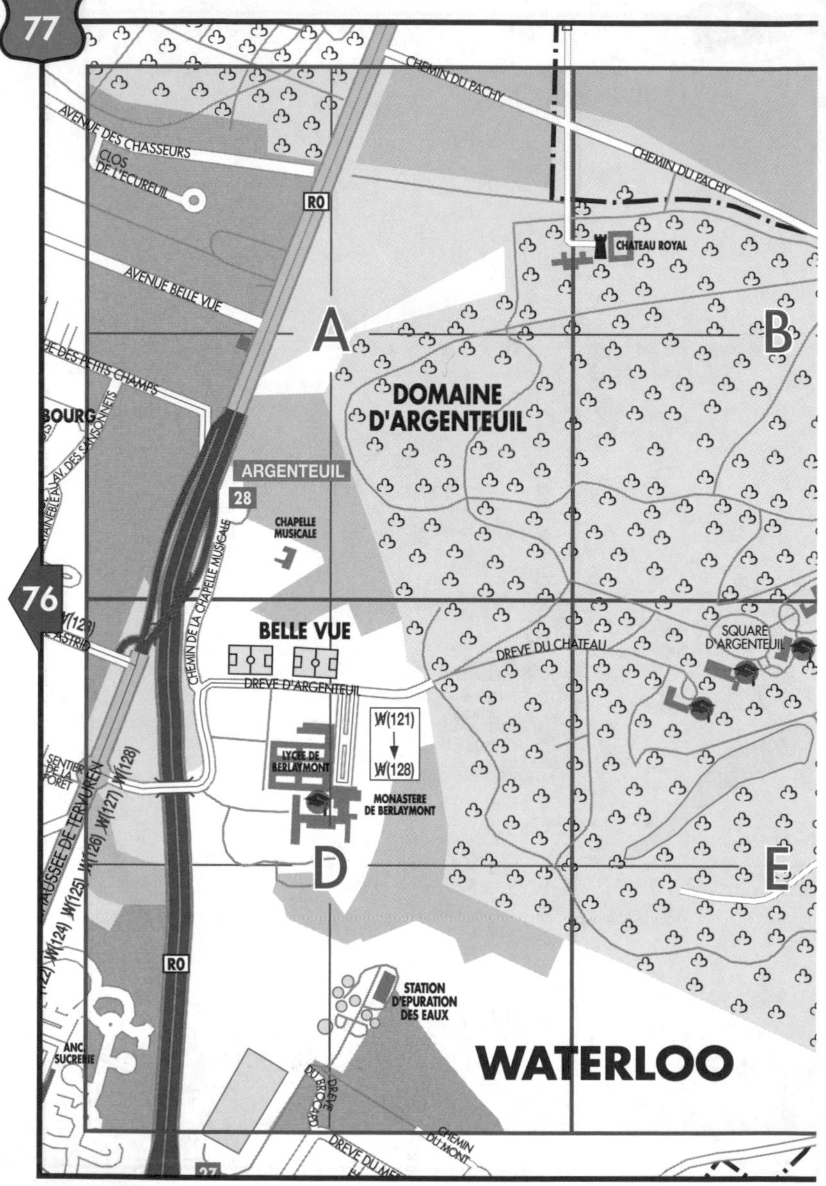
CHEMIN DU PACHY
AVENUE DES CHASSEURS
CLOS DE L'ECUREUIL
R0
CHATEAU ROYAL
AVENUE BELLE VUE
A
B
RUE DES PETITS CHAMPS
DOMAINE D'ARGENTEUIL
BOURG
AV. DES SANSONNETS
ARGENTEUIL
28
CHAPELLE MUSICALE
CHEMIN DE LA CHAPELLE MUSICALE
76
BELLE VUE
SQUARE D'ARGENTEUIL
DREVE DU CHATEAU
DREVE D'ARGENTEUIL
W(121)
W(128)
LYCEE DE BERLAYMONT
MONASTERE DE BERLAYMONT
SENTIER DE LA FORET
CHAUSSEE DE TERVUREN
W(124)
W(125)
W(126)
W(127)
W(128)
D
E
STATION D'EPURATION DES EAUX
ANC. SUCRERIE
WATERLOO
DREVE DU BROCARD
CHEMIN DU MONT
27

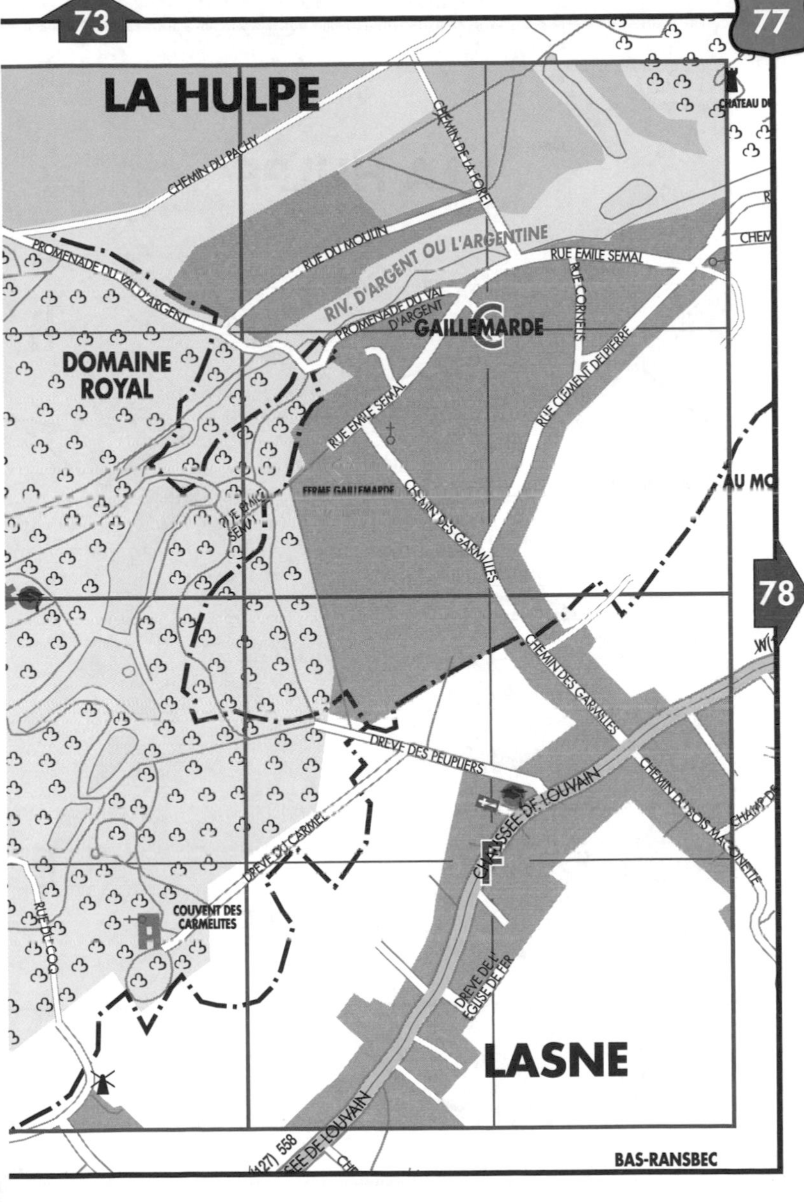
73
77
78
LA HULPE
CHEMIN DU PACHY
CHEMIN DE LA FORET
RUE DU MOULIN
RIV. D'ARGENT OU L'ARGENTINE
RUE EMILE SEMAL
RUE CORNELIS
PROMENADE DU VAL D'ARGENT
GAILLEMARDE
DOMAINE ROYAL
RUE CLEMENT DELPIERRE
FERME GAILLEMARDE
CHEMIN DES CARMELITES
DREVE DES PEUPLIERS
CHAUSSEE DE LOUVAIN
CHEMIN DU BOIS MACONETTE
DREVE DU CARMEL
COUVENT DES CARMELITES
RUE DU COQ
DREVE DE L'EGLISE DE FER
LASNE
BAS-RANSBEC

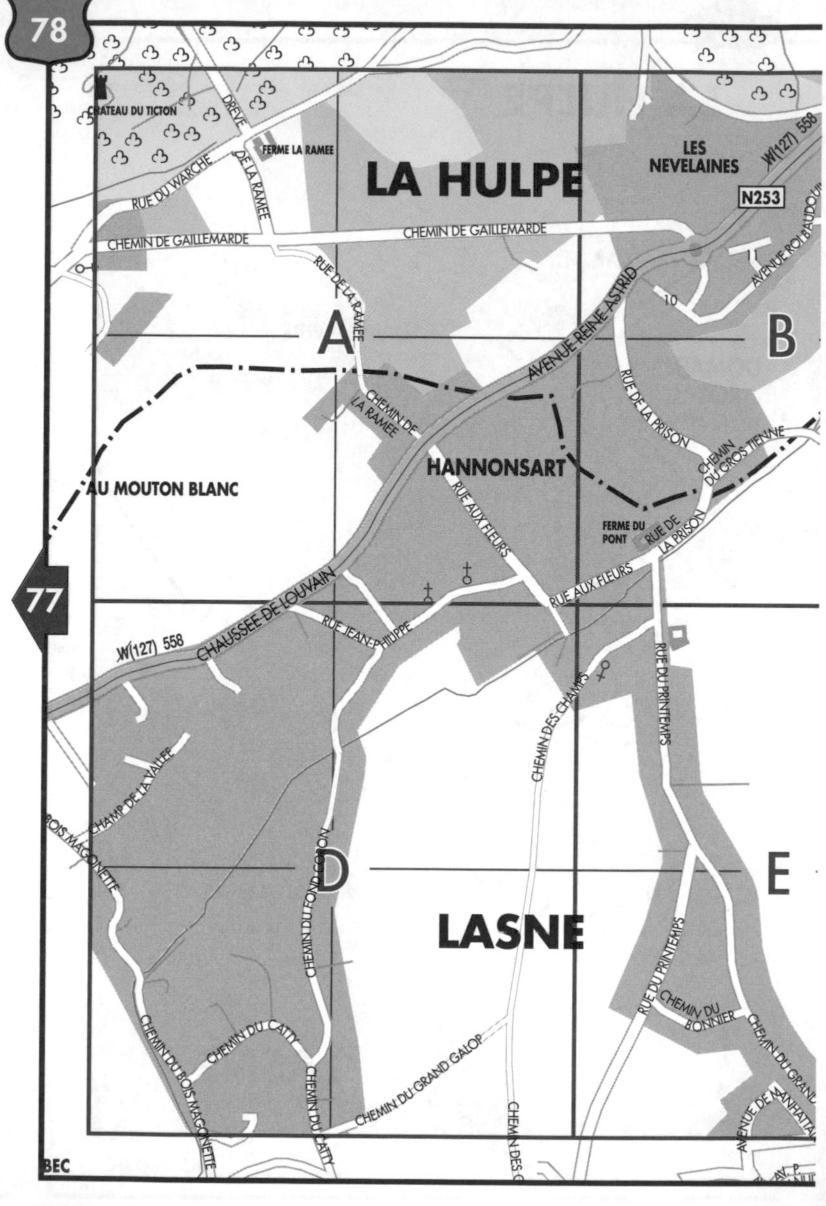

CHATEAU DU TICTON
DREVE DE LA RAMEE
FERME LA RAMEE
LA HULPE
LES NEVELAINES
W(127) 558
N253
RUE DU WARCHE
CHEMIN DE GAILLEMARDE
CHEMIN DE GAILLEMARDE
RUE DE LA RAMEE
AVENUE ROI BAUDOUIN
AVENUE REINE ASTRID
10
A
B
CHEMIN DE LA RAMEE
RUE DE LA PRISON
CHEMIN DU GROS TIENNE
HANNONSART
AU MOUTON BLANC
RUE AUX FLEURS
FERME DU PONT
RUE DE LA PRISON
CHAUSSEE DE LOUVAIN
RUE AUX FLEURS
RUE JEAN-PHILIPPE
W(127) 558
CHEMIN DES CHAMPS
RUE DU PRINTEMPS
CHAMP DE LA VALLEE
BOIS MAGONETTE
CHEMIN DU FOND COTON
D
E
LASNE
RUE DU PRINTEMPS
CHEMIN DU BONNIER
CHEMIN DU GRAND
CHEMIN DU CATTY
CHEMIN DU BOIS MAGONETTE
CHEMIN DU CATTY
CHEMIN DU GRAND GALOP
CHEMIN DES C
AVENUE DE MANHATTAN
BEC

77

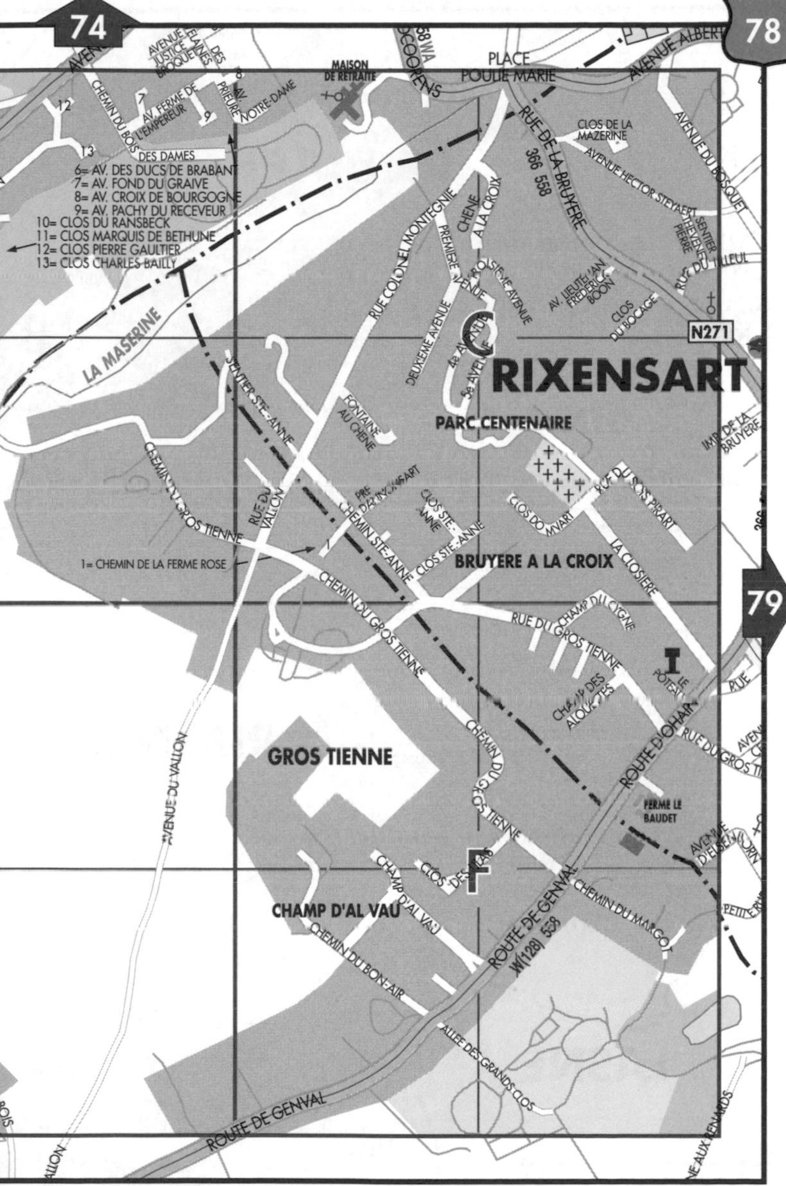

74
78
79
PLACE
POULIE MARIE
MAISON
DE RETRAITE
AVENUE ALBERT
NOTRE-DAME
CHEMIN DU BOIS DES DAMES
AV. FERME DE L'EMPEREUR
6= AV. DES DUCS DE BRABANT
7= AV. FOND DU GRAIVE
8= AV. CROIX DE BOURGOGNE
9= AV. PACHY DU RECEVEUR
10= CLOS DU RANSBECK
11= CLOS MARQUIS DE BETHUNE
12= CLOS PIERRE GAULTIER
13= CLOS CHARLES BAILLY
LA MASERINE
RUE DE LA BRUYERE
366 558
CLOS DE LA MAZERINE
AVENUE HECTOR STEYAERT
AVENUE DU BOSQUET
SENTIER THEVENET PIERRE
RUE DU TILLEUL
CHENE A LA CROIX
RUE COLONEL MONTEGNIE
PREMIERE AVENUE
DEUXIEME AVENUE
TROISIEME AVENUE
4e AVENUE
5e AVENUE
AV. LIEUTENANT FREDERIC BOON
CLOS DU BOCAGE
N271
RIXENSART
PARC CENTENAIRE
IMP. DE LA BRUYERE
SENTIER STE-ANNE
FONTAINE AU CHENE
CHEMIN DU GROS TIENNE
RUE DU VALLON
CHEMIN STE-ANNE
CLOS STE-ANNE
CLOS DU MVART
RUE DU BOIS PIRART
LA CLOSIERE
1= CHEMIN DE LA FERME ROSE
BRUYERE A LA CROIX
CHAMP DU CYGNE
RUE DU GROS TIENNE
CHAMP DES ALOUETTES
LE POTEAU
ROUTE D'OHAIN
GROS TIENNE
AVENUE DU VALLON
FERME LE BAUDET
CHAMP D'AL VAU
CHEMIN DU MARGOT
ROUTE DE GENVAL
W(128) 558
CHEMIN DU BON-AIR
ALLEE DES GRANDS CLOS
ROUTE DE GENVAL

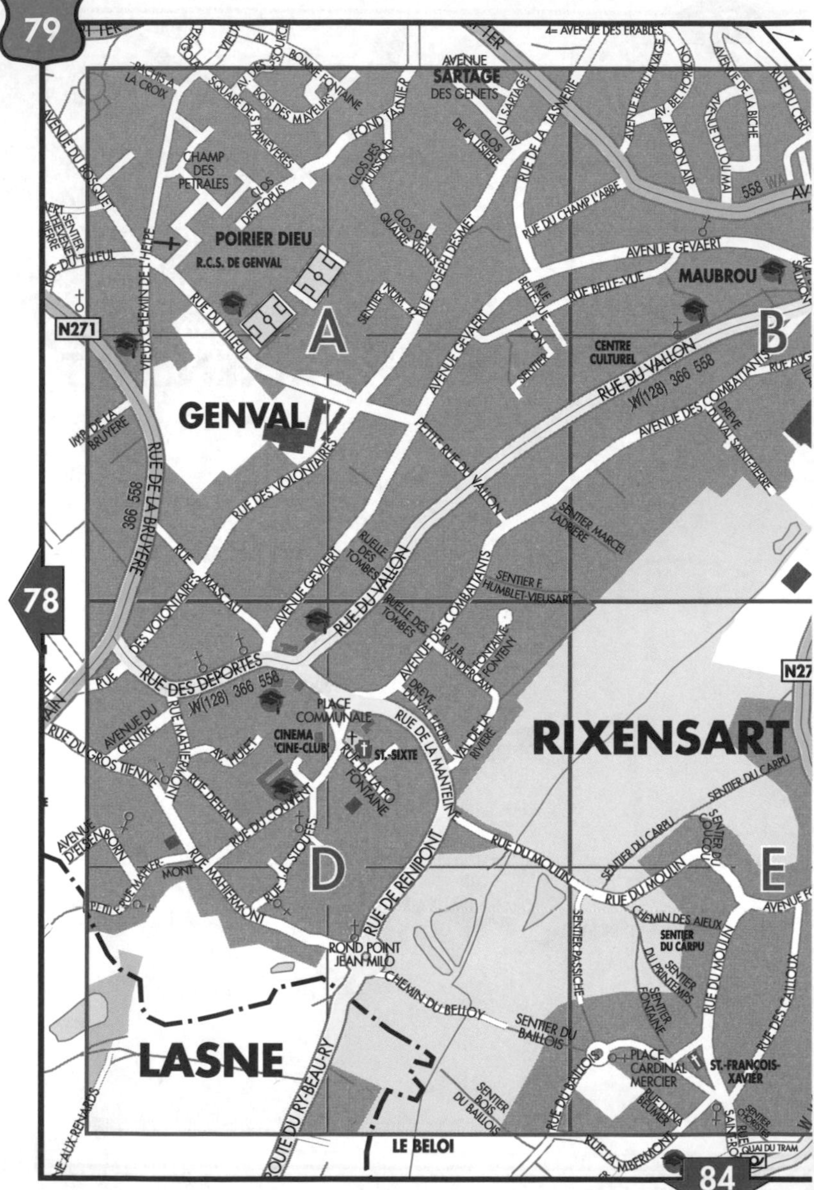

GENVAL
RIXENSART
LASNE
POIRIER DIEU
R.C.S. DE GENVAL
SARTAGE
MAUBROU
CENTRE CULTUREL
PLACE COMMUNALE
CINEMA 'CINE-CLUB'
ST.-SIXTE
ROND POINT JEAN MILO
PLACE CARDINAL MERCIER
ST.-FRANÇOIS-XAVIER
LE BELOI
CHAMP DES PETRALES
RUE DU VALLON
RUE DES DEPORTES
AVENUE GEVAERT
AVENUE DES COMBATTANTS
RUE DE LA BRUYERE
RUE DU TILLEUL
RUE JOSEPH DESMET
RUE DU MOULIN
RUE DE RENIPONT
ROUTE DU RY-BEAU-RY
CHEMIN DU BELLOY
RUE DE LA MANTELINE
RUE DES VOLONTAIRES
AVENUE DES ERABLES
N271
A
B
D
E

78

84

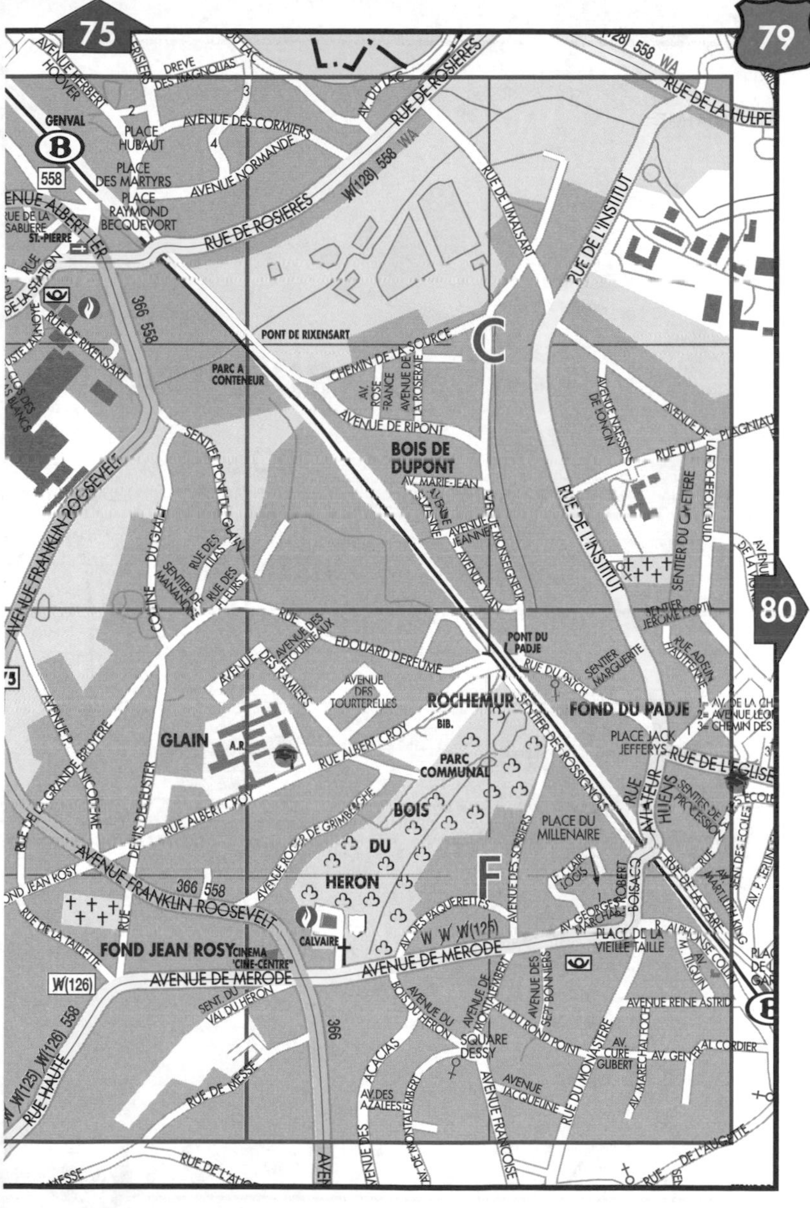
75
79
80
GENVAL
AVENUE HERBERT HOOVER
DREVE DES MAGNOLIAS
AV. DU LAC
RUE DE ROSIERES
558 WA
RUE DE LA HULPE
PLACE HUBAUT
AVENUE DES CORMIERS
AVENUE NORMANDE
PLACE DES MARTYRS
PLACE RAYMOND BECQUEVORT
AVENUE ALBERT 1ER
RUE DE LA SABLIERE
ST.-PIERRE
RUE DE LA STATION
RUE DE RIXENSART
366 558
W(128) 558 WA
RUE DE L'INSTITUT
RUE DE LIMALSART
PONT DE RIXENSART
PARC A CONTENEUR
CHEMIN DE LA SOURCE
AV. ROSE FRANCE
AVENUE DE LA ROSERAIE
AVENUE DE RIPONT
AVENUE NAESSENS DE LONCIN
AVENUE DE PLAGNIAU
RUE DU PLAGNIAU
BOIS DE DUPONT
AV. MARIE-JEAN
AVENUE JEANNE
AVENUE YVAN
AVENUE MONSEIGNEUR
SENTIER DU CIMETIERE
AVENUE FRANKLIN ROOSEVELT
SENTIER PONT DE GLAIN
RUE DES LILAS
RUE DES FLEURS
SENTIER DE MANANDRIS
COLINE DU GLAIN
RUE EDOUARD DERFUME
AVENUE DES ETOURNEAUX
AVENUE DES RAMIERS
AVENUE DES TOURTERELLES
PONT DU PADJE
RUE DU PADJE
SENTIER MARGUERITE
SENTIER JEROME COPTIL
RUE ADELIN HAUTFENNE
ROCHEMUR
SENTIER DES ROSSIGNOLS
FOND DU PADJE
1= AV. DE LA CH
2= AVENUE LEO
3= CHEMIN DES
BIB.
PLACE JACK JEFFERYS
RUE DE L'EGLISE
GLAIN
A.R.
RUE ALBERT CROY
PARC COMMUNAL
RUE AVIATEUR HUENS
SENTIER DE LA PROCESSION
RUE DES ECOLES
AVENUE P. NICODEME
RUE DE LA GRANDE BRUYERE
DENIS DECUSTER
BOIS DU HERON
AVENUE ROGER DE GRIMBERGHE
PLACE DU MILLENAIRE
AVENUE DES SORBIERS
LECLAIR LOCUS
AV. ROBERT BOISACQ
RUE DE LA GARE
AV. MARTIN LUTHER KING
FOND JEAN ROSY
RUE DE LA TAILLETTE
AV. DES PAQUERETTES
W(125)
AV. GEORGES MARCHAL
PLACE DE LA VIEILLE TAILLE
R. ALPHONSE COLIN
M. TIGUIN
CALVAIRE
CINEMA "CINE-CENTRE"
AVENUE DE MERODE
W(126)
SENT. DU VAL DU HERON
BOIS DU HERON
AVENUE DU HERON
AVENUE DE MONTALEMBERT
AVENUE DES SEPT BONNIERS
AV. DU ROND POINT
AVENUE REINE ASTRID
AL CORDIER
AV. GENER
AV. CURE GLIBERT
AV. MARECHAL FOCH
RUE DU MONASTERE
SQUARE DESSY
AVENUE JACQUELINE
AVENUE FRANCOISE
ACACIAS
AV. DES AZALEES
AVENUE DES
AV. DE MONTALEMBERT
RUE HAUTE
W(125) W(126) 558
RUE DE MESSE
RUE DE L'AUGETTE
366
C
F

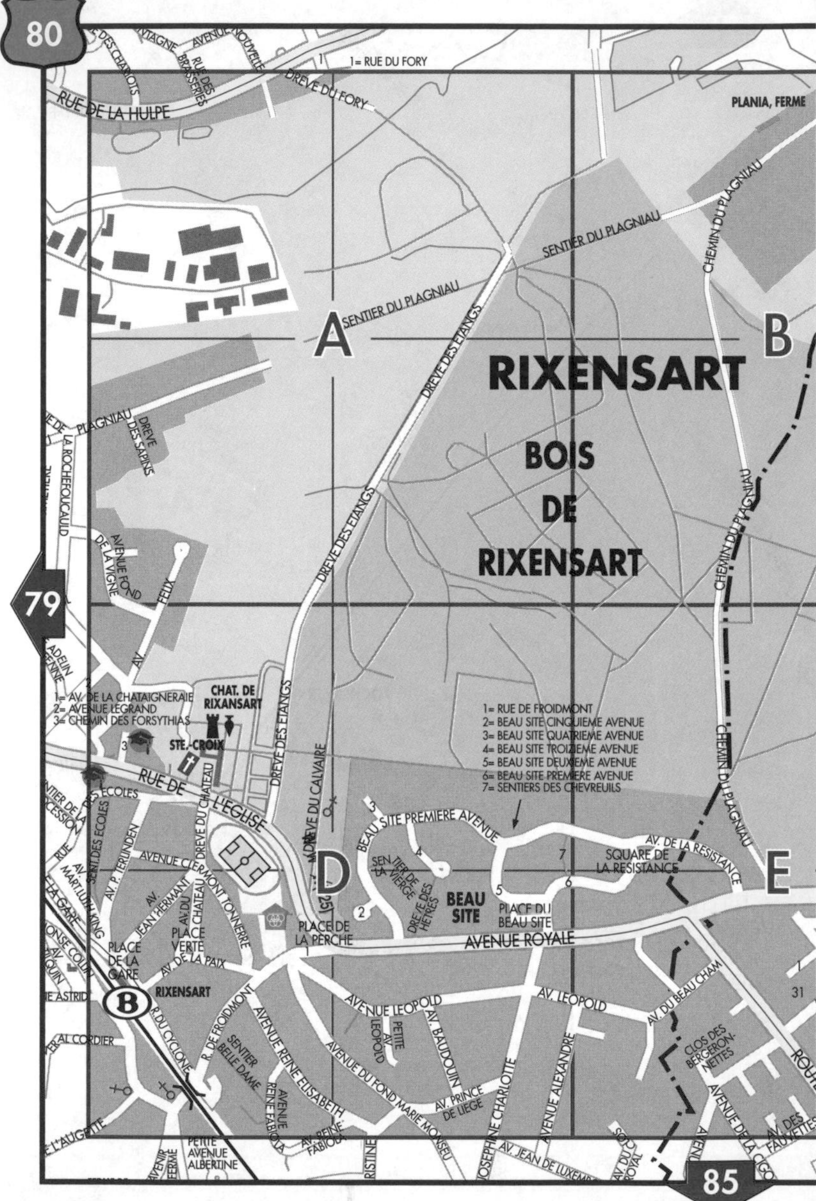

1= RUE DU FORY
DREVE DU FORY
RUE DE LA HULPE
RUE DES BRASSERIES
AVENUE NOUVELLE
PLANIA, FERME
SENTIER DU PLAGNIAU
CHEMIN DU PLAGNIAU
A
B
RIXENSART
DREVE DES ETANGS
BOIS DE RIXENSART
DREVE DES SAPINS
LA ROCHEFOUCAULD
AVENUE FOND DE LA VIGNE
FELIX
79
1= AV. DE LA CHATAIGNERAIE
2= AVENUE LEGRAND
3= CHEMIN DES FORSYTHIAS
CHAT. DE RIXANSART
STE.-CROIX
RUE DE L'EGLISE
DES ECOLES
DREVE DU CHATEAU
DREVE DU CALVAIRE
1= RUE DE FROIDMONT
2= BEAU SITE CINQUIEME AVENUE
3= BEAU SITE QUATRIEME AVENUE
4= BEAU SITE TROIZIEME AVENUE
5= BEAU SITE DEUXIEME AVENUE
6= BEAU SITE PREMIERE AVENUE
7= SENTIERS DES CHEVREUILS
BEAU SITE PREMIERE AVENUE
AV. DE LA RESISTANCE
SQUARE DE LA RESISTANCE
D
E
SENT.DES ECOLES
AVENUE CLERMONT TONNERRE
AV. P. TERLINDEN
AV. JEAN HERMANN
AV. DU CHATEAU
PLACE VERTE
SENTIER DE LA VIERGE
DREVE DES HETRES
BEAU SITE
PLACE DU BEAU SITE
PLACE DE LA PERCHE
AVENUE ROYALE
PLACE DE LA GARE
AV. DE LA PAIX
RIXENSART
AV. MART.LUTH.KING
AVENUE LEOPOLD
AV. LEOPOLD
PETITE AV. LEOPOLD
AV. BAUDOUIN
AV. DU BEAU CHAM
CLOS DES BERGERON-NETTES
31
AL. CORDIER
R. DU CYCLONE
R. DE FROIDMONT
SENTIER BELLE DAME
AVENUE REINE ELISABETH
AVENUE REINE FABIOLA
AVENUE DU FOND MARIE MONSEU
AV. PRINCE DE LIEGE
JOSEPHINE CHARLOTTE
AVENUE ALEXANDRE
AVENUE DE LA CIGO
AV. DES FAUVETTES
AV. REINE FABIOLA
PETITE AVENUE ALBERTINE
AV. JEAN DE LUXEMB
AV. DU C ROYAL
85

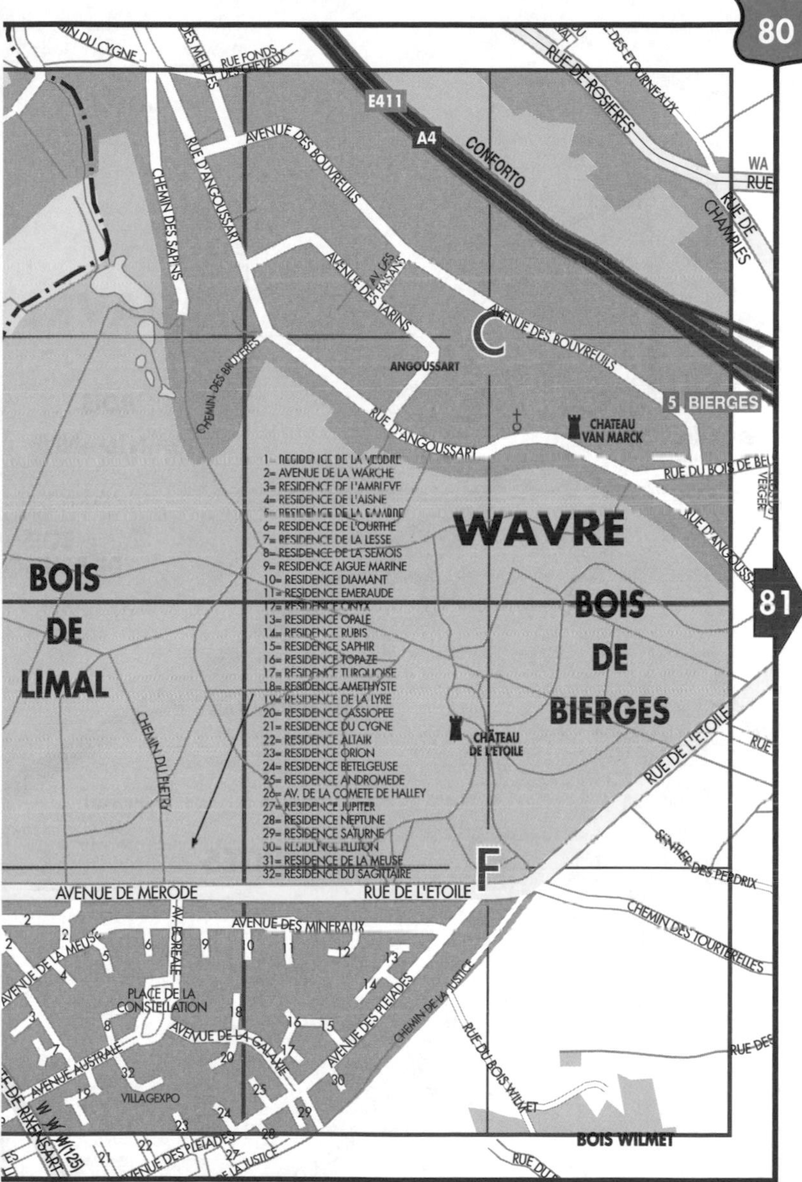
CHEMIN DU CYGNE
RUE FONDS DES CHEVAUX
DES MELEZES
E411
A4
CONFORTO
RUE DE ROSIERES
RUE DES ETOURNEAUX
RUE DE CHAMPLES
AVENUE DES BOUVREUILS
RUE D'ANGOUSSART
CHEMIN DES SAPINS
AVENUE DES TARINS
AV. DES FAISANS
C
ANGOUSSART
CHEMIN DES BRUYERES
5 BIERGES
CHATEAU VAN MARCK
RUE DU BOIS DE BEL
1= RESIDENCE DE LA VESDRE
2= AVENUE DE LA WARCHE
3= RESIDENCE DE L'AMBLEVE
4= RESIDENCE DE L'AISNE
5= RESIDENCE DE LA SAMBRE
6= RESIDENCE DE L'OURTHE
7= RESIDENCE DE LA LESSE
8= RESIDENCE DE LA SEMOIS
9= RESIDENCE AIGUE MARINE
10= RESIDENCE DIAMANT
11= RESIDENCE EMERAUDE
12= RESIDENCE ONYX
13= RESIDENCE OPALE
14= RESIDENCE RUBIS
15= RESIDENCE SAPHIR
16= RESIDENCE TOPAZE
17= RESIDENCE TURQUOISE
18= RESIDENCE AMETHYSTE
19= RESIDENCE DE LA LYRE
20= RESIDENCE CASSIOPEE
21= RESIDENCE DU CYGNE
22= RESIDENCE ALTAIR
23= RESIDENCE ORION
24= RESIDENCE BETELGEUSE
25= RESIDENCE ANDROMEDE
26= AV. DE LA COMETE DE HALLEY
27= RESIDENCE JUPITER
28= RESIDENCE NEPTUNE
29= RESIDENCE SATURNE
30= RESIDENCE PLUTON
31= RESIDENCE DE LA MEUSE
32= RESIDENCE DU SAGITTAIRE
WAVRE
BOIS DE LIMAL
BOIS DE BIERGES
CHEMIN DU FLETRY
CHÂTEAU DE L'ETOILE
RUE DE L'ETOILE
F
SENTIER DES PERDRIX
CHEMIN DES TOURTERELLES
AVENUE DE MERODE
AV. BOREALE
AVENUE DES MINERAUX
AVENUE DE LA MEUSE
PLACE DE LA CONSTELLATION
AVENUE DE LA GALAXIE
AVENUE AUSTRALE
AVENUE DES PLEIADES
CHEMIN DE LA JUSTICE
RUE DU BOIS WILMET
VILLAGEXPO
BOIS WILMET
RUE DE RIXENSART
W W W(125)

81

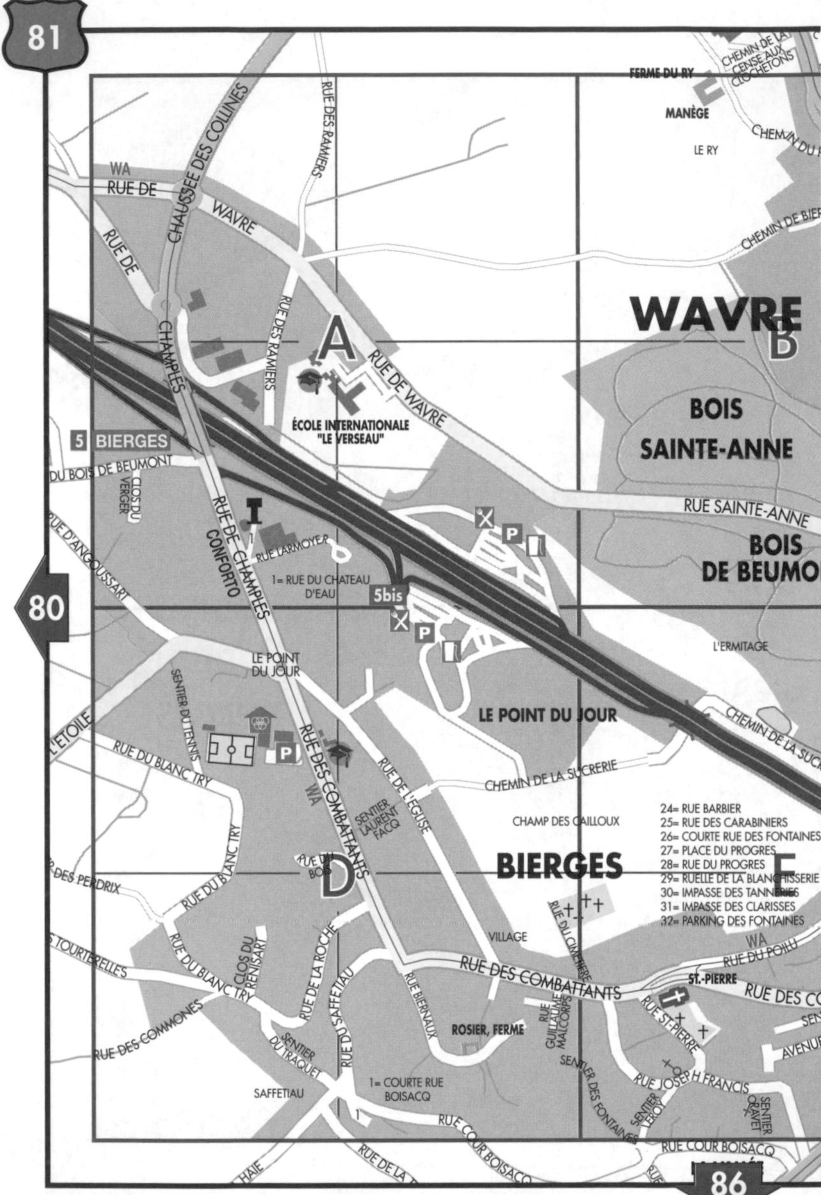

WAVRE
BOIS SAINTE-ANNE
BOIS DE BEUMO
BIERGES
LE POINT DU JOUR
ÉCOLE INTERNATIONALE "LE VERSEAU"
5 BIERGES
5bis
FERME DU RY
MANÈGE
LE RY
L'ERMITAGE
CHAMP DES CAILLOUX
VILLAGE
ST.-PIERRE
ROSIER, FERME
SAFFETIAU
LE POINT DU JOUR
CHAUSSÉE DES COLLINES
RUE DES RAMIERS
RUE DE WAVRE
RUE SAINTE-ANNE
CHEMIN DE LA SUCRERIE
RUE DE CHAMPLES
RUE DES COMBATTANTS
RUE DE L'EGLISE
RUE DU BLANC TRY
RUE DES COMMONES
RUE DE LA ROCHE
RUE DU SAFFETIAU
RUE BIERNAUX
RUE COUR BOISACQ
RUE JOSEPH FRANCIS
RUE ST-PIERRE
RUE DU POILU
RUE LARMOYER
RUE D'ANGOUSSART
RUE DE CONFORTO
CLOS DU VERGER
CLOS DU RENISART
SENTIER DU TENNIS
SENTIER LAURENT FACQ
SENTIER DU TRAQUET
SENTIER DES FONTAINES
SENTIER LEROY
SENTIER CRAVET
RUE GUILLAUME MALCORPS
RUE DU CIMETIÈRE
CHEMIN DE LA CENSE AUX CLOCHETONS
1= RUE DU CHATEAU D'EAU
1= COURTE RUE BOISACQ
24= RUE BARBIER
25= RUE DES CARABINIERS
26= COURTE RUE DES FONTAINES
27= PLACE DU PROGRES
28= RUE DU PROGRES
29= RUELLE DE LA BLANCHISSERIE
30= IMPASSE DES TANNERIES
31= IMPASSE DES CLARISSES
32= PARKING DES FONTAINES

80

86

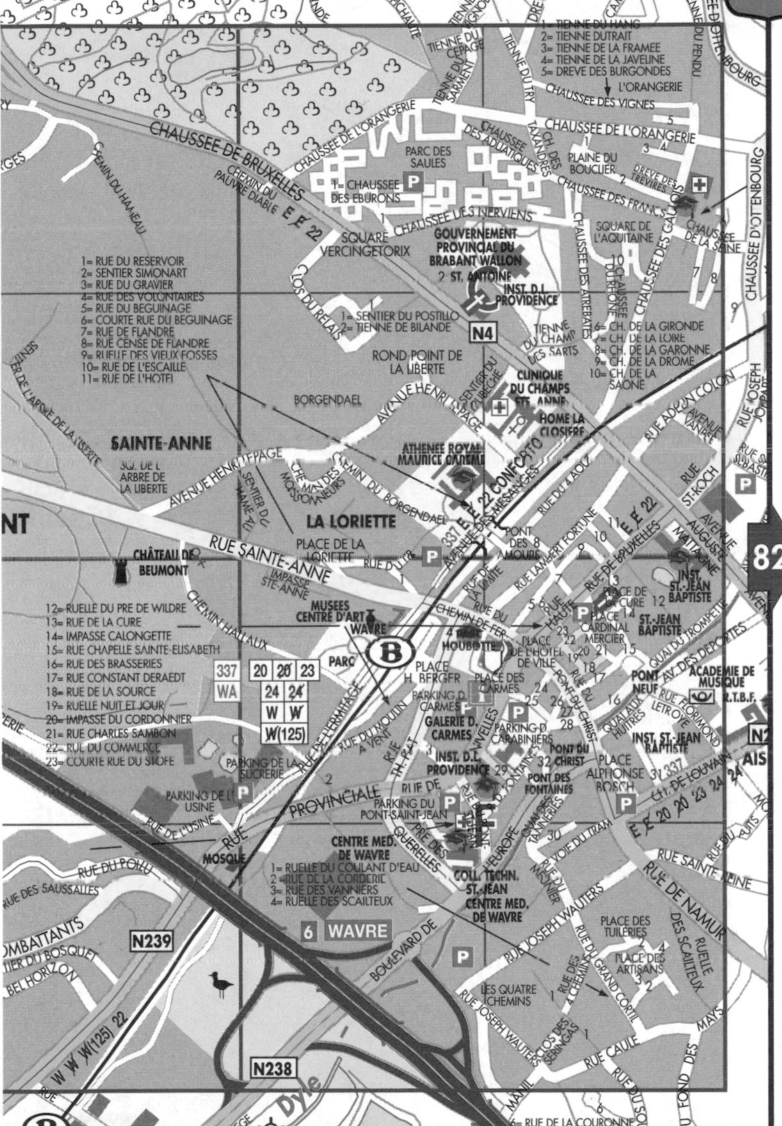
1= TIENNE DU HANG
2= TIENNE DUTRAIT
3= TIENNE DE LA FRAMEE
4= TIENNE DE LA JAVELINE
5= DREVE DES BURGONDES
L'ORANGERIE
CHAUSSEE DES VIGNES
CHAUSSEE DE L'ORANGERIE
CHAUSSEE DE BRUXELLES
PARC DES SAULES
1= CHAUSSEE DES EBURONS
PLAINE DU BOUCLIER
DREVE DES TREVIRES
CHAUSSEE DES FRANCS
CHAUSSEE DES NERVIENS
SQUARE DE L'AQUITAINE
CHAUSSEE DE LA SEINE
CHAUSSEE D'OTTENBOURG
SQUARE VERCINGETORIX
GOUVERNEMENT PROVINCIAL DU BRABANT WALLON
2 ST. ANTOINE
INST. D.L. PROVIDENCE
1= RUE DU RESERVOIR
2= SENTIER SIMONART
3= RUE DU GRAVIER
4= RUE DES VOLONTAIRES
5= RUE DU BEGUINAGE
6= COURTE RUE DU BEGUINAGE
7= RUE DE FLANDRE
8= RUE CENSE DE FLANDRE
9= RUELLE DES VIEUX FOSSES
10= RUE DE L'ESCAILLE
11= RUE DE L'HOTEL
1= SENTIER DU POSTILLO
2= TIENNE DE BILANDE
N4
ROND POINT DE LA LIBERTE
6= CH. DE LA GIRONDE
7= CH. DE LA LOIRE
8= CH. DE LA GARONNE
9= CH. DE LA DROME
10= CH. DE LA SAONE
CLINIQUE DU CHAMPS STE. ANNE
HOME LA CLOSIERE
BORGENDAEL
AVENUE HENRI LEPAGE
SAINTE-ANNE
SQ. DE L'ARBRE DE LA LIBERTE
ATHENEE ROYAL MAURICE CAREME
LA LORIETTE
CHÂTEAU DE BEUMONT
RUE SAINTE-ANNE
PLACE DE LA LORIETTE
IMPASSE STE-ANNE
12= RUELLE DU PRE DE WILDRE
13= RUE DE LA CURE
14= IMPASSE CALONGETTE
15= RUE CHAPELLE SAINTE-ELISABETH
16= RUE DES BRASSERIES
17= RUE CONSTANT DERAEDT
18= RUE DE LA SOURCE
19= RUELLE NUIT ET JOUR
20= IMPASSE DU CORDONNIER
21= RUE CHARLES SAMBON
22= RUE DU COMMERCE
23= COURTE RUE DU STOFE
MUSEES CENTRE D'ART WAVRE
PLACE DE LA CURE
PLACE CARDINAL MERCIER
INST. ST.-JEAN BAPTISTE
ST.-JEAN BAPTISTE
PLACE DE L'HOTEL DE VILLE
PLACE H. BERGER
PLACE DES CARMES
PARKING D. CARMES
GALERIE D. CARMES
PARKING D. CARABINIERS
PONT NEUF
ACADEMIE DE MUSIQUE
R.T.B.F.
INST. ST.-JEAN BAPTISTE
PONT DU CHRIST
PLACE ALPHONSE BOSCH
INST. D.L. PROVIDENCE
PONT DES FONTAINES
PARKING DE LA SUCRERIE
PARKING DE L'USINE
PARKING DU PONT-SAINT-JEAN
RUE PROVINCIALE
CENTRE MED. DE WAVRE
1= RUELLE DU COULANT D'EAU
2= RUE DE LA CORDERIE
3= RUE DES VANNIERS
4= RUELLE DES SCAILTEUX
COLL. TECHN. ST.-JEAN
CENTRE MED. DE WAVRE
MOSQUE
RUE SAINTE ANNE
RUE DE NAMUR
6 WAVRE
N239
N238
PLACE DES TUILERIES
PLACE DES ARTISANS
LES QUATRE CHEMINS
RUE JOSEPH WAUTERS
RUE CAULE
Dyle
6= RUE DE LA COURONNE
82

82

WAVRE

1= TIENNE DE L'HOSTELLERIE

FERME DE L'HOSTE

6= CHAUSSEE DE LA GIRONDE
7= CHAUSSEE DE LA LOIRE
8= CHAUSSEE DE LA GARONNE
9= CHAUSSEE DE LA DROME

BASSE-WAVRE

1= AVENUE NOTRE-DAME DE BASSE WAVRE
2= RUELLE AUX OLIVES
3= RUE DU CALVAIRE
4= RUELLE PAYAU
5= RUELLE DU RIVAGE
6= COURTE RUE DU RIVAGE
7= RUE DE LA FABRIQUE
8= PARKING DE LA FABRIQUE

CHAUSSEE DU TILLEUL
RUE DU TILLEUL
CHAUSSEE D'OTTENBOURG
CHAUSSEE DE L'HERBATTE
HERBATTE
CHAUSSEE DE LA SAINE
IMPASSE DES WARLANDES
DREVE DE L'HOSTELLERIE
TIENNE DU GRAND
RUELLE GARE DE BASSE-WAVRE
N.D. DE BASSE-WAVRE
PARKING DE LA FABRIQUE
SENTIER PRE DES GRAISSES
PONT DES FABRIQUES
RUE DU VIEUX CHEMIN
CALVAIRE
PONT DU RIVAGE
PONT DU TRY
RUE DU RIVAGE
SENTIER BERGER
AVENUE DU CENTRE SPORTIF
HALL DES SPORTS
ROYAL TENNIS CLUB
PARKING DU STADE
STADE JUSTIN PEETERS
R.J.W.
R.J. WAVRE
AVENUE DE LA BELLE VOIE
PLACE POLYDORE BEAUFAUX
PARC SAINT JOB
SQUARE DES SORBIERS
AVENUE SAINT-JOB
CHATEAU DU BELLOY
BOIS DU

1=AVENUE DE LA FRONDAISON

AVENUE DE DOICEAU
RUE JOSEPH JOPPART
AVENUE VANPEE
RUE SAINT-SEBASTIEN
RUE ST-ROCH
PARC DES PRINCES
SQUARE DES BONNETIERS
Dyle
PARKING DE LA PETITE BELLE VOIE
AV. DESIRE YERNAUX
RUE DES UNIERS
RUE DES TOILIERS
RUE DES DRAPIERS
RUE DES MERCIERS
LE GODRU
CHAUSSEE DE LOUVAIN
AV. DES SORBIERS
AVENUE DU BELLOY
AVENUE DE LA BRIQUETERIE
AV. DES DUCS DE BOURGOGNE
AV. DU FOUR A BRIQUES
AVENUE BRUYERE SAINT-JOB
AV. PRINCE DE VAUDEMONT

1= AV. DUC DE CORSWAREM-LOOZ

PONT ASTRID
RUE DES CROIX DU FEU
AVENUE DES PRINCES
GALERIE DES PRINCES
AV. DES ACACIAS
N268
ACADEMIE DE MUSIQUE
R.T.B.F.
SQUARE LEURQUIN
N239
AISÉMONT
RUELLE FLEURIE
AV. DAVID
AV. PH. MARSCHOUW
SENTE DU CREPUSCULE
AV. DE L'AUBE
AV. DU PANORAMA
MAUSOLEE MAURICE CAREME
CHEREMONT
AV. BOHY
SENTE DU PIRIAT
AV. DU PIRIAT
FERME DE CHEREMONT
AV. COMTE DE NAMUR
AVENUE CHEVALIER JEHAN
AV. DUC JEAN 1ER
AV. SEIGNEURIE DE SPONTIN
AV. SEIGNEURIE DE WALHAIN
AV. DUC GODEFROID 1ER

1= AV. MARECHAL DE LUXEMBOURG
2= AV. DUCHESSE DE LORRAINE

AV. DU CLOS
AV. DE LA PLANCHETTE
AV. DU RUISSEAU
MONTAGNE DU GODRU
AV. MARIE DE HONGRIE
AV. DUC WENCESLAS
AV. DUCHESSE JEANNE
AVENUE ABBAYE D'AFFLIGEM
AV. DUC HENRI DE BRABANT
RUE FLEURIE
RUE DU PUITS
MONTAGNE D'AISEMONT
SAINTE-REINE
RUE DU BON BATEAU
AVENUE REINE ASTRID
D
BON BATEAU
AVENUE DE CHEREMONT
AV. PHILIPPE LE BON
AVENUE DES HUIT BONNIERS
AVENUE CHEVALIER JEHAN
E
RUE DE NAMUR
AV. DU CHAMP DES MONTS
AVENUE CENTREMONT
AV. DU PARC
AV. CHARLES-QUINT
AV. FOND DES CLOCHES

1= AV. CHARLES LE TEMERAIRE
2= SENTE DU BOIS COLETTE

GRAND TOUR
AVENUE BAUDELAIRE
AV. MIRABEAU
AV. DUMAS
CHAMPS DES MONTS
CARREFOUR BARRA
AV. DU CHAMP DES MONTS
AV. DE L'ETANG
AV. DE LA TENDERIE
RUISSEAU DU GODRU
AV. DE FROIDMONT
AVENUE DE L'EPERON
SENTIER DES HUITS BONNIERS
AVENUE BOIS ISBECQUET
AVENUE MARIVAUX
AV. BALZAC
AV. DAUDET
AV. RABELAIS
AV. RACINE
AV. DE LA BRIDE
AV. DE L'ETRIER
CHEMIN DU
CHAUSSEE

1= IMPASSE FLEURIE
2= RUELLE DU NORD
3= AV. DES DEUX DIMES
4= AV. DE L'AISANCE
5= AV. DU MENETRIER
6= SENTE DES VERDIERS
7= SENTE DES SITTELLES
8= SENTE DES SANSONNETS
9= AV. DU RUISSEAU
10= SENTE DES SERINS
11= SENTE DES CHARDONNERETS
12= AV. DU TENDEUR
13= SENTE DES PINSONS

81

87

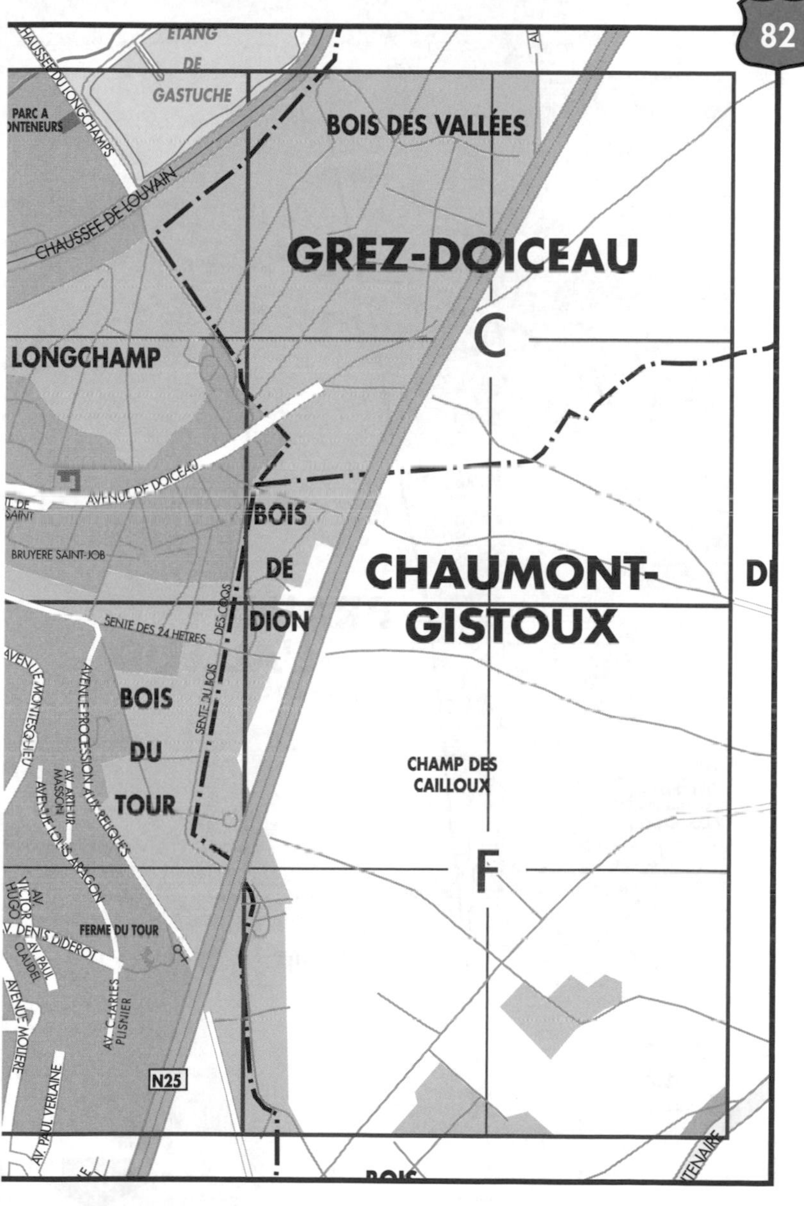
ETANG
DE
GASTUCHE
PARC A
CONTENEURS
CHAUSSEE DU LONGCHAMPS
CHAUSSEE DE LOUVAIN
BOIS DES VALLÉES
GREZ-DOICEAU
C
LONGCHAMP
AVENUE DE DOICEAU
BRUYERE SAINT-JOB
BOIS
DE
DION
CHAUMONT-
GISTOUX
SENTE DES 24 HETRES
SENTE DU BOIS DES COQS
AVENUE MONTESQUIEU
AVENUE PROCESSION AUX RELIQUES
BOIS
DU
TOUR
AV. ARTHUR MASSON
AVENUE LOUIS ARAGON
CHAMP DES
CAILLOUX
F
AV. VICTOR HUGO
AV. DENIS DIDEROT
AV. PAUL CLAUDEL
FERME DU TOUR
AV. CHARLES PLISNIER
AVENUE MOLIERE
AV. PAUL VERLAINE
N25

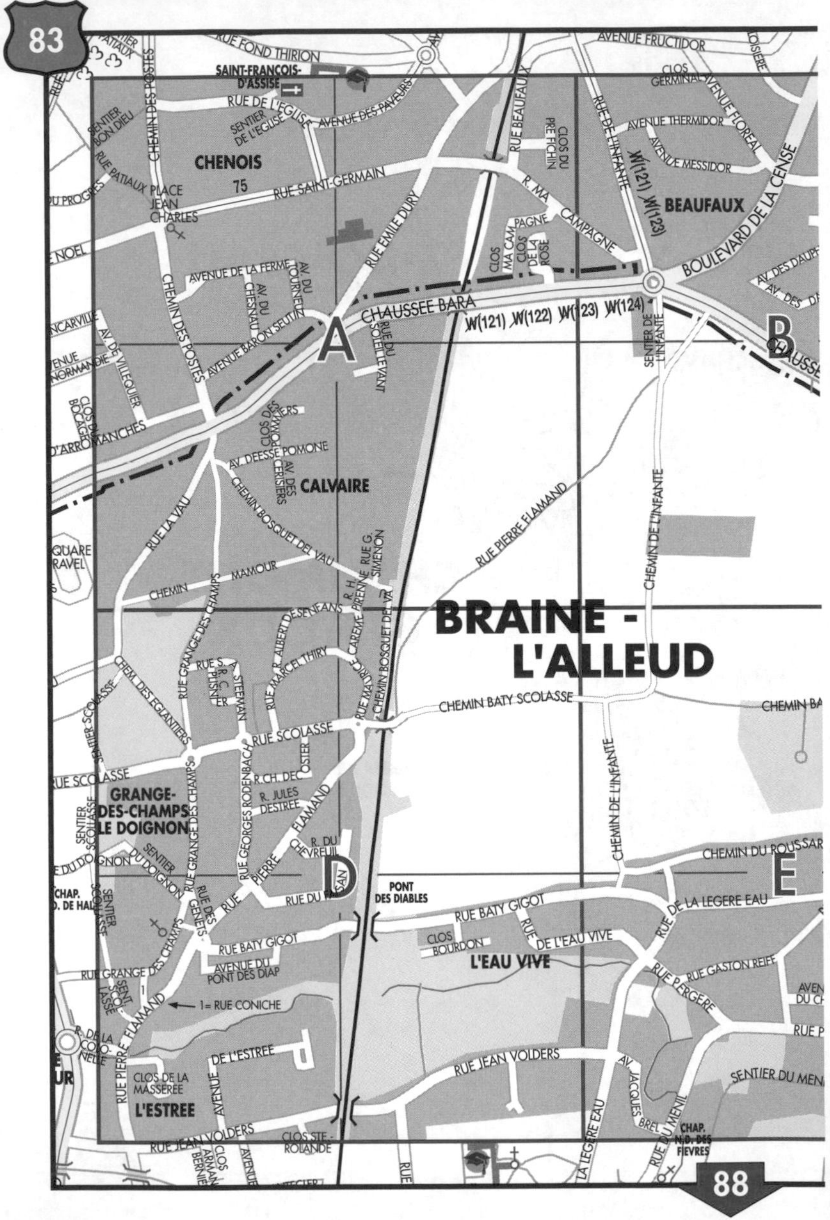
83
88
BRAINE - L'ALLEUD
CHENOIS
75
BEAUFAUX
CALVAIRE
GRANGE-DES-CHAMPS LE DOIGNON
L'EAU VIVE
L'ESTREE
A
B
D
E
SAINT-FRANCOIS-D'ASSISE
PONT DES DIABLES
CHAP. N.D. DE HAL
CHAP. N.D. DES FIEVRES
RUE FOND THIRION
AVENUE FRUCTIDOR
CLOS GERMINAL
AVENUE FLOREAL
AVENUE THERMIDOR
AVENUE MESSIDOR
BOULEVARD DE LA CENSE
RUE DE L'EGLISE
SENTIER DE L'EGLISE
AVENUE DES PAVEURS
SENTIER BON DIEU
CHEMIN DES POSTES
RUE PATIAUX
PLACE JEAN CHARLES
RUE SAINT-GERMAIN
RUE BEAUFAUX
CLOS DU PRE FICHIN
RUE DE L'INFANTE
R. MA CAMPAGNE
CLOS MA CAMPAGNE
CLOS DE LA ROSE
RUE EMILE DURY
AVENUE DE LA FERME
AV. DU CHESNAU
AV. DU TOURNEUR
AVENUE BARON SEUTIN
CHAUSSEE BARA
W(121) W(122) W(123) W(124)
RUE DU SOLEIL LEVANT
SENTIER DE L'INFANTE
AV. DE VILLEQUIER
CLOS DU BOCAGE
D'ARROMANCHES
AV. DEESSE POMONE
AV. DES CERISIERS
CHEMIN BOSQUET DEL VAU
RUE LA VAU
CHEMIN MAMOUR
RUE G. SIMENON
R. H. CAREME PIRENNE
RUE PIERRE FLAMAND
CHEMIN DE L'INFANTE
RUE ALBERT DESENFANS
RUE MARCEL THIRY
RUE GRANGE DES CHAMPS
CHEM. DES EGLANTIERS
SENTIER SCOLASSE
RUE SCOLASSE
CHEMIN BATY SCOLASSE
CHEMIN BOSQUET DEL VAU
RUE GEORGES RODENBACH
R. CH. DECOSTER
R. JULES DESTREE
R. DU CHEVREUIL
RUE DU FAISAN
SENTIER DU DOIGNON
RUE DES GENETS
RUE BATY GIGOT
AVENUE DU PONT DES DIABLES
CHEMIN DU ROUSSART
RUE DE LA LEGERE EAU
CLOS BOURDON
RUE DE L'EAU VIVE
RUE GASTON REIFF
RUE PERGERE
1= RUE CONICHE
R. DE LA COLONELLE
CLOS DE LA MASSEREE
AVENUE DE L'ESTREE
RUE JEAN VOLDERS
SENTIER DU MENIL
AV. JACQUES BREL
RUE DU MENIL
LA LEGERE EAU
CLOS STE-ROLANDE
CLOS ARMAND BERNIER

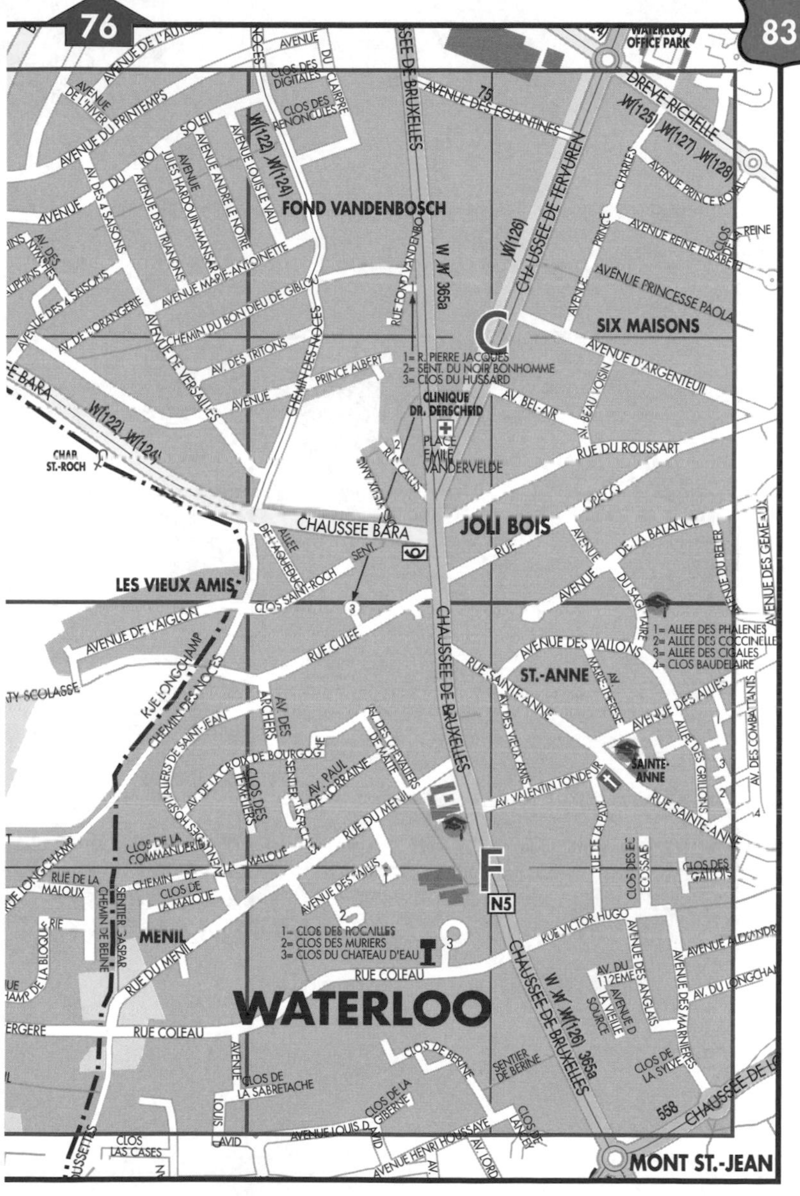
76
83
WATERLOO OFFICE PARK
FOND VANDENBOSCH
SIX MAISONS
JOLI BOIS
LES VIEUX AMIS
ST.-ANNE
SAINTE-ANNE
MENIL
WATERLOO
MONT ST.-JEAN
CHAP. ST.-ROCH
CLINIQUE DR. DERSCHEID
PLACE EMILE VANDERVELDE
1= R. PIERRE JACQUES
2= SENT. DU NOIR BONHOMME
3= CLOS DU HUSSARD
1= ALLEE DES PHALENES
2= ALLEE DES COCCINELLE
3= ALLEE DES CIGALES
4= CLOS BAUDELAIRE
1= CLOS DES ROCAILLES
2= CLOS DES MURIERS
3= CLOS DU CHATEAU D'EAU
CHAUSSEE DE BRUXELLES
CHAUSSEE DE TERVUREN
CHAUSSEE BARA
AVENUE DES EGLANTINES
DREVE RICHELLE
AVENUE PRINCE ROYAL
AVENUE REINE ELISABETH
AVENUE PRINCESSE PAOLA
AVENUE D'ARGENTEUIL
AV. BEL-AIR
RUE DU ROUSSART
RUE DE LA BALANCE
AVENUE DES VALLONS
RUE SAINTE-ANNE
AVENUE DES ALLIES
AV. VALENTIN TONDEUR
RUE VICTOR HUGO
RUE COLEAU
RUE DU MENIL
RUE CULEE
AVENUE DE L'AIGLON
CLOS SAINT-ROCH
CHEMIN DES NOCES
RUE LONGCHAMP
AVENUE DU PRINTEMPS
AVENUE DU ROI SOLEIL
AVENUE DE VERSAILLES
AVENUE MARIE-ANTOINETTE
CHEMIN DU BON DIEU DE GIBLOU
AV. DES TRITONS
AVENUE PRINCE ALBERT
AVENUE DES 4 SAISONS
AV. DE L'ORANGERIE
CLOS DES DIGITALES
CLOS DES RENONCULES
AVENUE DU CLAIRPRE
RUE FOND VANDENBOSCH
AV. DE LA CROIX DE BOURGOGNE
AV. PAUL DE LORRAINE
AV. DES CHEVALIERS DE MALTE
AVENUE DES TAILLIS
CLOS DE LA COMMANDERIE
CLOS DE LA MALOUE
SENTIER GASPAR
CHEMIN DE BEURRE
CLOS DE BERINE
SENTIER DE BERINE
CLOS DE LA SABRETACHE
CLOS DE LA GIBERNE
AVENUE LOUIS DAVID
AVENUE HENRI HOUSSAYE
CLOS LAS CASES
AVENUE DES ANGLAIS
AVENUE DES MARNIERES
CLOS DE LA SYLVE
AV. DU LONGCHAMP
AVENUE DES COMBATTANTS
ALLEE DES GRILLONS
RUE DE LA PAIX
CLOS DES ECOSSAIS
CLOS DES GAIIOIS
CHAUSSEE DE LOUVAIN
N5
558
365a
C
F

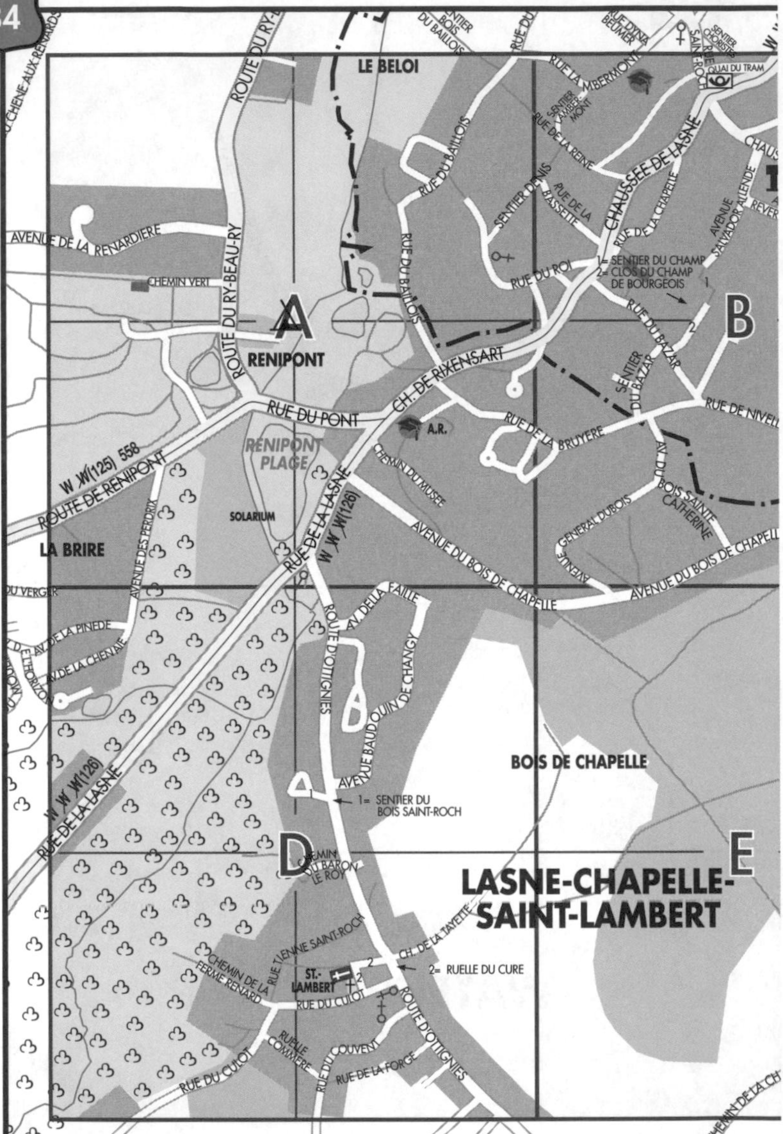

LE BELOI
RENIPONT
RENIPONT PLAGE
SOLARIUM
LA BRIRE
BOIS DE CHAPELLE
LASNE-CHAPELLE-SAINT-LAMBERT
ST.-LAMBERT
A.R.
A
B
D
E

ROUTE DU RY-BEAU-RY
AVENUE DE LA RENARDIERE
CHEMIN VERT
RUE DU PONT
CH. DE RIXENSART
ROUTE DE RENIPONT
W W(125) 558
RUE DE LA LASNE
W W W(126)
AVENUE DES PERDRIX
AV. DE LA PINEDE
AV. DE LA CHENAIE
DU VERGER
ROUTE D'OTTIGNIES
AV. DE LA FAILLE
AVENUE BAUDOUIN DE CHANGY
CHEMIN DU BARON LE ROY
CHEMIN DU MUSEE
AVENUE DU BOIS DE CHAPELLE
RUE DE LA BRUYERE
AV. DU BOIS SAINTE CATHERINE
AVENUE GENERAL DUBOIS
RUE DE NIVELLES
RUE DU BAZAR
SENTIER DU BAZAR
RUE DU ROI
RUE DU BAILLOIS
SENTIER DENIS
RUE DE LA BASSETTE
CHAUSSEE DE LASNE
RUE DE LA CHAPELLE
AVENUE SALVADOR ALLENDE
RUE DE LA REINE
SENTIER LAMBERMONT
RUE LAMBERMONT
SENTIER DU BOIS DU BAILLOIS
RUE DYNA BEUMER
RUE SAINT-ROCH
SENTIER CHORISTES
QUAI DU TRAM
1= SENTIER DU CHAMP
2= CLOS DU CHAMP DE BOURGEOIS
1= SENTIER DU BOIS SAINT-ROCH
2= RUELLE DU CURE
CH. DE LA TAYETTE
RUE TIENNE SAINT-ROCH
CHEMIN DE LA FERME RENARD
RUE DU CULOT
RUELLE COMMERE
RUE DU COUVENT
RUE DE LA FORGE
CHEMIN DE LA CH
CHENE AUX RENARDS

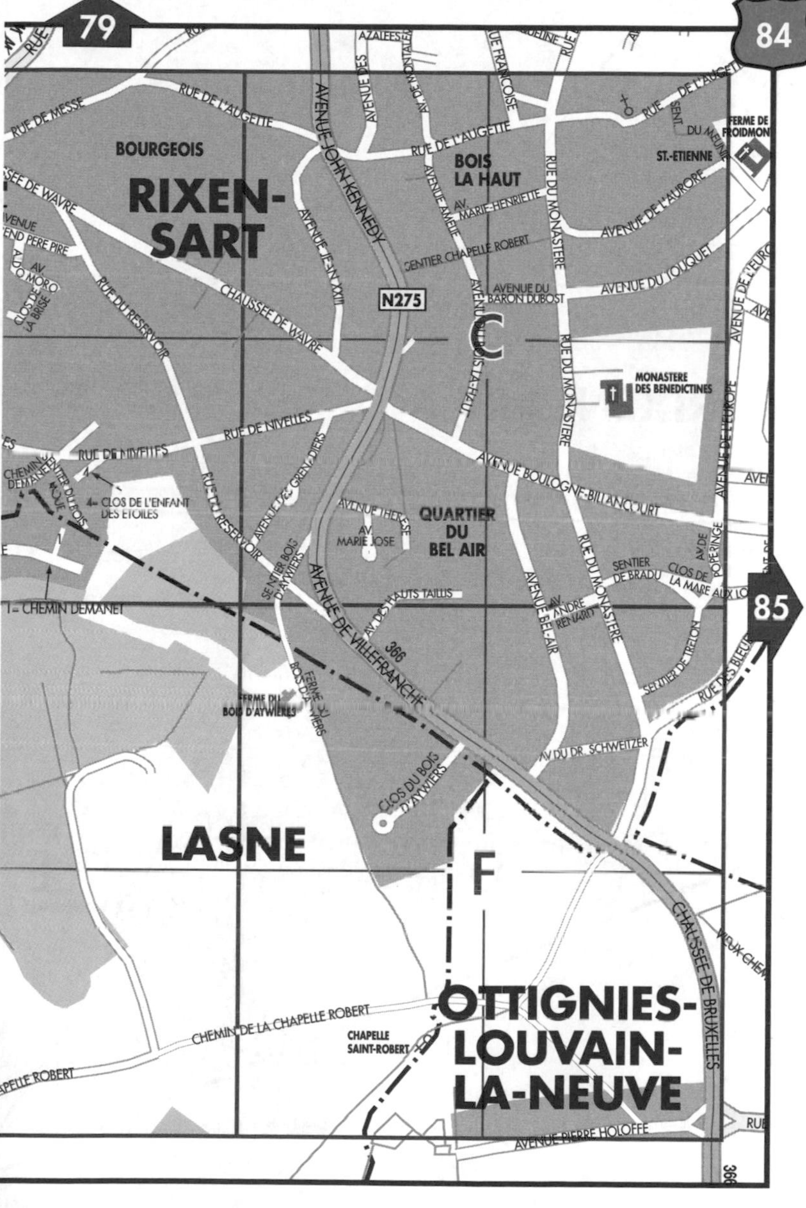

79
84
85
RIXEN-SART
BOURGEOIS
BOIS LA HAUT
QUARTIER DU BEL AIR
LASNE
OTTIGNIES-LOUVAIN-LA-NEUVE
N275
C
F
366
RUE DE MESSE
RUE DE L'AUGETTE
AZALEES
AVENUE DES
AV. DE MONTALEMBERT
RUE FRANCOISE
AVENUE JOHN KENNEDY
AVENUE JEAN XXIII
AVENUE AMELIE
AV. MARIE-HENRIETTE
SENTIER CHAPELLE ROBERT
RUE DU MONASTERE
AVENUE DE L'AURORE
AVENUE DU TOUQUET
AVENUE DU BARON DUBOST
AVENUE DU BOIS-LA-HAUT
SENT. DU MEUNIER
FERME DE FROIDMONT
ST.-ETIENNE
MONASTERE DES BENEDICTINES
CHAUSSEE DE WAVRE
RUE DU RESERVOIR
RUE DE NIVELLES
CHEMIN DEMANET
SENTIER DU BOIS
4= CLOS DE L'ENFANT DES ETOILES
1= CHEMIN DEMANET
AV. DO MORO
CLOS DE LA BRISE
AVENUE DES GRENADIERS
AVENUE THERESE
AV. MARIE JOSE
AVENUE BOULOGNE-BILLANCOURT
AVENUE DE L'EUROPE
AV. DE POPERINGE
CLOS DE LA MARE AUX LOUPS
SENTIER DE BRADU
AV. ANDRE RENARD
AVENUE BEL-AIR
SENTIER DE TRELON
RUE DES BLEUETS
AV. DES HAUTS TAILLIS
SENTIER BOIS D'AYWIERS
AVENUE DE VILLEFRANCHE
FERME DU BOIS D'AYWIERES
AV DU DR. SCHWEITZER
CLOS DU BOIS D'AYWIERS
CHAUSSEE DE BRUXELLES
VIEUX CHEMIN
CHEMIN DE LA CHAPELLE ROBERT
CHAPELLE SAINT-ROBERT
AVENUE PIERRE HOLOFFE

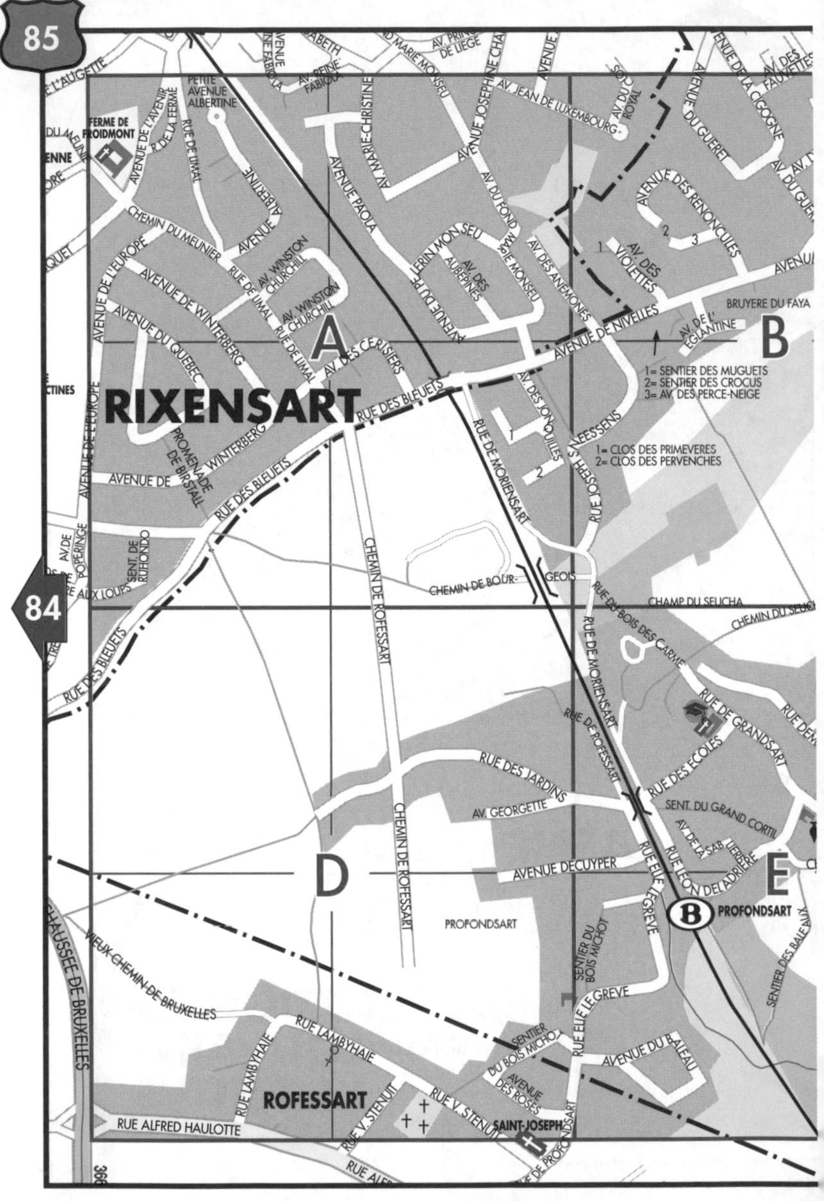
85
84
RIXENSART
ROFESSART
PROFONDSART
SAINT-JOSEPH
FERME DE FROIDMONT
PETITE AVENUE ALBERTINE
R. DE LA FERME
AVENUE DE L'AVENIR
RUE DE LIMAL
AVENUE ALBERTINE
CHEMIN DU MEUNIER
AVENUE DE L'EUROPE
AVENUE DE WINTERBERG
AVENUE DU QUEBEC
AV. WINSTON CHURCHILL
AV. DES CERISIERS
RUE DES BLEUETS
PROMENADE DE BIRSTALL
AVENUE DE WINTERBERG
AV. DE POPERINGE
SENT. DE RUHONDO
AV. REINE FABIOLA
AV. PRINCE DE LIEGE
AVENUE MARIE MONSEU
AV. MARIE-CHRISTINE
AVENUE PAOLA
AVENUE JOSEPHINE CHARLOTTE
AV. JEAN DE LUXEMBOURG
AV. DU ROYAL
AV. DU FOND
AVENUE DU PELERIN MONSEU
AV. DES AUBEPINES
MARIE MONSEU
AV. DES ANEMONES
AV. DES VIOLETTES
AVENUE DES RENONCULES
AVENUE DU GUERET
AVENUE DE LA CIGOGNE
AV. DES FAUVETTES
AVENUE DE NIVELLES
BRUYERE DU FAYA
AV. DE L'EGLANTINE
1= SENTIER DES MUGUETS
2= SENTIER DES CROCUS
3= AV. DES PERCE-NEIGE
AV. DES JONQUILLES
RUE DE MORIENSART
RUE JOSEPH SNEESSENS
1= CLOS DES PRIMEVERES
2= CLOS DES PERVENCHES
CHEMIN DE ROFESSART
CHEMIN DE BOURGEOIS
CHAMP DU SEUCHA
RUE DU BOIS DES CARMES
RUE DE GRANDSART
RUE DES ECOLES
RUE DE ROFESSART
RUE DES JARDINS
AV. GEORGETTE
SENT. DU GRAND CORTIL
AV. DE LA SABLIERE
RUE LEON DELADRIERE
AVENUE DECUYPER
RUE ELIE LEGREVE
SENTIER DU BOIS MICHOT
SENTIER DES BALEAUX
PROFONDSART
CHAUSSEE DE BRUXELLES
VIEUX CHEMIN DE BRUXELLES
RUE LAMBYHAIE
AVENUE DU BALEAU
AVENUE DES ROSES
RUE V. STENUIT
RUE ALFRED HAULOTTE
RUE DE PROFONDSART
A
B
D
E

80

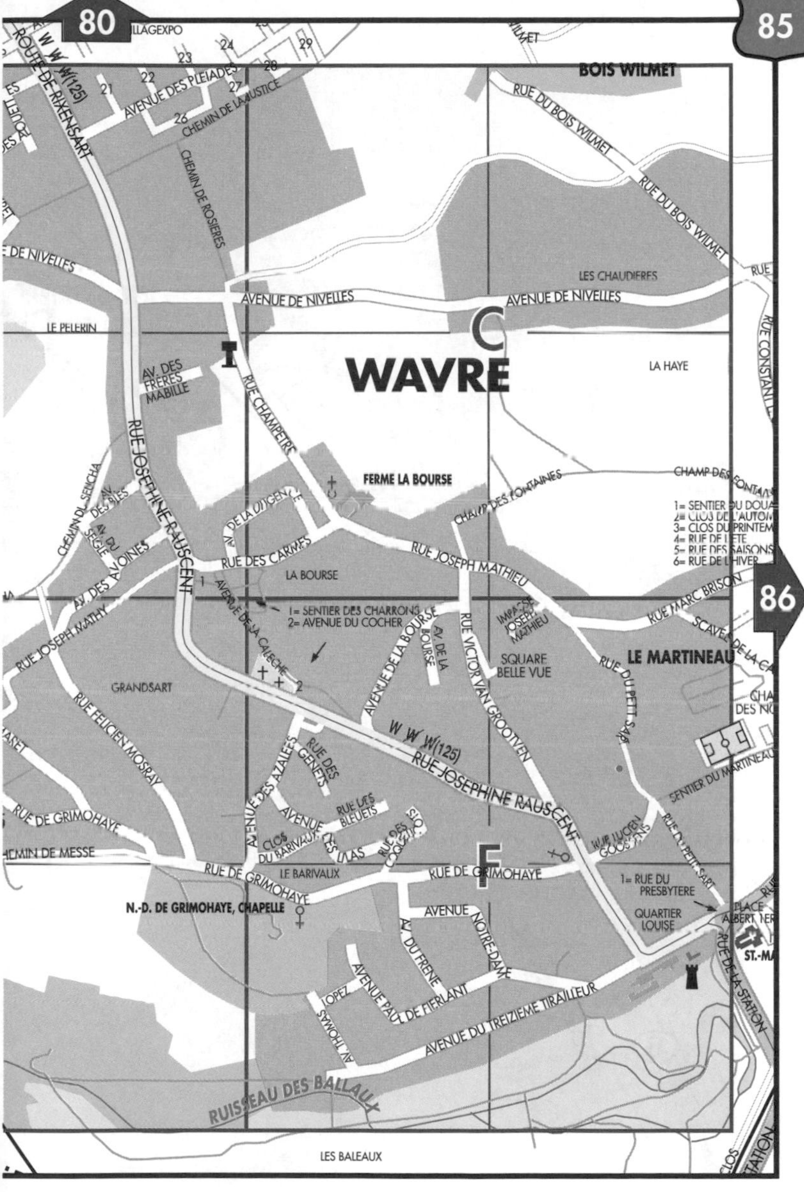
WAVRE
BOIS WILMET
RUE DU BOIS WILMET
AVENUE DE NIVELLES
LES CHAUDIERES
LE PELERIN
LA HAYE
ROUTE DE RIXENSART
AVENUE DES PLEIADES
CHEMIN DE LA JUSTICE
CHEMIN DE ROSIERES
AV. DES FRERES MABILLE
RUE CHAMPETRE
RUE JOSEPHINE RAUSCENT
FERME LA BOURSE
CHAMP DES FONTAINES
1= SENTIER DU DOUA
2= CLOS DE L'AUTOM
3= CLOS DU PRINTEM
4= RUE DE L'ETE
5= RUE DES SAISONS
6= RUE DE L'HIVER
RUE DES CARMES
RUE JOSEPH MATHIEU
LA BOURSE
RUE MARC BRISON
1= SENTIER DES CHARRONS
2= AVENUE DU COCHER
AVENUE DE LA CALECHE
AVENUE DE LA BOURSE
AV. DE LA BOURSE
RUE VICTOR VAN GROOTVEN
IMPASSE JOSEPH MATHIEU
SQUARE BELLE VUE
LE MARTINEAU
RUE DU PETIT SART
GRANDSART
RUE JOSEPH NATHY
AV. DES AVOINES
RUE FELICIEN MOSRAY
RUE DE GRIMOHAYE
CHEMIN DE MESSE
AVENUE DES AZALEES
RUE DES GENETS
RUE DES BLEUETS
AVENUE DES LILAS
CLOS DU BARIVAUX
RUE DES COQUELICOTS
LE BARIVAUX
RUE LUCIEN GOOSSENS
SENTIER DU MARTINEAU
1= RUE DU PRESBYTERE
QUARTIER LOUISE
PLACE ALBERT 1ER
N.-D. DE GRIMOHAYE, CHAPELLE
AVENUE NOTRE-DAME
AV. DU FRENE
AVENUE PAUL DE FIERLANT
AVENUE DU TREIZIEME TIRAILLEUR
AV. THOMAS
LOPEZ
RUE DE LA STATION
RUISSEAU DES BALLAUX
LES BALEAUX

86

85

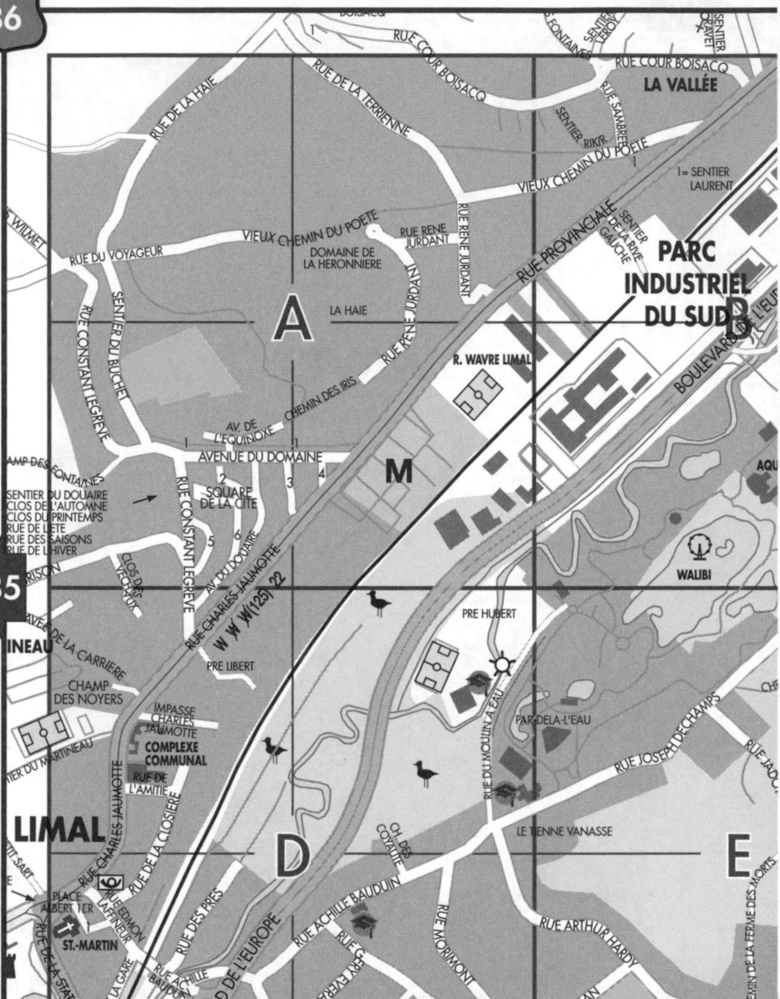

A
B
D
E
M

RUE COUR BOISACQ
LA VALLÉE
RUE DE LA HAIE
RUE DE LA TERRIENNE
SENTIER LEROY
SENTIER CRAVET
RUE SAMBREE
SENTIER RIKIR
VIEUX CHEMIN DU POETE
1= SENTIER LAURENT
RUE RENE JURDANT
SENTIER DE LA RIVE GAUCHE
RUE PROVINCIALE
PARC INDUSTRIEL DU SUD
BOULEVARD DE L'EUROPE
RUE DU VOYAGEUR
DOMAINE DE LA HERONNIERE
LA HAIE
SENTIER DU BUCHET
RUE CONSTANT LEGREVE
CHEMIN DES IRIS
AV. DE L'EQUINOXE
R. WAVRE LIMAL
AVENUE DU DOMAINE
SQUARE DE LA CITE
SENTIER DU DOUAIRE
CLOS DE L'AUTOMNE
CLOS DU PRINTEMPS
RUE DE L'ETE
RUE DES SAISONS
RUE DE L'HIVER
AV. DU DOUAIRE
CLOS DES VECHAUX
RUE CHARLES JAUMOTTE
WALIBI
PRE HUBERT
PRE LIBERT
CHAMP DES NOYERS
IMPASSE CHARLES JAUMOTTE
COMPLEXE COMMUNAL
RUE DE L'AMITIE
PAR-DELA-L'EAU
RUE DU MOULIN A EAU
RUE JOSEPH DECHAMPS
LE TIENNE VANASSE
LIMAL
RUE DE LA CLOSIERE
CH. DES COYAUTIE
PLACE ALBERT 1ER
RUE EDMOND LAFFINEUR
ST.-MARTIN
RUE DES PRES
RUE ACHILLE BAUDUIN
RUE GERY EVERAERTS
RUE MORIMONT
RUE ARTHUR HARDY
CHEMIN DE LA FERME DES MORTS
RUE DE LA STATION
AV. DE LA GARE
RUE ANTOINE ANDRE
RUE ACREMAN
CLOS VANASSE
1= SCAVEE DU CANTONNIER
SENTIER DU PREUX
RUE DU BOIS L'ABBE
RUE DE LA SCAVEE
LE TIENNE DU PREU
CHEMIN FONTAINE DEL TURC
LIMAL

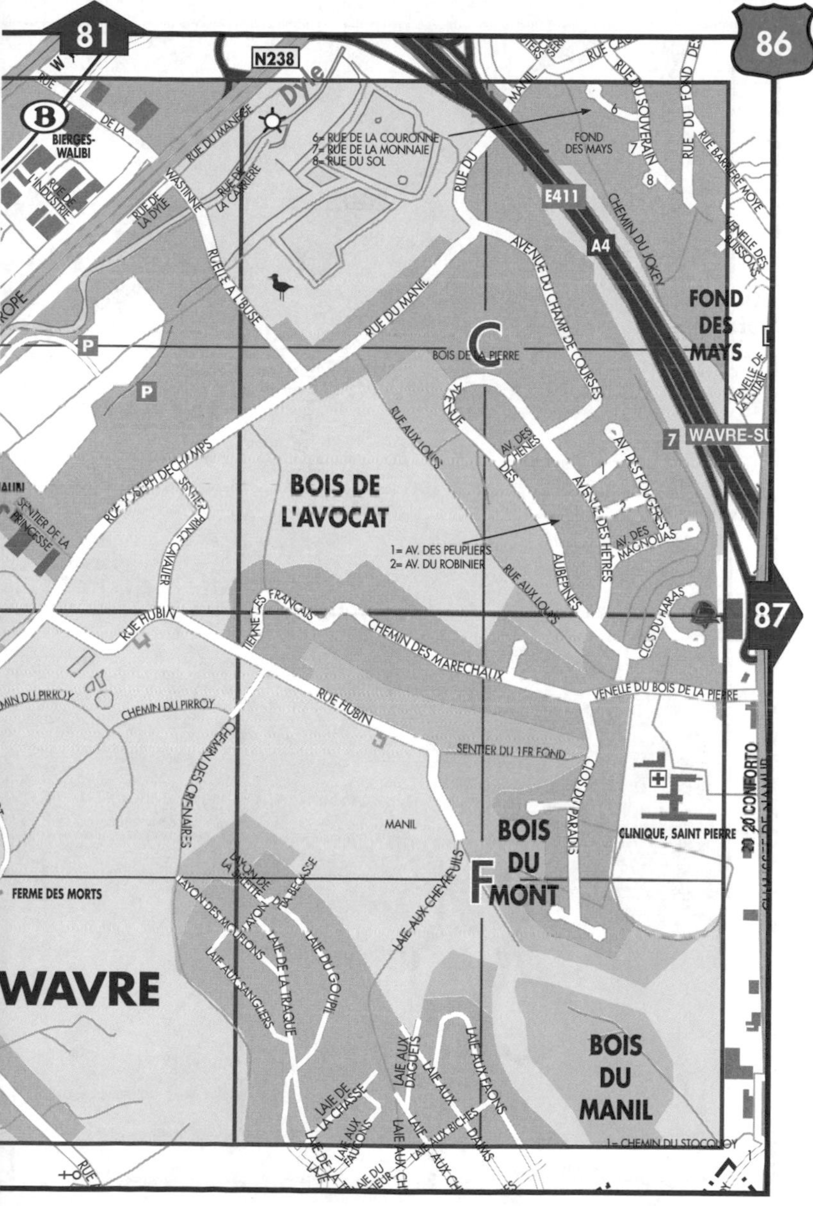
81
86
87
N238
Dyle
BIERGES-WALIBI
6= RUE DE LA COURONNE
7= RUE DE LA MONNAIE
8= RUE DU SOL
FOND DES MAYS
E411
A4
RUE DU MANEGE
WASTINNE
RUE DE LA DYLE
RUE DE LA CARRIERE
RUE DE L'INDUSTRIE
RUELLE A L'BUSE
RUE DU MANIL
AVENUE DU CHAMP DE COURSES
CHEMIN DU JOKEY
RUE DU SOUVERAIN
RUE DU FOND DES
RUE BARRIERE MOYE
VENELLE DES BUISSONS
FOND DES MAYS
C
BOIS DE LA PIERRE
VENELLE DE LA FUTAIE
7
WAVRE-SU
RUE AUX LOUPS
BOIS DE L'AVOCAT
RUE JOSEPH DECHAMPS
SENTIER PRINCE CAVALIER
SENTIER DE LA PRINCESSE
AV. DES CHENES
AV. DES FOUGERES
AVENUE DES HETRES
AV. DES MAGNOLIAS
1= AV. DES PEUPLIERS
2= AV. DU ROBINIER
AUBEPINES
RUE AUX LOUPS
CLOS DU HARAS
RUE HUBIN
TIENNE LES FRANCAIS
CHEMIN DES MARECHAUX
VENELLE DU BOIS DE LA PIERRE
CHEMIN DU PIRROY
RUE HUBIN
SENTIER DU 1ER FOND
CHEMIN DES CRENAIRES
CLOS DU PARADIS
MANIL
BOIS DU MONT
F
CLINIQUE, SAINT PIERRE
FERME DES MORTS
LAYON DE LA BECASSE
LAYON DES MOUFLONS
LAIE AUX CHEVREUILS
LAIE DU GOUPIL
LAIE DE LA TRAQUE
LAIE AUX SANGLIERS
WAVRE
LAIE AUX FAONS
LAIE AUX DAGUETS
LAIE DE LA CHASSE
LAIE AUX FAUCONS
LAIE AUX BICHES
BOIS DU MANIL
1= CHEMIN DU STOCQUOY

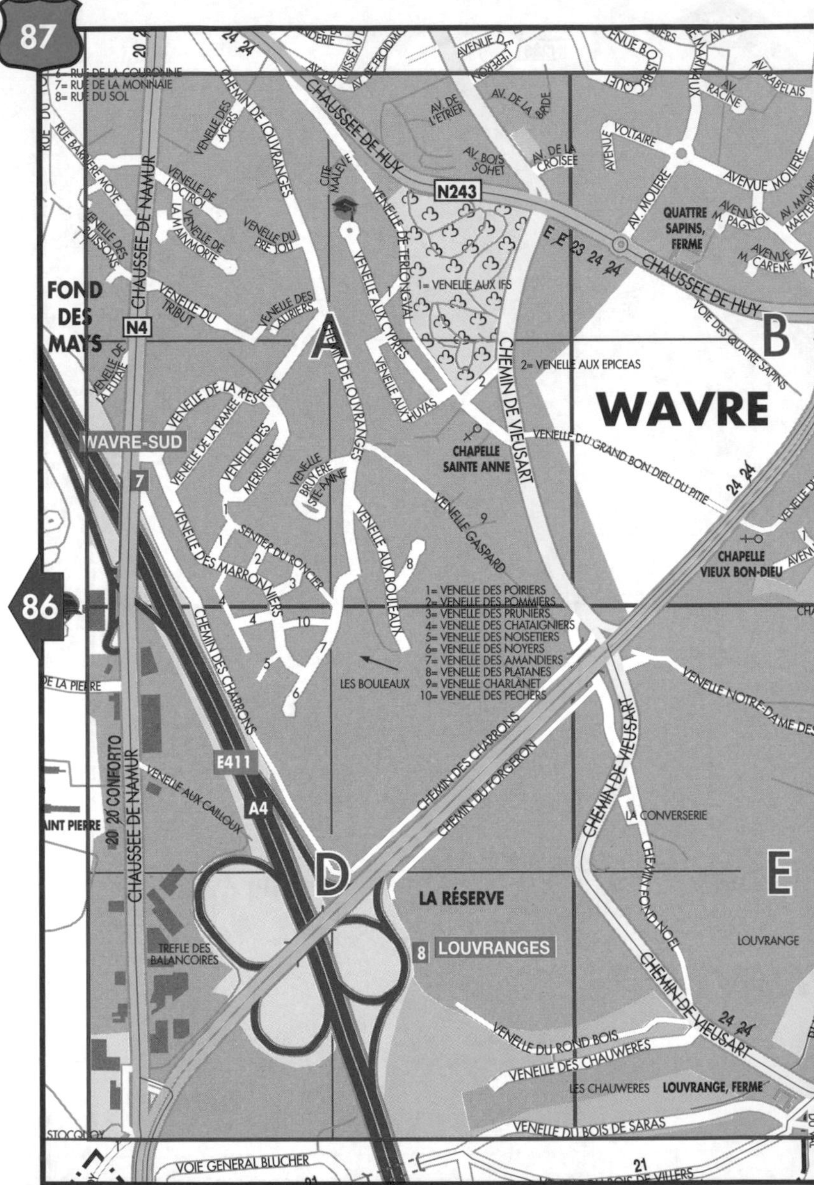

87
86
6= RUE DE LA COURONNE
7= RUE DE LA MONNAIE
8= RUE DU SOL
FOND DES MAYS
CHAUSSEE DE NAMUR
N4
WAVRE-SUD
7
CHAUSSEE DE HUY
N243
E 23 24
CHEMIN DE LOUVRANGES
VENELLE DES ACERS
VENELLE DE L'OCTROI
VENELLE DE LA MAINMORTE
VENELLE DES BUISSONS
VENELLE DU TRIBUT
VENELLE DU PRE JOLI
VENELLE DES LAURIERS
VENELLE DE LA FUTAIE
RUE BARRIERE MOYE
CITE MALEVE
VENELLE AUX CYPRES
VENELLE DE TERLONGVAL
VENELLE AUX THUYAS
1= VENELLE AUX IFS
2= VENELLE AUX EPICEAS
AV. DE L'ETRIER
AV. DE LA BRIDE
AV. BOIS SOHET
AV. DE LA CROISEE
AVENUE VOLTAIRE
AV. MOLIERE
AVENUE MOLIERE
AV. RACINE
AV. RABELAIS
AVENUE M. PAGNOL
AV. MAURICE MAETERLINCK
AVENUE M. CAREME
QUATTRE SAPINS, FERME
VOIE DES QUATRE SAPINS
A
B
WAVRE
CHAPELLE SAINTE ANNE
CHEMIN DE VIEUSART
VENELLE DU GRAND BON DIEU DU PITIE
CHAPELLE VIEUX BON-DIEU
VENELLE DE LA RESERVE
VENELLE DE LA RAMEE
VENELLE DES MERISIERS
VENELLE BRUYERE STE-ANNE
VENELLE GASPARD
VENELLE AUX BOULEAUX
SENTIER DU RONCIER
VENELLE DES MARRONNIERS
CHEMIN DES CHARRONS
1= VENELLE DES POIRIERS
2= VENELLE DES POMMIERS
3= VENELLE DES PRUNIERS
4= VENELLE DES CHATAIGNIERS
5= VENELLE DES NOISETIERS
6= VENELLE DES NOYERS
7= VENELLE DES AMANDIERS
8= VENELLE DES PLATANES
9= VENELLE CHARLANET
10= VENELLE DES PECHERS
LES BOULEAUX
VENELLE NOTRE-DAME DES
E411
A4
VENELLE AUX CAILLOUX
CONFORTO
CHEMIN DU FORGERON
LA CONVERSERIE
CHEMIN FOND NOEL
D
E
LA RÉSERVE
8
LOUVRANGES
LOUVRANGE
TREFLE DES BALANCOIRES
VENELLE DU ROND BOIS
VENELLE DES CHAUWERES
LES CHAUWERES
LOUVRANGE, FERME
VENELLE DU BOIS DE SARAS
VOIE GENERAL BLUCHER
STOCQUOY
21

82
87

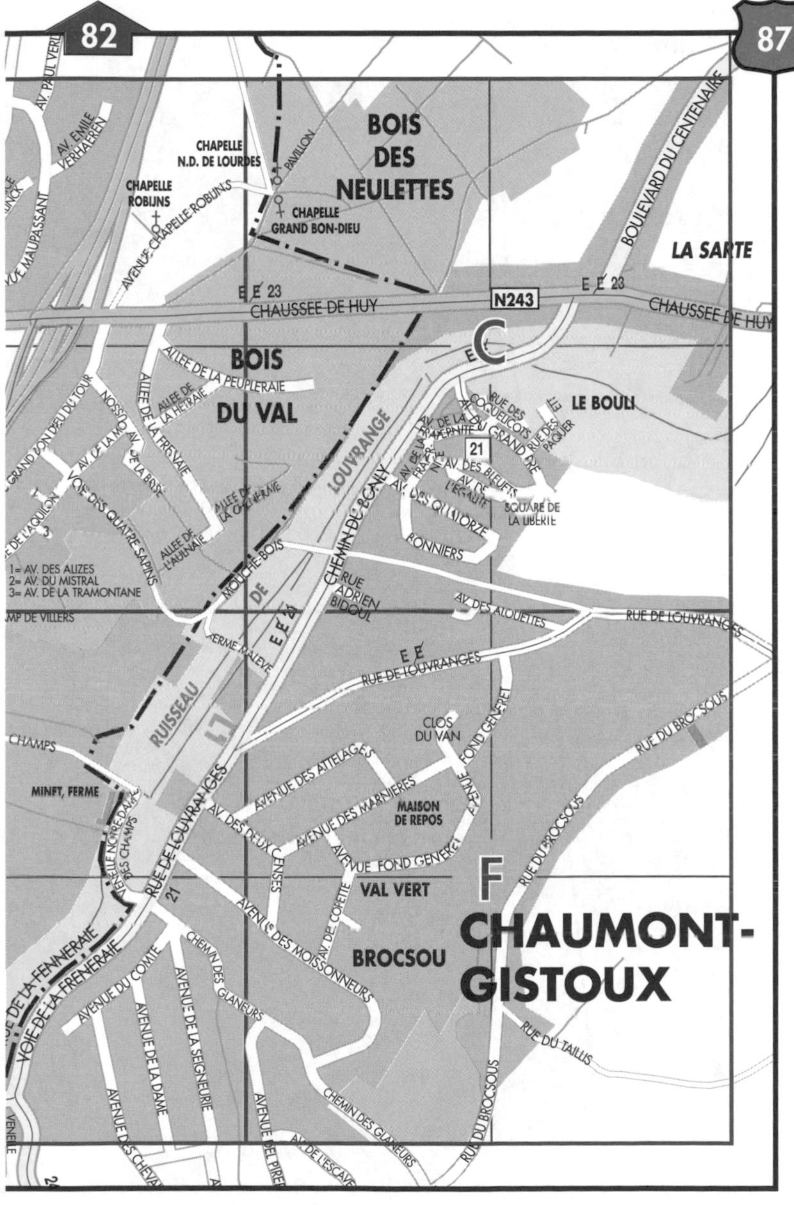
BOIS DES NEULETTES
CHAPELLE N.D. DE LOURDES
CHAPELLE ROBIJNS
CHAPELLE GRAND BON-DIEU
PAVILLON
AV. EMILE VERHAEREN
AVENUE CHAPELLE ROBIJNS
BOULEVARD DU CENTENAIRE
LA SARTE
E 23
CHAUSSEE DE HUY
N243
C
BOIS DU VAL
ALLEE DE LA PEUPLERAIE
ALLEE DE LA HETRAIE
ALLEE DE LA FRENAIE
LOUVRANGE
LE BOULI
RUE DES COQUELICOTS
AV. DU GRAND PRE
RUE DES PAQUER
21
AV. DES BLEUETS
SQUARE DE LA LIBERTE
BONNIERS
CHEMIN DU BONLY
VOIE DES QUATRE SAPINS
ALLEE DE L'AULNAIE
MOUCHE-BOIS
1= AV. DES ALIZES
2= AV. DU MISTRAL
3= AV. DE LA TRAMONTANE
RUE ADRIEN BIDOUL
AV. DES ALOUETTES
RUE DE LOUVRANGES
FERME MALEVE
RUISSEAU DE
CHAMPS
MINET, FERME
CLOS DU VAN
AVENUE DES ATTELAGES
AVENUE DES MARNIERES
MAISON DE REPOS
AV. DES DEUX CENSES
AVENUE FOND GENERET
RUE DU BROCSOUS
VAL VERT
F
CHAUMONT-GISTOUX
BROCSOU
AVENUE DES MOISSONNEURS
AV. DE COPETTE
CHEMIN DES GLANEURS
AVENUE DU COMTE
AVENUE DE LA DAME
AVENUE DE LA SEIGNEURIE
RUE DU TAILLIS
RUE DE LA FENNERAIE
VOIE DE LA FRENERAIE
AVENUE DEL PIRE
AV. DE L'ESCAVE
VENELLE NOTRE-DAME DES CHAMPS
VENELLE

L'ESTREE

RUE JEAN VOLDERS
CLOS ARMAND BERNIER
CLOS STE-ROLANDE
AVENUE CHANTECLER
RUE VALLEE BAILLY
RUE DE LA LEGRE EAU
RUE DU MENIL
RUE BREL
CHAP. N.D. DES FIEVRES
RUE DE BOUTON D'OR
CHAUSSEE D'ALSEMBERG
RUE PIERRE FLAMAND
AVENUE DE LA BELLE PROVINCE
PONT COURBE
PLACE DE LA GARE
R. DES PAQUERETTES
AVENUE DES CYCLAMENS
RUE DE LA HAUTE BORNE
AVENUE DE LA CROIX ROUGE
RUE DE LA BRIQUETERIE
COLLEGE C. MERCIER
CHAUSSEE DE MONT SAINT-
ESPL. LIEUT. GEN BARON SNOY
BIB.
115a 558 W
CHAUSSEE REINE ASTRID
RUE DE LA SEMAILLERE
MERBRAINE
ROUTE DU LION
A
B
PLACE CARDINAL MERCIER
75 115a UH
AV. LEON JOUREZ
RUE DES CROIX DU FEU
AVENUE ALBERT 1ER
AV. MARECHAL NEY
NAPOLEON
AVENUE DE GUEMENEE
RUE DU CHARRON
PLACE DU MOLE
R. HANS
R. SCHEPERS
AV. GEN. RUQUOY
PLACE RIVA-BELLA
1= AV. DE VAUDEMONT
2= AV. D'EPINOY
3= AV. DE SOUBISE
4= AV. DE MARSAN
5= AV. DE MENDEN
AV. DES COQUELICOTS
RUE DE MERBRAINE
R. DU NICAC
R. D. FOSSES
R. D. SERMENT
RUE JULES
CENTRE CULT.
65 65 66 75 558
AV. RAYMOND BRASSINNE
AV. DE CANTECRO
W
PL. STE-ANNE
R. SAINTE-ANNE
PLACE ABBE RENARD
66 66 UH W 115a
AVENUE DE ROHAN
BOULEVARD DE L'EUROPE
AVENUE DE GUEMENEE
AVENUE DE LA PAIX
ST. ETIENNE
SENT. DE LA BONNE FOSSE
RUE DE LA CROIX
R. COLO-HUGUES
PLACE COLO-HUGNES
PETITE RUE A L'ART
RUE DES ALLIES
RUE DE CAMBRAI
RUE DE L'ABBAYE
RUE DES HIRONDELLES
AV. PRINCE CH
CLOS DE BELVOIR
GRAND-PLACE BAUDOUIN 1ER
RUE J. GOS
RUE LONGUE
RUE FOSSE AU SABLE
RUE ERNEST LAURENT
AVENUE ALPHONSE ALLARD
RUE DU HAINAUT
AVENUE ABBESSE DE REMIREMONT
COLO HUGUES
DE LORRAINE
AVENUE BEATRICE CUSANCE
RUE DU BATISSEAU
7= R. PARVIS EGLISE
8= R. DU PETIT JEAN
9= R. DE L'HOPITAL
10= R. MARCHE AUX PORCS
11= R. KATTECOP
12= R. NOTRE-DAME
13= JARDIN DE MONSEIGNEUR CROQUET
RUE ERNEST LAURENT
ST.-SEBASTIEN
PLACE SAINT-SEBASTIEN
R.C.S BRAINOIS
SENTIER BRUYERE CAMBRAI
CLOS DU COLBIE
RUE SAINT-LAURENT
RUE SAINT-SEBASTIEN
CH. DES OISILLONS
RUE ERNEST LAURENT
RUE DU PARADIS
RUE LONGUE
CLOS DES VERBIERS
RUE DES CHARDONNERETS
RUE MESANGES BLEUES
AVENUE DE L'EMPEREUR
GARDE IMPERIALE
AVENUE DE LA GRANDE ARMEE
RUE DU VIGNOBLE
RUE DU COIN DE TERRE
R. DES HAUTS TIENNES
RUE DES SAUVETTES
PARC COMMUNAL
AVENUE ALPHONSE ALLARD
RUE LONGUE
D
TROIS LIONS
E
HAUTS TIENNES
AVENUE DES TOURTERELLES
BOULEVARD PIRE LEFEBVRE DESNOUETTES
CENT-DOUZIEME DE LIGNE
SQUARE DROUET D'ERLON
SQUARE D'HOUGOUMONT
LE SADIN
CHEMIN DU SADIN
RUE DES FAVEURS
CHEMIN DU LONG CHENEAU
RUE DU LIMORNE
CLOS SAINTE-RITA
RUE DES BERGES DU RUISSEAU
AV. GEN. KELLERMAN
SOLIDARITE
RUE DES SAUSSOIS
CLOS DU SADIN
RUE DES ROSEAUX
CLOS DES EPINOCHES
1= RUE DES MACONS FUMISTES
DREVE PETIT PERE DENIS
AVENUE GERMINAL
AVENUE DU BOUVREUIL
RUE DES JONCS
CHEMIN DES TAILLIS
CLOS VAL ECOSSAIS
R. DE LA FRATERNITE
RUE DE LA SOLIDARITE
AVENUE DE L'EGALITE
AVENUE DES PETUNIAS
AVENUE DES GERANIUMS
1= AVENUE DES PINSONS
2= AVENUE DES TARINS
3= AVENUE DES RAMIERS
4= CLOS DU PARC
5= SENTIER DES MOINEAUX
PLACE DES PAYS-BAS
AV. DU PORTUGAL
DREVE PETIT PERE MICHEL
RUE LONGUE
AVENUE ALP
AV. DE LA LIBERTE
AV. DES ROSES

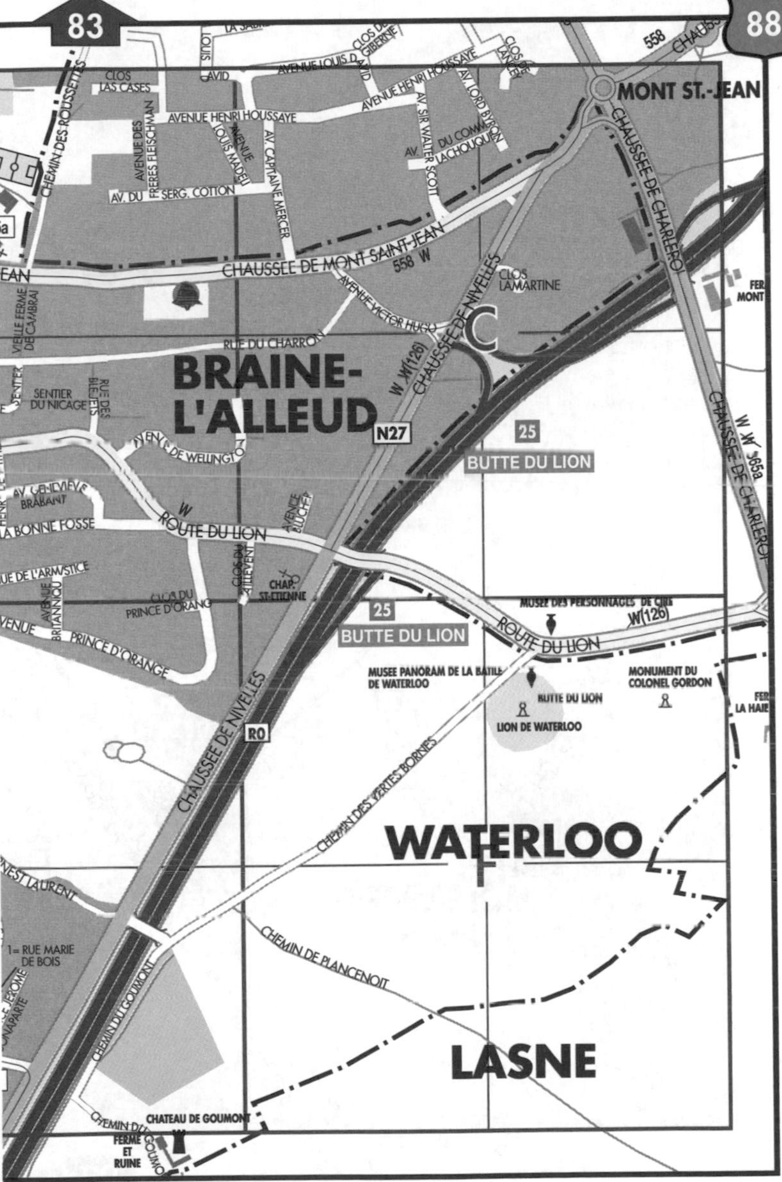
83
88
MONT ST.-JEAN
BRAINE-
L'ALLEUD
WATERLOO
LASNE
CHAUSSEE DE MONT SAINT-JEAN
558 W
CHAUSSEE DE CHARLEROI
CHAUSSEE DE NIVELLES
ROUTE DU LION
N27
R0
25
BUTTE DU LION
MUSEE DES PERSONNAGES DE CIRE
MUSEE PANORAM DE LA BATILLE DE WATERLOO
BUTTE DU LION
LION DE WATERLOO
MONUMENT DU COLONEL GORDON
CHAP. ST-ETIENNE
CHEMIN DES VERTES BORNES
CHEMIN DE PLANCENOIT
CHEMIN DU GOUMONT
CHATEAU DE GOUMONT
FERME ET RUINE
AVENUE HENRI HOUSSAYE
AVENUE LOUIS DAVID
AV. SIR WALTER SCOTT
AV. LORD BYRON
AV. CAPTAINE MERCER
AVENUE VICTOR HUGO
CLOS LAMARTINE
RUE DU CHARRON
CLOS LAS CASES
CHEMIN DES ROUSSETTES
AV. DU SERG. COTTON
SENTIER DU NICAGE
AV. GENEVIEVE BRABANT
LA BONNE FOSSE
CLOS DU PRINCE D'ORANGE
PRINCE D'ORANGE
AVENUE BRITANNIQUE
1= RUE MARIE DE BOIS

90

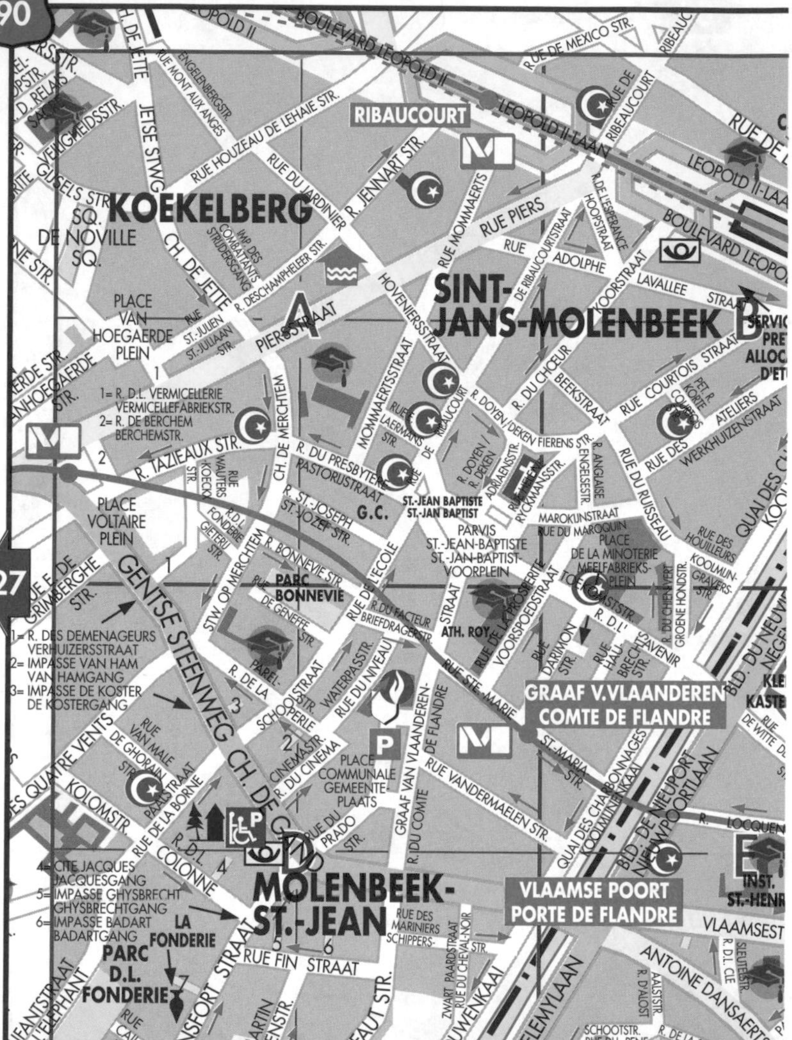

KOEKELBERG

SINT-JANS-MOLENBEEK

MOLENBEEK-ST.-JEAN

A

B

D

E

RIBAUCOURT

GRAAF V.VLAANDEREN
COMTE DE FLANDRE

VLAAMSE POORT
PORTE DE FLANDRE

BOULEVARD LEOPOLD II
LEOPOLD II-LAAN
RUE DE MEXICO STR.
RUE DE RIBAUCOURT
RUE HOUZEAU DE LEHAIE STR.
RUE MONT AUX ANGES
ENGELENBERGSTR.
JETSE STWG
CH. DE JETTE
RUE DU JARDINIER
R. JENNART STR.
RUE MOMMAERTS
RUE PIERS
PIERSSTRAAT
RUE ADOLPHE LAVALLEE STRAAT
DE RIBAUCOURTSTRAAT
R.DE L'ESPERANCE
HOOPSTRAAT
KOORSTRAAT
BOULEVARD LEOPOLD
SQ. DE NOVILLE SQ.
IMP. DES COMBATTANTS
STRIJDERSGANG
R. DESCHAMPHELEER STR.
HOVENIERSSTRAAT
PLACE VAN HOEGAERDE PLEIN
RUE ST.-JULIEN
ST.-JULIAAN STR.
VANHOEGAERDE STR.
MOMMAERTSSTRAAT
RUE LAERMANS STR.
RUE DE RIBAUCOURT
R. DU CHOEUR
BEEKSTRAAT
RUE COURTOIS STRAAT
PET. R. KORTE COURTOIS
RUE DES ATELIERS
WERKHUIZENSTRAAT
R. DOYEN / DEKEN FIERENS STR.
R. DOYEN / DEKEN
ADRIAENSSTR.
RUE THEUNIS
RYCKMANSSTR.
R. ANGLAISE
ENGELSESTR.
RUE DU RUISSEAU
QUAI DES CHARBONNAGES
KOOLMIJNENKAAI

1= R. D.L. VERMICELLERIE
VERMICELLEFABRIEKSTR.
2= R. DE BERCHEM
BERCHEMSTR.

R. TAZIEAUX STR.
RUE WAUTERS-KOECKX STR.
CH. DE MERCHTEM
R. DU PRESBYTERE
PASTORIJSTRAAT
R. ST.-JOSEPH
ST.-JOZEF STR.
G.C.
ST.-JEAN BAPTISTE
ST.-JAN BAPTIST
PARVIS ST.-JEAN-BAPTISTE
ST.-JAN-BAPTIST-VOORPLEIN
MAROKIJNSTRAAT
RUE DU MAROQUIN
PLACE DE LA MINOTERIE
MEELFABRIEKSPLEIN
RUE DES HOUILLEURS
KOOLMIJNGRAVERSSTR.
PLACE VOLTAIRE PLEIN
R. D.L. FONDERIE
GIETERIJSTR.
R. BONNEVIE STR.
PARC BONNEVIE
RUE DE GENEFFE STR.
STW. OP MERCHTEM
RUE DE L'ECOLE
R. DU FACTEUR
BRIEFDRAGERSSTR.
STRAAT
ATH. ROY
RUE DE LA PROSPERITE
VOORSPOEDSTRAAT
TOEKOMSTSTR.
R. D.L'AVENIR
RUE DARIMON STR.
RUE HAUBRECHTS STR.
R. DU CHIEN VERT
GROENE HONDSTR.
BLD. DU NEUVIEME DE LINIE
RUE DE WITTE DE HAELEN
GENTSE STEENWEG
CH. DE GAND
RUE E. DE GRIMBERGHE STR.

1= R. DES DEMENAGEURS
VERHUIZERSSTRAAT
2= IMPASSE VAN HAM
VAN HAMGANG
3= IMPASSE DE KOSTER
DE KOSTERGANG

R. DE LA PERLE
PARELSTR.
SCHOOLSTRAAT
WATERPASSTR.
RUE DU NIVEAU
RUE STE.-MARIE
ST.-MARIA STR.
GRAAF VAN VLAANDEREN
DE FLANDRE
RUE DES QUATRE VENTS
RUE VAN MALE DE GHORAIN STR.
PAALSTRAAT
RUE DE LA BORNE
KOLOMSTR.
R. DU CINEMA
CINEMASTR.
PLACE COMMUNALE
GEMEENTEPLAATS
RUE DU PRADO STR.
R. DU COMTE
RUE VANDERMAELEN STR.
BLD. DE NIEUPORT
NIEUWPOORTLAAN
R. LOCQUENGHIEN
INST. ST.-HENRI
R. D.L. COLONNE

4= CITE JACQUES
JACQUESGANG
5= IMPASSE GHYSBRECHT
GHYSBRECHTGANG
6= IMPASSE BADART
BADARTGANG

LA FONDERIE
PARC D.L. FONDERIE
RUE DES MARINIERS
SCHIPPERSSTR.
ZWART PAARDSTRAAT
RUE DU CHEVAL-NOIR
RUE FIN STRAAT
RUE RANSFORT STRAAT
RUE F. BRUNFAUT STR.
RUE ST.-MARTIN
ST.-MAARTENSTR.
RUE CAILLET HALOT STR.
OLIFANTSTRAAT
R. DE L'ELEPHANT
RUE VERREPT-DEKEYSER STR.
HENEGOUWENKAAI
BARTHELEMYLAAN
VLAAMSESTEENWEG
ANTOINE DANSAERTSTRAAT
R. D'ALOST
AALSTSTR.
R. D.L. CLE
SLEUTELSTR.
SCHOOTSTR.
RUE DU PENE
R. DE LA SERRURE
SLOTSTRAAT
RUE Y. JOSPA STR.
PAPENVEST
SAMEN-GEWEKEN

1= IMP. DU LABOUREUR
LANDBOUWERSGANG
2= IMP. STE-URSULE
SINT-URSULAGANG

7= IMPASSE BULENS
BULENSGANG

N215
R. E. PIERRON
HOPSTR.
R. DU HOUBLON

27

92

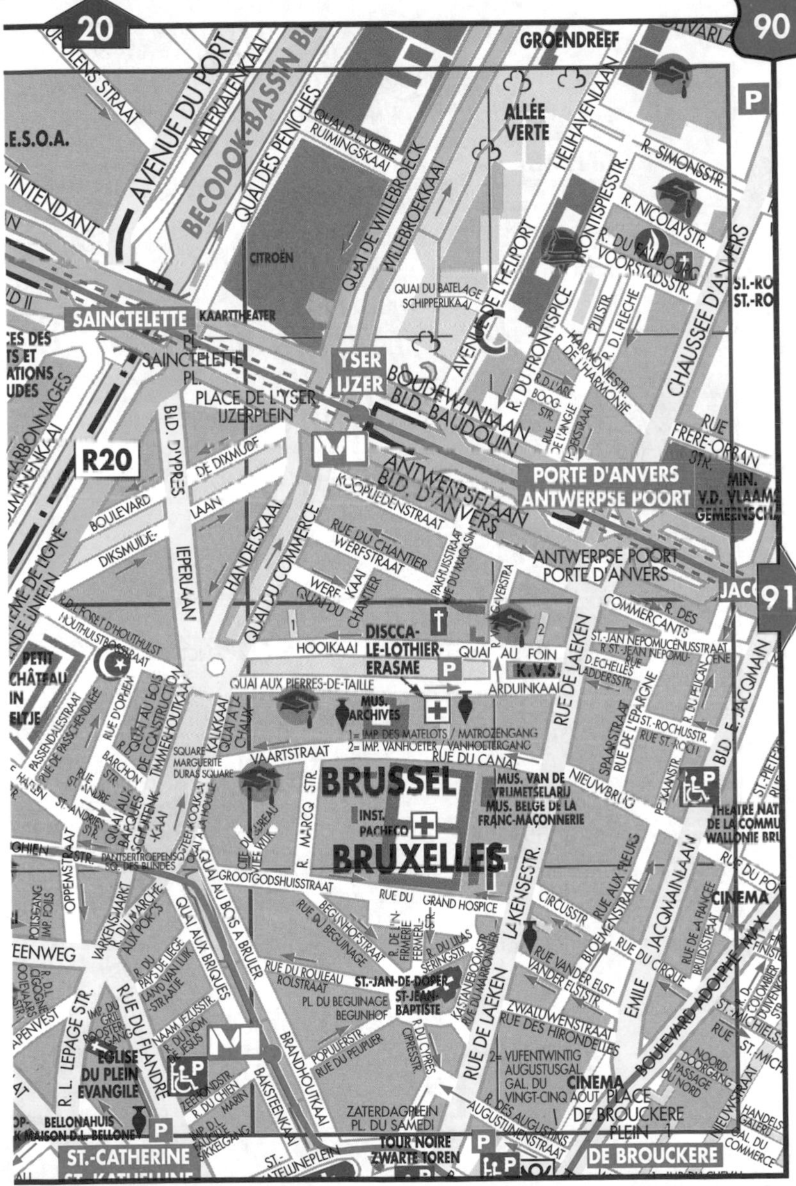
20
90
91
GROENDREEF
ALLÉE VERTE
AVENUE DU PORT
MATERIALENKAAI
BECODOK-BASSIN BE
QUAI DES PENICHES
QUAI D.L. VOIRIE
RUIMINGSKAAI
QUAI DE WILLEBROECK
WILLEBROEKKAAI
HELIHAVENLAAN
R. SIMONSSTR.
R. NICOLAYSTR.
R. DU FAUBOURG
VOORSTADSSTR.
FRONTISPIESSTR.
CHAUSSEE D'ANVERS
.E.S.O.A.
CITROËN
QUAI DU BATELAGE
SCHIPPERIJKAAI
AVENUE DE L'HELIPORT
R. DU FRONTISPICE
PIJLSTR.
R. D.L FLECHE
HARMONIESTR.
R. DE L'HARMONIE
SAINCTELETTE
KAARTTHEATER
PL. SAINCTELETTE PL.
YSER
IJZER
BOUDEWIJNLAAN
BLD. BAUDOUIN
PLACE DE L'YSER
IJZERPLEIN
BLD. D'YPRES
RUE FRERE-ORBAN
STR.
R20
DE DIXMUDE
BOULEVARD
DIKSMUIDE-LAAN
IEPERLAAN
ANTWERPSELAAN
BLD. D'ANVERS
PORTE D'ANVERS
ANTWERPSE POORT
MIN. V.D. VLAAMS GEMEENSCHA
HANDELSKAAI
QUAI DU COMMERCE
KOOPLIEDENSTRAAT
RUE DU CHANTIER
WERFSTRAAT
PAKHUISSTRAAT
RUE DU MAGASIN
ANTWERPSE POORT
PORTE D'ANVERS
WERF KAAI
QUAI DU CHANTIER
R. D.L FORET D'HOUTHULST
HOUTHULSTBOSSTRAAT
PETIT CHÂTEAU
DISCCA-LE-LOTHIER-ERASME
HOOIKAAI
QUAI AU FOIN
K.V.S.
RUE DE LAEKEN
COMMERÇANTS
R. DES
ST.-JAN NEPOMUCENUSSTRAAT
R. ST.-JEAN NEPOMUCENE
D.ECHELLES
LADDERSSTR.
QUAI AUX PIERRES-DE-TAILLE
ARDUINKAAI
MUS. ARCHIVES
1= IMP. DES MATELOTS / MATROZENGANG
2= IMP. VANHOETER / VANHOETERGANG
SPAARSTRAAT
RUE DE L'EPARGNE
ST.-ROCHUSSTR.
RUE ST.-ROCH
BLD. E. JACQMAIN
PASSENDALESTRAAT
RUE DE PASSCHENDAELE
RUE D'OPHEM
QUAI AU BOIS DE CONSTRUCTION
TIMMERHOUTKAAI
KALKKAAI
QUAI A LA CHAUX
SQUARE MARGUERITE DURAS SQUARE
VAARTSTRAAT
RUE DU CANAL
MUS. VAN DE VRIJMETSELARIJ
MUS. BELGE DE LA FRANC-MAÇONNERIE
NIEUWBRUG
BARCHON STR.
RUE ST.-ANDRE
ST.-ANDRIES STR.
QUAI AUX BARQUES
SCHUITENKAAI
BRUSSEL
BRUXELLES
INST. PACHECO
R. MARCQ STR.
THEATRE NAT DE LA COMMU WALLONIE BRU
PANTSERTROEPENSQ.
SQ. DES BLINDES
OPPEMSTRAAT
GROOTGODSHUISSTRAAT
RUE DU GRAND HOSPICE
LAKENSESTR.
CIRCUSSTR
RUE AUX FLEURS
BLOEMENSTRAAT
JACQMAINLAAN
CINEMA
VARKENSMARKT
R. DU MARCHE AUX PORCS
QUAI AUX BRIQUES
QUAI AU BOIS A BRULER
BEGIJNHOFSTRAAT
RUE DU BEGUINAGE
R. DU LILAS
SERINGSTR.
RUE VANDER ELST
VANDER ELSTSTR.
RUE DU CIRQUE
EMILE
BOULEVARD ADOLPHE MAX
R. DU PAYS DE LIEGE
LAND VAN LUIK STRAATJE
RUE DU ROULEAU
ROLSTRAAT
ST.-JAN-DE-DOPER
ST-JEAN-BAPTISTE
PL. DU BEGUINAGE
BEGIJNHOF
KASTANJEBOOMSTR.
RUE DU MARRONNIER
RUE DE LAEKEN
ZWALUWENSTRAAT
RUE DES HIRONDELLES
R. L. LEPAGE STR.
RUE DU FLANDRE
NAAM JEZUSSTR.
R. DU NOM DE JESUS
POPULIERSTR.
RUE DU PEUPLIER
CIPRESSTR.
R. DU CYPRES
BRANDHOUTKAAI
BAKSTEENKAAI
2= VIJFENTWINTIG AUGUSTUSGAL.
GAL. DU VINGT-CINQ AOUT
CINEMA
PLACE DE BROUCKERE PLEIN
NOORD-DOORGANG PASSAGE DU NORD
NIEUWSTRAAT
EGLISE DU PLEIN EVANGILE
BELLONAHUIS
MAISON D.L. BELLONE
ZEEHONDSTR.
R. DU CHIEN MARIN
ZATERDAGPLEIN
PL. DU SAMEDI
R. DES AUGUSTINS
AUGUSTIJNENSTRAAT
TOUR NOIRE
ZWARTE TOREN
ST.-CATHERINE
DE BROUCKERE
HANDELSGALERIJ
GAL. DU COMMERCE

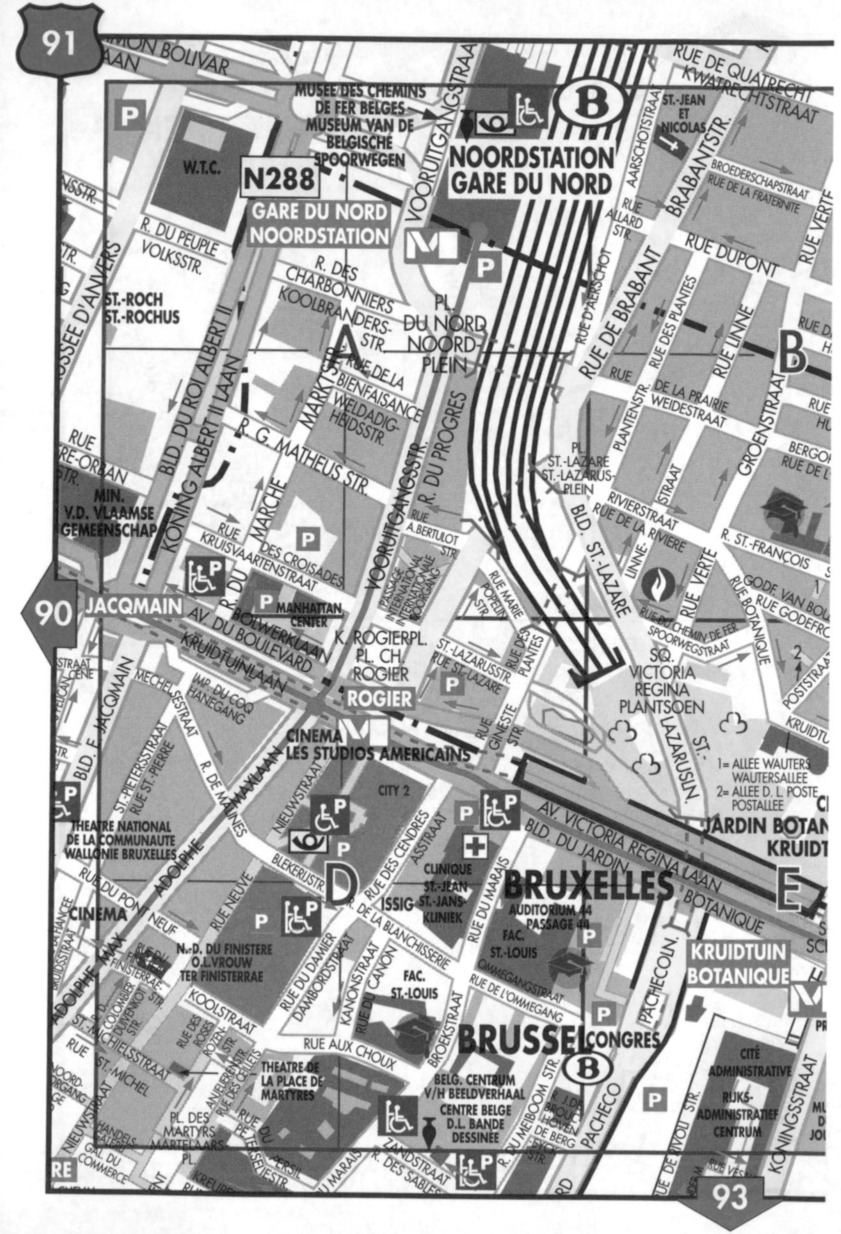

91

SIMON BOLIVAR
LAAN
RUE DE QUATRECHT
KWATRECHTSTRAAT
MUSEE DES CHEMINS
DE FER BELGES
MUSEUM VAN DE
BELGISCHE
SPOORWEGEN
VOORUITGANGSTRAAT
B
ST.-JEAN
ET
NICOLAS
W.T.C.
N288
NOORDSTATION
GARE DU NORD
AARSCHOTSTRAAT
BRABANTSTR.
BROEDERSCHAPSTRAAT
RUE DE LA FRATERNITE
RUE VERTE
GARE DU NORD
NOORDSTATION
RUE
ALLARD
STR.
R. DU PEUPLE
VOLKSSTR.
RUE DUPONT
P
R. DES
CHARBONNIERS
KOOLBRANDERS-
STR.
PL.
DU NORD
NOORD-
PLEIN
RUE D'AERSCHOT
RUE DE BRABANT
RUE DES PLANTES
RUE LINNE
B
CHAUSSEE D'ANVERS
ST.-ROCH
ST.-ROCHUS
A
RUE DE LA
BIENFAISANCE
WELDADIG-
HEIDSSTR.
MARKTSTR.
RUE
DE LA PRAIRIE
PLANTENSTR.
WEIDESTRAAT
GROENSTRAAT
BLD. DU ROI ALBERT II
KONING ALBERT II LAAN
R. G. MATHEUS STR.
R. DU PROGRES
VOORUITGANGSSTR.
RUE
PERE-ORBAN
PL.
ST.-LAZARE
ST.-LAZARUS-
PLEIN
STRAAT
BERGOI
RUE DE L'
MIN.
V.D. VLAAMSE
GEMEENSCHAP
RIVIERSTRAAT
RUE DE LA RIVIERE
BLD. ST.-LAZARE
R. ST.-FRANÇOIS
RUE
KRUISVAARTENSTRAAT
DU
MARCHE
RUE
DES CROISADES
RUE
A.BERTULOT
STR.
PASSAGE
INTERNATIONAL
INTERNATIONALE
DOORGANG
RUE MARIE
POPELIN
STR.
LINNE-
RUE VERTE
GODF. VAN BOU
RUE GODEFRO
RUE BOTANIQUE
90
JACQMAIN
R. DU
MANHATTAN
CENTER
AV. DU BOULEVARD
BOLWERKLAAN
KRUIDTUINLAAN
K. ROGIERPL.
PL. CH.
ROGIER
ST.-LAZARUSSTR.
RUE ST.-LAZARE
RUE DES
PLANTES
RUE DU CHEMIN DE FER
SPOORWEGSTRAAT
SQ.
VICTORIA
REGINA
PLANTSOEN
POSTSTRAAT
MECHELSESTRAAT
IMP. DU COQ
HANEGANG
ROGIER
RUE
GINESTE
STR.
KRUIDTU
BLD. E. JACQMAIN
ST.-PIETERSSTRAAT
RUE ST.-PIERRE
R. DE MALINES
MAXLAAN
CINEMA
LES STUDIOS AMERICAINS
NIEUWSTRAAT
CITY 2
LAZARUSLN.
ST.-
1= ALLEE WAUTERS
WAUTERSALLEE
2= ALLEE D. L. POSTE
POSTALLEE
THEATRE NATIONAL
DE LA COMMUNAUTE
WALLONIE BRUXELLES
RUE DES CENDRES
ASSTRAAT
AV. VICTORIA REGINA LAAN
BLD. DU JARDIN
BOTANIQUE
JARDIN BOTAN
KRUIDT
ADOLPHE
BLEKERIJSTR.
D
CLINIQUE
ST.-JEAN
ST.-JANS-
KLINIEK
RUE DU MARAIS
BRUXELLES
E
RUE DU PONT NEUF
CINEMA
RUE NEUVE
ISSIG
R. DE LA BLANCHISSERIE
AUDITORIUM 44
PASSAGE 44
FAC.
ST.-LOUIS
PACHECOLN.
KRUIDTUIN
BOTANIQUE
ADOLPHE MAX
N.-D. DU FINISTERE
O.L.VROUW
TER FINISTERRAE
RUE DU FINISTERE
FINISTERRAE-
STR.
RUE DU DAMIER
DAMBORDSTRAAT
KANONSTRAAT
RUE DU CANON
FAC.
ST.-LOUIS
OMMEGANGSTRAAT
RUE DE L'OMMEGANG
KOOLSTRAAT
RUE DES
ROSES
ROZEN-
STR.
BROEKSTRAAT
BRUSSEL
CONGRES
RUE AUX CHOUX
CITÉ
ADMINISTRATIVE
R.
COLOMBIER
DUIVENKOT
STR.
ST.-MICHIELSSTRAAT
RUE
ST.-MICHEL
THEATRE DE
LA PLACE DE
MARTYRES
ANJELIERENSTR.
RUE DES OEILLETS
B
BELG. CENTRUM
V/H BEELDVERHAAL
CENTRE BELGE
D.L. BANDE
DESSINEE
RUE DU MEIBOOM STR.
R. J. DE
BROUC-
HOVEN
DE BERG
-EYCK
STR.
PACHECO
P
RUE DE RIVOLI STR.
RIJKS-
ADMINISTRATIEF
CENTRUM
KONINGSSTRAAT
NIEUWSTRAAT
HANDELS-
GALERIJ
GAL. DU
COMMERCE
PL. DES
MARTYRS
MARTELAARS-
PL.
RUE DU
PETERSELIESTR.
PERSIL
ZANDSTRAAT
R. DES SABLES
RUE DU MARAIS
RUE VESALE

93

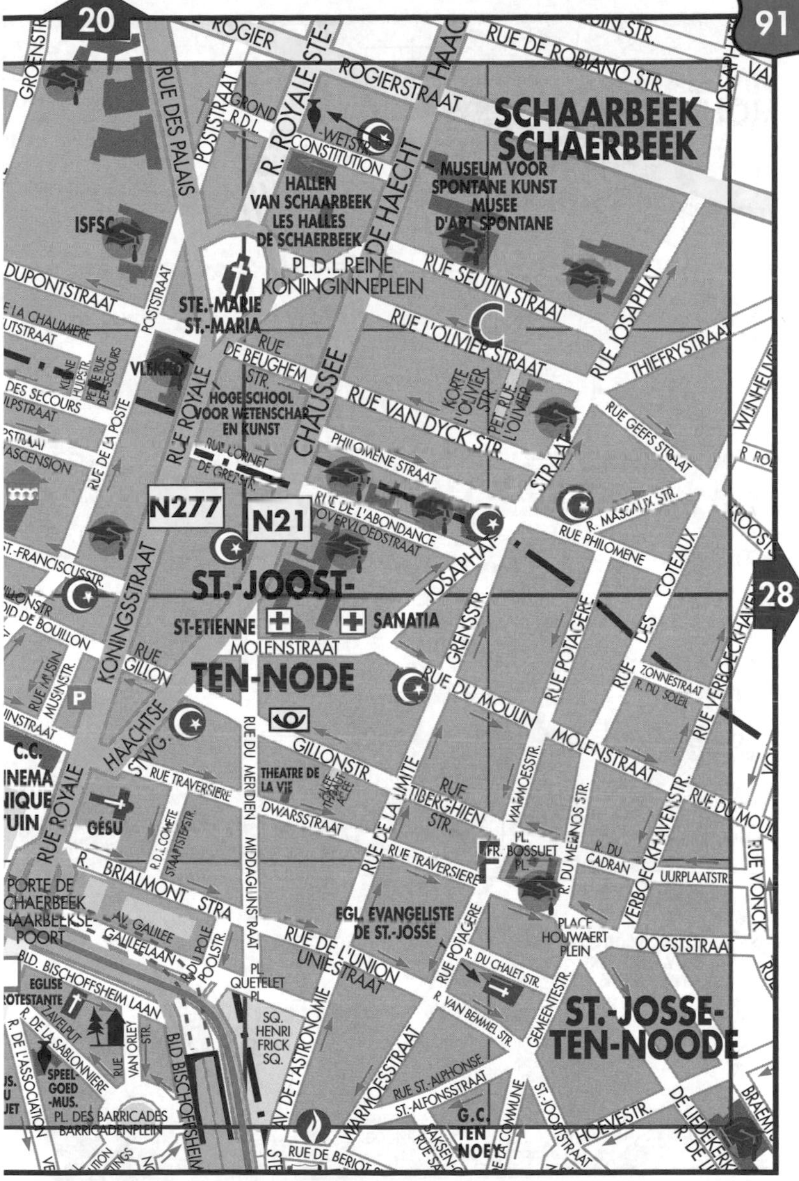
20
91
28
SCHAARBEEK
SCHAERBEEK
ST.-JOOST-
TEN-NODE
ST.-JOSSE-
TEN-NOODE
MUSEUM VOOR
SPONTANE KUNST
MUSEE
D'ART SPONTANE
HALLEN
VAN SCHAARBEEK
LES HALLES
DE SCHAERBEEK
PL.D.L.REINE
KONINGINNEPLEIN
STE.-MARIE
ST.-MARIA
ISFSC
HOGE SCHOOL
VOOR WETENSCHAP
EN KUNST
N277
N21
ST-ETIENNE
SANATIA
THEATRE DE
LA VIE
GÉSU
PORTE DE
SCHAERBEEK
HAARBEEKSE-
POORT
EGLISE
PROTESTANTE
SPEEL-
GOED
-MUS.
EGL. EVANGELISTE
DE ST.-JOSSE
PLACE
HOUWAERT
PLEIN
SQ.
HENRI
FRICK
SQ.
PL.
QUETELET
PL.
PL. DES BARRICADES
BARRICADENPLEIN
G.C.
TEN
NOEY
ROGIER
RUE DE ROBIANO STR.
ROGIERSTRAAT
RUE DES PALAIS
POSTSTRAAT
R. ROYALE STE-
CONSTITUTION
-WETSTR.
DE HAECHT
CHAUSSEE
RUE SEUTIN STRAAT
RUE L'OLIVIER STRAAT
RUE JOSAPHAT
THIEFRYSTRAAT
DUPONTSTRAAT
RUE DE BEUGHEM STR.
RUE VAN DYCK STR.
PHILOMENE STRAAT
RUE DE L'ABONDANCE
OVERVLOEDSTRAAT
RUE ROYALE
KONINGSSTRAAT
RUE DE LA POSTE
RUE GEEFS STRAAT
R. MASCAUX STR.
RUE PHILOMENE
RUE DES COTEAUX
RUE VERBOECKHAVEN
MOLENSTRAAT
RUE DU MOULIN
GRENSSTR.
RUE POTAGERE
ZONNESTRAAT
R. DU SOLEIL
RUE GILLON
HAACHTSE STWG.
RUE DU MERIDIEN
MIDDAGLIJNSTRAAT
GILLONSTR.
RUE TRAVERSIERE
DWARSSTRAAT
RUE DE LA LIMITE
RUE TIBERGHIEN STR.
WARMOESSTR.
R. DU MEIBOOS STR.
FR. BOSSUET PL.
R. DU CADRAN
UURPLAATSTR.
R. BRIALMONT STRA
AV. GALILEE
GALILEELAAN
RUE DE L'UNION
UNIESTRAAT
OOGSTSTRAAT
RUE VONCK
R. DU CHALET STR.
R. VAN BEMMEL STR.
GEMEENTESTR.
BLD. BISCHOFFSHEIM LAAN
BLD BISCHOFFSHEIM
AV. DE L'ASTRONOMIE
WARMOESSTRAAT
RUE ST.-ALPHONSE
ST.-ALFONSSTRAAT
RUE DE BERIOT
HOEVESTR.
R. DE LIEDEKERKE
ST.-JOOSTSTRAAT
R. DE LA SABLONNIERE
ZAVELPUT
RUE VAN ORLEY STR.
R. DU POLE
POOLSTR.
RUE MUSIN
MUSINSTR.
GODEFROID DE BOUILLON
ST.-FRANCISCUSSTR.
RUE DES SECOURS
C.C.
CINEMA
UNIQUE
TUIN

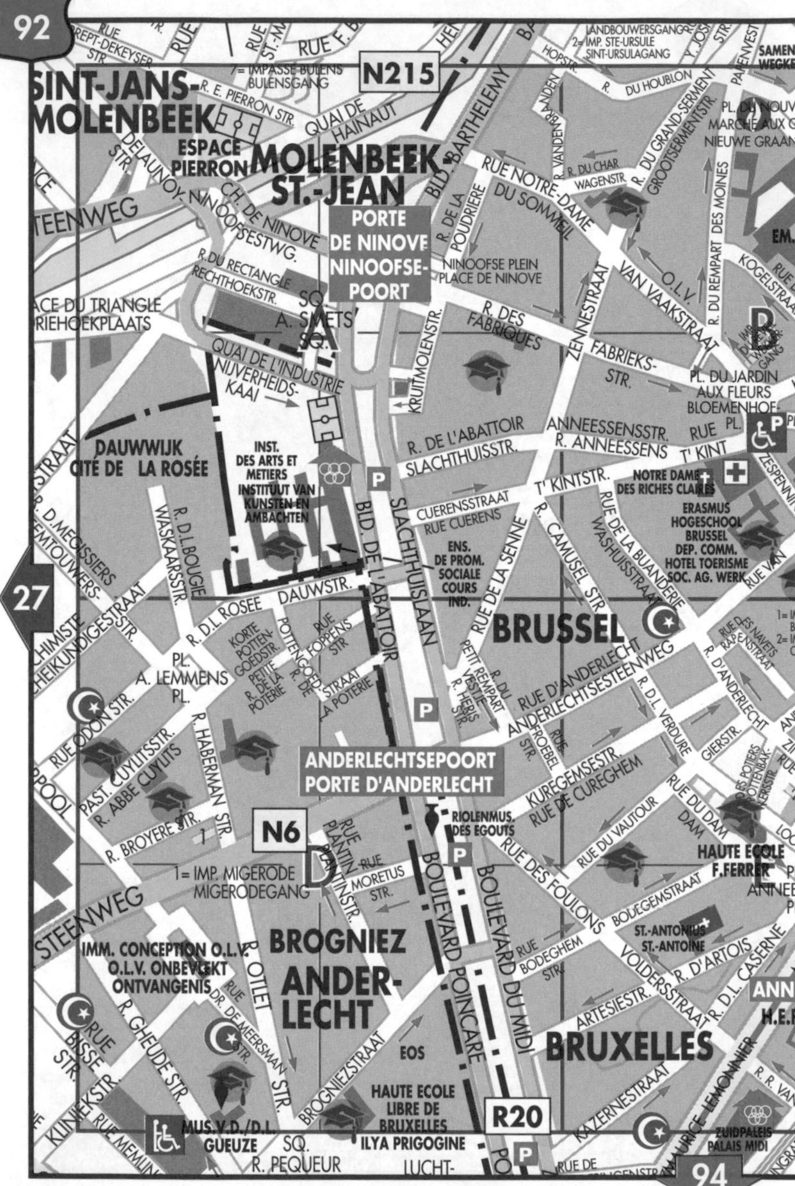
92
27
94
N215
N6
R20
SINT-JANS-MOLENBEEK
MOLENBEEK-ST.-JEAN
ESPACE PIERRON
7= IMPASSE BULENS BULENSGANG
R. E. PIERRON STR.
QUAI DE HAINAUT
BLD. BARTHELEMY
DELAUNOY STR.
CH. DE NINOVE
NINOOFSESTWG.
STEENWEG
PORTE DE NINOVE NINOOFSE-POORT
R.DU RECTANGLE RECHTHOEKSTR.
SQ. A. SMETS' SQ.
PLACE DU TRIANGLE
DRIEHOEKPLAATS
QUAI DE L'INDUSTRIE
NIJVERHEIDS-KAAI
LANDBOUWERSGANG
2= IMP. STE-URSULE SINT-URSULAGANG
HOPSTR.
R. DU HOUBLON
R. DU GRAND-SERMENT
GROOTSERMENTSTR.
PAPENVEST
SAMEN-
WEGKER
PL. DU NOUVEAU MARCHE AUX GR
NIEUWE GRAANM
R. VANDEN
R. DU CHAR WAGENSTR.
RUE NOTRE-DAME DU SOMMEIL
R. DE LA POUDRIERE
NINOOFSE PLEIN
PLACE DE NINOVE
ZENNESTRAAT
O.L.V. VAN VAAKSTRAAT
R. DU REMPART DES MOINES
KOGELSTRAAT
EM.
R. DES FABRIQUES
FABRIEKS-STR.
KRUITMOLENSTR.
PL. DU JARDIN AUX FLEURS
BLOEMENHOF-PL.
R. DE L'ABATTOIR
SLACHTHUISSTR.
ANNEESSENSSTR.
R. ANNEESSENS
RUE T' KINT
T' KINTSTR.
DAUWWIJK
CITÉ DE LA ROSÉE
INST. DES ARTS ET METIERS
INSTITUUT VAN KUNSTEN EN AMBACHTEN
BLD. DE L'ABATTOIR
SLACHTHUISLAAN
CUERENSSTRAAT
RUE CUERENS
ENS. DE PROM. SOCIALE COURS IND.
NOTRE DAME DES RICHES CLAIRES
ERASMUS HOGESCHOOL BRUSSEL DEP. COMM. HOTEL TOERISME SOC. AG. WERK
ZEESPENNING
RUE VAN
R. D.MEGISSIERS
EMTOUWERS-
R. D.L.BOUGIE WASKAARSSTR.
DAUWSTR.
R. D.L. ROSEE
CHIMISTE
SCHEIKUNDIGESTRAAT
RUE DE LA SENNE
R. CAMUSEL STR.
RUE DE LA BUANDERIE WASHUISSTRAAT
BRUSSEL
KORTE POTTEN-GOEDSTR.
POTTENGOED-
RUE FOPPENS STR
PETITE R. DE LA POTERIE
R. DE LA POTERIE
STRAAT
PL. A. LEMMENS PL.
PETIT REMPART
R. DU VESTJE
R. HERIS STR.
RUE D'ANDERLECHT
ANDERLECHTSESTEENWEG
R. D'ANDERLECHT
RUE DES NAVETS
R. DES RAPENSTRAAT
RUE ODON STR.
PAST. CUYLITSSTR.
R. ABBE CUYLITS
R. HABERMAN STR.
R. FROEBEL STR.
R. D.L. VERDURE
GIERSTR.
ANDERLECHTSEPOORT
PORTE D'ANDERLECHT
KUREGEMSESTR.
RUE DE CUREGHEM
RUE DU DAM
DAM
DES POTIERS POTTENBAK-KERSSTR.
RIOLENMUS. DES EGOUTS
R. BROYERE STR.
RUE PLANTIN PLANTINSTR.
RUE MORETUS STR.
1= IMP. MIGERODE MIGERODEGANG
RUE DU VAUTOUR
RUE DES FOULONS
HAUTE ECOLE F.FERRER
PL. ANNEESSENS PL.
BOULEVARD PONCARE
BOULEVARD DU MIDI
RUE BODEGHEM STR.
BODEGEMSTRAAT
ST.-ANTONIUS ST.-ANTOINE
R. D'ARTOIS
VOLDERSSTRAAT
R. D.L. CASERNE
BROGNIEZ
ANDER-LECHT
IMM. CONCEPTION O.L.V.
O.L.V. ONBEVLEKT ONTVANGENIS
R. OTLET
RUE DR. DE MEERSMAN STR.
RUE BISSE STR.
R. GHEUDE STR.
KLINIEKSTR.
RUE MEMLING
ARTESIESTR.
BRUXELLES
ANNE
H.E.F.
EOS
BROGNIEZSTRAAT
HAUTE ECOLE LIBRE DE BRUXELLES ILYA PRIGOGINE
KAZERNESTRAAT
MAURICE LEMONNIER
ZUIDPALEIS PALAIS MIDI
MUS. V.D./D.L. GUEUZE
SQ. R. PEQUEUR
LUCHT-
RUE DE
A
B
D
E
P

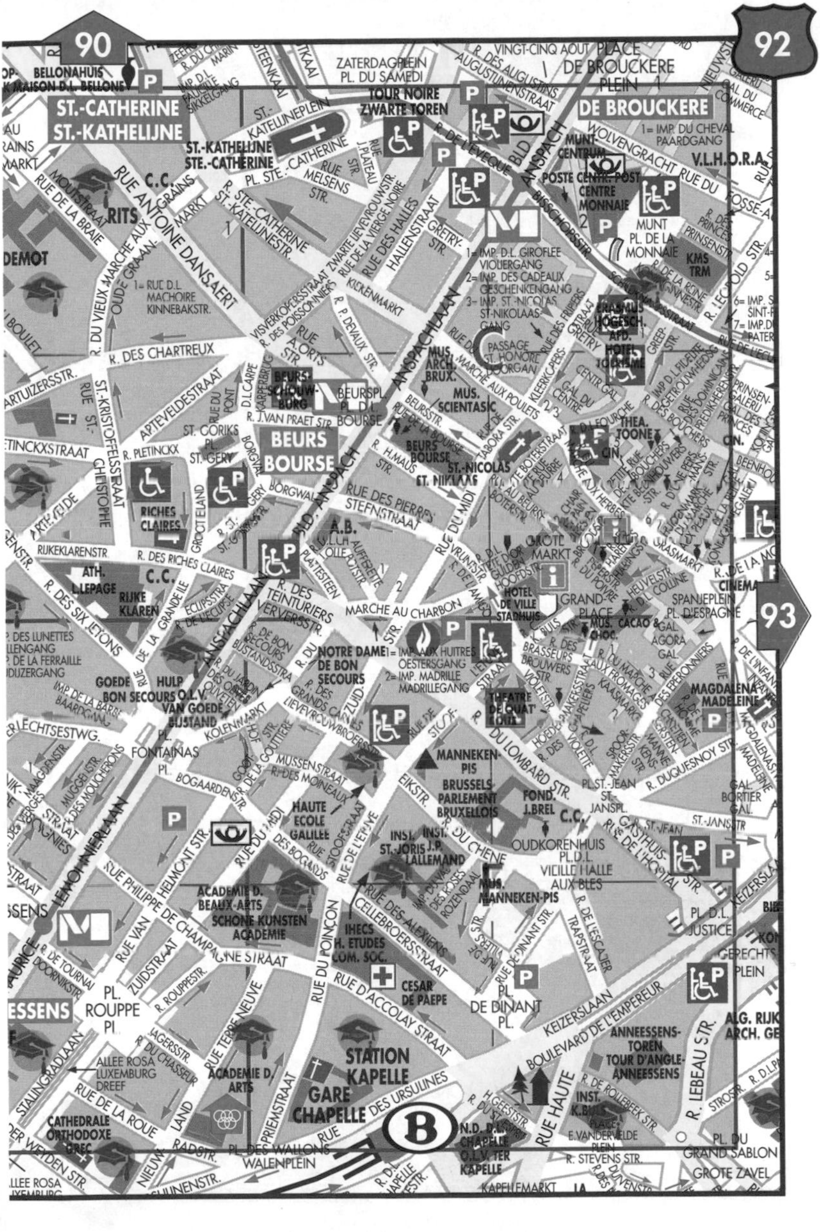

90

BELLONAHUIS
MAISON D.L. BELLONE
ST.-CATHERINE
ST.-KATHELIJNE
ZATERDAGPLEIN
PL. DU SAMEDI
TOUR NOIRE
ZWARTE TOREN
VINGT-CINQ AOUT
PLACE DE BROUCKERE PLEIN
DE BROUCKERE
R. DES AUGUSTINS
AUGUSTIJNENSTRAAT
WOLVENGRACHT
RUE DU FOSSE-A
1= IMP. DU CHEVAL PAARDGANG
V.L.H.O.R.A.
MUNT-CENTRUM
POSTE CENTR. POST
CENTRE MONNAIE
MUNT
PL. DE LA MONNAIE
KMS TRM
R. DES PRINCES
PRINSENSTR.
R. DE LA REINE
KONINGINNESTR.
6= IMP. S
7= IMP. D
ST.-KATHELIJNE
STE.-CATHERINE
PL. STE.-CATHERINE
KATELIJNEPLEIN
RUE MELSENS STR.
RUE J. PLATEAU
R. DE L'EVEQUE
BLD. ANSPACH
BISSCHOPSSTR.
RUE ANTOINE DANSAERT
RUE DE LA BRAIE
MOUTSTRAAT
RITS
C.C.
R. DU VIEUX MARCHE AUX GRAINS
OUDE GRAAN-MARKT
R. STE.-CATHERINE
ST.-KATELIJNESTR.
ZWARTE LIEVEVROUWSTR.
RUE DE LA VIERGE NOIRE
RUE DES HALLES
HALLENSTRAAT
GRETRY-STR.
1= IMP. D.L. GIROFLEE VIOLIERGANG
2= IMP. DES CADEAUX GESCHENKENGANG
3= IMP. ST.-NICOLAS ST-NIKOLAAS-GANG
PASSAGE ST. HONORE DOORGANG
RUE DES FRIPIERS
ERASMUS HOGESCH. AFD. HOTEL TOERISME
DEMOT
1= RUE D.L. MACHOIRE KINNEBAKSTR.
VISVERKOPERSSTRAAT
R. DES POISSONNIERS
KIEKENMARKT
R. P. DEVAUX STR.
RUE A. ORTS STR.
ANSPACHLAAN
MUS. ARCH. BRUX.
MUS. SCIENTASIC
R. DES CHARTREUX
KARTUIZERSSTR.
RUE ST.-CHRISTOPHE
ST.-KRISTOFFELSSTRAAT
APTEVELDESTRAAT
RUE DU PONT
D.L. CARPE
KARPERBRUG
BEURSSCHOUWBURG
BEURSPL.
PL. D.L. BOURSE
R. J. VAN PRAET STR.
BEURS
BOURSE
BEURSSTR.
BEURS BOURSE
ST.-NICOLAS
ST. NIKLAAS
TABORA STR.
R. DU MIDI
MARCHE AUX POULETS
KLEERKOPERS
CENTR. GAL.
GAL. DU CENTRE
RUE D.L. FOURCHE
THEA. TOONE
CIN.
R. DES BOUCHERS
BEENHOU
ST. GORIKS PL.
PL. ST.-GERY
PLETINCKXSTRAAT
R. PLETINCKX
RICHES CLAIRES
GROOTEILAND
BORGWAL
RUE DES PIERRES
STEENSTRAAT
RIJKEKLARENSTR.
R. DES RICHES CLAIRES
A.B.
PLATTESTEEN
R. DES TEINTURIERS
VERVERSSTR.
MARCHE AU CHARBON
GROTE MARKT
GRAND-PLACE
HOTEL DE VILLE STADHUIS
MUS. CACAO & CHOC.
R. DE LA COLLINE
HEUVELSTR.
SPANJEPLEIN
PL. D'ESPAGNE
GAL. AGORA GAL.
CINEMA
ATH. L.LEPAGE
C.C.
RIJKE KLAREN
R. DES SIX JETONS
R. DE LA GRANDE ILE
R. DE L'ECLIPSE
ECLIPSSTRA
IMP. DES LUNETTES
IMP. DE LA FERRAILLE
GOEDE BON SECOURS
HULP O.L.V. VAN GOEDE BIJSTAND
R. DE BON SECOURS
BIJSTANDSSTRA
NOTRE DAME DE BON SECOURS
1= IMP. AUX HUITRES OESTERSGANG
2= IMP. MADRILLE MADRILLEGANG
R. DES BRASSEURS
BROUWERSSTR.
VIOLETSTR.
THEATRE DE QUAT' SOUS
RUE DU MARCHE AUX FROMAGES
KAASMARKT
RUE DES EPERONNIERS
MAGDALENA MADELEINE
IMP. DE LA BARBE
BAARDGANG
ERLECHTSESTWG.
PL. FONTAINAS
KOLENMARKT
R. DES GRANDS CARMES
LIEVEVROUWBROERSSTR.
MANNEKEN-PIS
BRUSSELS PARLEMENT BRUXELLOIS
FOND. J.BREL
C.C.
R. DU LOMBARD STR.
R. DE LA VIOLETTE
SPOORMAKERSSTR.
PL. ST.-JEAN
ST.-JANSPL.
R. DUQUESNOY STR.
GAL. BORTIER GAL.
ST.-JANSTR.
MUGGENSTR.
R. DES MOUCHERONS
MUSSENSTRAAT
R. DES MOINEAUX
EIKSTR.
R. DU CHENE
OUDKORENHUIS
PL. D.L. VIEILLE HALLE AUX BLES
GASTHUISSTR.
R. DE L'HOPITAL
BOGAARDENSTR.
PL.
HAUTE ECOLE GALILEE
INST. ST.-JORIS
INST. J.P. LALLEMAND
STOOFSTRAAT
RUE DU MIDI
R. DES BOGARDS
HELMONT STR.
BD. LEMONNIERLAAN
RUE PHILIPPE DE CHAMPAGNE STRAAT
ACADEMIE D. BEAUX-ARTS
SCHONE KUNSTEN ACADEMIE
MUS. MANNEKEN-PIS
R. DES ROSES
ROZENDAAL
CELLEBROERSSTRAAT
R. DES ALEXIENS
R. DE DINANT STR.
TRAPSTRAAT
R. DE L'ESCALIER
PL. D.L. JUSTICE
GERECHTSPLEIN
KEIZERSLAAN
RUE VAN
ZUIDSTRAAT
R. DE TOURNAI
DOORNIKSTR.
R. ROUPPESTR.
PL. ROUPPE PL.
RUE DU POINCON
IHECS
H. ETUDES COM. SOC.
CESAR DE PAEPE
RUE D'ACCOLAY STRAAT
PL. DE DINANT PL.
BOULEVARD DE L'EMPEREUR
ANNEESSENS-TOREN
TOUR D'ANGLE-ANNEESSENS
R. LEBEAU STR.
ALG. RIJK ARCH. GE
STALINGRADLAAN
JAGERSSTR.
R. DU CHASSEUR
ALLEE ROSA LUXEMBURG DREEF
RUE TERRE NEUVE
ACADEMIE D. ARTS
STATION KAPELLE
GARE CHAPELLE
RUE DES URSULINES
RUE HAUTE
R. DE ROLLEBEEK STR.
INST. K.BULS
PLACE E.VANDERVELDE PLEIN
R. STEVENS STR.
PL. DU GRAND SABLON
GROTE ZAVEL
RUE DE LA ROUE
CATHEDRALE ORTHODOXE GREC
PL. DES WALLONS
WALENPLEIN
N.D. D.L. CHAPELLE
O.L.V. TER KAPELLE
KAPELLEMARKT
ALLEE ROSA LUXEMBURG

93

93
92
95
PL. DES MARTYRS
MARTELAARSPL.
RUE DU PERSIL
PERSIJSTR.
RUE DU MARAIS
R. DES SABLES
ZANDSTRAAT
CENTRE BELGE D.L. BANDE DESSINEE
BOULEVARD PACHECO
RUE DE RIVOLI
ADMINISTRATIEF CENTRUM
KONINGSSTR.
RUE VESALE
VESALIUS STR.
R. DU GOUVERNEMENT
KREUPELENSTR.
RUE DES BOITEUX
RUE D'ARGENT
ZILVERSTRAAT
V.L.H.O.R.A.
EHSAL CAMPUS SOC. HOGE SCHOOL
FORTIS
R. DU FOSSE-AUX-LOUPS
KOMEDIANTENSTR.
R. DES COMEDIENS
R. ST.-LAURENT
ST.-LAURENS STR.
HAUTE ECOLE J.H. SPAAK
ISIB
COLONNE DU CONGRÈS
CONGRESZUIL
PL. DU CONGRES
CONGRESPL.
SOLDAT INCONNU
ONBEKENDE SOLDAAT
RUE DU CONGRES
ESI (H.E.B.)
BANKSTR.
BLD. DE BERLAIMONT
R. LEOPOLD STR.
4= IMP. DES METIERS AMBACHTENGANG
5= IMP. DES BŒUFS OSSENGANG
6= IMP. STE.-PETRONILLE SINT-PETRONILLAGANG
7= IMP. DU CHAPELET PATERNOSTERGANG
MONTAGNE AUX HERBES POTAGERES
WARMOESBERG
ST.-ALOYSIUS EHSAL
K.U.BRUSSEL
RUE D'ASSAUT
STORMSTRAAT
A
NATIONALE BANK
BANQUE NATIONALE
R. MONT. DE L'ORATOIRE
ORATORIENBERG
R. DE LA BANQUE
RUE DE LIGNE
DE LIGNESTRAAT
RUE ROYALE
R. DU MONITEUR
STAATSBLADSTR.
EGLISE PROTESTANTE
B
RUE DE L'ECUYER
TH. ROY. DES GALERIES
CIN. GAL. ROY. ST.-HUBERT
KON. ST.-HUBERTUS-GAL.
RUE D'ARENBERG
ARENBERGSTR.
DE BERLAIMONTLAAN
R. D.L. COLLEGIALE
RUE DU BOIS SAUVAGE
WILDE WOUDSTRAAT
ST.-MICHIELS-EN ST.-GOEDELEKATH.
CATH. S.S. MICHEL ET GUDULE
PLACE DE LOUVAIN
LEUVENSEPLEIN
R. DE L'ENSEIGNEMENT
IJZERENKRUISSTR.
LEUVENSEWEG
R.STE.-GUDULE
ST.-GOEDELESTRAA
TREURENBERG
PL. ET PARVIS STE.-GUDULE
MARKIES-GEBOUW
BERGSTR.
KEIZERINLN.
PALEIS DER NATIES
PARLEMENT
PL. DE LA NATION
NATIEPLEIN
8= IMP. ST.-SEBASTIEN
ST.-SEBASTIAANGANG
CINEMA
R. DE LA MONTAGNE
CENTR. STATION
R. DES COLONIES
KOLONIENSTR.
WETSTRAAT
KONINGSSTRAAT
1= IMP. D.L. CUVE KUIPGANG
2= IMP. D.L. POUPEE POPPEGANG
3= IMP. DES EPERONNIERS SPOORMAKERSGANG
KARD. MERCIER STR.
R. DU CARD. MERCIER
EUROPA-KRUISPUNT
CARR. DE L'EUROPE
PUTTERIE
HOUTMARKT
MARCHE AU BOIS
RUE DE LA CHANCELLERIE
KANSELARIJSTRAAT
RUE MONTAGNE DU PARC
WARANDEBERG
PARC/PARK
MAGDALENA MADELEINE
RUE DE L'INFANTE ISABELLE
BLD. DE L'IMPERATRICE
CANTERSTEEN
KANTERSTEEN
GARE CENTRALE
GARE CENTR. STATION
RUE DES 12 APOTRES
TWAALFAPOSTELENSTR.
THÉÂTRE
PARC DE BRUXELLES
RAVENSTEIN STR.
GAL. BORTIER
ALBERTINAPL.
PL. DE L'ALBERTINE
JIJE STRIPMUSEUM
MUSEE BD JIJE
FILMMUS. MUS DU CINEMA
RUE ROYALE
R. BARON HORTA
STUIVERSSTR.
R. DES SOLS
KUNSTBERG
MONT DES ARTS
WARANDE
CINEMA PALEIS VOOR SCHONE KUNSTEN
PALAIS DES CONGRÈS
CONGRESPALEIS
D
E
KEIZERSLAAN
BIBLIOTHÈQUE ROYAL DE BELGIQUE
KONINKLIJKE BIBLIOTHEEK VAN BELGIË
PALAIS DES BEAUX-ARTS
BRUXELLES BRUSSEL
EGLISE PROTESTANTE
KOUDENBERG
GERECHTSPLEIN
PETITE R. DU MUSEE
KORTE MUSEUMSTR.
PL. DU MUSEE
MUSEUMPL.
MUSEE DES INSTRUMENTS DE MUSIQUE
MUZIEKINSTRUMENTENMUSEUM
HOFBERG
OLD ENGLAND BELLEVUE MUSEUM
MUSEE BELLEVUE
PALEIZENPLEIN
PLACE DES PALAIS
ALG. RIJKSARCHIEVEN
ARCH. GENERALES DU ROYAUME
R. DU MUSEE MUSEUMSTRA
PLACE ROYALE
MUS. DE LA DYNASTIE ET MEM. ROI BAUDOUIN
MUS. VAN DE DYNASTIE EN HET MEM. VAN KON. BOUDEWIJN
RUISBROEKSTR.
R. D.L. PAILLE
STROSTR.
MUSÉE D'ART ANCIEN ET MODERNE
MUSEUM VOOR OUDE EN MODERNE KUNSTEN
KONINGSPLEIN
BORGENDAALGANG
IMP. DU BORGENDAEL
R. DU PARADIS
PARADIJSSTR.
ST.-JACQUES SUR COUDENBERG
ST.-JACOB OP DE KOUDENBERG
PALAIS ROYAL
KONINKLIJK PALEIS
HERTOGSTRAAT
RUE DUCALE
PL. DU GRAND SABLON
GROTE ZAVEL
ST.-ANNASTR.
RUE STE.-ANNE
REKENHOF
NAAMSE

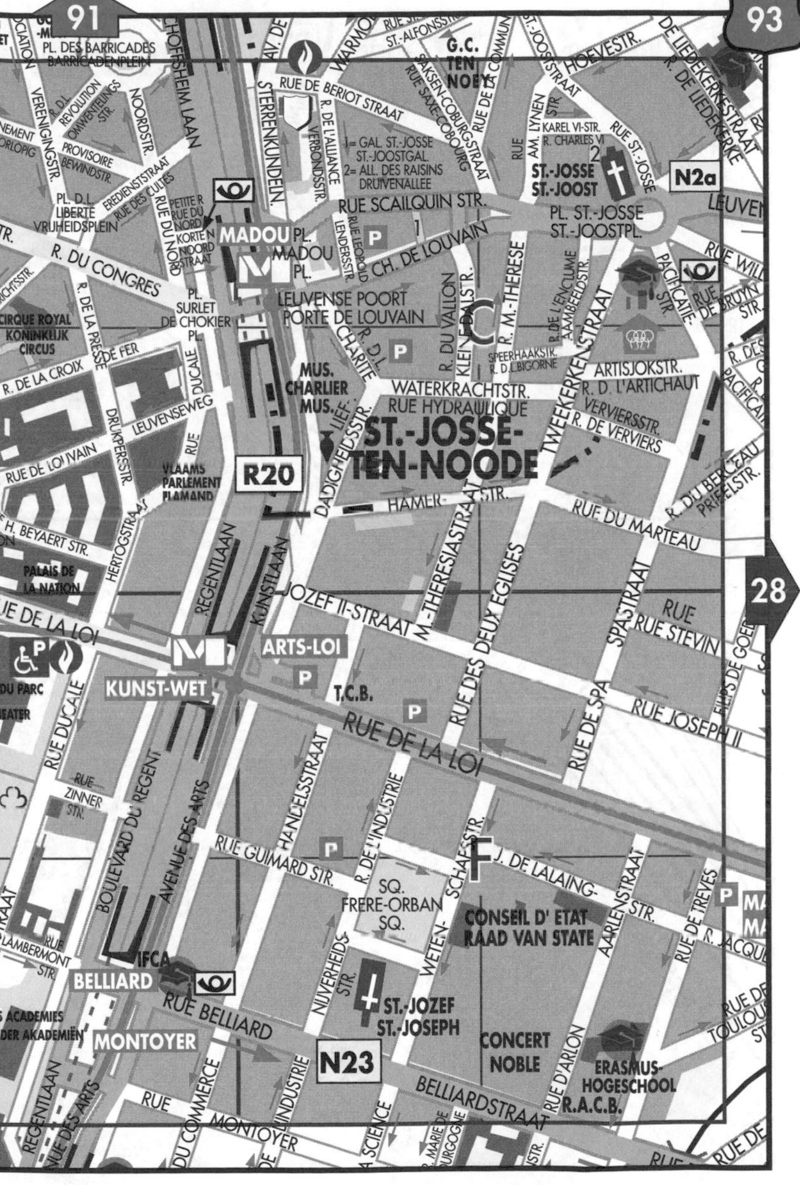
91
93
28
PL. DES BARRICADES
BARRICADENPLEIN
G.C. TEN NOEY
ST.-JOSSE
ST.-JOOST
N2a
PL. ST.-JOSSE
ST.-JOOSTPL.
RUE SCAILQUIN STR.
MADOU PL.
MADOU PL.
CH. DE LOUVAIN
LEUVENSE POORT
PORTE DE LOUVAIN
R. DU CONGRES
PL. SURLET DE CHOKIER PL.
CIRQUE ROYAL
KONINKLIJK CIRCUS
MUS. CHARLIER MUS.
WATERKRACHTSTR.
RUE HYDRAULIQUE
ST.-JOSSE-TEN-NOODE
R20
VLAAMS PARLEMENT FLAMAND
PALAIS DE LA NATION
RUE DU MARTEAU
JOZEF II-STRAAT
RUE DE LA LOI
ARTS-LOI
KUNST-WET
T.C.B.
RUE STEVIN
RUE JOSEPH II
RUE DES DEUX EGLISES
REGENTLAAN
KUNSTLAAN
BOULEVARD DU REGENT
AVENUE DES ARTS
RUE GUIMARD STR.
SQ. FRERE-ORBAN SQ.
CONSEIL D' ETAT
RAAD VAN STATE
IFCA
BELLIARD
RUE BELLIARD
MONTOYER
ST.-JOZEF
ST.-JOSEPH
N23
CONCERT NOBLE
ERASMUS-HOGESCHOOL
R.A.C.B.
BELLIARDSTRAAT
RUE MONTOYER

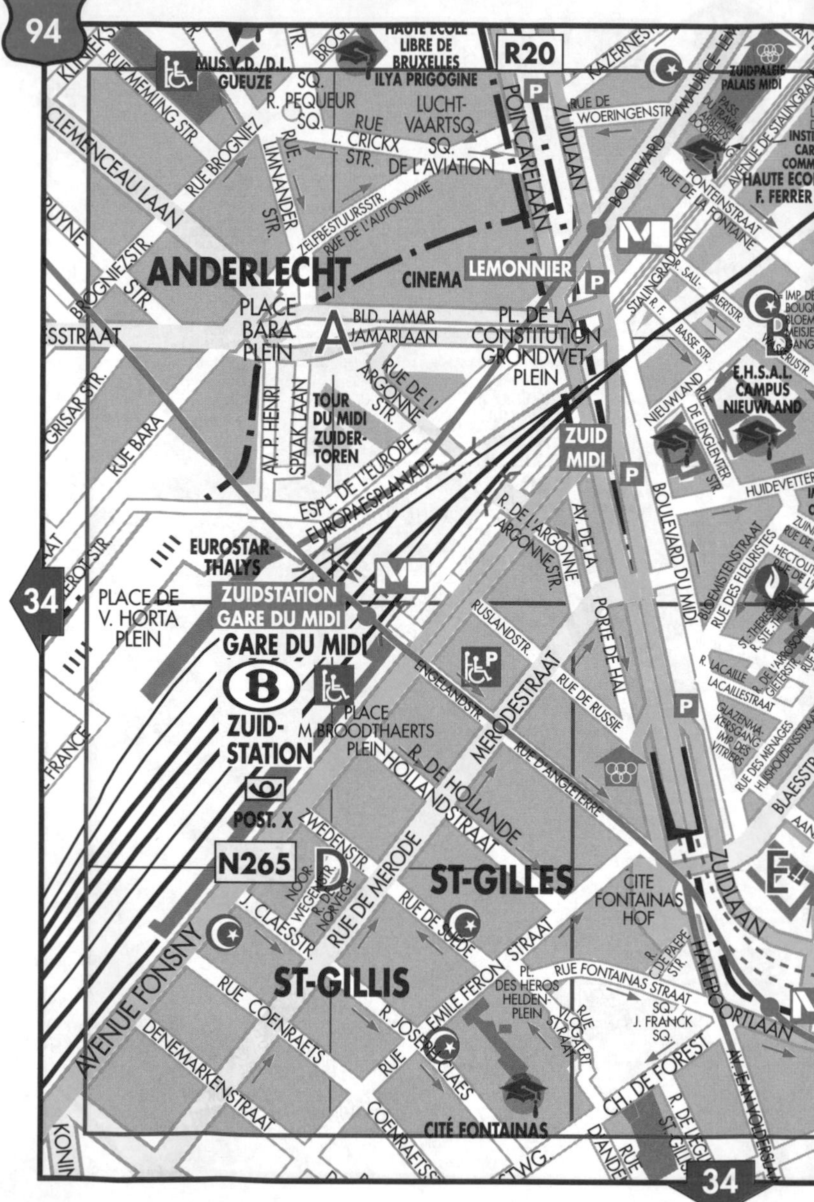
HAUTE ECOLE LIBRE DE BRUXELLES ILYA PRIGOGINE
R20
MUS.V.D./D.L. GUEUZE
SQ. R. PEQUEUR SQ.
LUCHT-VAARTSQ. SQ. DE L'AVIATION
RUE L. CRICKX STR.
RUE MEMLING STR.
CLEMENCEAU LAAN
RUE BROGNIEZ
RUE LIMNANDER STR.
ZELFBESTUURSSTR. RUE DE L'AUTONOMIE
POINCARELAAN
ZUIDLAAN
RUE DE WOERINGENSTRAAT
KAZERNEST
BOULEVARD MAURICE LEMONNIER
ZUIDPALEIS PALAIS MIDI
AVENUE DE STALINGRAD
INSTIT
HAUTE ECOL F. FERRER
RUE DE LA FONTAINE
FONTEINSTRAAT
BROGNIEZSTR.
ANDERLECHT
CINEMA
LEMONNIER
STALINGRADLAAN
PLACE BARA PLEIN
BLD. JAMAR JAMARLAAN
PL. DE LA CONSTITUTION GRONDWET PLEIN
BASSE STR.
E.H.S.A.L. CAMPUS NIEUWLAND
NIEUWLAND
RUE DE LENGLENTIER STR.
RUE BARA
AV. P. HENRI SPAAKLAAN
TOUR DU MIDI ZUIDER-TOREN
RUE DE L'ARGONNE STR.
ESPL. DE L'EUROPE EUROPAESPLANADE
ZUID MIDI
HUIDEVETTERS
R. DE L'ARGONNE ARGONNESTR.
AV. DE LA PORTE DE HAL
BOULEVARD DU MIDI
BLOEMISTENSTRAAT
RUE DES FLEURISTES
EUROSTAR-THALYS
PLACE DE V. HORTA PLEIN
ZUIDSTATION GARE DU MIDI
GARE DU MIDI
ZUID-STATION
34
RUSLANDSTR.
ENGELANDSTR.
MERODESTRAAT
RUE DE RUSSIE
R. LACAILLE LACAILLESTRAAT
PLACE M. BROODTHAERTS PLEIN
R. DE HOLLANDE HOLLANDSTRAAT
RUE D'ANGLETERRE
POST. X
ZWEDENSTR.
N265
D
NOORWEGENSTR.
R. DE NORVEGE
RUE DE MERODE
ST-GILLES
CITE FONTAINAS HOF
ZUIDLAAN
J. CLAESSTR.
RUE DE SUEDE
EMILE FERON STRAAT
AVENUE FONSNY
ST-GILLIS
RUE FONTAINAS STRAAT
PL. DES HEROS HELDEN-PLEIN
RUE VLOGAERT STRAAT
HALLEPOORTLAAN
SQ. J. FRANCK SQ.
RUE COENRAETS
R. JOSEPH CLAES
DENEMARKENSTRAAT
CH. DE FOREST
AV. JEAN VOLDERSLAAN
CITÉ FONTAINAS
COENRAETSSTR.
34

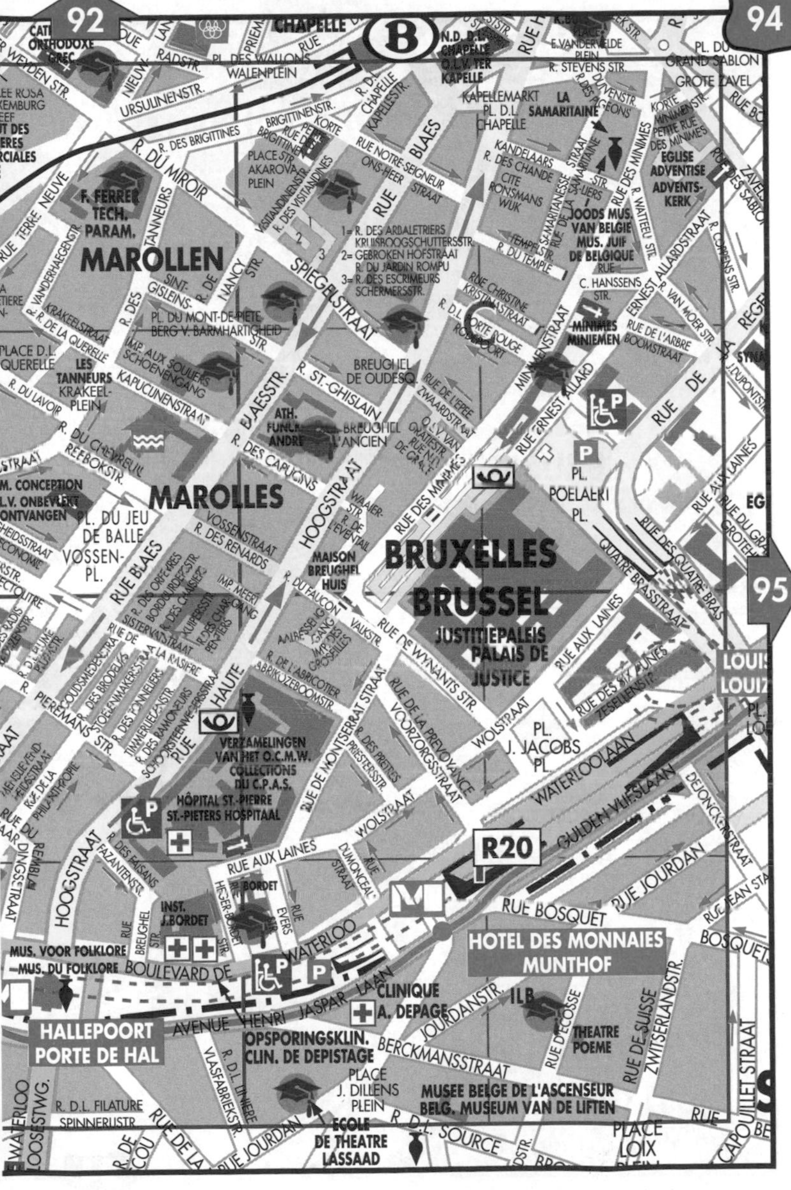
92
94
95
CHAPELLE
N.D. D.L. CHAPELLE
O.L.V. TER KAPELLE
PL. DES WALLONS
WALENPLEIN
URSULINENSTR.
E. VANDERVELDE PLEIN
R. STEVENS STR.
PL. DU GRAND SABLON
GROTE ZAVEL
KAPELLEMARKT
PL. D.L. CHAPELLE
LA SAMARITAINE
R. DES BRIGITTINES
BRIGITTINENSTR.
R. DU MIROIR
PLACE AKAROVA
AKAROVA PLEIN
RUE NOTRE-SEIGNEUR
ONS-HEER STRAAT
RUE BLAES
KANDELAARS
R. DES CHANDE
CITE RONSMANS WIJK
EGLISE ADVENTISE
ADVENTS-KERK
F. FERRER TECH. PARAM.
RUE TERRE NEUVE
TANNEURS
R. DES VISITANDINES
1= R. DES ARBALETRIERS
KRUISBOOGSCHUTTERSSTR.
2= GEBROKEN HOFSTRAAT
R. DU JARDIN ROMPU
3= R. DES ESCRIMEURS
SCHERMERSSTR.
JOODS MUS. VAN BELGIE
MUS. JUIF DE BELGIQUE
R. DU TEMPLE
TEMPELSTR.
MAROLLEN
SPIEGELSTRAAT
C. HANSSENS STR.
ERNEST ALLARDSTRAAT
RUE CHRISTINE
KRISTINASTRAAT
PL. DU MONT-DE-PIETE
BERG V. BARMHARTIGHEID
R. D.L. PORTE ROUGE
ROODPOORT
MINIMES
MINIEMEN
RUE DE L'ARBRE
BOOMSTRAAT
RUE DE LA REGENCE
PLACE D.L. QUERELLE
R. DE LA QUERELLE
KRAKEELSTRAAT
LES TANNEURS
KRAKEEL-PLEIN
IMP. AUX SOULIERS
SCHOENENGANG
KAPUCIJNENSTRAAT
BREUGHEL DE OUDESQ.
R. ST.-GHISLAIN
MINIEMENSTRAAT
RUE ERNEST ALLARD
R. DU LAVOIR
R. DU CHEVREUIL
REEBOKSTR.
ATH. FUNCK ANDRE
BREUGHEL L'ANCIEN
R. DES CAPUCINS
PL. POELAERT
POELAERT PL.
IMM. CONCEPTION
O.L.V. ONBEVLEKT ONTVANGEN
MAROLLES
PL. DU JEU DE BALLE
VOSSEN-PL.
VOSSENSTRAAT
R. DES RENARDS
HOOGSTRAAT
RUE DES MINIMES
RUE DES QUATRE BRAS
QUATRE BRASSTRAAT
BRUXELLES
BRUSSEL
JUSTITIEPALEIS
PALAIS DE JUSTICE
MAISON BREUGHEL HUIS
RUE BLAES
R. DU FAUCON
VALKSTR.
RUE DE WYNANTS STR.
RUE AUX LAINES
RUE DES SIX JEUNES
LOUISE
LOUIZA
PIEREMANS STR.
RUE HAUTE
R. DE L'ABRICOTIER
ABRIKOZEBOOMSTR.
RUE DE MONTSERRAT STRAAT
RUE DE LA PREVOYANCE
VOORZORGSSTRAAT
WOLSTRAAT
PL. J. JACOBS PL.
R. DES PRETRES
PRIESTERSSTR.
VERZAMELINGEN VAN HET O.C.M.W.
COLLECTIONS DU C.P.A.S.
HÔPITAL ST.-PIERRE
ST.-PIETERS HOSPITAAL
WATERLOOLAAN
GULDEN VLIESLAAN
DEJONCKERSTRAAT
R20
RUE AUX LAINES
WOLSTRAAT
R. DES FAISANS
FAZANTENSTR.
BORDET
RUE JOURDAN
RUE BOSQUET
INST. J.BORDET
HOTEL DES MONNAIES
MUNTHOF
BOSQUETSTR.
MUS. VOOR FOLKLORE
MUS. DU FOLKLORE
BOULEVARD DE WATERLOO
CLINIQUE A. DEPAGE
ILB
AVENUE HENRI JASPAR LAAN
JOURDANSTR.
HALLEPOORT
PORTE DE HAL
OPSPORINGSKLIN.
CLIN. DE DEPISTAGE
BERCKMANSSTRAAT
THEATRE POEME
RUE D'ECOSSE
RUE DE SUISSE
ZWITSERLANDSTR.
CAPOUILLET STRAAT
PLACE J. DILLENS PLEIN
MUSEE BELGE DE L'ASCENSEUR
BELG. MUSEUM VAN DE LIFTEN
R. D.L. FILATURE
SPINNERIJSTR.
VLASFABRIEKSTR.
R. D.L. LINIERE
RUE JOURDAN
ECOLE DE THEATRE LASSAAD
R. D.L. SOURCE
PLACE LOIX PLEIN

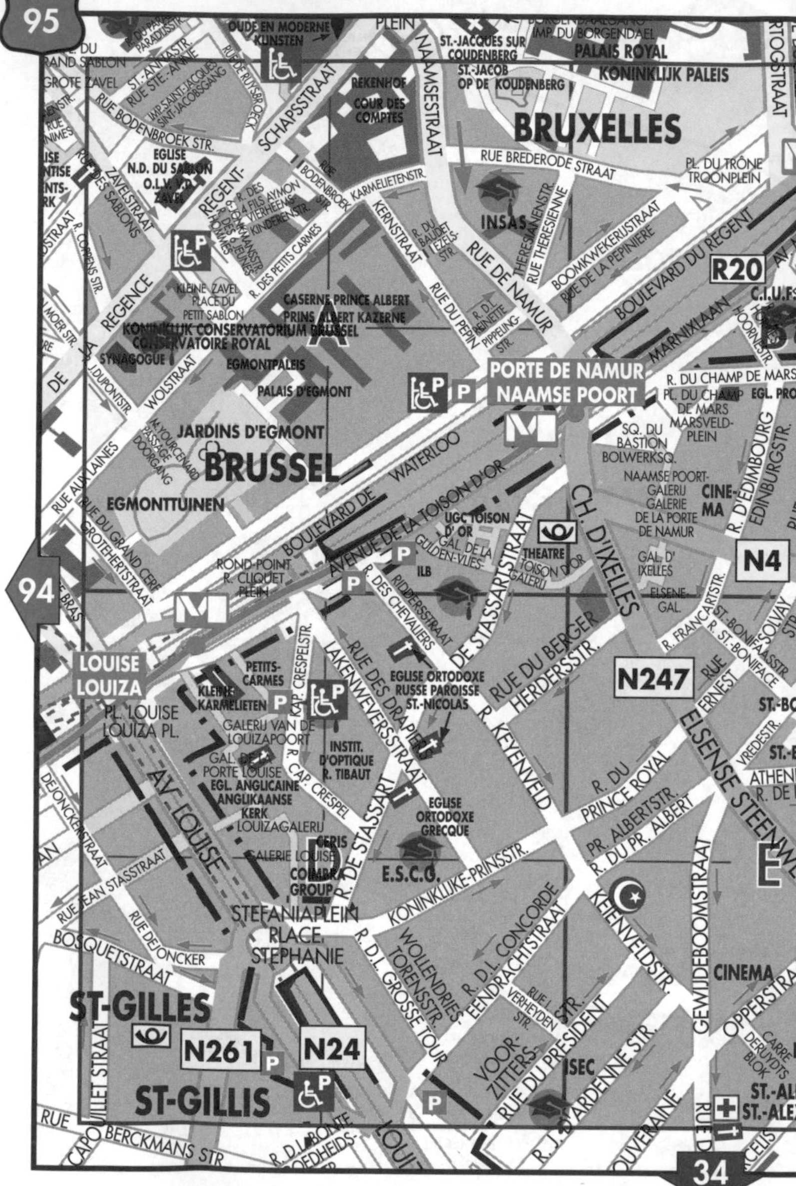
95
94
34
OUDE EN MODERNE KUNSTEN
ST.-JACQUES SUR COUDENBERG
ST.-JACOB OP DE KOUDENBERG
IMP. DU BORGENDAEL
PALAIS ROYAL
KONINKLIJK PALEIS
BRUXELLES
REKENHOF
COUR DES COMPTES
SCHAPSSTRAAT
NAAMSESTRAAT
RUE BREDERODE STRAAT
PL. DU TRÔNE
TROONPLEIN
GROTE ZAVEL
ST.-ANNASTR.
RUE STE.-ANNE
IMP. SAINT-JACQUES
SINT-JACOBSGANG
RUE DE RUYSBROECK
RUE BODENBROEK STR.
EGLISE N.D. DU SABLON
O.L.V. V/D ZAVEL
ZAVELSTRAAT
RUE DES SABLONS
REGENT-
BODENBROEK STR.
KARMELIETENSTR.
R. DES 4 FILS AYMON
VIERHEEMSKINDERENSTR.
KERNSTRAAT
INSAS
THERESIANENSTR.
RUE THERESIENNE
BOOMKWEKERIJSTRAAT
RUE DE LA PEPINIERE
BOULEVARD DU REGENT
R20
RUE DE NAMUR
R. DES PETITS CARMES
R. COPPENS STR.
KLEINE ZAVEL
PLACE DU PETIT SABLON
CASERNE PRINCE ALBERT
PRINS ALBERT KAZERNE
RUE DU PEPIN
PIPPELINGSTR.
R. D.L. REINETTE
C.I.U.F.
MARNIXLAAN
HOORNSTR.
KONINKLIJK CONSERVATORIUM BRUSSEL
CONSERVATOIRE ROYAL
SYNAGOGUE
EGMONTPALEIS
PALAIS D'EGMONT
J. DUPONTSTR.
WOLSTRAAT
PORTE DE NAMUR
NAAMSE POORT
R. DU CHAMP DE MARS
PL. DU CHAMP DE MARS
MARSVELDPLEIN
EGL. PROT.
SQ. DU BASTION
BOLWERKSQ.
JARDINS D'EGMONT
BRUSSEL
M. YOURCENARD PASSAGE DOORGANG
RUE AUX LAINES
EGMONTTUINEN
BOULEVARD DE WATERLOO
AVENUE DE LA TOISON D'OR
UGC TOISON D'OR
GAL. DE LA GULDEN-VLIES-GALERIJ
STASSARTSTRAAT
THEATRE TOISON D'OR
CH. D'IXELLES
NAAMSE POORT-GALERIJ
GALERIE DE LA PORTE DE NAMUR
CINEMA
R. D'EDIMBOURG
EDINBURGSTR.
N4
RUE DU GRAND CERF
GROTEHERTSTRAAT
ROND-POINT R. CLIQUET PLEIN
ILB
RIDDERSSTRAAT
R. DES CHEVALIERS
GAL. D'IXELLES
ELSENE-GAL.
R. FRANCARTSTR.
ST.-BONIFAASSTR.
R. ST.-BONIFACE
SOLVAY STR.
LOUISE
LOUIZA
PETITS-CARMES
KLEINE KARMELIETEN
KAP. CRESPELSTR.
LAKENWEVERSSTRAAT
RUE DES DRAPIERS
EGLISE ORTODOXE RUSSE PAROISSE ST.-NICOLAS
DE STASSART
RUE DU BERGER
HERDERSSTR.
N247
RUE ERNEST
PL. LOUISE
LOUIZA PL.
GALERIJ VAN DE LOUIZAPOORT
INSTIT. D'OPTIQUE R. TIBAUT
R. KEYENVELD
VREDESTR.
GAL. DE LA PORTE LOUISE
EGL. ANGLICAINE
ANGLIKAANSE KERK
LOUIZAGALERIJ
R. CAP. CRESPEL
DEJONCKERSTRAAT
AV. LOUISE
EGLISE ORTODOXE GRECQUE
R. DU PRINCE ROYAL
PR. ALBERTSTR.
R. DU PR. ALBERT
ELSENSE STEENWEG
ATHENEUM
CERIS
GALERIE LOUISE
COIMBRA GROUP
R. DE STASSART
E.S.C.O.
KONINKLIJKE-PRINSSTR.
RUE JEAN STASSTRAAT
RUE DEJONCKER
STEFANIAPLEIN
PLACE STEPHANIE
R. D.L. CONCORDE
EENDRACHTSTRAAT
KEIENVELDSTR.
GEWIJDEBOOMSTRAAT
BOSQUETSTRAAT
WOLLENDRIES
TORENSSTR.
R. D.L. GROSSE TOUR
RUE L. VERHEYDEN STR.
CINEMA
OPPERSTRAAT
ST-GILLES
VOORZITTERSSTR.
RUE DU PRESIDENT
ISEC
R. J. D'ARDENNE STR.
CARRE DERUYDTS BLOK
N261
N24
ST-GILLIS
RUE CAPOUILLET STRAAT
BERCKMANS STR
SOUVERAINE

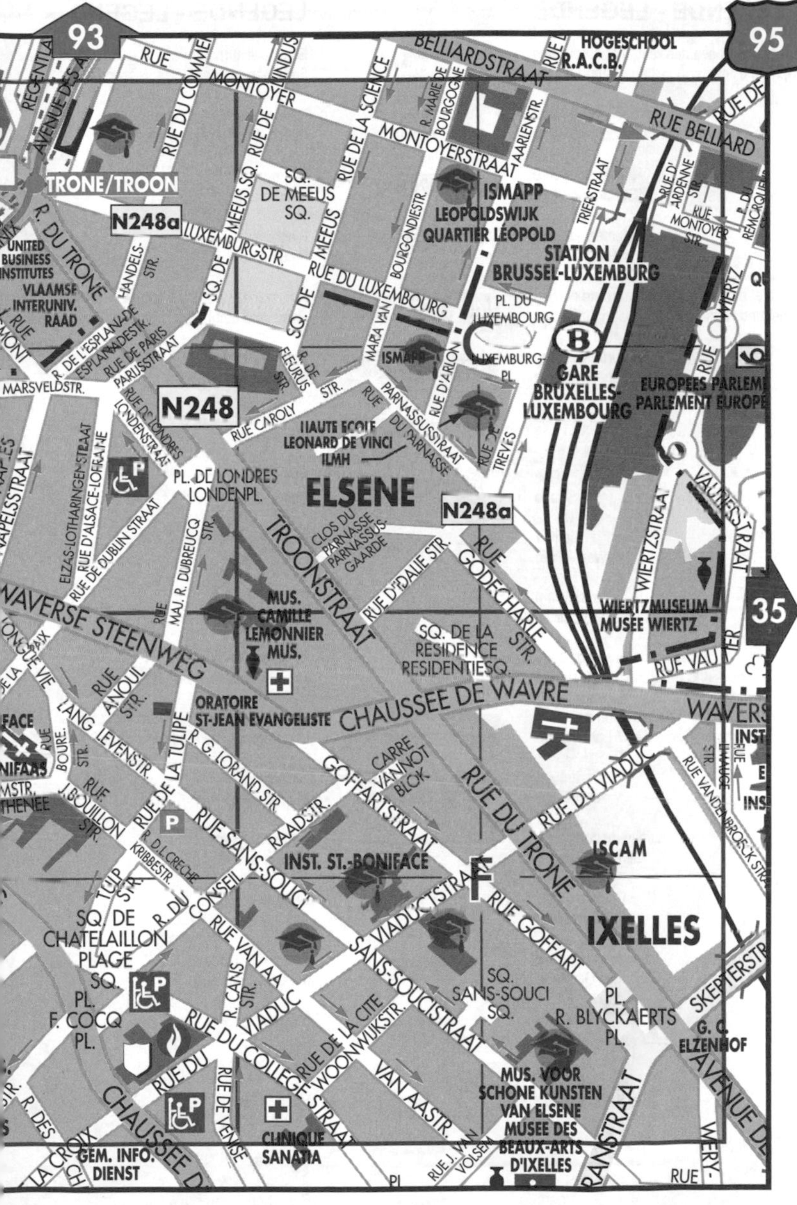
93
95
35
RUE MONTOYER
BELLIARDSTRAAT
HOGESCHOOL R.A.C.B.
RUE BELLIARD
MONTOYERSTRAAT
TRONE/TROON
N248a
N248
SQ. DE MEEUS SQ.
ISMAPP
LEOPOLDSWIJK
QUARTIER LÉOPOLD
STATION BRUSSEL-LUXEMBURG
LUXEMBURGSTR.
RUE DU LUXEMBOURG
PL. DU LUXEMBOURG
LUXEMBURG-PL.
GARE BRUXELLES-LUXEMBOURG
EUROPEES PARLEMENT
PARLEMENT EUROPÉEN
UNITED BUSINESS INSTITUTES
VLAAMSE INTERUNIV. RAAD
R. DU TRONE
MARSVELDSTR.
RUE DE PARIS
PARIJSSTRAAT
RUE DE LONDRES
LONDENSTRAAT
RUE CAROLY
HAUTE ECOLE LEONARD DE VINCI ILMH
PARNASSUSSTRAAT
RUE DE TREVES
PL. DE LONDRES
LONDENPL.
ELSENE
CLOS DU PARNASSE
PARNASSUS-GAARDE
TROONSTRAAT
RUE GODECHARLE
WIERTZSTRAAT
VAUTIERSTRAAT
WIERTZMUSEUM
MUSÉE WIERTZ
RUE VAUTIER
WAVERSE STEENWEG
MUS. CAMILLE LEMONNIER MUS.
SQ. DE LA RESIDENCE
RESIDENTIESQ.
CHAUSSEE DE WAVRE
ORATOIRE ST-JEAN EVANGELISTE
RUE DE LA TULIPE
R. G. LORAND STR.
CARRE VANNOT BLOK
GOFFARTSTRAAT
RUE DU TRONE
RUE DU VIADUC
RUE SANS-SOUCI
INST. ST.-BONIFACE
ISCAM
VIADUCTSTRAAT
RUE GOFFART
IXELLES
SQ. DE CHATELAILLON PLAGE SQ.
RUE VAN AA
SQ. SANS-SOUCI SQ.
SANS-SOUCISTRAAT
PL. F. COCQ PL.
PL. R. BLYCKAERTS PL.
SKEPTERSTR.
G. C. ELZENHOF
RUE DU COLLEGE
WOONWIJKSTR.
RUE DE LA CITE
VAN AASTR.
MUS. VOOR SCHONE KUNSTEN VAN ELSENE
MUSEE DES BEAUX-ARTS D'IXELLES
AVENUE DE
CHAUSSEE D
GEM. INFO. DIENST
CLINIQUE SANATIA
RUE DE VENISE

LEGENDE - LEGENDE		LEGENDE - LEGEND
Numéro européen des routes et autoroutes Europäische Straßen- und Autobahnnummer	E40	Europees nummer voor wegen en snelwegen European road and motorway number
Numéro national d'autoroute Nationale Autobahnnummer	A10	Nationaal snelwegnummer National motorway number
Numéro de route Straßennummer	B201	Wegnummer Road number
Numéro de ring Ringnummer	R0	Ringnummer Ring number
Numéro et nom de sortie d'autoroute ou ring Nummer und Name von Autobahnausfahrten	20 KRAAINEM	Nummer en naam van snelweg- of ringafrit Name and number of motorway and ring exit
Autoroute et ring Autobahn und Ring		Snelweg en ring Motorway and ring
Artère principale Hauptstraße	AVENUE A. FRAITEUR LAAN	Hoofdweg Major road
Rue Straße	AVENUE MAURICE LAAN	Straat Street
Chemin - sentier Weg - Pfad		Weg - onverharde weg, paadje Road - track
Ligne de bus et de tram Bus- und Straßenbahnlinie	107	Bus- en tramlijn Bus and tram route
Terminus de bus et de tram Bus- und Straßenbahnendstation	68	Eindpunt van bus en tram Bus and tramway terminus
Numéro de ligne, nom de la station de métro Linienummer, Name der U-Bahnstation	1B M STOKKEL STOCKEL	Lijnnummer, naam van het metrostation Line number, metro station name
Commune Gemeinde	EVERE	Gemeente Municipality
Limite de commune Gemeindegrenze		Gemeentegrens Municipal boundary
Chemin de fer Eisenbahn		Spoorweg Railway
Bâtiment important Wichtiges Gebäude		Belangrijk gebouw Important building
Cimetière Friedhof	+ + +	Begraafplaats Cemetery
Etang - lac Teich - See		Vijver - meer Pond - lake
Cours d'eau Fluß		Waterloop Waterway
Bois - parc Wald - Park		Bos - park Wood - park

Terrain de sport Sportplatz		Sportterrein Sports ground
Parking Parkplatz	P	Parkeerterrein Car park
Eglise, chapelle Kirche, Kapelle		Kerk, kapel Church, chapel
Police, pompiers Polizei, Feuerwehr		Politie, brandweer Police, fire-brigade
Bureau de poste, bureau d'information Postamt, Information	i	Postkantoor, informatiekantoor Post-office, information office
Maison communale Rathaus		Gemeentehuis Municipal office
Ecole, Hôpital Schule, Krankenhaus		School, ziekenhuis School, hospital
Curiosité Sehenswürdigkeit		Bezienswaardigheid Curiosity
Musée, abbaye Museum, Abtei		Museum, abdij Museum, abbey
Château, ruine, tumulus/tertre Schloss, Ruine, tumulus/grabhügel		Kasteel, ruïne, tumulus/grafheuvel Castle, ruin, tumulus/mound
Moulin à vent, moulin à eau Windmühle, Wassermühle		Windmolen, watermolen Windmill, watermill
Château d'eau, sports nautiques Wasserturm, Waßersport		Watertoren, watersport Water tower, aquatic sports
Piscine couverte, salle omnisports Hallenbad, Sporthalle		Overdekt zwembad, sporthal Indoor swiming-pool, sports hal
Parc de loisirs, terrain de golf Freizeitpark, Golfplatz		Recreatiepark, golfterrein Recreation park, golf-links
Hippodrome Pferderennbahn		Hippodroom Hippodrome
Camping Camping		Kampeerplaats Camping
Restaurant, station-service Restaurant, Tankstelle		Restaurant, benzinestation Restaurant, filling station
Gare voyageurs Bahnhof	B	Treinstation Railway station
Zone militaire Militärgebiet	M	Militair domein Military area
Aéroport Flughafen		Vliegveld Airport